LANGENSCHEIDT'S
POCKET
DICTIONARIES

LANGENSCHEIDT'S POCKET RUSSIAN DICTIONARY

RUSSIAN-ENGLISH
ENGLISH-RUSSIAN

Part I by E. Wedel, Ph. D.

Part II by A. Romanov

L

LANGENSCHEIDT

Originally published as Romanov's
Russian-English / English-Russian Dictionary

Printed in Germany

Preface

This Russian-English dictionary has been compiled with the same care and diligence as all other Langenscheidt publications, which have been appreciated as standard works for many decades.

The dictionary is meant to be used in all walks of life and at school. In its two parts it contains more than 35,000 vocabulary entries with many translations and idioms as well as their phonetic transcriptions.

English pronunciation follows that laid down by Daniel Jones in his *An English Pronouncing Dictionary*. In the Russian-English part pronunciation is only given after those Russian words and parts of words which deviate from the basic rules of pronunciation. Generally speaking, Russian words can be pronounced properly if the place of the accent is known. Therefore every Russian word has been given its stress. Shift of stress, as far as it takes place within the inflection, is also indicated. A detailed account of Russian pronunciation with the help of the symbols of I. P. A.'s phonetic transcription can be found on pages 17—24.

References to full-length inflection tables in the supplement to the dictionary, as given after nouns, adjectives and verbs, enable the user to employ the words in question in all their modifications.

In addition to the vocabulary this dictionary contains lists of geographical names (American and British), abbreviations, numerals, measures and weights, and a survey of the most important differences between British and American spelling and pronunciation.

Publishers and editors hope that this book will contribute to the mutual understanding between nations and thus help to deepen their cultural relations.

Предисловие

Настоящий словарь русского и английского языков составлен с такой же тщательностью и аккуратностью, как и все издания Лангеншейдта, зарекомендовавшие себя образцовыми трудами на протяжении многих десятков лет.

Словарь предназначается преимущественно для работников разных профессий и учащихся. Он содержит в обеих частях более 35000 заглавных слов в алфавитном порядке, с указанием произношения, переводом и устойчивыми оборотами речи, причём учитываются в должной мере особенности американского варианта английского языка.

Английское произношение даётся по словарю Daniel Jones, An English Pronouncing Dictionary.

К словнику прилагаются: списки географических названий (американских и английских), сокращений, имён числительных, мер длины и веса, грамматические таблицы, а также перечень важнейших различий между языком британцев и американцев в отношении правописания и произношения.

Издательство и сотрудники надеются изданием настоящего словаря способствовать взаимопониманию и укреплению культурных связей между народами.

Contents Оглавление

Careful reading and observation of the following preliminary notes will both facilitate the use and help to open up the full value of the dictionary.

Preliminary Notes

1. Arrangement. Material in this dictionary has been arranged in alphabetical order. In the Russian-English part, proper names (Christian, geographical, etc.) as well as abbreviations appear in their individual alphabetical order within the vocabulary itself. In the case of a number of prefixed words, especially verbs, not explicitly listed because of the limited size of the dictionary, it may prove useful to drop the prefix, which is often but a sign of the perfective aspect (see below), and look up the primary (imperfective) form thus obtained.

Compounds not found in their alphabetical places should be reduced to their second component in order to find out their main meaning, e. g.:
термоя́дерный → я́дерный = nuclear.

To save space with the aim of including a maximum of material, compounds, derivatives, and occasionally just similar words, have, wherever possible, been arranged in groups, the vertical stroke (|) in the first entry word of such a group separating the part common to all following items of the group, and the tilde (⁓) in the run-on words replacing the part preceding the vertical stroke in the first entry and consequently not repeated in the other articles of the group. The tilde may also stand for the whole first entry, which then has no separation mark since it is entirely repeated in the run-on items of the group.

Besides the bold-faced tilde just mentioned, the same mark in standard type (⁓) is employed within a great number of entries to give phrases and idioms of which the entry word or any component of its inflection system forms part.

A tilde with circlet (2) indicates a change in the initial letter (capital to small and vice versa) of a run-on word.

Examples: **Аме́рик|а ...; 2а́нский** = **америка́нский**
англи́|йский ...; ˈ2я = **ˈАнглия** (for stress see below, 3).

Within brackets: square [ ], round ( ), acute-angled ⟨ ⟩, instead of the tilde a hyphen (-) with the same function (mark of repetition) has been used, e. g.:

то́лстый [14; толст, -á, -о] = [14; толст, толстá, то́лсто]
брать [беру́, -рёшь; брал, -á, -о] = [беру́, берёшь; брал, бралá, брáло]
весели́ть ...; (**-ся**) = **весели́ться**
cf. **убирáть** ..., ⟨убрáть⟩ ...; **-ся** = **убирáться,** ⟨убрáться⟩
проси́ть ..., ⟨по-⟩ = ⟨попроси́ть⟩.

Of the two main aspects of a Russian verb the imperfective form appears first, in boldface type, followed, in acute-angled brackets ⟨ ⟩ and in standard type, by its perfective counterpart. Verbs occurring only as perfective aspects (or whose imperfective or iterative aspect is hardly ever used) bear the mark *pf.*; those used only in the imperfective aspect have no special designation at all; verbs whose perfective aspect coincides with the imperfective are marked thus: *(im)pf.*

If in a certain meaning (or meanings) only one member of an aspect pair may be used, the cases concerned are preceded by the abbreviations *impf.* or *pf.* respectively and thus separated from the meanings to which both aspects apply, these latter being always given in the first place. Similarly in a noun the abbreviation *pl.* (or *sg.*) after one or more translation items designates the word(s) following it as referring only to the plural (or singular) form of the entry otherwise used in both numbers. Number differences between a Russian entry and its English counterpart(s) are indicated by adding the abbreviation *pl.* or *sg.* behind the latter, whereas a noun used only in the plural bears the mark *pl.* right after the entry itself, i. e. where usually the gender is given (see below).

In the English equivalents of Russian verbs the particle 'to' of the infinitive has been omitted for reasons of space economy.

Also, a number of quite similar international words, particularly nouns terminating in **-áция, -и́ция** or **-и́зм, -и́ст** = -ation, -ition, -ism, -ist, or likewise obvious cases such as **тайфу́н** 'typhoon' have not been included in the dictionary, especially since there are no stress or inflectional peculiarities about the Russian nouns in question nor is there, on the whole, any difficulty in deducing their semantic values.

Moreover, English adjectives used as nouns (and nouns used as adjectives) alike have, in connection with successive pertinent entries, been given but once, whereas the Russian words naturally appear in their different forms, i. e. parts of speech; e. g.:

америк|áнец *m* ..., **~áнка** *f* ..., **~áнский** ... = American (i. e. man, woman, *adj.*)
квадрáт *m* ..., **~ный** ... square = square (*su.*) & square (*adj.*)
cf. **лими́т** *m* ..., **~и́ровать** ... *(im)pf.* = limit (*su.*) & limit (*vb.*).

Otherwise the adjectival use of an English noun (and occasionally other parts of speech) corresponding to a Russian adjective has as a rule been noted by adding dots (...) to the noun, etc. form concerned, irrespective of the mode of its orthographic combination with another noun, i. e. whether they are spelled in one word, hyphenated or written separately.

2. Pronunciation. As a rule pronunciation in individual Russian entry words has been given only in cases and places that differ from the standard pronunciation of Russian vowel and consonant letters (for this cf. pp. 21—27), e. g.:

г = g, but in лёгкий = (-x-)
ч = tʃ, but in что = (ʃ-)
не = ɲɛ, but in (the loan word) пенсне́ = (-ˈnɛ)

To transcribe Russian sounds and (Cyrillic) letters, the alphabet of the International Phonetic Association (I.P.A.) has been used.

3. Stress. The accent mark (ʹ) is placed above the stressed vowel of a Russian entry (or any other) word having more than one syllable and printed in full, as well as of run-on words, provided their accentuated vowel is not covered by the tilde or hyphen (= marks of repetition), e. g.:

дока́з|ывать, ⟨~а́ть⟩ = ⟨доказа́ть⟩. Since ё is always stressed the two dots over it represent implicitly the accent mark.

Wherever the accent mark precedes the tilde (ʹ~) the last syllable but one of the part for which the tilde stands is stressed.

Examples: **уведом|ля́ть** ..., ⟨ʹ~ить⟩ = ⟨уве́домить⟩.
выполн|я́ть ..., ⟨ʹ~ить⟩ = ⟨вы́полнить⟩.

An accent mark over the tilde (~́) implies that the last (or sole) syllable of the part replaced by the tilde is to be stressed.

Examples: **наход|и́ть** ...; **~́ка** = **нахо́дка**
прода|ва́ть ..., ⟨~́ть⟩ = ⟨прода́ть⟩
по́езд ...; **~́ка** = **пое́здка**
труб|а́ ...; **~́ка** = **тру́бка.**

In special cases of phonetic transcription, however, the accent mark precedes the stressed syllable, cf. **анте́нна** [-ˈtɛn-], this usage being in accordance with I.P.A. rules.

Two accents in a word denote two equally possible modes of stressing it, thus:

и́на́че = **ина́че** *or* **и́наче**
загр|ужа́ть ..., ⟨~узи́ть⟩ [... -у́зи́шь] = [... загру́зишь *or* загрузи́шь]
нали|ва́ть ..., ⟨~́ть⟩ [... на́ли́л ...] = [... на́лил *or* нали́л ...].

Quite a number of predicative (or short) adjectives show a shift, or shifts, of stress as compared with their attributive forms. Such divergences are recorded as follows:

хоро́ший [17; хоро́ш, -а́] = [17; хоро́ш, хороша́, хорошо́ (*pl.* хороши́)]
плохо́й [16; плох, -а́, -о] = [16; плох, плоха́, пло́хо (*pl.* пло́хи)]
до́брый [14; добр, -а́, -о, до́бры́] = [14; добр, добра́, до́бро (*pl.* до́бры *or* добры́)].

The same system of stress designation applies, by the way, to accent shifts in the preterite forms of a number of verbs, e. g.:

да|ва́ть ..., ⟨~ть⟩ [... дал, -а́, -о; ...(дан, -а́)] = [... дал, дала́, да́ло (*pl.* да́ли); ... (дан, дана́, дано́, даны́)].

Insertion of "epenthetic" o, e between the two last stem consonants in masculine short forms has been noted in all adjectives concerned.

Examples: **лёгкий** [16; лёгок, легка́; *a.* лёгки] = [16; лёгок, легка́, легко́ (*pl.* легки́ *or* лёгки)]
бе́дный [14; -ден, -дна́, -о; бе́дны́] = [14; бе́ден, бедна́, бе́дно (*pl.* бе́дны *or* бедны́)]
больно́й [14; бо́лен, больна́] = [14; бо́лен, больна́, больно́ (*pl.* больны́)]
по́лный [14; по́лон, полна́, по́лно́] = [14; по́лон, полна́, по́лно *or* полно́ (*pl.* по́лны *or* полны́)].

If the stress in all short forms conforms to that of the attributive adjective the latter is merely provided with the abbreviation *sh.* (for *short form*) that indicates at the same time the possibility of forming such predicative forms, e. g.:

бога́тый [14 *sh.*] = [14; бога́т, бога́та, бога́то, бога́ты]
паху́чий [17 *sh.*] = [17; паху́ч, паху́ча, паху́че, паху́чи]
сво́йственный [14 *sh.*] = [14; сво́йствен, сво́йственна, сво́йственно, сво́йственны].

4. Inflected forms. All Russian inflected parts of speech appearing in the dictionary are listed in their respective basic forms, i. e. nominative singular (nouns, adjectives, numerals, certain pronouns) or infinitive (verbs). The gender of Russian nouns is indicated by means of one of three abbreviations in italics (*m, f, n* — cf. list, pp. 30—33) behind the entry word.* Each inflected entry is followed, in square brackets [ ], by a figure, which serves as refer-

* For users of part II: Any Russian noun ending in a **consonant** *or* **-й** is of masculine gender;
those ending in **-а** *or* **-я** are of feminine gender;
those ending in **-о** *or* **-е** are of neuter gender.
In case of deviation from this rule, as well as in nouns terminating in **-ь,** the gender is indicated.

ence to a definite paradigm within the system of conjugation and declension as tabulated at the end of the book, pp. 565—575. Any variants of these paradigms are stated after the reference figure of each entry word in question.

Examples: **ло́жка** *f* [5; *g*/*pl*.: -жек], like **ло́жа** *f* [5], is declined according to paradigm 5, except that the former example inserts in the genitive plural "epenthetic" е between the two last stem consonants: ло́жек; cf. **ло́дка** *f* [5; *g*/*pl*.: -док] = [*g*/*pl*.: ло́док]. **кусо́к** *m* [1; -ска́] = "epenthetic" о is omitted in the oblique cases of the singular and in all cases of the plural; cf. **коне́ц** *m* [1; -нца́] = [конца́, концу́, etc.].

го́род *m* [1; *pl*.: -да́, *etc. e.*] = the example stresses its stem in the singular, but the endings in the plural, the nominative plural being in -а́ (instead of in -ы): города́, городо́в, etc.

край *m* [3; в -аю́; *pl*.: -ая́, *etc. e.*] = declined after paradigm 3, but the ending of the prepositional singular, with prepositions в, на, is in -ю́ (stressed); as for the plural, see го́род, above. Cf. also **печь** *f* [8; в -чи́; *from g*/*pl e.*], where, in addition to the stressed ending of the prepositional singular (after в, на), the accent shifts onto the ending in the genitive plural and all following cases of that number.

кури́ть [13; курю́, ку́ришь] = conjugated after paradigm 13, except that stress shifts onto the stem syllable in the 2nd and all following persons (singular and plural).

As the prefixed forms of a verb follow the same inflection model and (with the exception of perfective aspects having the stressed prefix вы́-) mode of accentuation as the corresponding unprefixed verb, differences in stress, etc. have in cases of such aspect pairs been marked but once, viz. with the imperfective form.

5. Government. Government, except for the accusative, is indicated with the help of Latin and Russian abbreviations (cf. list, pp. 30—33). Emphasis has been laid on differences between the two languages, including the use of prepositions. Whenever a special case of government applies only to one of several meanings of a word, this has been duly recorded in connection with the meaning concerned. To ensure a clear differentiation of person and thing in government, the English and Russian notes to that effect show the necessary correspondence in sequence.

6. Semantic distinction. If a word has different meanings and, at the same time, different forms of inflection or aspect, such significations have been differentiated by means of figures (e. g. бить, коса́, коси́ть); otherwise a semicolon separates different meanings, a comma mere synonyms. Italicized additions serve to specify individual shades of meaning, e. g. **поднима́ть** ... take up (*arms*); hoist (*flag*); weigh (*anchor*); set (*sail*); give (*alarm*); make (*noise*); scare (*game*); **приёмный** ... reception (*day*; *room* ...); ... office (*hours*); entrance (*examination*); foster (*father* ...). For further definitions with the help of illustrative symbols and abbreviations cf. list below, pp. 30—33.

In a number of Russian verbs the perfective aspect indicated (particularly with the prefixes ⟨за-⟩ and ⟨по-⟩) has, strictly speaking, the connotations "to begin to do s. th." (the former) and "to do s. th. a (little) while" (the latter); but since these forms are very often rendered into English by means of the equivalent verb without any such additions they have occasionally been given as simple aspect counterparts without further indication as to their aforesaid semantic subtlety.

7. Orthography. In both the Russian and English parts newest spelling standards have been applied, and in the latter differences between American and British usage noted wherever possible and feasible.

A hyphen at the end of a line and at the beginning of the next one denotes a hyphenated word.

In parts of words or additions given in brackets a hyphen is placed within the respective bracket.

Полноценное пользование словарём возможно лишь при точном соблюдении нижеследующих указаний!

Предварительные замечания

1. Порядок. Все заглавные слова, включая и неправильные производные формы отдельных частей речи, расположены в алфавитном порядке, напр.: ***bore, born, borne*** от ***bear***; ***men*** от ***man***; в русско-английской части: лучше, лучший от хороший.

Американские и английские географические названия, а также сокращения даны в особых списках на стр. 576—579.

Тильда (~ ~) служит в гнёздах слов знаком повторения. Жирная тильда (**~**) заменяет или всё заглавное слово или же его составную часть, стоящую перед вертикальной чертой (|). Светлая тильда (~) заменяет: а) непосредственно предыдущее заглавное слово, которое уже само может быть образовано посредством жирной тильды; б) в указании произношения произношение всего предыдущего заглавного слова. Чёрточка (-) в указании произношения даётся вместо повторения неизменяемой части заглавного слова.

При изменении начальной буквы (прописной на строчную или наоборот) вместо простой тильды ставится соответствующая тильда с кружком ᷉ (᷉).

Примеры: abandon [əˈbændən], ~ment [-mənt = əˈbændənmənt] certi|ficate, ~fication, ~fy, ~tude.

2. Произношение. Произношение сложных английских слов как правило не указывается, если каждая из их составных частей приводится в алфавитном порядке как самостоятельное заглавное слово с указанием произношения.

3. Дополнения **курсивом** служат только для уточнения отдельных английских значений.

Дальнейшие пояснения даны в виде **условных знаков и сокращений** (см. стр. 30—33).

4. Точка с запятой отделяет различные оттенки значений; синонимы даны через запятую.

5. Прибавление (**~ally**) к английскому имени прилагательному означает, что его наречие образуется посредством добавления ~ally к заглавному слову, напр.: dramatic (~ally = dramatically).

6. Переносный знак в конце строчки и в начале последующей означает, что данное английское слово пишется через чёрточку, напр.: air-conditioned = air-
-conditioned.

The Russian Alphabet

Printed	Written	Russian name	Tran-scribed	Printed	Written	Russian name	Tran-scribed
А а	*А а*	а	a	П п	*П п*	пэ	pɛ
Б б	*Б б*	бэ	bɛ	Р р	*Р р*	эр	ɛr
В в	*В в*	вэ	vɛ	С с	*С с*	эс	ɛs
Г г	*Г г*	гэ	gɛ	Т т	*Т т*	тэ	tɛ
Д д	*Д д д*	дэ	dɛ	У у	*У у*	у	u
Е е	*Е е*	е	jɛ	Ф ф	*Ф ф*	эф	ɛf
Ё ё	*Ё ё*	ё	jɔ	Х х	*Х х*	ха	xa
Ж ж	*Ж ж*	жэ	ʒɛ	Ц ц	*Ц ц*	цэ	tsɛ
З з	*З з з*	зэ	zɛ	Ч ч	*Ч ч*	че	tʆe
И и	*И и*	и	i	Ш ш	*Ш ш*	ша	ʃa
Й й	*Й й*	и[1])		Щ щ	*Щ щ*	ща	ʆtʆa
К к	*К к*	ка	ka	Ъ ъ	– *ъ*	[2])	
Л л	*Л л*	эль	ɛļ	Ы ы	– *ы*	ы[3])	ɨ
М м	*М м*	эм	ɛm	Ь ь	– *ь*	[4])	
Н н	*Н н*	эн	ɛn	Э э	*Э э*	э[5])	ɛ
О о	*О о*	о	ɔ	Ю ю	*Ю ю*	ю	ju
				Я я	*Я я*	я	ja

1) и кра́ткое short i 2) твёрдый знак hard sign, jer 3) *or* еры́
4) мя́гкий знак soft sign, jeŗ 5) э оборо́тное reversed e
Until 1918 in addition the following letters were used in Russia:
i, ѵ = и, ѣ = е, ѳ = ф.

Explanation of Russian Pronunciation with the Help of Phonetic Symbols

Объяснение русского произношения при помощи фонетических знаков

I. Vowels

1. All vowels in stressed position are half-long in Russian.
2. In unstressed position Russian vowels are very short, except in the first pretonic syllable, where this shortness of articulation is less marked. Some vowel letters (notably о, е, я), when read in unstressed position, not only differ in length (quantity), but also change their timbre, i. e. acoustic quality.

Russian letter	Explanation of its pronunciation		Transcription symbol
а	stressed	= **a** in 'father', but shorter: ма́ма (ˈmamə) 'mamma, mother'	a
	unstressed	1. = **a** in the above examples, but shorter – in first pretonic syllable: каза́к (kaˈzak) 'Cossack'	a
		2. = **a** in '**a**go, **a**bout' – in post-tonic or second, etc. pretonic syllable(s): ата́ка (aˈtakə) 'attack' абрико́с (əbŗiˈkɔs) 'apricot'	ə
		3. = **i** in 's**i**t' – after ч, щ in first pretonic syllable: часы́ (tʃ̡ɪˈsɨ) 'watch, clock' щади́ть (ʃ̡[t]ʃ̡ɪˈḑiţ) 'spare'	ɪ
е	Preceding consonant (except ж, ш, ц) is soft, i. e. palatalized.		
	stressed	1. = **ye** in '**ye**t' – in initial position, i. e. at the beginning of a word, or after a vowel, ъ, ь (if not ё) before a hard consonant: ем (jɛm) '[I] eat' бытие́ (bɨţiˈjɛ) 'being' съел (sjɛ̇ɫ) 'ate [up]' премье́р (pŗɪˈm̡jɛr) 'premier'	jɛ
		2. = **e** in 's**e**t' – after consonants, soft or hard (ж, ш, ц), before a hard consonant, as well as in final position, i. e. at the end of a word, after consonants: нет (ņɛt) 'no' шест (ʃɛst) 'pole' цел (tsɛɫ) 'whole, sound' в стране́ (fstraˈņɛ) 'in the country' на лице́ (nəliˈtsɛ) 'on the face'	ɛ

Russian letter	Explanation of its pronunciation	Transcription symbol
	3. = **ya** in 'Yale' (but without the i-component) – in initial position or after a vowel, ъ, ь, both before a soft consonant: ель (jeᶅ) 'fir' биéние (ᶀiˈjeᶇɪe) 'palpitation, throb' съесть (sjeᶊƫ) 'to eat [up]'	je
	4. = **a** in 'pale' (but without the i-component) – after consonants, soft or hard (ж, ш, ц), before a soft consonant: петь (ᶈeƫ) 'to sing' сесть (ᶊeᶊƫ) 'to sit down' шесть (ʃeᶊƫ) 'six' цель (tseᶅ) 'aim'	e
	unstressed 1. = **i** in 's**i**t', but preceded by (j) – in initial position, i. e. also after a vowel: ещё (jɪˈᶘ[t]ᶘɔ) 'still, yet' знáет (ˈznajɪt) '[he, she, it] knows'	jɪ
	2. = **i** in 's**i**t' – after soft consonants: рекá (ᶉɪˈka) 'river'	ɪ
	3. = **ы** (cf.) after ж, ш, ц: женá (ʒɨˈna) 'wife' пшенó (pʃɨˈnɔ) 'millet' ценá (tsɨˈna) 'price'	ɨ
ё	Preceding consonant (except ж, ш, ц) is soft.	
	only stressed 1. = **ya** in '**ya**cht' or **yo** in 'be**yo**nd' – in initial position, i. e. also after a vowel, ъ, ь, before a hard consonant, or in final position: ёлка (ˈjɔłkə) 'Christmas tree' даёт (daˈjɔt) '[he, she, it] gives' подъём (padˈjɔm) 'rise' бельё (ᶀɪˈᶅjɔ) 'linen'	jɔ
	2. = **o** in '**o**il' – after both soft and hard consonants before hard consonants: лёд (ᶅɔt) 'ice' шёлк (ʃɔłk) 'silk'	ɔ
и	Preceding consonant (except ж, ш, ц) is soft.	
	stressed like **ee** in 's**ee**n', but shorter: ѝва (ˈivə) 'willow' юрѝст (juˈᶉist) 'lawyer'	i
	Note: In the instr/sg. of он/онó and the oblique forms of онѝ initial и- may be pronounced (ji-): их (ix *or* jix) 'of them'.	i/ji

Russian letter	Explanation of its pronunciation	Transcription symbol
	unstressed 1. like **ee** in 'seen', but shorter – in first pretonic syllable: минýта (m̡iˈnutə) 'minute'	i
	2. = **i** in 'sit' – in post-tonic or second, etc. pretonic syllable(s): хóдит (ˈxɔḑɪt) '[he, she, it] goes' приписáть (p̡r̡ɪp̡iˈsaţ) 'to ascribe'	ɪ
	stressed & unstressed = **ы** (cf.) after ж, ш, ц: жить (ʒɨţ) 'to live' ши́рма (ˈʃɨrmə) 'screen' цили́ндр (tsɨˈļindr) 'cylinder'	ɨ
о	stressed = **o** in 'obey': том (tɔm) 'volume'	ɔ
	unstressed 1. = **a** in 'father', but shorter – in first pretonic syllable: водá (vaˈda) 'water' Москвá (maˈskva) 'Moscow'	a
	2. = **a** in 'ago', '**a**bout' – in post-tonic or second, etc. pretonic syllable(s): гóрод (ˈgɔrət) 'town, city' огорóд (əgaˈrɔt) 'kitchen garden'	ə
	Note: In foreign words unstressed o is pronounced (ɔ) in final position, cf.: рáдио (ˈraḑiɔ) 'radio', какáо (kaˈkaɔ) 'cocoa' as against Russian (native) мáсло (ˈmasłə) 'butter'.	ɔ
у	stressed & unstressed like **oo** in 'boom', but shorter: бýду (ˈbudu) '[I] will (*Brt.* shall) be'	u
ы	stressed & unstressed a retracted variety of **i**, as in 'hill'; no English equivalent: вы (vɨ) 'you' рóзы (ˈrɔzɨ) 'roses'	ɨ
э	stressed & unstressed 1. = **e** in 'set' – before a hard consonant: э́то (ˈɛtə) 'this' эпóха (ɛˈpɔxə) 'epoch'	ɛ
	2. resembles the English sound **a** in 'pale' (but without the i-component) or **é** in French '**été**' – before a soft consonant: э́ти (ˈeţɪ) 'these' элемéнт (eļɪˈm̡ɛnt) 'element'	e
ю	Preceding consonant is soft.	
	stressed & unstressed 1. like **yu** in '**yu**le', but shorter – in initial position, i. e. also after a vowel, and after ь:	ju

Russian letter	Explanation of its pronunciation	Transcription symbol
	юг (juk) 'south' зна́ю ('znaju) '[I] know' вью́га ('v̡jugə) 'snowstorm'	
	2. = **u** in '**rule**' – after consonants: рю́мка ('r̡umkə) 'wineglass' люблю́ (l̡u'b̡l̡u) '[I] like, love'	u
я	Preceding consonant is soft.	
	stressed 1. = **ya** in '**yard**', but shorter – in initial position, i. e. also after a vowel and ъ, as well as after ь: я́ма ('jamə) 'pit' мая́к (ma'jak) 'lighthouse' изъя́н (iz'jan) 'defect' статья́ (sta't̡ja) 'article' рья́ный ('r̡janɨj) 'zealous'	ja
	2. like **a** in 'father' – after a consonant and before a hard consonant: мя́со ('m̡asə) 'meat; flesh'	a
	3. = **a** in '**bad**' – in interpalatal position, i. e. between soft consonants: пять (p̡æt̡) 'five'	æ
	unstressed 1. = **i** in '**sit**', but preceded by (j) – in initial position, i. e. also after a vowel and ъ: язы́к (jɪ'zɨk) 'tongue; language' та́ять ('tajɪt̡) 'to thaw' изъяви́ть (ɪzjɪ'v̡it̡) 'to express, show'	jɪ
	2. = **i** in '**sit**' – after soft consonants: мясни́к (m̡ɪs̡'n̡ik) 'butcher' Ряза́нь (r̡ɪ'zan̡) 'Ryazan [town]'	ɪ
	3. = **a** in '**ago**' (preceded by j after vowels) – in final position: ня́ня ('n̡an̡ə) '(wet) nurse' а́рмия ('arm̡ijə) 'army'	(j)ə
	II. Semivowel	
й	1. = **y** in '**yet**' – in initial position, i. e. also after a vowel, in loan words: (Нью-)Йо́рк (jɔrk) '(New) York' майо́р (ma'jɔr) 'major'	j
	2. in the formation of diphthongs as their second element:	j
ай	= (ɪ) of (aɪ) in '**ti**me': май (maj) 'May'	aj

Russian letter	Explanation of its pronunciation	Transcription symbol
ой	= [stressed] **oi** in '**noise**': бой (bɔj) 'fight', большóй (bal̦ˈʃɔj) 'big'	ɔj
	= [first pretonic] **i** in 't**i**me': войнá (vajˈna) 'war'	aj
	= [post-tonic] **a** in 'ago' + **y** in '**y**et': нóвой (ˈnɔvəj) 'of/to the new'	əj
уй	= **u** in 'r**u**le' + (j): бýйвол (ˈbujvəɫ) 'buffalo'	uj
ый	= ы (cf.) + (j): вы́йти (ˈvɨjţi) 'to go out', крáсный (ˈkrasnɨj) 'red'	ɨj
ий	= и (cf.) + (j): кий (ķij) 'cue', си́ний (ˈşiņɪj) 'blue'	ij ɪj
ей	(j +) **a** in 'p**a**le' ей (jej) 'to her', пей (ņej) 'drink!', нейтрóн (ņejˈtrɔn) 'neutron'	(j)ej
юй	= ю (cf.) + (j): плюй (pļuj) 'spit!'	(j)uj
яй	= [stressed] (j +) **a** in **bad** + (j): я́йца (ˈjæjtsə) 'eggs'	(j)æj
	= [unstressed] **yi** in **Yi**ddish: яйцó (jɪˈtsɔ) 'egg'	jɪ

III. Consonants

1. As most Russian consonants may be palatalized (or 'softened') there is, beside the series of normal ('hard') consonants, a nearly complete set of 'soft' parallel sounds. According to traditional Russian spelling, in writing or printing this 'softness' is marked by a combination of such palatalized consonants with the vowels е, ё, и, ю, я or, either in final position or before a consonant, the so-called 'soft sign' (ь). In phonetic transcription palatalized consonants are indicated by means of a small hook, or comma, attached to them. As a rule a hard consonant before a soft one remains hard; only з, с may be softened before palatalized з, с, д, т, н.
2. Always hard are ж, ш, ц.
3. Always soft are ч, щ.
4. The voiced consonants б, в, г, д, ж, з are pronounced voicelessly (i. e. = п, ф, к, т, ш, с) in final position.
5. The voiced consonants б, в, г, д, ж, з, when followed by (one of) their voiceless counterparts п, ф, к, т, ш, с, are pronounced voicelessly (regressive assimilation) and vice versa: voiceless before voiced is voiced (except that there is no assimilation before в).
6. The articulation of doubled consonants, particularly those following a stressed syllable, is marked by their lengthening.

Russian letter		Explanation of its pronunciation	Transcription symbol
б	hard	= **b** in ‘**b**ad’: бок (bɔk) ‘side’	b
	soft	as in ‘Al**b**ion’: бе́лка ('b̡ɛłkə) ‘squirrel’	b̡
в	hard	= **v** in ‘**v**ery’: во́дка ('vɔtkə) ‘vodka’	v
	soft	as in ‘**v**iew’: ве́ра ('v̡ɛrə) ‘faith, belief’	v̡
г	hard	= **g** in ‘**g**un’: гора́ (ga'ra) ‘mountain’	g
	soft	as in ‘ar**g**ue’: гимн (g̡imn) ‘anthem’	g̡
		Note: 1. = (v) in endings -ого, -его: больно́го (bal̡'nɔvə) ‘of the sick, ill’ рабо́чего (ra'bɔtʃɪvə) ‘of the worker’	v
		2. = (x) in бог (bɔx) ‘God’ and in the combinations -гк-, -гч-: мя́гкий ('m̡axk̡ij) ‘soft’ мя́гче ('m̡axtʃ̡ɪ) ‘softer’	x
д	hard	= **d** in ‘**d**oor’: да́ма ('damə) ‘lady’	d
	soft	as in ‘**d**ew’: дя́дя ('d̡æd̡ə) ‘uncle’	d̡
	-здн-	– in this combination д is mute: по́здно ('pɔznə) ‘late’	
ж	hard	= **s** in ‘mea**s**ure’, but hard: жа́жда ('ʒaʒdə) ‘thirst’	ʒ
	-жж-	may also be soft: во́жжи ('vɔʒ̡ʒ̡ɪ) ‘reins’	ʒ̡ʒ̡
	-жч-	= щ: мужчи́на (mu'ʃ̡[t]ʃ̡inə) ‘man’	ʃ̡[t]ʃ̡
з	hard	= **z** in ‘**z**oo’: зал (zał) ‘hall’	z
	soft	as in ‘pre**s**ume’: зе́ркало ('z̡ɛrkələ) ‘mirror’	z̡
	-зж-	= hard or soft doubled ж: по́зже ('pɔʒʒɛ *or* 'pɔʒ̡ʒ̡ɛ) ‘later’	ʒʒ/ʒ̡ʒ̡
	-зч-	= щ: изво́зчик (iz'vɔʃ̡[t]ʃ̡ɪk) ‘coachman’	ʃ̡[t]ʃ̡
к	hard	= **c** in ‘**c**ome’ (unaspirated!): как (kak) ‘how, as’	k
	soft	like **k** in ‘**k**ey’: кирпи́ч (k̡ir'p̡itʃ̡) ‘brick’	k̡
л	hard	= **ll** in General American ‘ca**ll**’: ла́мпа ('łampə) ‘lamp’	ł
	soft	= **ll** in ‘mi**ll**ion’: ли́лия ('l̡il̡ijə) ‘lily’	l̡
м	hard	= **m** in ‘**m**an’: мак (mak) ‘poppy’	m
	soft	as in ‘**m**ute’: мир (m̡ir) ‘world; peace’	m̡
н	hard	= **n** in ‘**n**oise’: нос (nɔs) ‘nose’	n
	soft	= **n** in ‘**n**ew’: нет (n̡ɛt) ‘no’	n̡
п	hard	= **p** in ‘**p**art’ (unaspirated!): пол (pɔł) ‘floor’	p
	soft	as in ‘scor**p**ion’: пить (p̡it̡) ‘to drink’	p̡
р	hard	= trilled **r**: рот (rɔt) ‘mouth’	r

Russian letter	Explanation of its pronunciation	Transcription symbol
	soft as in 'Orient': ряд (ŗat) 'row'	ŗ
с	hard = **s** in '**s**ad': сад (sat) 'garden'	s
	soft as in 'a**ss**ume': сюда́ (şuˈda) 'hither, here'	ş
	-сч- = щ: сча́стье (ˈᶋ[t]ᶋæşţjı) 'happiness; luck'	ᶋ[t]ᶋ
т	hard = **t** in '**t**ent' (unaspirated!): там (tam) 'there'	t
	soft as in '**t**une': тюльпа́н (ţuļˈpan) 'tulip'	ţ
	-стн-, -стл- – in these combinations -т- is mute: ле́стница (ˈļeşņitsə) 'staircase' счастли́вый [ᶋ[t]ᶋışˈļivɨj) 'happy; lucky'	
ф	hard = **f** in '**f**ar': фа́брика (ˈfabŗıkə) 'factory'	f
	soft as in '**f**ew': фильм (ᶂiļm) 'film'	ᶂ
х	hard = **ch** in Scotch 'lo**ch**': холм (xɔɫm) 'hill'	x
	soft like **ch** in German '**ich**'; no English equivalent: хи́мия (ˈᶍiᶆıjə) 'chemistry'	ᶍ
ц	hard = **ts** in '**ts**ar': царь (tsaŗ) 'tsar, czar'	ts
ч	soft = **ch** in '**ch**eek': час (tᶋas) 'hour'	tᶋ
ш	hard = **sh** in '**sh**ip', but hard: шум (ʃum) 'noise'	ʃ
щ	soft = **sh** + **ch** in '**ch**eek', cf. fre**sh** **ch**eeks, or = doubled (ᶋᶋ) as in '**s**ure': щека́ (ᶋ[t]ᶋıˈka) 'cheek', щи (ᶋ[t]ᶋi) 'cabbage soup'	ᶋ[t]ᶋ

IV. 'Surds'

Russian letter	Explanation of its pronunciation	Transcription symbol
ъ	The *jer* or 'hard sign' separates a hard (final) consonant of a prefix and the initial vowel, preceded by (j), of the following root, thus marking both the hardness of the preceding consonant and the distinct utterance of (j) before the vowel: предъяви́ть (pŗıdjıˈᶌiţ) 'to show, produce' съезд (sjɛst) 'congress'. *Note*: Until 1918 the 'hard sign' was also used at the end of a word terminating in a hard consonant: братъ (brat) 'brother'.	

Russian letter	Explanation of its pronunciation	Transcription symbol
ь	The *jeŗ* or 'soft sign' serves to represent the palatal or soft quality of a (preceding) consonant in final position or before another consonant, cf.:	'
	брат (brat) 'brother' and брать (braţ) 'to take' пóлка ('pɔłkə) 'shelf' and пóлька ('pɔļkə) 'polka, Pole (= Polish woman)'.	
	It is also used before vowels to indicate the softness of a preceding consonant as well as the pronunciation of (j) with the respective vowel, e. g.:	
	семьи́ (şıɱ'ja) 'family' – *cf.* сéмя ('şeɱə) 'seed',	j
	and in foreign words, such as батальóн (bəta'ļjɔn) 'battalion'.	j

Объяснение английского произношения при помощи фонетических знаков

Explanation of English Pronunciation with the Help of Phonetic Symbols

А. Гласные и дифтонги

В английском языке существуют краткие и долгие гласные, независимо от ударения.

[ɑ:] — долгий, глубокий и открытый звук «а», как в слове «мама».

[ʌ] — краткий, неясный звук, похожий на русский неударный звук «о», который слышится в слове «Москва», или «а» в слове «варить».
Английский звук [ʌ] встречается главным образом в ударном слоге.

[æ] — звонкий, не слишком краткий звук, средний между «а» и «э», более открытый, чем «э». При произнесении рот широко открыт.

[ɛə] — дифтонг, напоминающий не слишком долгий открытый звук, близкий к русскому «э» (в слове «этот»), за которым следует неясный гласный [ə] (примерно эа).

[ai] — этот дифтонг похож на русское «ай»; его первый элемент близок к русскому «а» в слове «два». Второй элемент — очень краткий звук [i].

[au] — этот дифтонг похож на русское «ау» (в слове «пауза»). Его первый элемент тот же, что и в [ai]; однако этот звук переходит постепенно в очень краткий звук [u].

[ei] — дифтонг, напоминающий русское «эй». Он состоит из звука [e] и очень краткого звука [i].

[e] — краткий звук, напоминающий «э» в слове «эти», но короче.

[ə] — нейтральный, неясный, безударный гласный звук, напоминающий русский беглый гласный в словах: «комната», «водяной» (в первом слоге).

[i:] — долгий гласный звук, похожий на русское протяжное «и» в словах: «ива», «вижу».

[i] — короткий открытый гласный, напоминающий средний звук между «и» и «ы», похожий на «и» в слове «шить».

[iə] — дифтонг, состоящий из полуоткрытого, полудолгого звука [i] и неясного звука [ə].

[ou] — дифтонг, напоминающий русское «оу». Первый его элемент — полуоткрытый звук «о» — переходит в слабое «у», причём губы слегка округляются, а язык остается неподвижным.

[ɔ:] — открытый, долгий гласный, похожий на протяжное русское «о» в слове «бор».
При произнесении этого гласного губы округлены (но не выпячены), положение рта почти как при русском «а», однако язык отодвинут назад.

[ɔ] — краткий открытый звук, похожий на русское «о».
При произнесении этого звука надо открыть рот как при «а» и, отодвигая язык назад, не выпячивая губ, произнести «о».

[o] — закрытый, краткий (близ-

кий к «у») звук «о» в безударных слогах.

[ɜ:] — В русском языке нет звука, похожего на [ɜ:]. При его произнесении надо рот приоткрыть только слегка, губы растянуть, а язык оставить в нейтральном положении.
В закрытом слоге этот гласный орфографически представлен сочетаниями -er, -ir и -ur.

[ɔi] — дифтонг, состоящий из звука [ɔ] и очень краткого [i].

[u:] — долгий гласный, напоминающий протяжно произнесенное русское «у» под ударением, напр.: сук, губка.
При произнесении этого звука губы вперёд не выдвигаются.

[uə] — дифтонг, состоящий из звука [u] и неясного гласного [ə].

[u] — краткий звук, похожий на русский неударный звук «у» в словах: «тупой», «сума».
При произнесении этого звука губы не выдвигаются.

Б. Согласные

Согласные: [b] — б, [f] — ф, [g] — г, [k] — к, [m] — м, [p] — п, [s] — с, [v] — в, [z] — з почти не отличаются от соответствующих русских.

Английские звонкие согласные, в противоположность русским, сохраняют на конце слова свою звонкость и произносятся чётко и энергично.

[r] — произносится только перед гласными, в конце слова только, если следующее слово начинается с гласного.
При произнесении этого звука кончик языка поднят к нёбу и только слегка прикасается к нему выше альвеол.
Английское [r] произносится, в отличие от соответствующего русского звука «р», без раскатистой вибрации языка.

[ʒ] — звук, похожий на смягченное русское «ж».

[ʃ] — звук, похожий на смягченное русское «ш».

[θ] — аналогичного звука в русском языке нет.
Для получения этого согласного пропускается струя воздуха между кончиком языка и краем верхних зубов; этот звук приближается к русскому «с» в слове «сын», если его произнести с чуть высунутым языком.

[ð] — отличается от [θ] только присутствием голоса. Следует избегать звука, похожего на русское «з».

[s] — соответствует русскому «с».

[z] — соответствует русскому «з».

[ŋ] — носовой заднеязычный согласный. В русском языке аналогичного звука нет.
(Чтобы научиться произносить этот звук, надо с открытым ртом задней частью спинки языка попробовать произнести «м» так, чтобы воздух проходил не через рот, а через нос.)

[ŋk] — согласный звук, отличающийся от [ŋ] только присутствием [k].

[w] — согласный, похожий на очень краткое русское «у». При произнесении этого звука воздух проходит между губами, которые сначала слегка вытягиваются вперёд, а затем быстро занимают положение, нужное для следующего гласного звука.

[h] — простой, безголосный выдох.

[j] — звук, похожий на русский «й».

[f] — соответствует русскому согласному «ф».

[v] — соответствует русскому согласному «в».

Ударение в английских словах обозначается знаком (ˈ) и ставится перед ударным слогом, напр.: onion (ˈʌnjən).

В английском языке, кроме слов с ударением на одном слоге, бывают слова с одинаково сильным ударением на двух слогах, напр.: unsound (ˈʌnˈsaund), а также (длинные слова) с главным и побочным ударением, напр.: conglomeration (kənˌglɔməˈreiʃn).

Две точки (:) обозначают **долготу звука,** напр.: ask (ɑ:sk), astir (əsˈtə:).

Английский алфавит

a (ei), **b** (bi:), **c** (si:), **d** (di:), **e** (i:), **f** (ef), **g** (dʒi:), **h** (eitʃ), **i** (ai), **j** (dʒei), **k** (kei), **l** (el), **m** (em), **n** (en), **o** (ou), **p** (pi:), **q** (kju:), **r** (ɑ:, *Am.* ɑ:r), **s** (es), **t** (ti:), **u** (ju:), **v** (vi:), **w** (ˈdʌblju:), **x** (eks), **y** (wai), **z** (zed, *Am.* zi:).

Американская орфография

отличается от британской главным образом следующим:

1. Вместо **...our** пишется **...or**, напр.: hon*or* = honour, lab*or* = labour.
2. Окончанию **...re** соответствует **...er**, напр.: cent*er* = centre, theat*er* = theatre, meag*er* = meagre; исключения представляют og*re* и слова, оканчивающиеся на ...cre, напр.: massa*cre*, na*cre*.
3. Вместо **...ce** пишется **...se**, напр.: defen*se* = defence, licen*se* = licence.
4. Во всех словах, производных от глаголов, оканчивающихся на **...l** и **...p**, согласная на конце не удваивается, напр.: travel — trave*l*ed — trave*l*er — trave*l*ing, worship — worshi*p*ed — worshi*p*er — worshi*p*ing. Также и в некоторых других словах вместо двойной пишется одна согласная, напр.: wagon = waggon, woo*l*en = woollen.
5. В некоторых случаях немое **e** опускается, напр.: abrid*gm*ent = abridg*e*ment, acknowled*gm*ent = acknowledg*e*ment, jud*gm*ent = judg*e*ment, ax = ax*e*, good-by = good-by*e*.
6. В некоторых словах написанию приставки **en...** предпочитается **in...**, напр.: *in*close = enclose, *in*snare = ensnare.
7. Написания **æ** и **œ** часто заменяются простым **e**, напр.: anemia = anæmia, diarrh*ea* = diarrhœa.
8. Немой конечный слог в словах французского происхождения часто опускается, напр.: catalog = catalog*ue*, program = program*me*, prolog = prolog*ue*.
9. Особые случаи:
   st*a*nch = staunch, m*o*ld = mould, m*o*lt = moult, gr*a*y = grey, pl*ow* = plough, ski*ll*ful = skilful, t*i*re = tyre.

Американское произношение

отличается от английского главным образом следующим:

1. ɑ: произносится как протяжное æ: в словах ask (æ:sk = ɑ:sk), castle (kæ:sl = kɑ:sl), grass (græ:s = grɑ:s), past (pæ:st = pɑ:st) и т. д.; так же в словах branch (bræ:ntʃ = brɑ:ntʃ), can't (kæ:nt = kɑ:nt), dance (dæ:ns = dɑ:ns) и т. д.
2. ɔ произносится как ɑ в таких словах: common (ˈkɑmən = ˈkɔmən), not (nɑt = nɔt), on (ɑn = ɔn), rock (rɑk = rɔk), bond (bɑnd = bɔnd) и во многих других.
3. ju: произносится как u:, напр.: due (du: = dju:), duke (du:k = dju:k), new (nu: = nju:).
4. r произносится между предшествующим гласным и последующим согласным звонко, коротко, причём кончик языка оттягивается назад и касается твёрдого нёба несколько выше альвеол, напр.: clerk (klə:rk = klɑ:k), hard (hɑ:rd = hɑ:d);

так же и в конце слова, напр.: far (fɑːr = fɑː), her (həːr = həː).

5. Глухие p, t, k в начале безударного слога (следующего за ударным слогом) произносятся звонко, т. е. как b, d, g, напр.: property, water, second.

6. Разница между слогами с сильным и слабым ударением выражена гораздо меньше; в более длинных словах слышится ясно второстепенное ударение, напр.: dictionary (ˈˈdikʃəˈnɛri = ˈdikʃənri), ceremony (ˈˈserəˈmouni =ˈseriməni), inventory (ˈˈinvenˈtouri = ˈinvəntri), secretary (ˈˈsekrəˈtɛri = ˈsekrətri).

7. Перед носовыми согласными (m, n, ŋ), а часто также и после них, гласные и дифтонги произносятся с носовым оттенком, напр.: stand, time, small.

Symbols and Abbreviations

Условные знаки и сокращения

1. Symbols — Знаки

☐ после английского имени прилагательного или причастия указывает на возможность правильного образования от них наречий путем прибавления суффикса *...ly* или изменения *...le* на *...ly* или *...y* на *...ily*, напр.: rich ☐ = *richly*; acceptable ☐ = *acceptably*; happy ☐ = *happily*.

☐ after an English adjective or participle means that from it an adverb may be formed regularly by adding *...ly*, or by changing *...le* into *...ly* or *...y* into *...ily*; as: rich ☐ = *richly*; acceptable ☐ = *acceptably*; happy ☐ = *happily*.

F *familiar* = *colloquial language* разговóрный язы́к.

P *popular* просторéчие.

⚒ *rare, little used* рéдко, малоупотреби́тельно.

† *obsolete* устарéвшее слóво, выражéние.

🕮 *scientific term* нау́чный тéрмин.

⚘ *botany* ботáника.

⊕ *handicraft, engineering* тéхника.

⚒ *mining* гóрное дéло.

⚔ *military term* воéнное дéло.

⚓ *nautical term* судохóдство.

† *commercial term* торгóвля.

🚂 *railroad, railway* железнодорóжное дéло.

✈ *aviation* авиáция.

✉ *postal affairs* пóчта.

♪ *musical term* му́зыка.

⚠ *architecture* архитекту́ра.

⚡ *electrical engineering* электротéхника.

⚖ *jurisprudence* юриспрудéнция.

✎ *mathematics* матемáтика.

⚒ *farming* сéльское хозя́йство.

⚗ *chemistry* хи́мия.

⚕ *medicine* медици́на.

& *and* и.

= *equal to* равнó.

2. Abbreviations — Сокращения

a. *also* тáкже.

abbr. *abbreviation* сокращéние.

acc. *accusative (case)* вини́тельный падéж.

adj. *adjective* и́мя прилагáтельное.

adv. *adverb* нарéчие.

Am. *Americanism* американи́зм.

anat. *anatomy* анатóмия

art. *article* артúкль, член.

ast. *astronomy* астронóмия.

attr. *attributively* атрибутúвное употреблéние (т. е. в кáчестве определéния).

biol. *biology* биолóгия.

Brt. *British* (*English*) *usage* британское (английское) словоупотреблéние.

b. s. *bad sense* в дурнóм смы́сле.

cap. *capitalized* с большóй бýквы.

cf. *compare* сравнú.

ch. *chess* шáхматы.

cj. *conjunction* союз.

co. *comic*(*ally*) шутлúво.

coll. *collective* (*noun*) собирáтельное úмя (существúтельное).

com. *commonly* обыкновéнно.

comp. *comparative* (*degree*) сравнúтельная стéпень.

compd(*s*). *compound*(*s*) слóжное слóво (слóжные словá).

cond. *conditional* услóвное наклонéние.

contp. *contemptuously* пренебрежúтельно.

cook. *cookery* кулинáрия.

dat. *dative* (*case*) дáтельный падéж.

dem. *demonstrative pronoun* указáтельное местоимéние.

dim. *diminutive* уменьшúтельная фóрма.

e. *endings stressed* (*throughout*) ударéние (сплошь) на окончáниях.

eccl. *ecclesiastical term* церкóвное выражéние.

econ. *economy* эконóмика.

educ. *education* шкóла, шкóльное дéло, педагóгика.

e. g. *for example* напримéр.

esp. *especially* осóбенно.

etc. *et cetera* (*and so on*) и т. д. (и так дáлее).

f *feminine* (*gender*) жéнский род.

fenc. *fencing* фехтовáние.

fig. *figuratively* в перенóсном значéнии.

form. *formerly* прéжде.

f/pl. *feminine plural* мнóжественное числó жéнского рóда.

fr. *French* францýзское слóво, выражéние.

ft. *future* (*tense*) бýдущее врéмя.

gen. *genitive* (*case*) родúтельный падéж.

geogr. *geography* геогрáфия.

geol. *geology* геолóгия.

geom. *geometry* геомéтрия.

ger. *gerund* герýндий.

g/pl. *genitive plural* родúтельный падéж мнóжественного числá.

g. pr. (*pt.*) *present* (*past*) *gerund* деепричáстие настоя́щего (прошéдшего) врéмени.

gr. *grammar* граммáтика.

hist. *history* истóрия.

hunt. *hunting* охóта.

imp. *imperative* повелúтельное наклонéние.

impers. *impersonal* (*form*), *-ly* безлúчная фóрма, безлúчно.

impf. *imperfective* (*aspect*) несовершéнный вид.

(im)pf. *imperfective and perfective* (*aspect*) несовершéнный и совершéнный вид.

ind(*ecl*). *indeclinable word* несклоня́емое слóво.

inf. *infinitive* инфинитúв, неопределённая фóрма глагóла.

instr. *instrumental* (*case*) творúтельный падéж.

int. *interjection* междомéтие.

interr. *interrogative*(*ly*) вопросúтельная фóрма, вопросúтельно.

iro. *ironically* иронúчески.

irr. *irregular* непрáвильная фóрма.

iter. *iterative, frequentative* (*aspect*) многокра́тный вид.

ling. *linguistics* лингви́стика, языкозна́ние.

lit. *literary* кни́жное выраже́ние.

m *masculine* (*gender*) мужско́й род.

metall. *metallurgy* металлу́ргия.

min. *mineralogy* минерало́гия.

mot. *motoring* автомобили́зм.

m/pl. *masculine plural* мно́жественное число́ мужско́го ро́да.

mst *mostly* бо́льшей ча́стью.

n *neuter* (*gender*) сре́дний род.

no. *number* но́мер.

nom. *nominative* (*case*) имени́тельный паде́ж.

n/pl. *neuter plural* мно́жественное число́ сре́днего ро́да.

npr. *proper name* (or *noun*) и́мя со́бственное.

o. a. one another друг дру́га, друг дру́гу.

obj. *objective* (*case*) объе́ктный паде́ж.

obl. *oblique* (*cases*) ко́свенные падежи́.

oft. *often* ча́сто.

once *semelfactive* (*aspect*) однокра́тный вид.

op. *opposite* противополо́жно.

opt. *optics* о́птика.

o. s. oneself себя́, себе́, -ся.

p. *participle* прича́стие.

p. person лицо́.

P. *person* челове́к.

paint. *painting* жи́вопись.

parl. *parliamentary term* парла́ментское выраже́ние.

part. 1. *particle* части́ца; 2. *particular*(*ly*) осо́бенно.

part. g. *partitive genitive* роди́тельный раздели́тельный.

pers. *person*(*al form*) лицо́ (ли́чная фо́рма).

pf. *perfective* (*aspect*) соверше́нный вид.

pharm. *pharmacy* фармаце́втика.

phon. *phonetics* фоне́тика.

phot. *photography* фотогра́фия.

phys. *physics* фи́зика.

pl. *plural* мно́жественное число́.

poet. *poetic* поэти́ческое сло́во, выраже́ние.

pol. *politics* поли́тика.

poss. *possessive* (*form*) притяжа́тельная фо́рма.

p. pr. a. (*p.*) *present participle active* (*passive*) действи́тельное (страда́тельное) прича́стие настоя́щего вре́мени.

p. pt. a. (*p.*) *past participle active* (*passive*) действи́тельное (страда́тельное) прича́стие проше́дшего вре́мени.

pr. *present* (*tense*) настоя́щее вре́мя.

pred(*ic.*) *predicative* предикати́вное употребле́ние (т. е. в ка́честве именно́й ча́сти сказу́емого).

pref. *prefix* приста́вка.

pr(*e*)*s.* *present* (*tense*) настоя́щее вре́мя.

pron. *pronoun* местоиме́ние.

prov. *proverb*(*ial saying*) посло́вица, погово́рка.

prp. *preposition* предло́г.

prpos. *prepositional* (*case*) предло́жный паде́ж.

psych. *psychology* психоло́гия.

pt. *preterite, past* (*tense*) проше́дшее вре́мя.

rad. *radio* ра́дио.

refl. *reflexive* (*form*) возвра́тная фо́рма.

rel. *relative* (*form*) относи́тельная фо́рма.

resp. *respectively* и́ли.

rhet. *rhetoric* рито́рика.

s. *see* смотри́.

s. b. somebody кто́- (кого́-, кому́-) -нибудь.

s. b.'s somebody's че́й-нибудь.

sg. *singular* еди́нственное число́.

sh. *short* (*predicative*) *form* кра́ткая фо́рма.

sl. *slang* жаргóн.

Sov. *Soviet term* выражéние совéтского перúода.

st. *stem stressed* (*throughout*) ударéние (сплошь) на оснóве.

s. th. something чтó-либо.

su. *substantive* úмя существúтельное.

sup. *superlative* превосхóдная стéпень.

surv. *surveying* топогрáфия.

tel. *telegraphy* телегрáф.

teleph. *telephony* телефóн.

text. *textiles* ткáни.

th. *thing* вещь, предмéт.

thea. *theater* теáтр.

typ. *typography* типогрáфское дéло.

univ. *university* университéт.

usu. *usually* обы́чно.

v/aux. *auxiliary verb* вспомогáтельный глагóл.

vb. *verb* глагóл.

vet. *veterinary* ветеринáрия.

v/i. *verb intransitive* непереxóдный глагóл.

voc. *vocative* (*case*) звáтельный падéж.

v/refl. *verb reflexive* возврáтный глагóл.

v/t. *verb transitive* перехóдный глагóл.

zo. *zoology* зоолóгия.

Russian Abbreviations — Русские сокращения

И именúтельный падéж nominative (case).

Р родúтельный падéж genitive (case).

Д дáтельный падéж dative (case).

В винúтельный падéж accusative (case).

Т творúтельный падéж instrumental (case).

П предлóжный падéж prepositional *or* locative (case).

и т. д. (и так дáлее) *etc.* (*et cetera*).

и т. п. (и томý подóбное) *and the like.*

лат. латúнский язы́к Latin.

тж. тáкже *also.*

PART ONE

RUSSIAN-ENGLISH VOCABULARY

A

a 1. *cj.* but, and; a то or else; a что? why so?; **2.** *int.* ah!; **3.** *part.* F eh?
аб|ажу́р *m* [1] lamp shade; **~ба́т** *m* [1] abbot; **~ба́тство** *n* [9] abbey; **~за́ц** *m* [1] paragraph; **~онеме́нт** *m* [1] subscription; **~оне́нт** *m* [1] subscriber; **~орда́ж** ⚓ *m* [1] grappling, boarding; **~о́рт** *m* [1] abortion; **~рико́с** *m* [1] apricot; **~солю́тный** [14; -тен, -тна] absolute; **~стра́ктный** [14; -тен, -тна] abstract; **~су́рд** *m* [1] absurdity; **~су́рдный** [14; -ден, -дна] absurd; **~сце́сс** *m* [1] abscess.
аван|га́рд *m* [1] advance guard; vanguard; **~по́ст** *m* [1] outpost; **~с** *m* [1] advance(d money); **~сом** (*payment*) in advance; **~тю́ра** *f* [5] adventure; **~тюри́ст** *m* [1] adventurer; **~тюри́стка** *f* [5; *g/pl.*: -ток] adventuress.
авар|и́йный [14] emergency...; **~ия** *f* [7] accident; wreck.
а́вгуст *m* [1] August.
авиа|ба́за *f* [5] air base; **~бо́мба** *f* [5] air bomb; **~констру́ктор** *m* [1] aircraft designer; **~ли́ния** *f* [7] airline; **~ма́тка** *f* [5; *g/pl :* -ток], **~но́сец** *m* [1; -сца] aircraft carrier; **~по́чта** *f* [5] air mail; **~тра́сса** *f* [5] air route; **~цио́нный** [14] air(craft)...; **~ция** *f* [7] aviation; aircraft *pl.*; **~шко́ла** *f* [5] flying school.
аво́сь F perhaps, maybe; на ~ at random.
австр|али́ец *m* [1; -и́йца], **~али́йка** *f* [5; *g/pl.:* -и́ек], **~али́йский** [16] Australian; **♀а́лия** *f* [7] Australia; **~и́ец** *m* [1; -и́йца], **~и́йка** *f* [5; *g/pl.:* -и́ек], **~и́йский** [16] Austrian; **♀ия** *f* [7] Austria.
автобиогр|афи́ческий [16], **~афи́чный** [14; -чен, -чна] autobiographic(al); **~а́фия** *f* [7] autobiography.
авто́бус *m* [1] (motor) bus.
авто|го́нки *f/pl.* [5; *gen.*: -нок] (car) race; **~граф** *m* [1] autograph; **~жи́р** *m* [1] autogiro; **~заво́д** *m* [1] car factory, automobile plant; **~кра́тия** *f* [7] autocracy; **~магистра́ль** *f* [8] highway; **~ма́т** *m* [1] automaton; slot machine; submachine gun; **~мати́ческий** [16], **~мати́чный** [14; -чен, -чна] automatic; **~ма́тчик** *m* [1] submachine gunner; **~маши́на** *f* [5] *s.* ~моби́ль; **~мобили́ст** *m* [1] motorist; **~моби́ль** *m* [4] (motor-)car; го́ночный ~моби́ль *m* racing car, racer; **~но́мия** *f* [7] autonomy.
а́втор *m* [1] author; **~изова́ть** [7] (*im*)*pf.* authorize; **~ите́т** *m* [1] authority; **~ский** [16] author's; ~ское пра́во *n* copyright; **~ство** *n* [9] authorship.
авто|ру́чка *f* [5; *g/pl.*: -чек] fountain pen; **~стра́да** *f* [5] (motor, super)highway.
ага́ (a'ha) aha!; (oh,) I see!
Ага́фья *f* [6; *g/pl.*: -фий] Agatha.
аге́нт *m* [1] agent; **~ство** *n* [9], **~у́ра** *f* [5] agency.
агит|ацио́нный [14] agitation..., propaganda...; **~и́ровать** [7], ‹c-› agitate; **~ка** F *f* [5; *g/pl.*: -ток] (agitation) leaflet; **~про́п** (агитацио́нно-пропаганди́стский отде́л) *m* [1] *pol.* agitation and propaganda department; **~пу́нкт** *m* [1] (*local*) agitation center (*Brt.* -tre).
агра́рный [14] agrarian.
агресс|и́вный [14; -вен, -вна] agressive; **~ия** *f* [7] aggression.
агрикульту́ра *f* [5] agriculture.
агро|но́м *m* [1] agriculturist; **~номи́ческий** [16] agronomi(cal); **~но́мия** *f* [7] agronomy.
ад *m* [1; в -у́] hell.
Ада́м *m* [1] Adam.
ада́птер (-ter) ⚡ *m* [1] pickup.
адвока́т *m* [1] lawyer; attorney (at law), *Brt.* barrister; solicitor; **~у́ра** *f* [5] ⚖ bar.
адми|нистрати́вный [14] administrative; **~нистра́ция** *f* [7] administration; **~ра́л** *m* [1] admiral; **~ралте́йство** *n* [9] admiralty.
а́дрес *m* [1; *pl.*: -а́, *etc. e.*] address (не по Д at wrong); **~а́т** *m* [1], **~а́тка** *f* [5; *g/pl.*: -ток] addressee;

consignee; **\~ный** [14]: \~ный стол *m* register-office; **\~ова́ть** [7] (*im*)*pf.* address, direct.
адриати́ческий [16] Adriatic...
а́дский [16] hellish, infernal.
адъюта́нт *m* [1] aide-de-camp.
аз *m* [1 *e.*]: \~ы́ *pl.* elementaries; F с \~о́в from scratch.
аза́рт *m* [1] passion, vehemence; hazard; войти́ в \~ get excited; **\~ный** [14; -тен, -тна] hot-tempered, hazardous; venturesome.
а́збу|ка *f* [5] alphabet; **\~чный** [14] alphabetic(al); \~чная и́стина *f* truism.
азербайджа́н|ец *m* [1, -нца] Azerbaijanian; **\~ский** [16] Azerbaijan.
ази|а́т *m* [1], **\~а́тка** *f* [5; *g/pl.*: -ток], **\~а́тский** [16] Asian; Asiatic; 'Ձя *f* [7] Asia; Ма́лая 'Ձя Asia Minor.
азо́вский [16] Asov...
азо́т *m* [1] nitrogen; **\~ный** [14] nitric.
а́ист *m* [1] stork; **\~овый** [14] stork...
ай ah!, oh!
айва́ *f* [5] quince.
акаде́м|ик *m* [1] academician; graduate; **\~и́ческий** [16] academic; **\~ия** *f* [7] academy; Ձия нау́к Academy of Sciences; Ձия худо́жеств Academy of Arts.
ака́ция *f* [7] acacia.
акваре́ль *f* [8] water colo(u)r.
акклиматизи́ровать [7] (*im*)*pf.* acclimatize.
аккомпан|еме́нт ♪ *m* [1] accompaniment; **\~и́ровать** ♪ [7] accompany.
акко́рд ♪ *m* [1] chord; **\~ный** [14]: \~ная рабо́та *f* piecework.
аккредит|и́в *m* [1] letter of credit; **\~ова́ть** [7] (*im*)*pf.* accredit.
аккура́тный [14; -тен, -тна] accurate, punctual; tidy, neat.
акт *m* [1] act(ion); *thea.* act; document; *parl.* bill; **\~ёр** *m* [1] actor.
акти́в *m* [1] asset(s); body of active functionaries; **\~ный** [14; -вен, -вна] active.
актри́са *f* [5] actress.
актуа́льный [14; -лен, -льна] topical.
аку́ла *f* [5] shark.
аку́ст|ика *f* [5] acoustics; **\~и́ческий** [16] acoustic(al).
акуше́р|ка *f* [5; *g/pl.*: -рок] midwife; **\~ство** *n* [9] midwifery.
акце́нт *m* [1] accent; stress.
акцептова́ть ✝ [7] (*im*)*pf.* accept.
акци|оне́р *m* [1] stockholder, *Brt.* shareholder; **\~оне́рный** [14] joint-stock (*company*); '**\~я** *f* [7] share; *pl. a.* stock.
алба́н|ец *m* [1; -нца], **\~ка** *f* [5; *g/pl.*: -нок], **\~ский** [16] Albanian.
а́лгебра *f* [5] algebra.
алеба́стр *m* [1] alabaster.
Алексе́й *m* [3] Alexis.
але́ть [8] blush, grow crimson; glow.
Алжи́р *m* [1] Algeria; Algiers.
алиме́нты *m/pl.* [1] alimony.
алкого́л|ик *m* [1] alcoholic; **\~ь** *m* [4] alcohol.
аллегори́ческий [16] allegorical.
алле́я *f* [6; *g/pl.*: -е́й] avenue, alley.
алма́з *m* [1], **\~ный** [14] diamond.
алта́рь *m* [4 *e.*] altar.
алфави́т *m* [1] alphabet; **\~ный** [14] alphabetical.
а́лчн|ость *f* [8] greed(iness); **\~ый** [14; -чен, -чна] greedy (of, for к [Д]).
а́лый [14 *sh.*] crimson.
альбо́м *m* [1] album; sketchbook.
альмана́х *m* [1] almanac.
альпини́|зм *m* [1] mountain climbing, Alpinism; **\~ст** *m* [1], **\~стка** *f* [5; *g/pl.*: -ток] climber, Alpinist.
'**Альпы** *f/pl.* [5] Alps.
альт *m* [1 *e.*] alto.
а́льф|а *f* [5]: от \~ы до оме́ги from beginning to end.
алюми́ний *m* [3] aluminium.
Аля́ска *f* [5] Alaska.
амба́р *m* [1] barn; granary.
амбразу́ра *f* [5] embrasure.
амбулато́р|ия *f* [7] ambulance station, dispensary; **\~ный** [14]: \~ный больно́й *m* outpatient.
Аме́рик|а *f* [5] America; **Ձа́нец** *m* [1; -нца], **Ձа́нка** *f* [5; *g/pl.*: -нок], **Ձа́нский** [16] American.
ами́нь amen.
амнист|и́ровать [7] (*im*)*pf.*, **\~́ия** *f* [7] amnesty.
амортиз|а́ция *f* [7] amortization; **\~и́ровать** [7] (*im*)*pf.* amortize, pay off.
а́мпула *f* [5] ampoule.
ампут|а́ция *f* [7] amputation; **\~и́ровать** [7] (*im*)*pf.* amputate.
амуни́ция *f* [7] ammunition.
амфи́бия *f* [7] amphibian.
амфитеа́тр *m* [1] amphitheater (*Brt.* -tre); *thea.* circle.

ана́лиз *m* [1] analysis; **~и́ровать** [7] (*im*)*pf.*, ⟨про-⟩ analyze (*Brt.* -se).
ана|логи́чный [14; -чен, -чна] analogous, similar; **~ло́гия** *f* [7] analogy; **~на́с** *m* [1] pineapple; **~́рхия** *f* [7] anarchy.
анатом|и́ровать [7] (*im*)*pf.* anatomize; **~и́ческий** [16] anatomical; **~́ия** *f* [7] anatomy.
анга́р *m* [1] hangar.
а́нгел *m* [1] angel.
анги́на *f* [5] quinsy, tonsillitis.
англи́|йский [16] English; **~ча́нин** *m* [1; *pl.*: -ча́не, -ча́н] Englishman; **~ча́нка** *f* [5; *g/pl.*: -нок] Englishwoman; ˈ**~я** *f* [7] England.
Андре́й *m* [3] Andrew.
ˈ**Анды** *f/pl.* [5] Andes.
анекдо́т *m* [1] anecdote.
ане|ми́я *f* [7] anemia; **~стези́я** (-nεstε-) *f* [7] anesthesia.
ани́с *m* [1] anise.
Анкара́ *f* [5] Ankara.
анке́та *f* [5] questionnaire; form.
аннекс|и́ровать [7] (*im*)*pf.* annex; **~́ия** *f* [7] annexation.
аннули́ровать [7] (*im*)*pf.* annul.
ано́д *m* [1] anode; **~ный** [14] anodic.
анома́лия *f* [7] anomaly.
анони́мный [14; -мен, -мна] anonymous.
анса́мбль *m* [4] ensemble.
антагони́зм *m* [1] antagonism.
Антаркт|и́да *f* [5] Antarctica; **~́ика** *f* [5], **~и́ческий** [16] Antarctic.
анте́нна (-ˈtεn-) *f* [5] aerial; *zo.* antenna.
антиква́р *m* [1] antiquary; dealer in antiquarian goods; **~ный** [14] antiquarian.
антило́па *f* [5] antelope.
анти|пати́чный [14; -чен, -чна] antipathetic; **~па́тия** *f* [7] antipathy; **~санита́рный** [14] insanitary; **~се́птика** *f* [5] antisepsis; antiseptic; **~те́за** *f* [5] antithesis.
анти́чн|ость *f* [8] antiquity; **~ый** [14] antique.
антоло́гия *f* [7] anthology.
Анто́н *m* [1] Anthony; **~и́на** *f* [5] Antonia.
антра́кт *m* [1] intermission, *Brt.* interval; interlude.
антропо́л|ог *m* [1] anthropologist; **~о́гия** *f* [7] anthropology.
анчо́ус *m* [1] anchovy.
апат|и́чный [14; -чен, -чна] apathetic; **~́ия** *f* [7] apathy.
апелл|и́ровать [7] (*im*)*pf.* appeal (to к Д); **~яцио́нный** [14] (*court*) of appeal; ~яцио́нная жа́лоба *f* = **~я́ция** ⚖ *f* [7] appeal.
апельси́н *m* [1] orange.
аплоди́|ровать [7], ⟨за-⟩ applaud; **~сме́нты** *m/pl.* [1] applause.
апоге́й *m* [3] apogee.
аполити́чн|ость *f* [8] indifference toward(s) politics; **~ый** [14; -чен, -чна] indifferent to politics.
апологи́ческий [16] apologetic.
апопле́ксия *f* [7] apoplexy.
апо́стол *m* [1] apostle.
апофео́з *m* [1] apotheosis.
аппара́т *m* [1] apparatus; camera.
аппе́нд|икс *m* [1] *anat.* appendix; **~ици́т** *m* [1] appendicitis.
аппети́т *m* [1] appetite; прия́тного ~а! bon appétit!; **~ный** [14; -и́тен, -и́тна] appetizing.
апре́ль *m* [4] April.
апте́ка *f* [5] drugstore, *Brt.* chemist's shop; **~рь** *m* [4] druggist, *Brt.* (pharmaceutical) chemist.
ара́|б *m* [1], **~бка** *f* [5; *g/pl.*: -бок] Arab; **~бский** [16] (*a.* **~ви́йский** [16]) Arabian, Arabic; Arab (*League, etc.*); **~п** † *m* [1] Moor, Negro.
арби́тр *m* [1] arbiter; umpire; **~а́ж** ⚖ *m* [1] arbitration.
арбу́з *m* [1] watermelon.
Аргенти́н|а *f* [5] Argentina; **~ец** *m* [1; -нца], **~ка** *f* [5; *g/pl.*: -нок], **~ский** [16] Argentine.
арго́ *n* [*indecl.*] argot.
аргуме́нт *m* [1] argument; **~и́ровать** [7] (*im*)*pf.* argue.
аре́на *f* [5] arena; sphere.
аре́нд|а *f* [5] lease, rent; сдава́ть (брать) в ~у lease (rent); **~а́тор** *m* [1] lessee; tenant; **~ова́ть** [7] (*im*)*pf.* rent.
аре́ст *m* [1] arrest; **~а́нт** *m* [1], **~а́нтка** *f* [5; *g/pl.*: -ток] prisoner; **~о́вывать** [1], ⟨~ова́ть⟩ [7] arrest.
аристокра́тия *f* [7] aristocracy.
арифме́т|ика *f* [5] arithmetic; **~и́ческий** [16] arithmetic(al).
а́рия *f* [7] aria; air.
а́рка *f* [5; *g/pl.*: -рок] arc; arch.
арка́да *f* [5] arcade.
ˈ**Аркти|ка** *f* [5] Arctic (Zone); **~ческий** (-ˈţi-) [16] arctic.
армату́ра *f* [5] fittings, armature.
Арме́ния *f* [7] Armenia.
а́рмия *f* [7] army.
армян|и́н *m* [1; *pl.*: -мя́не, -мя́н],

∠ка *f* [5; *g/pl.*: -нок]; **∠ский** [16] Armenian.
арома́т *m* [1] aroma, perfume, fragrance; **~и́ческий** [16], **~ный** [14; -тен, -тна] aromatic, fragrant.
арсена́л *m* [1] arsenal.
арте́ль *f* [8] workmen's coöperative association.
арте́рия *f* [7] artery.
артилле́р|ия *f* [7] artillery; **~и́ст** *m* [1] artilleryman; **~и́йский** [16] artillery...
арти́ст *m* [1] artist(e); actor; **~ка** *f* [5; *g/pl.*: -ток] artist(e); actress.
артишо́к *m* [1] artichoke.
а́рфа *f* [5] harp.
архео́лог *m* [1] archeologist; **~и́ческий** [16] archeologic(al); **∠ия** *f* [7] archeology.
архи́в *m* [1] archives *pl.*
архиепи́скоп *m* [1] archbishop.
архипела́г *m* [1] archipelago.
архите́кт|ор *m* [1] architect; **~у́ра** *f* [5] architecture; **~у́рный** [14] architectonic.
арши́н *m* [1; *g/pl.*: арши́н] arshine (†, = *0.711 m.* = *2 ft. 4 in.*).
арьерга́рд *m* [1] rear guard.
асбе́ст *m* [1] asbestos.
асе́птика (-'sɛ-) *f* [5] asepsis.
аспира́нт *m* [1] candidate (*for university teacher's/researcher's career*).
ассамбле́я *f* [6; *g/pl.*: -ле́й]: Генера́льная ♀ Организа́ции Объединённых На́ций United Nations' General Assembly.
ассигнова́|ть [7] (*im*)*pf.* assign, allocate, allot; **~ние** *n* [12] assignment, allocation, allotment.
ассимил|и́ровать [7] (*im*)*pf.* assimilate (**-ся** o. s.); **~я́ция** *f* [7] assimilation.
ассисте́нт *m* [1], **~ка** *f* [5; *g/pl.*: -ток] assistant.
ассортиме́нт *m* [1] assortment.
ассоци|а́ция *f* [7] association; **~и́ровать** [7] (*im*)*pf.* associate.
АССР (Автоно́мная Сове́тская Социалисти́ческая Респу́блика *f*) Autonomous Soviet Socialist Republic.
а́стра *f* [5] aster.
астроно́м *m* [1] astronomer; **~и́ческий** [16] astronomic(al); **~ия** *f* [7] astronomy.
асфа́льт *m* [1] asphalt.
ата́к|а *f* [5] attack, charge; **~ова́ть** [7] (*im*)*pf.* attack, charge.
атама́н *m* [1] hetman.
ателье́ (-tɛ-) *n* [*indecl.*] studio, atelier.
атланти́ческий [16] Atlantic...
а́тлас¹ *m* [1] atlas.
атла́с² *m* [1] satin.
атле́т *m* [1] athlete; **~ика** *f* [5] athletics; **~и́ческий** [16] athletic.
атмосфе́р|а *f* [5] atmosphere; **~ный** [16] atmospheric.
а́том *m* [1] atom; **~ный** [14] atomic.
аттеста́т *m* [1] certificate.
ауди|е́нция *f* [7] audience; **~то́рия** *f* [7] lecture hall; audience.
аукцио́н *m* [1] auction (by с P).
Афана́сий *m* [3] Athanasius.
Афганиста́н *m* [1] Afghanistan.
афе́р|а *f* [5] speculation, fraud, shady deal; **~и́ст** *m* [1], **~и́стка** *f* [5; *g/pl.*: -ток] speculator, swindler.
Афи́ны *f/pl.* [5] Athens.
афи́ша *f* [5] playbill, poster.
афори́зм *m* [1] aphorism.
'Африка *f* [5] Africa.
африка́н|ец *m* [1; -нца], **~ка** *f* [5; *g/pl.*: -нок], **~ский** [16] African.
ах ah!; **∠ать** [1], *once* ⟨**∠**нуть⟩ [20] groan, lament; be amazed.
ацетиле́н *m* [1] acetylene.
аэро|дина́мика *f* [5] aerodynamics; **~дро́м** *m* [1] airdrome (*Brt.* aero-); **~навига́ция** *f* [7] aerial navigation; **~пла́н** *m* [1] airplane (*Brt.* aero-); **~по́рт** *m* [1] airport; **~по́чта** *f* [5] air mail; **~сни́мок** *m* [1; -мка] aerial view; **~ста́т** *m* [1] balloon; **~(фото)съёмка** *f* [5; *g/pl.*: -мок] aerial photography.

Б

б *s.* бы; б. *abbr.*: бы́вший.
ба́б|а *f* [5] (country)woman; peasant's wife; *fig.* milksop; сне́жная ~а snowman; **~а-яга́** *f* [5] old witch,

hag; **~ий** [18] womanish, effeminate; ~ье лéто *n* Indian summer; ~ьи скáзки *f/pl.* old wives' tales; **~ка** *f* [5; *g/pl.*: -бок] grandmother; повивáльная ~ка midwife; *pl.* knucklebones; **~очка** *f* [5; *g/pl.*: -чек] butterfly; **~ушка** *f* [5; *g/pl.*: -шек] grandmother; granny; вот тебé ~ушка и 'Юрьев день! a pretty business this!

багáж *m* [1*e.*] baggage, *Brt.* luggage; ручнóй ~ small baggage; сдать в ~ check one's baggage, *Brt.* register one's luggage; **~ный** [14]: ~ный вагóн *m* baggage car, *Brt.* luggage van.

багров|éть [8], ⟨по-⟩ become purple, redden; **¿ый** [14 *sh.*] purple.

бадья́ *f* [6] bucket, pail, tub.

бáза *f* [5] base, basis, foundation.

базáр *m* [1] market, bazaar; F revel, row; **~ный** [14] market...; *fig.* vulgar, cheap.

бáзис *m* [1] basis.

байдáрка *f* [5; *g/pl.*: -рок] canoe.

бáйка *f* [5] baize.

Байкáл *m* [1] (Lake) Baikal.

бак *m* [1] ⚓ forecastle; container, receptacle; tank; boiler.

бакал|éйный [14]: ~éйный магази́н *m*, ~éйная лáвка *f* grocery, grocer's store (*Brt.* shop); ~éйные товáры *m/pl.* = ~éя; **~éйщик** *m* [1] grocer; **~éя** *f* [6] groceries *pl.*

бáк|ен *m* [1] beacon; **~енбáрды** *f/pl.* [5], **~и** *m/pl.* [1; *gen.*: бак] whiskers.

баклажáн *m* [1] eggplant.

баклу́ш|а *f* [5]: бить ~и F idle, dawdle, fool (away).

бактериóлог *m* [1] bacteriologist; **~и́ческий** [16] bacteriological; **¿ия** *f* [7] bacteriology.

бактéрия *f* [7] bacterium.

бал *m* [1; на -у́; *pl. e.*] ball (at на [П]).

балагáн *m* [1] booth, show.

балагу́р F *m* [1] joker; **~ить** F [13] joke, crack jokes.

балалáйка *f* [5; *g/pl.*: балалáек] balalaika.

баламу́тить F [15], ⟨вз-⟩ trouble, stir up.

балáнс *m* [1] balance (*a.* ✝); торгóвый ~ balance of trade; **~и́ровать** [7] balance; **~овый** [14] balance...

балбéс *m* [1] simpleton, booby.

балдá *m/f* [5] blockhead, dolt.

балдахи́н *m* [1] canopy.

бале|ри́на *f* [5] (female) ballet dancer; **¿т** *m* [1] ballet.

бáлка *f* [5; *g/pl.*: -лок] beam; hollow.

балкáнский [16] Balkan...

балкóн *m* [1] balcony.

балл *m* [1] grade, mark; point.

баллáда *f* [5] ballad.

баллáст *m* [1] ballast.

баллисти́ческий [16] ballistic.

баллóн *m* [1] balloon.

баллоти́р|овать [7] ballot; **~óвка** *f* [5; *g/pl.*: -вок] vote, poll.

балóв|анный F [14 *sh.*] spoilt; **~áть** [7] (*a.* **-ся**) be naughty; trifle; ⟨из-⟩ spoil, coddle; **'~ень** *m* [4; -вня] darling, pet; **~ни́к** *m* [1 *e.*] urchin, brat; **~ни́ца** *f* [5] tomboy; **~ствó** *n* [9] naughtiness, spoiling, trifling.

балти́йский [16] Baltic...

бальзáм *m* [1] balm; **~и́ровать** [7], ⟨на-⟩ embalm.

балюстрáда *f* [5] balustrade.

бамбу́к *m* [1] bamboo.

банáль|ность *f* [8] banality; commonplace; **~ный** [14; -лен, льна] banal, trite.

банáн *m* [1] banana.

бáнда *f* [5] gang.

бандáж *m* [1*e.*] bandage; truss.

бандерóль *f* [8] (postal) wrapper.

банди́т *m* [1] bandit, gangster.

банк *m* [1] bank; **¿а** *f* [5; *g/pl.*: -нок] jar; can, *Brt.* tin.

банкéт *m* [1] banquet.

банки́р *m* [1] banker.

банкнóт *m* [1], **~а** *f* [5] bank note.

банкрóт *m* [1] bankrupt; **~иться** [15], ⟨о-⟩ go bankrupt; **~ство** *n* [9] bankruptcy.

бант *m* [1] bow.

бáнщ|ик *m* [1], **~ица** *f* [5] attendant (at baths).

бáня *f* [6] bath(s).

бар *m* [1] saloon, (snack) bar.

барабáн *m* [1] drum; **~ить** [13], ⟨про-⟩ (beat the) drum; **~ный** [14]: ~ный бой *m* beat of the drum; ~ная перепóнка *f* eardrum; **~щик** *m* [1] drummer.

барáк *m* [1] barracks, hut.

барáн *m* [1] wether; ⚔ ram; **~ий** [18] wether...; согну́ть в ~ий рог bully, intimidate; **~ина** *f* [5] mutton; **~ка** *f* [5; *g/pl.*: -нок] (*kind of*) round cracknel.

барахлó *n* [9] junk, *Brt.* lumber.

барáхтаться F [1] flounce, flounder.

бара́шек *m* [1; -шка] lamb(skin).
барбари́с *m* [1] barberry.
барелье́ф *m* [1] bas-relief.
Ба́ренцово [19]: ~ мо́ре *n* Barents Sea.
ба́ржа *f* [5] barge.
ба́рий *m* [3] barium.
ба́рин *m* [1; *pl.*: ба́ре *or* ба́ры, бар] nobleman; landlord; master; sir.
барито́н *m* [1] baritone.
ба́рка ⚓ *f* [5; *g/pl.*: -рок] bark, barque; **⁓с** ⚓ *m* [1] launch.
баро́метр *m* [1] barometer.
баррика́да *f* [5] barricade.
барс *m* [1] panther.
ба́р|ский [16] lordly; manorial; жить на ~скую но́гу live in grand style; **~ство** *n* [9] the noble class; gentility; idleness; haughtiness.
барсу́к *m* [1*e.*] badger.
ба́рхат *m* [1] velvet; **~ный** [14] velvet(y).
ба́рщина *f* [5] statute labo(u)r, corvée.
ба́рын|я *f* [6] lady; mistress; madam, ma'am.
бары́ш *m* [1*e.*] profit, gain(s); **~ник** *m* [1] forestaller; horsedealer; **~ничать** [1] buy up, practise usury; **~ничество** *n* [9] forestallment.
ба́рышня *f* [6; *g/pl.*: -шень] young lady; miss.
барье́р *m* [1] barrier.
бас ♪ *m* [1; *pl. e.*] bass.
баск *m* [1] Basque.
баскетбо́л *m* [1] basketball.
басно|пи́сец *m* [1; -сца] fabulist; **~сло́вный** [14; -вен, -вна] fabulous, incredible.
ба́сня *f* [6; *g/pl.*: -сен] fable.
басо́н *m* [1] galloon, lace.
бассе́йн *m* [1] basin; region; ~ для пла́вания swimming-pool.
ба́ста that will do; no more of this!
баста́рд *m* [1] bastard; hybrid.
бастио́н *m* [1] bastion.
бастова́ть [7], ⟨за-⟩ (be ⟨go⟩ on) strike.
батальо́н *m* [1] battalion; **~ный** [14] battalion...; ~ный (команди́р) battalion commander.
батаре́|йка *f* [5; *g/pl.*: -ре́ек] flashlight (*Brt.* torch, pocket lamp); **~я** ⚡, ⚔ *f* [6; *g/pl.*: -е́й] battery.
бати́ст *m* [1] cambric; **~овый** [14] of cambric.
батра́к *m* [1 *e.*] day labo(u)rer, farm hand.
ба́тюшк|а *m* [5; *g/pl.*: -шек] father, papa; priest; (F *address*) dear friend, old boy; как вас по ~е? what's your father's name?; ~и (мой)!, ~и све́ты! good gracious!, o(h) dear!
бахва́л P *m* [1] braggart; **~иться** [13] boast, brag; **~ьство** *n* [9] brag(ging), vaunt.
бахрома́ *f* [5] fringe.
бахчево́дство *n* [9] melon-growing.
баци́лла *f* [5] bacillus.
ба́шенка *f* [5; *g/pl.*: -нок] turret.
башка́ P *f* [5] head, noddle.
башлы́к *m* [1 *e.*] (*kind of*) hood.
башма́к *m* [1 *e.*] shoe; clog; drag; быть под ~о́м be henpecked.
ба́шня *f* [6; *g/pl.*: -шен] tower; ⚔ turret, cupola.
баю́кать [1], ⟨у-⟩ lull.
бая́н *m* [1] (*kind of*) accordion.
бде́ние *n* [12] wake(fulness); care.
бди́тель|ность *f* [8] vigilance; **~ный** [14; -лен, -льна] vigilant, watchful.
бег *m* [1; на бегу́] run(ning); *pl.* [бега́, *etc. e.*] race(s); escape; барье́рный ~ hurdle race; эстафе́тный ~ relay race; на ~у́ while running; *s.* бего́м.
бе́ганье *n* [12] running (*a. for s. th., on business*); ~ на конька́х skating.
бе́гать [1], ⟨по-⟩ run (around); F shun (*a.* p. от P); *fig.* run after (*a.* p. за T); ~ вза́пуски F race, vie in a run.
бегемо́т *m* [1] hippopotamus.
бегле́ц *m* [1 *e.*] runaway.
бе́гл|ость *f* [8] fluency, agility; cursoriness; **~ый** [14] fluent, agile; cursory; fugitive.
бег|ово́й [14] race...; **~о́м** in full career; **~отня́** F *f* [6] running about, bustle; **∠ство** *n* [9] flight (put to обрати́ть в B), escape, stampede.
бегу́н *m* [1 *e.*] runner; trotter.
бед|а́ *f* [5; *pl.*: бе́ды] misfortune, disaster, mischief; что за ~а́? what does it matter?; не ~а́ it doesn't matter; ~а́ не велика́ there's no harm in that; в то́м-то и ~а́ that's the trouble; на ~у́ F unluckily; ~а́ как F awfully; **∠ненький** [16] poor, pitiable; **~не́ть** [8], ⟨о-⟩ grow (become) poor; **∠ность** *f* [8] poverty; **~нота́** *f* [5] the poor *coll.*; **∠ный** [14; -ден, -дна́, -дно] poor (in T); **~ня́га** F [5], **~ня́жка** *m/f* [5; *g/pl.*: -жек] poor fellow, wretch; **~ня́к** *m* [1 *e.*] poor man, pauper; small farmer.

бедро́ *n* [9; *pl.*: бёдра, -дер, -драм] thigh; hip; loin.
бе́дств|енный [14 *sh.*] disastrous, miserable; ~енное положе́ние *n* distress, emergency; **~ие** *n* [12] distress, disaster; **~овать** [7] suffer want, live in misery.
бежа́ть [4; бегу́, бежи́шь, бегу́т; беги́!; бегу́щий], ⟨по-⟩ (be) run (-ning, *etc.*); flee; avoid, shun (*a.* p. от P); ~ сломя́ го́лову F run for one's life *or* head over heels.
бе́жевый [14] beige.
бе́жен|ец *m* [1; -нца], **~ка** *f* [5; *g/pl.*: -нок] refugee.
без, ~о (P) **1.** without, ...less; out of (*work*); **2.** less (*with quantities*); **3.** to (*with time*): ~о всего́ without anything; ~ вас ... *a.* ... while you were out.
безала́берный F [14; -рен, -рна] slovenly, disorderly.
безалкого́льный [14] nonalcoholic.
безапелляцио́нный [14; -о́нен, -о́нна] unappealable; peremptory.
безбе́дный [14; -ден, -дна] well off.
безбиле́тный [14]: ~ пассажи́р *m* [1] stowaway.
безбо́ж|ие *n* [12], **~ность** *f* [8] atheism, ungodliness; **~ник** *m* [1], **~ница** *f* [5] atheist; **~ный** [14; -жен, -жна] atheistic, godless, impious; unscrupulous; F awful.
безболе́зненный [14 *sh.*] painless.
безборо́дый [14] beardless.
безбоя́зненный [14 *sh.*] fearless.
безбра́ч|ие *n* [12] celibacy; **~ный** [14; -чен, -чна] unmarried.
безбре́жный [14; -жен, -жна] shoreless, boundless.
безве́рие *n* [12] unbelief.
безве́стный [14; -тен, -тна] unknown.
безве́тр|енный [14 *sh.*] **~ие** *n* [12] calm.
безви́нный [14; -и́нен, -и́нна] guiltless, innocent.
безвку́с|ие *n* [12], **~ица** *f* [5] tastelessness, bad taste; **~ный** [14; -сен, -сна] tasteless, insipid.
безвла́стие *n* [12] anarchy.
безво́дный [14; -ден, дна] arid.
безвозвра́тный [14; -тен, -тна] irretrievable.
безвозду́шный [14] void of air.
безвозме́здный [-mezn-] [14] gratuitous; without compensation.
безволо́сый [14] hairless, bald.
безво́льный [14; -лен, -льна] lacking willpower, weak-willed.
безвре́дный [14; -ден, -дна] harmless.
безвре́менный [14] premature.
безвы́ездный [14] (-jiznyj) permanent.
безвы́ходный [14; -ден, -дна] **1.** continual; **2.** desperate, hopeless.
безголо́вый [14] headless; stupid; forgetful.
безгра́мотн|ость *f* [8] illiteracy, ignorance; **~ый** [14; -тен, -тна] illiterate; faulty.
безграни́чный [14; -чен, -чна] boundless, unlimited.
безда́рный [14; -рен, -рна] untalented, dull; bungling.
безде́йств|ие *n* [12] inactivity; **~овать** [7] be inactive, idle.
безде́л|ица *f* [5], **~ка** *f* [5; *g/pl.*: -лок], **~у́шка** *f* [5; *g/pl.*: -шек] trifle; (k)nick-(k)nack.
безде́ль|е *n* [12] idleness; **~ник** *m* [1], **~ница** *f* [5] idler; good-for-nothing; **~ничать** [1] idle, lounge.
безде́нежье *n* [10] want of money.
безде́тный [14; -тен, -тна] childless.
безде́ятельный [14; -лен, -льна] inactive.
бе́здна *f* [5] abyss; *fig.* F lots (of).
бездо́мный [14; -мен, -мна] homeless.
бездо́нный [14; -до́нен, -до́нна] bottomless; *fig.* unfathomable.
бездоро́ж|ье *n* [12] impassability; **~ный** [14; -жен, -жна] impassable.
бездохо́дный [14; -ден, -дна] unprofitable.
бездушный [14; -шен, -шна] soulless; heartless.
безжа́лостный (bizʒ-sn-) [14; -тен, -тна] ruthless.
безжи́зненный (bizʒ-) [14 *sh.*] lifeless; *fig.* dull.
беззабо́тный [14; -тен, -тна] careless; carefree.
беззаве́тный [14; -тен, -тна] unselfish; unreserved.
беззако́н|ие *n* [12] lawlessness; anarchy; **~ность** *f* [8] illegality; **~ный** [14; -о́нен, -о́нна] illegal; lawless.
беззасте́нчивый [14 *sh.*] shameless; impudent; unscrupulous.
беззащи́тный [14; -тен, -тна] defenseless; unprotected.
беззвёздный (-zn-) [14; -ден, -дна] starless.

беззву́чный [14; -чен, -чна] soundless; silent; mute.
безземе́льный [14] landless.
беззло́бный [14; -бен, -бна] good-natured.
беззу́бый [14] toothless.
безли́чный [14; -чен, -чна] impersonal.
безлю́дный [14; -ден, -дна] deserted, uninhabited.
безме́рный [14; -рен, -рна] immeasurable; immense.
безмо́зглый F [14] brainless, stupid.
безмо́лв|ие *n* [12] silence; **~ный** [14; -вен, -вна] silent.
безмяте́жный [14; -жен, -жна] quiet, calm; undisturbed.
безнадёжный [14; -жен, -жна] hopeless.
безнадзо́рный [14; -рен, -рна] uncared for.
безнака́занный [14 *sh.*] unpunished, with impunity.
безнали́чный [14]: ~ расчёт *m* ✝ cashless settlement.
безнра́вственный [14*sh.*] immoral.
безоби́дный [14; -ден, -дна] inoffensive; harmless.
безо́блачный [14; -чен, -чна] cloudless; serene.
безобра́з|ие *n* [12] ugliness; deformity; mess; disgrace; ~ие! scandalous!, shocking!; **~ничать** [1] behave in an improper *or* mischievous manner; **~ный** [14; -зен, -зна] ugly; deformed; shameful, disgusting, abominable; indecent, mischievous.
безоговоро́чный [14; -чен, -чна] unconditional.
безопа́с|ность *f* [8] safety; security; Сове́т ≈ности Security Council; **~ный** [14; -сен, -сна] safe, secure (from от Р); ~ная бри́тва *f* safety razor.
безору́жный [14; -жен, -жна] unarmed; defenseless.
безостано́вочный [14; -чен, -чна] continuous; nonstop...
безотве́тный [14; -тен, -тна] without response; humble; dumb.
безотве́тственный [14 *sh.*] irresponsible.
безотлага́тельный [14; -лен, -льна] undelayable, urgent.
безотра́дный [14; -ден, -дна] desolate, wretched.
безотчётный [14; -тен, -тна] unaccountable; unconscious, involuntary.
безоши́бочный [14; -чен, -чна] faultless.
безрабо́т|ица *f* [5] unemployment; **~ный** [14] unemployed.
безразли́ч|ие *n* [12] (к Д) indifference (to, toward); **~ный** [14; -чен, -чна] indifferent; э́то мне ~но it is all the same to me.
безрассу́дный [14; -ден, -дна] thoughtless, reckless, rash.
безрезульта́тный [14; -тен, -тна] futile, vain.
безро́потный [14; -тен, -тна] humble, meek, submissive.
безрука́вка *f* [5; *g/pl.:* -вок] sleeveless jacket, waistcoat.
безуда́рный [14; -рен, -рна] unstressed.
безу́держный [14; -жен, -жна] unrestrained; impetuous.
безукори́зненный [14 *sh.*] irreproachable, unobjectionable.
безу́м|ец *m* [1; -мца] madman, lunatic; madcap; **~ие** *n* [12] madness, folly; **~ный** [14; -мен, -мна] mad, insane; nonsensical, absurd; rash.
безумо́лчный [14; -чен, -чна] incessant, uninterrupted.
безу́мство *n* [9] folly.
безупре́чный [14; -чен, -чна] blameless, irreproachable.
безусло́в|но certainly, surely; **~ный** [14; -вен, -вна] absolute, unconditional.
безуспе́шный [14; -шен, -шна] unsuccessful.
безуста́нный [14; -а́нен, -а́нна] incessant; indefatigable.
безуте́шный [14; -шен, -шна] disconsolate, inconsolable.
безуча́стный [14; -тен, -тна] indifferent.
безымя́нный [14] anonymous; ~ па́лец *m* ring finger.
безыску́сственный [14 *sh.*] unaffected, unsophisticated.
безысхо́дный [14; -ден, -дна] hopeless, desperate.
бейсбо́л *m* [14] baseball.
бека́с *m* [1] snipe.
белёсый [14] whitish.
беле́ть [8], ⟨по-⟩ grow *or* turn white; *impf.* (*a.* **-ся**) appear *or* show white.
белизна́ *f* [5] whiteness.
бели́ла *n/pl.* [9] ceruse.

бели́ть [13; белю́, бе́лишь; белённый] **1.** ⟨вы́-⟩ bleach; **2.** ⟨на-⟩ paint (white); **3.** ⟨по-⟩ whitewash.
бе́лка *f* [5; *g*/*pl.*: -лок] squirrel.
беллетри́стика *f* [5] fiction.
бело|боро́дый [14] white-bearded; **~бры́сый** F [14] flaxen-haired.
белова́тый [14 *sh.*] whitish.
бело|ви́к *m* [1 *e.*], **~во́й** [14]: ~во́й экземпля́р *m* fair copy; **~воло́сый** [14] white-haired; **~гварде́ец** *m* [1; -е́йца] White Guard (*member of troops fighting against the Red Guards and the Red Army in the Civil War 1918-1920*); **~голо́вый** [14] white-headed.
бело́к *m* [1; -лка́] albumen; white [(*of egg or eye*).]
бело|кали́льный [14] white hot; **~кро́вие** *n* [12] leukemia; **~ку́рый** [14 *sh.*] blond, fair; **~ру́с** *m* [1], **~ру́ска** *f* [5; *g*/*pl.*: -сок] Byelorussian, White Russian; **2ру́ссия** *f* [7] Byelorussia, White Russia; **~ру́сский** [16] Byelorussian; **~сне́жный** [14; -жен, -жна] snow-white; **~шве́йка** *f* [5; *g*/*pl.*: -шве́ек] seamstress.
белу́га *f* [5] sturgeon.
бе́л|ый [14; бел, -á, -o] white; light, fair; secular; ~ый свет *m* (wide) world; ~ые стихи́ *m*/*pl.* blank verse; средь ~а дня F in broad daylight.
бель|ги́ец *m* [1; -ги́йца], **~ги́йка** *f* [5; *g*/*pl.*: -ги́ек], **~ги́йский** [16] Belgian; **2гия** *f* [7] Belgium.
бельё *n* [12] linen; ни́жнее ~ underwear.
бельм|о́ 𝒢 *n* [9; *pl.*: бе́льма, бельм] wall-eye; *pl.* goggle-eyes; вы́пучить ~а F stare; он у меня́ как ~о́ на глазу́ he is an eyesore to me.
бельэта́ж *m* [1] *thea.* dress circle; second (*Brt.* first) floor.
бемо́ль ♪ *m* [4] flat.
бенефи́с *m* [1] benefit(-night).
бензи́н *m* [1] benzine; gasoline, *Brt.* petrol.
бензо|ба́к *m* [1] gasoline *or* petrol tank; **~коло́нка** (*a.* ~запра́вочная коло́нка) *f* [5; *g*/*pl.*: -нок] filling station; **~л** *m* [1] benzol.
бенуа́р *m* [1] *thea.* parterre box.
бе́рег *m* [1; на -гу́; *pl.*: -гá, *etc. e.*] bank, shore, coast; land; вы́йти (вы́ступить) из ~о́в overflow the banks; приста́ть к ~у land; **~ово́й** [14] coast(al), shore...; ~ово́е судохо́дство *n* coasting.
бережли́вый [14 *sh.*] economical.
бе́режный [14; -жен, -жна] cautious, careful.
берёза *f* [5] birch.
берёзовый [14] birch(en).
bере́йтор *m* [1] horse-breaker.
бере́мен|ная [14] pregnant; **~ность** *f* [8] pregnancy.
берéт *m* [1] cap, beret.
бере́чь [26 г/ж: берегу́, бережёшь] **1.** ⟨по-⟩ guard, watch (over); **2.** ⟨по-, с-⟩ spare, save, take care of; **3.** ⟨с-⟩ [сбережённый] keep; preserve; **-ся** take care (of o. s.); береги́сь! take care!, look out!, attention!
Бе́рингов [19]: ~ проли́в *m* Bering Strait; ~о мо́ре *n* Bering Sea.
берло́га *f* [5] bear's lair; den.
берцо́|вый [14]: ~вая кость *f* shinbone.
бес *m* [1] demon.
бесе́д|а *f* [5] conversation, talk; conference, discussion; **~ка** *f* [5; *g*/*pl.*: -док] arbo(u)r, summerhouse; **~овать** [7] converse.
бесёнок *m* [2; -нка; *pl.*: бесеня́та] imp.
беси́ть F [15], ⟨вз-⟩ [взбешённый] enrage, madden; **-ся** (fly into a) rage; romp.
бесконе́ч|ность *f* [8] infinity; до ~ности endlessly; **~ный** [14; -чен, -чна] endless, infinite; unlimited, boundless; eternal; ~но ма́лый ⅍ infinitesimal.
бескоры́ст|ие *n* [12] unselfishness; **~ный** [14; -тен, -тна] disinterested.
бескро́в|ие *n* [12] an(a)emia; **~ный** [14; -вен, -вна] an(a)emic; bloodless.
беснова́|тый [14] possessed, demoniac; **~ться** [7] rage, rave.
бесо́вщина *f* [5] devilry.
беспа́мят|ность *f* [8] forgetfulness; **~ный** [14; -тен, -тна] forgetful; unconscious; **~ство** *n* [9] unconsciousness, swoon.
беспарти́йный [14] *pol.* independent; non-party (man).
бесперебо́йный [14; -бо́ен, -бо́йна] uninterrupted, smooth.
беспереме́нный [14] invariable; unalterable.
беспереса́дочный [14] through...
беспе́ч|ность *f* [8] carelessness; **~ный** [14; -чен, -чна] careless.
беспла́т|ный [14; -тен, -тна] free (of charge), gratuitous; ~но gratis.

беспло́д|ие *n* [12] sterility; **~ный** [14; -ден, -дна] sterile; fruitless, vain.
бесповоро́тный [14; -тен, -тна] unalterable, irrevocable.
бесподо́бный [14; -бен, -бна] incomparable, matchless.
беспозвоно́чный [14] invertebrate.
беспок|о́ить [13], ⟨(п)о-⟩ upset, worry; disturb, bother, trouble; **-ся** worry, be anxious (about о П); **~о́йный** [14; -ко́ен, -ко́йна] restless; uneasy; **~о́йство** *n* [9] unrest; trouble; anxiety; прости́те за ~о́йство sorry to (have) trouble(d) you.
бесполе́зный [14; -зен, -зна] useless.
беспо́мощный [14; -щен, -щна] helpless.
беспоро́чный [14; -чен, -чна] blameless, irreproachable.
беспоря́до|к *m* [1; -дка] disorder, mess; *pl.* troubles; **~чный** [14; -чен, -чна] disorderly, incoherent.
беспоса́дочный [14]: ~ перелёт nonstop flight.
беспо́шлинный [14] duty-free.
беспоща́дный [14; -ден, -дна] pitiless, ruthless, relentless.
беспреде́льный [14; -лен, -льна] boundless, infinite, unlimited.
беспрекосло́вный [14; -вен, -вна] absolute, unquestioning, implicit.
беспрепя́тственный [14 *sh.*] unhampered, unhindered.
беспреры́вный [14; -вен, -вна] uninterrupted, continuous.
беспреста́нный [14; -а́нен, -а́нна] incessant, continual.
беспри́быльный [14; -лен, -льна] unprofitable.
беспризо́рн|ик *m* [1] waif, stray; **~ый** [14; -рен, -рна] homeless, uncared-for.
бесприме́рный [14; -рен, -рна] unprecedented, unparalleled.
беспринци́пный [14; -пен, -пна] unprincipled, unscrupulous.
беспристра́ст|ие *n* [12] impartiality; **~ный** (-sn-) [14; -тен, -тна] impartial, unprejudiced, unbias(s)ed.
беспричи́нный [14; -и́нен, -и́нна] groundless; unfounded.
бесприю́тный [14; -тен, -тна] homeless.
беспробу́дный [14; -ден, -дна] deep (*of sleep*); unrestrained.
беспро́волочный [14] wireless.
беспросве́тный [14; -тен, -тна] pitch-dark; *fig.* hopeless.
беспроце́нтный [14] without charge for interest.
беспу́тный [14; -тен, -тна] dissolute.
бессвя́зный [14; -зен, -зна] incoherent, rambling.
бессерде́чный [14; -чен, -чна] heartless, unfeeling, callous.
бесси́|лие *n* [12] debility; impotence; **~льный** [14; -лен, -льна] weak, powerless, impotent.
бессла́вный [14; -вен, -вна] infamous, disgraceful, inglorious.
бессле́дный [14; -ден, -дна] without leaving a trace, entire.
бессслове́сный [14; -сен, -сна] speechless, dumb; taciturn.
бессме́рт|ие *n* [12] immortality; **~ный** [14; -тен, -тна] immortal.
бессмы́сл|енный [14 *sh.*] senseless; dull; **~ица** *f* [5] nonsense.
бессо́вестный [14; -тен, -тна] unscrupulous.
бессодержа́тельный [14; -лен, -льна] empty, insipid, dull.
бессозна́тельный [14; -лен, -льна] unconscious.
бессо́нн|ица *f* [5] insomnia; **~ый** [14] sleepless.
бесспо́рный [14; -рен, -рна] indisputable; doubtless, certain.
бессро́чный [14; -чен, -чна] termless, not limited in time.
бесстра́ст|ие *n* [12] dispassionateness, calmness; **~ный** [14; -тен, -тна] dispassionate, composed.
бесстра́ш|ие *n* [12] fearlessness; **~ный** [14; -шен, -шна] fearless, intrepid.
бессты́д|ный [14; -ден, -дна] shameless, impudent; indecent; **~ство** *n* [9] impudence, insolence.
бессчётный [14] innumerable.
бестала́нный [14; -а́нен, -а́нна] **1.** untalented; **2.** ill-fated.
бе́стия *f* [7] brute, beast; artful dodger.
бестолко́в|щина *f* [5] nonsense; mess; confusion; **~ый** [14 *sh.*] absurd, confused.
бестре́петный [14; -тен, -тна] intrepid, undaunted.
бесхи́тростный [14; -тен, -тна] artless, naïve, ingenuous, unsophisticated.
бесхозя́йствен|ность *f* [8] mis-

management; ~ный [14] thriftless.
бесцве́тный [14; -тен, -тна] colo(u)rless. [aimless.
бесце́льный [14; -лен, -льна]
бесце́н|ный [14; -е́нен, -е́нна] invaluable, priceless; **~ок:** за ~ок F for a song *or* a trifling sum.
бесцеремо́нный [14; -о́нен, -о́нна] unceremonious, bold, inconsiderate.
бесчелове́ч|ие *n* [12], **~ность** *f* [8] inhumanity; **~ный** [14; -чен, -чна] inhuman, cruel.
бесче́ст|ный [14; -тен, -тна] dishonest; dishono(u)rable; **~ье** *n* [10] dishono(u)r, disgrace.
бесчи́нство *n* [9] excess, outrage; **~вать** [7] behave outrageously.
бесчи́сленный [14 *sh.*] innumerable, countless.
бесчу́вств|енный (biˈʃtʃustv-) [14 *sh.*] insensible, callous, hard-hearted; **~ие** *n* [12] insensibility; unconsciousness, swoon.
бесшаба́шный F [14; -шен, -шна] reckless, careless; wanton.
бесшу́мный [14; -мен, -мна] noiseless, quiet.
бето́н *m* [1] concrete; **~и́ровать** [7], ⟨за-⟩ concrete; **~ный** [14] concrete...
бечёвка *f* [5; *g/pl.*: -вок] string.
бе́шен|ство *n* [9] **1.** ⚕ hydrophobia; **2.** fury, rage; **~ый** [14] **1.** rabid; **2.** furious, frantic, wild; **3.** enormous.
библе́йский [16] Biblical; Bible...
библиографи́ческий [16] bibliographic(al).
библиоте́|ка *f* [5] library; **~карь** *m* [4] librarian; **~чный** [14] library...
би́блия *f* [7] Bible.
бив(у)а́к *m* [1] bivouac; стоя́ть ~ом *or* на ~ах bivouac.
би́вень *m* [4; -вня] tusk.
бидо́н *m* [1] can.
бие́ние *n* [12] beat, throb.
бизо́н *m* [1] bison.
биле́т *m* [1] ticket; card; note, bill; обра́тный ~ round-trip ticket, *Brt.* return-ticket.
биллио́н *m* [1] billion, *Brt.* milliard.
билья́рд *m* [1] billiards.
бино́кль *m* [4] binocular(s); glass; театра́льный ~ opera glasses; полево́й ~ field glass.
бинт *m* [1 *e.*] bandage; **~ова́ть** [7], ⟨за-⟩ bandage, dress.
био́граф *m* [1] biographer; **~и́ческий** [16] biographic(al); **~ия** *f* [7] biography.
био́лог *m* [1] biologist; **~и́ческий** [16] biological; **~ия** *f* [7] biology.
биохи́мия *f* [7] biochemistry.
бипла́н *m* [1] biplane.
би́ржа *f* [5] (stock) exchange; ~ труда́ labor registry office, *Brt.* labour exchange.
бирже|ви́к *m* [1 *e.*], stockbroker; **~во́й** [14]: ~во́й ма́клер = ~ви́к.
Би́рм|а *f* [5] Burma; **♀а́нец** *m* [1; -нца], **♀а́нка** *f* [5; *g/pl.*: -нок], **♀а́нский** [16] Burmese.
бирюза́ *f* [5] turquoise.
бис encore!
би́сер *m* [1] *coll.* (glass) beads *pl.*
бискви́т *m* [1] sponge cake.
би́тва *f* [5] battle.
бит|ко́м *s.* наби́тый; **~о́к** *m* [1; -тка́] (mince)meat ball.
бить [бью, бьёшь; бей!; би́тый] **1.** ⟨по-⟩ beat; churn (*butter*); **2.** ⟨про-⟩ [про́бил, -би́ла, про́било] strike (*clock*); **3.** ⟨раз-⟩ [разобью́, -бьёшь] break, smash; **4.** ⟨у-⟩ shoot, kill; trump (*card*); **5.** *no pf.* spout; ~ в глаза́ strike the eye; ~ в наба́т, ~ трево́гу sound the alarm (bell) (отбо́й the retreat); ~ ключо́м 1. bubble; 2. boil over; 3. sparkle; 4. abound in vitality; про́бил его́ час his hour has struck; би́тый час *m* one solid hour; **-ся** fight; beat (*heart*); drudge, toil; -ся голово́й о(б) сте́ну dash against the rock; -ся об закла́д bet; он бьётся как ры́ба об лёд he exerts himself in vain.
бифште́кс *m* [1] (beef)steak.
бич *m* [1 *e.*] whip; *fig.* scourge; **~ева́ть** [7] lash, scourge.
благови́дный [14; -ден, дна] attractive; *fig.* seemly.
благово|ле́ние *n* [12] benevolence, goodwill; **~ли́ть** [13] wish (a p. к Д) well, be kind (to a p.); deign.
благово́н|ие *n* [12] fragrance; **~ный** [14] fragrant.
благовоспи́танный [14 *sh.*] well-bred.
благогого|ве́йный [14; -ве́ен, -ве́йна] devout, reverent, respectful; **~ве́ние** *n* [12] awe (of), reverence, respect (for) (пе́ред Т); **~ве́ть** [8] (пе́ред Т) worship, venerate.
благодар|и́ть [13], ⟨по-, от-⟩ (В/за

В) thank (a p. for s. th.); **~ность** *f* [8] gratitude; thanks; не сто́ит ~ности you are welcome, *Brt.* don't mention it; **~ный** [14; -рен, -рна] grateful, thankful (to a p. for s. th. Д/за В); **~я́** (Д) thanks *or* owing to.

благода́т|ный [14]; -тен, -тна] blessed; **~ь** *f* [8] blessing.

благоде́тель *m* [4] benefactor; **~ница** *f* [5] benefactress; **~ный** [14; -лен, -льна] beneficent; beneficial.

благодея́ние *n* [12] benefit.

благоду́ш|ие *n* [12] good nature, kindness; **~ный** [14; -шен, -шна] kindhearted, benign.

благожела́тель|ность *f* [8] benevolence; **~ный** [14; -лен, -льна] benevolent.

благозву́ч|ие *n* [12], **~ность** *f* [8] euphony, sonority; **~ный** [14; -чен, -чна] sonorous, harmonious.

благонадёжный [14; -жен, -жна] reliable, trustworthy.

благонаме́ренный [14 *sh.*] well--meaning, well-meant.

благонра́вный [14; -вен, -вна] well-mannered, modest.

благообра́зный [14; -зен, -зна] attractive, comely, sightly.

благополу́ч|ие *n* [12] well-being, prosperity, happiness; **~ный** [14; -чен, -чна] happy; safe.

благоприя́т|ный [14; -тен, -тна] favo(u)rable, propitious; **~ствовать** [7] (Д) favo(u)r, promote.

благоразу́м|ие *n* [12] prudence, discretion; **~ный** [14; -мен, -мна] prudent, judicious.

благоро́д|ный [14; -ден, -дна] noble; high-minded, distinguished; lofty; precious; **~ство** *n* [9] nobility.

благоскло́нный [14; -о́нен, -о́нна] favo(u)rable, well-disposed (to [-ward(s)] a p. к Д).

благосло|ве́ние *n* [12] benediction, blessing; **~вля́ть** [28], 〈~ви́ть〉 [14 *e.*; -влю́, -ви́шь] bless.

благосостоя́ние *n* [12] prosperity.

благотвори́тельный [14] beneficent, charitable.

благотво́рный [14; -рен, -рна] wholesome, salutary.

благоустро́енный [14 *sh.*] well--furnished, comfortable.

благоуха́|ние *n* [12] fragrance, odo(u)r; **~ть** [1] scent, exhale fragrance.

благочести́вый [14 *sh.*] pious.

блаже́н|ный [14 *sh.*] blissful; **~ство** *n* [9] bliss; **~ствовать** [7] enjoy felicity.

блаж|и́ть P [16 *e.*; -жу́, -жи́шь] be capricious, cranky; **~но́й** P [14] capricious; preposterous; **~ь** F *f* [8] caprice, whim, freak, fancy; folly.

бланк *m* [1] form; letterhead.

блат P *m* [1] profitable connections; по ~у on the quiet, illicitly, through good connections; **~но́й** P [14] trickster, rogue; ~но́й язы́к *m* thieves' slang, cant.

бледне́ть [8], 〈по-〉 turn pale.

бледно|ва́тый [14 *sh.*] palish; **~ли́цый** [14 *sh.*] with a pale face.

бле́д|ность *f* [8] pallor; **~ный** [14; -ден, -дна́, -о] pale.

блёк|лый [14] faded, withered; **~нуть** [21], 〈по-〉 fade, wither.

блеск *m* [1] luster, shine, brilliance, glitter, splendo(u)r.

блест|е́ть [11; *a.* бле́щешь], *once* 〈блесну́ть〉 [20] shine, glitter; flash; не всё то зо́лото, что ~и́т all is not gold that glitters; **~ки** ('bʲlʲɔski) *f/pl.* [5; *gen.*: -ток] spangle; **~я́щий** [17 *sh.*] brilliant.

блеф *m* [1] bluff.

бле́ять [27], 〈за-〉 bleat.

ближ|а́йший [17] (*s.* бли́зкий) the nearest, next; **~е** nearer; **~ний** [15] near(-by); *su.* fellow creature.

близ (Р) near, close; **~иться** [15; *3rd p. only*], 〈при-〉 approach (a p. к Д); **~кий** [16; -зок, -зка́, -о; *comp.*: бли́же], (к Д) near, close; ~кие *pl.* folk(s), one's family, relatives; ~ко от (Р) close to, not far from; **~лежа́щий** [17] nearby, neighbo(u)ring.

близне́ц *m* [1 *e.*] twin.

близору́кий [16 *sh.*] short-sighted.

бли́зость *f* [8] nearness, proximity; intimacy.

блин *m* [1 *e.*] pancake.

блиста́тельный [14; -лен, -льна] brilliant, splendid, magnificent.

блиста́ть [1] shine, beam.

блок *m* [1] **1.** bloc, coalition; **2.** pulley.

блок|а́да *f* [5] blockade; **~и́ровать** [7] *(im)pf.* blockade, block up.

блокно́т *m* [1] notebook.

блонди́н *m* [1] blond; **~ка** *f* [5; *g/pl.*: -нок] blonde.

блоха́ *f* [5; *nom/pl. st.*: бло́хи] flea.
блуд *m* [1] licentiousness; **~и́ть** P **1.** [15] roam, wander; **2.** [15 *e.*; -жу́, -ди́шь] debauch; **~ли́вый** F [14*sh.*], **∠ный** [14] wanton; ∠ный сын *m* prodigal son.
блужда́|ть [1], ⟨про-⟩ roam, wander; ~ющий огонёк *m* will-o'-the-wisp; ~ющая по́чка *f* floating kidney.
блу́з|а *f* [5] blouse, smock; **~ка** *f* [5; *g/pl.*: -зок] (ladies') blouse.
блю́дечко *n* [9; *g/pl.*: -чек] saucer.
блю́до *n* [9] dish; course.
блю́дце *n* [11; *g/pl.*: -дец] saucer.
блюсти́ [25], ⟨со-⟩ observe, preserve, maintain; watch; **~тель** *m* [4], **~тельница** *f* [5] keeper, guardian.
бля́ха *f* [5] metal plate, badge.
боа́ [*indecl.*] **1.** *m zo.* boa; **2.** *n* boa (*wrap*).
боб *m* [1 *e.*] bean; haricot; оста́ться на ~а́х have one's trouble for nothing.
бобёр *m* [1; -бра́] beaver (*fur*).
боби́на *f* [5] bobbin, spool, reel.
бобо́в|ый [14]: ~ые расте́ния *n/pl.* legumes.
бобр *m* [1 *e.*], **~о́вый** [14] beaver.
бо́бслей *m* [3] bobsleigh.
бобы́ль *m* [4 *e.*] landless peasant; *fig.* solitary man, (old) bachelor.
бог (bɔx) *m* [1; *voc.*: бо́же; *from g/pl. e.*] God; god, idol; ~ весть, ~ (его́) зна́ет F God knows; бо́же (мой)! oh God!, good gracious!; дай ~ God grant; I (let's) hope (so); ей ∠у! by God!; ра́ди ∠а for God's (goodness') sake; сохрани́ (не дай, изба́ви, упаси́) ~ (бо́же) God forbid!
богат|е́ть [8] ⟨раз-⟩ grow (become) rich; **∠ство** *n* [9] wealth; **∠ый** [14 *sh.*; *comp.*: бога́че] rich (in T), wealthy.
богаты́рь *m* [4 *e.*] hero; athlete.
бога́ч *m* [1 *e.*] rich man.
Боге́м|ия *f* [7] Bohemia; **♀ский** [16] Bohemian.
боги́ня *f* [6] goddess.
богома́терь *f* [8] the Blessed Virgin.
бого|мо́лец *m* [1; -льца], **~мо́лка** *f* [5; *g/pl.*: -лок] devotee; pilgrim; **~мо́лье** *n* [10] prayer; pilgrimage.
богоотсту́пник *m* [1] atheist.
богоро́дица *f* [5] the Blessed Virgin, Our Lady.
богосло́в *m* [1] theologian; **~ие** *n* [12] theology, divinity; **~ский** [16] theological.
богослуже́ние *n* [12] divine service.
боготвори́ть [13] adore, deify.
богоху́ль|ник *m* [1] blasphemer; **~ничать** [1] blaspheme; **~ный** [14] blasphemous; **~ство** *n* [9] blasphemy; **~ствовать** [7] = богоху́льничать.
бода́ть [1], ⟨за-⟩, *once* ⟨боднуть⟩ [20] (*a.* **~ся**) butt, gore (*a.* o.a.).
бо́др|ость *f* [8] vivacity, sprightliness; **~ствовать** [20] be awake; **~ый** [14; бодр, -á, -o] awake; sprightly, vivacious, brisk; vigorous.
боеви́к *m* [1 *e.*] hit, draw.
боево́й [14] battle..., fighting, war-..., military; live (*shell, etc.*); pugnacious, militant; ~ па́рень *m* dashing fellow; ~ поря́док *m* battle array.
бое|припа́сы *m/pl.* [1] ammunition; **~спосо́бный** [14; -бен, -бна] effective.
бое́ц *m* [1; бойца́] soldier, fighter.
бо́же *s.* бог; **~ский** [16] godlike, divine; **∠ственный** [14 *sh.*] divine; **~ство́** *n* [9] deity, divinity.
бо́жий [18] God's, divine.
божи́ться [16 *e.*; -жу́сь, -жи́шься], ⟨по-⟩ swear.
бой *m* [3; бо́я, в бою́; *pl.*: бои́, боёв, *etc. e.*] battle, combat, fight; брать (взять) бо́ем *or* с бо́ю take by assault (storm); рукопа́шный ~ close fight; ~ часо́в the striking of a clock; **∠кий** [16; бо́ек, бойка́, бо́йко; *comp.*: бо́йч(е́)е] brisk, lively, busy; smart, quick, sharp; voluble, glib; **∠кость** *f* [8] liveliness, smartness.
бойкоти́ровать [7] (*im*)*pf.* boycott.
бойни́ца *f* [5] loophole, embrasure.
бо́йня *f* [6; *g/pl.*: бо́ен] slaughterhouse; *fig.* massacre, slaughter.
бок *m* [1; на боку́; *pl.*: бока́, *etc. e.*] side; на́ ~, ∠ом sideways; ~ о́ ~ side by side; по́д ~ом F close by; бара́ний ~ leg of mutton.
бока́л *m* [1] wineglass.
боково́й [14] lateral.
бокс *m* [1] boxing; **~ёр** *m* [1] boxer; **~и́ровать** [7] box.
болва́н *m* [1] dolt, blockhead.
болга́р|ин *m* [4; *pl.*: -ры, -р] Bulgarian; **♀ия** *f* [7] Bulgaria; **~ка** *f* [5; *g/pl.*: -рок], **~ский** [16] Bulgarian.

бо́лее (*s.* бо́льше) more (than P); ~ высо́кий higher; ~ и́ли ме́нее more or less; не ~ at (the) most.

боле́зненный [14 *sh.*] sickly, ailing, morbid; painful.

боле́знь *f* [8] sickness (on the score of по Д), illness; disease; (*mental*) disorder; sick (*leave* ... по Д).

боле́льщик *m* [1] *sport*: fan.

боле́ть 1. [8] be sick, ill (with T); be anxious (for, about за B, о П), apprehensive; **2.** [9; *3rd p. only*] hurt, ache; у меня́ боли́т голова́ (зуб, го́рло) I have a headache (a toothache, a sore throat).

боло́т|истый [14 *sh.*] boggy, swampy; **~ный** [14] bog..., swamp-...; **~о** *n* [9] bog, swamp.

болт *m* [1 *e.*] bolt.

болта́ть [1] **1.** ⟨вз-⟩ shake up; **2.** (**-ся**) dangle; **3.** F ⟨по-⟩ [20] chat (-ter); **~ся** F loaf *or* lounge about.

болтли́вый [14 *sh.*] talkative.

болтовня́ F *f* [6] idle talk, gossip.

болту́н *m* [1; -на́], **~ья** *f* [6] babbler, chatterbox.

боль *f* [8] pain, ache.

больни́|ца *f* [5] hospital; **~чный** [14] hospital...; ~чная ка́сса *f* sick--fund; ~чный листо́к *m* medical certificate.

бо́льн|о painful(ly); P very; мне ~о it hurts me; глаза́м ~о my eyes smart; **~о́й** [14; бо́лен, больна́] sick, ill (*a. su.*), sore; patient, invalid; *fig.* delicate, burning; tender.

бо́льше bigger; more; ~ всего́ most of all; above all; ~ не ... no more *or* longer; как мо́жно ~ as much as possible; **~ви́зм** *m* [1] Bolshevism; **~ви́к** *m* [1 *e.*], **~ви́чка** *f* [5; *g/pl.*: -чек] Bolshevik; **~ви́стский** (-ˈɣis-sķij) [16] Bolshevist(ic).

бо́льш|ий [17] bigger, greater; **~инство́** *n* [9] majority; most; **~о́й** [16] big, large, great; grownup.

бо́мб|а *f* [5] bomb; **~ардирова́ть** [7] bomb, shell; bombard (*a. fig.*); **~ардиро́вка** *f* [5; *g/pl.*: -вок] bombardment, bombing; **~ардиро́вщик** *m* [1] bomber; **~ёжка** F *f* [5; *g/pl.*: -жек] = ~ардиро́вка; **~и́ть** [14 *e.*; -блю́, -би́шь; (раз-) бомблённый], ⟨раз-⟩ bomb.

бомбо|во́з *m* [1] = бомбардиро́вщик; **~убе́жище** *n* [11] air--raid shelter.

бонбонье́рка *f* [5; *g/pl.*: -рок] bonbonnière, box for candies.

бо́нда́рь *m* [4 & 4 *e.*; *pl. a.* -ря́, *etc. e.*] cooper.

бор *m* [1] **1.** [в бору́] pine wood *or* forest; **2.** ⚗ boron.

бордо́ *n* [*indecl.*] claret.

бордю́р *m* [1] border, trimming.

боре́ц *m* [1; -рца́] fighter; wrestler; *fig.* champion, partisan.

бор|зо́й [14] swift, fleet (*dog*); ~за́я (соба́ка) *f* borzoi, greyhound.

бо́рзый [14; борз, -а́, -о] brisk, swift.

Бори́с *m* [1] Boris (*masc. name*).

бормота́ть [3], ⟨про-⟩ murmur, mutter.

бо́ров *m* [1; *from g/pl. e.*] boar.

борода́ *f* [5; *ac/sg.*: бо́роду; *pl.*: бо́роды, боро́д, -да́м] beard.

борода́вка *f* [5; *g/pl.*: -вок] wart.

борода́|тый [14 *sh.*] bearded; **~ч** *m* [1 *e.*] bearded man.

боро́дка *f* [5; *g/pl.*: -док] small beard; bit (*key*).

борозд|а́ *f* [5; *pl.*: бо́розды, боро́зд -да́м] furrow; **~и́ть** [15 *e.*; -зжу́ -зди́шь], ⟨вз-⟩ furrow.

боро|на́ *f* [5; *ac/sg.*: бо́рону; *pl.*: бо́роны, боро́н, -на́м] harrow; **~ни́ть** [13], **~нова́ть** [7], ⟨вз-⟩ harrow.

боро́ться [17; боря́сь] fight, struggle (for за B); wrestle.

борт *m* [1; на -ту́; *nom/pl.*: -та́] **1.** braid, lace; border; **2.** board; на ~у́ су́дна on board a ship; бро́сить за́ ~ throw overboard; челове́к за ~ом! man overboard!; **~ово́й** [14] board...

борщ *m* [1 *e.*] borsch(t), red-beet soup.

Бо́ря *m* [6] *dim. of* Бори́с.

босико́м barefoot.

басо́й [14; бос, -а́, -о] barefooted; на бо́су но́гу = босико́м.

босоно́гий [16] = босо́й.

Босфо́р *m* [1] Bosporus.

бося́к *m* [1 *e.*] tramp, vagabond.

бота́ни|к *m* [1] botanist; **~ка** *f* [5] botany; **~ческий** [16] botanic(al).

боти́нок *m* [1; *g/pl.*: -нок] shoe, *Brt.* (lace-)boot.

ботфо́рты *m/pl.* [1] jackboots.

бо́ты *m/pl.* [1; *g/pl. a.* бот] overshoes.

бо́цман *m* [1] boatswain.

боча́р *m* [1 *e.*] cooper.

бо́чка *f* [5; *g/pl.*: -чек] cask, tun.

бочко́м sideway(s), sidewise.

бочо́но|к *m* [1; -нка] (small) barrel; **~чный** [14]: ~чное пи́во *n* draught beer.

боязли́вый [14 *sh.*] timid, fearful.
боя́знь *f* [8] fear, dread.
боя́р|ин *m* [4; *pl.:* -ре, -р], **~ыня** *f* [6] boyar(d) (*member of old nobility in Russia*).
боя́рышник *m* [1] hawthorn.
боя́ться [бою́сь, бои́шься; бо́йся, бо́йтесь!], ⟨по-⟩ be afraid (of P), fear; бою́сь сказа́ть I don't know exactly, I'm not quite sure.
бра́вый [14] brave, courageous.
бразды́ *f/pl.* [5] *fig.* reins.
брази́|лец *m* [1; -льца] Brazilian; **2лия** *f* [7] Brazil]; **~льский** [16], **~лья́нка** *f* [5; *g/pl.:* -нок] Brazilian.
брак *m* [1] **1.** marriage; matrimony; **2.** (*no pl.*) defective articles, spoilage.
бракова́ть [7], ⟨за-⟩ scrap, reject.
бракосочета́ние *n* [12] wedding.
брани́ть [13], ⟨по-, вы́-⟩ scold, rebuke, abuse; **-ся** quarrel, wrangle; swear, curse.
бра́нный [14] **1.** abusive; **2.** battle-..., military.
бранчли́вый [14 *sh.*] quarrelsome.
брань *f* [8] **1.** abuse, quarrel([l]ing); invective; **2.** battle, fight.
брасле́т *m* [1] bracelet.
брат *m* [1; *pl.:* бра́тья, -тьев, -тьям] brother; (*address:*) old boy!; ваш ~ F of your kind; наш ~ F (such as) we.
брата́|ние *n* [12] fraternization; **~ться** [1], ⟨по-⟩ fraternize.
бра́тец *m* [1; -тца] dear brother; (*address:*) old fellow!, dear friend!
бра́тия *f* [7] fraternity; friary; ни́щая ~ beggary.
брато|уби́йство *n* [9], **~уби́йца** *m/f* [5] fratricide.
бра́т|ский [16; *adv.*: (по-)бра́тски] brotherly, fraternal; **~ство** *n* [9] brotherhood, fraternity, fellowship.
брать [беру́, -рёшь; брал, -а́, -о; ...бранный], ⟨взять⟩ [возьму́, -мёшь; взял, -а́, -о; взя́тый (взят, -а́, -о)] take; ~ напрока́т hire; ~ приме́р (с P) take (a p.) for a model; ~ верх над (T) be victorious over, conquer; ~ на пору́ки be (-come) bail (for B); ~ сло́во take (have) the floor; ~ (с P) сло́во make (s. o.) promise; ~ (свои слова́) обра́тно withdraw (one's words); ~ себя́ в ру́ки *fig.* collect o.s., pull o.s. together; ~ на себя́ assume; ~ за пра́вило make it a rule; его́ взяла́ охо́та писа́ть he took a fancy to writing; он взял да сказа́л F he said it without further consideration; возьми́те напра́во! turn (to the) right!; *s. a.* взима́ть; **-ся** [бра́лся, -ла́сь, -ло́сь], ⟨взя́ться⟩ [взя́лся, -ла́сь, взяло́сь, взяли́сь] (за B) undertake; set about; take hold of, seize; ~ за́ руки join hands; ~ за кни́гу (рабо́ту) set about *or* start reading a book (working); отку́да э́то берётся? where does that come from?; отку́да у него́ де́ньги беру́тся? wherever does he get his money from?; отку́да ни возьми́сь all of a sudden.
бра́чный [14] matrimonial, conjugal.
брев|е́нчатый [14] log...; **~но́** *n* [9; *pl.:* брёвна, -вен, -внам] log; beam.
бред *m* [1] delirium; **~ить** [15], ⟨за-⟩ rave, talk deliriously (about T); **~ни** *f/pl.* [6; *gen.:* -ней] nonsense, fantasies; raving.
брезг|ать [1] (T) disdain; **~ли́вость** *f* [8] squeamishness, disgust; **~ли́вый** [14 *sh.*] squeamish, fastidious (in к Д).
брезе́нт *m* [1] tarpaulin.
бре́зжить [16], **-ся** glimmer; dawn.
бре́мя *n* [13; *no pl.*] burden, load.
бренча́ть [4*e.*; -чу́, -чи́шь], ⟨за-, про-⟩ clink, jingle; strum.
брести́ [25], ⟨по-⟩ drag, lag; grope.
брешь *f* [8] breach; gap.
брига́|да *f* [5] brigade (*a.* ⚔), team, group of workers; уда́рная ~да shock brigade; **~ди́р** *m* [1] brigadier; foreman.
бри́джи *pl.* [*gen.:* -жей] breeches.
бриллиа́нт *m* [1], **~овый** [14] brilliant.
брита́н|ец *m* [1; -нца] Briton, Britisher; **2ия** *f* [7] Britain; **~ский** [16] British; 2ская Импе́рия *f* British Empire; 2ские острова́ *m/pl.* British Isles.
бри́т|ва *f* [5] razor; **~венный** [14]: ~венный прибо́р *m* shaving things.
брить [бре́ю, бре́ешь; бре́й(те)!; бре́я; брил; бри́тый], ⟨вы́-, по-⟩ shave; **-ся** *v/i.* get shaved, (have a) shave; **~ё** *n* [10] shaving.
бров|ь *f* [8; *from g/pl. e.*] eyebrow; хму́рить ~и frown; он и ~ью не повёл F he did not turn a hair;

попáсть не в ~ь, а в глаз F hit the nail on the head.
брод *m* [1] ford.
бродить [15] **1.** ⟨по-⟩ wander, roam; **2.** (*impers.*) ferment.
бродя́|га *m* [5] tramp, vagabond; **~жничать** F [1] stroll, tramp; **~жничество** *n* [9] vagrancy; **~чий** [17] vagrant.
броже́ние *n* [12] fermentation; *fig.* agitation, unrest.
бром *m* [1] bromine.
броне|ви́к *m* [1 *e.*] armo(u)red car; **~во́й** [14] armo(u)red; **~но́сец** *m* [1; -сца] battleship; **~по́езд** *m* [1] armo(u)red train; **~та́нковый** [14]: ~та́нковые ча́сти *f/pl.* armo(u)red troops.
бро́нз|а *f* [5] bronze; **~овый** [14] [bronzy, bronze...]
брони|ровáть¹ [7], ⟨за-⟩ armo(u)r; **~ровать²** [7], ⟨за-⟩ reserve, secure.
бро́нх|и *m/pl.* [1] bronchi *pl.* (*sg.* ~ bronchus); **~и́т** *m* [1] bronchitis.
броня́¹ *f* [6; *g/pl.:* -не́й] armo(u)r.
бро́ня² *f* [6; *g/pl.:* -ней] reservation.
броса́ть [1], ⟨бро́сить⟩ [15] throw, (*a.* ⚓) cast, fling (*a.* out) (s. th. at В *or* Т/в В); leave, abandon, desert; give up, quit, leave off; (*impers.*) break into, be seized with (в В); lay down (*one's arms*); F waste, squander; брось(те) ...! F (oh) stop ...!; **-ся** dash, rush, plunge, dart (off -ся бежа́ть); fall (up)on (на В); go to (в В); -ся в глаза́ strike the eye.
бро́со|вый [14] catchpenny; under (*price*); ~вый э́кспорт *m* dump.
бросо́к *m* [1; -ска́] hurl, throw.
бро́шка *f* [5; *g/pl.:* -шек] brooch.
брошю́|ра *f* [5] brochure, pamphlet; **~рова́ть** [7], ⟨с-⟩ stitch.
брус *m* [1; *pl.:* бру́сья, бру́сьев, бру́сьям] (square) beam; bar; *pl.* (*a.* паралле́льные ~ья) (*gymnastics*) parallel bars; **~ко́вый** [14] bar...
брусни́ка *f* [5] red bilberry, -ries *pl.*
брусо́к *m* [1; -ска́] **1.** bar; **2.** (*a.* точи́льный ~) whetstone.
бру́тто [*indecl.*] gross (weight).
бры́з|гать [1 *or* 3], *once* ⟨~нуть⟩ [20] splash, spatter, sprinkle; gush; **~ги** *f/pl.* [5] splash, spray.
брык|а́ть [1], *once* ⟨~ну́ть⟩ [20] (*a.* **-ся**) kick.
брюз|га́ F *m/f* [5] grumbler, griper, grouch; **~гли́вый** [14 *sh.*] morose, sullen, peevish, grouchy; **~жа́ть** [4 *e.*; -жу́, -жи́шь], ⟨за-⟩ grumble, growl, grouch.
брю́ква *f* [5] turnip.
брю́ки *f/pl.* [5] trousers, pants.
брюне́т *m* [1] brunet; **~ка** *f* [5; *g/pl.:* -ток] brunette.
Брюссе́ль *m* [4] Brussels; **♀ский** [16]: ♀ская капу́ста *f* Brussels sprouts.
брю́хо P *n* [9] belly, paunch.
брюш|и́на *f* [5] peritoneum; **~но́й** [14] abdominal; ~но́й тиф *m* typhoid fever.
бря́кать [1], *once* ⟨бря́кнуть⟩ [20] **1.** *v/i.* clink; **2.** *v/t.* plump.
бряца́ть [1] clank, jingle; rattle.
БССР (Белору́сская Сове́тская Социалисти́ческая Респу́блика *f*) Byelorussian Soviet Socialist Republic.
бу́бен *m* [1; -бна; *g/pl.:* бу́бен] (*mst pl.*) tambourine; **~е́ц** *m* [1; -нца́], **~чик** *m* [1] jingle, small bell.
бу́блик *m* [1] (round) cracknel.
бу́бн|ы *f/pl.* [5; *g/pl.:* бубён, -бна́м] (*cards*) diamonds.
буго́р *m* [1; -гра́] hillock.
Будапе́шт *m* [1] Budapest.
бу́дет (*s.* быть) (*impers.*) (it's) enough!, that'll do!
буди́льник *m* [1] alarm clock.
буди́ть [15] **1.** ⟨раз-⟩ (a)wake, waken; **2.** ⟨про-⟩ [пробуждённый] *fig.* (a)rouse.
бу́дка *f* [5; *g/pl.:* -док] booth, box.
бу́дни *m/pl.* [1; *gen.:* -дней] weekdays; everyday life, monotony; **~чный** [14] everyday; humdrum.
будора́жить [16], ⟨вз-⟩ excite.
бу́дто as if, as though (*a.* ~ бы, ~ б); that; allegedly.
бу́дущ|ее *n* [17] future; **~ий** [17] future (*a. gr.*); **~ность** *f* [8] futurity, future.
бу́ер *m* [1; *pl.:* -ра́, *etc. e.*] iceboat.
буза́ P *f* [5] row, shindy.
бузина́ *f* [5] elder.
буй *m* [3] buoy.
бу́йвол *m* [1] buffalo.
бу́йный [14; бу́ен, буйна́, -о] impetuous, violent, vehement; unbridled; exuberant.
бу́йство *n* [9] mischief, rage, outrage, violence; **~вать** [7] behave outrageously, rage.

бук *m* [1] beech.

бу́к|ва *f* [5] letter; прописна́я (строчна́я) ~ва capital (small) letter (with c P); **~ва́льный** [14] literal, verbal; **~ва́рь** *m* [4*e.*] ABC book, primer; **~воéд** *m* [1] pedant.

букини́ст *m* [1] second-hand bookseller

бу́ковый [14] beechen, beech...

букс *m* [1] box(wood).

букси́р *m* [1] tug(boat); tow; взять на ~ take in tow; **~ный** [14] tug...; **~овать** [7] tow, tug.

була́вка *f* [5; *g*/*pl.:* -вок] pin; английская ~ safety pin.

була́ный [14] dun (*horse*).

була́т *m* [1] Damascus steel; **~ный** [14] steel...; damask...

бу́лка *f* [5; *g*/*pl.:* -лок] small loaf; roll.

бу́лоч|ка *f* [5; *g*/*pl.:* -чек] roll; bun; **~ная** *f* [14] bakery; **~ник** *m* [1] baker.

булы́жник *m* [1] cobblestone.

бульва́р *m* [1] boulevard, avenue; **~ный** [14] boulevard...; ~ный рома́н *m* dime novel, *Brt.* penny dreadful; ~ная пре́сса *f* gutter press.

бу́лькать [1] gurgle.

бульо́н *m* [1] broth, bouillon.

бума́|га *f* [5] paper; document; **~жка** *f* [5; *g*/*pl.:* -жек] slip of paper; P note (*money*); **~жник** *m* [1] wallet; **~жный** [14] **1.** paper...; **2.** cotton...; **~зе́я** *f* [6] fustian.

бунт *m* [1] **1.** revolt, mutiny, insurrection, uprising; **2.** bale, pack; **~а́рь** *m* [4*e.*] = ~овщи́к.

бунтов|а́ть [7] rebel, revolt; ⟨вз-⟩ instigate; **~ско́й** [14] rebellious, mutinous; **~щи́к** *m* [1 *e.*] mutineer, rebel.

бура́ *f* [5] borax.

бура́в *m* [1 *e.*] drill, auger; **~ить** [14], ⟨про-⟩ bore, drill.

бура́н *m* [1] snowstorm, blizzard.

бурда́ F *f* [5] wash, wish-wash.

бурдю́к *m* [1 *e.*] wineskin.

буреве́стник *m* [1] (stormy) petrel.

буре́ние *n* [12] drilling, boring.

буржуа́ *m* [*indecl.*] bourgeois; **~зи́я** *f* [7] bourgeoisie; **~зный** [14] bourgeois...

буржу́й *contp.* P *m* [3], **~ка** *f* [5; *g*/*pl.:* -жу́ек] *s.* буржуа́.

бури́ть [13], ⟨про-⟩ bore.

бу́рка *f* [5; *g*/*pl.:* -рок] felt cloak.

бурла́к *m* [1 *e.*] (barge) hauler.

бурли́ть [13] rage; seethe.

бурми́стр *m* [1] steward; mayor.

бу́рный [14; -рен, -рна] stormy, storm...; violent, boisterous.

буру́н *m* [1 *e.*] surf.

бурча́|нье *n* [12] grumbling; rumbling; **~ть** [4 *e.*; -чу́, -чи́шь] mumble; grumble; rumble.

бу́ры *m*/*pl.* [1] Boers.

бу́рый [14] brown, fulvous; ~ у́голь *m* brown coal, lignite.

бурья́н *m* [1] wild grass (*steppe*).

бу́ря *f* [6] storm, tempest.

бу́сы *f*/*pl.* [5] *coll.* (glass)beads.

бутафо́рия *f* [7] *thea.* properties *pl.*

бутербро́д (-tɛr-) *m* [1] sandwich.

буто́н *m* [1] bud.

бу́тсы *f*/*pl.* [5] football boots.

буты́л|ка *f* [5; *g*/*pl.:* -лок] bottle; **~очка** *f* [5; *g*/*pl.:* -чек] small bottle; **~ь** *f* [8] large bottle; carboy.

буф *m* [1] (*mst pl.*) puff; рука́в (взду́тый) **~**ом puffed sleeve.

бу́фер *m* [1; *pl.:* -pá, *etc. e.*] buffer.

буфе́т *m* [1] sideboard; bar, lunchroom, refreshment room; **~чик** *m* [1] barkeeper; **~чица** *f* [5] barmaid.

буффо́н *m* [1] buffoon.

бух bounce!, plump!

Бухара́ *f* [5] Bokhara.

Бухаре́ст *m* [1] Bucharest.

буха́нка *f* [5; *g*/*pl.:* -нок] loaf.

бу́хать [1], *once* ⟨бу́хнуть⟩ plump.

бухга́лтер (bu'ha-) *m* [1] bookkeeper; **~ия** *f* [7] bookkeeping; **~ский** [16] bookkeeper('s)..., bookkeeping...

бу́хнуть [21] **1.** ⟨раз-⟩ swell; **2.** *s.* бу́хать.

бу́хта *f* [5] **1.** bay; **2.** coil.

бушева́ть [7; бушу́ю, -у́ешь] roar, rage, storm.

бушла́т *m* [1] (sailor's) jacket.

бушпри́т *m* [1] bowsprit.

буя́н *m* [1] brawler, rowdy, ruffian; **~ить** [13] brawl, riot, kick up a row.

бы, *short* б, *is used to render subjunctive and conditional patterns:* a) *with the preterite, e.g.* я сказа́л ~, е́сли ~ (я) знал I would say it if I knew it; (*similarly*: *should, could, may, might*); b) *with the infinitive, e.g.:* всё ~ ему́ знать he would like to know everything; не вам ~ говори́ть you had better be quiet.

быва́лый [14] experienced; former; common; *cf.* быва́ть.

быва́|ть [1] **1.** occur, happen; как ни в чём не ~ло as if nothing had happened; он, ~ло, гуля́л he would

(*or* used to) go for a walk; бóли как не ~ло F the pain had (*or* has) entirely disappeared; **2.** ⟨по-⟩ (у P) be (at), visit, stay (with).
бы́вший [17] former, late, ex-...
бык *m* [1 *e.*] **1.** bull; **2.** abutment.
были́на *f* [5] Russian epic.
были́нка *f* [5; *g/pl.:* -нок] blade of grass.
бы́ло (*s.* быть) (*after verbs*) already: я ужé заплати́л ~ дéньги ... I had already paid the money, (but) ...; almost, nearly, was (were) just going to ...; я чуть ~ не сказáл I was on the point of saying, I nearly said.
был|óй [14] bygone, former; ~óе *n* past; ~ь *f* [8] true story *or* ocurrence; past.
быстро|нóгий [16] swift(-footed); ~тá *f* [5] quickness, swiftness, rapidity; ~хóдный [14; -ден, -дна] fast, swift.
бы́стрый [14; быстр, -á, -o] quick, fast.
быт *m* [1; в быту́] way of life, manners *pl.*; ~иé *n* [12] existence, being; *Bibl.* Genesis; ~ность *f* [8] stay; в мою ~ность в (П) during my stay in, while staying in; ~ово́й [14] of manners, popular, genre; common, everyday.
быть (*3rd p. sg. pr.:* есть, *cf.*; *3rd p. pl.:* † суть; *ft.:* бу́ду, -дешь; будь[те]!; бу́дучи; был, -á, -o; нé был, -o, -и) be; (*cf.* бу́дет, бывáть, бы́ло); ~ (Д) ... will (inevitably) be *or* happen; мне бы́ло (бу́дет) ... (гóда *or* лет) I was (I'll be) ... (years old); как (же) ~? what is to be done?; так и ~! I don't care; будь что бу́дет come what may; будь по-вáшему have it your own way!; бу́дьте дóбры (любéзны), ... be so kind as ..., would you please ...
бювáр *m* [1] writing case.
бюджéт *m* [1], ~ный [14] budget.
бюллетéнь *m* [4] bulletin; ballot, *Brt.* voting paper; medical certificate.
бюрó *n* [*indecl.*] office, bureau; спрáвочное ~ inquiry office; information; ~ путешéствий travel bureau, *Brt.* tourist(s') office.
бюрокрáт *m* [1] bureaucrat; ~и́зм *m* [1] red tape; ~и́ческий [16] bureaucratic; ~ия *f* [7] bureaucracy.
бюст *m* [1] bust; ~гáльтер (-ˈhaļtɛr) *m* [1] bra(ssière).
бязь *f* [8] cheap cotton.

В

в, во **1.** (В): (*direction*) to, into; for; в окнó out of (in through) the window; (*time*) in, at, on, within; в срéду on Wednesday; в два часá at two o'clock; (*measure, price, etc.*) at, of; в день a *or* per day; длинóй в четы́ре мéтра four meters long; чай в два рубля́ килогрáмм tea at 2 roubles a kilo(gram); в дéсять раз бóльше ten times as much; (*promotion*) to the rank of; идти́ в солдáты become a soldier; **2.** (П): (*position*) in, at, on; (*time*) in; в концé (начáле) гóда at the end (beginning) of the year; (*distance*) в пяти́ километрах от (P) five kilometers from.
в. *abbr.*: век.
Вавилóн *m* [1] Babylon.
вагóн 🚃 *m* [1] car(riage, *Brt.*); ~-рестора́н *m* dining car; ~éтка *f* [5; *g/pl.*: -ток] lorry, trolley, truck; ~овожáтый *m* [14] streetcar (*Brt.* tram) driver.
вáжн|ичать [1] put on (*or* give o.s.) airs; ~ость *f* [8] importance; conceit; ~ый [14; вáжен, -жнá, -o, вáжны́] important, significant; haughty; F не~о rather bad; это не~о that doesn't matter *or* is of no importance.
вáза *f* [5] vase, bowl.
вакáн|сия *f* [7] vacancy; ~тный [14; -тен, -тна] vacant.
вáкса *f* [5] (shoe) polish, blacking.
вакци́на *f* [5] vaccine.
вал *m* [1; на -у́; *pl. e.*] **1.** rampart; bank; wall; **2.** billow; **3.** ⊕ shaft, axle.
валéжник *m* [1] brushwood.
вáленок *m* [1; -нка] felt boot.

валерья́н|ка F *f* [5], **~овый** [14]: ~овые ка́пли *f/pl.* valerian.
вале́т *m* [1] (*cards*) knave.
ва́лик *m* [1] **1.** ⊕ roller **2.** bolster.
вал|и́ть [13; валю́, ва́лишь; ва́ленный], ⟨по-, с-⟩ **1.** overturn, tumble (down; *v/i.* **-ся**), fell; heap (up), dump; **2.** [*3rd p. only*: -и́т] flock, throng; снег ~и́т it is snowing heavily.
валово́й [14] gross, total.
валу́н *m* [1 *e.*] boulder.
ва́льдшнеп *m* [1] woodcock.
вальс *m* [1] waltz; **~и́ровать** [7], ⟨про-⟩ waltz.
вальцева́ть [7] ⊕ roll.
валю́т|а *f* [5] (foreign) currency; золота́я ~а gold standard; **~ный** [14] currency..., exchange...; ~ный курс *m* rate of exchange.
валя́ть [28], ⟨по-⟩ roll; knead; full; P валя́й! go!; ~ дурака́ idle; play the fool; **-ся** wallow, loll; lie about (in disorder).
вани́ль *f* [8] vanilla.
ва́нн|а *f* [5] tub; bath; со́лнечная ~а sun bath; приня́ть ~у take a bath; **~ая** *f* [14] bath(room).
Ва́нька *m* [5] **1.** *s.* Ва́ня; **2.** ♀-встанька *m* [5] tumbler (*toy*).
Ва́ня *m* [6] *dim. of* Ива́н John.
ва́рвар *m* [1] barbarian; **~ский** [16] barbarous; **~ство** *n* [9] barbarity.
Варва́ра *f* [5] Barbara, Babette.
ва́режка *f* [5; *g/pl.*: -жек] mitten.
вар|е́ние *n* [12] = ва́рка; **~е́ник** *m* [1] (*mst pl.*) boiled pieces of paste enclosing curd *or* fruit; **~ёный** [14] cooked, boiled; **~е́нье** *n* [10] jam, preserves *pl.*
Ва́ренька *f* [5] *dim. of* Варва́ра.
вариа́нт *m* [1] variant, version.
вари́ть [13; варю́, ва́ришь; ва́ренный], ⟨с-⟩ **1.** cook, boil (*v/i.* **-ся**); brew; **2.** digest.
ва́рка *f* [5] cooking, boiling.
Варша́ва *f* [5] Warsaw.
варьете́ *n* (-ˈtɛ) [*indecl.*] vaudeville, *Brt.* variety (*show & theater*, *-tre*).
варьи́ровать [7] vary.
Ва́р|я *f* [6] *dim. of* ~ва́ра.
варя́г *m* [1] Varangian.
василёк *m* [1; -лька́] cornflower.
Васи́лий *m* [3] Basil.
васса́л *m* [1] vassal.
Ва́ся [6] *dim. of* Васи́лий.
ва́т|а *f* [5] absorbent cotton, *Brt.* cotton wool; wadding; на ~е wadded
вата́га *f* [5] gang, band, troop.
ватер|ли́ния (-tɛr-) *f* [7] water line; **~па́с** *m* [1] level.
ва́тный [14] cotton(-wool)...; wadded.
ватру́шка *f* [5; *g/pl.*: -шек] curd *or* jam patty.
ва́фля *f* [6; *g/pl.*: -фель] waffle, wafer.
ва́хт|а ⚓ *f* [5] watch; стоя́ть на ~е keep watch; **~енный** [14] sailor on duty; **~ер** (*a.* **~ёр**) *m* [1] guard, watchman.
ваш *m*, ~а *f*, ~е *n*, ~и *pl.* [25] your; yours; по-~ему in your opinion (*or* language); (пусть бу́дет) по-~ему (have it) your own way, (just) as you like; как по-~ему? what do you think?; *cf.* наш.
Вашингто́н *m* [1] Washington.
вая́|ние *n* [12] sculpture; **~тель** *m* [4] sculptor; **~ть** [28], ⟨из-⟩ form, cut, model.
вбе|га́ть [1], ⟨~жа́ть⟩ [4; -гу́, -жи́шь, -гу́т] run *or* rush in.
вби|ва́ть [1], ⟨~ть⟩ [вобью́, вобьёшь; вбе́й(те)!; вбил; вби́тый] drive (*or* hammer) in; ~ть себе́ в го́лову take it into one's head; **~ра́ть** [1], ⟨вобра́ть⟩ [вберу́, -рёшь] absorb, imbibe.
вблизи́ nearby; close (to P).
вброд: переходи́ть ~ ford.
вв. *or* **в. в.** *abbr.*: века́.
ввал|ивать [1] ⟨~и́ть⟩ [13; ввалю́, вва́лишь; вва́ленный] throw (in[to]), dump; **-ся** fall *or* tumble in; flock in.
введе́ние *n* [12] introduction.
ввезти́ *s.* ввози́ть.
вверг|а́ть [1] ⟨~нуть⟩ [21] fling *or* cast (into в B); plunge (*v/i.* **-ся**); ~а́ть в отча́яние drive to despair.
ввер|я́ть [14], ⟨~ить⟩ entrust, commit, give in charge.
ввёртывать [1], ⟨вверте́ть⟩ [11; вверчу́, вве́ртишь], *once* ⟨ввернуть⟩ [20; ввёрнутый] screw in; *fig.* put in (*a word, etc.*).
вверх up(ward[s]); ~ по ле́стнице upstairs; ~ дном (*or* нога́ми) upside down; ~ торма́шками F headlong; ру́ки ~! hands up!; **~у́** above; overhead.
ввести́ *s.* вводи́ть.
ввиду́ in view (of P), considering; ~ того́, что as, since, seeing that.
вви́н|чивать [1], ⟨~ти́ть⟩ [15 *e.*; -нчу́, -нти́шь] screw in.
ввод|и́ть [15], ⟨ввести́⟩ [25] in-

troduce; bring *or* usher (in); ~и́ть в курс де́ла acquaint with an affair; ~и́ть в строй (*or* де́йствие, эксплуата́цию) ⊕ put into operation; ~́ный [14] introductory; ~́ное сло́во *or* предложе́ние *n gr.* parenthesis.
ввоз *m* [1] import(s); importation; **~и́ть** [15], ⟨ввезти́⟩ [24] import; **~́ный** [14] import...
вво́лю (P) F plenty of; to one's heart's content.
ввя́з|ываться [1], ⟨~а́ться⟩ [3] meddle, interfere (with в В); get involved (in).
вглубь inward(s), deep (into).
вгля́д|ываться [1], ⟨~е́ться⟩ [11] (в В) peer (into), look narrowly (at).
вгоня́ть [28], ⟨вогна́ть⟩ [вгоню́, вго́нишь; вогна́л, -а́, -о; во́гнанный (во́гнан, -ана)] drive in(to).
вдава́ться [5], ⟨вда́ться⟩ [вда́мся, вда́шься, *etc. s.* дать] jut out; press in; indulge (in в В), plunge *or* go (into).
вда́в|ливать [1], ⟨~и́ть⟩ [14] press in.
вдал|еке́, ~и́ far off, far (from от Р); **~ь** into the distance.
вдви|га́ть [1], ⟨~́нуть⟩ [20] put *or* push in.
вдво́|е twice (as..., *comp.*: ~е бо́льше twice as much *or* many); *vb.* + ~е *a.* double; **~ём** both *or* two (of us, *etc.*, *or* together); **~йне́** twice (as much, *etc.*), doubly.
вде|ва́ть [1], ⟨~ть⟩ [вде́ну, вде́нешь; вде́тый] (в В) thread.
вде́л|ывать, ⟨~ать⟩ [1] set (in).
вдоба́вок in addition (to); into the bargain, to boot.
вдов|а́ *f* [5; *pl. st.*] widow; **~е́ц** *m* [1; -вца́] widower.
вдо́воль (P) F quite enough; plenty of.
вдо́вый [14 *sh.*] widowed.
вдого́нку after, in pursuit of.
вдоль (P, по Д) along; lengthwise; ~ и поперёк throughout, far and wide.
вдохнов|е́ние *n* [12] inspiration; **~е́нный** [14; -ве́нен, -ве́нна] inspired; **~ля́ть** [28], ⟨~и́ть⟩ [14 *e.*; -влю́, -ви́шь] inspire; **-ся** get inspired (with *or* by T).
вдре́безги into smithereens.
вдруг suddenly, all of a sudden.
вду|ва́ть [1], ⟨~ть⟩ [18] blow in.
вду́м|чивый [14 *sh.*] thoughtful; **~ываться,** ⟨~аться⟩ [1] (в В) ponder (over), reflect ([up]on), dive (into).
вдыха́ть [1], ⟨вдохну́ть⟩ [20] inhale; *fig.* inspire (with).
вегета|риа́нец *m* [1; -нца] vegetarian; **~ти́вный** [14] vegetative.
ве́д|ать [1] **1.** † know; **2.** (T) be in charge of, manage; **~е́ние** *n* [12] running, directing; ~е́ние книг bookkeeping; **~ение** *n* [12] knowledge, lore; authority, charge, competence; **~омо** known; без моего́ ~ома without my knowledge; **~омость** *f* [8; *from g/pl. e.*] list, roll; bulletin; **~омство** *n* [9] department, administration.
ведро́ *n* [9; *pl.*: вёдра, -дер, -драм] bucket, pail; ~ для му́сора garbage can, *Brt.* dust-bin.
вёдро † *n* [9] serene weather.
веду́щий [17] leading; basic.
ведь indeed, sure(ly); why, well; then; you know!; ~ уже́ по́здно it is late, isn't it?
ве́дьма *f* [5] witch, hag.
ве́ер *m* [1; *pl.*: -ра́, *etc. e.*] fan.
ве́жлив|ость *f* [8] politeness; **~ый** [14 *sh.*] polite.
везде́ everywhere.
везти́ [24], ⟨по-, с-⟩ *v/t.* drive (be driving, *etc.*), transport; pull; ему́ (не) везёт F he is (un)lucky.
век *m* [1; на веку́; *pl.*: века́, *etc. e.*] **1.** century; age; **2.** life(time); сре́дние ~а́ *pl.* Middle Ages; на моём ~у́ in my life(time); ~ с тобо́й мы не вида́лись we haven't met for ages.
ве́ко *n* [9; *nom/pl.*: -ки] eyelid.
веково́й [14] secular.
ве́ксель *m* [4; *pl.*: -ля́, *etc. e.*] bill of exchange, promissory note.
веле́ть [9; ве́ленный] (*im*)*pf.*; *pt. pf. only* order, tell (p. s.th. Д/В).
велика́н *m* [1] giant.
вели́к|ий [16; вели́к, -а́] great; (too) large *or* big; от ма́ла до ~а everybody, young and old; ~ая пя́тница *f* Good Friday; Пётр 2ий Peter the Great.
Велико|брита́ния *f* [7] Great Britain; **2ду́шие** *n* [12] magnanimity; **2ду́шный** [14; -шен, -шна] magnanimous, generous; **2ле́пие** *n* [12] splendo(u)r, magnificence; **2ле́пный** [14; -пен, -пна] magnificent, splendid; **2ру́с** *m* [1], **2ру́сский** [16] (Great) Russian.
велича́|вый [14 *sh.*] sublime, lofty; **~ть** [1] praise, glorify; style.

велич|ественный [14 *sh.*] majestic, grand, stately; **~ество** *n* [9] Majesty; **~ие** *n* [12] grandeur; **~ина́** *f* [5; *pl. st.*: -чи́ны] size; quantity; celebrity; ~ино́й в *or* с (В) ... big *or* high.

вело|го́нки *f/pl.* [5; *gen.*: -нок] cycle race; **~дро́м** *m* [1] cycling ground.

велосипе́д *m* [1] bicycle; е́здить на ~е cycle; **~и́ст** *m* [1] cyclist; **~ный** [14] (bi)cycle..., cycling...

вельмо́жа *m* [5] magnate.

ве́на *f* [5] **1.** *anat.* vein; **2.** ♀ Vienna.

венге́р|ец *m* [1; -рца], **~ка** *f* [5; *g/pl.*: -рок], **~ский** [16] Hungarian.

Ве́нгрия *f* [7] Hungary.

венери́ческий [16] venereal.

Венесуэ́ла *f* [5] Venezuela.

вене́ц *m* [1; -нца́] wreath, garland; crown; halo; идти́ под ~ † marry.

венеци|а́нский [16] Venetian; **'♀я** (-ˈn̩ɛ-) *f* [7] Venice.

ве́нзель *m* [4; *pl.*: -ля́] monogram.

ве́ник *m* [1] broom, besom.

вено́к *m* [1; -нка́] wreath, garland.

вентил|и́ровать [7], ⟨про-⟩ ventilate, air; **~я́тор** *m* [1] ventilator, fan.

венча́|льный [14] wedding...; **~ние** *n* [12] wedding (ceremony); **~ть** [1] **1.** ⟨у-⟩ wreathe, crown; **2.** ⟨об-, по-⟩ marry; **-ся** get married (in church).

ве́ра *f* [5] **1.** faith, belief, trust (in в В); religion; **2.** ♀ Vera.

ве́рба *f* [5] willow.

верблю́|д *m* [1] camel; **~жий** [18]: ~жья шерсть *f* camel's hair.

ве́рбн|ый [14]: ~ое воскресе́нье *n* Palm Sunday.

вербов|а́ть [7], ⟨за-, на-⟩ enlist, recruit; engage, hire; **∠ка** *f* [5] enlistment; hire; **∠щик** *m* [1] enlister; hirer.

верёв|ка *f* [5; *g/pl.*: -вок] rope; **~очка** *f* [5; *g/pl.*: -чек] string, cord; **~очный** [14] rope...

верени́ца *f* [5] file, chain, line.

ве́реск *m* [1] heather.

веретено́ *n* [9; *pl. st.*: -тёна] spindle.

верещა́ть [16 *e.*; -щу́, -щи́шь] chirp.

верзи́ла F *m* [5] big (stupid) fellow, spindlelegs.

ве́рить [13], ⟨по-⟩ believe (in в В); believe, trust (*acc.* Д); ~ на́ слово take on trust; **-ся** (*impers.*) (мне) не ве́рится one (I) can hardly believe (it).

вермише́ль *f* [8] *coll.* vermicelli.

ве́рно *adv.* **1.** & **2.** *s.* ве́рный 1. & 2.; **3.** probably; **~сть** *f* [8] **1.** faith (-fulness), fidelity, loyalty; **2.** correctness, accuracy.

верну́ть(ся) [20] *pf.*, *s.* возвраща́ть(ся).

ве́рн|ый [14; -рен, -рна́, -о] **1.** faithful, true; loyal; **2.** right, correct; accurate, exact; **3.** safe, sure, reliable; **4.** inevitable, certain; ~е́е (сказа́ть) or rather.

ве́ро|вание *n* [12] faith, belief; **~вать** [7] believe (in в В).

вероиспове́дание *n* [12] creed.

вероло́м|ный [14; -мен, -мна] perfidious, treacherous; **~ство** *n* [9] perfidy, treachery.

вероотсту́пник *m* [1] apostate.

веротерпи́мость *f* [8] toleration.

вероя́т|ие *n* [12] likelihood; **~ность** *f* [8] probability; по всей ~ности in all probability; **~ный** [14; -тен, -тна] probable, likely.

ве́рсия *f* [7] version.

верста́ *f* [5; *pl. st.*: вёрсты] verst (= *3500 ft.*); **~к** *m* [1 *e.*] workbench; **~ть** [1], ⟨с-⟩ [свёрстанный] *typ.* make up.

ве́рт|ел *m* [1; *pl.*: -ла́] spit; **~е́ть** [11; верчу́, ве́ртишь], ⟨по-⟩ turn; twist; (**-ся**) **1.** turn, revolve; **2.** fidget; **3.** loaf; **4.** make subterfuges; -ся на языке́ be on the tip of one's tongue; **~ика́льный** [14; -лен, -льна] vertical; **~ля́вый** [14 *sh.*] fidgety, restless; **~олёт** *m* [1] helicopter; **~у́н** *m* [1 *e.*] fidget; **~у́шка** [5; *g/pl.*: -шек] light-minded woman.

ве́рующий [17] pious; *su.* believer.

верфь *f* [8] dockyard.

верх *m* [1; на -у́; *pl. e.*] **1.** top, upper part; **2.** right side (*fabric, clothes*); *fig.* **1.** summit, apex, pink; **2.** upper hand; **~и́** *pl.* **1.** heads, leaders; ... в ~а́х summit ...; **2.** ♪ high notes; **3.** surface; superficial knowledge; **∠ний** [15] upper.

верхо́в|ный [14] supreme, high; ~ная власть *f* supreme power; ~ный суд *m* supreme court; **~о́й** [14] riding...; rider, horseman; ~а́я езда́ *f* riding; **~ье** *n* [10; *g/pl.*: -ьев] upper (course).

верхо́м *adv.* astride; on horseback;

éздить ~ ride, go on horseback.
верхýшка *f* [5; *g/pl.*: -шек] top, crest; the highest ranks.
верши́на *f* [5] peak, summit.
верши́ть [16 *e.*; -шý, -ши́шь; -шён-ный], ⟨за-, с-⟩ **1.** (re)solve, decide; **2.** direct (T); **3.** accomplish.
вершóк *m* [1; -шкá] vershok (†, = *4.45 cm.* = *1.75 in.*).
вес *m* [1] weight; на ~ by weight; удéльный ~ *phys.* specific gravity; пóльзоваться больши́м ∠ом enjoy great credit; ∠ом в (B) weighing...
вес|ели́ть [13], ⟨раз-⟩ amuse, divert (**-ся** o. s., enjoy o. s.); **~ёлость** *f* [8] gaiety, mirth; **~ёлый** [14; вéсел, -á, -o] gay, merry, cheerful; как ∠ело! it's such fun!; емý ∠ело he enjoys himself, is of good cheer; **~éлье** *n* [10] merriment, merrymaking, fun; **~ельчáк** *m* [1 *e.*] merry fellow.
весéнний [15] spring...
вéс|ить [15] *v/i.* weigh; **~кий** [16; вéсок, -ска] weighty.
веслó *n* [9; *pl.*: вёсла, -сел] oar.
весн|á *f* [5; *pl.*: вёсны, вёсен] spring (in [the] T); **~ýшка** *f* [5; *g/pl.*: -шек] freckle.
весов|óй [14] **1.** weight...; balance-...; **2.** sold by weight; **~щи́к** *m* [1 *e.*] weigher.
вести́ [25], ⟨по-⟩ **1.** (be) lead(ing, *etc.*), conduct, guide; **2.** carry on; **3.** keep; **4.** drive; ~ (своё) начáло spring (from от P); ~ себя́ behave (o.s.); **~сь** be conducted *or* carried on; так уж у нас ведётся that's a custom among us.
вестибю́ль *m* [4] entrance hall.
Вест-'Индия *f* [7] West Indies.
вéст|ник *m* [1] messenger; bulletin; **~овóй** ⚔ *m* [14] orderly; **~ь** *f* [8; *from g/pl. e.*] **1.** news, message; **2.** gossip, rumo(u)r.
весы́ *m/pl.* [1] scales, balance.
весь *m*, вся *f*, всё *n*, *pl.*: все [31] **1.** *adj.* all, the whole; full, life (*size*; at в B); **2.** *su. n* all over; everything, *pl. a.* everybody; лýчше всегó (всех) best of all, the best; при всём том *or* со всем тем for all that; во всём ми́ре all over the world; по всей странé throughout the country; всегó хорóшего! good luck!; во всю F *s.* си́ла; **3.** всё *adv.* always, all the time; only, just; всё (ещё) не not yet; всё бóльше (и бóльше) more and more; всё же nevertheless, yet.
весьмá very, extremely; ~ вероя́тно most probably.
ветв|и́стый [14 *sh.*] branchy; **~ь** *f* [8; *from g/pl. e.*] branch.
вéтер *m* [1; -тра] wind; встрéчный ~ contrary *or* head wind; попýтный ~ fair wind; бросáть дéньги (словá) на ~ waste money (words); держáть нос по вéтру be a timeserver.
ветеринáр *m* [1], **~ный** [14]: ~ный врач *m* veterinarian.
ветерó|к *m* [1; -ркá], **~чек** *m* [1; -чка] light wind, breeze, breath.
вéтка *f* [5; *g/pl.*: -ток] branch(let), twig; 🚂 branch line.
вéто *n* [*indecl.*] veto; наложи́ть ~ veto; **~шь** *f* [8] rags, tatters *pl.*
вéтр|еный [14 *sh.*] windy (*a. fig.* = flippant); **~янóй** [14] wind...; ~янáя мéльница *f* windmill; **~яный** [14]: ~яная óспа *f* chicken pox.
вéтх|ий [16; ветх, -á, -о; *comp.*: вéтше] old, dilapidated; worn-out, shabby; decrepit; **~ость** *f* [8] decay, dilapidation; приходи́ть в ~ость fall into decay.
ветчинá *f* [5] ham.
ветшáть [1], ⟨об-⟩ decay, dilapidate, weaken.
вéха *f* [5] landmark; ⚓ spar buoy.
вéчер *m* [1; *pl.*: -pá, *etc. e.*] **1.** evening; **2.** evening party; soiree; ~ом in the evening; сегóдня ~ом tonight; вчерá ~ом last night; пóд ~ toward(s) the evening; **~éть** [8; *impers.*] decline (*of the day*); **~и́нка** *f* [5; *g/pl.*: -нок] = вéчер 2.; **~кóм** F = ~ом; **∠ний** [15] evening..., night...; **∠ня** *f* [6; *g/pl.*: -рен] vespers *pl.*, evensong; **~я** *f* [6]: тáйная ~я *or* ~я госпóдня the Lord's Supper.
вéчн|ость *f* [8] eternity; (цéлую) ~ость F for ages; **~ый** [14; -чен, -чна] eternal, everlasting; perpetual.
вéша|лка *f* [5; *g/pl.*: -лок] hanger, tab; peg, rack; cloakroom; **~ть** [1], **1.** ⟨повéсить⟩ [15] hang (up); **-ся** hang o. s.; **2.** ⟨взвéсить⟩ [15] weigh.
вещевóй [14]: ~ мешóк *m* knapsack.
вещ|éственный [14] corporeal, real, material, substantial; **~ествó** *n* [9] matter, substance; **~и́ца** *f* [8] knickknack; piece; **~ь** *f* [8; *from*

g/*pl. e.*] thing; object; work, piece, play; *pl.* belongings; baggage, *Brt.* luggage.

вéя|лка *f* [5; *g*/*pl.*: -лок] winnowing machine; **~ние** *n* [12] waft; ⚒ winnowing; *fig.* trend; influence; **~ть** [27] **1.** *v*/*i.* breathe; spread; **2.** ⟨про-⟩ *v*/*t.* winnow.

вжи|вáться [1], ⟨**~́**ться⟩ [-вýсь, *etc. s.* жить] accustom o.s. (to в B).

взад back(ward[s]); ~ и вперёд back and forth, to and fro; up and down.

взаи́мн|ость *f* [8] reciprocity; **~ый** [14; -мен, -мна] mutual, reciprocal; спаси́бо, ~о F thanks, the same to you.

взаимо|дéйствие *n* [12] interaction; coöperation; **~дéйствовать** [7] interact; coöperate; **~отношéние** *n* [12] mutual (*or* inter-, cor)relation; **~пóмощь** *f* [8] mutual aid; **~понимáние** *n* [12] mutual understanding.

взаймы́ on credit *or* loan; брать ~ borrow (from у, от P); давáть ~ lend.

вза|мéн (P) instead of, in exchange for; **~пертú** locked up, under lock and key; **~прáвду** F = впрáвду.

взбáл|мошный F [14; -шен, -шна] extravagant; **~тывать**, ⟨взболтáть⟩ [1] shake *or* stir up.

взбе|гáть [1], ⟨**~жáть**⟩ [4; взбегý, -жи́шь, -гýт] run up.

взбивáть [1], ⟨взбить⟩ [взобью́, -бьёшь; взбил, -а; взби́тый] fluff; whip, froth.

взбирáться [1], ⟨взобрáться⟩ [взберýсь, -рёшься; взобрáлся, -лáсь, -лóсь] climb (s. th. на B).

взболтáть *s.* взбáлтывать.

взбудорáживать [1] = будорá-жить.

взбух|áть [1], ⟨**~́**нуть⟩ [21] swell.

взвáливать [1], ⟨взвали́ть⟩ [13; взвалю́, -áлишь; -áленный] load, charge (with на B).

взвести́ *s.* взводи́ть.

взвé|шивать [1], ⟨**~**сить⟩ [15] weigh; **-ся** weigh o.s.

взви|вáть [1], ⟨**~**ть⟩ [взовью́, -вьёшь, *etc. s.* вить] whirl up; **-ся** soar up, rise.

взви́зг|ивать [1], ⟨**~**нуть⟩ [20] squeak, scream.

взви́н|чивать [1], ⟨**~**ти́ть⟩ [15 *e.*; -нчý, -нти́шь; -и́нченный] excite; raise (*prices*).

взвить *s.* взвивáть.

взвод *m* [1] platoon.

взводи́ть [15], ⟨взвести́⟩ [25] lead up; lift; impute (s. th. to a p. B/на B); ~ курóк cock (*firearm*).

взволнó|ванный [14 *sh.*] excited; uneasy; **~вáть(ся)** *s.* волновáть.

взгля|д *m* [1] look; glance; gaze; stare; *fig.* view, opinion; на ~д in appearance, by sight; на мой ~д in my opinion; на пéрвый ~д at first sight; с пéрвого **~́**да on the face of it; at once; **~́дывать** [1], *once* ⟨**~**нýть⟩ [19] (на B) (have a) look, glance (at).

взгромо|ждáть [1], ⟨**~**зди́ть⟩ [15 *e.*; -зжý, -зди́шь; -мождённый] load, pile up; **-ся** clamber, perch (on на B).

вздёр|гивать [1], ⟨**~**нуть⟩ [20] jerk up; ~нутый нос *m* pug nose.

вздор *m* [1] nonsense; **~́ный** [14; -рен, -рна] foolish, absurd; F quarrelsome.

вздорожá|ние *n* [12] rise of price(s); **~ть** *s.* дорожáть.

вздох *m* [1] sigh; испусти́ть послéдний ~ give up the ghost; **~нýть** *s.* вздыхáть.

вздрáгивать [1], *once* ⟨вздрóгнуть⟩ [20] start, wince; shudder.

вздремнýть F [20] *pf.* nap.

взду|вáть [1], ⟨**~**ть⟩ [18] **1.** whirl up; **2.** *v*/*i.* **-ся** inflate; **3.** F thrash; **~́тие** *n* [12] swelling.

вздýма|ть [1] *pf.* conceive the idea, take it into one's head; **-ся:** емý ~лось = он ~л; как ~ется at one's will.

взды|мáть [1] raise, whirl up; **~хáть** [1], *once* ⟨вздохнýть⟩ [20] sigh; ~хáть (по, о П) long (for); *pf.* F draw breath, breathe again.

взи|мáть [1] levy, raise (from с P); **~рáть** [1] (на B) look (at); не взирáя на without regard to, notwithstanding.

взлáмывать [1], ⟨взломáть⟩ [1] break *or* force open.

взлез|áть [1], ⟨**~**ть⟩ [24 *st.*] (на B) climb up.

взлёт *m* [1] ascent, rise.

взлет|áть [1], ⟨**~**éть⟩ [11] fly up, soar.

взлом *m* [1] breaking in; **~áть** *s.* взлáмывать; **~́щик** *m* [1] burglar.

взмах *m* [1] stroke; sweep; **~́ивать** [1], *once* ⟨**~**нýть⟩ [20] swing.

взмет|áть [3], *once* ⟨**~**нýть⟩ [20]

whirl *or* throw up; flap.
взмо́рье *n* [10] seashore, seaside.
взнос *m* [1] payment; fee.
взну́зд|ывать [1], ⟨**~а́ть**⟩ bridle.
взобра́ться *s.* взбира́ться.
взойти́ *s.* восходи́ть & всходи́ть.
взор *m* [1] look; gaze; eyes *pl.*
взорва́ть *s.* взрыва́ть.
взро́слый [14] grown-up, adult.
взрыв *m* [1] explosion; detonation; *fig.* outburst; **~а́тель** *m* [4] fuse; **~а́ть** [1], ⟨взорва́ть⟩ [-ву́, -вёшь; взо́рванный] blow up; *fig.* enrage; **-ся** explode; **~но́й** [14], **~чатый** [14] explosive (*su.*: ~чатое вещество́).
взрыхля́ть [28] *s.* рыхли́ть.
взъе|зжа́ть [1] ⟨**~хать**⟩ [взъе́ду, -дешь; взъезжа́й(те)!] ride *or* drive up; **~ро́шивать** [1], ⟨**~ро́шить**⟩ [16 *st.*] dishevel, tousle; **-ся** bristle up.
взыва́ть [1], ⟨воззва́ть⟩ [-зову́, -зовёшь; -зва́л, -а́, -о] cry, call; invoke; appeal (to к Д).
взыск|а́ние *n* [12] **1.** levy, collecting; **2.** punishment, reprimand: **~а́тельный** [14; -лен, -льна] exacting, exigent; **~ивать** [1], ⟨**~а́ть**⟩ [3] (с Р) **1.** levy, exact; collect; recover (from); **2.** call to account; impose a penalty (on); не взыщи́(те)! no offence!
взя́т|ие *n* [12] seizure, capture; **~ка** *f* [5; *g*/*pl.*: -ток] **1.** bribe; дать ~ку bribe, P grease; **2.** trick (*cards*); **~очник** *m* [1] bribe taker, corrupt official; **~очничество** *n* [9] bribery; **~ь** *s.* брать.
вибр|а́ция *f* [7] vibration; **~и́ровать** [7] vibrate.
вид *m* [1] **1.** look(s), appearance, air; **2.** sight, view; **3.** kind, sort; species; **4.** *gr.* aspect; в ~е (Р) in the form of, as, by way of; при ~е at the sight of; на ~у́ (у Р) in sight; visible (to); с (*or* по) ~у by sight; judging from one's appearance; ни под каки́м ~ом on no account; у него́ хоро́ший ~ he looks well; де́лать *or* пока́зывать ~ pretend; (не) теря́ть *or* выпуска́ть из ~у lose sight of (keep in view); ста́вить на ~ reproach (a p. with Д/В); ~ы *pl.* prospects (for на В).
вида́ть F [1], ⟨у-; по-⟩ see; его́ давно́ не ~ I *or* we haven't seen him for a long time; **-ся** (*iter.*) meet, see (o. a.; a p. с Т).
виде́ние *n* [12] vision.
ви́деть [11 *st.*], ⟨у-⟩ see; catch sight of; ~ во сне dream (of В); ви́дишь (-ите) ли? you see?; **-ся** = вида́ться (*but a. once*).
ви́дим|о apparently, evidently; ~о-не~о F lots of, immense quantity; **~ость** *f* [8] **1.** visibility; **2.** appearance; **~ый 1.** [14 *sh.*] visible; **2.** [14] apparent.
видн|е́ться [8] appear, be seen; **~о** it can be seen; it appears; apparently; (мне) ничего́ не ~о I don't *or* can't see anything; **~ый 1.** [14; -ден, -дна́, -о] visible; **2.** [14] outstanding, eminent, prominent; F stately, portly.
видоизмен|е́ние *n* [12] variation; variety; **~я́ть** [1], ⟨**~и́ть**⟩ [13] alter, change.
видоиска́тель *m* [4] (view) finder.
ви́за *f* [5] visa.
визант|и́ец *m* [1; -и́йца], **~и́йка** *f* [5; *g*/*pl.*: -и́ек], **~и́йский** [16] Byzantine; **~и́я** *f* [7] Byzantium.
виз|г *m* [1] scream, shriek; yelp; **~гли́вый** [14 *sh.*] shrill, squeaky; **~жа́ть** [4 *e.*; -жу́, -жи́шь], ⟨за-⟩ shriek; yelp.
визи́ровать [7] (*im*)*pf.* visa.
визи́т *m* [1] visit, call; **~ный** [14]: ~ная ка́рточка *f* calling card.
ви́ка *f* [5] vetch.
ви́л|ка *f* [5; *g*/*pl.*: -лок] **1.** fork; **2.** (ште́псельная) ~ка ⚡ plug; **~ы** *f*/*pl.* [5] pitchfork.
виля́ть [28], ⟨за-⟩, *once* ⟨вильну́ть⟩ [20] wag (one's tail хвосто́м); *fig.* prevaricate, shuffle.
вин|а́ *f* [5] **1.** guilt; fault; **2.** reason; вменя́ть в ~у́ impute (to Д); сва́ливать ~у́ lay the blame (on на В); э́то не по мое́й ~е́ it's not my fault.
винегре́т *m* [1] vinaigrette (salad).
вини́т|ельный [14] *gr.* accusative (*case*); **~ь** [13] blame (for за В), accuse (of в П).
ви́н|ный [14] wine...; ~ный ка́мень *m* tartar; ~ная я́года *f* (dried) fig; **~о́** *n* [9; *pl. st.*] wine; F vodka.
винова́т|ый [14 *sh.*] guilty (of в П); ~! sorry!, excuse me!; (I beg your) pardon!; вы в э́том (не) ~ы it's (not) your fault; я ~ пе́ред ва́ми I must apologize to you, (*a.* круго́м ~) it's all my fault.
вино́в|ник *m* [1] **1.** culprit; **2.** originator, author; **~ный** [14; -вен,

-вна] guilty (of в П).
виногра́д *m* [1] **1.** vine; **2.** *coll.* grapes *pl.*; сбор ~а vintage; **~арство** *n* [9] winegrowing; **~арь** *m* [4] winegrower; **~ник** *m* [1] vineyard; **~ный** [14] (of) grape(s).
вино|де́лие *n* [12] winemaking; **~ку́ренный** [14]: ~ку́ренный заво́д *m* distillery; **~торго́вец** [1; -вца] wine merchant.
винт *m* [1 *e.*] screw; **~и́к** *m* [1] small screw; у него́ ~ика не хвата́ет F he has a screw loose; **~о́вка** *f* [5; *g/pl.*: -вок] rifle; **~ово́й** [14] screw...; spiral; ~ова́я ле́стница *f* spiral (winding) stairs.
виньетка *f* [5; *g/pl.*: -ток] vignette.
виолонче́ль *f* [8] (violon)cello.
вира́ж *m* **1.** [1 *e.*] bend, curve; **2.** [1] *phot.* toning solution.
виртуо́з *m* [1] virtuoso.
ви́селица *f* [5] gallows, gibbet.
висе́ть [11] hang.
ви́ски *n* [*indecl.*] whisk(e)y.
виско́за *f* [5] viscose.
Ви́сла *f* [5] Vistula.
ви́смут *m* [1] bismuth.
ви́снуть F [21], ⟨по-⟩ *v/i.* hang, be suspended.
висо́к *m* [1; -скá] *anat.* temple.
високо́сный [14]: ~ год *m* leap year.
вися́чий [17] hanging; suspension-...; ~ замо́к *m* padlock.
витами́н *m* [1] vitamin.
вит|а́ть [1] **1.** stay, linger; **2.** soar; **~ева́тый** [14] affected, bombastic.
вито́к *m* [1; -ткá] coil.
витри́на *f* [5] shopwindow; show-case.
вить [вью, вьёшь; ве́й(те)!; вил, -á, -о; ви́тый (вит, -á, -о)], ⟨с-⟩ [совью́, совьёшь] wind, twist; build (*nests*); **-ся 1.** wind; spin, whirl; **2.** twine, creep; curl; **3.** hover.
ви́тязь *m* [4] hero.
вихо́р *m* [1; -хрá] forelock.
вихрь *m* [4] whirlwind.
ви́це-... (*in compds.*) vice-...
вишн|ёвый [14] cherry...; **~я** *f* [6; *g/pl.*: -шен] cherry.
вишь P look, there's; you see.
вка́пывать [1], ⟨вкопа́ть⟩ dig in; drive in; *fig.* как вко́панный stock-still, transfixed.
вка́т|ывать [1], ⟨~и́ть⟩ [15] roll in, wheel in.
вклад *m* [1] deposit; *fig.* contribution (to в В); **~ка** *f* [5; *g/pl.*: -док] insert; **~чик** *m* [1] depositor; **~ывать** [1], ⟨вложи́ть⟩ [16] put in, insert, enclose; invest; deposit.
вкле́|ивать [1], ⟨~ить⟩ [13] glue *or* paste in; **~йка** *f* [5; *g/pl.*: -е́ек] gluing in; sheet, *etc.*, glued in.
вкли́ни|вать(ся) [1], ⟨'~ть(ся)⟩ [13; *a. st.*] (be) wedge(d) in.
включ|а́ть [1], ⟨~и́ть⟩ [16 *e.*; -чу́, -чи́шь; -чённый] include; insert; ⚡ switch *or* turn on; **-ся** join (s. th. в В); ~а́я including; **~е́ние** *n* [12] inclusion; insertion; ⚡ switching on; **~и́тельно** included.
вкол|а́чивать [1], ⟨~оти́ть⟩ [15] drive *or* hammer in.
вконе́ц F completely, altogether.
вкопа́ть *s.* вка́пывать.
вкорен|я́ться [28], ⟨~и́ться⟩ [13] take root; ~и́вшийся established, (deep-)rooted.
вкось askew, aslant, obliquely; вкривь и ~ pell-mell; amiss.
ВКП(б) = Всесою́зная Коммунисти́ческая па́ртия (большевико́в) C.P.S.U.(B.) = Communist Party of the Soviet Union (Bolsheviks); (*since 1952*: КПСС, *cf.*).
вкра́|дчивый [14 *sh.*] insinuating, ingratiating; **~дываться** [1], ⟨~сться⟩ [25] creep *or* steal in; *fig.* insinuate o.s.
вкра́тце briefly, in a few words.
вкруту́ю: яйцо́ ~ hard-boiled egg.
вкус *m* [1] **1.** taste; flavo(u)r; **2.** style; прия́тный на ~ savo(u)ry; прия́тно на ~ = ~но; быть *or* прийти́сь по ~у be to one's taste, relish (*or* like) s. th.; име́ть ~ (P) taste (of); **~ный** [14; -сен, -снá, -о] tasty; (э́то) ~но it tastes well *or* nice.
вку|ша́ть [1], ⟨~си́ть⟩ [15; вкушённый] **1.** taste; **2.** enjoy, experience.
вла́га *f* [5] moisture.
владе́|лец *m* [1; -льца] owner, proprietor, possessor; **~ние** *n* [12] possession (of T); **~тель** *m* [4] **1.** owner; **2.** ruler; **~ть** [8], ⟨за-, о-⟩ (T) own, possess; rule, govern; master, manage; ~ть собо́й control o. s.
Влади́мир *m* [1] Vladimir.
влады́|ка *m* [5] **1.** lord, sovereign; **2.** archbishop; **~чество** *n* [9] rule, sway.
вла́жн|ость *f* [8] humidity; **~ый** [14; -жен, -жнá, -о] humid, damp.

вла́мываться [1], ⟨вломи́ться⟩ [14] break in.

вла́ст|вовать [7] rule, dominate; **~ели́н** *m* [1] sovereign; **~и́тель** *m* [4] master, ruler; **~ный** [14; -тен, -тна] imperious, commanding; в э́том я не ~ен I have no power over it; **~ь** *f* [8; *from g/pl. e.*] authority, power; rule, regime; control; *pl.* authorities.

влачи́ть [16 *e.*; -чу́, -чи́шь] drag; eke out.

вле́во (to the) left.

влез|а́ть [1], ⟨~ть⟩ [24 *st.*] climb *or* get in(to); climb up.

влет|а́ть [1], ⟨~е́ть⟩ [11] fly in; rush in.

влеч|е́ние *n* [12] inclination; **~ь** [26], ⟨по-, у-⟩ drag, pull; *fig.* attract, draw; ~ь за собо́й involve, entail.

вли|ва́ть [1], ⟨~ть⟩ [волью́, -льёшь; вле́й(те)!; влил, -а́, -о; вли́тый (-та́, -о)] pour in; **-ся** flow *or* fall in; **~я́ние** *n* [12] influence; **~я́тельный** [14; -лен, -льна] influential; **~я́ть** [28], ⟨по-⟩ (have) influence.

ВЛКСМ (Всесою́зный Ле́нинский Коммунисти́ческий Сою́з Молодёжи) Leninist Young Communist League of the Soviet Union.

вложи́ть *s.* вкла́дывать.

вломи́ться *s.* вла́мываться.

влюб|лённость *f* [8] amorousness; **~ля́ться** [28], ⟨~и́ться⟩ [14] fall in love (with в В); ~лённый enamo(u)red; *su.* lover; **~чи́вый** [14 *sh.*] amorous.

вмен|я́емый ⚖ [14 *sh.*] responsible, accountable; **~я́ть** [28], ⟨~и́ть⟩ [13] consider (as в В), impute; ~я́ть (себе́) в обя́занность pledge s. o. (o. s.) (to *inf.*).

вме́сте together, along with; ~ с тем at the same time.

вмести́|мость *f* [8] capacity; **~тельный** [14; -лен, -льна] capacious, spacious; **~ть** *s.* вмеща́ть.

вме́сто (Р) instead, in place (of); as.

вмеш|а́тельство *n* [9] interference, intervention; ⚕ operation; **~ивать** [1], ⟨~а́ть⟩ [1] (В/в В) mingle (with); involve (in); **-ся** interfere, intervene, meddle (with в В).

вме|ща́ть [1], ⟨~сти́ть⟩ [15 *e.*; -ещу́, -ести́шь; -ещённый] **1.** put, place; **2.** hold, contain, accomodate; **-ся** find room; hold.

вмиг in an instant, in no time.

внаём *or* **внаймы́:** отда́ть (сдать) ~ rent, *Brt.* let; взять ~ rent, hire.

внача́ле at first, at the beginning.

вне (Р) out of, outside; beyond; быть ~ себя́ be beside o. s.

внебра́чный [14] illegitimate.

внедр|е́ние *n* [12] introduction; **~я́ть** [28], ⟨~и́ть⟩ [13] inculcate; introduce; **-ся** take root.

внеза́пный [14; -пен, -пна] sudden, unexpected.

внекла́ссный [14] out-of-class.

внеочередно́й [14] extra(ordinary).

внес|е́ние *n* [12] entry; **~ти́** *s.* вноси́ть.

внешко́льный [14] nonschool.

вне́шн|ий [15] outward, external; foreign; **~ость** *f* [8] appearance; exterior.

вниз down(ward[s]); **~у́** **1.** (Р) beneath, below; **2.** down(stairs).

вник|а́ть [1], ⟨~нуть⟩ [19] (в В) penetrate (into), fathom.

внима́|ние *n* [12] attention; care; приня́ть во ~ние take into consideration; принима́я во ~ние in view of, with regard to; оста́вить без ~ния disregard; **~тельность** *f* [8] attentiveness; **~тельный** [14; -лен, -льна] attentive; **~ть** [1], ⟨внять⟩ [*inf.* & *pt. only*; внял, -а́, -о] (Д) hear *or* listen (to); follow, watch; comply with.

вничью́: сыгра́ть ~ draw (*game*).

вновь **1.** again; **2.** newly.

вноси́ть [15], ⟨внести́⟩ [24 -с-: -су́, -сёшь; внёс, внесла́] carry *or* bring in; enter, include; pay (in); contribute; make (*correction*).

внук *m* [1] grandson; *cf.* внуча́та.

вну́тренн|ий [15] inner, inside, internal, interior; inland...; home...; **~ость** *f* [8] interior; (*esp. pl.*) internal organs, entrails.

внутр|и́ (Р) in(side); within; **~ь** (Р) in(to), inward(s), inside.

внуч|а́та *m/f pl.* [2] grandchildren; **~ка** *f* [5; *g/pl.*: -чек] granddaughter.

внуш|а́ть [1], ⟨~и́ть⟩ [16 *e.*; -шу́, -ши́шь; -шённый] (Д/В) suggest; inspire (a p. with); inculcate (upon); **~е́ние** *n* [12] suggestion; infusion; reprimand; **~и́тельный** [14; -лен, -льна] imposing, impressive; **~и́ть** *s.* ~а́ть.

вня́т|ный [14; -тен, -тна] distinct;

intelligible; **~ь** *s.* внима́ть.
вобра́ть *s.* вбира́ть.
вовл|ека́ть [1], ‹~е́чь› [26] drag in; *fig.* involve.
во́время in *or* on time, timely.
во́все quite; ~ не(т) not at all.
вовсю́ F with all one's might.
во-вторы́х second(ly).
вогна́ть *s.* вгоня́ть.
во́гнутый [14] concave.
вод|а́ *f* [5; *ac/sg.*: во́ду; *pl.*: во́ды, вод, во́дам] water; на ~е́ и на су́ше by sea and by land; в му́тной ~е́ ры́бу лови́ть fish in troubled waters; вы́йти сухи́м из ~ы́ come off clear; толо́чь ~́у (в сту́пе) beat the air.
водвор|я́ть [28], ‹~и́ть› [13] settle; install; (re)establish.
водеви́ль *m* [4] musical comedy.
води́тель *m* [4] driver.
вод|и́ть [15], ‹по-› **1.** lead, conduct, guide; **2.** drive; **3.** move (T); **4.** breed; ~и́ть дру́жбу be on friendly terms; **-ся** be (found), live; be customary *or* the custom; (у P, за T) have; (с T) associate (with); э́то за ним ~́ится F that's in his way, to be sure!
во́дка *f* [5; *g/pl.:* -док] vodka (*kind of whisky*); дать на во́дку tip.
водо|боя́знь *f* [8] hydrophobia; **~во́з** *m* [1] water carter; **~воро́т** *m* [1] whirlpool, eddy; **~ём** *m* [1] reservoir; **~измеще́ние** ⚓ *n* [12] displacement, tonnage; **~ка́чка** *f* [5; *g/pl.:* -чек] waterworks.
водо|ла́з *m* [1] diver; **~лече́ние** *n* [12] hydropathy, water cure; **~напо́рный** [14]: ~напо́рная ба́шня *f* water tower; **~непроница́емый** [14 *sh.*] watertight; **~но́с** *m* [1] water carrier; **~па́д** *m* [1] waterfall; **~по́й** *m* [3] watering place; watering (*of animals*); **~прово́д** *m* [1] water pipe; **~разде́л** *m* [1] divide, *Brt.* watershed; **~ро́д** *m* [1] hydrogen; **~ро́дный** [14]: ~ро́дная бо́мба *f* hydrogen bomb; **'~росль** *f* [8] alga, seaweed; **~снабже́ние** *n* [12] water supply; **~сто́к** *m* [1] drain(age), drainpipe; **~сто́чный** [14]: ~сто́чная труба́ *f* gutter; **~храни́лище** *n* [11] reservoir.
водру|жа́ть [1], ‹~зи́ть› [15 *e.*; -ужу́, -узи́шь; -ужённый] set up; hoist.
вод|яни́стый [14 *sh.*] watery; **~я́нка** *f* [5] dropsy; **~яно́й** [14] water...
воева́ть [14] wage *or* carry on war, be at war.
воеди́но together.
военача́льник *m* [1] commander.
военизи|а́ция *f* [7] militarization; **~и́ровать** [7] (*im*)*pf.* militarize.
военно|-возду́шный [14]: ~-возду́шные си́лы *f/pl.* air force; **~-морско́й** [14]: ~-морско́й флот *m* navy; **~пле́нный** [14] prisoner of war; **~-полево́й** [14]: ~-полево́й суд *m* court-martial; **~слу́жащий** [17] military man, soldier.
вое́нн|ый [14] **1.** military, war...; **2.** military man, soldier; ~ый врач *m* medical officer; ~ый кора́бль *m* man-of-war, warship; ~ое положе́ние *n* martial law (under на П); поступи́ть на ~ую слу́жбу enlist, join; ~ые де́йствия *n/pl.* hostilities.
вож|а́к *m* [1 *e.*] guide; leader; **~а́тый** [14] leader, guide; streetcar (*Brt.* tram) driver; **~дь** *m* [4 *e.*] chief (-tain); leader; **~́жи** *f/pl.* [8; *from g/pl. e.*] reins.
воз *m* [1; на -у́; *pl. e.*] cart(load).
возбу|ди́мый [14 *sh.*] excitable; **~ди́тель** *m* [4] exciter; **~жда́ть** [1], ‹~ди́ть› [15 *e.*; -ужу́, -уди́шь] excite, stir up; arouse; incite; raise; bring, present; **~жда́ющий** [17] stimulating; ~жда́ющее сре́дство *n* stimulant; **~жде́ние** *n* [12] excitement; **~ждённый** [14] excited.
возвели́ч|ивать [1], ‹~ить› [16] exalt, praise, glorify.
возвести́ *s.* возводи́ть.
возве|ща́ть [1], ‹~сти́ть› [15 *e.*; -ещу́, -ести́шь; -ещённый] (В/Д *or* о П/Д) announce.
возв|оди́ть [15], ‹~ести́› [25] (в *or* на В) lead up; raise, elevate; erect; make.
возвра́|т *m* [1] **1.** = ~ще́ние 1. & 2.; **2.** ⚕ relapse; **~ти́ть(ся)** *s.* ~ща́ть (-ся); **~тный** [14] back...; relapsing; *gr.* reflexive; **~ща́ть** [1], ‹~ти́ть› [15 *e.*; -ащу́, -ати́шь; -ащённый] return; give back; restore, reimburse; recover; **-ся** return, come back (from из *or* с P); revert (to к Д); **~ще́ние** *n* [12] **1.** return; **2.** restitution.
возв|ыша́ть [1], ‹~ы́сить› [15] raise, elevate; **-ся** rise; tower (over над T); **~ыше́ние** *n* [12] rise; elevation; **~ы́шенность** *f* [8] **1.**

sublimity, loftiness; **2.** hill (range); **~ышенный** [14] elevated, lofty.
возгл|авля́ть [28], ⟨~а́вить⟩ [14] (be at the) head.
во́згла|с *m* [1] exclamation, (out-) cry; **~ша́ть** [1], ⟨~си́ть⟩ [15 *e.*; -ашу́, -аси́шь; -ашённый] proclaim.
возд|ава́ть [5], ⟨~а́ть⟩ [-да́м, -да́шь, *etc. s.* дава́ть] reward; show, do; ~а́ть до́лжное do justice (to Д).
воздвиг|а́ть [1], ⟨~́нуть⟩ [21] erect, construct, raise.
возде́йств|ие *n* [12] influence, impact; **~овать** [7] (*im*)*pf.* (на В) influence; act upon, affect.
возде́л|ывать, ⟨~ать⟩ [1] till.
воздержа́ние *n* [12] abstinence; abstention.
возде́рж|анный [14 *sh.*] abstemious, temperate; **~иваться** [1], ⟨~а́ться⟩ [4] abstain (from от Р); при двух ~а́вшихся *pol.* with two abstentions; **~ный** *s.* ~анный. temperate.
во́здух *m* [1] air; на (откры́том *or* све́жем) ~е in the open air, outdoors; **~оплáвание** *n* [12] aeronautics.
возду́ш|ный **1.** [14] air...; ~ная трево́га *f* air-raid warning; ~ные за́мки *m*/*pl.* castles in the air; **2.** [14; -шен, -шна] airy.
воззва́|ние *n* [12] appeal; proclamation; **~ть** *s.* взыва́ть.
вози́ть [15] drive, transport; **-ся** (с Т) busy o.s. (with), mess (around with); dawdle; fidget; romp, frolic.
возл|ага́ть [1], ⟨~ожи́ть⟩ [16] (на В) lay (on); entrust (with); ~ага́ть наде́жды на (В) rest one's hopes upon.
во́зле (Р) by, near, beside.
возложи́ть *s.* возлага́ть.
возлю́блен|ный [14] beloved; *m* lover; ~ная *f* mistress, sweetheart.
возме́здие *n* [12] requital.
возме|ща́ть [1], ⟨~сти́ть⟩ [15 *e.*; -ещу́, -ести́шь; -ещённый] compensate, recompense; **~ще́ние** *n* [12] compensation, indemnification.
возмо́жн|о it is possible; possibly; о́чень ~о very likely; **~ость** *f* [8] possibility; chance; по (ме́ре) ~ости as ... (far) as possible; **~ый** [14; -жен, -жна] possible; сде́лать всё ~ое do one's utmost.
возмужа́лый [14] mature, virile.
возму|ти́тельный [14; -лен, -льна] revolting, shoking; **~ща́ть,** ⟨~ти́ть⟩ [15 *e.*; -щу́, -ути́шь] revolt; **-ся** be shocked *or* indignant (at Т); **~ще́ние** *n* [12] indignation; revolt; **~щённый** [14] indignant.
вознагра|жда́ть [1], ⟨~ди́ть⟩ [15 *e.*; -ажу́, -ади́шь; -аждённый] reward, recompense, indemnify; **~жде́ние** *n* [12] reward, recompense.
вознаме́ри|ваться [1], ⟨~ться⟩ [13] intend, decide.
вознес|е́ние *n* [12] ascension; **~ти́(сь)** *s.* возноси́ть(ся).
возник|а́ть [1], ⟨~́нуть⟩ [21] arise, originate, emerge; **~нове́ние** *n* [12] rise, origin.
возн|оси́ть [15], ⟨~ести́⟩ [24 -с-: -су́, -сёшь; -нёс, -несла́; -несённый] raise, elevate; exalt; **-ся,** ⟨-сь⟩ **1.** rise; **2.** become haughty.
возня́ *f* [6] **1.** fuss, bustle, romp; **2.** trouble, bother.
возобнов|ле́ние *n* [12] renewal; resumption; **~ля́ть** [28], ⟨~и́ть⟩ [14 *e.*; -влю́, -ви́шь; -влённый] renew; resume.
возра|жа́ть [1], ⟨~зи́ть⟩ [15 *e.*; -ажу́, -ази́шь] **1.** object (to про́тив Р); **2.** return, retort (to на В); (я) не ~жа́ю I don't mind; **~же́ние** *n* [12] objection; rejoinder.
во́зраст *m* [1] age (at в П); **~а́ние** *n* [12] growth, increase; **~а́ть** [1], ⟨~и́⟩ [24 -ст-: -расту́; -ро́с, -ла́; -ро́сший] grow up; increase, rise.
возро|жда́ть [1], ⟨~ди́ть⟩ [15 *e.*; -ожу́, -оди́шь; -ождённый] revive, regenerate (*v*/*i.*: **-ся**); **~жде́ние** *n* [12] rebirth, revival; эпо́ха ♀жде́ния Renaissance.
во́зчик *m* [1] wag(g)oner, carter.
во́ин *m* [1] warrior, soldier; **~ский** [16] military; ~ская обя́занность († пови́нность) *f* conscription; **~́ственный** [14 *sh.*] martial, bellicose.
вои́стину truly, really.
вой *m* [3] howl(ing), wail(ing).
во́йло|к *m* [1] **~чный** [14] felt.
войн|а́ *f* [5; *pl. st.*] war (at на П); warfare; идти́ на ~у́ take the field; поджига́тель ~ы́ warmonger; втора́я мирова́я ~а́ World War II.
во́йск|о *n* [9; *pl. e.*] host; army; *pl.* troops, (*land, etc.*) forces.
войти́ *s.* входи́ть.
вокза́л *m* [1] railroad (*Brt.* railway) station, depot.

вокру́г (Р) (a)round; верте́ться ~ да о́коло F beat about the bush.
вол *m* [1 *e.*] ox.
Во́лга *f* [5] Volga.
волды́рь *m* [4 *e.*] blister, swelling.
волейбо́л *m* [1] volleyball.
во́лей-нево́лей willy-nilly.
во́лжский [16] (on the) Volga...
волк *m* [1; *from g/pl. e.*] wolf; смотре́ть ~ом F scowl.
волн|а́ *f* [5; *pl. st., from dat. a. e.*] wave; ⚡ дли́нные, сре́дние, коро́ткие ~ы long, medium, short waves; **~е́ние** *n* [12] agitation, excitement, unrest; *pl.* troubles, riots; **~и́стый** [14 *sh.*] wavy, undulating; **~ова́ть** [7], ⟨вз-⟩ (**-ся** be[come]) agitate(d), excite(d); worry; **~у́ющий** [17] exciting, thrilling.
воло́вий [18] ox...
Воло́дя *m* [6] *dim. of* Влади́мир.
волоки́т|а F [5] **1.** *f* red tape; a lot of fuss and trouble; **2.** *m* lady-killer, ladies' man; **~ство** *n* [9] flirtation.
волокн|и́стый [14 *sh.*] fibrous; **~о́** *n* [9; *pl.*: -о́кна, -о́кон, *etc. st.*] fiber, *Brt.* fibre.
волонтёр *m* [1] volunteer.
во́лос *m* [1; *g/pl.*: -ло́с; *from dat. e.*] (*a. pl.*) hair; **~а́тый** [14 *sh.*] hairy; **~о́к** *m* [1; -ска́] (small) hair; ⚡ filament; быть на ~о́к (*or* на ~ке́) от сме́рти F be on the verge (within a hair's breadth *or* ace) of death; висе́ть (*or* держа́ться) на ~ке́ hang by *or* on a thread.
во́лость *f* [8; *from g/pl. e.*] district.
волосяно́й [14] hair...
волочи́ть [16], ⟨по-⟩ drag, pull, draw; **-ся** drag o.s., crawl along; F (за Т) run after, court.
волхв *m* [1 *e.*] magician, wizard.
во́лчий [18] wolfish; wolf('s)...
волчо́к *m* [1; -чка́] top (*toy*).
волчо́нок *m* [2] wolf cub.
волше́б|ник *m* [1] magician; **~ница** *f* [5] sorceress; **~ный** [14] magic, fairy...; [-бен, -бна] *fig.* enchanting; **~ство́** *n* [9] magic, witchery.
волы́нка *f* [5 *g/pl.*; -нок] bagpipe.
вольно|ду́мец *m* [1; -мца] freethinker; **~слу́шатель** *m* [4] auditor, irregular student.
во́льн|ость *f* [8] liberty; freedom; **~ый** [14; -лен, -льна́, -о] free, easy, unrestricted; ⚔ ~о! at ease!
вольт *m* [1] volt.
вольфра́м *m* [1] wolframite.
во́л|я *f* [6] **1.** will; си́ла ~и will power; **2.** liberty, freedom; ~я ва́ша (just) as you like; по до́брой ~е of one's own will; отпусти́ть на ~ю set free; дать ~ю give free rein.
вон 1. F there; ~ там over there; **2.** ~! get out!; пошёл ~! out *or* away (with you)!; вы́гнать ~ turn out; ~ (оно́) что! F you don't say!; oh, that's it!
вонз|а́ть [1], ⟨~и́ть⟩ [15 *e.*; -нжу́, -зи́шь; -зённый] thrust, plunge, transfix.
вон|ь *f* [8] stench, stink; **~ю́чий** [17 *sh.*] stinking; **~ю́чка** *f* [5; *g/pl.*: -чек] skunk; **~я́ть** [28] stink (of Т).
вообра|жа́емый [14 *sh.*] imaginary, supposed; **~жа́ть** [1], ⟨~зи́ть⟩ [15 *e.*; -ажу́, -ази́шь; -ажённый] (*a.* ~жа́ть себе́) imagine, fancy; ~жа́ть себя́ imagine o.s. (s.b. Т); ~жа́ть о себе́ be conceited; **~же́ние** *n* [12] imagination; fancy; **~зи́мый** [14 *sh.*] imaginable.
вообще́ generally, in general; at all.
воодушев|ле́ние *n* [12] enthusiasm; **~ля́ть** [28], ⟨~и́ть⟩ [14 *e.*; -влю́, -ви́шь; -влённый] (**-ся** feel) inspire(d by Т).
вооруж|а́ть [1], ⟨~и́ть⟩ [16 *e.*; -жу́, -жи́шь; -жённый] **1.** arm, equip (with Т); **2.** stir up (against про́тив Р); **~е́ние** *n* [12] armament, equipment.
воо́чию with one's own eyes.
во-пе́рвых first(ly).
вопи́|ть [14 *e.*; -плю́, -пи́шь], ⟨за-⟩ cry out, bawl; lament, wail; **~ющий** [17] crying, flagrant.
вопло|ща́ть [1], ⟨~ти́ть⟩ [15 *e.*; -ощу́, -оти́шь; -ощённый] embody, personify; ~щённый *a.* incarnate; **~ще́ние** *n* [12] embodiment, incarnation.
вопль *m* [4] outcry, clamo(u)r; wail.
вопреки́ (Д) contrary to; in spite of.
вопро́с *m* [1] question; под ~ом questionable, doubtful; ~ не в э́том that's not the question; спо́рный ~ point at issue; что за ~! of course!; **~и́тельный** [14] interrogative; ~и́тельный знак *m* question mark.
вор *m* [1; *from g/pl. e.*] thief.
ворва́ться *s.* врыва́ться.
ворко|ва́ть [7], ⟨за-⟩ coo; **~тня́** F *f* [6] grumble.

вороб|éй *m* [3 *e.*; -бья́] sparrow; ста́рый (*or* стре́ляный) ~е́й F cunning fellow; **~ьи́ный** [14] sparrow('s)...

ворова́|ть [7], ⟨F с-⟩ steal; **∠ка** *f* [5; *g/pl.*: -вок] (female) thief; **~ско́й** [16] thievish; thieves'...; **~ство́** *n* [9] theft, larceny.

ворожи́ть [16 *e.*; -жу́, -жи́шь], ⟨по-⟩ tell fortunes.

во́рон *m* [1] raven; **∠а** *f* [5] crow; воро́н счита́ть F stand gaping about.

воро́нка *f* [5; *g/pl.*: -нок] **1.** funnel; **2.** crater.

вороно́й [14] black; *su. m* black horse.

во́рот *m* [1] **1.** collar; **2.** windlass; **∠а** *n/pl.* [9] gate; **~и́ть** [15] **1.** (*pf.*) F *cf.* возвраща́ть; **2.** (*impf.*) P move, roll; turn off, round; **3.** *s.* воро́чать 2.; **~ни́к** *m* [1 *e.*] collar; **~ничо́к** *m* [1; -чка] (small) collar.

во́рох *m* [1; *pl.*: -xá, *etc. e.*] pile, heap.

воро́|чать [1] **1.** *s.* ~ти́ть 2.; **2.** F manage, boss (T); **-ся** toss; turn; stir; **~ши́ть** [16 *e.*; -шу́, -ши́шь; -шённый] turn (over).

ворч|а́ние *n* [12] grumbling, growl; **~а́ть** [4 *e.*; -чу́, -чи́шь], ⟨за-, п(р)о-⟩ grumble, growl; **~ли́вый** [14 *sh.*] grumbling, surly; **~у́н** F *m* [1 *e.*], **~у́нья** *f* [6] grumbler.

восвоя́си F home.

восемна́дца|тый [14] eighteenth; **~ть** [35] eighteen; *s.* пять, пя́тый.

во́семь [35; восьми́, *instr.* восемью́] eight; *cf.* пять & пя́тый; **~десят** [35; восьми́десяти] eighty; **~со́т** [36; восьмисо́т] eight hundred; **~ю** eight times.

воск *m* [1] wax.

воскл|ица́ние *n* [12] exclamation. **~ица́тельный** [14] exclamatory; ~ица́тельный знак *m* exclamation mark *or* point; **~ица́ть** [1], ⟨~и́кнуть⟩ [20] exclaim.

восково́й [14] wax(en)...

воскр|еса́ть [1], ⟨~е́снуть⟩ [21] rise (from из P); recover; Христо́с ~е́с(е)! Christ has arisen! (*Easter greeting*); (*reply*:) вои́стину ~е́с(е)! (He has) truly arisen!; **~есе́ние** *n* [12] Resurrection; **~есе́нье** *n* [10] Sunday (on: в В, *pl.* по Д); **~еша́ть** [1], ⟨~еси́ть⟩ [15 *e.*; -ешу́, -еси́шь; -ешённый] resuscitate, revive.

воспал|е́ние *n* [12] inflammation; ~е́ние лёгких (по́чек) pneumonia (nephritis); **~ённый** [14 *sh.*] inflamed; **~и́тельный** [14] inflammatory; **~я́ть** [28], ⟨~и́ть⟩ [13] inflame (*v/i.* **-ся**).

воспе|ва́ть [1], ⟨∠ть⟩ [-пою́, -поёшь; -пе́тый] sing of, praise.

воспит|а́ние *n* [12] education, upbringing; **∠анник** *m* [1], **∠анница** *f* [5] foster child; pupil; **∠анный** [14 *sh.*] well-bred; пло́хо ∠анный ill-bred; **~а́тель** *m* [4] educator; (private) tutor; **~а́тельный** [14] educational, pedagogic(al); **∠ывать** [1], ⟨~а́ть⟩ bring up; educate.

воспламен|я́ть [28], ⟨~и́ть⟩ [13] inflame (*v/i.* **-ся**).

восполн|я́ть [28], ⟨∠ить⟩ [13] fill (up); make up (for).

воспо́льзоваться *s.* по́льзоваться.

воспомина́ние *n* [12] remembrance, recollection, reminiscence; *pl. a.* memoirs.

воспре|ща́ть [1], ⟨~ти́ть⟩ [15 *e.*; -ещу́, -ети́шь; -ещённый] prohibit, forbid; вход ~щён! no entrance!; кури́ть ~ща́ется! no smoking!; **~ще́ние** *n* [12] interdiction, prohibition.

воспри|и́мчивый [14 *sh.*] sensitive; susceptible (to к Д); **~нима́ть** [1], ⟨~ня́ть⟩ [-приму́, -и́мешь; -и́нял, -а́, -о; -и́нятый] take (up); conceive; **~я́тие** *n* [12] perception.

воспроизв|еде́ние *n* [12] reproduction; **~оди́ть** [15], ⟨~ести́⟩ [25] reproduce.

воспря́нуть [20] *pf.* rise, jump up; ~ ду́хом cheer up.

воссоедин|е́ние *n* [12] reun(ification)ion; **~я́ть** [28], ⟨~и́ть⟩ [13] reunite.

восста|ва́ть [5], ⟨∠ть⟩ [-ста́ну, -ста́нешь] (a)rise; revolt.

восстан|а́вливать [1], ⟨~ови́ть⟩ [14] **1.** reconstruct, restore; **2.** stir up, dispose; **∠ие** *n* [12] insurrection, revolt; **~ови́ть** *s.* ~а́вливать; **~овле́ние** *n* [12] reconstruction, restoration.

восто́к *m* [1] east; ♀ the East, Orient; Бли́жний (Да́льний) ♀ the Near (Far) East; на ~ (to[ward] the) east, eastward(s); на ~е in the east; с ~а from the east; к ~у от (P) (to the) east of.

восто́р|г *m* [1] delight, rapture; я в

~re I am delighted (with от P); приводи́ть (приходи́ть) в ~г = **~га́ть(ся)** [1] *impf.* (be) delight(ed) (with T); **~же́нный** [14 *sh.*] enthusiastic, exalted. [oriental.
восто́чный [14] east(ern, -erly);
востре́бова|ние *n* [12]: до ~ния poste restante; **~ть** [7] *pf.* call for.
восхвал|е́ние *n* [12] praise, eulogy; **~я́ть** [28], 〈~и́ть〉 [13; -алю́, -а́лишь] praise, extol.
восхи|ти́тельный [14; -лен,-льна] delightful; **~ща́ть** [1], 〈~ти́ть〉 [15 *e.*; -ищу́, -ити́шь; -ищённый] delight, transport; **-ся** (T) be delighted (with), admire; **~ще́ние** *n* [12] admiration, delight; приводи́ть (приходи́ть) в ~ще́ние *s.* ~ща́ть(ся).
восхо́|д *m* [1], **~жде́ние** *n* [12] rise; ascent; ~д со́лнца sunrise; **~ди́ть** [15], 〈взойти́〉 [взойду́, -дёшь; взошёл, -шла́; взоше́дший] rise, ascend.
восше́ствие *n* [12] ascent; ~ на престо́л accession to the throne.
восьм|ёрка *f* [5; *g/pl.*: -рок] eight (*cf.* дво́йка); **∠еро** [37] eight (*cf.* дво́е).
восьми|деся́тый [14] eightieth; *cf.* пят(идеся́т)ый; **~ле́тний** [14] of eight, aged 8; **~со́тый** [14] eight hundredth; **~часово́й** [14] eight-hour...
восьм|о́й [14] eighth; *cf.* пя́тый; **~у́шка** *f* [5] eighth of lb.; octavo.
вот here (is); there; now; well; that's ...; ~ и всё F that's all; ∠ (оно́) как *or* что! you don't say!, is that so?; ∠ те(бе) ра́з *or* на́! there you are!; a pretty business this!; ∠ како́й ... such a ...; ∠ челове́к! what a man!; ~-~! yes, indeed; ~-∠ every *or* (at) any moment.
воткну́ть *s.* втыка́ть.
во́тум *m* [1] vote.
во́тчина *f* [5] patrimony (*estate*).
воцар|я́ться [28], 〈~и́ться〉 [13] **1.** accede to the throne; **2.** set in; be restored.
вошь *f* [8; вши; во́шью] louse.
вощи́ть [16 *e.*], 〈на-〉 wax.
вою́ющий [17] belligerent.
впа|да́ть [1], 〈~сть〉 [25; впал, -а] (в В) fall (flow, run) in(to); **~де́ние** *n* [12] flowing into; mouth, confluence; **∠дина** *f* [5] cavity, socket; **∠лый** [14] hollow, sunken; **~сть** *s.* [~да́ть.
впервы́е for the first time.
вперего́нки́ F *s.* наперего́нки́.
вперёд forward, ahead (of P), on (-ward); in future; in advance, beforehand; *s. a.* взад.
впереди́ in front, ahead (of P); before.
вперемё́жку F alternately.
впер|я́ть [28], 〈~и́ть〉 [13] fix (one's eyes on взор в В).
впечатл|е́ние *n* [12] impression; **~и́тельный** [14; -лен, -льна] sensitive.
впи|ва́ть [1], 〈~ть〉 [вопью́, -пьёшь; впил, -а́, -о] suck in, imbibe; **-ся** (в В) cling to; seize; stick; fix. [insert.
впи́с|ывать [1], 〈~а́ть〉 [3] enter,
впи́т|ывать [1], 〈~а́ть〉 soak up *or* in; absorb, imbibe; **~ь** *s.* впива́ть.
впи́х|ивать [1], *once* 〈~ну́ть〉 [20] push *or* squeeze in(to) (в В).
вплавь by swimming.
впле|та́ть [1], 〈~сти́〉 [25 -т-: вплету́, -тёшь] interlace, braid.
вплот|ну́ю (к Д) (quite) close(ly) by, (right) up to; *fig.* F seriously; **~ь** (к Д) (right) up to; even (till).
вполго́лоса in a low voice.
вполз|а́ть [1], 〈~ти́〉 [24] creep *or* crawl in(to), up.
вполне́ quite, fully, entirely.
впопа́д F to the point, relevantly.
впопыха́х *s.* второпя́х.
впо́ру: быть ~ fit.
впосле́дствии afterward(s), later.
впотьма́х in the dark.
впра́вду F really, indeed.
вправ|ля́ть [28], 〈∠ить〉 [14] set.
впра́ве: быть ~ have the right.
впра́во (to the) right.
впредь henceforth, in future.
впро́голодь starv(el)ing.
впрок **1.** for future use; **2.** to a p.'s benefit; э́то ему́ ~ не пойдёт he won't profit by it.
впро́чем by the way; however.
впры́г|ивать [1], *once* 〈~нуть〉 [20] jump in(to) *or* on; (в, на В).
впры́с|кивание *n* [12] injection; **~кивать** [1], *once* 〈~нуть〉 [20] inject.
впря|га́ть [1], 〈~чь〉 [26 г/ж; *cf.* напря́чь] harness, put to (в В).
впус|к *m* [1] admission; **~ка́ть** [1], 〈~ти́ть〉 [15] let in, admit.
впусту́ю F in vain, to no purpose.
впу́т|ывать, 〈~ать〉 [1] entangle, involve (in в В); **-ся** become entangled.

впя́тер|о five times (*cf.* вдвóе); **~óм** five (together).
враг *m* [1 *e.*] enemy; † devil.
враж|дá *f* [5] enmity; **~дéбность** *f* [8] animosity; **~дéбный** [14; -бен, -бна] hostile; **~довáть** [7] be at enmity (with с T); **∠еский** [16], **∠ий** [18] (the) enemy('s)...
вразбрóд F separately, scatteringly.
вразрéз: идти́ ~ be contrary (to с T).
вразум|и́тельный [14; -лен, -льна] intelligible, clear; **~ля́ть** [1], 〈~и́ть〉 [13] bring to reason; instruct, make wise.
врá|ль F *m* [4 *e.*] liar; tattler; **~ньё** *n* [12] lies, fibs *pl.*, idle talk.
врас|плóх unawares, by surprise; **~сыпну́ю:** брóситься ~сыпну́ю disperse.
враст|áть [1], 〈~и́〉 [24 -ст-: -сту́; врос, -лá] grow in(to); settle *or* subside.
вратáрь *m* [4 *e.*] goalkeeper.
врать F [вру, врёшь; врал, -á, -о], 〈со-〉 [сóвранный], lie; make a mistake; be inaccurate; tell (tales).
врач *m* [1 *e.*] doctor, physician; **~éбный** [14] medical.
вращ|áть [1] (В *or* T) turn, revolve, rotate (*v/i.* **-ся**; -ся в П associate with); ~áющийся revolving, rotatory; **~éние** *n* [12] rotation.
вред *m* [1 *e.*] harm, damage; detriment; **~и́тель** *m* [4] ✓ pest; saboteur; **~и́тельство** *n* [9] sabotage; **~и́ть** [15 *e.*; -ежу́, -еди́шь], 〈по-〉 (do) harm, (cause) damage (to Д); **∠ный** [14; -ден, -днá, -о] harmful, injurious (to Д *or* для Р).
врез|áть [1], 〈∠ать〉 [3] (в В) cut in(to); lay *or* put in(to); **-ся** run in(to); project into; impress (on).
врéмен|ный [14] temporary, transient, provisional; **~щи́к** *m* [1 *e.*] favo(u)rite, minion.
врéм|я *n* [13] time; *gr.* tense; weather; ~я гóда season; во ~я (Р) during; в настоя́щее ~я at (the) present (moment); от ~ени до ~ени, по ~енáм, ~енáми from time to time, (every) now and then, sometimes; в скóром ~ени soon; в то (же) ~я at that (the same) time; в то ~я как whereas; за послéднее ~я lately, recently; на ~я for a (certain) time, temporarily; in (*the long*) run; со ~енем in the course of time; тем ~енем meanwhile; скóлько ~ени? how long?; what's the time?; хорошó провести́ ~я have a good time; **~ясчислéние** *n* [12] chronology; **~я(пре)провождéние** *n* [12] pastime.
врóвень even, abreast (with с T).
врóде like; such as; kind of.
врождённый [14 *sh.*] innate.
вроз(н)ь separately, apart.
врун F *m* [1 *e.*], **∠ья** F *f* [6] liar.
вруч|áть [1], 〈~и́ть〉 [16] hand over; entrust.
вры|вáть [1], 〈~ть〉 [22] dig in; **-ся,** 〈ворвáться〉 [-ву́сь, -вёшься; -вáлся, -лáсь] rush in(to); enter (by force).
вряд: ~ ли hardly, scarcely.
всáдни|к *m* [1] horseman; **~ца** *f* [5] horsewoman.
всá|живать [1], 〈~ди́ть〉 [15] thrust *or* drive in(to), hit; **~сывать** [1], 〈всосáть〉 [-су́, -сёшь] suck in *or* up, imbibe.
всё, все *s.* весь.
все|вéдущий [17] omniscient; **~возмóжный** [14] of all kinds *or* sorts.
всегдá always; **~шний** [15] constant, habitual.
всегó (-ˈvɔ) altogether, in all; sum total; ~ (тóлько, лишь, -нáвсего) only, merely; прéжде ~ above all.
всел|éнная *f* [14] universe, world; **~я́ть** [28], 〈~и́ть〉 [13] settle, move in(to) (*v/i.* **-ся**); *fig.* inspire.
все|мéрный every (*or* all) ... possible; ~мéрно in every possible way; **~ми́рный** [14] world..., universal; **~могу́щий** [17 *sh.*] = ~си́льный; **~нарóдный** [14; -ден, -дна] national, nation-wide; *adv.:* ~нарóдно in public; **∠нощная** *f* [14] vespers *pl.*; **~óбщий** [17] universal, general; **~объéмлющий** [17 *sh.*] universal; **~росси́йский** [16] All-Russian.
всерьёз F in earnest, seriously.
все|си́льный [14; -лен, -льна] omnipotent, almighty; **~сою́зный** [14] All-Union, ... of the U.S.S.R.; **~сторóнний** [15] all-round.
всё-таки nevertheless, (but) still.
всеуслы́шание: во ~ in public.
всецéло entirely, wholly.
вскá|кивать [1], 〈вскочи́ть〉 [16] jump *or* leap (up/on на В); start (from с Р); F rise *or* swell; **~пывать,** 〈вскопáть〉 [1] dig up.

вскара́бк|иваться, ⟨~аться⟩ [1] (на В) climb (up).
вска́рмливать [1], ⟨вскорми́ть⟩ [14] raise, rear *or* bring up.
вскачь at full gallop.
вскип|а́ть [1], ⟨~е́ть⟩ [10 *e.*; -плю́, -пи́шь] boil (up); *fig.* fly into a passion.
вскло́(ко́)|чивать [1], ⟨~чить⟩ [16] tousle; ~ченные *or* ~чившиеся во́лосы *m/pl.* dishevel(l)ed hair.
всколы́х|ивать [1], ⟨~а́ть⟩ [3 *st.* & 1], *once* ⟨~ну́ть⟩ [20] stir up, rouse.
вскользь in passing, cursorily.
вскопа́ть *s.* вска́пывать.
вско́ре soon, before long.
вскорми́ть *s.* вска́рмливать.
вскочи́ть *s.* вска́кивать.
вскри́|кивать [1], ⟨~ча́ть⟩ [4 *e.* -чу́, -чи́шь], *once* ⟨~кнуть⟩ [20] cry out, scream.
вскружи́ть [16; -жу́, -у́жи́шь] *pf.*; ~ (Д) го́лову turn a p.'s head.
вскры|ва́ть [1], ⟨~ть⟩ [22] **1.** open; reveal; **2.** dissect; **-ся 1.** open; be disclosed; **2.** break (up); **∠тие** *n* [12] **1.** opening; disclosure; **2.** dissection, autopsy; **3.** breaking up.
всласть F to one's heart's content.
вслед (за Т; Д) (right) after, behind, following; **∠ствие** (Р) in consequence of, owing to; ∠ствие э́того consequently.
вслепу́ю F blindly, at random.
вслух aloud.
вслу́ш|иваться [1], ⟨~аться⟩ (в В) listen attentively (to).
всма́триваться [1], ⟨всмотре́ться⟩ [9; -отрю́сь, -о́тришься] (в В) peer, look narrowly (at).
всмя́тку: яйцо́ ~ soft-boiled egg.
всо́|вывать [1], ⟨всу́нуть⟩ [20] put, slip (into в В); **~са́ть** *s.* вса́сывать.
вспа́|хивать [1], ⟨~ха́ть⟩ [3] plow (*Brt.* plough) *or* turn up; **~шка** *f* [5] tillage.
вспле́с|к [1] splash; **∠кивать** [1], ⟨~ну́ть⟩ [20] splash; ~ну́ть рука́ми throw up one's arms.
вспль|ва́ть [1], ⟨~ть⟩ [23] rise to the surface, emerge.
всполоши́ть F [16 *e.*; -шу́, -ши́шь; -шённый] *pf.* startle (*v/i.* **-ся**).
вспом|ина́ть [1], ⟨∠нить⟩ [13] (В *or* о П) remember, recall; (Д + **-ся** = И + *vb.*); **~ога́тельный** [14] auxiliary; **~яну́ть** P [19] = ∠нить.
вспорхну́ть [20] *pf.* fly up.
вспры́г|ивать [1], *once* ⟨~нуть⟩ [20] jump *or* spring (up/on на В).
вспры́с|кивать [1], ⟨~нуть⟩ [20] sprinkle; wet; inject.
вспу́г|ивать [1], *once* ⟨~ну́ть⟩ [20] start, frighten away.
вспух|а́ть [1], ⟨∠нуть⟩ [21] swell.
вспыл|и́ть F [13] *pf.* get angry; **∠ьчивость** *f* [8] irascibility; **∠ьчивый** [14 *sh.*] quick-tempered.
вспы́|хивать [1], ⟨~хнуть⟩ [20] **1.** flare up, flash; blush; **2.** burst into a rage; break out; **~шка** *f* [5; *g/pl.*: -шек] flare, flash, outburst, outbreak.
вста|ва́ть [5], ⟨~ть⟩ [вста́ну, -нешь] stand up; get up, rise (from с Р); arise; **∠вка** *f* [5; *g/pl.*: -вок] setting in, insertion, inset; **~вля́ть** [28], ⟨∠вить⟩ [14] set *or* put in, insert; **~вно́й** [14] (to be) put in; ~вны́е зу́бы *m/pl.* false teeth.
встрепену́ться [20] *pf.* start, shudder, shake up.
встрёпк|а P *f* [5] reprimand; зада́ть ~у (Д) P bowl out, blow up (a p.).
встре́|тить(ся) *s.* ~ча́ть(ся); **~ча** *f* [5] meeting, encounter; reception; тёплая ~ча warm welcome; **~ча́ть** [1], ⟨~тить⟩ [15 *st.*] **1.** meet (*v/t.*, with В), encounter; come across; **2.** meet, receive, welcome; ~ча́ть Но́вый год celebrate the New Year; **-ся 1.** meet (*v/i.*, o. a., with с Т); **2.** (*impers.*) occur, happen; there are (were); **~чный** [14] counter..., contrary, head (*wind*), (coming from the) opposite (direction), (s.b. *or* s.th.) on one's way; пе́рвый ~чный the first comer.
встря́|ска *f* [5; *g/pl.:* -сок] **1.** F shock; **2.** P = встрёпка; **~хивать** [1], *once* ⟨~хну́ть⟩ [20] shake (up); stir (up); (**-ся** *v/i.*, o. s.).
вступ|а́ть [1], ⟨~и́ть⟩ [14] (в В) enter, join; set one's foot, step (into); begin, enter *or* come into, assume; ~и́ть в брак contract marriage; ~и́ть на трон accede to the throne; **-ся** (за В) intercede (for), protect; take a p.'s side; **~и́тельный** [14] introductory; opening; entrance...; **~ле́ние** *n* [12] entry, entrance; accession; beginning; introduction.
всу́|нуть *s.* всо́вывать; **~чивать** F [1], ⟨~чи́ть⟩ [16] foist (s.th. on В/Д).

всхлип *m* [1], **ꜜывание** *n* [12] sob(bing); **ꜜывать** [1], *once* ⟨ꜜнуть⟩ [20 *st.*] sob.

всход|и́ть [15], ⟨взойти́⟩ [взойду́, -дёшь; взошёл, -шла́; взоше́дший; *g. pt.*: взойдя́] **1.** go *or* climb ([up]on на В), ascend, rise; come up, sprout; **2.** = входи́ть; **ꜜы** *m/pl.* [1] standing *or* young crops.

всхрапну́ть F [20] *pf.* nap.

всып|а́ть [1], ⟨ꜜать⟩ [2 *st.*] pour *or* put (into в В); P thrash (a p. Д).

всю́ду everywhere, all over.

вся́|кий [16] **1.** any, every; any-, everybody (*or* -one); **2.** = **~ческий** [16] all kinds *or* sorts of, sundry; every possible; ~чески in every way; ~чески стара́ться take great pains; **~чина** F *f* [5]: ~кая ~чина whatnot(s), hodgepodge.

вта́|йне in secret; **~лкивать** [1], ⟨втолкну́ть⟩ [20] push *or* shove in(to); **~птывать** [1], ⟨втопта́ть⟩ [3] tramp(le) in(to); **~скивать** [1], ⟨~щи́ть⟩ [16] pull *or* drag in, up.

вте|ка́ть [1], ⟨~чь⟩ [26] flow in(to).

втир|а́ть [1], ⟨втере́ть⟩ [12; вотру́, -рёшь; втёр] rub in; worm; ~ра́ть очки́ (Д) throw dust in (p.'s) eyes; **-ся** F worm into; **ꜜскивать** [1], ⟨ꜜснуть⟩ [20] press *or* squeeze in.

втихомо́лку F on the quiet.

втолкну́ть *s.* вта́лкивать.

втоптать *s.* вта́птывать.

втор|га́ться [1], ⟨ꜜгнуться⟩ [21] (в В) intrude, invade, penetrate; meddle (with); **~же́ние** *n* [12] invasion, incursion; **ꜜить** [13] ♪ sing (*or* play) the second part; echo, repeat; **~и́чный** [14] second, repeated; secondary; ~и́чно once more, for the second time; **ꜜник** *m* [1] Tuesday (on: во В, *pl.*: по Д); **~о́й** [14] second; upper; из ~ы́х рук second hand; *cf.* пе́рвый & пя́тый; **~оку́рсник** *m* [1] sophomore.

второпя́х in a hurry, being in a great haste, hastily.

второстепе́нный [14; -е́нен, -е́нна] secondary, minor.

в-тре́тьих third(ly).

втри́дорога F very dearly.

втро́|е three times (as ..., *comp.*; *cf.* вдвое); *vb.* + ~е *a.* treble; **~ём** three (of us, *etc.*, *or* together); **~йне́** three times (as much, *etc.*), trebly.

втуз *m* [1] (вы́сшее техни́ческое уче́бное заведе́ние *n*) technical college, institute of technology.

вту́лка *f* [5; *g/pl.*: -лок] plug.

вту́не in vain; without attention.

втыка́ть [1], ⟨воткну́ть⟩ [20] put *or* stick in(to).

втя́|гивать [1], ⟨~ну́ть⟩ [19] draw *or* pull in(to), on; envolve, engage; **-ся** (в В) fall in; enter; (become) engage(d) in; get used (to).

вуа́ль *f* [8] veil.

вуз *m* [1] (вы́сшее уче́бное заведе́ние *n*) university, college; **ꜜовец** *m* [1; -вца] college student.

вулка́н *m* [1] volcano; **~и́ческий** [16] volcanic.

вульга́рный [14; -рен, -рна] vulgar.

вход *m* [1] entrance; пла́та за ~ entrance *or* admission fee.

входи́ть [15], ⟨войти́⟩ [войду́, -дёшь; вошёл, -шла́; воше́дший; *g. pt.*: войдя́] (в В) enter, go, come *or* get in(to); go in(to), have room *or* hold; run into (*debts*, *etc.*); penetrate into; be included in; ~ во вкус (P) take a fancy to; ~ в дове́рие (ми́лость) к (Д) gain a p.'s confidence (favo[u]r); ~ в положе́ние (P) appreciate a p.'s position; ~ в привы́чку *or* быт (посло́вицу) become a habit (proverbial); ~ в (соста́в [P]) form part (of), belong (to).

входно́й [14] entrance..., admission...

вцеп|ля́ться [28], ⟨~и́ться⟩ [14] (в В) grasp, catch hold of.

ВЦСПС (Всесою́зный Центра́льный Сове́т Профессиона́льных Сою́зов) the All-Union Central Council of Trade Unions.

вчера́ yesterday; **~шний** [15] yesterday's, (of) yesterday.

вчерне́ in the rough; in a draft.

вче́тверо four times (as ..., *comp.*; *cf.* вдво́е); **ꜜм** four (of us, *etc.*).

вчи́т|ываться [1], ⟨~а́ться⟩ (в В) become absorbed in *or* familiar with s.th. by reading.

вше́стеро six times (*cf.* вдво́е).

вши|ва́ть [1], ⟨~ть⟩ [вошью́, -шьёшь; *cf.* шить] sew in(to); **ꜜвый** [14] lousy; **~ть** *s.* ~ва́ть.

въе|да́ться [1], ⟨ꜜсться⟩ [*cf.* есть[1]] eat (in[to]).

въе|зд *m* [1] entrance, entry; ascent; разреше́ние на ~зд entry permit; **~зжа́ть** [1], ⟨ꜜхать⟩ [въе́ду, -дешь; въезжа́й(те)!] enter, ride

or drive in(to), up/on (в, на В); move in(to); **∠сться** *s.* ~даться.
вы [21] you (*polite form a.* 2); ~ с ним you and he; у вас (был) ... you have (had) ...
выб|áлтывать F [1], ⟨∠олтать⟩ blab *or* let out; **~егáть** [1], ⟨∠ежать⟩ [4; вы́бегу, -ежишь] run out; **~ивáть** [1], ⟨∠ить⟩ [вы́бью, -бьешь, *etc.*, *cf.* бить] **1.** beat *or* knock out; break; smash; drive out; hollow out; **2.** stamp, coin; **-ся** break out *or* forth; -ся из сил be(come) exhausted, fatigued; -ся из колей come off the beaten track; **~ирáть** [1], ⟨∠рать⟩ [вы́беру, -решь; -бранный] choose, pick out; elect; take out; find; **-ся** get out; move (out); **∠ить** *s.* ~ивáть.
вы́бор *m* [1] choice, selection; на ~ (*or* по ~у) at a p.'s discretion; random (*test*); *pl.* election(s); всеóбщие ~ы *pl.* general election; дополни́тельные ~ы by-election; **~ка** *f* [5; *g/pl.*: -рок] selection; *pl.* excerpts; **~ный** [14] electoral; *su.* delegate.
вы́бр|áсывать [1], ⟨~осить⟩ [15] throw (out *or* away); thrust (out); discard *or* dismiss; exclude, omit; strand; ~áсывать (зря) дéньги waste money; **-ся** throw o. s. out; **~ать** *s.* выбирáть; **~ить** [-ею, -еешь; -итый] *pf.* shave clean; (*v/i.* **-ся**); **~осить** *s.* ~áсывать.
выб|ывáть [1],⟨∠ыть⟩ [-буду, -будешь] leave, withdraw, drop out.
выв|áливать [1], ⟨∠алить⟩ [13] discharge, throw out; P stream; **-ся** fall out; stream out; **~áривать** [1], ⟨∠арить⟩ [13] extract; boil down; **~éдывать**, ⟨∠едать⟩ [1] find out, (try to) elicit; **∠езти** *s.* ~ози́ть; **~ёртывать** [1], ⟨∠ернуть⟩ [20] unscrew; tear out; dislocate; turn (inside out); *v/i.* **-ся**; slip out, extricate o. s.
вы́вес|ить *s.* вывéшивать; **~ка** *f* [5; *g/pl.*: -сок] sign(board); **~ти** *s.* выводи́ть.
выв|éтривать [1], ⟨∠етрить⟩ [13] (remove by) air(ing); **-ся** weather; **~éшивать** [1], ⟨∠есить⟩ [15] hang out *or* put up; **~и́нчивать** [1], ⟨∠интить⟩ [15] unscrew.
вы́вих *m* [1] dislocation; **~нуть** [20] *pf.* dislocate, sprain (one's ... себé В).
вы́вод *m* [1] **1.** withdrawal; **2.** breeding, cultivation; **3.** derivation, conclusion; сдéлать ~ draw a conclusion; **~и́ть** [15], ⟨вы́вести⟩ [25] **1.** take, lead *or* move (out, to); **2.** derive, conclude; **3.** hatch; cultivate; **4.** construct; **5.** remove, extirpate; **6.** write *or* draw carefully; **7.** depict; ~и́ть (В) из себя́ make s. b. lose his temper; **-ся**, ⟨-сь⟩ disappear; **~ок** *m* [1; -дка] brood.
вы́воз *m* [1] export(s); **~и́ть** [15], ⟨вы́везти⟩ [24] remove, get *or* take *or* bring out; export; **~нóй** [14] export...
выв|орáчивать F [1], ⟨∠оротить⟩ [15] = вывёртывать, вы́вернуть.
выг|áдывать, ⟨∠адать⟩ [1] gain *or* save (s. th. from В/на П).
вы́гиб *m* [1] bend, curve; **~áть** [1], ⟨вы́гнуть⟩ [20] arch, curve.
вы́гля|деть [11 *st.*] *impf.* look (s. th. T, like как); как онá ~дит? what does she look like?; он ~дит молóже свои́х лет he doesn't look his age; **∠дывать** [1], *once* ⟨~нуть⟩ [20 *st.*] look *or* peep out (of в В, из Р).
вы́гнать *s.* выгоня́ть.
вы́гнуть *s.* выгибáть.
выгов|áривать [1], ⟨'~орить⟩ [13] **1.** pronounce; utter; **2.** F stipulate; **3.** *impf.* F (Д) rebuke; **'~ор** *m* [1] **1.** pronunciation; **2.** reproof, reprimand.
вы́год|а *f* [5] profit; advantage; **~ный** [14; -ден, -дна] profitable; advantageous (to Д, для Р).
вы́гон *m* [1] pasture; **~я́ть** [28], ⟨вы́гнать⟩ [вы́гоню, -нишь] turn *or* drive out; expel *or* fire.
выгор|áживать [1], ⟨'~одить⟩ [15] enclose; P exculpate, free from blame; **~áть** [1], ⟨'~еть⟩ [9] **1.** burn down; **2.** fade; **3.** F click, come off.
выгр|ужáть [1], ⟨∠узить⟩ [15] unload; discharge; disembark; (*v/i.* **-ся**); **∠узка** [5; *g/pl.*: -зок] unloading; disembarkation.
выдавáть [5], ⟨вы́дать⟩ [-дам, -дашь, *etc. cf.* дать] **1.** give (out), pay (out); distribute; **2.** draw *or* issue; **3.** betray; **4.** extradite; ~ (себя́) за (В) [make] pass (o.s. off) for; ~ (зáмуж) за (В) give (*a girl*) in marriage to; **-ся** **1.** stand out; **2.** F happen *or* turn out.
выд|áвливать [1], ⟨∠авить⟩ [14] press *or* squeeze out; **~áлбливать**

[1], ⟨∠олбить⟩ [14] hollow out.

вы́да|ть *s.* ~ва́ть; **~ча** *f* [5] **1.** distribution; delivery; payment; **2.** issue; grant; **3.** betrayal; **4.** extradition; день ~чи зарпла́ты payday; **~ю́щийся** [17; -щегося, *etc.*] outstanding, distinguished.

выдви|га́ть [1], ⟨'~нуть⟩ [20] **1.** pull out; **2.** put forward, propose, promote; **-ся 1.** step forth, move forward; **2.** project; **3.** advance; **4.** *impf. s.* ~жно́й; **~же́нец** *m* [1; -нца] promoted worker; **~жно́й** [14] pull-out..., sliding.

выд|еле́ние *n* [12] separation, detachment; discharge, secretion; **∠елка** *f* [5; *g/pl.*: -лок] manufacture; workmanship; **~е́лывать,** ⟨∠елать⟩ [1] work, make; elaborate; curry (*leather*); **~еля́ть** [28], ⟨∠елить⟩ [13] **1.** separate, detach; **2.** mark (out); emphasize; **3.** ⚖ allot; satisfy (*coheirs*); **4.** ⚕ secrete; **5.** ⚘ evolve; **-ся** *v/i.* 1,4; stand out, come forth; rise above, excel; **~ёргивать,** ⟨∠ернуть⟩ [20] pull out.

выде́рж|ивать [1], ⟨'~ать⟩ [4] stand, bear, endure; pass (*exam.*); observe (*size, etc.*); '~ать хара́ктер be firm; '~анный self-restrained; consistent; mature; **'~ка** *f* [5; *g/pl.*: -жек] **1.** self-control; **2.** extract, quotation; **3.** *phot.* exposure; на '~ку at random.

выд|ира́ть F [1], ⟨∠рать⟩ [-деру, -ерешь] tear out; pull; *pf.* thrash; **∠олбить** *s.* ~а́лбливать; **∠охнуть** *s.* ~ыха́ть; **∠ра** *f* [5] otter; **∠рать** *s.* ~ира́ть; **∠умка** *f* [5; *g/pl.*: -мок] invention; **~у́мывать,** ⟨∠умать⟩ [1] invent, contrive, devise.

выд|ыха́ть [1], ⟨∠охнуть⟩ [20] breathe out; **-ся** become stale; *fig.* exhaust o.s.

вы́езд *m* [1] departure; drive, ride; exit; gateway; visit.

выезжа́ть[1] [1], ⟨вы́ехать⟩ [вы́еду, -едешь; -езжа́й(те)!] *v/i.* (из, с Р) **1.** leave, depart; **2.** drive *or* ride out, on(to); **3.** (re)move (from); **4.** (begin to) visit (*social affairs, etc.*); **~**[2] *a.* **вые́зживать** [1], ⟨вы́ездить⟩ [15] *v/t.* break in (*a horse*).

вы́емка *f* [5; *g/pl.*: -мок] excavation; hollow.

вы́ехать *s.* выезжа́ть.

вы́ж|ать *s.* ~има́ть; **~дать** *s.* ~ида́ть; **~ива́ть** [1], ⟨~ить⟩ [-иву, -ивешь; -итый] survive; go through; stay; F oust; ~ить из ума́ be in one's dotage; **~ига́ть** [1], ⟨~ечь⟩ [26 г/ж: -жгу, -жжешь, -жгут; -жег, жгла; -жженный] burn out, down *or* in; brand; **~ида́ть** [1], ⟨~дать⟩ [-жду, -ждешь; -жди (-те)!] (Р *or* В) wait for *or* till (after); **~има́ть** [1], ⟨~ать⟩ [-жму, -жмешь; -жатый] squeeze, press *or* wring out; *sport* lift; **~ить** *s.* ~ива́ть.

вы́звать *s.* вызыва́ть.

выздор|а́вливать [1], ⟨'~оветь⟩ [10] recover; **~а́вливающий** [17] convalescent; **~овле́ние** *n* [12] recovery.

вы́з|ов *m* [1] call; summons; invitation; challenge; **~у́бривать** [1] = зубри́ть 2.; **~ыва́ть** [1], ⟨~вать⟩ [-ову, -овешь] **1.** call (to; for *thea.*; up *tel.*; [up]on *pupil*); send for; **2.** summon (to к Д; before a court в суд); **3.** challenge (to на В); **4.** rouse, cause; evoke; **-ся** undertake *or* offer; **~ыва́ющий** [17] defiant, provoking.

выи́гр|ывать, ⟨'~ать⟩ [1] win (from у Р), gain, benefit; **'~ыш** *m* [1] win(ning[s]), gain(s); prize; profit; быть в '~ыше have won (profited); **'~ышный** [14] advantageous, profitable; lottery...

вы́йти *s.* выходи́ть.

вык|а́зывать F [1], ⟨∠азать⟩ [3] show, prove; display; **~а́лывать** [1], ⟨∠олоть⟩ [17] put out; cut out; **~а́пывать,** ⟨∠опать⟩ [1] dig out *or* up; **~ара́бкиваться,** ⟨∠арабкаться⟩ [1] scramble *or* get out; **~а́рмливать** [1], ⟨∠ормить⟩ [14] bring up, rear, breed; **~а́тывать** [1] **1.** ⟨∠атать⟩ [1] mangle; roll; **2.** ⟨∠атить⟩ [15] push *or* move out; ∠атить глаза́ Р stare.

выки́|дывать [1], *once* ⟨'~нуть⟩ [20] **1.** throw out *or* away, discard; omit; strand; stretch (out); **2.** hoist (up); **3.** miscarry; **4.** F play (*trick*); **'~дыш** *m* [1] miscarriage, abortion.

вы́кл|адка *f* [5; *g/pl.*: -док] laying out, spreading; exposition; border, trimming; computation, calculation; ⚔ outfit; **~а́дывать** [1], ⟨вы́ложить⟩ [16] **1.** take *or* lay out, spread; set forth; **2.** border; **3.** brick *or* mason; **4.** compute.

выкликáть [1] call up(on *or*, F, out).
выключ|áтель *m* [4] ⚡ switch; **~áть** [1], ⟨'~ить⟩ [16] **1.** switch *or* turn off; stop; **2.** exclude; **~éние** *n* [12] switching off, stopping.
вык|óвывать [1], ⟨~овать⟩ [7] forge; *fig.* mo(u)ld; **~олáчивать** [1], ⟨~олотить⟩ [15] beat *or* knock out; dust; P exact (*debts, etc.*); **~олоть** *s.* ~áлывать; **~опать** *s.* ~áпывать; **~ормить** *s.* ~áрмливать; **~орчёвывать** [1], ⟨~орчевать⟩ [7] root up *or* out.
выкр|áивать [1], ⟨~оить⟩ [13] cut out; F hunt (up), spare; **~áшивать** [1], ⟨~асить⟩ [15] paint, dye; **~йкивать** [1], *once* ⟨~икнуть⟩ [20] cry *or* call (out); **~оить** *s.* ~áивать; **~ойка** *f* [5; *g/pl.*: -оек] pattern.
выкр|утáсы F *m/pl.* [1] flourishes, scrolls; dodges, subterfuges; **~ýчивать** [1], ⟨~утить⟩ [15] twist; wring (out); F unscrew; **-ся** F slip out.
вы́куп *m* [1] redemption; ransom; **~áть**[1] [1], ⟨~ить⟩ [14] redeem; ransom; **~ать**[2] *s.* купáть.
выкýр|ивать [1], ⟨'~ить⟩ [13] **1.** smoke (out); **2.** distill.
выл|áвливать [1], ⟨~овить⟩ [14] fish out *or* up; **~азка** *f* [5; *g/pl.*: -зок] **1.** ⚔ sally; **2.** excursion, outing; **~áмывать**, ⟨~омать⟩ [1] break out.
выл|езáть [1], ⟨~езть⟩ [24] climb *or* get out; fall out (*hair*); **~еплять** [28], ⟨~епить⟩ [14] model.
вы́лет *m* [1] ✈ start, taking off; flight; **~áть** [1], ⟨~еть⟩ [11] fly out; ✈ start, take off (for в В); rush out *or* up; fall out; slip (a p.'s memory ~еть из головы́).
выл|éчивать [1], ⟨~ечить⟩ [16] cure, heal (*v/i.* **-ся**); **~ивáть** [1] ⟨~ить⟩ [-лью, -льешь; *cf.* лить] pour (out); **~итый** [14] poured out; ⊕ cast; F just like (s.b. И).
вы́л|овить *s.* ~áвливать; **~ожить** *s.* выклáдывать; **~омать** *s.* ~áмывать; **~уплять** [28], ⟨~упить⟩ [14] shell; **-ся** hatch.
вым|áзывать [1], ⟨~азать⟩ [3] smear; soil (**-ся** o.s.) (with T); **~áливать** [1], ⟨~олить⟩ [13] get *or* obtain by entreaties; **~áнивать** [1], ⟨~анить⟩ [13] lure (out of из Р); coax *or* cheat (a p. out of s. th. у Р/В); **~áривать** [1], ⟨~орить⟩ [13] extirpate; ~áривать гóлодом starve (out); **~áрывать**, ⟨~арать⟩ [1] **1.** soil; **2.** delete, cross out; **~áчивать** [1], ⟨~очить⟩ [16] drench, soak *or* wet; **~áщивать** [1], ⟨~остить⟩ [15] pave; **~éнивать** [1], ⟨~енять⟩ [28] exchange (for на В); **~ереть** *s.* ~ирáть; **~етáть** [1], ⟨~ести⟩ [25 -т- *st.*: -ету, -етешь] sweep (out); **~ещáть** [1], ⟨~естить⟩ [15] avenge o.s. (on Д); vent (on p. на П); **~ирáть** [1], ⟨~ереть⟩ [12] die out, become extinct.
вымогáт|ельство *n* [9] blackmail, extortion; **~ь** [1] extort (s.th. from В *or* Р/у Р).
вым|окáть [1], ⟨~окнуть⟩ [21] wet through, get wet; **~олвить** [14] *pf.* utter, say; **~олить** *s.* ~áливать; **~орить** *s.* ~áривать; **~остить** *s.* ~áщивать; **~очить** *s.* ~áчивать.
вы́мпел *m* [1] pennant, pennon.
вым|ывáть [1], ⟨~ыть⟩ [22] wash (out, up); ~ыть гóлову (Д) F bawl out, blow up; **~ысел** *m* [1; -сла] invention; falsehood; **~ыть** *s.* ~ывáть; **~ышлять** [28], ⟨~ыслить⟩ [15] invent; ~ышленный *a.* fictitious.
вы́мя *n* [13] udder.
вын|áшивать [1], ⟨~осить⟩ [15] **1.** wear out; **2.** evolve, bring forth; **3.** train; **4.** nurse; **~ести** *s.* ~оси́ть.
вын|имáть [1], ⟨~уть⟩ [20] take *or* draw out, produce.
вын|оси́ть[1] [15], ⟨~ести⟩ [24 -с-: -су, -сешь; -с, -сла] **1.** carry *or* take out (away), remove; transfer; **2.** endure, bear; **3.** acquire; **4.** submit; express (*gratitude*); pass (*a.* ⚖); **~осить**[2] *s.* ~áшивать; **~оска** *f* [5; *g/pl.*: -сок] marginal note, footnote; **~óсливость** *f* [8] endurance; **~óсливый** [14 *sh.*] enduring, sturdy, hardy, tough.
вын|уждáть [1], ⟨~удить⟩ [15] force, compel; extort (s. th. from В/у *or* от Р); **~ужденный** [14 *sh.*] forced; of necessity.
вы́нырнуть [20] *pf.* emerge.
вы́па|д *m* [1], **~дéние** *n* [12] falling out; *fenc.* lunge; *fig.* thrust; attack; **~дáть** [1], ⟨~сть⟩ [25] **1.** fall *or* drop (out); slip out; **2.** fall (to Д, *a.* на дóлю to a p.'s share *or* lot), devolve on; **3.** lunge.
вып|áливать [1], ⟨~алить⟩ [13] blurt out; F shoot (with из Р);

~а́лывать [1], ⟨~́олоть⟩ [17] weed (out); **~а́ривать** [1], ⟨~́арить⟩ [13] steam; evaporate.

вып|ека́ть [1], ⟨~́ечь⟩ [26] bake; **~ива́ть** [1], ⟨~́ить⟩ [-пью, -пьешь; *cf.* пить] drink (up); F booze; ~́ить (ли́шнее) F overdrink o.s.; ~́ить ча́шку ча́ю have a cup of tea; **~́ивка** F *f* [5; *g/pl.*: -вок] booze; **~́ивший** [17] drunk; tipsy.

вы́п|иска *f* [5; *g/pl.*: -сок] **1.** writing out, copying; **2.** extract; ☤ statement (of account из счёта); **3.** order, subscription; **4.** discharge; notice of departure; **~и́сывать** [1], ⟨~́исать⟩ [3] **1.** write out (*or* down); copy; **2.** *s.* выводи́ть 6.; **3.** order, subscribe; **4.** discharge, dismiss; **-ся** register one's departure; -ся из больни́цы leave hospital.

вы́пла|вка *f* [5] smelting; **~кать** [3] *pf.* weep (one's eyes глаза́) out; F obtain by weeping; **~та** *f* [5] payment; **~́чивать** [1], ⟨~тить⟩ [15] pay (out *or* off).

выпл|ёвывать [1], *once* ⟨~́юнуть⟩ [20] spit out; **~ёскивать** [1] ⟨~́ескать⟩ [3], *once* ⟨~́еснуть⟩ [20] dash *or* splash (out).

выпл|ыва́ть [1], ⟨~́ыть⟩ [23] emerge, come out, appear.

выпол|а́скивать [1], ⟨'~оскать⟩ [3] rinse; gargle; **~за́ть** [1], ⟨'~зти⟩ [24] creep or crawl out; **~не́ние** *n* [12] fulfil(l)ment, execution, realization; **~ня́ть** [1], ⟨'~нить⟩ [13] carry out, fulfil(l); make (up); **'~оть** *s.* выпа́лывать.

вы́пр|авка *f* [5; *g/pl.*: -вок] **1.** correction; **2.** carriage (*of a soldier*); **~авля́ть** [28], ⟨~авить⟩ [14] set right *or* straight; correct; **~а́шивать** [1], ⟨~осить⟩ [15] (try to) obtain by request; **~ова́живать** F [1], ⟨~оводить⟩ [15] see out; **2.** turn out; **~ы́гивать** [1], ⟨~ыгнуть⟩ [20] jump out *or* off; **~яга́ть** [1], ⟨~ячь⟩ [26 г/ж: -ягу, -яжешь; -яг] unharness; **~ямля́ть** [28], ⟨~ямить⟩ [14] straighten; **-ся** erect o.s.

вы́пуклый [14] convex; prominent; *fig.* expressive, distinct.

вы́пуск *m* [1] letting out; omission; ⊕ output; ☤ issue; publication; instal(l)ment; (age) class of graduates; **~а́ть** [1], ⟨вы́пустить⟩ [15] let out (*or* go); ⚖ release; ⊕ produce; issue; publish; omit, leave out; graduate; ~а́ть в прода́жу put on sale; **~ни́к** *m* [1 *e.*] graduate; **~но́й** [14] graduate ..., graduation ..., final, leaving; ⊕ discharge-...; outlet ...

вып|у́тывать, ⟨~́утать⟩ [1] disentangle *or* extricate (o. s. **-ся**); **~у́чивать** [1], ⟨~́учить⟩ [16] **1.** bulge; **2.** P *s.* тара́щить.

вып|ы́тывать, ⟨~́ытать⟩ [1] find out, (try to) elicit.

выпя́|ливать P [1], ⟨'~лить⟩ [13] *s.* тара́щить; **~чивать** F [1], ⟨'~тить⟩ [15] protrude.

выраб|а́тывать, ⟨'~отать⟩ [1] manufacture, produce; elaborate, work out; develop; earn, make; **'~отка** *f* [5; *g/pl.*: -ток] manufacture, production; output, performance; elaboration.

выр|а́внивать [1], ⟨~́овнять⟩ [28] level, ⊕ plane; smooth (*a. fig.*); **-ся** straighten; ⚔ dress; develop, grow up.

выра|жа́ть [1], ⟨'~зить⟩ [15] express, show; ~жа́ть слова́ми put into words; **~же́ние** *n* [12] expression; **~зи́тельный** [14; -лен, -льна] expressive; F significant.

выр|аста́ть [1], ⟨~́асти⟩ [24 -ст-: -асту; *cf.* расти́] **1.** grow (up); increase; develop into; **2.** emerge, appear; **~а́щивать** [1], ⟨~́астить⟩ [15] grow; breed; bring up; *fig.* train; **~́вать 1.** *s.* ~ыва́ть[1]; **2.** *s.* рвать 3.

вырез|а́ть [1], ⟨'~ать⟩ [15] **1.** cut out, clip; **2.** carve; engrave; **3.** slaughter; **'~ка** *f* [5; *g/pl.*: -зок] cutting (out), clipping; carving; engraving; tenderloin; **~но́й** [14] carved.

вы́ро|док *m* [1; -дка] degenerate; monster; **~жда́ться** [1], ⟨~диться⟩ [15] degenerate; **~жде́ние** *n* [12] degeneration.

вы́ронить [13] *pf.* drop.

вы́росший [17] grown.

выр|уба́ть [1], ⟨~́убить⟩ [14] **1.** cut down *or* fell; **2.** cut out *or* carve; **~уча́ть** [1], ⟨~́учить⟩ [16] **1.** help, rescue, relieve; redeem; **2.** ☤ gain; **~́учка** *f* [5] rescue, relief, help (to на В); ☤ proceeds.

выр|ыва́ть[1] [1], ⟨~́вать⟩ [-ву, -вешь] **1.** pull out; tear out; **2.** snatch away; extort (s.th. from a p. В/у Р); **-ся** break away, rush (out);

escape; **~ывáть**², ⟨∠ыть⟩ [22] dig out, up.
вы́с|адка *f* [5; *g/pl.*: -док] disembarkation, landing; **~áживать** [1], ⟨~адить⟩ [15] **1.** land, disembark; **2.** help out; make *or* let a p. get out; **3.** (trans)plant; **-ся** = 1. *v/i.*; *a.* get out, off.
выс|áсывать [1], ⟨∠осать⟩ [-осу, -осешь] suck out; **~вéрливать** [1], ⟨∠верлить⟩ [13] bore, drill; **~вобождáть** [1], ⟨∠вободить⟩ [15] free.
выс|евáть [1], ⟨∠еять⟩ [27] sow; **~екáть** [1], ⟨∠ечь⟩ [26] **1.** hew, carve; strike (*fire*); **2.** *s.* сечь²; **~елéние** *n* [12] expulsion, eviction; transfer; **~еля́ть** [28], ⟨∠елить⟩ [13] expel, evict; transfer, move; **∠еять** *s.* ~евáть; **~и́живать** [1], ⟨∠идеть⟩ [11] sit (out), stay; hatch.
выск|áбливать [1], ⟨∠облить⟩ [13] scrub clean; erase; **~áзывать** [1], ⟨∠азать⟩ [3] express, tell, give; **-ся** express o.s.; express one's opinion, thoughts, *etc.* (about о П); declare o.s. (for за В; against прóтив Р); **~áкивать** [1], ⟨∠очить⟩ [16] jump, leap *or* rush out; **~áльзывать, ~ользáть** [1], ⟨∠ользнуть⟩ [20] slip out; **∠облить** *s.* ~áбливать; **∠очить** *s.* ~áкивать; **∠очка** *m/f* [5; *g/pl.*: -чек] upstart; F forward pupil; **~ребáть** [1], ⟨∠рести⟩ [25 -б-; *cf.* скрести́] scrub clean; scratch out.
вы́сл|ать *s.* высылáть; **~éживать** [1], ⟨~едить⟩ [15] track down; **~у́живать** [1], ⟨~ужить⟩ [16] F serve; obtain by *or* for service; **-ся** advance, rise; insinuate o.s.; **~у́шивать,** ⟨~ушать⟩ [1] listen (to), hear; ⚕ auscultate.
высм|éивать [1], ⟨∠еять⟩ [27] deride, ridicule.
выс|óвывать [1], ⟨∠унуть⟩ [20 *st.*] put out; **-ся** lean out.
высóкий [16; высóк, -á, -óкó; *comp.*: вы́ше] high; tall (*a.* ~ рóстом); *fig.* lofty.
высоко|благорóдие *n* [12] (Right) Hono[u]r(able); **~кáчественный** [14] (of) high quality; **~квалифици́рованный** [14] highly skilled; **~мéрие** *n* [12] haughtiness; **~мéрный** [14; -рен, -рна] haughty, arrogant; **~пáрный** [14; -рен, -рна] bombastic, high-flown; **~превосходи́тельство** *n* [9] Excellency; **~уважáемый** [14] dear (*polite address*).
вы́сосать *s.* высáсывать.
высо|тá *f* [5; *pl.*: -óты, *etc. st.*] height; (✈, *astr.*, *geogr.*) altitude; hill; level; *fig.* climax; ~óй в (В) ... *or* ... в ~ý ... high.
вы́сох|нуть *s.* высыхáть; **~ший** [17] dried up, withered.
выс|очáйший [17] highest; supreme, imperial; **~óчество** *n* [9] Highness; **∠паться** *s.* высыпáться.
вы́спренний [15] bombastic.
вы́став|ить *s.* ~ля́ть; **~ка** *f* [5; *g/pl.*: -вок] exhibition, show; **~ля́ть** [28], ⟨~ить⟩ [14] **1.** put (take) out, put forward (*a. fig.*); **2.** exhibit, display, expose; (re)present (o.s. себя́); **3.** mark, provide (*with date, no.*); ⚔ post; P turn out; ~ля́ть напокáз show off; **-ся** come out, emerge; **~очный** [14] (of the) exhibition, show...
выстр|áивать(ся) [1] *s.* стрóить (-ся); **∠ел** *m* [1] shot; (*noise*) report; на (расстоя́ние, -ии) ∠ел(а) within gunshot; **∠елить** *s.* стреля́ть. [tap; ⚕ percuss.]
высту́к|ивать, ⟨′~ать⟩ F [1] strike,
вы́ступ *m* [1] projection; **~áть** [1], ⟨~ить⟩ [14] **1.** step forth, forward; come *or* stand out; appear; **2.** set out, march off; **3.** speak (sing, play) in public; ~áть с рéчью (в прéниях) deliver a speech (take the floor); ~áть в похóд ⚔ take the field; **~лéние** *n* [12] **1.** appearance; **2.** departure; *pol.* speech, declaration; *thea.* performance, turn.
вы́сунуть(ся) *s.* высóвывать(ся).
высу́ш|ивать [1], ⟨′~ить⟩ [16] dry (up); drain, *fig.* exhaust.
вы́сш|ий [17] highest, supreme; higher (*a. educ.*), superior; ~ая мéра наказáния supreme penalty, capital punishment.
выс|ылáть [1], ⟨∠лать⟩ [вы́шлю, -лешь] send forward; send out, away; banish; **∠ылка** *f* [15] dispatch; exile; **~ыпáть** [1], ⟨∠ыпать⟩ [2] pour out *or* in, on; *v/i.* swarm forth, out; **~ыпáться** [1], ⟨вы́спаться⟩ [-сплюсь, -спишься] sleep one's fill (*or* enough), have a good night's rest; **~ыхáть** [1], ⟨∠охнуть⟩ [21] dry up, wither; **~ь** *f* [8] height.
выт|áлкивать, F ⟨∠олкать⟩ [1],

once ⟨∠олкнуть⟩ [20 *st.*] push out; **~апливать** [1], ⟨∠опить⟩ [14] **1.** heat; **2.** melt (down); **~аскивать** [1], ⟨∠ащить⟩ [16] take *or* pull out; F pilfer.

выт|екать [1], ⟨∠ечь⟩ [26] flow out; *fig.* follow, result; **∠ереть** *s.* ~ирать; **∠ерпеть** [14] *pf.* endure, bear; F не ∠ерпел couldn't help; **~еснять** [28], ⟨∠еснить⟩ [13] force, push out; oust, expel; **∠ечь** *s.* ~екать.

выт|ирать [1], ⟨∠ереть⟩ [12] dry, wipe (o.s. **-ся**); wear out.

выточенный [14] well-turned.

вытр|ебовать [7] *pf.* ask for, demand, order, summon; obtain on demand; **~ясать** [1], ⟨∠ясти⟩ [24 -с-] shake out.

выть [22], ⟨вз-⟩ howl.

выт|ягивать [1], ⟨∠януть⟩ [20 *st.*] draw, pull *or* stretch (out); drain; F elicit; endure, bear; **-ся** stretch, extend (o.s.); ⚔ come to attention; F grow (up); **∠яжка** *f* [5] drawing, stretching (out); ⚗ extract; *s.* навытяжку.

выу|живать [1], ⟨'~дить⟩ [15] fish out (*a. fig.*).

выуч|ивать [1], ⟨'~ить⟩ [16] learn, memorize; (В + *inf. or* Д) teach (a p. to ... *or* s.th.); **-ся** learn (s.th. from Д/у Р).

вых|аживать F [1], ⟨∠одить⟩ [15] **1.** rear, bring up; nurse, restore to health; **2.** go (all) over, through; **~ватывать** [1], ⟨∠ватить⟩ [15] snatch away, from, out; snap up, off.

выхлоп *m* [1] exhaust; **~ной** [14] exhaust...; **~отать** [1] *pf.* obtain.

выход *m* [1] **1.** exit; way out (*a. fig.*); outlet; **2.** departure; withdrawal, retirement; **3.** appearence, publication; *thea.* entrance (*on the stage*), performance; **4.** yield, output; ~ замуж marriage (*of women*); ~ в отставку retirement, resignation; **~ец** *m* [1; -дца] immigrant, native of; come *or* originate from.

выходить[1] [15], ⟨выйти⟩ [выйду, -дешь; вышел, -шла; вышедший; выйдя] **1.** go *or* come out, leave; get out, off; withdraw, retire; **2.** appear, be published *or* issued; **3.** come off; turn out, result; happen, arise, originate; **4.** spend, use up, run out of; † become due; F вышло! it's clicked!; выйти в офицеры rise to the rank of an officer; ~ в отставку (на пенсию) retire, resign; ~ за пределы (Р) transgress the bounds of; ~ (замуж) за (В) marry (*v/t.*; *of women*); ~ из себя be beside o.s.; ~ из терпения lose one's temper (patience); окно выходит на улицу the window faces the street; ~ из строя fall out, be out of action; из него вышел ... he has become ...; из этого ничего не выйдет nothing will come of it.

выход|ить[2] *s.* выхаживать; **~ка** [5; *g/pl.:* -док] trick, prank; excess; **~ной** [14] exit...; outlet...; holiday-...; festive; ~ной день *m* holiday, day off; (have one's быть Т).

выхоленный [14] well-groomed.

выцве|тать [1], ⟨'~сти⟩ [25 -т-: -ету] fade, wither.

выч|ёркивать [1], ⟨∠еркнуть⟩ [20] strike out, obliterate; **~ерпывать**, ⟨∠ерпать⟩ [1], *once* ⟨∠ерпнуть⟩ [20 *st.*] scoop; dredge (out); **∠есть** *s.* ~итать; **∠ет** *m* [1] deduction.

вычисл|ение *n* [12] calculation; **~ять** [1], ⟨'~ить⟩ [13] calculate, compute.

вычи|стить *s.* ~щать; **~таемое** *n* [14] subtrahend; **~тание** *n* [12] subtraction; **~тать** [1], ⟨вычесть⟩ [25 -т-: -чту; -чел, -чла; *g. pt.*: вычтя] deduct; 𝔄 subtract; **~щать** [1], ⟨~стить⟩ [15] clean, scrub, scour; brush, polish.

вычурный [14; -рен, -рна] ornate, flowery; fanciful.

вышвырнуть [20 *st.*] *pf.* turn out.

выше higher; above; beyond; он ~ меня he is taller than I (am); это ~ моего понимания that's beyond my reach.

выше... above..., afore...

выш|ибать F [1], ⟨∠ибить⟩ [-бу, -бешь; -б, -бла; -бленный] knock *or* throw out; **~ивание** *n* [12] embroidery; **~ивать** [1], ⟨∠ить⟩ [-шью, -шьешь] embroider; **∠ивка** *f* [5; *g/pl.:* -вок] embroidery.

вышина *f* [5] height; *cf.* высота.

вышка *f* [5; *g/pl.:* -шек] tower.

выяв|лять [28], ⟨'~ить⟩ [14] discover, uncover, reveal.

выясн|ение *n* [12] clarification; **~ять** [28], ⟨'~ить⟩ [13] clear up, find out, ascertain; **-ся** turn out; come to light.

вьюг|а *f* [5] snowstorm; **~к** *m* [1] pack, bale, load; **~н** *m* [1 *e.*] loach

(*fish*); **~чить** [16], ⟨на-⟩ load; **~чный** [14] pack...; **~щийся** [17] curly; ~щееся растéние *n* creeper.
вя́жущий [17] astringent.
вяз *m* [1] elm.
вяза́н|ка *f* [5; *g/pl.:* -нок] fag(g)ot; **'~ый** [14] knitted; **~ье** *n* [10] (*a.* **~ие** *n* [12]) knitting; crochet.
вяз|а́ть [3], ⟨с-⟩ **1.** tie, bind (together); **2.** knit; (крючко́м) crochet; **-ся** *impf.* match, agree, be in keeping; F make sense; work (well), get on; **∠кий** [16; -зок, -зка́, -о] viscous, sticky; swampy, marshy; **∠нуть** [21], ⟨за-, у-⟩ sink in, stick.
вя́лить [13], ⟨про-⟩ dry, sun.
вя́|лый [14 *sh.*] withered, faded; flabby; *fig.* sluggish; dull (*a.* ✝); **~нуть** [20], ⟨за-, у-⟩ wither, fade; droop, flag.

Г

г *abbr.*: грамм.
г. *abbr.:* **1.** год; **2.** го́род; **3.** господи́н.
га 1. ha(h)!; **2.** *abbr.*: гекта́р.
Гаа́га *f* [5] The Hague.
Гава́нна *f* [5] **1.** Havana; **2.** ♀ Havana cigar.
га́вань *f* [8] harbo(u)r.
Гаври|и́л *m* [1], P **∠ла** [5] Gabriel.
га́га *f* [5] *zo.* eider.
гад *m* [1] reptile (*a. fig.*).
гада́|лка *f* [5; *g/pl.:* -лок] fortuneteller; **~ние** *n* [12] fortunetelling; guessing, conjecture; **~ть** [1] **1.** ⟨по-⟩ tell fortunes; (by cards на ка́ртах); **2.** *impf.* guess, conjecture.
га́д|ина F *f* [5] = гад; **~ить** [15] **1.** ⟨на-, за-⟩ F soil; (Д) P harm; **2.** ⟨из-⟩ P spoil, botch; **~кий** [16; -док, -дка́, -о; *comp.*: га́же] nasty, ugly, disgusting, repulsive; **~ли́вый** [14 *sh.*] squeamish; **~ость** F *f* [8] vermin; villainy, ugly thing (act, word); **~ю́ка** *f* [5] *zo.* viper (*a.*, P, *fig.*), adder.
газ *m* [1] **1.** gas; свети́льный ~ coal gas; дать ~ *mot.* step on the gas; на по́лном ~е (~у́) at full speed (throttle); *pl.* ⚕ flatulences; **2.** gauze.
газе́ль *f* [8] gazelle.
газе́т|а *f* [14] newspaper; **~ный** [14] news...; ~ный кио́ск *m* newsstand, *Brt.* news stall; **~чик** *m* [1] newsman, newsboy.
газиро́ван|ный [14]: ~ная вода́ *f* soda water.
га́з|овый [14] **1.** gas...; ~овый счётчик *m* = ~оме́р; ~овая педа́ль *f mot.* accelerator (pedal); **2.** gauze...; **~оме́р** *m* [1] gas meter; **~оме́тр** *m* [1] gasometer.
газо́н *m* [1] lawn.
газо|обра́зный [14; -зен, -зна] gaseous; **~прово́д** *m* [1] gas pipe line.
га́йка *f* [5; *g/pl.:* га́ек] ⊕ nut.
галантер|е́йный [14]: ~е́йный магази́н *m* notions store, *Brt.* haberdashery; ~е́йные това́ры *m/pl.* = **~е́я** *f* [6] notions *pl.*, dry goods *pl.*, *Brt.* fancy goods *pl.*
галд|ёж P *m* [1 *e.*] row, hubbub; **~е́ть** P [11], ⟨за-⟩ clamo(u)r, din.
гал|ере́я *f* [6] gallery; **~ёрка** F *f* [5] *thea.* gallery.
галифе́ *pl. indecl.* ⚔ breeches.
га́лка *f* [5; *g/pl.:* -лок] jackdaw.
гало́п *m* [1] gallop; ~ом at a gallop; **~и́ровать** [7] gallop.
гало́ши *f/pl.* [5] galoshes, rubbers.
га́лстук *m* [1] (neck)tie.
галу́н *m* [1 *e.*] galloon, braid.
гальван|изи́ровать [7] (*im*)*pf.* galvanize; **~и́ческий** [16] galvanic.
га́лька *f* [5; *g/pl.:* -лек] pebble.
гам F *m* [1] din, row, rumpus.
гама́к *m* [1 *e.*] hammock.
гама́ши *f/pl.* [5] gaiters.
га́мма *f* [5] ♪ scale; range.
ган|гре́на ⚕ *f* [5] gangrene; **~дика́п** *m* [1] handikap; **~те́ли** (-ˈtɛ-) *f/pl.* [8] dumbbells.
гара́ж *m* [1 *e.*] garage.
гарант|и́ровать [7] (*im*)*pf.*, **∠ия** *f* [7] guarantee, warrant.
гардеро́б *m* [1] wardrobe; (*a.* **~ная** *f* [14]) check-, cloakroom; **~щик** *m*

[1], **⁓щица** *f* [5] cloakroom attendant.
гарди́на *f* [5] curtain.
гармо́|ника *f* [5] (*kind of*) accordion; губна́я ⁓ника mouth organ, harmonica; **⁓ни́ровать** [20] harmonize, be in harmony (with с T); **⁓ни́ст** *m* [1] accordionist; harmonist; **⁓ни́ческий** [16] harmonic; *a.* = **⁓ни́чный** [14; -чен, -чна] harmonious; **⁓ния** *f* [7] harmony; F *a.* = **⁓нь** F *f* [8], **⁓шка** *f* [5; *g/pl.*: -шек] = ⁓ника.
гарни|зо́н *m* [1] garrison; **∠р** *m* [1], **∠ровать** [7] (*im*)*pf.*, *cook.* garnish; **⁓ту́р** *m* [1] set.
гарпу́н *m* [1 *e.*], **⁓ить** [13] harpoon.
гарцева́ть [7] prance.
гарь *f* [8] (s.th.) burnt, char.
гаси́ть [15], ⟨по-, за-⟩ extinguish, put *or* blow out; slake.
га́снуть [21], ⟨по-, у-⟩ go out, die away; *fig.* fade, wither.
гастрол|ёр *m* [1] guest actor *or* artist, star; **⁓и́ровать** [7] tour, give performance(s) on a tour; **∠ь** *f* [8] starring (performance).
гастроно́м *m* [1] **1.** gastronome(r); gourmet; **2.** *a.* = ⁓и́ческий магази́н *m* delicatessen, (dainty) food store *or* shop; **⁓и́ческий** [16] gastronomic(al); *cf.* ⁓ 2.; **⁓ия** *f* [7] gastronomy; dainties, delicacies *pl.*
гауптва́хта *f* [5] guardhouse.
гвалт F *m* [1] rumpus, din.
гвард|е́ец *m* [1; -е́йца] guardsman; **∠ия** *f* [7] Guards *pl.*
гво́зд|ик *dim. of* ⁓ь, *cf.*; **⁓и́ка** *f* [5] carnation, pink; (*spice*) clove; **⁓ь** *m* [4 *e.*; *pl.*: гво́зди, -де́й] nail; *fig.* main feature, hit.
гг. *or* **г.г.** *abbr.*: **1.** го́ды; **2.** господа́.
где where; F *s.* куда́ F; ⁓-⁓ = кое-где́, *cf.*; *cf.* ни; ⁓ F = **∠-либо, ∠-нибудь, ∠-то** any-, somewhere; ∠-то здесь hereabout(s).
ГДР *cf.* герма́нский.
гей! F heigh!
гекта́р *m* [1] hectare.
гектоли́тр *m* [1] hectoliter.
ге́ли|й *m* [3] helium; **⁓ко́пте́р** (-'tɛ) *m* [1] *s.* вертолёт; **⁓отерапи́я** *f* [7] heliotherapy.
генеало́гия *f* [7] genealogy.
генера́|л *m* [1] general; ⁓л-майо́р *m* major general; **⁓льный** [14] general; ⁓льная репети́ция *f* dress rehearsal; **⁓тор** *m* [1] generator.
ген|иа́льный [14; -лен, -льна] of genius; ingenious; **∠ий** *m* [3] genius.
гео́|граф *m* [1] geographer; **⁓графи́ческий** [16] geographic(al); **⁓гра́фия** *f* [7] geography; **⁓лог** *m* [1] geologist; **⁓ло́гия** *f* [7] geology; **⁓ме́трия** *f* [7] geometry.
Гео́рг|ий *m* [3] George; **2и́н(а** *f* [5]) *m* [1] dahlia.
гера́нь *f* [8] geranium.
Гера́сим *m* [1] Gerasim (*m. name*).
герб *m* [1 *e.*] (coat of) arms; emblem; **∠овый** [14] stamp(ed).
Герма́н|ия *f* [7] Germany; Федерати́вная Респу́блика ⁓ии (ФРГ) Federal Republic of Germany; **2ский** [16] German; ⁓ская Демократи́ческая Респу́блика (ГДР) German Democratic Republic (*Eastern Zone of Germany*).
гермети́ческий [16] hermetic.
геро|и́зм *m* [1] heroism; **⁓и́ня** *f* [6] heroine; **⁓и́ческий** [16] heroic; **∠й** *m* [3] hero; **∠йский** [16] heroic.
ге́тры *f/pl.* [5] gaiters.
г-жа *abbr.*: госпожа́.
гиаци́нт *m* [1] hyacinth.
ги́бель *f* [7] ruin, destruction; loss; ⚓ wreck; death; P immense number, lots of; **⁓ный** [14; -лен, -льна] disastrous, fatal.
ги́бк|ий [16; -бок, -бка́, -о; *comp.*: ги́бче] supple, pliant, flexible (*a. fig.*); **⁓ость** *f* [8] flexibility.
ги́б|лый P [14] ruinous; **⁓нуть** [21], ⟨по-⟩ perish.
Гибралта́р *m* [1] Gibraltar.
гига́нт *m* [1] giant; **⁓ский** [16] gigantic, huge.
гигие́н|а *f* [5] hygiene; **⁓и́ческий** [16], **⁓и́чный** [14; -чен, -чна] hygienic.
гид *m* [1] guide.
гидравли́ческий [16] hydraulic.
гидро|пла́н, ⁓самолёт *m* [1] seaplane, hydroplane; **⁓(электро)ста́нция** *f* [7] hydroelectric power station.
гие́на *f* [5] hyena.
гик *m* [1], **∠анье** *n* [10] whoop(ing).
ги́льза *f* [5] (*cartridge*) case; shell.
Гимала́и *m/pl.* [3] The Himalayas.
гимн *m* [1] hymn; anthem.
гимна|зи́ст *m* [1] pupil *of* **∠зия** *f* [7] high school, *Brt.* grammar school; **∠ст** *m* [1] gymnast; **⁓стёрка** *f* [5; *g/pl.*: -рок] ⚔ blouse, *Brt.* tunic; **∠стика** *f* [5] gymnastics;

~стический [16] gymnastic.
гипербол|а *f* [5] hyperbole; ⩘ hyperbola; **~ический** [16] hyperbolic, exaggerated.
гипно|з *m* [1] hypnosis; **~тизировать** [7], ⟨за-⟩ hypnotize.
гипотеза *f* [5] hypothesis.
гиппопотам *m* [1] hippopotamus.
гипс *m* [1] *min.* gypsum; ⊕ plaster of Paris; **~овый** [14] gypsum..., plaster...
гирлянда *f* [5] garland.
гиря *f* [6] weight.
гитара *f* [5] guitar.
глав|а [5; *pl. st.*] **1.** *f* head; top, summit; cupola; chapter (*in books*); (быть, стоять) во ~е (be) at the head; lead (by с T); **2.** *m/f* head, chief; **~арь** *m* [4 *e.*] (ring) leader, chieftain.
главенство *n* [9] priority, hegemony; **~вать** [7] (pre)dominate.
главнокомандующий *m* [17] commander in chief; Верховный ~ Commander in Chief; Supreme Commander.
главн|ый [14] chief, main, principal, central; head...; ... in chief; ~ая книга *f* ⚕ ledger; ~ое (дело) *n* the main thing; above all; ~ый город *m* capital; ~ым образом mainly, chiefly.
глагол *m* [1] *gr.* verb; † word, speech; **~ьный** [14] verb(al).
глад|ильный [14] ironing; **~ить** [15] **1.** ⟨вы-⟩ iron, press; **2.** ⟨по-⟩ stroke, caress; F ~ить по головке treat with indulgence *or* favo(u)r; **~кий** [16; -док, -дка, -о; *comp.*: глаже] smooth (*a. fig.*); lank (*hair*); plain (*fabric*); P well-fed; **~кость, ~ь** *f* [8] smoothness.
глаз *m* [1; в -у; *pl.*: -а, глаз, -ам] eye; look; (eye)sight; F heed, care; в ~а (Д) to s.b.'s face; (*strike*) the eye; в моих ~ах in my view *or* opinion; за ~а in s.b.'s absence, behind one's back; plentifully; на ~ approximately, by eye; на ~ах (*poss. or* у P) in s.b.'s presence, sight; с ~у на ~ privately, tête-à-tête; простым (невооружённым) ~ом with the naked eye; темно, хоть ~ выколи F it is pitch-dark; **~астый** F [14 *sh.*] goggle-eyed; sharp-sighted; **~еть** P [8] stare *or* gape (around); **~ной** [14] eye..., optic; ~ной врач *m* oculist; **~ок** *m* [1; -зка] **1.** [*pl. st.*: -зки, -зок] *dim.* of ~; анютины ~ки *pl.* pansy; **2.** [*pl. e.*: -зки, -зков] ♀ bud; *zo.* ocellus, eye; peephole.
глазомер *m* [1]: на ~ estimate(d) by the eye; (*sure, etc.*) eye.
глазунья *f* [6] fried eggs *pl.*
глазур|овать [7] (*im*)*pf.* glaze; **~ь** *f* [8] glaze.
гла|сить [15 *e*; *3. sg. only*] say, read, run; **~сность** *f* [8] public(ity); **~сный** [14] public; (*a. su.*) vowel; *su.* council(l)or; **~шатай** *m* [3] town crier; *fig.* herald.
глетчер *m* [1] glacier.
глин|а *f* [5] loam; clay; **~истый** [14 *sh.*] loamy; **~озём** *m* [1] *min.* alumina; **~яный** [14] earthen; loamy.
глист *m* [1 *e.*], **~а** *f* [5] (intestinal) worm; (ленточный) ~ tapeworm.
глицерин *m* [1] glycerin(e).
глобус *m* [1] globe.
глодать [3], ⟨об-⟩ gnaw (at, round).
глот|ать [1], ⟨про~ить⟩ [15], *once* ⟨~нуть⟩ [20] swallow; F devour; **~ка** *f* [5; *g/pl.*: -ток] throat; во всю ~ку *s.* голос; **~ок** *m* [1; -тка] draught, gulp (at T).
глохнуть [21] **1.** ⟨о-⟩ grow deaf; **2.** ⟨за-⟩ fade, die away, out; go out; grow desolate.
глуб|ина *f* [5] depth; remoteness (*past*); *fig.* profundity; *thea.* background; Т/в (В) ..., *or* ... в В ... deep; **~окий** [16; -бок, -бока, -бoко; *comp.*: глубже] deep; low; remote; *fig.* profound; complete; great (*age*); ~окой зимой (ночью) in the dead of winter (late at night).
глубоко|мысленный [14 *sh.*] thoughtful, sagacious; **~мыслие** *n* [12] thoughtfulness; **~уважаемый** [14] dear (*polite address*).
глубь *f* [8] *s.* глубина.
глум|иться [14 *e.*; -млюсь, -мишься] sneer, mock, scoff (at над T); **~ление** *n* [12] mockery.
глуп|еть [8], ⟨по-⟩ become stupid; **~ец** *m* [1; -пца] fool, blockhead; **~ить** F [14 *e.*; -плю, -пишь] fool; **~ость** *f* [8] stupidity; foolery; nonsense; **~ый** [14; глуп, -а, -о] foolish, silly, stupid.
глух|арь *m* [4 *e.*] capercailie, wood grouse; **~ой** [14; глух, -а, -о; *comp.*: глуше] deaf (*a. fig.*; к Д to; *cf.* слепой); dull, vague; desolate, wild; out-of-the-way; ⚠ tight, solid, blind; late, the dead of; *gr.* voice-

less; **~онемо́й** [14] deaf-mute; **~ота́** *f* [5] deafness.
глуш|и́тель ⊕ *m* [4] muffler; **~и́ть** [16 *e.*; -шу́, -ши́шь; -шённый] **1.** ⟨о-⟩ deafen, stun; **2.** ⟨за-⟩ deafen; deaden; muffle; smother, suppress (*a.* ♀); ⊕ switch off, throttle; ⚡ jam; **~ь** *f* [8] thicket; wilderness; solitude, lonely spot, nook.
глы́ба *f* [5] lump, clod; block.
гля|де́ть [11; гля́дя], ⟨по-⟩, *once* ⟨**∠**нуть⟩ [20] look, glance (at на В); F look after, take care of (за Т); peep (out of, from из Р); F **~ди́** very likely; look out!; того́ и **~ди́** ... may + *inf.* (unexpectedly); куда́ глаза́ **~дя́т** at random; after one's nose.
гля́н|ец *m* [1; -нца] polish; luster; **~цев(и́т)ый** [14 (*sh.*)] glossy, lustrous; glazed *paper*; **~уть** *s.* гляде́ть.
г-н *abbr.*: господи́н.
гнать [гоню́, го́нишь; гони́мый; гнал, -á -о; '...гнанный], ⟨по-⟩ **1.** *v/t.* (be) drive (-ving, *etc.*); F send; float; **2.** distil; **3.** pursue, chase; (*a.* **-ся** за Т; *fig.* strive for); **4.** *v/i.* speed along.
гнев *m* [1] anger; **∠аться** [1], ⟨раз-, про-⟩ be(come) angry (with на В); **∠ный** [14; -вен, -вна́, -о] angry.
гнедо́й [14] sorrel, chestnut (*horse*).
гнезд|и́ться [15] nest; **~о́** *n* [9; *pl.*: гнёзда, *etc. st.*] nest, aerie.
гнёт *m* [1] press(ure); oppression.
гни|е́ние *n* [12] putrefaction; **~ло́й** [14; гнил, -á, -о] rotten, putrid; wet; **~ль** *f* [8] rottenness; **~ть** [гнию́, -ёшь; гнил, -á, -о], ⟨с-⟩ rot, putrefy.
гно|е́ние *n* [12] suppuration; **~и́ть** (**-ся**) [13] fester; **~й** *m* [3] pus; **∠йный** [14] purulent.
гнуса́вить [14] snuffle, twang.
гну́сн|ость *f* [8] meanness; **~ый** [14; -сен, -сна́, -о] vile, mean, base.
гнуть [20], ⟨со-⟩ bend, curve; bow; F drive (at к Д); *fig.* bully.
гнуша́ться [1], ⟨по-⟩ (Р *or* Т) scorn, despise, disdain.
гове́|нье *n* [12] fast; **~ть** [1] fast.
го́вор *m* [1] talk, hum, murmur; rumo(u)r; accent; dialect, patois; **~и́ть** [13], ⟨по-; сказа́ть⟩ [3] speak *or* talk (about, of о П, про В; to *or* with p. с Т); say, tell; **~я́т**, **~и́тся** they say, it is said; **~и́ть** по-ру́сски speak Russian; ина́че **~я́** in other words; не **~я́** уже́ о (П) let alone; по пра́вде (со́вести) **~я́** to tell the truth; что вы **~и́те**! you don't say!; что (как) ни **~и́** whatever you (one) may say; что и **~и́ть**, и не **~и́(те)**! yes, of course, sure!; **~ли́вый** [14 *sh.*] talkative.
говя́|дина *f* [5], **~жий** [18] beef.
го́гот *m* [1], **~а́ть** [3], ⟨за-⟩ cackle; P roar (with laughter).
год *m* [1; *pl.*: -ды & -да́, *from g/pl. e.* & лет, *etc.* 9 *e.*] year (в ~ a *or* per year); в э́том (про́шлом) **~у́** this (last) year; из **∠а** в **∠** year in year out; **∠** от **~у** year by year; кру́глый ~ all the year round; (с) **~а́ми** for (after a number of) years; *cf.* пят(и-деся́т)ый.
годи́т|ься [15 *e.*; гожу́сь, годи́шься], ⟨при-⟩ be of use (for для Р, к Д, на В), do; fit; *pf.* come in handy; э́то (никуда́) не **~ся** that's no good (for anything), that won't do, it's (very) bad.
годи́чный [14] annual.
го́дный [14; -ден, -дна́, -о, го́дны́] fit, suitable; useful, good; ⚔ able(-bodied) (to, *a.* + *inf.*, for для Р, к Д, на В); ни на что́ не ~ good-for-nothing.
годов|о́й [14] annual; one year (old); **~щи́на** *f* [5] anniversary.
гол *m* [1] goal; заби́ть ~ score.
гол|ени́ще *n* [11] bootleg; **∠ень** *f* [8] shank.
голла́нд|ец *m* [1; -дца] Dutchman; **♀ия** *f* [7] Holland; **~ка** *f* [5; *g/pl.*: -док] Dutchwoman; **~ский** [16] Dutch.
голов|а́ [5; *pl.*: го́ловы, голо́в, -ва́м] **1.** *f* [*ac/sg.*: '**~у**] head; **2.** *m* head, chief; **~а́** са́хару sugar loaf; как снег на́ **~у** all of a sudden; с **~ы́** до ног from head to foot; в **~а́х** at the head; на свою́ '**~у** F to one's own harm; пове́сить '**~у** become discouraged *or* despondent; **~а́** идёт кру́гом (у Р s.b.'s) thoughts are in a whirl; **∠ка** *f* [5; *g/pl.*: -вок] small head; head (*pin, nail, etc.*); bulb, clove (*onion, garlic*); **~но́й** [14] head...; ⚔ advance...; **~на́я** боль *f* headache.
голово|круже́ние *n* [12] giddiness; **~кружи́тельный** [14] dizzy, giddy; **~ло́мка** *f* [5; *g/pl.*: -мок] puzzle; **~мо́йка** *f* [5; *g/pl.*: -мо́ек] F blowup; **~ре́з** F *m* [1] daredevil; cutthroat, thug; **~тя́п** F *m* [1] booby, bungler.

го́лод *m* [1] **1.** hunger; **2.** *s.* ~о́вка; **~а́ть** [1] starve; **∠ный** [14; го́лоден, -дна́, -о, го́лодны́] hungry; starv(el)ing; **~о́вка** *f* [5; *g/pl.*: -вок] starvation; famine; hunger strike.

гололе́дица *f* [5] ice-crusted ground.

го́лос *m* [1; *pl.*: -са́, *etc. e.*] voice; vote; пра́во ~а suffrage; во весь ~ at the top of one's voice; в оди́н ~ unanimously; ~а́ за́ и про́тив the yeas (ayes) & noes; **~и́ть** P [15 *e.*; -ошу́, -оси́шь] bawl; **~ло́вный** [14; -вен, -вна] unfounded; empty; **~ова́ние** *n* [12] voting, poll(ing); закры́тое ~ова́ние secret vote; **~ова́ть** [7], ⟨про-⟩ vote; **~ово́й** [14] vocal (cords свя́зки *f/pl*).

голуб|е́ц *m* [1; -бца́] stuffed cabbage; **~о́й** [14] (sky) blue; **∠(уш)ка** *f* [5; *g/pl.*: -бок (-шек)], **∠чик** *m* [1] (F *address*) (my) dear; **'~ь** *m* [4] pigeon; **~я́тня** *f* [6; *g/pl.*: -тен] dovecote.

го́л|ый [14; гол, -á, -о] naked, nude; bare (*a. fig.*); poor, miserable; **~ь** *f* [8] poverty; waste (land).

гомеопа́тия *f* [7] homeopathy.

гомин(ь)да́н *m* [1] Kuomintang.

го́мон F *m* [1] din, hubbub.

гондо́ла *f* [5] gondola (*a.* ✈).

гон|е́ние *n* [12] persecution; **~е́ц** *m* [1; -нца́] courier; **∠ка** *f* [5; *g/pl.*: -нок] rush; chase; F haste; ⚗ distil(l)ment; *pl.* race(s), ⚓ regatta; F blowup; ∠ка вооруже́ний arms race.

Гонко́нг *m* [1] Hong Kong.

го́нор *m* [1] airs *pl.*; **~а́р** *m* [1] fee.

го́ночный [14] race..., racing.

гонт *m* [1] *coll.* shingles.

гонча́р *m* [1 *e.*] potter; **~ный** [14] potter's; ~ные изде́лия *n/pl.* pottery.

го́нчая *f* [17] (*a.* ~ соба́ка) hound.

гоня́ть(ся) [1] drive, *etc.*, *s.* гнать.

гор|á *f* [5; *ac/sg.*: го́ру; *pl.*: го́ры, гор, гора́м] mountain; heap, pile; (*a. pl.*) (toboggan) slide; в ∠у *or* на́ ~у uphill; *fig.* up(ward); по́д ~у *or* с ~ы́ downhill; под ~о́й at the foot of a hill (*or* mountain); не за ~а́ми not far off; пир ~о́й F sumptuous feast; стоя́ть ~о́й (за В) defend s.th. *or* s.b. with might & main; у меня́ ~а́ с плеч свали́лась F a load's been (*or* was) taken off my mind.

гора́здо *used with the comp.* much, far; P quite.

горб *m* [1 *e.*; на -у́] hump, hunch; **~а́тый** [14 *sh.*] humpbacked; curved; aquiline (*nose*); **∠ить** [14], ⟨с-⟩ stoop, bend, curve (*v/i.* **-ся**); **~у́н** *m* [1 *e.*] hunchback; **~у́шка** *f* [5; *g/pl.*: -шек] top crust, heel (*bread*).

горд|ели́вый [14 *sh.*] haughty, proud; **~е́ц** *m* [1 *e.*] proud man; **~и́ться** [15 *e.*; горжу́сь, горди́шься], ⟨воз-⟩ be(come) proud (of T); **∠ость** *f* [8] pride; **∠ый** [14; горд, -á, -о] proud (of T).

го́р|е *n* [10] grief, distress; trouble; misfortune, disaster; с ~я out of grief; ~е мне! woe is me!; ему́ и ~я ма́ло F he doesn't care a bit; с ~ем попола́м F hardly, with difficulty; **~ева́ть** [6], ⟨по-⟩ grieve; regret (s. th. о П).

горе́л|ый [14] burnt. **~ка** *f* [5; *g/pl.*: -лок] burner;

горемы́ка F *m/f* [5] poor wretch.

го́рест|ный [14; -тен, -тна] sad, sorrowful; **~ь** *f* [8] *cf.* го́ре.

гор|е́ть [9], ⟨с-⟩ burn (*a. fig.*), be on fire; glow, gleam; не ~и́т F there's no hurry; де́ло ~и́т (в рука́х у Р) F the matter is top urgent (makes good progress).

го́рец *m* [1; -рца] mountaineer.

го́речь *f* [8] bitter taste (*or* smell); *fig.* bitterness; grief, affliction.

горизо́нт *m* [1] horizon; **~а́льный** [14; -лен, -льна] horizontal, level.

гори́стый [14 *sh.*] mountainous; hilly.

го́рка *f* [5; *g/pl.*: -рок] *dim. of* горá, *s.*; hill; whatnot, small cupboard.

горла́нить P [13], ⟨за-, про-⟩ bawl.

го́рл|о *n* [9] throat; gullet; (*vessel*) neck (*a.* **~ышко** *n* [9; *g/pl.*: -шек]); по ~о F up to the eyes; я сыт по ~о F I've had my fill (*fig.* I'm fed up with [T]); во всё ~о *s.* го́лос.

горн *m* [1] **1.** ⊕ (*a.* **~и́ло** *n* [9]) furnace, forge; crucible (*a. fig.*); **2.** ♪ horn, bugle; **~и́ст** *m* [1] bugler.

го́рничная *f* [14] parlo(u)rmaid.

горно|заво́дский [16], **~промы́шленный** [14] mining, metallurgical; **~рабо́чий** *m* [17] miner.

горноста́й *m* [3] ermine.

го́рн|ый [14] mountain(ous), hilly; *min.* rock...; ⊕ mining; ~ый про́мысел *m*, ~ое де́ло *n* mining; ~ое со́лнце *n* sun lamp; **~я́к** *m* [1 *e.*] miner.

го́род *m* [1; *pl.*: -да́, *etc. e.*] town;

city (*large town*; F *down town*); зá ~(ом) *go* (*live*) out of town; **~и́ть** P [15], ⟨на-⟩ (вздор, *etc*.) talk nonsense; **~óк** *m* [1; -дкá] small town; quarter; **~скóй** [14] town..., city..., municipal; *s. a.* горсовéт.

горожáн|ин *m* [1; *pl*.: -жáне, -жáн] townsman; *pl.* townspeople; **~ка** *f* [5; *g/pl*.: -нок] townswoman.

горó|х *m* [1] pea (*plant*); *coll.* peas (*seeds*) *pl*.; **~ховый** [14] pea(s)...; pea green; чýчело ~ховое *n*, шут ~ховый *m* F *fig.* scarecrow; boor, merry-andrew; **~шек** *m* [1; -шка] *coll.* (small) peas *pl*.; **~шин(к)а** *f* [5 (*g/pl*.: -нок)] pea; dot.

горсовéт (городскóй совéт) *m* [1] city *or* town soviet (council).

гóрст|очка *f* [5; *g/pl*.: -чек] *dim.* of **~ь** *f* [8; *from g/pl. e.*] hollow (*hand*); handful (*a. fig.*).

гортáн|ный [14] guttural; **~ь** *f* [8] [larynx.]

горчи́ца *f* [5] mustard.

горшóк *m* [1; -шкá] pot.

гóрьк|ий [16; -рек, -рькá, -о; *comp*.: гóрче, гóрше] bitter (*a. fig.*); *f su.* vodka, bitters *pl*.; ~ий пья́ница *m* dipsomaniac.

горю́ч|ее *n* [17] (engine) fuel; gasoline, *Brt.* petrol; **~ий** [17 *sh.*] combustible; P bitter (*tears*).

горя́ч|ий [17; горя́ч, -á] hot (*a. fig.*); fiery, hot-tempered; ardent, passionate; violent; warm (*scent*); cordial; hard, busy; **~и́ть** [16 *e.*; -чý, -чи́шь], ⟨раз-⟩ heat (*a. fig.*); **-ся** get *or* be excited; **~ка** *f* [5] fever (*a. fig.*); **~ность** *f* [8] vehemence, hot temper.

гос = госудáрственный state... (*of the U.S.S.R.*); **♀бáнк** *m* [1] State Bank; **♀издáт** (♀удáрственное издáтельство) *m* [1] State Publishing House; **♀плáн** (♀удáрственный плáновый комитéт) *m* [1] State Planning Committee.

гóспиталь *m* [4] ⚔ hospital.

господ|и́н *m* [1; *pl*.: -подá, -пóд, -дáм] gentleman; master (*a. fig.*); Mr. (*with name or title*); (ladies &) gentlemen (*a. address*); *pl.* (*servants*:) master & mistress; уважáемые ~á dear Sirs (*in letters, a.* ✝); я сам себé ~и́н I am my own master; **∠ский** [16] seignorial, (land)lord's, master's; manor (house); **∠ство** *n* [9] rule; supremacy; **∠ствовать** [7] rule, reign; (pre)dominate, prevail (over над T); command (*region*); **∠ь** *m* [гóспода, -ду; *voc*.: -ди] Lord, God (*a. as int., cf.* бог).

госпожá *f* [5] lady; mistress; Mrs. *or* Miss (*with name*).

гостеприи́м|ный [14; -мен, -мна] hospitable; **~ство** *n* [9] hospitality.

гост|и́ная *f* [14] drawing room; **~и́нец** *m* [1; -нца] present, gift; **~и́ница** *f* [5] hotel; inn; **~и́ть** [15 *e.*; гощý, гости́шь] be on a visit, stay with (у P); **~ь** *m* [4; *from g/pl. e.*] guest; visitor (*f* **∠ья** [6]); идти́ (éхать) в ∠и go to see (s.b. к Д); быть в ~я́х (у P) = ~и́ть.

госудáрственный [14] state...; national; ⚖ public; high (*treason*); ~ переворóт *m* coup d'état; ~ стрóй *m* political system, regime; *s. a.* ГПУ.

госудáр|ство *n* [9] state; **~ь** *m* [4] sovereign; Czar; ми́лостивый ~ь (dear) Sir (*a. pl., in letters, a.* ✝).

готовáльня *f* [6; *g/pl*.: -лен] (case of) drawing utensils *pl.*

готóв|ить [14] **1.** ⟨при-⟩ prepare (o.s. *or* get ready for **-ся** к Д); **2.** ⟨под-⟩ prepare, train; **3.** ⟨за-⟩ store up; lay in (*stock*); **~ность** *f* [8] readiness; willingness; **~ый** [14 *sh.*] ready (for к Д *or inf.*), on the point of; finished; willing; ready-made (*clothes*); будь ~! — всегдá ~! be ready! — always ready! (*slogan of pioneers, cf.* пионéр).

ГПУ (Госудáрственное полити́ческое управлéние) G.P.U. = Political State Administration (*predecessor, 1922—35, of* НКВД, [*cf.*).]

гр. *abbr.*: граждани́н.

граб *m* [1] hornbeam.

граб|ёж *m* [1 *e.*] robbery; **~и́тель** *m* [4] robber; **∠ить** [14], ⟨о-⟩ rob, plunder.

грáбли *f/pl.* [6; *gen.*: -бель & -блей] rake.

грав|ёр *m* [1] engraver; **∠ий** *m* [3] gravel; **~ировáть** [7], ⟨вы́-⟩ engrave; **~ирóвка** *f* [5; *g/pl*.: -вок] engraving, etching, print (*a.* **~ю́ра** *f* [5]).

град *m* [1] hail (*a. fig.* = shower); ~ идёт it is hailing; ∠ом thick & fast, profusely.

грáдус *m* [1] degree (of в B); под ~ом F tipsy; **~ник** *m* [1] thermometer.

гражд|ани́н *m* [1; *pl*.: грáждане,

-ан], **~áнка** *f* [5; *g/pl.*: -нок] citizen (*U.S.S.R. a.* = [wo]man, *&* *in address, mst. without name*); **~áнский** [16] civil (*a. war*); civic (*a. right*); **~áнство** *n* [9] citizenship; citizens *pl.*; дать (получи́ть) пра́во ~а́нства (be) accept(ed) (in public); приня́ть ... ~а́нство become a ... citizen.

грамза́пись *f* [8] recording.

грамм *m* [1] gram(me).

грамма́т|ика *f* [5] grammar; **~и́ческий** [16] grammatical.

граммофо́н *m* [1] gramophone.

гра́мот|а *f* [5] reading & writing; document; patent; diploma; † letter; вери́тельная ~а credentials; э́то для меня́ кита́йская ~а F it's Greek to me; **~ность** *f* [8] literacy; **~ный** [14; -тен, -тна] literate; trained, expert.

грана́т *m* [1] pomegranate; *min.* garnet; **~а** *f* [5] shell; grenade.

грандио́зный [14; -зен, -зна] mighty; grand.

гранёный [14] facet(t)ed; cut.

грани́т *m* [1] granite.

грани́|ца *f* [5] border, frontier; boundary; *fig.* limit, verge; за ~цу (~цей) *go* (*be*) abroad; из-за ~цы from abroad; **~чить** [16] border *or* verge ([up]on с Т).

гра́н|ка *f* [5; *g/pl.*: -нок] *typ.* galley (proof); **~ь** *f* [8] *s.* грани́ца; ⊿ plane; facet; edge; *fig.* verge.

граф *m* [1] earl (*Brt.*); count.

граф|á *f* [5] column; **´ик** *m* [1] diagram, graph; **´ика** *f* [5] graphic arts.

графи́н *m* [1] decanter, carafe.

графи́ня *f* [6] countess.

графи́|т *m* [1] graphite; **~ть** [14 *e.*; -флю́, -фи́шь; -флённый], ⟨раз-⟩ line *or* rule (*paper*), draw columns; **~ческий** [16] graphic(al).

граци|о́зный [14; -зен, -зна] graceful; **'~я** *f* [7] grace(fulness).

грач *m* [1 *e.*] rook.

греб|ёнка *f* [5; *g/pl.*: -нок] comb; стри́чь(ся) под ~ёнку (have one's hair) crop(ped); **´ень** *m* [4; -бня] comb; crest; **~éц** *m* [1; -бца́] oarsman; **~ешóк** *m* [1; -шка́] *s.* ´ень; **´ля** *f* [6] rowing; **~нóй** [14] row(ing)...

грёз|а *f* [5] (day)dream; **~ить** ('gʐe-) [15] *impf.* dream (of о П); ⚕ rave; **-ся,** ⟨по-, при-⟩: мне гре́зится (И) I dream (of *or v/t.*).

грек *m* [1] Greek.

гре́лка *f* [5; *g/pl.*: -лок] hot-water bottle; электри́ческая ~ heating pad.

грем|éть [10 *e.*; гремлю́, -ми́шь], ⟨про-, за-⟩ thunder, peal (*a. voice, bell, etc.*); rattle, clank, tinkle (*sword, chains, keys*); clatter (*dishes*); *fig.* ring; be famous (for, as); **~у́чий** [17] rattling; ⚗ oxyhydrogen; fulminating; ~у́чая змея́ *f* rattlesnake; **~у́шка** *f* [5; *g/pl.*: -шек] rattle (*toy*).

гренки́ *m/pl.* [1 *e.*] toast (*sg.*: -нóк).

Гренла́ндия *f* [7] Greenland.

грести́ [26 -б-: гребу́; грёб, гребла́], ⟨по-⟩ row; scull; rake; scoop.

греть [8; ...гре́тый], ⟨со-, на-, разо-, обо-, подо-⟩ warm (o.s. **-ся**) (up); heat; -ся на со́лнце sun.

грех *m* [1 *e.*] sin; fault; F = грешнó; с ~óм попола́м F so-so; *cf.* гóре; есть такóй ~ F well, I own it; как на ~ F unfortunately.

Гре́|ция *f* [7] Greece; **2цкий** [16]: 2цкий оре́х *m* walnut; **2ча́нка** *f* [5; *g/pl.*: -нок], **2ческий** [16] Greek.

греч|и́ха, ´ка *f* [5] buckwheat; **´невый** [14] buckwheat...

греш|и́ть [16 *e.*; -шу́, -ши́шь], ⟨со-⟩ sin (*a.* against про́тив Р); **´ник** *m* [1], **´ница** *f* [5] sinner; **~нó** (it's a) shame (on Д); **´ный** [14; -шен, -шна́, -о]; sinful; F *sh.*: sorry.

гриб *m* [1 *e.*] mushroom; **~óк** [1; -бка́] *dim. of* ~; fungus.

гри́ва *f* [5] mane.

гри́венник F *m* [1] ten-kopeck coin.

Григо́рий *m* [3] Gregory.

грим *m* [1] *thea.* make-up.

грима́с|а *f* [5] grimace; **~ничать** [1] make faces *or* grimaces.

гримирова́ть [7], ⟨за-, на-⟩ make up (*v/i.* **-ся**).

грипп *m* [1] influenza.

гри́фель *m* [4] slate pencil.

Гри́ш(к)а *m* [5] *dim. of* Григо́рий.

гр-ка *abbr.*: гражда́нка.

гроб *m* [1; в -у́; *pl.*: -ы́ *&* -á, *etc. e.*] coffin; † grave; **~ни́ца** *f* [5] tomb; **~ово́й** [14] coffin...; tomb...; deadly; **~овщи́к** *m* [1 *e.*] coffin maker.

гроза́ *f* [5; *pl. st.*] (thunder)storm (*a. fig.*); disaster; danger, menace; terror.

грозд|ь *m* [4; *pl.*: **-ди**, -де́й, *etc. e.*, & -дья, -дьев] bunch (*grapes*); cluster.

грози́ть [15 *e.*; грожу́, -зи́шь], ⟨по-⟩ threaten (a p. with Д/Т) (*a.* **-ся**).

гро́з|ный [14; -зен, -зна́, -о] menacing; formidable; P severe, cruel; Ива́н ♀ный Ivan the Terrible; **~ово́й** [14] storm(y).

гром *m* [1; *from g/pl. e.*] thunder (*a. fig.*); ~ греми́т it thunders; как ~ом поражённый *fig.* thunderstruck.

грома́д|а *f* [5] giant, colossus; mass, heap; **~ный** [14; -ден, -дна] huge, tremendous.

громи́|ть [14 *e.*; -млю́, -ми́шь; -млённый], ⟨раз-⟩ smash, crush; rout.

гро́мк|ий [16; -мок, -мка́, -о; *comp.*: гро́мче] loud; noisy; *fig.* famous, great, noted; notorious; (*words, etc.*) pompous; **~оговори́тель** *m* [4] loud-speaker.

громо|во́й [14] thunder..., thunderous; **~гла́сный** [14; -сен, -сна] roaring; *mst. adv.* in public; **~зди́ть** (**-ся**) [15 *e.*; -зжу́, -зди́шь] *cf.* взгроможда́ть(ся); **~здкий** [16; -док, -дка] bulky, cumbersome; **~отво́д** *m* [1] lightning rod *or* conductor.

громыха́ть F [1] rattle.

грот *m* [1] grotto.

гро́х|нуть F [20] *pf.* crash, tumble (*v/i.* **-ся**); **~от** *m* [1] rumble; **~ота́ть** [3], ⟨за-⟩ rumble; P roar.

грош *m* [1 *e.*] half-kopeck; piece; ни ~а́ not a stiver *or* farthing; ~ цена́ *or* ~а́ ло́маного не сто́ит not worth a pin; ни в ~ не ста́вить not care a straw (for В); **~о́вый** [14] worth 1 ~; *fig.* (dirt-)cheap, paltry.

груб|е́ть [8], ⟨за-, о-⟩ harden, become callous; **~и́ть** [14 *e.*; -блю́, -би́шь], ⟨на-⟩ say rude things; **~ия́н** F *m* [1] rude fellow; **~ость** *f* [8] rudeness; **~ый** [14; груб, -а́, -о] coarse; rough; rude; gross (*error, etc.*).

гру́да *f* [5] pile, heap, mass.

груд|и́нка *f* [5; *g/pl.*: -нок] brisket; bacon; **~но́й** [14]: ~на́я клётка *f* thorax, chest; **~ь** *f* [8; в, на -ди́; *from g/pl. e.*] breast; bosom; стоя́ть ~ью (за В) defend bravely.

груз *m* [1] load, freight; ⚓ cargo.

грузи́н *m* [1; *g/pl.*: грузи́н], **~ка** *f* [5; *g/pl.*: -нок] Georgian; **~ский** [16] Georgian.

грузи́ть [15 & 15 *e.*; -ужу́, -у́зи́шь], ⟨на-, за-, по-⟩ load, embark.

Гру́зия *f* [7] Georgia (*Caucasus*).

гру́з|ный [14; -зен, -зна́, -о] massive, heavy; **~ови́к** *m* [1 *e.*] truck, *Brt.* lorry; **~ово́й** [14] freight..., goods..., ⚓ cargo...; ~ово́й автомоби́ль *m* = ~ови́к; **~оподъёмность** *f* [8] carrying capacity, ⚓ tonnage; **~чик** *m* [1] loader, ⚓ stevedore.

грунт *m* [1] soil; ground (*a. paint.*); **~ово́й** [14] ground...; unpaved.

гру́пп|а *f* [5] group; **~ирова́ть** (**-ся**) [7], ⟨с-⟩ (form a) group.

груст|и́ть [15 *e.*; -ущу́, -сти́шь], F ⟨взгрустну́ть⟩ [20] grieve; long (for по П); **~ный** [14; -тен, -тна́, -о] sad, sorrowful; dreary; F deplorable; мне ~но I feel sad; **~ь** *f* [8] sadness, grief, melancholy.

гру́ша *f* [5] pear (*a. tree*).

гры́жа *f* [5] hernia, rupture.

грыз|ня́ F *f* [6] squabble; **~ть** [24; *pt. st.*], ⟨раз-⟩ gnaw (*a. fig.*), nibble; bite; crack (*nuts*); **-ся** bite o. a.; F squabble; **~у́н** *m* [1 *e.*] *zo.* rodent.

гряд|а́ *f* [5; *nom/pl. st.*] ridge, range (*a. fig.* = line); ✓ bed (*a.* **~ка** *f* [5; *g/pl.*: -док]).

гряду́щий [17] future, coming; на сон ~ for a nightcap.

гряз|ево́й [14] mud...; **~езащи́тный** [14]: ~езащи́тное крыло́ *n* fender, mudguard; **~елече́бница** *f* [5] mud bath; **~и** *f/pl.* [8] (curative) mud; **~ни́ть** [13], ⟨за-⟩ soil (*a. fig.*); **-ся** get dirty; **~нуть** [21], ⟨по-⟩ sink (*mud, etc.*, & *fig.*); **~ный** [14; -зен, -зна́, -о, гря́зны] dirty (*a. fig.*); muddy; slop... (*pail*); **~ь** *f* [8; в -зи́] dirt; mud (*street, etc.*); в ~и́ dirty; не уда́рить лицо́м в ~ь save one's face.

гря́нуть [19 *st.*] *pf.* crash, thunder, (re)sound, ring, roar; break out, burst, start.

губ|а́ *f* [5; *nom/pl. st.*] lip; bay; gulf; ~а не ду́ра (у Р p.'s) taste isn't bad.

губерн|а́тор *m* [1] governor; **~ия** *f* [7] government, province.

губи́т|ельный [14; -лен, -льна] pernicious; **~ь** [14], ⟨по-, F с-⟩ destroy, ruin; waste (*time*).

гу́б|ка *f* [5; *g/pl.*: -бок] **1.** *dim. of*

~á; **2.** sponge; **~нóй** [14] labial; ~нáя помáда *f* lipstick.

гуверн|áнтка *f* [5; *g/pl.*: -ток] governess; **~ёр** *m* [1] tutor.

гуд|éть [11], ⟨за-⟩ buzz; honk, hoot, whistle; **~óк** *m* [1; -дкá] honk, hoot, signal; horn; siren, whistle.

гул *m* [1] boom, rumble; hum; **ˊкий** [16; -лок, -лкá, -o] booming, loud; resonant.

гуля́|нье *n* [10] walk(ing); revel(ry), open-air merrymaking, (popular) festival; **~ть** [28], ⟨по-⟩ [20] go for a walk (*a.* идти́ ~ть), stroll; *fig.* sweep (*wind, etc.*); make merry.

ГУМ (госудáрственный универмáг) *m* [1] state department store.

гумáнн|ость *f* [8] humanity, humaneness; **~ый** [14; -áнен, -áнна] humane.

гумнó *n* [9; *pl. st.*; *gen.*: -мен & -мён] ⚒ floor.

гур|т *m* [1 *e.*] drove (*cattle*); ~тóм F wholesale; **~ьбá** F *f* [5] crowd (in T).

гýсеница *f* [5] caterpillar.

гуси́ный [14] goose (*a.* flesh кóжа *f*).

густ|éть [8], ⟨за-⟩ thicken; **~óй** [14; густ, -á, -o; *comp.*: гýще] thick, dense; deep, rich (*colo[u]r, sound*); **~отá** *f* [5] thickness; density; depth.

гус|ь *m* [4; *from g/pl. e.*] goose; *fig.* хорóш ~ь F a fine fellow indeed!; как с ˊя водá F like water off a duck's back, thick-skinned; **~ькóм** in single file.

гýща *f* [5] grounds *pl.*; sediment; thicket; *fig.* center (*Brt.* -tre), middle.

ГЭС *abbr.*: гидро(электро)стáнция.

Д

д. *abbr.*: **1.** дерéвня; **2.** дом.

да 1. *part.* yes; oh (yes), indeed (*a. interr.*); (oh) but, now, well; *imp.* do(n't) ...!; *tags:* aren't, don't, *etc.*; may, let; **2.** *cj.* (*a.* ~ и) and; but; ~ и тóлько continually; ~ чтó вы! you don't say!

дабы́ † (in order) that *or* to.

да|вáть [5], ⟨~ть⟩ [дам, дашь, даст, дади́м, дади́те, дадýт ('...-) дал, -á, -o; ('...)дáнный (дан, -á)] give; let; bestow; take (*oath*), pledge; make (*way*); ~вáй(те)! come on!; *with vb.* (*a.* ˊй[те]) let us (me); ни ˊть ни взять exactly like; ~вáть ход дéлу set s. th. going *or* further it; **-ся** let o. s. (*be caught. cheated* в В); (turn out to) be (*e.g. hard*, for Д); (can) master (s. th. И); *pt.* F take to.

дави́ть [14] **1.** ⟨на-⟩ press; squeeze (⟨вы-⟩ out); **2.** ⟨за-, раз-⟩ crush; run over, knock down; **3.** ⟨по-⟩ oppress; suppress; **4.** ⟨при-, с-⟩ press (down *or* together), jam, compress; throng, crowd; **5.** ⟨у-⟩ strangle; **-ся** choke; F hang o. s.

дáв|ка F *f* [5] throng, jam; **~лéние** *n* [12] pressure (*a. fig.*).

дáвн|(и́шн)ий [15] old; **~ó** long ago; for a long time, long since; **~опрошéдший** [17] long past; ~опрошéдшее врéмя *n gr.* past *or* pluperfect; **~ость** *f* [8] remoteness; ⚖ limitation; **~ым-~ó** F (a) very long (time) ago.

дáже (*a.* ~ и) even; ~ не not even.

дáл|ее *s.* дáльше; и так ~ее and so on (*or* forth); **~ёкий** [16; -лёк, -лекá, -лекó & -лёко; *comp.*: дáльше] far, distant (from от P); long (*way*); *fig.* wide (of); strange (to); F smart, clever; **~екó, ~ёко** far (off, away); a long way (to до P); (Д) ~екó до (P) F can't match with; ~екó не F by no means; ~екó за (B) long after; (*age*) well over; **~ь** *f* [8; в -ли́] distance; open (space); **~ьнéйший** [17] further; в ~ьнéйшем later *or* further on; **~ьний** [15] distant (*a. relative*); remote; *s. a.* ~ёкий; **~ьневосточный** [14] Far Eastern.

дальнo|бóйный ⚔ [14] long range; **~ви́дный** [14; -ден, -дна] clear-sighted; **~зóркий** [16; -рок, -рка] far-, long-sighted; **ʹ~сть** *f* [8] remoteness; ⚔, ⊕ (long) range.

дáльше farther; further(more);

then, next; (читáйте) ~! go on (reading); не ~ как *or* чем this very; only.
дáм|а *f* [5] lady; partner (*dance*); queen (*card*); **~ский** [16] ladies', women's; **~ба** *f* [5] dam, dike; **~ка** *f* [5; *g/pl.:* -мок] king (*draughts*).
Дани|и́л [1], P **ˊ~ла** *m* [5] Daniel.
Дáния *f* [7] Denmark.
дáн|ный [14] given, present, this; ~ная *f* ⩓ quantity; ~ные *pl.* data, facts; statistics.
данти́ст *m* [1] dentist.
дань *f* [8] tribute (*a. fig.*).
дар *m* [1; *pl. e.*] gift (*a. fig.*); **~и́ть** [13], ⟨по-⟩ give (a p. s.th. Д/В), present (a p. with В/Т); **~моéд** F *m* [1] sponger; **~овáние** *n* [12] gift, talent; **~ови́тый** [14 *sh.*] gifted, talented; **~овóй** [14] gratis, free.
дáром *adv.* gratis, for nothing; in vain; ~ что (al)though; э́то емý ~ не пройдёт F he will smart for it.
Дáрья *f* [6] Darya (*first name*).
дáт|а *f* [5] date; **~ельный** [14] *gr.* dative (*case*); **~и́ровать** [7] (*im*)*pf.* (зáдним числóм ante)date.
дáт|ский [16] Danish; **~чáнин** *m* [1; *pl.:* -чáне, -чáн], **~чáнка** *f* [5; *g/pl.:* -нок] Dane.
дать(ся) *s.* давáть(ся).
дáч|а *f* [5] giving; cottage, summer residence, villa; на ~е out of town, in the country; **~ник** *m* [1] summer resident; **~ный** [14] suburban; country...; garden (city посёлок).
Даш([ень]к)а *f* [5] *dim. of* Дáрья.
два *m, n,* две *f* [34] two; *cf.* пять & пя́тый; в ~ счёта F in a jiffy.
двадцат|илéтний [15] twenty--years-old, of 20; **ˊ~ый** [14] twentieth; *cf.* пя́т(идеся́т)ый; **ʹ~ь** [35; -ти́] twenty; *cf.* пять.
двáжды twice; ~ два ⩓ two by two; как ~ два (четы́ре) as sure(ly) as two & two makes four.
двенáдцат|и... (*in compds.*) twelve-...; dodec(a)...; duodecimal, -denary; **~ый** [14] twelfth; *cf.* пя́тый; **~ь** [35] twelve; *cf.* пять.
двер|нóй [14] door...; **ˊ~ца** *f* [5; *g/pl.:* -рец] *dim. of* **~ь** *f* [8; в -ри́; *from g/pl. e.*; *instr. a.* -рьми́] door (*a. pl.* ˊ~и).
двéсти [36] two hundred.
дви́|гатель *m* [4] engine, motor; **~гать** [1 & 3], ⟨~нуть⟩ [20] (В & Т) move, push, drive (on); stir; **-ся** move, advance; set out, start; **~жéние** *n* [12] movement (*a. pol.*); stir; *phys.* motion; traffic; *fig.* emotion; *pl.* (light) gymnastics; приводи́ть (приходи́ть) в ~жéние set going (start [moving]); **~жи́мый** [14 *sh.*] movable; **~нуть** *s.* ~гать.
двóе [37] two (*in a group, together*); нас бы́ло ~ we (there) were two (of us); **~брáчие** *n* [12], **~жёнство** *n* [9] bigamy; **~тóчие** *n* [12] colon.
двои́ться [13], ⟨раз-⟩ bifurcate.
двóй|ка *f* [5; *g/pl.:* двóек] two (*a. boat*; *team*; P *bus, etc., no. 2*; *cards: a.* deuce); pair; F (*mark*) = плóхо, *cf.*; **~ни́к** *m* [1 *e.*] double(ganger); **~нóй** [14] double (*a. fig.*); **~ня** *f* [6; *g/pl.:* двóен] twins *pl.*; **~ственный** [14 *sh.*] double, twofold, -faced; dual (*a. gr.* number числó).
двор *m* [1 *e.*] (court)yard; farm (-stead); court; на ~é outside, outdoors; **~éц** *m* [1; -рцá] palace; **ˊ~ник** *m* [1] janitor, (yard &) street cleaner; F *mot.* windshield (*Brt.* windscreen) wiper; **ˊ~ня** *f* [6] *coll.,* † servants, domestics *pl.*; **~ня́га** F *f* [5], **~ня́жка** F *f* [5; *g/pl.:* -жек] mongrel; watchdog; **~óвый** [14] yard-..., house...; servant...; **~цóвый** [14] court...; palace...; **~яни́н** *m* [1; *pl.:* -я́не, -я́н] nobleman; **~я́нка** *f* [5; *g/pl.:* -нок] noblewoman; **~я́нский** [16] noble; **~я́нство** *n* [9] nobility.
двою́родн|ый [14]: ~ый брат *m*, ~ая сестрá *f* cousin.
двоя́к|ий [16 *sh.*] double, twofold; **~о** in two ways.
дву|бóртный [14] double-breasted; **~глáвый** [14] double-headed; **~глáсный** [14] diphthong(al); **~жи́льный** P [14] sturdy, tough; **~кóлка** *f* [5; *g/pl.:* -лок] cart; **~крáтный** [14] double; done twice; **~ли́чие** *n* [12] duplicity; **~ли́чный** [14; -чен, -чна] double--faced; **~рýшник** *m* [1] double--dealer; **~рýшничество** *n* [9] double-dealing; **~смы́сленный** [14 *sh.*] ambiguous; **~ствóлка** *f* [5; *g/pl.:* -лок] double-barrel(l)ed gun; **~ствóльный** [14]: ~ствóльное ружьё *n* = ~ствóлка; **~ствóрчатый** [14]: ~ствóрчатая дверь *f* folding doors; **~сторóнний** [15] bilateral; two-way (*traffic*); reversible (*fabric*).

двух... (*cf. a.* дву...): **~днёвный** [14] two days'; **~колейный** 🚂 [14] double-track; **~колёсный** [14] two-wheel(ed); **~летний** [15] two-years-old; two years'; **~местный** [14] two-seat(ed); **~месячный** [14] two months' *or* two-months-old; **~моторный** [14] twin-engine(d); **~недельный** [14] two weeks', *Brt. a.* a fortnight's; **~сотый** [14] two hundredth; **~этажный** [14] two-storied (*Brt.* -reyed).

двуязычный [14; -чен, -чна] bilingual.

дебат|ировать [7] debate; **~ы** *m/pl.* [1] debate.

дебелый F [14 *sh.*] plump, fat.

дебет † *m* [1] debit; занести в ~ = **~овать** [7] (*im*)*pf.* debit (*sum* against *or* to a p. В/Д).

дебитор *m* [1] debtor.

дебош *m* [1] riot, row.

дебри *f/pl.* [8] thicket; wilderness.

дебют *m* [1] debut; opening.

дева *f* [5]: (старая) ~ (old) maid.

девальвация *f* [7] devaluation.

девать [1], ⟨деть⟩ [дену, -нешь] put; place; leave, mislay; куда ~ *a.* what to do with, how to spend; **-ся** go, get; *vb.* + И = put, leave + *obj.*; be (*pr.*); куда мне ~ся? where shall I go *or* stay? куда он делся? what has become of him?

деверь *m* [4; *pl.*: -рья, -рей, -рьям] brother-in-law (*husband's brother*).

девиз *m* [1] motto.

дев|ица *f* [5] maid, girl; **~ичий** [18] maiden, girl's; ~ичий монастырь *m* nunnery; **~ка** *f* [5; *g/pl.*: -вок] wench; P maid; P whore; **~очка** *f* [5; *g/pl.*: -чек] (little) girl; **~ственный** [14 *sh.*] maiden; virgin...; primeval; **~ушка** *f* [5; *g/pl.*: -шек] (grown-up) girl; † parlo(u)rmaid; **~чонка** F *f* [5; *g/pl.*: -нок] slut; girl.

девя|носто [35] ninety; **~ностый** [14] ninetieth; *cf.* пят(идесят)ый; **~тисотый** [14] nine hundredth; **~тка** *f* [5; *g/pl.*: -ток] nine (*cf.* двойка); **~тнадцатый** [14] nineteenth; *cf.* пять & пятый; **~тнадцать** [35] nineteen; *cf.* пять; **~тый** [14] ninth; *cf.* пятый; **'~ть** [35] nine; *cf.* пять; **~тьсот** [36] nine hundred; **'~тью** nine times.

дегенерат *m* [1] degenerate.

дёготь *m* [4; -гтя] tar.

дед|(ушка *m* [5; *g/pl.*: -шек]) *m* [1] grandfather; old man; *pl.* ~ы *a.* forefathers; ♀ Мороз *m* Jack Frost; Santa Claus, Father Christmas.

деепричастие *n* [12] *gr.* gerund.

дежур|ить [13] be on duty; sit up, watch; **~ный** [14] (p.) on duty; **~ство** *n* [9] duty; (night) watch.

дезертир *m* [1] deserter; **~овать** [7] (*im*)*pf.* desert; **~ство** *n* [9] desertion.

дезинф|екция *f* [7] disinfection; **~ицировать** [7] (*im*)*pf.* disinfect.

дезорганиз|овать [7] (*im*)*pf.*, *impf. a.* **~овывать** [1] disorganize.

действ|енный [14 *sh.*] efficient; **~ие** *n* [12] action; activity; ⚔, ⊕, ⅍ operation; *thea.* act; effect; efficacy; influence, impact; место ~ия scene; свобода ~ий free play; **~ительно** really; indeed; **~ительность** *f* [8] reality; validity; **~ительный** [14; -лен, -льна] real, actual; valid; ⚔, *gr.* active (*service*; *voice*); **~овать** [7], ⟨по-⟩ act, work (*a.* upon на В); operate, function; apply; have effect (on на В); get (*on one's nerves*); **~ующий** [17] active; acting; ⚔ field...; ~ующее лицо *n* character, personage.

декабрь *m* [4 *e.*] December.

декан *m* [1] dean.

декла|мировать [7], ⟨про-⟩ declaim; **~рация** *f* [7] declaration.

декольт|е (dɛ-; -ˈtɛ) *n* [*indecl.*] décolleté; **~ированный** [14 *sh.*] low-necked.

декора|тор *m* [1] decorator; **~ция** *f* [7] decoration; *thea.* scenery.

декрет *m* [1] decree, edict; **~ировать** [7] (*im*)*pf.* decree.

дела|нный [14 *sh.*] affected, forced; **~ть** [1], ⟨с-⟩ make, do; ~ть нечего F it can't be helped; **-ся** (T) become, grow, turn; happen (with, to с T), be going on; что с ним сделалось? what has become of him?

делега|т *m* [1] delegate; **~ция** *f* [7] delegation.

дел|ёж F *m* [1 *e.*] distribution, sharing; **~ение** *n* [12] division (*a.* ⅍); partition; point (*scale*).

делец *m* [1; -льца] (sharp) businessman, moneymaker.

деликатн|ость *f* [8] tact(fulness), delicacy; **~ый** [14; -тен, -тна] delicate.

дели|мое *n* [14] ⅍ dividend; **~тель** *m* [4] ⅍ divisor; **~ть** [13; делю, де́лишь] **1.** ⟨раз-, по-⟩ (на В) divide (in[to]), *a.* ⅍ (by); **2.** ⟨по-⟩ share (*a.* **-ся** [T/c T s.th. with s. b.], exchange; confide [s.th. to], tell; ⅍ be divisible). [business.

дели́шки F *n/pl.* [9; *gen.*: -шек]

де́л|о *n* [9; *pl. e.*] affair, matter, concern; work, business (on по Д), line; art *or* science; deed, act(ion); ⚖ case, (*a. fig.*) cause; file; ⚔ action, battle; говори́ть ~о F talk sense; де́лать ~о *fig.* do serious work; то и ~о continually, incessantly; в чём ~о? what's the matter?; в том то и ~о F that's just the point; что вам за ~о? *or* э́то не ва́ше ~о that's no business of yours; на ~е in practice; на (*or* в) са́мом ~е in reality, in fact; really, indeed; по ~а́м on business; как ~а́? F how are you?; ~о идёт *cf.* идти́.

делов|и́тый [14 *sh.*], **~о́й** [14] businesslike; expert; ~о́й *a.* business...; work(ing). [tary.

делопроизводи́тель *m* [4] secre-

де́льный [14] competent; sensible.

демаго́г *m* [1] demagogue; **~и́ческий** [16] demagogic(al).

демаркацио́нный [14] (of) demarcation.

демилитаризова́ть [7] (*im*)*pf.* demilitarize.

демобилизова́ть [7] (*im*)*pf.* demobilize.

демокра́т *m* [1] democrat; **~и́ческий** [16] democratic; **~ия** [7] democracy.

демонстр|а́ция *f* [7] demonstration; **~и́ровать** [7] (*im*)*pf.*, *a.* ⟨про-⟩ demonstrate; show, project (*film*).

демонта́ж *m* [1] dismantling.

де́нежный [14] money..., monetary, pecuniary; currency...; F rich.

день *m* [4; дня] day; в ~ a *or* per day; в э́тот ~ (on) that day; ∠ за́ ~ day after day; изо дня́ в ∠ day by day; ∠ ото дня́ from day to day; весь ~ all day (long); на (э́тих) днях the other day; one of these days; три часа́ дня 3 p.m., 3 o'clock in the afternoon; *cf.* днём.

де́ньги *f/pl.* [*gen.*: де́нег; *from. dat. e.*] money.

департа́мент *m* [1] department.

депе́ша *f* [5] dispatch, wire(less).

депози́т ☨ *m* [1] deposit.

депута́т *m* [1] deputy, delegate; member of the Supreme Soviet.

дёр|гать [1], *once* ⟨~нуть⟩ [20] pull, tug (*a.* за В at), jerk, twist; F press a p. hard, importune.

дерев|ене́ть [8], ⟨за-, о-⟩ stiffen; grow numb; **~е́нский** [16] village-..., country..., rural, rustic; ~е́нский жи́тель *m* villager; **∠ня** *f* [6; *g/pl.*: -ве́нь, *etc. e.*] village; country(side); **'~о** *n* [9; *pl.*: -е́вья, -е́вьев] tree; *sg.* wood; кра́сное '~о mahogany; чёрное '~о ebony; резьба́ по ~у wood engraving; **~я́нный** [14] wooden (*a. fig.*).

держа́ва *f* [5] power; *hist.* orb.

держа́ть [4] hold; keep; support; have (*a.* ☨ in stock; *a. exam.*); read (*proofs*); ~ сто́рону side with; ~ себя́ (кого́-либо) в рука́х (have) control (over) o.s. (a p.); ~ себя́ conduct o.s., behave = **-ся 1.**; **2.** ⟨у~ся⟩ (за В; Р) hold (on[to]); *fig.* stick (to); keep; hold out, stand.

дерз|а́ть [1], ⟨~ну́ть⟩ [20] dare, venture; **∠кий** [16; -зок, -зка́, -о; *comp.*: -зче] impudent, insolent; bold, daring, audacious; (*a.* = † **~нове́нный** [14; -е́нен, -е́нна] & **∠остный** [14; -тен, -тна]); **∠ость** *f* [8] impudence, cheek.

дёрн *m* [1] turf; **~уть** *s.* дёргать.

дес|а́нт *m* [1] landing; troops *pl.* landed (авиа... airborne); **~е́рт** *m* [1] dessert; **~на́** *f* [5; *pl.*: дёсны, -сен, *etc. st.*] gum; **∠пот** *m* [1] despot.

десяти|дне́вный [14] ten days'; **~кра́тный** [14] tenfold; **~ле́тие** *n* [12] decade; tenth anniversary; **~ле́тка** *f* [5; *g/pl.*: -ток] ten-grades (*or* -forms) standard school (*leading to maturity*) (*U.S.S.R.*); **~ле́тний** [15] ten years'; ten-years-old.

десят|и́на *f* [5] †, = *approx.* $2^3/_4$ *acres*; tithe; **~и́чный** [14] decimal; **∠ка** *f* [5; *g/pl.*: -ток] ten (*cf.* дво́йка); **∠ник** *m* [1] foreman; **∠ок** *m* [1; -тка] ten; *pl.* dozens of, many; *s.* идти́; не ро́бкого ∠ка F not a craven; **∠ый** [14] tenth (*a.*, *f*, part; 3,2 — *read:* три це́лых и две ∠ых = 3.2); *cf.* пя́т(идеся́т)ый; из пя́того в ∠ое discursively, in a rambling manner; **'~ь** [35 *e.*] ten; *cf.* пять & пя́тый; **'~ью** ten times.

дета́ль *f* [8] detail; ⊕ part; **~но** in detail; **~ный** [14; -лен, -льна] detailed, minute.

дет|вора́ *f* [5] *coll.* F = ∠и; **~ёныш** *m* [1] young one; cub, *etc.*; **∠и** *n*/*pl.* [-е́й, -ям, -ьми́, -ях] children, kids; двóе, (трóе, чéтверо, *etc.*) ~е́й two (three, four) children; *sg.*: дитя́ (*a.* ребёнок), *cf.*; **∠ский** [16] child(ren)'s, infant(ile); childlike; childish; ∠ский дом *m* (orphan) boarding school; ∠ский сад *m* kindergarten; ∠ская *f* nursery (room); **∠ство** *n* [9] childhood.

де́ть(ся) *s.* дева́ть(ся).

дефе́ктный [14] defective.

дефици́тный [14; -тен, -тна] unprofitable; scarce.

деш|еве́ть [8], ⟨по-⟩ cheapen, become cheaper; **~еви́зна,** F **~ёвка** *f* [5] cheapness, low price(s); **~ёвый** [14; дёшев, дешева́, дёшево; *comp.*: деше́вле] cheap (*a. fig.*); low (*price*).

де́ятель *m* [4] man; representative; госуда́рственный ~ statesman; нау́чный ~ scientist; обще́ственный ~ public man; полити́ческий ~ politician; **~ность** *f* [8] activity, -ties *pl.*; work; **~ный** [14; -лен, -льна] active.

джу́нгли *f*/*pl.* [*gen.*: -лей] jungle.

диа́|гноз *m* [1] diagnosis; **~гона́ль** *f* [8] diagonal; **~ле́кт** *m* [1] dialect; **~ле́ктный** [14] dialectic(al); **~ле́ктика** *f* [5] dialectic(s); **~лекти́ческий** [16] dialectic(al); **~ло́г** *m* [1] dialogue; **~ма́т** *m* [1] dialectical materialism; **~метр** *m* [1] diameter; **~пазо́н** *m* [1] ♪ diapason (*a. fig.*); ⊕ range; **~позити́в** *m* [1] (lantern) slide; **~фра́гма** *f* [5] diaphragm.

дива́н *m* [1] divan, sofa.

диверс|а́нт *m* [1] saboteur; **∠ия** *f* [7] sabotage; ⚔ diversion.

диви́зия ⚔ *f* [7] division.

див|и́ться [14 *e.*], ⟨по-⟩ wonder (at Д *or* на В); **∠ный** [14; -вен, -вна] wonderful; delightful; **∠о** *n* [9] wonder, miracle, marvel (*a.* it is a ...); на ∠о excellently; что за ∠о! (most) wonderful!; no wonder.

дие́т|а (-ˈɛta) *f* [5] diet; **~и́ческий** [16] dietetic(al).

дизентери́я *f* [7] dysentery.

дик|а́рь *m* [4 *e.*] savage (*a. fig.*); F shy person; **∠ий** [16; дик, -а́, -о] wild, savage (*a. fig.*); odd, bizarre; shy, unsociable; drab; ⚕ proud (*flesh*); dog (*rose*); **∠ость** *f* [8] wildness, savagery, -geness; absurdity.

дикт|а́нт *m* [1] *s.* ~о́вка; **~а́тор** *m* [1] dictator; **~а́торский** [16] dictatorial; **~ату́ра** *f* [5] dictatorship; **~ова́ть** [7], ⟨про-⟩ dictate; **~о́вка** *f* [5; *g*/*pl.*: -вок] dictation; **∠ор** *m* [1] (radio) announcer.

дилета́нт *m* [1] dilettante; **~ский** [16] dilettant(e)ish.

дина́м|ика *f* [5] dynamics; **~и́т** *m* [1] dynamite; **~и́ческий** [16] dynamic; **~о(-маши́на** *f* [5]) *n* [*indecl.*] dynamo.

дина́стия *f* [7] dynasty.

дипло́м *m* [1] diploma; F thesis, graduation essay.

диплома́т *m* [1] diplomat; **~и́ческий** [16] diplomatic; **~ия** *f* [7] diplomacy.

дирек|ти́ва *f* [5] directive; **∠тор** *m* [1; *pl.*: -pá, *etc. e.*] manager, director; (*school*) principal, *Brt.* headmaster; **∠ция** *f* [7] management, directorate.

дириж|а́бль *m* [4] airship; **~ёр** *m* [1] ♪ conductor; **~и́ровать** [7] (T) ♪ conduct.

дисгармо́ния *f* [7] discord.

диск *m* [1] disk; **~о́нт** *m* [1], **~онти́ровать** [7] (*im*)*pf.* discount; **~у́ссия** *f* [7] discussion.

дисп|ансе́р (-ˈsɛr) *m* [1] dispensary; **~е́тчер** *m* [1] dispatcher; 🚂 traffic superintendent; **∠ут** *m* [1] dispute, disputation.

дис|серта́ция *f* [7] dissertation, thesis; **~сона́нс** *m* [1] dissonance, discord; **~та́нция** *f* [7] distance; 🚂 section; **~тилли́ровать** [7; -о́ванный] (*im*)*pf.* distil(l); **~ципли́на** *f* [5] discipline.

дитя́ *n* [-я́ти ✎; *pl.* де́ти, *cf.*] child.

диф|ира́мб *m* [1] dithyramb; **~тери́т** *m* [1], **~тери́я** *f* [7] diphtheria; **~фама́ция** *f* [7] defamation.

дифференц|иа́л *m* [1], **~иа́льный** [14] 𝔄, ⊕ differential; **~и́ровать** [7] (*im*)*pf.* differentiate.

дич|а́ть [1], ⟨о-⟩ run wild; *fig.* grow (**~и́ться** F [16 *e.*; -чу́сь, чи́шься] be) shy, unsociable; shun (a p. P); **~ь** *f* [8] game, wild fowl; F wilderness; F nonsense, bosh.

длин|а́ *f* [5] length; в ~у́ (at) full length, lengthwise; ~о́й в (В) ... *or* ... в ~у́ ... long; **~но...** (*in compds.*) long...; **∠ный** [14; -и́нен, -инна́, -и́нно] long; too long; F tall.

дли́т|ельный [14; -лен, -льна]

long; protracted, lengthy; **~ься** [13], ⟨про-⟩ last.

для (Р) for, to; because of; ~ того́, чтобы (in order) to, that ... may; ~ чего́? wherefore?; я́щик ~ пи́сем mail (*Brt.* letter) box.

Дми́трий *m* [3] Demetrius (*name*).

днев|а́льный [14] ⚔ orderly; p. on duty; **~а́ть** [6] spend the day; have a day of rest; **~ни́к** *m* [1 *e.*] journal, diary (*vb.:* вести́ keep); **~но́й** [14] day('s), daily; day(light свет *m*).

днём by day, during the day.

Днепр *m* [1 *e.*] Dnieper; **2о́вский** [16] Dnieper...

дн|о *n* [9; *pl.:* до́нья, -ньев] bottom; золото́е ~о *fig.* gold mine; вы́пить до ~а drain, empty; идти́ ко ~у *v/i.* (пусти́ть на ~о *v/t.*) sink.

до (Р) *place:* to, as far as, up (*or* down) to; *time:* till, until, to; before; *degree:* to, up (*or* even) to; *age:* under; *quantity:* up to; about; ~ того́ so (much); (Д) не ~ F not be interested in *or* disposed for, *or* have no time, *etc.*, for, to.

доба́в|ить *s.* ~ля́ть; **~ле́ние** *n* [12] addition; supplement; **~ля́ть** [28], ⟨~ить⟩ [14] add; **~очный** [14] additional, extra; supplementary.

добе|га́ть [1], ⟨~жа́ть⟩ [-егу́, -ежи́шь, -егу́т] run up to (до Р).

доб|ива́ть [1], ⟨~и́ть⟩ [-бью́, -бьёшь; -бе́й(те)!; -би́тый] beat completely *or* utterly, smash; kill, finish; **-ся** (Р) (try to) get, obtain *or* reach; strive for; find out (about); он ~и́лся своего́ he gained his end(s); **~ира́ться** [1], ⟨~ра́ться⟩ [-беру́сь, -рёшься] (до Р) get to, reach.

до́блест|ный [14; -тен, -тна] valiant, brave; **~ь** *f* [8] valo(u)r.

добро́¹ *n* [9] good; F property; ~м F kindly, amicably; **~²** F well; ~ бы if only; ~ пожа́ловать! welcome!; please; **~во́лец** *m* [1; -льца] volunteer; **~во́льный** [14; -лен, -льна] voluntary; **~де́тель** *f* [8] virtue; **~де́тельный** [14; -лен, -льна] virtuous; **~ду́шие** *n* [12] good nature; **~ду́шный** [14; -шен, -шна] good-natured; **~жела́тельный** [14; -лен, -льна] benevolent; **~жела́тельство** *n* [9] benevolence; **~ка́чественный** [14 *sh.*] (of) good (quality); ⚕ benign; **~серде́чный** [14; -чен, -чна] good-hearted; **~со́вестный** [14; -тен, -тна] conscientious; **~сосе́дский** [16] good neighbo(u)rly; **~м** *s.* ~¹.

добр|ота́ *f* [5] kindness; **~о́тный** [14; -тен, -тна] (very) good, solid; **∠ый** [14; добр, -а́, -о, до́бры́] kind; good; F solid; ∠ое у́тро *n* (∠ый день *m*, ве́чер *m*)! good morning (afternoon, evening)!; в ∠ый час!, всего́ ∠ого! good luck!; чего́ ∠ого after all; бу́дь(те) ~(ы) will you be so kind.

добы|ва́ть [1], ⟨∠ть⟩ [-бу́ду, -дешь; до́бы́л, -а́, до́бы́ло; до́бы́тый (до́бы́т, добы́та, до́бы́то)] get, obtain, procure; ⚒ extract, mine; *hunt.* bag; **∠ча** *f* [5] procurement; ⚒ extraction, mining; booty, spoil; (*animals'*) prey (*a. fig.*); *hunt.* bag.

довезти́ *s.* довози́ть.

дове́р|енность *f* [8] (на В) ⚖ letter of attorney; † = ~ие; **~енный** [14] deputed; proxy, agent; **~ие** *n* [12] confidence, trust (in к Д); **~ить** *s.* ~я́ть; **~чивый** [14 *sh.*] trusting, trustful; confidential; **~ша́ть** [1], ⟨~ши́ть⟩ [16 *e.*; -шу́, -ши́шь] finish; complete; **~ше́ние** *n* [12] completion; в ~ше́ние *or* к ~ше́нию (Р) to complete *or* crown (s.th.); **~я́ть** [28], ⟨~ить⟩ [13] trust (a p. Д); confide *or* entrust (s.th. to В/Д); entrust (a p. with Д/В); **-ся** (Д) *a.* trust, rely (on).

дов|ести́ *s.* ~оди́ть; **∠од** *m* [1] argument; **~оди́ть** [15], ⟨~ести́⟩ [25] (до Р) see (a p. to); lead ([up] to); bring (to); drive (to), make.

довое́нный [14] prewar.

дов|ози́ть [15], ⟨~езти́⟩ [24] (до Р) take *or* bring ([right up] to).

дово́ль|но enough, sufficient; rather, pretty, fairly; **~ный** [14; -лен, -льна] content(ed), satisfied (with Т); **~ствие** ⚔ *n* [12] ration, allowance; **~ство** *n* [9] contentment, satisfaction; F prosperity; **~ствоваться** [7] content o.s. (with Т).

довы́боры *m/pl.* [1] by-election.

догад|а́ться *s.* ∠ываться; **∠ка** *f* [5; *g/pl.:* -док] guess, conjecture; **∠ливый** [14 *sh.*] quick-witted; **∠ываться**, ⟨~а́ться⟩ [1] (о П) guess, surmise.

до́гма *f* [5], **~т** *m* [1] dogma.

догна́ть *s.* догоня́ть.

догов|а́ривать [1], ⟨~ори́ть⟩ [13] finish (speaking), speak; **-ся** (о П) agree (upon), arrange; ~áривающиеся стóроны *f/pl.* contracting parties; **~óр** *m* [1] contract; *pol.* treaty; **~ори́ть(ся)** *s.* ~áривать(ся); **~óрный** [14] contract(ual).

дог|оня́ть [28], ‹~нáть› [-гоню́, -гóнишь, *cf.* гнать] catch up (with), overtake; drive *or* bring to; *impf. a.* pursue, try to catch up, be (on the point of) overtaking; **~орáть** [1], ‹~орéть› [9] burn down; *fig.* fade, die out.

дод|éлывать, ‹~éлать› [1] finish, complete; **~у́мываться,** ‹~у́маться› [1] (до P) find, reach *or* hit upon (s. th., by thinking).

доезжá|ть [1], ‹доéхать› [-éду, -éдешь] (до P) reach; не ~я short of.

дожд|áться *s.* дожидáться; **~еви́к** F *m* [1 *e.*] raincoat; **~евóй** [14] rain(y); ~евóй зóнтик *m* umbrella; ~евóй червь *m* earthworm; **~ли́вый** [14 *sh.*] rainy; **~ь** *m* [4 *e.*] rain (in под T, на П); ~ь идёт it is raining.

дож|ивáть [1], ‹~и́ть› [-живу́, -вёшь; дóжил, -á, -o; дóжитый (дóжит, -á, -o)] *impf.* live one's last years, *etc.*; (до P) *pf.* live (till *or* up to); (live to) see; come to; **~идáться** [1], ‹~дáться› [-ду́сь, -дёшься; *cf.* ждать] (P) wait (for, till); *pf. a.* [see.]

дóза *f* [5] dose.

дозво|ля́ть [28], ‹~ли́ть› [13] permit, allow; ~ленный *a.* licit; **~ни́ться** F [13] *pf.* reach (a p. by phone до P), ring till the door *or* phone is answered.

дознáние ⚖ *n* [12] inquest.

дозóр ⚔ *m* [1], **~ный** ⚔ [14] patrol.

дои́ск|иваться F [1], ‹~áться› [3] (P) (try to) find (out).

дои́ть(ся) [13], ‹по-› (give) milk.

дойти́ *s.* доходи́ть.

док *m* [1] ⚓ dock.

доказ|áтельство *n* [9] proof, evidence; **~ывать** [1], ‹~áть› [3] prove; argue.

док|áнчивать [1], ‹~óнчить› [16] finish, end.

доклáд *m* [1] report; lecture (on o П); **~нáя** [14] (*a.* запи́ска *f*) memorandum, report; **~чик** *m* [1] lecturer; reporter; **~ывать** [1], ‹доложи́ть› [16] report (s.th. B *or* on o П); announce (a p. o П).

докóнчить *s.* докáнчивать.

дóктор *m* [1; *pl.*:-pá, *etc. e.*] doctor.

доктри́на *f* [5] doctrine.

докумéнт *m* [1] document.

докучáть F [1] = надоедáть.

долби́ть [14 *e.*; -блю́, -би́шь; -блённый] **1.** ‹вы́-, про-› hollow (out); peck (*bird*); chisel; *impf.* F strike; **2.** P ‹в-› inculcate; cram.

долг *m* [1; *pl. e.*] debt; *sg.* duty; (*last*) hono(u)rs *pl.*; в ~ = взаймы́; в ~у́ indebted (*a. fig.*, to y P, пéред T); **~ий** [16; дóлог, долгá, -o; *comp.*: дóльше] long; **~o** long, (for) a long time *or* while.

долго|вéчный [14; -чен, -чна] perennial (*a.* ⚘), durable; **~вóй** [14]: ~вóе обязáтельство *n* promissory note; **~врéменный** [14] (very) long; **~вя́зый** F [14 *sh.*] lanky; **~игрáющий** [17]: ~игрáющая пласти́нка *f* long-playing record; **~лéтие** *n* [12] longevity; **~лéтний** [15] longstanding; of several years; **~срóчный** [14] long-term; **~тá** *f* [5; *pl.*: -гóты, *etc. st.*] length; *geogr.* longitude; **~терпели́вый** [14 *sh.*] long-suffering.

дóл|ее = ~ьше, *cf.*; **~етáть** [1], ‹~етéть› [11] (до P) fly ([up] to), reach; *a.* = доноси́ться.

дóлж|ен *m*, ~нá *f*, ~нó *n* (*cf.* ~нó²), ~ны́ *pl.* **1.** must [*pt.*: ~ен был, ~нá былá, *etc.* had to]; **2.** (Д) owe (a p.); **~ни́к** *m* [1 *e.*] debtor; **~но¹** one (it) must *or* ought to (be ...); proper(ly); **~нó²** P = ~нó быть probably, apparently; **~ностнóй** [14] official; **~ность** *f* [8] post; office; **~ный** [14] due (*a. su.* ~ное *n*), proper; ~ным óбразом duly.

доли|вáть [1], ‹~ть› [-лью́, -льёшь; *cf.* лить] fill (up), add.

доли́на *f* [5] valley.

дóллар *m* [1] dollar.

доложи́ть *s.* доклáдывать.

долóй F off, down; ~ ... (B)! down *or* off with ...!; с глаз ~! out of my sight!

долотó *n* [9; *pl. st.*: -лóта] chisel.

дóльше (*comp. of* дóлгий) longer.

дóля *f* [6; *from g/pl. e.*] lot, fate; grain (*of truth*), spark (*of wit, etc.*); в восьму́ю (четвёртую) дóлю листá octavo (quarto), in 8vo (4to).

дом *m* [1; *pl.*: -á, *etc. e.*] house; home; family; household; вы́йти из ~y leave (one's home), go out; нá ~ = ~óй; на ~у́ = **~a** at home; как ~a at one's ease; (y P) не все

∠а (be) a bit off (one's head), nutty; **~áшний** [15] home..., house(hold)-...; private; domestic; *pl. su.* folks; ~áшний стол *m* plain fare; **∠енный** [14]: ∠енная печь *f* = ∠на; **∠ик** *m* [1] *dim. of* дом.

домин|иóн *m* [1] (*Brt.*) dominion; **~úровать** [7] (pre)dominate; **~ó** *n* [*indecl.*] domino(es).

домкрáт *m* [1] (lifting) jack.

дóмна *f* [5; *g/pl.*: -мен] blast furnace.

дом|oвúтый [14 *sh.*] thrifty, careful; notable (*housewife*); **~овладéлец** *m* [1; -льца] house owner; **~óвый** [14] house...

домогáться [1] (P) strive for, solicit.

домó|й home; **~рóщенный** [14] homebred; **~сéд** *m* [1] stay-at-home; **~управлéние** *n* [12] house management; **~чáдцы** *m/pl.* [1] folks; inmate.

домрабóтница *f* [5] housemaid.

дóмысел *m* [1; -сла] conjecture.

Дон *m* [1; на -нý] Don; **~бáсс** (= Донéцкий бассéйн) ⚒ *m* [1] Donets Basin.

доне|сéние *n* [12] report; **~стú(сь)** *s.* доносúть(ся); **∠цкий** [14] *s.* Донбáсс.

дóн|изу to bottom; **~имáть** F [1], ⟨~ять⟩ [доймý, -мёшь; *cf.* занять] press, exhaust (with T).

донóс ⚖ *m* [1] denunciation, information (against на B); **~úть¹** [15], ⟨донестú⟩ [24; -сý, -сёшь] carry *or* bring ([up] to); report (s.th., about, on o П); denounce, inform (against на B); **~úть²** *pf.* wear out; *a.* **-ся** (до P) waft (to), reach, (re-) sound; **~чик** *m* [1] informer.

донскóй [16] (*adj. of* Дон) Don...

донынe to this day, till now.

донять *s.* донимáть.

допи|вáть [1], ⟨∠ть⟩ [-пью, -пьёшь; *cf.* пить] drink up.

доплá|та *f* [5] additional payment, extra (*or* sur)charge; **~чивать** [1], ⟨~тúть⟩ [15] pay in addition.

допóдлинный F [14] true, real.

дополн|éние *n* [12] addition; supplement; *gr.* object; **~úтельный** [14] additional, supplementary; extra; *adv. a.* in addition; more; **~ять** [28], ⟨∠ить⟩ [13] add, supply, complete, fill up; enlarge (*edition*).

допотóпный [14] antediluvian.

допр|áшивать [1], ⟨~осúть⟩ [15] ⚖ interrogate, examine; *impf.* questtion; **~óс** *m* [1] ⚖ interrogation, examination; F questioning; **~осúть** *s.* ~áшивать.

дóпу|ск *m* [1] access, admittance; **~скáть** [1], ⟨~стúть⟩ [15] admit (*a.* of), concede; allow; tolerate; suppose; make (*mistake*); **~стúмый** [14 *sh.*] admissible, permissible; **~щéние** *n* [12] admission.

допыт|ываться [1], ⟨~áться⟩ F (try to) find out.

дореволюциóнный [14] pre-revolutionary, before the revolution.

дорóг|а *f* [5] road, way (*a. fig.*); passage; trip, journey; большáя ~а highroad; желéзная ~а railroad, *Brt.* railway; ~ой *or* в (по) ~е on the way; тудá емý и ~а F that serves him right; *cf. a.* путь.

дорого|вúзна *f* [5] dearness, high price(s); **∠й** [16; дóрог, -á, -о; *comp.*: дорóже] dear (*a. fig.*), expensive.

дорóдный [14; -ден, -дна] stout, burly.

дорож|áть [1], ⟨вз-, по-⟩ become dearer, rise in price; **~úть** [16 *e.*; -жý, -жúшь] (T) esteem (highly), (set a high) value (on).

дорóж|ка *f* [5; *g/pl.*: -жек] path; беговáя ~ка race track (*Brt.* -way); лётная ~ка ✈ runway; **~ный** [14] road...; travel(l)ing.

досá|да *f* [5] vexation; annoyance, fret; F какáя ~да! how annoying!, what a pity!; **~дúть** *s.* ~ждáть; **~дливый** [14 *sh.*] fretful, peevish; **~дный** [14; -ден, -дна] annoying, vexatious; deplorable; (мне) ~дно it is annoying (annoys me); **~довать** [7] feel *or* be annoyed, vexed (at, with на B); **~ждáть** [1], ⟨~дúть⟩ [15 *e.*; -ажý, -адúшь] vex, annoy (a p. with Д/T).

доск|á *f* [5; *ac/sg.*: дóску; *pl.*: дóски, досóк, доскáм] board, plank; (*a.* клáссная ~á) blackboard; plate; грúфельная ~á slate; от ~ú до ~ú (*read*) from cover to cover; на однý ∠у on a level.

доскональный [14; -лен, -льна] thorough.

дослóвный [14] literal, verbal.

досм|áтривать [1], ⟨~отрéть⟩ [9; -отрю, -óтришь] see up to *or* to the end (до P); watch, look after (за T); не ~отрéть overlook; **~óтр** *m* [1] supervision; (customs) examination; **~отрéть** *s.* ~áтривать.

доспе́хи *m/pl.* [1] armo(u)r; outfit.
досро́чный [14] preschedule.
дост|ава́ть [5], ‹~а́ть› [-ста́ну, -ста́нешь] take (out, *etc.*); get; procure; ([до] Р) touch; reach (to); F (Р) suffice, have enough; **-ся** (Д) fall to a p.'s share; (turn out to) be, cost (*fig.*); F catch it; **~а́вить** *s.* ~авля́ть; **~а́вка** *f* [5; *g/pl.*: -вок] delivery; conveyance; с ~а́вкой (на́ дом) carriage paid; free to the door; **~авля́ть** [28], ‹~а́вить› [14] deliver, hand; bring; *fig.* procure, cause, give; **~а́ток** *m* [1; -тка] prosperity, (good) fortune; F sufficiency; **~а́точно** considerably; (Р) (be) enough, sufficient; suffice; **~а́точный** [14; -чен, -чна] sufficient.
дости|га́ть [1], ‹~́гнуть›, ‹~́чь› [21 -г-: -сти́гну, -гнешь] (Р) reach, arrive at, attain (*a. fig.*); (*prices*) amount *or* run up (to); **~же́ние** *n* [12] attainment; achievement; **~жи́мый** [14 *sh.*] attainable.
достове́рный [14; -рен, -рна] authentic, reliable; positive.
досто́|инство *n* [9] dignity; merit, advantage; (*money, etc.*) worth, value; **~йный** [14; -о́ин, -о́йна] worthy (*a.* of Р); well-deserved; **~па́мятный** [14; -тен, -тна] memorable, notable; **~примеча́тельность** *f* [8] (*mst. pl.*) sight(s); **~примеча́тельный** [14; -лен, -льна] remarkable, noteworthy; **~я́ние** *n* [12] property (*a. fig.*), fortune.
до́ступ *m* [1] access; **~́ный** [14; -пен, -пна] accessible (*a. fig.*); approachable, affable; comprehensible; susceptible; moderate (*price*).
досу́г *m* [1] leisure; на ~е at leisure, during one's leisure hours.
до́с|уха (quite) dry; **~́ыта** one's fill.
дот ⚔ *m* [1] pillbox.
дотла́ completely, utterly; to the ground.
дотр|а́гиваться [1], ‹~о́нуться› [20] (до Р) touch.
до́х|лый [14] dead; **~ля́тина** *f* [5] carrion; **~нуть** [21], ‹из-, по-› die; Р croak, kick off; **~ну́ть** *s.* дыша́ть.
дохо́д *m* [1] income, revenue; proceeds *pl.*: **~и́ть** [15], ‹дойти́› [дойду́, -дёшь; *cf.* идти́] (до Р) go *or* come (to), arrive (at), reach: *hist.* come down to; (*price*) rise, run up to; **~ный** [14; -ден, -дна] profitable.
доце́нт *m* [1] lecturer, instructor.
до́чиста (quite) clean; F completely.
дочи́т|ывать, ‹~а́ть›, [1] finish (*book, etc.*) *or* read up to (до Р).
до́ч|ка *f* [5; *g/pl.*: -чек] F = **~ь** *f* [до́чери, *etc.* = 8; *pl.*: до́чери, -ре́й, *etc. e.*; *instr.*: -рьми́] daughter.
дошко́льный *m* [1] preschool.
дощ|а́тый [14] of boards, plank...; **~е́чка** *f* [5; *g/pl.*: -чек] *dim. of* доска́.
доя́рка *f* [5; *g/pl.*: -рок] milkmaid.
драгоце́нн|ость *f* [8] jewel, gem (*a. fig.*); precious thing *or* possession; **~ый** [14; -це́нен, -це́нна] precious (*a. stone*), costly, valuable.
дразни́ть [13; -ню́, дра́знишь] **1.** ‹по-› tease, banter; nickname; **2.** ‹раз-› excite.
дра́ка *f* [5] scuffle, fight.
драко́н *m* [1] dragon.
дра́ма *f* [5] drama; **~ти́ческий** [16] dramatic; **~ту́рг** *m* [1] playwright, dramatist.
драп|ирова́ть [7], ‹за-› drape; **~́овый** [14] (of thick) cloth (драп).
дра|ть [деру́, -рёшь; драл, -а́, -о; '... дранный], ‹со-› (*cf.* сдира́ть) pull (off); tweak (p.'s *ear* В/за В); F *cf.* выдира́ть & раздира́ть; **-ся**, ‹по-› scuffle, fight, struggle; **~чли́вый** [14 *sh.*] pugnacious.
дребе|де́нь F *f* [8] trash; **'~зг** F *m* [1] clash; *cf.* вдре́безги; **~зжа́ть** [4; -зжи́т], ‹за-› rattle.
древ|еси́на *f* [5] wood substance *or* material(s); **~е́сный** [14] tree...; wood(y); ~е́сный спирт *m* methyl alcohol; ~е́сный у́голь *m* charcoal; **~́ко** *n* [9; *pl.*: -ки, -ков] flagpole.
дре́вн|ий [15; -вен, -вня] ancient (*a. su.*), antique; (very) old; **~ость** *f* [8] antiquity (*a. pl.* = -ties).
дрейф ⚓, ✈ *m* [1], **~ова́ть** [7] drift.
дрем|а́ть [2], ‹за-› doze (off), slumber; **~о́та** *f* [5] drowsiness; slumber, doze; **~у́чий** [17] dense; ~у́чий лес *m* primeval forest.
дрессирова́ть [7], ‹вы́-› train.
дроб|и́ть [14 *e.*; -блю́, -би́шь; -блённый], ‹раз-› break to pieces, crush; dismember, divide *or* split up; *impf.* F drum; **~́ный** [14; -бен, -бна] fractional; rolling; drumming; **~ь** *f* [8] *coll.* (small) shot; (*drum*) roll; ⅍ [*from g/pl. e.*] fraction; decimal.

дров|á *n/pl.* [9] (fire)wood; **∠ни** *m/pl.* [4; *a. from g/pl. e.*] peasant's sled(ge); **~осéк** *m* [1] lumberman, *Brt.* woodcutter.

дрó|ги *f/pl.* [5] dray; **~гнуть 1.** [21], ⟨про-⟩ shiver *or* shake (*with cold*), chill; **2.** [20 *st.*] *pf.* start; waver, falter; shrink, flinch; **~жáть** [4 *e.*; -жý, -жи́шь], ⟨за-⟩ tremble, shake, shiver (with от Р); flicker, glimmer; dread (s.th. пéред Т); be anxious (about за В); guard, save (над Т); **~жжи** *f/pl.* [8; *from gen. e.*] yeast, barm; **~жки** *f/pl.* [5; *gen.*: -жек] droshky; **~жь** *f* [8] trembling, shiver; vibration; ripples *pl.*

дро|зд *m* [1 *e.*] thrush; **~к** *m* [1] ♀ broom; **∠тик** *m* [1] dart, javelin; **~фá** *f* [5; *pl. st.*] *zo.* bustard.

друг¹ *m* [1; *pl.*: друзья́, -зéй, -зья́м] friend; (*address a.*) dear; **~²**: ~ ∠а each (one an)other; ~ за ∠ом one after another; ~ с ∠ом with each other; **~óй** [16] (an)other, different; else, next, second; (н)и тóт (н)и ~óй both (neither); на ~óй день the next day.

дрýж|ба *f* [5] friendship; **~елю́бный** [14; -бен, -бна] amicable, friendly; **~еский** [16], **~ественный** [14 *sh.*] friendly; **~и́на** *f* [5] bodyguard, retinue; militia; troop, (*fire*) brigade; **~и́ть** [16; -жý, -ý-жишь] be friends, be on friendly terms (with с Т); **~и́ще** *m* F [11] old chap *or* boy; **~ка** [5; *g/pl.*: -жек] **1.** *f* F = друг²; **2.** *m* best man; **~ный** [14; -жен, -жнá, -о, дрýжны́] friendly, on friendly terms; harmonious, concurrent, unanimous; ♀, ⚔ vigorous; *adv. a.* hand in hand, together; at once.

дря́|блый [14; дрябл, -á, -о] limp, flabby; **~зги** F *f/pl.* [5] squabbles; **~нной** Р [14] wretched, mean, trashy; **~нь** F *f* [8] rubbish, trash (*a. fig.*); Р rotten, lousy (thing, p.); **~хлый** [14; дряхл, -á, -о] decrepit; F dilapidated.

дуб *m* [1; *pl. e.*] oak; **~и́льный** [14] tan...; **~и́льня** *f* [6; *g/pl.*: -лен] tannery; **~и́на** *f* [5] club, cudgel; Р boor, dolt; **~и́ть** [14 *e.*; -блю́, -би́шь], ⟨вы́-⟩ tan; **~лёр** *m* [1] *thea.* understudy, double; **~овáтый** F [14 *sh.*] dull; **~óвый** [14] oak(en); *fig.* dull; **~рáва** *f* [5] (oak) wood, forest.

дуг|á *f* [5; *pl. st.*] arc (*a.* ⚡); (shaft) bow (*harness*); **~óй** arched; **~овóй** [14]: ~овáя лáмпа *f* arc light.

дýдк|а *f* [5; *g/pl.*: -док] pipe; F ~и! fudge!, rats!; плясáть под ~у *or* по ~е dance to s.b.'s tune *or* piping.

дýло *n* [9] muzzle; barrel (*gun*).

дýма *f* [5] **1.** thought; meditation; **2.** (*Russia, prior to 1917*) duma = council; elective legislative assembly; **~ть** [1], ⟨по-⟩ think (about, of о П); reflect, meditate (on над Т, о П); (+ *inf.*) intend, be going to; care (for о П); F suspect (на В); как ты ~ешь? what do you think?; мнóго ~ть о себé be conceited; не дóлго ~я without hesitation; **-ся** seem, appear; ([one, you] must, can) think.

Дунáй *m* [3] Danube.

дун|овéние *n* [12] waft, breath; **∠уть** *s.* дуть.

Дýня *f* [6] *dim. of* Евдоки́я.

дуплó *n* [9; *pl. st.*: дýпла, -пел, -плам] hollow (*tree*); cavity (*tooth*).

дýр|а *f* [5] silly woman; **~áк** *m* [1 *e.*] fool, simpleton; ~áк ~акóм arrant fool; **~áцкий** [16] foolish, silly; fool's; **~áчество** F *n* [9] tomfoolery; **~áчить** F [16], ⟨о-⟩ fool, hoax; **-ся** fool, play tricks; **~éть** F [8], ⟨о-⟩ grow stupid; become stupefied; **~и́ть** F [13] *s.* ~áчиться; be naughty *or* obstinate.

дурмáн *m* [1] jimson weed, thorn apple; *fig.* narcotic; **~ить** [13], ⟨о-⟩ stupefy.

дурн|éть [8], ⟨по-⟩ grow plain *or* ugly; **~óй** [14; дýрен, -рнá, -о] bad; plain, ugly; Р stupid; мне ∠о I feel (am) sick *or* unwell; **~отá** F *f* [5] giddiness, sickness.

дурь F *f* [8] folly, caprice; trash.

дýт|ый [14] blown (*glass*); *fig.* inflated; false; **~ь** [18], ⟨по-⟩, *once* ⟨дýнуть⟩ [20] blow; дýет there is a draught (draft); **-ся**, ⟨на-⟩ swell; F sulk, be angry with (на В); Р give o.s. airs.

дух *m* [1] spirit; mind; courage; ghost; F breath; Р scent; (не) в ∠е in a good (bad) temper *or* in high (low) spirits, ([+ *inf.*] in no mood to); в моём ∠е to my taste; на ~ý at the confession; Р ∠ом in a jiffy *or* trice; at one draught; во весь ~ *or* чтó есть ∠у at full speed, with all one's might; ~и́ *m/pl.* [1 *e.*] perfume.

духов|е́нство *n* [9] *coll.* clergy; ∠ка *f* [5; *g/pl.*: -вок] oven; ~**ни́к** *m* [1 *e.*] (father) confessor; ∠**ный** [14] spiritual; mental; ecclesiastical, clerical, religious, sacred; ∠ная *f* (*form.*) testament, will; ∠ный оте́ц *m* = ~ни́к; ∠ное лицо́ *n* clergyman; ~**о́й** [14] ♪ wind (*instrument*); ~о́й орке́стр *m* brassband.

духота́ *f* [5] sultriness, sultry air.

душ *m* [1] shower (bath); douche.

душ|а́ *f* [5; *ac/sg.*: ду́шу; *pl. st.*] soul; mind, disposition; temper (-ament); feeling, emotion; person; *hist.* serf; F *address*: dear, darling; ~а́ в ∠у in perfect harmony; в глубине́ ~и́ in one's heart of hearts; от (всей) ~и́ from (with all) one's heart; по ~а́м heart-to-heart; ~а́ в пя́тки ушла́ have one's heart in one's mouth.

душ|евнобольно́й [14] mentally sick *or* deranged (person); ~**е́вный** [14] mental, psychic(al); sincere, hearty; ∠**енька** F *f* [5] darling; ~**ераздира́ющий** [17] heart-rending.

душ|и́стый [14 *sh.*] fragrant; sweet (*peas*); ~**и́ть** [16] **1.** ⟨за-⟩ strangle, choke (*a. fig.*); **2.** ⟨на-⟩ perfume (o.s. **-ся**); ∠**ный** [14; -шен, -шна́, -о] stuffy; sultry.

дуэ́|ль *f* [8] duel; ~**т** *m* [1] duet.

дыб|ом (*stand*) on end (*hair*); ~**ы́:** (встать, *etc.*) на ~ы́ rear (*a.* up, *fig.*), prance.

дым *m* [1] smoke; ~**и́ть** [14 *e.*; -млю́, -ми́шь], ⟨на-⟩ *or* ~**и́ться** smoke; steam; ∠**ка** *f* [5] haze; gauze; ∠**ный** [14] smoky; ~**ово́й** [14] smoke...; ~**о́к** *m* [1; -мка́] small stream *or* puff of smoke; ~**охо́д** *m* [1] flue.

ды́ня *f* [6] muskmelon.

дыр|а́ *f* [5; *pl. st.*], ∠**ка** *f* [5; *g/pl.*: -рок] hole; ~**я́вый** [14 *sh.*] having a hole *or* full of holes; (*clothes, shoes*) tattered; F bad (*memory*); ~я́вая голова́ F forgetful person.

дыха́|ние *n* [12] breath(ing); ~**тельный** [14] respiratory; ~тельное го́рло *n* windpipe.

дыша́ть [4], ⟨по-⟩, F (*a. once*) ⟨дохну́ть⟩ [20] breathe (s.th. T); *a.* devote o.s. to, indulge in; foam with; ~ све́жим во́здухом take the air; е́ле ~ *or* ~ на ла́дан F have one foot in the grave.

ды́шло *n* [9] (*wag[g]on, cart*) pole.

дья́вол *m* [1] devil; ~**ьский** [16] devilish.

дья|к, ~**чо́к** *m* [1; -чка́] clerk & chanter, sexton; ∠**кон** *m* [1] deacon.

дю́жий P [17; дюж, -а́, -е] sturdy.

дю́жин|а *f* [5] dozen; ~ами, по ~ам by the dozen; ~**ный** [14] common (-place), mediocre.

дю|йм *m* [1] inch; ∠**на** *f* [5] dune.

дюралюми́ний *m* [3] duralumin.

дя́д|ька *m* [5; *g/pl.*: -дек] F & *contp.* = ~я; † tutor, instructor; ~**я** *m* [6; *g/pl.*: -дей] uncle (*a. in* F *address*); F (strong) fellow, guy.

дя́тел *m* [1; -тла] woodpecker.

Е

Ева *f* [5] Eve (*name*).

Ева́нгелие *n* [12] Gospel (♀ *fig.*).

Евге́ни|й *m* [3] Eugene; ~**я** *f* [7] [Eugenia.

Евдоки́я *f* [7] Eudoxia.

евре́й *m* [3] Jew; ~**ка** *f* [5; *g/pl.*: -ре́ек] Jewess; ~**ский** [16] Jewish.

Евро́п|а *f* [5] Europe *n*; ♀**е́ец** *m* [1; -пе́йца], ♀**е́йка** *f* [5; *g/pl.*: -пе́ек], ♀**е́йский** [16] European.

е́герь *m* [4; *pl.*: *a.* -ря́, *etc. e.*] hunter; ⚔ chasseur.

Еги́п|ет *m* [1; -пта] Egypt; ♀**етский** [16] Egyptian; ♀**тя́нин** *m* [1; *pl.*: -я́не, -я́н], ♀**тя́нка** *f* [5; *g/pl.*: -нок] Egyptian.

его́ (jiˈvɔ) his; its; *cf.* он.

Его́р P *m* [1] George.

еда́ *f* [5] food; meal.

едва́ (*a.* ~ ли) hardly, scarcely; *s. a.* е́ле; no sooner; ~ не almost, nearly; ~ ли не perhaps.

един|е́ние *n* [12] unity, union;

~и́ца *f* [5] ♧ one; digit; unit; F (*mark*) very bad; *pl.* (a) few; **~и́чный** [14; -чен, -чна] single, isolated.
едино... (*cf. a.* одно...): **~бо́рство** *n* [9] (single) combat, duel; **~вла́стие** *n* [12] autocracy; **~вре́менный** [14] single; † simultaneous; **~гла́сие** *n* [12] unanimity; **~гла́сный** [14; -сен, -сна] unanimous; ~гла́сно unanimously; **~ду́шие** *n* [12] unanimity; **~ду́шный** [14; -шен, -шна] unanimous; **~ли́чный** [14] individual (*a.* peasant ~ли́чник *m*), personal; **~мы́слящий** [17] like-minded; **~мы́шленник** *m* [1] like-minded p., associate, confederate; **~обра́зный** [14; -зен, -зна] uniform; **~ро́г** *m* [1] unicorn.
еди́нствен|ный [14 *sh.*] only, single, sole; ~ный в своём ро́де unique; ~ное число́ *n gr.* singular.
еди́н|ство *n* [9] unity; unanimity; **~ый** [14 *sh.*] one, single; only (one), sole; one whole; united; (one and the) same; все до ~ого all to a man.
е́дкий [16; е́док, едка́, -о] caustic.
едо́к *m* [1 *e.*] (F good) eater.
её her; its; *cf.* она́.
ёж *m* [1 *e.*] hedgehog.
ежеви́ка *f* [5] blackberry, -ries *pl.*
еже|го́дный [14] annual; **~дне́вный** [14] daily; everyday; **~ме́сячный** [14] monthly; **~мину́тный** [14] (occuring) every minute; continual; **~неде́льный** [14] weekly; **~ча́сный** [14] hourly.
ёжиться [16], ⟨съ-⟩ shrink; be shy.
ежо́в|ый [14]: держа́ть в ~ых рукави́цах rule with a rod of iron.
езд|а́ *f* [5] ride, drive; **~́ить** [15], go (by T), ride, drive; come, visit; travel; **~о́к** *m* [1 *e.*] rider, horseman.
ей: ~(-~) P, ~-бо́гу F really, indeed.
Екатери́на *f* [5] Catherine.
е́ле (*a.* ~-~) hardly, scarcely, barely; slightly; with (great) difficulty.
еле́й *m* [3] (holy) oil; *fig.* unction; **~ный** [14] unctuous.
Еле́на *f* [5] Helen.
Елизаве́та *f* [5] Elizabeth.
ёлка *f* [5; *g/pl.*: ёлок] fir; (рожде́ственская, новогo̓дняя) ~ Christmas (*Sov.*: New Year's) tree *or* (children's) party (на B to, for; на П at).
ел|о́вый [14] fir(ry); **~ь** *f* [8] fir; **~́ьник** *m* [1] fir wood (*or* greens *pl.*).
ёмк|ий [16; ёмок, ёмка] capacious; **~ость** *f* [8] capacity; ме́ра ~ости cubic measure.
Енисе́й *m* [3] Yenisei (*Siber. river*).
ено́т *m* [1] raccoon.
епи́скоп *m* [1] bishop.
ерала́ш F *m* [1] mess, muddle, jumble.
е́ре|сь *f* [8] heresy; **~ти́к** *m* [1 *e.*] heretic.
ёрзать F [1] fidget; slip.
еро́шить [16] = взъеро́шивать, *s.*
ерунда́ F *f* [5] nonsense; trifle(s).
е́сли if, in case; once (*a.* ~ уж[е́]); a *or* и ~ if ever; whereas; ~ и *or* (да́)же even though; ах *or* о, ~ б(ы) ... oh, could *or* would ...; ~ бы не but for; ~ то́лько provided.
есте́ств|енный [14 *sh.*] natural; **~о́** *n* [9] nature; **~ове́д** *m* [1] naturalist, scientist; **~ове́дение, ~озна́ние** *n* [12] natural science; **~оиспыта́тель** *m* [4] *s.* ~ове́д.
есть[1] [ем, ешь, ест, еди́м, еди́те, едя́т; ешь(те)!; ел; ...е́денный] **1.** ⟨съ-, по-⟩ eat (*pf. a.* up), have; **2.** ⟨разъ-⟩ eat away (*rust*); ⚗ corrode; bite; **3.** F ⟨по-, разъ-⟩ bite, gnaw, sting; P torment.
есть[2] *cf.* быть; am, is, are; there is (are); у меня́ ~ ... I have ...; так и ~ indeed!; ~ тако́е де́ло! F O.K.; ~! ⚔ yes, sir!
ефре́йтор ⚔ *m* [1] private first class, *Brt.* lance-corporal.
е́ха|ть [е́ду, е́дешь; поезжа́й!], ⟨по-⟩ (be) go(ing, *etc.*) (by T), ride, drive (in, on T *or* в, на П); come; run; (в, на B) leave (for), go (to); (за T) go for, fetch; по~ли! *s.* идти́.
ехи́д|ный [14; -ден, -дна] spiteful, malignant; **~ство** *n* [9] spite, malice.
ещё (не) (not) yet; (всё) ~ still (*a. with comp.*); another, more (& more ~ и ~); ~ раз once more; else; already; as early (late, *etc.*) as; possibly, probably; more or less, somewhat; ~ бы! (to be) sure!, I should think so!, of course!; it would be worse still if ...

Ж

ж *s.* же.
жа́б|а *f* [5] toad; грудна́я ~а angina pectoris; **~ра** *f* [5] gill.
жа́воронок *m* [1; -нка] (sky)lark.
жа́дн|ичать F [1], ⟨по-⟩ be greedy *or* avaricious; **~ость** *f* [8] greed (-iness), avarice; **~ый** [14; -ден, -дна́, -о] greedy (of на В, до Р, к Д), avaricious.
жа́жда *f* [5] thirst (*a. fig.* for Р, *or inf.*); **~ть** [-ду, -дешь] thirst, crave (for Р, *or inf.*).
жаке́т *m* [1], F **~ка** *f* [5; *g/pl.*: -ток] jacket.
жале́ть [8], ⟨по-⟩ **1.** pity; (о П) regret; **2.** (Р *or* В) spare; grudge.
жа́лить [13], ⟨у-⟩ sting, bite.
жа́лк|ий [16; -лок, -лка́, -о; *comp.*: жа́льче] pitiable; miserable, wretched; ~о *s.* жаль.
жа́ло *n* [9] sting (*a. fig.*).
жа́лоб|а *f* [5] complaint; ⚖ action; **~ный** [14; -бен, -бна] mournful, plaintive; (of) complaint(s).
жа́лова|нье *n* [10] pay, salary; reward; **~ть** [7], ⟨по-⟩ (Т) reward, award; give; appoint (в И *pl.*); F like; come (to see a p. к Д); **-ся** (на В) complain (of); F inform (against); ⚖ sue, go to law.
жа́лост|ливый F [14 *sh.*] compassionate; sorrowful; **~ный** F [14; -тен, -тна] mournful; compassionate; **~ь** *f* [8] pity, compassion.
жаль it is a pity (как ~ what a pity); unfortunately; (Д ~ В): мне ~ его́ I am sorry for (*or* pity) him; *a.* regret; grudge.
жар *m* [1; в -у́] heat; fever; *fig.* ardo(u)r; **~а́** *f* [5] heat, hot weather; **́~еный** [14] fried; roast(ed); *s. a.* ~ко́е; **́~ить** [13], ⟨за-, из-, Р с-⟩ roast; fry; F (*sun*) burn; **́~кий** [16; -рок, -рка́, -о; *comp.*: жа́рче] hot; *fig.* ardent, vehement, intense; мне ́~ко I am hot; **~ко́е** *n* [16] roast meat.
жа́т|ва *f* [5] harvest; crop; **~венный** [14] reaping.
жать[1] [жму́, жмёшь; ...жа́тый], ⟨с-⟩, *cf.*, *&* ⟨по-⟩ press, squeeze (*a.* out); shake (hands with ру́ку Д); pinch (*shoes, etc.*); F *fig.* oppress; **-ся** shrink (with от Р); crowd; snuggle; F vacillate; **~**[2] [жну, жнёшь; ... жа́тый], ⟨с-⟩ [сожну́], ⟨по-⟩ reap, harvest.
жва́ч|ка *f* [5] rumination; cud; Р chewing gum (*or* tobacco); **~ный** [14]: ~ные (живо́тные) *n/pl.* ruminants.
жгут *m* [1 *e.*] strap.
жгу́чий [17 *sh.*] burning; poignant.
ж. д. *abbr.*: желе́зная доро́га; *cf.* R. R., Ry.
ждать [жду, ждёшь; ждал, -а́, -о], ⟨подо-⟩ wait (for Р); expect, await; вре́мя не ждёт time presses; ~ не дожда́ться wait impatiently (for Р).
же 1. *conj.* but, and; whereas, as to; **2.** = ведь, *cf.*; *a.* do + *vb.*; the (this) very, same (*a.* place, time, *etc.*); just; too; *interr.* ever, on earth; for goodness' sake.
жева́|ть [7 *e.*; жую́, жуёшь] chew; **~тельный** [14] masticatory; chewing.
жезл *m* [1 *e.*] staff, rod, wand.
жела́|ние *n*. [12] wish, desire; по (согла́сно) ~нию at, by (as) request(ed); **~нный** [14] desired, long wished for; welcome; beloved; **~тельный** [14; -лен, -льна] desirable; desired; мне ~тельно I am anxious to; **~ть** [1], ⟨по-⟩ wish (a p. s. th. Д/Р), desire; love; **~ющие** *pl.* [17] p.s wishing to ...
желе́ *n* [*indecl.*] jelly (*a. fish, meat*).
железа́ *f* [5; *pl.*: же́лезы, желёз, железа́м] gland.
желез|нодоро́жник *m* [1] railroad (*Brt.* railway-) man; **~нодоро́жный** [14] railroad..., *Brt.* railway...; **́~ный** [14] iron...; rail...; **́~о** *n* [9] iron; кро́вельное ́~о sheet iron; куй ́~о, пока́ горячо́ strike while the iron is hot; **~обето́н** *m* [1] reinforced concrete.
жёлоб *m* [1; *pl.*: -ба́, *etc. e.*] gutter.
желт|е́ть [8], ⟨по-⟩ grow *or* turn yellow; *impf.* (*a.* **-ся**) appear *or* show yellow; **~изна́** *f* [5] yellow (-ness); **~ова́тый** [14 *sh.*] yellowish; **~о́к** *m* [1; -тка́] yolk; **~у́ха** *f* [5] jaundice.
жёлтый [14; жёлт, -а́, -о] yellow.
желу́до|к *m* [1; -дка] stomach; **~чный** [14] gastric, stomachic(al).
жёлудь *m* [4; *from g/pl. e.*] acorn.
жёлч|ный [14] gall...; [жёлчен,

-чна, -о] bilious (*a. fig.*); **~ь** *f* [8] bile, gall (*a. fig.*); grief.

жема́н|иться F [13] mince; be prim; **~ница** F *f* [5] prude; **~ный** [14; -а́нен, -а́нна] affected, mincing, prim; **~ство** *n* [9] primness, prudery.

же́мч|уг *m* [1; *pl.:* -га́, *etc. e.*] *coll.* pearls *pl.*; **~у́жина** *f* [5] pearl; **~у́жный** [14] pearl(y).

жен|а́ *f* [5; *pl. st.:* жёны] wife; † woman; **~а́тый** [14 *sh.*] married (*man*; to a p. на П); **~и́ть** [13; женю́, же́нишь] (*im*)*pf.* marry (*a man* to на П); **-ся** marry (*v/t.* на П; *of men*); **~и́тьба** *f* [5] marriage (to на П); **~и́х** [1 *e.*] fiancé; bridegroom; suiter; F marriageable young man; **~олю́б** *m* [1] lady-killer, ladies' man; **~оненави́стник** *m* [1] woman hater **~оподо́бный** [14; -бен, -бна] womanlike; **∠ский** [16] female, woman('s) *or* women's; girls'; *gr.* feminine; **∠ственный** [14 *sh.*] womanly; womanish, effeminate; **∠щина** *f* [5] woman.

жердь *f* [8; *from g/pl. e.*] pole.

жереб|ёнок *m* [2] foal, colt; **~е́ц** *m* [1; -бца́] stallion.

жерло́ *n* [9; *pl. st.*] crater; aperture, mouth; muzzle (*gun, etc.*).

жёрнов *m* [1; *pl. e.:* -ва́] millstone.

же́ртв|а *f* [5] sacrifice; (*p.*:) victim; **~овать** [7], ⟨по-⟩ (Т) sacrifice (*v/t.*; o.s. собо́й); (В) give; **~оприноше́ние** *n* [12] offering.

жест *m* [1] gesture; **~икули́ровать** [7] gesticulate.

жёсткий [16; -ток, -тка́, -о; *comp.*: -тче] hard; rough, rude, coarse, harsh (*a. fig.*); tough; stiff, rigid, severe, rigorous; ~ ваго́н (ordinary) passenger car, *Brt.* second--class carriage.

жесто́к|ий [16; жесто́к, -а́, -о] cruel; terrible, dreadful, fierce, grim; rigorous, violent; **~осе́рдие** *n* [12] hard-heartedness; **~ость** *f* [8] cruelty; severity.

жест|ь *f* [8] tin (plate); **~я́нка** *f* [5; *g/pl.:* -нок] can, *Brt.* tin; **~яно́й** [14] tin...; **~я́нщик** *m* [1] tinsmith.

жето́н *m* [1] counter; medal; token.

жечь, ⟨с-⟩ [26 г/ж: (со)жгу́, -жжёшь, -жгу́т; (с)жёг, (со)жгла́; сожжённый] burn (*a. fig.*); torment.

живи́т|ельный [14; -лен, -льна] vivifying; crisp (*air*); **~ь** [14 *e.*; живлю́, -ви́шь], ⟨о-⟩ vivify, animate.

жив|о́й [14; жив, -а́, -о] living; alive (*pred.*); lively, vivid, vivacious; quick, nimble; real, true; в **~ы́х** alive; ~ и здоро́в safe & sound; ни ~ ни мёртв more dead than alive; заде́ть за **~о́е** sting to the quick; **~опи́сец** *m* [1; -сца] painter; **~опи́сный** [14; -сен, -сна] picturesque; **∠опись** *f* [8] painting; **∠ость** *f* [8] vivacity; vividness.

живо́т *m* [1 *e.*] belly; P stomach; † life; **~во́рный** [14; -рен, -рна] vivifying; **~ново́дство** *n* [9] cattle breeding; **~ное** *n* [14] animal; **~ный** [14] animal; *fig.* brutal.

жив|отрепе́щущий [17] living (*fish*); *fig.* burning; **~у́чий** [17 *sh.*] hardy, tough; enduring; **~ьём** P alive.

жи́дк|ий [16; -док, -дка́, -о; *comp.*: жи́же] liquid, fluid; watery, weak, thin; sparse, scanty; **~ость** *f* [8] liquid; scantiness.

жи́ж|а, ~ица F *f* [5] slush; broth.

жи́зне|нность *f* [8] viability; vitality; vividness; **~нный 1.** [14 *sh.*] (of) life('s), worldly; vivid; living; **2.** [14] vital; **~описа́ние** *n* [12] biography; **~ра́достный** [14; -тен, -тна] cheerful, merry; **~спосо́бный** [14; -бен, -бна] viable.

жизн|ь *f* [8] life; practice; в **~ь** (**∠и**) не ... never (in one's life); при **∠и** in a p.'s lifetime; alive; не на **~ь**, а на смерть of life & death.

жи́л|а *f* [5] F sinew, tendon; vein (*a.* ⚒); **~е́т** *m* [1], **~е́тка** *f* [5; *g/pl.:* -ток] vest, *Brt.* waistcoat; **~е́ц** *m* [1; -льца́] lodger, roomer; inmate; † = жи́тель; **~истый** [14 *sh.*] sinewy, stringy (*a. meat*), wiry; **~и́ще** *n* [11] dwelling, lodging(s); **~и́щный** [14] housing; **~ка** *f* [5; *g/pl.:* -лок] *dim. of* **~а**; veinlet; vein (*leaf, wing, marble, & fig.*); **~о́й** [14] dwelling; inhabited; living, *cf.* **~пло́щадь** *f* [8] living space; **~ьё** *n* [10] habitation; F dwelling.

жир *m* [1; в -у́; *pl. e.*] fat; grease; ры́бий ~ cod-liver oil; **~е́ть** [8], ⟨о-, раз-⟩ grow fat; **∠ный** [14; -рен, -рна́, -о] fat; (of) grease, greasy; ♀ fleshy; *fig.* rich; *typ.* bold -(-faced); **∠о** ☤ *n* [*indecl.*] endorsement; **~ово́й** [14] fat(ty).

жит|е́йский [16] worldly, (of)

life('s); everyday; **˙～ель** *m* [4], **～ельница** *f* [5] inhabitant, resident; **～ельство** *n* [9] residence; вид на ～ельство residence (*or* stay) permit; **～ие́** *n* [12] life (*a. of a saint*).
жи́тница *f* [5] granary.
жить [живу́, -вёшь; жил, -а́, -о; не́ жил(и)] live (Т, на В [up]on; Т *a.* for); reside, lodge; exist, be; как живёте? how are you (getting on)?; жи́л(и)-бы́л(и) ... once upon a time there was (were) ... (*in fairy tales*); **～ся:** ему́ хорошо́ живётся he is well off; **～ё(-бытьё)** F *n* [10] life, living; residence, stay; (Д) be well off.
жму́рить [13], ⟨за-⟩ screw up *or* contract (one's eyes **-ся**; blink).
жн|е́йка *f* [5; *g/pl.:* -е́ек], **～ея́** *f* [6] reaping machine, harvester; **～ец** *m* [1 *e.*] reaper; **～ивьё** *n* [10; *pl.*: жни́вья, -вьев] stubble(s); **～и́ца** *f* [5] reaper.
жо́л..., жо́р... *s.* жёл..., жёр...
жрать P [жру, жрёшь; жрал, -а́, -о], ⟨со-⟩ eat; devour, gorge, gobble.
жре́бий *m* [3] lot (*a. fig.* = destiny); броса́ть (тяну́ть) ～ cast (draw) lots; ～ бро́шен the die is cast.
жрец *m* [1 *e.*] (*pagan*) priest (*a. fig.*).
жужжа́|ние *n* [12], **～ть** [4 *e.*; жужжу́, -и́шь] buzz, hum.
жу|к *m* [1 *e.*] beetle; ма́йский ～к cockchafer; P = **～лик** F *m* [1] swindler, cheat(er), trickster; filcher, pilferer; **～льничать** F [1], ⟨с-⟩ cheat, trick.
жу́пел *m* [1] bugaboo, bugbear.
жура́вль *m* [4 *e.*] (*zo., well*) crane.
жури́ть F [13], ⟨по-⟩ scold, rebuke.
журна́л *m* [1] magazine, periodical, journal; diary; ⚓ log(book); **～и́ст** *m* [1] news(paper)man, journalist; **～и́стика** *f* [5] journalism.
журча́|ние *n* [12], **～ть** [-чи́т] purl, murmur.
жу́т|кий [14; -ток, -тка́, -о] weird, uncanny, dismal, sinister; мне ～ко I am terrified; **～кость,** F **～ь** *f* [8] dismay, dread(ful P *pred.*).
жю́ри *n* [*indecl.*] jury (*prizes*).

З

за 1. (В): (*direction*) behind; over, across, beyond; out of; (*distance*) at; (*time*) after; over, past; before (*a.* ～ ... до Р); (with)in, for, during; (*object*[*ive*], *favo*[*u*]*r*, *reason*, *value*, *substitute*) for; ～ то, что because; ～ что? what for?, why?; **2.** (Т): (*position*) behind; across, beyond; at, over; after (*time & place*); because of; with; ～ мной ... *a.* I owe ...; ко́мната ～ мной I take (reserve) the room.
заба́в|а *f* [5] amusement, entertainment; **～ля́ть** [28], ⟨(по)～ить⟩ [13] amuse (**-ся** o.s., be amused at Т); **～ник** F *m* [1] joker, wag; **～ный** [14; -вен, -вна] amusing, funny.
забасто́в|ка *f* [5; *g/pl.*: -вок] strike, walkout; **～очный** [14] strike ...; **～щик** *m* [1] striker.
забве́ние *n* [12] oblivion.
забе|га́ть [1], ⟨～жа́ть⟩ [4; забегу́, -ежи́шь, -егу́т; -еги́!] run in(to), get; run off, away; F drop in (on к Д); ～га́ть вперёд forestall.
заб|ива́ть [1], ⟨～и́ть⟩ [-бью́, -бьёшь; *cf.* бить] drive in; nail up; stop up, choke (up); block (up); F outdo, beat; (*fountain*) spout forth; sound (*alarm*); F stuff (*head*); take (*into one's head*); **-ся** F hide, get; *pf.* begin to beat.
заб|ира́ть [1], ⟨～ра́ть⟩ [-беру́, -рёшь; *cf.* брать] take (*a.*, F, away); capture, (*a. fig.*) seize; arrest; put (into); turn, steer; (Т) close, partition (off); **-ся** climb *or* creep (in, up); steal in, penetrate; hide; get (far off).
заби́|тый [14] browbeaten, cowed, (in)timid(ated); **～ть** *s.* ～ва́ть; **～я́ка** F *m/f* [5] bully, squabbler.
заблаго|вре́менно in (due) time, beforehand; **～вре́менный** [14] preliminary; timely; **～рассу́диться** [15; *impers., with* Д] think fit.

забл|уди́ться [15] *pf.* lose one's way, go astray; **~у́дший** [17] lost; stray; **~ужда́ться** [1] be mistaken, err; **~ужде́ние** *n* [12] error, mistake; ввести́ в ~ужде́ние mislead.

забол|ева́ть [1], ⟨~е́ть⟩ [8] fall sick *or* ill (of T), be taken ill with; ache; *su.*: **~ева́ние** *n* [12] *a.* = боле́знь.

забо́р *m* [1] fence; **~ный** [14] fence...; *fig.* vulgar, trashy.

забо́т|а *f* [5] care (about, of о П), concern, anxiety, worry, trouble; без ~ careless; carefree; **~иться** [15], ⟨по-⟩ (о П) care (for), take care of, look after; worry, be anxious (about); **~ливый** [14 *sh.*] careful, provident; attentive; anxious, solicitous.

забр|а́сывать [1] **1.** ⟨~оса́ть⟩ (T) fill up; heap (*a. fig.* = overwhelm); pelt (*stones*); bespatter (*dirt*); **2.** ⟨~о́сить⟩ [15] throw, fling, (*a. fig.*) cast; neglect, give up; **~а́ть** *s.* забира́ть; **~еда́ть** [1], ⟨~ести́⟩ [25] wander *or* get ([in]to, far); **~оса́ть, ~о́сить** *s.* ~а́сывать; **~о́шенный** [14] deserted; unkempt.

забры́згать [1] *pf.* splash, sprinkle.

заб|ыва́ть [1], ⟨~ы́ть⟩ [-бу́ду, -дешь] forget (*o.s.* **-ся**; *a.* nap, doze); **~ы́вчивый** [14 *sh.*] forgetful; **~ытьё** *n* [12; в -тьи́] unconsciousness, swoon; drowsiness; slumber; reverie; frenzy.

зава́л *m* [1] heap, drift; obstruction, abatis; **~ивать** [1], ⟨~и́ть⟩ [13; -алю́, -а́лишь] fill *or* heap (up); cover; block, obstruct, close; F overburden (*with work, etc.*); **-ся** fall; sink; collapse.

зава́р|ивать [1], ⟨~и́ть⟩ [13; -арю́, -а́ришь] boil (*a.* down), make (*tea*); scald; P *fig.* concoct.

зав|еде́ние *n* [12] establishment, institution; (закры́тое) учёбное ~еде́ние (boarding) school; **~е́довать** [7] (T) be in charge *or* the head (chief) of, manage; **~е́домый** [14] notorious, indubitable; ~е́домо knowingly; admittedly, certainly; **~е́дующий** [17] (T) chief, head; director; **~езти́** *s.* ~ози́ть.

зав|ере́ние *n* [12] assurance; **~е́рить** *s.* ~еря́ть; **~ерну́ть** *s.* ~ёртывать; **~ерте́ть** [11; -ерчу́, -е́ртишь] *pf.* start turning (*v/i.* **-ся**); **~ёртывать** [1], ⟨~ерну́ть⟩ [20] wrap (up); turn (*a.* up; off, screw up); F drop in; **~ерша́ть** [1], ⟨~ерши́ть⟩ [16 *e.*; -шу́, -ши́шь; -шённый] finish, complete, accomplish; crown; **~ерше́ние** *n* [12] conclusion, end; completion; **~еря́ть** [28], ⟨~е́рить⟩ [13] assure (a p. of В/в П); attest, authenticate.

заве́|са *f* [5] curtain; screen (*a.* ⚔); *fig.* veil; **~сить** *s.* ~шивать; **~сти́** *s.* заводи́ть.

заве́т *m* [1] legacy; precept, maxim; vow; *Bibl.* (Ве́тхий Old, Но́вый New) ~ Testament; **~ный** [14] sacred; dear, precious; fond; cherished; intimate; † forbidden.

заве́|шивать [1], ⟨~сить⟩ [15] cover, hang with, curtain.

завеща́|ние *n* [12] testament, will; **~ть** [1] (*im*)*pf.* bequeath; instruct, leave as precept.

завзя́тый F [14] inveterate; enthusiastic; true, genuine.

зав|ива́ть [1], ⟨~и́ть⟩ [-вью́, -вьёшь; *cf.* вить] wave, curl; wind round; **~и́вка** *f* [5; *g/pl.*: -вок] waving; холо́дная (шестиме́сячная) ~и́вка water (permanent) wave.

зави́д|ный [14; -ден, -дна] enviable, desirable; envious (of Д/И); **~овать** [7], ⟨по-⟩ envy (a p. a th. Д/в П), be envious (of).

зави́н|чивать [1], ⟨~ти́ть⟩ [15 *e.*; -инчу́, -инти́шь] screw up.

зави́с|еть [11] depend (on от Р); **~имость** *f* [8] dependence; в ~имости от (Р) depending on; **~имый** [14 *sh.*] dependent.

зави́ст|ливый [14 *sh.*] envious, jealous; **'~ь** *f* [8] envy (of, at к Д).

зави|то́й [14] curly; **~то́к** *m* [1; -тка́] curl, ringlet; flourish; **~ть** *s.* ~ва́ть.

завко́м *m* [1] (заводско́й комите́т) works council.

завлад|ева́ть [1], ⟨~е́ть⟩ [8] (T) take possession *or* hold of, seize.

завл|ека́тельный [14; -лен, -льна] enticing, tempting; **~ека́ть** [1], **~е́чь** [26] (al)lure, entice, tempt; involve; carry away.

заво́д[1] *m* [1] works, factory, plant (at/to на П/В); stud (*a.* ко́нский ~); ~[2] winding mechanism; *typ.* edition; **~и́ть** [15], ⟨завести́⟩ [25] take, bring, lead; put; establish, set up, found (*business, etc.*); form, contract (*habit, friendship, etc.*); get, procure,

acquire (*things*); start (*a. motor*), begin (*talk, dispute, etc.*; *a.* to keep [*animals*]); wind up (*watch, etc.*); **-ся,** ⟨завестись⟩ appear; nest; get, have; **~но́й** [14] ⊕ starting; mechanical (*toy*); **~ский, ~ско́й** [16] works..., factory...; stud...
заво|ева́ние *n* [12] conquest; *fig.* (*mst pl.*) achievement(s); **~ева́тель** *m* [4] conqueror; **~ёвывать** [1], ⟨~ева́ть⟩ [6] conquer; win, gain.
зав|ози́ть [15], ⟨~езти́⟩ [24] take, bring, drive; leave, F deliver.
завол|а́кивать [1], ⟨~о́чь⟩ [26] cover, overcast; get cloudy.
завор|а́чивать [1], ⟨~оти́ть⟩ [15] turn (in, up, down, about); direct.
завсегда́тай *m* [3] habitué.
за́втра tomorrow; **~к** *m* [1] breakfast (at за Т; for на В, к Д); (второ́й ~к) lunch; **~кать** [1], ⟨по-⟩ (have, take) breakfast (lunch); **~шний** [15] tomorrow's; ~шний день *m* tomorrow; *fig.* (near) future.
завыва́ть [1], ⟨завы́ть⟩ [22] howl.
зав|яза́ть¹ [3], ⟨~я́знуть⟩ [21] sink in, stick; F *fig.* get stuck *or* involved in; **~яза́ть²** *s.* ~я́зывать; **~я́зка** *f* [5; *g/pl.:* -зок] string, tie; beginning, starting point; entanglement, plot; **~я́зывать** [1], ⟨~яза́ть⟩ [3] tie (up), bind, fasten; *fig.* begin, start; entangle, knit (*plot*); **~язь** ⚘ *f* [8] ovary; **~я́нуть** *s.* вя́нуть.
заг|ада́ть *s.* ~а́дывать; **~а́дить** *s.* ~а́живать; **~а́дка** *f* [5; *g/pl.:* -док] riddle, enigma; **~а́дочный** [14; -чен, -чна] enigmatic(al); mysterious; **~а́дывать** [1], ⟨~ада́ть⟩ [1] propose (*a riddle*); try to find out (*by a guess, fortunetelling, etc.*); F fix upon; plan; **~а́живать** F [1], ⟨~а́дить⟩ [15] soil, befoul.
зага́р *m* [1] sunburn, tan.
загво́здка F *f* [5; *g/pl.:* -док] hitch, trouble.
заги́б *m* [1] bend; dog-ear (*page*); *pol.* deviation; **~а́ть** [1], ⟨загну́ть⟩ [20] bend, fold (over), turn (up).
загла́в|ие *n* [12] title (*book, etc.*); **~ный** [14] title...; ~ная бу́ква *f* capital letter.
загла́|живать [1], ⟨~дить⟩ [15] smooth; press, iron; *fig.* make up (*or* amends) for, expiate.
загл|о́хнуть *s.* гло́хнуть 2.; **~о́хший** [17] deserted, desolate; **~уша́ть** [1], ⟨~ушить⟩ [16] *s.* глуши́ть 2.
загля́|дывать [1], ⟨~ну́ть⟩ [19] glance; peep; look (through, up); have a look (at); F drop in *or* call (on к Д); **~дываться** [1], ⟨~де́ться⟩ [11] (на В) gaze, gape *or* stare (at), feast one's eyes *or* gloat ([up]on).
заг|на́ть *s.* ~оня́ть; **~ну́ть** *s.* ~ибать; **~ова́ривать** [1], ⟨~овори́ть⟩ [13] **1.** *v/i.* begin, start (*or* try) to talk *or* speak; **2.** *v/t.* tire with one's talk; exorcise; **3. -ся** F drivel, talk nonsense; be(come) confused; talk (too) long, much; **~овор** *m* [1] conspiracy, plot; exorcism; составля́ть ~овор conspire, plot; **~овори́ть** *s.* ~ова́ривать; **~ово́рщик** *m* [1] conspirator.
заголо́вок *m* [1; -вка] heading, title.
заго́н *m* [1] enclosure; быть в ~е F suffer neglect; **~я́ть** [28], ⟨загна́ть⟩ [-гоню́, -го́нишь; *cf.* гнать] drive (in, off); exhaust, fatigue.
загор|а́живать [1], ⟨~оди́ть⟩ [15 & 15 *e.*; -рожу́, -ро́ди́шь] enclose, shut in; block (up), bar (*way*); **-ся** fence, protect; **~а́ть** [1], ⟨~е́ть⟩ [9] become sunburnt; **-ся** catch *or* take fire; light up, kindle, flash; blush, blaze up; *fig.* (get) inflame(d); break out; **~е́лый** [14] sunburnt; **~оди́ть** *s.* ~а́живать; **~о́дка** F *f* [5; *g/pl.:* -док] fence, enclosure; partition; **'~одный** [14] country (*house, etc.*); out-of-town.
загот|а́вливать [1] & **~овля́ть** [28], ⟨~о́вить⟩ [14] prepare; store up; lay in (*stock*); **~о́вка** *f* [5; *g/pl.:* -вок], **~овле́ние** *n* [12] storage, laying in (*stocks, supplies*).
загра|ди́тельный [14] ⚔ curtain (*fire*), barrage (*a. balloon*); **~жда́ть** [1], ⟨~ди́ть⟩ [15 *e.*; -ажу́, -ади́шь; -аждённый] block (up), bar; **~жде́ние** *n* [12] block(ing), obstruction; про́волочное ~жде́ние wire entanglement.
загранѝчный [14] foreign; ... abroad.
загре|ба́ть [1], ⟨~сти́⟩ *s.* грести́.
загро́бн|ый [14] sepulchral (*voice*); ~ый мир *m* the other world; ~ая жизнь *f* the beyond.
загромо|жда́ть [1], ⟨~зди́ть⟩ [15 *e.*; -зжу́, -зди́шь; -мождённый] block (up), (en)cumber, crowd; overload; **~жде́ние** *n* [12] blocking; overloading.
загрубе́лый [14] callous, coarse.
загр|ужа́ть [1], ⟨~узи́ть⟩ [15 &

15 *e.*; -ужу́, -у́зишь] (T) load; ⊕ charge; F busy, assign work to; be occupied (*or* taken) by work (*time*); **~у́зка** *f* [5] load(ing, *etc.*), charge; **~ыза́ть** [1], ⟨~ы́зть⟩ [24; *pt. st.*; загры́зенный] bite (*fig.* worry) to death, kill.

загрязн|е́ние *n* [12] soiling; pollution; infection; **~я́ть** [28], ⟨~и́ть⟩ [13] (**-ся** become) soil(ed), pollute(d) (*water, etc.*), infect(ed) (*air*).

загс *m* [1] (*abbr.*: отде́л за́писей а́ктов гражда́нского состоя́ния) registrar's (registry) office.

зад *m* [1; на -у́; *pl. e.*] back, rear *or* hinder part; posterior(s), rump; *pl.* F things already (well-)known *or* learned; *~*ом напере́д back to front.

зад|а́бривать [1], ⟨~о́брить⟩ [13] (B) insinuate o.s. (with), gain upon.

зад|ава́ть [5], ⟨~а́ть⟩ [-да́м, -да́шь, *etc.*, *cf.* дать; за́дал, -а́, -о; за́данный (за́дан, -а́, -о)] set, assign (*task*); give (*a.* ♪ *keynote*), F dress (down); ask (*question*); **-ся** [*pt.*: -да́лся, -ла́сь] це́лью (мы́слью) take it into one's head, set one's mind on doing s.th.; F happen to be.

зада́в|ливать [1], ⟨~и́ть⟩ [14] crush; run over, knock down; *fig.* suppress; P strangle, kill.

зада́ние *n* [12] assignment, task; (com)mission (*a.* ⚔); дома́шнее ~ homework.

зада́ток *m* [1; -тка] earnest money; deposit; *pl.* rudiments.

зада́|ть *s.* ~ва́ть; **~ча** *f* [5] problem (*a.* ♞); task; object(ive), aim, end; **~чник** *m* [1] book of problems.

задв|ига́ть [1], ⟨~и́нуть⟩ [20] push (into, *etc.*); shut (*drawer*); draw (*curtain*); slide (*bolt*); **~и́жка** [5; *g/pl.*: -жек] bolt; **~ижно́й** [14] sliding (*door*); sash (*window*).

задво́рки *f/pl.* [*gen.*: -рок] backyards.

зад|ева́ть [1], ⟨~е́ть⟩ [-е́ну, -е́нешь; -е́тый] be caught (by за B), brush against, touch (*a. fig.*, [up]on); excite; hurt, wound; ⚕ affect; **~е́лывать**, ⟨~е́лать⟩ [1] stop up, choke (up); wall up.

задёр|гать [1] *pf.* overdrive; F harrass; **~гивать** [1], ⟨~нуть⟩ [20] draw (*curtain*); cover.

задержа́ние *n* [12] arrest.

заде́рж|ивать [1], ⟨~а́ть⟩ [4] detain, hold back *or* up, stop; delay, check; arrest; slow down; **-ся** stay; be delayed; linger; stop; be late; **~ка** *f* [5; *g/pl.*: -жек] delay; (*a.* ⊕) trouble, break.

задёрнуть *s.* задёргивать.

заде́ть *s.* задева́ть.

зад|ира́ть F [1], ⟨~ра́ть⟩ [-деру, -рёшь; *cf.* драть] lift *or* pull (up); stretch; *impf.* provoke, vex, pick a quarrel (with); ~(и)ра́ть нос be haughty, turn up one's nose.

за́дний [15] back, hind(er); reverse (*gear*).

задо́лго (до P) long before.

зад|олжа́ть F [1] *pf.* run into debt; owe (money); **~о́лженность** *f* [8] debts *pl.*, indebtedness.

за́дом backward(s); *cf.* зад.

задо́р *m* [1] fervo(u)r; quick temper; provocative tone *or* behavio(u)r; **~ный** [14; -рен, -рна] fervent; provoking, teasing; frolicsome.

задра́ть *s.* задира́ть.

зад|ува́ть [1], ⟨~у́ть⟩ [18] blow out; F begin to blow; *impf.* blow (in).

заду́|мать *s.* ~мывать; **~мчивый** [14 *sh.*] thoughtful, pensive; **~мывать** [1], ⟨~мать⟩ conceive; resolve, decide; plan, intend; **-ся** think (about, of о П); reflect, meditate (on над T); begin to think, (be) engross(ed, lost) in thought(s); hesitate; **~ть** *s.* ~ва́ть.

задуше́вный [14] heart-felt, warm-hearted, affectionate; intimate, in(ner)most.

зад|ыха́ться [1], ⟨~охну́ться⟩ [21] gasp, pant; choke (*a. fig.*, with от P).

зае́з|дить F [15] *pf.* fatigue, exhaust; **~жа́ть** [1], ⟨зае́хать⟩ [-е́ду, -е́дешь; -езжа́й!] call on (*on the way*), drive, go *or* come (to [see, *etc.*] к Д *or* into в B); pick up, fetch (за T); get; **~жий** [17] visitant.

заём *m* [1; за́йма] loan.

за|е́хать *s.* ~езжа́ть; **~жа́ть** *s.* ~жима́ть; **~же́чь** *s.* ~жига́ть.

заж|ива́ть [1], ⟨~и́ть⟩ [-иву́, -вёшь; за́жил, -а́, -о] **1.** heal (up); close, skin (over); **2.** *pf.* begin to live.

за́живо alive.

зажига́|лка *f* [5; *g/pl.*: -лок] (cigarette) lighter; **~ние** *n* [12] lighting; ignition; **~тельный** [14] incendiary (*bomb*, & *fig.*); **~ть** [1], ⟨заже́чь⟩ [26 г/ж: -жгу́, -жжёшь; *cf.* жечь] light, kindle (*a. fig.*); (*match a.*) strike; turn on (*light*);

-ся light (up), kindle.
зажи́м *m* [1] ⊕ clamp; *fig.* suppression; **~а́ть** [1], ⟨зажа́ть⟩ [-жму́, -жмёшь; -жа́тый] press, squeeze; clutch; *fig.* F (sup)press; stop (*mouth*), hold (*nose*), close (*ears*).
зажи́|точный [14; -чен, -чна] prosperous; **~точность** *f* [8] prosperity; **~ть** *s.* ~ва́ть.
заздра́вный [14] (to s.b.'s) health.
зазева́ться F [1] gape (at на В); be (-come) heedless, absent(-minded).
зазем|ле́ние *n* [12], **~ля́ть** [28], ⟨~ли́ть⟩ [13] ⚡ ground, *Brt.* earth.
зазна|ва́ться F [5], ⟨~ться⟩ [1] be (-come) presumptuous, put on airs.
заз|о́рный †, P [14; -рен, -рна] shameful, scandalous; **~ре́ние** *n* [12]: без ~ре́ния (со́вести) without remorse *or* shame.
зазу́бр|ивать [1] *s.* зубри́ть; **~ина** *f* [5] notch.
заи́грывать F [1], (с Т) flirt, coquet (with), make advances (to); ingratiate o.s. (with).
заи́к|а *m/f* [5] stutterer; **~а́ние** *n* [12] stutter; stammer; **~а́ться** [1], *once* ⟨~ну́ться⟩ [20] stutter; stammer; F (give a) hint (at о П), suggest, mention; stir; *pf.* stop short.
заи́мствова|ние *n* [12] borrowing, taking; loan word (*a.* ~нное сло́во); **~ть** [7] (*im*)*pf.*, *a.* ⟨по-⟩ borrow, take (over).
заи́ндевелый [14] frosty.
заинтересо́в|ывать(ся) [1], ⟨~а́ть (-ся)⟩ [7] (be[come]) interest(ed in Т), rouse a p.'s interest (in в П); я ~ан(а) I am interested (in в П).
заи́скивать [1] ingratiate o.s. (with у Р).
зайти́ *s.* заходи́ть.
за́йчик *m* [1] *dim. of* за́яц; F speck(le).
закабал|я́ть [28], ⟨~и́ть⟩ [13] enslave.
закавка́зский [16] Transcaucasian.
закады́чный F [14] bosom (*friend*).
зака́з *m* [1] order; дать ~ (на В/Д) ✝ place an order (for ... with); **~а́ть** *s.* ~ывать; на ~ = **~но́й** [14] made to order; ~но́й лес (p)reserve; ~но́е (письмо́) *n* registered (letter); **~чик** *m* [1] customer; **~ывать** [1], ⟨~а́ть⟩ [3] order (o.s. себе́); † forbid.
зака́л *m* [1], **~ка** *f* [5] ⊕ tempering; *fig.* hardening; endurance, hardiness; breed, kind; **~я́ть** [28], ⟨~и́ть⟩ [13] ⊕ temper; *fig.* harden; ~ённый tempered (*metal*); *fig.* hardened, tried, experienced.
зак|а́лывать [1], ⟨~оло́ть⟩ [17] kill, slaughter; stab; pin (up); у меня́ ~оло́ло в боку́ I have a stitch in the side; **~а́нчивать** [1], ⟨~о́нчить⟩ [16] finish, conclude; **~а́пывать** [1], ⟨~опа́ть⟩ [1] bury; fill up.
зака́т *m* [1] sunset; *fig.* decline; end; **~ывать** [1] **1.** ⟨~а́ть⟩ [1] roll up; **2.** ⟨~и́ть⟩ [15] roll (into, under, *etc.* в, под В); turn up (*eyes*); **-ся** roll; set (*sun, etc.*); *fig.* end; F burst (out laughing *or* into tears).
заква́|ска *f* [5] ferment; leaven; *fig.* F breed; **~шивать** [1], ⟨~сить⟩ [15] sour.
заки́|дывать [1] **1.** ⟨~да́ть⟩ [1] F fill up, cover; *fig.* ply, assail, pelt (with Т); **2.** ⟨~нуть⟩ [20] throw (in [-to], on, over, behind, *etc.* в, на, за ... В; *a.* out [*net*], back [*head*]); fling, (*a. fig.*) cast.
зак|ипа́ть [1], ⟨~ипе́ть⟩ [10; -пи́т] begin to boil; *cf.* кипе́ть; **~иса́ть** [1], ⟨~и́снуть⟩ [21] turn sour.
закла́д *m* [1] † = зало́г; *s. a.* би́ться; **~ка** *f* [5; *g/pl.*: -док] laying; walling (up); harnessing, putting to; bookmark; **~но́й** [14] pawn...; *su.* ~на́я *f* mortgage (bond); **~чик** *m* [1] pawner; pawnbroker; **~ывать** [1], ⟨заложи́ть⟩ [16] put (*a.* in, *etc.*), lay (*a.* out [*garden*], the foundation [stone] of, found), place; F mislay; heap, pile (with Т); wall up; pawn, pledge; harness, put (*horse*[*s*]) to, get ready (*carriage*); mark, put in (*bookmark*); *impers.* F obstruct (*hearing, nose*), press (*breast*).
закл|ёвывать [1], ⟨~ева́ть⟩ [6 *e.*; -клюю́, -юёшь] peck to death *or* wound (badly) (by pecking); F wreck, ruin; **~е́ивать** [1], ⟨~е́ить⟩ [13] glue *or* paste up (over); **~ёпка** *f* [5; *g/pl.*: -пок], **~ёпывать,** ⟨~епа́ть⟩ [1] rivet.
заклина́|ние *n* [12] conjuration, incantation; exorcism; **~тель** *m* [4] conjurer, exorcist; (*snake*) charmer; **~ть** [1] conjure, adjure.
заключ|а́ть [1], ⟨~и́ть⟩ [16 *e.*; -чу́, -чи́шь; -чённый] enclose, put; confine, imprison; conclude (= finish, with Т; = infer, from из Р, по Д — что; *v/t.*: *treaty*, [= make] *peace, etc.*); *impf.* (*a.* в себе́) contain; **~а́ться** [1] consist (in в П);

end (with T); **~éние** *n* [12[confinement, imprisonment (*a.* тюрéмное); conclusion; **~ённый** [14] prisoner; **~и́тельный** [14] final, concluding.
закля́тый [14] implacable; sworn.
закóв|ывать [1], ‹~áть› [7 *e.*; -кую́, -куёшь] put in (irons), chain; *fig.* freeze; prick (*horse*).
закол|áчивать F [1], ‹~оти́ть› [15] drive in; nail up; board up; *fig.* beat to death; thrash; **~дóвывать** [1], ‹~довáть› [7] enchant; bewitch, charm; ~дóванный круг *m* vicious circle; **~оти́ть** *s.* ~áчивать; **~óть** *s.* закáлывать.
закóн *m* [1] law; rule; ~ бóжий (God's) Law; religion (*form. school subject*); объяви́ть вне ~а outlaw; по (вопреки́) ~у according (contrary) to law; охраня́емый ~ом †/⚖ registered; **~ность** *f* [8] legality; law; **~ный** [14; -óнен, -óнна] legal, lawful, legitimate.
законо|вéд *m* [1] jurist, jurisprudent; **~дáтель** *m* [4] legislator; **~дáтельный** [14] legislative; **~дáтельство** *n* [9] legislation; **~мéрность** *f* [8] regularity; **~мéрный** [14; -рен, -рна] regular; **~положéние** *n* [12] regulation(s); **~проéкт** *m* [1] bill, draft.
закó|нчить *s.* закáнчивать; **~пáть** *s.* закáпывать; **~птéлый** [14] smoky; **~ренéлый** [14] deep-rooted, inveterate, ingrained; **~рю́чка** F *f* [5; *g/pl.*: -чек] flourish; trick, ruse; hitch; **~снéлый** [14] = ~ренéлый; **~ýлок** *m* [1; -лка] alleyway, (*Brt.*) (narrow) lane; nook; **~ченéлый** [14] (be)numb(ed), stiff.
закрá|дываться [1], ‹~стся› [25; *pt. st.*] creep in; **~шивать** [1], ‹~сить› [15] paint over.
закреп|лéние *n* [12] fastening; strengthening; securing; (за T) assignment (*a.* ⚖); ⚔ fortification; **~ля́ть** [28], ‹~и́ть› [14 *e*; -плю́, -пи́шь; -плённый] fasten, (*a. phot.*) fix; strengthen, consolidate, fortify (*a.* ⚔); secure; assign (to за T, *a.* ⚖); ⚒ strut.
закрепо|щáть [1], ‹~сти́ть› [15 *e.*; -ощу́, -ости́шь; -ощённый] enslave; **~щéние** *n* [12] enslavement.
закрóйщи|к *m* [1], **~ца** *f* [5] cutter.
закругл|éние *n* [12] rounding (off); curve; **~я́ть** [28], ‹~и́ть› [13] round (off).
закрý|чивать [1], ‹~ти́ть› [15] turn (round, off, up); twist.
закр|ывáть [1], ‹~ы́ть› [22] shut, close; lock (up); cover, hide; turn off (*tap*); ~ывáть глазá (на B) shut one's eyes (to); **~ы́тие** *n* [12] closing, close; **~ы́ть** *s.* ~ывáть; **~ы́тый** [14] closed; secret; boarding (*school*); high-necked (*dress*); в ~ы́том помещéнии indoor(s).
закули́сный [14] (lying *or* passing) behind the scenes; secret.
закуп|áть [1], ‹~и́ть› [14] buy (*a.* in), purchase; **ˈка** *f* [5; *g/pl.*: -пок] purchase.
закýпор|ивать [1], ‹~ить› [13] cork (up), (*cask*) bung (up); **~ка** *f* [5; *g/pl.*: -рок] corking; ⚕ embolism; constipation.
закýпщик [1] purchasing agent, buyer.
закýр|ивать [1], ‹~и́ть› [13; -урю́, -ýришь] light (*cigar, etc.*), begin to smoke; F (blacken with) smoke; ~и́(те)! have a cigar(ette)!
закýс|ка *f* [5; *g/pl.*: -сок] snack, lunch; hors d'oeuvres; на ~ку *a.* for the last bit; **~óчная** *f* [14] lunchroom, snackbar; **~ывать** [1], ‹~и́ть› [15] bite (*a. one's lip*[*s*]); take *or* have a snack, lunch; eat (s.th. [with, after a drink] T); ~и́ть язы́к stop short, hold one's tongue.
закýт|ывать, ‹~ать› [1] wrap up.
зал *m* [1], † **ˈа** *f* [5] hall; room.
зал|егáние *n* [12] *geol.* deposit(ion); **~егáть** [1], ‹~éчь› [26; -ля́гу, -ля́жешь] lie (down); hide; *fig.* root; ⚕ be obstructed (with phlegm).
заледенéлый [14] icy; numb.
зал|ежáлый [14] stale, spoiled (by long storage); ~ежáлый товáр *m* drug; **~ёживаться** [1], ‹~ежáться› [4 *e.*; -жу́сь, -жи́шься] lie (too) long (*a. goods, & spoil thus*), stale; **ˈежь** *f* [8] *geol.* deposit; ⛏ fallow.
зал|езáть [1], ‹~éзть› [24 *st.*] climb up, in(to), *etc.*; hide; steal *or* get in(to); **~епля́ть** [28], ‹~епи́ть› [14] stop, close; glue *or* paste up; stick over; **~етáть** [1], ‹~етéть› [11] fly in(to), up, far off, beyond; come, get; **~ётный** [14] stray(ing); migratory (*bird*); F visitant.
залéч|ивать [1], ‹~и́ть› [16] heal; F cure to death; **~ь** *s.* ~егáть.
зал|и́в *m* [1] gulf, bay; **~ивáть** [1], ‹~и́ть› [-лью́, -льёшь; зáли́л, -á, -о; зáли́тый] (T) flood, overflow;

pour (all) over, cover; fill; extinguish; **-ся** break into *or* shed (*tears* слезáми), burst out (laughing смéхом); trill, warble, roll, quaver; **~ивнóй** [14] floodable, flooded; jellied; resonant; **~úть** *s.* ~ивáть.

зал|óг *m* [1] pledge (*a. fig.*); pawn; security; *gr.* voice; дать в ~óг pawn, pledge; **~ожúть** *s.* заклáдывать; **~óжник** *m* [1], **~óжница** *f* [5] hostage.

залп *m* [1] volley; ∠ом F (*drink*) at one draught; (*smoke, etc.*) at a stretch; (*read*) at one sitting; blurt out.

замá|зка *f* [5] putty; **~зывать** [1], ⟨~зать⟩ [3] smear, soil; paint over; putty; F *fig.* veil, hush up; **~лчивать** F [1], ⟨замолчáть⟩ [4 *e.*; -чý, -чúшь] conceal, keep secret; **~нивать** [1], ⟨~нúть⟩ [13; -маню́, -мáнишь] lure, decoy, entice; **~нчивый** [14 *sh.*] alluring, tempting; **~хиваться** [1], *once* ⟨~хнýться⟩ [20] lift one's arm (*etc.* against Т/на В), threaten (with); **~шка** F *f* [5; *g/pl.*: -шек] habit, manner.

замедл|éние *n* [12] delay; **~я́ть** [28], ⟨∠ить⟩ [13] slow down, reduce; delay, retard (*a.* с Т); не ~я́ть с (Т) (do, *etc.*) soon.

замé|на *f* [5] substitution (of/for Т/Р), replacement (by Т); ⚖ commutation; substitute; **~нúмый** [14 *sh.*] replaceable, exchangeable; **~нúтель** *m* [4] substitute; **~ня́ть** [28], ⟨~нúть⟩ [13; -меню́, -мéнишь; -менённый] replace (by Т), substitute (p., th. for Т/В); ⚖ commute (for, into); (И/В) (be) follow(ed).

замерéть *s.* замирáть.

замерзá|ние *n* [12] freezing; тóчка ~ния freezing point; **~ть** [1], ⟨замёрзнуть⟩ [21] freeze, congeal; be frozen (to death, *a.* F = feel very cold).

зáмертво (as if) dead, unconscious.

заместú *s.* заметáть.

заместú|тель *m* [4] deputy, assistant, vice-...; **~ть** *s.* замещáть.

заме|тáть [1], ⟨~стú⟩ [25 -т-: -метý] sweep (up); drift, cover; block up (*roads*); wipe out (*tracks*).

замé|тить *s.* ~чáть; **~тка** *f* [5; *g/pl.*: -ток] mark; note; paragraph, (brief) article, item; **~тный** [14; -тен, -тна] noticeable, perceptible; marked, remarkable; ~тно *a.* one (it) can (be) see(n), notice(d); **~чáние** *n* [12] remark, observation; *pl.* criticism; reproof, rebuke; достóйный ~чáния worthy of notice; **~чáтельный** [14; -лен, -льна] remarkable, outstanding; wonderful; noted (for Т); **~чáть** [1], ⟨~тить⟩ [15] notice; mark; observe, remark; reprove.

замешáтельств|о *n* [9] confusion, embarrassment; в ~е confused, disconcerted, embarrassed.

зам|éшивать, ⟨~ешáть⟩ [1] involve, entangle; ~éшан(а) в (П) *a.* mixed up with; (**-ся** be) mingle(d) in, with (в В *or* П, мéжду Т); supervene; **~éшкаться** F [1] *pf.* be delayed, tarry; **~ещáть** [1], ⟨~естúть⟩ [15 *e.*; -ещý, -естúшь; -ещённый] replace; substitute; act for, deputize; fill (*vacancy*); **~ещéние** *n* [12] substitution (*a.* ⚗, ⚘); replacement; deputizing; filling.

зам|инáть F [1], ⟨~я́ть⟩ [-мнý, -мнёшь; -мя́тый] crumple; smother, hush up; **-ся** falter, halt, stick, be(come) confused, stop short; flag; **~úнка** *f* [5; *g/pl.*: -нок] halt, hitch; **~ирáть** [1], ⟨~ерéть⟩ [12; зáмер, -рлá, -о] be(come) *or* stand stockstill, transfixed (with от Р); stop; fade, die away; у меня́ сéрдце ∠ерло my heart stood still.

зáмкнутый [14 *sh.*] closed; secluded; reserved; *cf.* замыкáть.

зáм|ок¹ *m* [1; -мка] castle; **~óк²** *m* [1; -мкá] lock; америкáнский ~óк springlock; на ~кé *or* под ~кóм under lock & key.

замóл|вить [14] *pf.*: ~вить слó-в(éчк)о F put in a word (for a p. за В, о П); **~кáть** [1], ⟨~кнуть⟩ [21] become silent, stop (speaking, *etc.*), cease, break off; die away *or* off; **~чáть** [4 *e.*; -чý, -чúшь] *pf.* **1.** *v/i.* *s.* ~кáть; **2.** *v/t.* *s.* замáлчивать.

замор|áживать [1], ⟨~óзить⟩ [15] freeze, congeal; **'~озки** *m/pl.* [1] (light morning *or* night) frost; **∠ский** [16] (from) oversea; foreign.

зáмуж *s.* выдавáть & выходúть; **~ем** married (to за Т, *of women*); **∠ество** *n* [9] marriage (*of women*); **∠ний** [15]: ∠няя (жéнщина) married (woman).

замурóв|ывать [1], ⟨~áть⟩ [7] immure; wall up.

замýч|ивать [1], ⟨~ить⟩ [16] torment to death; fatigue, exhaust.

за́мш|а *f* [5], **~евый** [14] chamois, suede.

замыка́|ние *n* [12]: коро́ткое ~ние ⚡ short circuit; **~ть** [1], ⟨замкну́ть⟩ [20] (en)close; † lock (up); **-ся** isolate o.s. (in в В *or* Т); -ся в себе́ become unsociable.

за́м|ысел *m* [1; -сла] intention, plan, design; conception; **~ы́слить** *s.* ~ышля́ть; **~ыслова́тый** [14 *sh.*] intricate, ingenious; fanciful; **~ышля́ть** [28], ⟨~ы́слить⟩ [15] plan, intend; resolve; conceive.

замя́ть(ся) *s.* замина́ть(ся).

за́нав|ес *m* [1] curtain (*a. thea.*); желе́зный ~ес *a. pol.* iron curtain; **~е́сить** *s.* ~е́шивать; **~е́ска** *f* [5; *g/pl.*: -сок] (*window*) curtain; **~е́шивать** [1], ⟨~е́сить⟩ [15] curtain.

зан|а́шивать [1], ⟨~оси́ть⟩ [15] soil; wear out; **~емо́чь** [26 г/ж: -могу́, -мо́жешь; *cf.* мочь[1]] *pf.* fall sick, *Brt.* ill; **~ести́** *s.* ~оси́ть 1.

занима́|ние *n* [12] borrowing; **~тельный** [14; -лен, -льна] interesting, entertaining, amusing; engaging, captivating; **~ть** [1], ⟨заня́ть⟩ [займу́, -мёшь; за́нял, -а́, -о; заня́вший; за́нятый (за́нят, -а́, -о)] **1.** borrow (from у Р); **2.** (Т) occupy, (*a. time*) take; employ, busy; reserve, secure (*place*); interest, engross, absorb; entertain; ~ть дух у (Р) F take one's breath away; **-ся** [занялся́, -ла́сь] **1.** (Т) occupy *or* busy o.s. (with); (*a. sport*) engage in; attend (to); learn, study; set about, begin to (read, *etc.*); **2.** *v/i.* blaze *or* flare up; break, dawn; *s. a.* заря́.

за́ново anew, afresh.

зано́|за *f* [5] splinter; **~зи́ть** [15 *e.*; -ожу́, -ози́шь] *pf.* run a splinter (into В).

зано́с *m* [1] drift; **~и́ть** [15] **1.** ⟨занести́⟩ [24 -с-: -су́, -сёшь] bring; carry; note down, enter, register; (*a. impers.*) (be) cast, get; drift, cover, block up; lift, raise (*arm, etc.*), set (*foot*); **2.** *pf.*, *s.* зана́шивать; **~чивый** [14 *sh.*] arrogant, presumptuous.

заня́т|ие *n* [12] occupation, work, business; exercise (of Т); *pl.* F lessons, school, lecture(s) (to на В, at на П); ⚔ capture; **~ный** [14; тен, -тна] F = занима́тельный; **~ь** (**-ся**) *s.* занима́ть(ся); **~о́й** [14] busy; **'~ый** [14; за́нят, -а́, -о] occupied, busy, engaged.

заодно́ conjointly; together; at one; F at the same time, besides, too.

заостр|я́ть [28], ⟨~и́ть⟩ [13] point, sharpen (*a. fig.*); **-ся** taper.

зао́чн|ик [1] student of a correspondence school, college, *etc.*; **~ый** [14] in a p.'s absence; behind one's back; ~ое обуче́ние *n* instruction by correspondence; ~ое реше́ние *n* ⚖ judg(e)ment by default.

за́пад *m* [1] west; ♀ the West, Occident; *cf.* восто́к; **~а́ть** [1], ⟨запа́сть⟩ [25; -па́л, -а] fall in, sink; impress (*a.* on на *or* в В); **~ник** *m* [1] *hist.* Westerner; **~ный** [14] west(ern, -erly); occidental.

западня́ *f* [6; *g/pl.*: -не́й] trap.

запа́|здывать, ⟨запозда́ть [1] be late (for на В), be tardy (with с Т); **~ивать** [1], ⟨~я́ть⟩ [28] solder (up); **~ко́вывать** [1], ⟨~кова́ть⟩ [7] pack (up); wrap up.

запа́л *m* [1] ⚔, ⚒ fuse; touchhole; (*horse*) heaves; F fit, passion; **~ьный** [14] touch...; ~ьный шнур *m* match; ~ьная свеча́ *f* ⚡ spark(ing) plug; **~ьчивый** [14 *sh.*] quick-tempered, irascible; provoking.

запа́с *m* [1] stock (*a. fig.*, *of words, etc.* = store, fund), supply, (*a.* ⚔) reserve; в ~е in stock, on hand; про ~ in store *or* reserve; **~а́ть** [1], ⟨~ти́⟩ [24 -с-: -су́, -сёшь]; **-ся**, ⟨~ти́сь⟩ provide o.s. (with Т); **~ливый** [14 *sh.*] provident; **~но́й**, **~ный** [14] spare (*a.* ⊕); reserve... (*a.* ⚔; *su.* reservist), emergency..., side... (*a.* 🚂); **~ть** *s.* запада́ть.

за́п|ах *m* [1] smell, odo(u)r, scent; **~а́хивать** [1] **1.** ⟨~аха́ть⟩ [3] plow (*Brt.* plough) *or* turn up, in; **2.** ⟨~ахну́ть⟩ [20] lap (over), wrap (o.s. **-ся**) up (in в В, Т); F slam; **~а́шка** *f* [5] tillage; **~ая́ть** *s.* ~а́ивать.

запе|ва́ла *m/f* [5] precentor, (*a. fig.*) leader; **~ва́ть** [1], ⟨~ть⟩ [-пою́, -поёшь; -пе́тый] start singing, strike up; *impf.*: lead (*chorus*); **~ка́нка** *f* [5; *g/pl.*: -нок] baked pudding; spiced brandy; **~ка́ть** [1], ⟨~чь⟩ [26] bake (in); **-ся** clot, coagulate (*blood*); crack (*lips*); **~ре́ть** *s.* запира́ть.

запеча́т|ать *s.* ~ывать; **~лева́ть** [1], ⟨~ле́ть⟩ [8] embody, render;

impress (on в П), retain; mark, seal; **~ывать,** ⟨~ать⟩ [1] seal (up); close, glue up.
запечь *s.* запекать.
запи|вать [1], ⟨**~ть**⟩ [-пью, -пьёшь; *cf.* пить] wash down (with Т), drink *or* take after, thereupon; *pf.* F take to drink.
зап|инаться [1], ⟨**~нуться**⟩ [20] stumble (over, against за *or* о В), falter; pause, hesitate; **~инка** *f* [5]: без ~инки fluently, smoothly.
запира|тельство *n* [9] disavowal, denial; **~ть** [1], ⟨запереть⟩ [12; запер, -ла, -о; запертый (заперт, -а, -о)] lock (up; *a.* ~ть на ключ, замок); ⚔, ⚓ blockade; **-ся** *impf.* F (в П) deny, disavow.
запис|ать *s.* ~ывать; **~ка** *f* [5; *g/pl.:* -сок] note, slip; (brief) letter; memorandum, report; *pl.* notes, memoirs, reminiscences; transactions, proceedings; **~ной** [14] note...; F inveterate; **~ывать** [1], ⟨~ать⟩ [3] write down, note (down); record (*a. on tape, etc.*); enter, enrol(l), register; ⚖ transfer (to Д, на В, за Т), deed; **-ся** enrol(l), register, matriculate; subscribe (to; for в, на В), book; make an appointment (with a doctor к врачу); **'~ь** *f* [8] entry; enrol(l)ment; registration; record (-ing); subscription; ⚖ deed.
запить *s.* запивать.
запих|ивать F [1], ⟨~ать⟩ [1], *once* ⟨~нуть⟩ [20] push in; cram, stuff.
заплака|нный [14 *sh.*] tearful, in tears, tear-stained; **~ть** [3] *pf.* begin to cry.
заплата *f* [5] patch.
заплесневелый [14] mo(u)ldy.
запле|тать [1], ⟨~сти⟩ [25 -т-: -плету, -тёшь] braid, plait; **-ся** F: ноги ~таются totter, stagger; язык ~тается slur, mumble.
заплы|вать [1], ⟨**~ть**⟩ [23] swim (far), get (*by swimming*); (Т) be covered *or* closed (*a. by swelling, with fat*); swell, bloat, puff up.
запнуться *s.* запинаться.
заповед|ник *m* [1] reserve; nursery; **~ный** [14] forbidden, reserved; secret; dear; intimate, inmost; **~овать** [7], ⟨~ать⟩ [1] command; **~ь** ('za-) *f* [8] *Bibl.* commandment.
запод|азривать (†-озр-) [1], ⟨~озрить⟩ [13] suspect (of в П).
запозда|лый [14] (be)late(d), tardy; out-of-date; **~ть** *s.* запаздывать.
запо|й *m* [3] hard drinking; пить ~ем booze, tipple, be a hard drinker.
заполз|ать [1], ⟨~ти⟩ [24] creep (in).
заполн|ять [28], ⟨~ить⟩ [13] fill (up); (*form*) fill out (*Brt.* in).
запом|инать [1], ⟨~нить⟩ [13] remember, keep in mind; memorize; **-ся** (Д) remember, stick to one's memory.
запонка *f* [5; *g/pl.*: -нок] cuff link; collar button (*Brt.* stud).
запор *m* [1] bar, bolt; lock; ⚕ constipation; на ~е bolted.
запор|ашивать [1], ⟨~ошить⟩ [16 *e.*; *3rd p. only*] powder *or* cover (with *snow* Т).
запотелый F [14] moist, sweaty.
заправ|ила *m* F [5] boss, chief; **~лять** [28], ⟨~ить⟩ [14] put, tuck (in); (Т) dress, season (*meals* with); get ready; tank, refuel (*car, plane*); **~ка** *f* [5; *g/pl.*: -вок] refuel(l)ing; seasoning, condiment; **~очный** [14]: ~очная колонка *f* filling (gas) station; **~ский** F [16] true, real.
запр|ашивать [1], ⟨~осить⟩ [15] ask, inquire (with/about у Р/о П); (*a.* Р) request; charge, ask (*excessive price*; с Р).
запре|т *m* [1] = ~щение; **~тительный** [14] prohibitive; **~тить** *s.* ~щать; **~тный** [14] forbidden; ~тная зона *f* prohibited area; **~щать** [1], ⟨~тить⟩ [15 *e.*; -ещу, -етишь; -ещённый] forbid, prohibit, interdict; **~щение** *n* [12] prohibition, interdiction.
заприходовать [7] *pf.* enter, book.
запроки|дывать [1], ⟨~нуть⟩ [20] F throw back; P overturn.
запрос *m* [1] inquiry (about о П, *esp.* † на В); *pl.* demands, requirements, claims, interests; F overcharge; † цена без ~а fixed price; **~ить** *s.* запрашивать; **'~то** plainly, unceremoniously.
запру|да *f* [5] dam(ming); **~живать** [1], ⟨~дить⟩ **1.** [15 & 15 *e.*; -ужу, -удишь] dam up; **2.** [15 *e.*; -ужу, -удишь] F jam, crowd.
запр|ягать [1], ⟨~ячь⟩ [26 г/ж: -ягу, -яжёшь; *cf.* напрячь] harness; put (*horse[s]*) to (в В); yoke (*oxen*); get ready (*carriage*); **~яжка** *f* [5; *g/pl.*: -жек] harness(ing); team; **~ятывать** F [1], ⟨~ятать⟩

[3] hide, conceal; put (away); P confine; **~ячь** *s.* запрягать.

запуг|ивать, ⟨~ать⟩ [1] intimidate; ~анный (in)timid(ated).

запус|к *m* [1] start; **~кать** [1], ⟨~тить⟩ [15] **1.** neglect; disregard; let grow (*beard*); leave untilled (*land*); **2.** ⊕ start, set going; fly (*kite*); F (*a.* T / в B) fling, hurl (s. th. at); put, slip, thrust, drive (into); **~телый** [14] desolate; **~тить** *s.* ~кать.

запу́|тывать, ⟨~тать⟩ [1] (**-ся** become, get) tangle(d, *etc.*); *fig.* confuse, perplex; complicate; F entangle, involve (in в B); ~танный *a.* intricate; **~щенный** [14] deserted, desolate; neglected, uncared-for, unkempt.

запыхаться F [1] *pf.* pant.

запястье *n* [10] wrist; † bracelet.

запятая *f* [14] comma; F hitch, fix.

зараб|атывать, ⟨~отать⟩ [1] earn; **-ся** F overwork o.s.; **'~отный** [14]: '~отная плата *f* wages *pl.*; salary; pay; **'~оток** *m* [1; -тка] earnings *pl.*; job; на '~отки in search of a job; ... to hire o.s. out.

зара|жать [1], ⟨~зить⟩ [15 *e.*; -ражу́, -рази́шь; -ражённый] infect (*a. fig.*); **-ся** become infected (with T), catch; **~жение** *n* [12] infection; ~жение крови blood poisoning.

зараз F at once; at the same time.

зара́|за *f* [5] infection; contagion; pest; **~зительный** [14; -лен, -льна] infectious; **~зить** *s.* ~жать; **~зный** [14; -зен, -зна] infectious, contagious; infected.

заранее beforehand, in advance.

зара|стать [1], ⟨~сти⟩ [24; -сту́, -стёшь; *cf.* расти] be overgrown.

зарево *n* [9] blaze, glow, gleam.

зарез *m* [1] slaughter; P ruin; до ~у F (*need s.th.*) very badly.

заре|каться [1], ⟨~чься⟩ [26] forswear, abjure; **~комендовать** [7] *pf.* recommend; ~комендовать себя (T) show o. s., prove.

заржавленный [14] rusty.

зарисовка *f* [5; *g/pl.*: -вок] drawing, sketch.

зарница *f* [5] sheet (heat) lightning.

зар|одить(ся) *s.* ~ождать(ся); **~одыш** *m* [1] embryo, germ (*a. fig.*); в ~одыше in the bud; **~ождать** [1], ⟨~одить⟩ [15 *e.*; -ожу́, -одишь; -ождённый] *fig.* engender; † bear; (**-ся**) arise; (be) conceive(d); **~ождение** *n* [12] origin, rise; conception.

зарок *m* [1] vow, pledge, promise.

заронить [13; -роню́, -ро́нишь] *pf.* rouse; infuse; F drop, cast; **-ся** impress (on в B).

заросль *f* [8] underbrush; thicket.

зар|плата *f* [5] F *s.* ~аботный.

заруб|ать [1], ⟨~ить⟩ [14] kill, cut down; notch, cut in; ~и(те) на носу́ (на лбу, в памяти)! mark it well!

зарубежный [14] foreign.

зар|убить *s.* ~убать; **~убка** *f* [5; *g/pl.*: -бок] incision, notch; **~убцеваться** [7] *pf.* cicatrize.

заруч|аться [1], ⟨~иться⟩ [16 *e.*; -учу́сь, -учи́шься] (T) secure.

зар|ывать [1], ⟨~ыть⟩ [22] bury.

зар|я *f* [6; *pl.*: зори, зорь, заря́м & зо́рям] (утренняя) ~я́ (*a. fig.*) dawn (⚔ [*acc.* зорю] reveille); вечерняя ~я evening glow (⚔ tattoo, retreat); на ~е at dawn, daybreak (*a.* с ~ей); *fig.* at the earliest stage *or* beginning; от ~и до ~и from morning to night, all day (night); ~я занимается it dawns.

заря́|д *m* [1] charge (⚔, ⚡); shot; shell, cartridge; *fig.* store; **~дить** *s.* ~жать; **~дка** *f* [5] ⚔ loading; ⚡ charge, -ging; *sport:* gymnastics *pl.*, bodily exercise; **~дный** [14] charge..., loading; ~дный ящик *m* ammunition wag(g)on; **~жать** [1], ⟨~дить⟩ [15 & 15 *e.*; -яжу́, -я́дишь; -я́женный & -яжённый] ⚔, *phot.* load; ⚡ charge; *fig.* inspire, imbue; *pf.* F (set in &) reiterate *or* go on & on.

заса́|да *f* [5] ambush; попасть в ~ду be ambushed; **~живать** [1], ⟨~дить⟩ [15] plant; F confine; compel to (*do s. th.*); **-ся** F, ⟨засесть⟩ [25; -ся́ду, -дешь; -се́л] sit down; settle, retire, stay; hide, lie in ambush; (за B) set *or* begin to, bury o.s. in (*work*).

засал|ивать [1] **1.** ⟨~ить⟩ [13] grease, smear; **2.** ⟨засолить⟩ [13; -олю́, -о́ли́шь; -о́ленный] salt; corn (*meat*).

зас|аривать [1] & **засорять** [28], ⟨~орить⟩ [13] litter, soil; stop (up), obstruct (*a. fig.*); ⚕ constipate; be(come) weedy; ~орить глаз(á) have (get) s.th. in(to) one's eye(s).

зас|асывать [1], ⟨~осать⟩ [-су́, -сёшь; -о́санный] suck in; engulf, swallow up.

заса́харенный [14] candied, sugared.
засвет|и́ть(ся) [13; -све́тится] *pf.* light (up); **'~ло** by daylight.
засвиде́тельствовать [7] *pf.* testify; attest, authenticate.
засе́|в *m* [1] sowing; **~ва́ть** [1], ⟨~ять⟩ [27] sow.
заседа́|ние *n* [12] session(⚖, *parl.*); meeting; (*prp.*: in, at на П); **~тель** *m* [4] assessor; **~ть** [1] **1.** be in session; sit; meet; **2.** ⟨засе́сть⟩ [-ся́ду, -дешь; -се́л] stick.
засе|ка́ть [1], ⟨*~*чь⟩ [26] **1.** [-се́к, -ла́; -сечённый] notch, mark; stop (*time with stop watch*); **2.** [-се́к, -се́кла; -се́ченный] flog to death.
засел|е́ние *n* [12] colonization; **~я́ть** [28], ⟨~и́ть⟩ [13] people, populate; occupy, inhabit.
засе́|сть *s.* заса́живаться *&* ~да́ть 2.; **~чь** *s.* ~ка́ть; **~ять** *s.* ~ва́ть.
заси́|живать [1], ⟨~де́ть⟩ [11] (~женный [му́хами]) flyblow(n); **-ся** sit, stay *or* live (too) long; sit up late.
заскору́злый [14] hardened.
засло́н|ка *f* [5; *g/pl.:* -нок] (stove, *etc.*) door, screen, trap; **~я́ть** [28], ⟨~и́ть⟩ [13] protect, screen; shut off, take away (*light*); repress, oust.
заслу́|га *f* [8] merit, desert; он получи́л по ~гам (it) served him right; **~женный** [14] merited, (well-)deserved, just; meritorious, worthy; hono(u)red (*a. in Sov. titles*); **~живать** [1], ⟨~жи́ть⟩ [16] merit, deserve (*impf. a.* P); F earn.
заслу́ш|ивать, ⟨~ать⟩ [1] hear; **-ся** listen (to T, P) with delight.
засм|а́триваться [1], ⟨~отре́ться⟩ [9; -отрю́сь, -о́тришься] (на В) feast one's eyes *or* gloat ([up]on), look (at) with delight.
засну́ть *s.* засыпа́ть 2.
зас|о́в *m* [1] bar, bolt; **~о́вывать** [1], ⟨~у́нуть⟩ [20] put, slip, tuck; F mislay; **~оли́ть** *s.* ~а́ливать 2.
засор|е́ние *n* [12] obstruction; ⚕ constipation; **~и́ть, ~я́ть** *s.* заса́ривать.
засоса́ть *s.* заса́сывать.
засо́х|ший [17] dry, dried up; ⚘ dead; **~нуть** *s.* засыха́ть.
за́спанный F [14] sleepy.
заста́|ва *f* [5] *hist.* (toll)gate, turnpike; ⚔ frontier post; outpost; **~ва́ть** [5], ⟨~ть⟩ [-а́ну, -а́нешь] find, meet with; surprise; take ...; **~вля́ть** [28], ⟨~вить⟩ [14] **1.** compel, force, make; ~вить ждать keep waiting; ~вить замолча́ть silence; **2.** (T) block (up); fill; **~ре́лый** [14] inveterate, chronic; **~ть** *s.* ~ва́ть.
заст|ёгивать [1], ⟨~егну́ть⟩ [20; -ёгнутый] button (one's coat, *etc.*, *a.* **-ся,** up); buckle, clasp, hook (up); **~ёжка** *f* [5; *g/pl.*: -жек] clasp.
застекл|я́ть [28], ⟨~и́ть⟩ [13] glaze.
застё́н|ок *m* [1; -нка] torture chamber; **~чивый** [14 *sh.*] shy, timid.
засти|га́ть [1], ⟨*~*гнуть⟩, ⟨*~*чь⟩ [21 -г-: -и́гну, -и́гнешь; -и́г, -и́гла; -и́гнутый] surprise, catch; take...
заст|ила́ть [1], ⟨~ла́ть⟩ [-телю́, -те́лешь; за́стланный] cover; cloud.
засто́|й *m* [3] standstill, deadlock; stagnation; **~йный** [14] stagnant; chronic; † unsalable; **~льный** [14] table...; drinking; **~я́ться** [-ою́сь, -ои́шься] *pf.* stand *or* stay too long; be(come) stagnant, stale.
застр|а́ивать [1], ⟨~о́ить⟩ [13] build on; build up, encumber; **~axо́вывать** [1], ⟨~axова́ть⟩ [7] insure; *fig.* safeguard; **~ева́ть** [1], ⟨~я́ть⟩ [-я́ну, -я́нешь] stick; F come to a standstill; be delayed; be lost; **~е́ливать** [1], ⟨~ели́ть⟩ [13; -елю́, -е́лишь; -е́ленный] shoot, kill; **~е́льщик** *m* [1] ⚔ skirmisher; *fig.* instigator; initiator; **~о́ить** *s.* ~а́ивать; **~о́йка** *f* [5; *g/pl.*: -о́ек] building (on); **~я́ть** *s.* ~ева́ть.
за́ступ *m* [1] spade.
заступ|а́ть [1], ⟨~и́ть⟩ [14] take (*s. b.'s place*), relieve; F start (*work* на В); **-ся** (за В) take s.b.'s side; protect; intercede for; **~ник** *m* [1] protector, patron; advocate; **~ница** *f* [5] protectress, patroness; **~ничество** *n* [9] intercession.
засты|ва́ть [1], ⟨*~*ть⟩ [-ы́ну, -ы́нешь] cool down, congeal; stiffen, be(come) *or* stand stockstill; (*a. blood*) freeze (F to death), chill.
засу́нуть *s.* засо́вывать.
за́суха *f* [5] drought.
засу́ч|ивать [1], ⟨~и́ть⟩ [16] turn *or* tuck up.
засу́ш|ивать [1], ⟨~и́ть⟩ [16] dry (up); F make arid; **~ливый** [14 *sh.*] droughty.

засчи́т|ывать, ⟨**~а́ть**⟩ [1] reckon, (ac)count; credit.
зас|ыпа́ть [1] **1.** ⟨**~ы́пать**⟩ [2] (T) fill up; cover, drift; *fig.* heap, ply, overwhelm; F pour, strew; **2.** ⟨**~ну́ть**⟩ [20] fall asleep; **~ыха́ть** [1], ⟨**~о́хнуть**⟩ [21] dry up; wither.
зата́|ивать [1], ⟨**~и́ть**⟩ [13] conceal, hide; hold (*breath*); bear (*grudge*); ~ённый *a.* secret.
зат|а́пливать [1] & **~опля́ть** [28], ⟨**~опи́ть**⟩ [14] **1.** light (make) a fire; **2.** flood; sink; **~а́птывать** [1], ⟨**~опта́ть**⟩ [3] trample, tread (down); **~а́скивать** [1] **1.** F, ⟨**~аска́ть**⟩ [1] wear out; ~а́сканный worn, shabby; hackneyed; **2.** ⟨**~ащи́ть**⟩ [16] drag, pull (in, *etc.*); mislay.
затв|ердева́ть [1], ⟨**~ерде́ть**⟩ [8] harden; **~е́рживать** [1], ⟨**~ерди́ть**⟩ [15 *e.*; -ржу́, -рди́шь; -ржённый] memorize, learn (by heart).
затво́р *m* [1] bolt, bar; (*a.* ⚔) lock; gate; *phot.* shutter; **~я́ть** [28], ⟨**~и́ть**⟩ [13; -орю́, -о́ришь; -о́ренный] shut, close; **-ся** shut o.s. up.
зат|ева́ть F [1], ⟨**~е́ять**⟩ [27] start, undertake; conceive; resolve; **~е́йливый** [14 *sh.*] fanciful; ingenious, intricate; **~ека́ть** [1], ⟨**~е́чь**⟩ [26] flow (in, *etc.*); swell; be(come) numb, asleep (*limbs*), bloodshot (*eyes*).
зате́м then; for that purpose, that is why; ~ чтобы in order to (*or* that); ~ что † because.
затемн|е́ние *n* [12] ⚔ blackout; obscuration; **~я́ть** [28], ⟨**~и́ть**⟩ [13] darken, overshadow, (*a. fig.*) obscure; ⚔ black out.
затер|е́ть *s.* затира́ть; **~я́ть** F [28] *pf.* lose; **-ся** get *or* be lost; disappear; lie in the midst of.
зате́|чь *s.* затека́ть; **~я** *f* [6] plan, undertaking; invention, freak; diversion; trick; **~ять** *s.* ~ва́ть.
зат|ира́ть [1], ⟨**~ере́ть**⟩ [12] wipe *or* blot out; jam, block (up); F wear out; efface, stunt; **~иха́ть** [1], ⟨**~и́хнуть**⟩ [21] become silent *or* quiet, stop (speaking, *etc.*); die away *or* off; calm down, abate; **~и́шье** *n* [10] lull, calm; shelter, quiet spot, nook.
заткну́ть *s.* затыка́ть.
затм|ева́ть [1], ⟨**~и́ть**⟩ [14 *e.*; *no 1st p. sg.*; -ми́шь], **~е́ние** *n* [12] eclipse.
зато́ but (then, at the same time), instead, in return, on the other hand; therefore.
затова́ривание ✝ *n* [12] glut.
затоп|и́ть, ~ля́ть *s.* зата́пливать; **~та́ть** *s.* зата́птывать.
зато́р *m* [1] jam, block, obstruction.
заточ|а́ть [1], ⟨**~и́ть**⟩ [16 *e.*; -чу́; -чи́шь; -чённый] confine, imprison; exile; **-е́ние** *n* [12] confinement, imprisonment; exile.
затра́|вливать [1], ⟨**~ви́ть**⟩ [14] bait (*a. fig.* F), course, chase down; **~гивать** [1], ⟨затро́нуть⟩ [20] touch (*a. fig.*, [up]on); affect; hurt.
затра́|та *f* [5] expense, expenditure; **~чивать** [1], ⟨**~тить**⟩ [15] spend.
затро́нуть *s.* затра́гивать.
затрудн|е́ние *n* [12] difficulty, trouble; embarrassment; в ~е́нии *a.* at a loss; **~и́тельный** [14; -лен, -льна] difficult, hard, straitened; ~и́тельное положе́ние *n* predicament; **~я́ть** [28], ⟨**~и́ть**⟩ [13] embarrass, (cause) trouble; render (more) difficult, inconvenience; aggravate, complicate; **-ся** *a.* be at a loss (for в П, T).
зату|ма́нивать(ся) [1], ⟨**~ма́нить (-ся)**⟩ [13] fog; dim; **~ха́ть** F [1], ⟨**~хнуть**⟩ [21] die out; (*a. radio*) fade; **~шёвывать** [1], ⟨**~шева́ть**⟩ [6] shade; *fig.* F smooth over; **-ся** efface; **~ши́ть** F [16] *s.* туши́ть.
за́тхлый [14] musty, fusty.
зат|ыка́ть [1], ⟨**~кну́ть**⟩ [20] stop (up), (про́бкой) cork (up); F tuck, slip; **~ы́лок** *m* [1; -лка] back of the head; nape (of the neck).
заты́чка *f* F [5; *g/pl.*: -чек] bung, plug.
затя́|гивать [1], ⟨**~ну́ть**⟩ [19] tighten, draw tight; gird, lace, enclose, press; draw in, *etc.*; involve; cover; *impers.*: sink; close, skin (over); protract, delay; begin (to sing); **~жка** *f* [5; *g/pl.*: -жек] drawing tight; protraction; inhalation; whiff (*smoking*); **~жно́й** [14] long, lengthy, protracted.
зау|ны́вный [14; -вен, -вна] sad, mournful, melancholy; **~ря́дный** [14; -ден, -дна] common(place), ordinary, mediocre; **~се́ница** *f* [5] agnail.
зау́треня *f* [6] matins *pl.*
зау́ч|ивать [1], ⟨**~и́ть**⟩ [16] memorize.
захва́т *m* [1] seizure, capture;

usurpation; **~ывать** [1], ⟨~и́ть⟩ [15] grasp, grip(e); take (along [with one, *a.* с собо́й]); seize, capture; usurp; absorb, captivate; F catch, snatch, take (away [*breath*], up, *etc.*); **~нический** [16] aggressive; **~чик** *m* [1] invader, aggressor; **~ывать** *s.* ~и́ть.

захвора́ть F [1] *pf.* fall sick, ill.

захл|ёбываться [1], ⟨~ебну́ться⟩ [20] choke, stifle (with T, от P); *fig.* be beside o.s.; ⚔, ⊕ break down, stop; **~ёстывать** [1], ⟨~естну́ть⟩ [20; -хлёстнутый] lash (round, on [-to], together); swamp (*boat, etc.*); *fig.* seize; **~о́пывать(ся)** [1], ⟨~о́пнуть(ся)⟩ [20] slam, bang.

захо́д *m* [1] (со́лнца sun)set; call (*at a port*); ✈ approach; **~и́ть** [5], ⟨зайти́⟩ [зайду́, -дёшь; *g. pt.*: зайдя́; *cf.* идти́] go *or* come in *or* to (see, *etc.*), call *or* drop in (on, at к Д, в В); pick up, fetch (за Т); ⚓ call *or* touch at, enter; get, advance; pass, draw out; (*a.* ✈) approach; ⚔ outflank; turn, disappear, go behind (за В); *ast.* set; речь зашла́ о (П) (we, *etc.*) began (came) to (*or* had a) talk (about).

захолу́ст|ный [14] out-of-the-way, provincial, country…; rustic, boorish; **~ье** *n* [10] solitude, lonely *or* dreary spot (suburb).

захуда́лый [14] down & out; mean.

зацеп|ля́ть [28], ⟨~и́ть⟩ [14] (*a.* за В) catch, hook on, grapple; fasten; F & **-ся** *s.* задева́ть.

зачаро́в|ывать [1], ⟨~а́ть⟩ [7] charm.

зачасту́ю F often, frequently.

зача́|тие *n* [12] conception; **~ток** *m* [1; -тка] germ; *pl.* rudiments; **~точный** [14] rudimentary; **~ть** [-чну́, -чнёшь; зача́л, -а́, -о; зача́тый (зача́т, -а́, -о)] conceive.

заче́м why, wherefore, for what (*or* what for); ~-то for some purpose (reason) (or other).

зач|ёркивать [1], ⟨~еркну́ть⟩ [20; -чёркнутый] strike out, obliterate; **~е́рпывать** [1], ⟨~ерпну́ть⟩ [20; -че́рпнутый] scoop, dip; **~ерстве́лый** [14] stale; *fig.* unfeeling; **~е́сть** *s.* ~и́тывать[1]; **~ёсывать** [1], ⟨~еса́ть⟩ [3] comb (back); **~ёт** *m* [1] examination, test; F *educ.* credit.

зач|и́нщик *m* [1] instigator; **~исля́ть** [28], ⟨~и́слить⟩ [13] enrol(l), enlist, engage; ✝ enter; **~и́тывать**[1] [1], ⟨~е́сть⟩ [25 -т-: -чту́, -чтёшь; *cf.* проче́сть] reckon, charge, account; *educ.* credit; **~и́тывать**[2], ⟨~ита́ть⟩ [1] read (to, aloud); F thumb, wear out, tear; not return (*borrowed book*); **-ся** be(come) absorbed (in T); read (too) long.

зачумлённый [14 *sh.*] infected with pestilence.

заш|ива́ть [1], ⟨~и́ть⟩ [-шью́, -шьёшь; *cf.* шить] sew up; **~нуро́вывать** [1], ⟨~нурова́ть⟩ [7] lace (up); **~то́панный** [14] darned.

защёлк|ивать [1], ⟨~нуть⟩ [20] snap, catch.

защем|ля́ть [28], ⟨~и́ть⟩ [14 *e.*; -емлю́, -еми́шь; -емлённый] squeeze (in), pinch, jam; *impers. fig.* oppress with grief.

защи́|та *f* [5] defense (*Brt.* -nce), protection, cover; maintenance; **~ти́ть** *s.* ~ща́ть; **~тник** *m* [1] defender; protector; ⚖ advocate (*a. fig.*), counsel([l]or) for the defense; *sport*: back; **~тный** [14] protective; safety…; khaki …; crash (*helmet*); **~ща́ть** [1], ⟨~ти́ть⟩ [15 *e.*; -ищу́, -ити́шь; -ищённый] (от P) defend (from, against); protect (from); vindicate, advocate, (*a. thesis*) maintain, support; *impf.* ⚖ defend, plead (for).

заяв|и́ть *s.* ~ля́ть; **~ка** *f* [5; *g/pl.*: -вок] application (for на В); claim; request; **~ле́ние** *n* [12] declaration, statement; petition, application (for о П); **~ля́ть** [28], ⟨~и́ть⟩ [14] (*a.* о П) declare, announce, state; claim, present; enter, lodge; notify, inform; show, manifest.

зая́длый F [14] = завзя́тый.

за́я|ц *m* [1; за́йца] hare; F speck(le); P stowaway; **~чий** [18] hare('s)…; F cowardly; ~чья губа́ *f* harelip.

зва́|ние *n* [12] rank; title; class; standing; **~ный** [14] invited; ~ный обе́д (ве́чер) *m* dinner (evening) party; **~тельный** [14] *gr.* vocative (*case*); **~ть** [зову́, зовёшь; звал, -а́, -о; ('…)зва́нный (зван, -а́, -о)] **1.** ⟨по-⟩ call; invite (to [*a.* ~ть в го́сти] к Д, на В); **2.** ⟨на-⟩ (Т) F (be) call(ed); как вас зову́т? what is your (first) name?; меня́ зову́т Петро́м *or* Пётр my name is Peter.

звезда́ [5; *pl.* звёзды, *etc. st.*] star (*a. fig.*); морска́я ~ *zo.* starfish.

звёзд|ный [14] star…, stellar; starry

(*sky*); starlit (*night*); **~очка** *f* [5; *g/pl.*: -чек] starlet; *print.* asterisk.

звен|éть [9], ⟨за-, про-⟩ ring, jingle, clink; у меня́ ~и́т в ушáх my ears ring.

звенó *n* [9; *pl.*: звéнья, -ьев] link; *fig.* part, branch; ✈ flight; squad.

звери́н|ец *m* [1; -нца] menagerie; **~ый** [14] animal; feral; *s.* звéрский.

зверо|бóй *m* [3] (*seal, walrus, etc.*) hunter; **~лóв** *m* [1] trapper; hunter.

звéр|ский [16] *s.* звери́ный; *fig.* brutal, atrocious; F beastly, awful, dog(*-tired*); **~ство** *n* [9] brutality; *pl.* atrocities; **~ь** *m* [4; *from g/pl. e.*] (wild) animal, beast; *fig.* brute.

звон *m* [1] ring, jingle, peal, chime; **~áрь** *m* [4 *e.*] bell ringer, sexton; **~и́ть** [13], ⟨по-⟩ ring (*v/t.* в В), chime, peal; (Д) telephone, call up; **∠кий** [16; звóнок, -нкá, -o; *comp.*: звóнче] sonorous, clear; resonant; *gr.* voiced; hard (*cash*); **~óк** *m* [1; -нкá] bell; ring; the bell rings.

звук *m* [1] sound; tone (*a.* ♪); tune; **~овóй** [14] sound...; talking (*picture*); **~онепроницáемый** [14] soundproof; **~оподражáние** *n* [12] onomatopoeia; **~оподражáтельный** [14] onomatopoe(t)ic.

звуч|áние *n* [12] sounding; **~áть** [4 *e.*; *3rd p. only*], ⟨про-⟩ (re)sound; ring; clang; **∠ный** [14; -чен, -чнá, -o] sonorous, clear; resonant.

звя́к|ать [1], ⟨~нуть⟩ [20] clink.

зги: (ни) згú не видáть *or* не ви́дно it is pitch-dark.

здáние *n* [12] building.

зде|сь here; local (*on letter*); ~сь! present!; **∠шний** [15] local; я не ∠шний I am a stranger here.

здорóв|аться [1], ⟨по-⟩ (с Т) greet *or* salute (o. a.), welcome; wish good morning, *etc.*; ~аться зá руку shake hands; **~o**[1] P hi!, hello!; **'~o**[2] P awfully; well done, dandy; **~ый** [14 *sh.*] healthy (*a. su.*), sound (*a. fig.*); wholesome, salubrious; P strong; in good health; бу́дь(те) ~(ы)! good-by(e)!, good luck!; your health!; **~ье** *n* [10] health; кáк вáше ~ье? how are you?; за вáше ~ье! your health!, here's to you!; на ~ье! good luck (health)!; éшь(те) на ~ье! help yourself (-ves), please!

здрáв|ие *n* [12] † = здорóвье; ~ия желáю (-лáем) ⚔ good morning (*etc.*), sir!; **~ица** *f* [5] toast; **~ница** *f* [5] sanatorium; sanitarium; **~омы́слящий** [17] sane, sensible; **~оохранéние** *n* [12] public health service; **~ствовать** [7] be in good health; ~ствуй(те)! hello!, hi!, good morning! (*etc.*); how do you do?; да ~ствует ...! long live ...!; **~ый** [14 *sh.*] † = здорóвый; *fig.* sound, sane, sensible; ~ый смысл *m* common sense; в ~ом умé in one's senses; ~ и невреди́м safe & sound.

зев *m* [1] throat, gullet, *anat.* pharynx; † jaws *pl.*; **~áка** F *m/f* [5] gaper; **~áть** [1], *once* ⟨~нýть⟩ [20] yawn; F gape (at на В); ~áть по сторонáм stand gaping around; F dawdle; не ~áй! look out!; **~óк** *m* [1; -вкá] yawn; **~óта** *f* [5] yawning.

зелен|éть [8], ⟨за-, по-⟩ grow, turn *or* be green; *impf.* (*a.* **-ся**) appear *or* show green; **~óй** [14] greengrocer's; **~овáтый** [14 *sh.*] greenish; **~щи́к** *m* [1 *e.*] greengrocer.

зелёный [14; зéлен, -á, -o] green (*a. fig.*), verdant; ~ теáтр open-air stage; ~ юнéц F greenhorn.

зéл|ень *f* [8] verdure; green; potherbs, greens *pl.*; **~ье** *n* [10] herb; poison.

земéльный [14] land...; landed.

землевладé|лец *m* [1; -льца] landowner; **~ние** *n* [12] (крýпное great) landed property, (real) estate.

земледе́л|ец *m* [1; -льца] farmer; **~ие** *n* [12] agriculture, farming; **~ьческий** [16] agricultural.

земле|кóп *m* [1] digger; *Brt.* navvy; **~мéр** *m* [1] (land) surveyor; **~трясéние** *n* [12] earthquake; **~черпáлка** [5; *g/pl.:* -лок] dredge.

земли́стый [14 *sh.*] earthy; ashy.

земл|я́ *f* [6; *ac/sg.*: зéмлю; *pl.*: зéмли, земéль, зéмлям] earth (*as planet* ♁я́); land; ground, soil; † country; на ∠ю to the ground; **~я́к** *m* [1 *e.*] (fellow) countryman; **~яни́ка** *f* [5] (wild) strawberry, -ries *pl.*; **~я́нка** *f* [5; *g/pl.*: -нок] (*a.* ⚔) dugout; (mud) hut; **~янóй** [14] earth(en), mud...; land...; ashy; ~янóй орéх *m* peanut; ~янáя грýша *f* (Jerusalem) artichoke.

земновóдный [14] amphibian.

земнóй [14] (of the) earth, terrestrial; earthly; *fig.* earthy.

зéм|ский [16] *hist.* State...; county-...; ⚔ Territorial (*Army*); ~ский собо́р *m* diet; ~ский нача́льник *m* sheriff, bailiff; **~ство** *n* [9] zemstvo, county council (*1864—1917*).

зени́т *m* [1] zenith (*a. fig.* = climax); **~ный** ⚔ [14] anti-aircraft...

зени́ц|а *f* [5] † pupil, eye; бере́чь как ~у о́ка cherish like the apple of one's eye.

зе́ркал|о *n* [9; *pl. e.*] looking glass, (*a. fig.*) mirror; **~ьный** [14] *fig.* (dead-)smooth; plate (*glass*).

зерн|и́стый [14 *sh.*] grainy, granular; **~о́** *n* [9; *pl.*: зёрна, зёрен, зёрнам] grain (*a. coll.*), corn, (*a. fig.*) seed; **~ово́й** [14] grain...; *su. pl.* cereals.

зигза́г *m* [1], **~ообра́зный** [14; -зен, -зна] zigzag.

зим|а́ *f* [5; *ac/sg.*: зи́му; *pl. st.*] winter (in [the] Т; for the на В); **~ний** [15] winter..., wintry; **~ова́ть** [7], ⟨за-, пере-⟩ winter; hibernate; **~о́вка** *f* [5; *g/pl.*: -вок], **~о́вье** *n* [10] wintering; hibernation; winter hut.

зия́|ние *n* [12] gaping; *ling.* hiatus; **~ть** [28] gape.

злак *m* [1] herb; grass; *pl.* ⚘ gramineous plants; хле́бные ~и *pl.* [cereals.

злато... † *poet.* gold(en).

злить [13], ⟨обо-, разо-⟩ vex, anger *or* make angry, irritate; **~ся** be (-come) *or* feel angry (with на В); *fig.* rage.

зло *n* [9; *pl. gen.* зол *only*] evil.

зло́б|а *f* [5] spite; rage; ~а дня topic of the day; **~ный** [14; -бен, -бна] spiteful, malicious; **~одне́вный** [14; -вен, -вна] topical, burning; **~ствовать** [7] *s.* зли́ться.

злов|е́щий [17 *sh.*] ominous, ill-boding; **~о́ние** *n* [12] stench; **~о́нный** [14; -о́нен, о́нна] stinking, fetid; **~ре́дный** [14; -ден, -дна] malicious, malign(ant).

злоде́|й *m* [3] malefactor, evildoer; criminal; villain; **~йский** [16] vile, villainous, outrageous; malicious; **~йство** *n* [9], **~я́ние** *n* [12] misdeed, outrage, villainy, crime.

злой [14; зол, зла, зло] wicked, (*a. su. n*) evil; malicious, spiteful; angry (with на В); fierce; severe; bad; mordant; ⚕ malignant.

зло|ка́чественный [14 *sh.*] malignant; **~ключе́ние** *n* [12] misfortune; **~наме́ренный** [14 *sh.*] malevolent; **~нра́вный** [14; -вен, -вна] ill-natured; **~па́мятный** [14; -тен, -тна] vindictive; **~полу́чный** [14; -чен, -чна] unfortunate, ill-fated; **~ра́дный** [14; -ден, -дна] mischievous.

злосло́ви|е *n* [12], **~ть** [14] slander.

зло́ст|ный [14; -тен, -тна] malicious, spiteful; malevolent; **~ь** *f* [8] spite; rage.

зло|сча́стный [14; -тен, -тна] *s.* ~полу́чный.

злоумы́шленн|ик *m* [1] plotter; malefactor; **~ый** [14] malevolent.

злоупотреб|ле́ние *n* [12], **~ля́ть** [28], ⟨~и́ть⟩ [14 *e.*; -блю́, -би́шь] (Т) abuse; (make) excessive use.

зме|и́ный [14] snake('s), serpent('s), -tine; **~и́ться** [13] meander, wind (o.s.); **~й** *m* [3] dragon; (*a.* бума́жный ~й) kite; †, Р = **~я́** *f* [6; *pl. st.*: зме́и, змей] snake, serpent (*a. fig.*).

знак *m* [1] sign, mark, token; symbol; omen; badge; signal; **~и** *pl.* препина́ния punctuation marks; в ~ (Р) in (*or* as a) token (sign) of.

знако́м|ить [14], ⟨по-⟩ introduce (a p. to В/с Т); *a.* ⟨о-⟩) acquaint (with с Т); **-ся** (с Т) *p.*: meet, make the acquaintance of, (*a. th.*) become acquainted with; *th.*: familiarize o.s. with, go into; **~ство** *n* [9] acquaintance (-ces *pl.*); **~ый** [14 *sh.*] familiar, acquainted (with с Т); known; *su.* acquaintance; бу́дьте ~ы = ~ьтесь, ..., meet ...

знамена́тель *m* [4] denominator; **~ный** [14; -лен, -льна] memorable, remarkable; significant, suggestive; *gr.* notional.

зна́мен|ие *n* [12] †, *s.* знак; **~и́тость** *f* [8] fame, renown; *p.:* celebrity; **~и́тый** [14 *sh.*] famous, renowned, celebrated (by, for Т).

знам|ено́сец *m* [1; -сца] standard bearer; **~я** *n* [13; *pl.:* -мёна, -мён] banner, flag; ⚔ standard; colo(u)rs.

зна́ни|е *n* [12] (*a. pl.* ~я) knowledge; со ~ем де́ла with skill *or* competence.

зна́т|ный [14; -тен, -тна́, -о] noble; distinguished, notable, eminent; **~о́к** *m* [1 *e.*] expert; connoisseur.

знать[1] **1.** [1] know; дать ~ (Д) let know; дать себя́ (о себе́) ~ make o.s. felt (send news); то и знай = то и де́ло; кто́ его́ зна́ет goodness knows; **-ся** F associate with (с Т); (get to) know; **2.** P apparently, probably; ~[2] *f* [8] nobility, notables *pl.*

знач|е́ние *n* [12] meaning, sense;

significance, importance (*vb.*: имéть be of); **~и́тельный** [14; -лен, -льна] considerable; large; important; significant, suggestive; **∠ить** [16] mean, signify; matter; ∠ит consequently, so; well (then); **-ся** be registered; *impers.* (it) say(s); **~óк** *m* [1; -чкá] badge; sign.
знобúт|ь: меня́ ~ I feel chilly.
зной *m* [3] heat, sultriness; **∠ный** [14; знóен, знóйна] sultry, hot.
зоб *m* [1] crop, craw; ⚕ goiter, -tre.
зов *m* [1] call; F invitation.
зóдчество *n* [9] architecture.
зол|á *f* [5] ashes *pl.*; **~óвка** *f* [5; *g/pl.*: -вок] sister-in-law (*husband's sister*).
золотú|стый [14 *sh.*] golden; **~ть** [15 *e.*; -очý, -отúшь], ⟨по-, вы́-⟩ gild.
зóлот|о *n* [9] gold; на вес ~а worth its weight in gold; **~оискáтель** *m* [4] gold digger; **~óй** [14] gold(en) (*a. fig.*); dear; ~ы́х дел мáстер *m* † jewel(l)er.
золотý|ха F *f* [5] scrofula; **~шный** F [14; -шен, -шна] scrofulous.
золочёный [14] gilt, gilded.
зóн|а *f* [5] zone; **~áльный** [14] zonal.
зонд *m* [1], **~úровать** [7] sound.
зонт, ∠ик *m* [1] umbrella; sunshade.
зоó|лог *m* [1] zoölogist; **~логúческий** [16] zoölogical; **~лóгия** *f* [7] zoölogy; **~пáрк, ~сáд** *m* [1] zoo (-logical garden).
зóркий [16; зóрок, -рка́, -о; *comp.*: зóрче] sharp-sighted (*a. fig.*); observant, watchful, vigilant.
зрачóк *m* [1; -чкá] *anat.* pupil.
зрéл|ище *n* [11] sight; spectacle; show; **~ость** *f* [8] ripeness, maturity; **~ый** [14; зрел, -á, -о] ripe, mature; deliberate.
зрéни|е *n* [12] (eye)sight; пóле ~я range of vision, eyeshot; *fig.* horizon; тóчка ~я point of view, standpoint, angle (*prp.*: с тóчки ~я = под углóм ~я from ...).
зрéть 1. [8], ⟨со-, вы́-⟩ ripen, mature; **2.** † [9], ⟨у-⟩ see; look.
зрúтель *m* [4] spectator, onlooker, looker-on; **~ный** [14] visual, optic; ~ный зал *m* hall, auditorium; ~ная трубá spyglass.
зря F in vain, to no purpose, (all) for nothing; it's no good (use) ...ing.
зря́чий [17] seeing (*one that can see*).
зуб *m* [1; *from g/pl. e.*; ⊕ зýбья, зýбьев] tooth; ⊕ *a.* cog, dent; до ~óв to the teeth; не по ~áм too tough (*a. fig.*); сквозь ∠ы through clenched teeth; (*mutter*) indistinctly; имéть *or* точúть ~ (на В) have a grudge against; **~áстый** [14 *sh.*] large-, sharp-toothed; *fig.* sharp-tongued; **~éц** *m* [1; -бцá] ⊕ = зуб; ⚔ battlement; **~úло** *n* [9] chisel; **~нóй** [14] tooth...; dental; ~нóй врач *m* dentist; ~нáя боль *f* toothache; **~очúстка** *f* [5; *g/pl.*: -ток] toothpick.
зубр *m* [1] bison; *fig.* fossil.
зубр|ёжка F *f* [5] cramming; **~úть 1.** [13], ⟨за-⟩ notch; зазýбренный jagged; **2.** F [13; зубрю́, зýбрúшь], ⟨вы́-, за-⟩ [зазýбренный] cram, learn by rote.
зубчáтый [14] ⊕ cog(wheel)..., gear...; indented.
зуд *m* [1], **~éть** F [9] itch (*a. fig.*).
зы́б|кий [16; зы́бок, -бкá, -о; *comp.*: зы́бче] loose; shaky; unsteady, unstable; swelling, rippled; vague; **~ýчий** [17 *sh.*] = ~кий; **~ь** *f* [8] ripples *pl.*; swell; † wave.
зы́чный [14; -чен, -чна; *comp.*: -чнée] ringing.
зя́б|кий [16; -бок, -бкá, -о] chilly; **~левый** [14] winter...; **~лик** *m* [1] chaffinch; **~нуть** [21], ⟨(пр)о-⟩ feel chilly; freeze; **~ь** *f* [8] winter tillage.
зять *m* [4; *pl. e.*: зятья́, -ьёв] son- *or* brother-in-law (*daughter's or sister's husband*).

И

и 1. *cj.* and; and then, and so; but; (even) though, much as; (that's) just (what ... is, *etc.*), (this) very *or* same; **2.** *part.* oh; too, (n)either;

even; и ... и ... both ... and ...
и́бо because, since, as.
и́ва *f* [5] willow.
Ива́н *m* [1] Ivan; John.
и́волга *f* [5] oriole.
игл|а́ *f* [5; *pl. st.*] needle (*a.* ⊕, ⚒, *min.*, ⚘); thorn, prickle; quill, spine, bristle; **~и́стый** [14 *sh.*] prickly, thorny; spiny; crystalline.
Игна́|тий *m* [3], F **~т** [1] Ignatius.
игнори́ровать [7] (*im*)*pf.* ignore.
и́го *n* [8] *fig.* yoke.
иго́л|ка *f* [5; *g/pl.*: -лок] *s.* игла́; как на ~ках on tenterhooks; с ~(оч)ки brand-new, spick-and--span; **~ьный** [14] needle('s)...
иго́рный [14] gambling; card...
игра́ *f* [5; *pl. st.*] play; game (of в В); effervescense; sparkle; ~ слов play on words, pun; ~ не сто́ит свеч it isn't worth while *or* doesn't pay; **~лище** *n* [11] sport, plaything; **~льный** [14] playing (*card*); **~ть** [1], ⟨по-, сыгра́ть⟩ play (*sport, cards, chess, etc.*, в В; ♪ на П); gamble; (*storm, etc.*) rage; (*a. wine, etc.*) sparkle; *thea. a.* act.
игри́|вый [14 *sh.*] playful, sportive; equivocal, immodest; **~стый** [14 *sh.*] sparkling.
игро́к *m* [1 *e.*] player, gambler.
игру́шка *f* [5; *g/pl.*: -шек] toy, plaything.
игу́мен *m* [1] abbot, superior.
идеа́л *m* [1] ideal; **~и́зм** *m* [1] idealism; **~и́ст** *m* [1] idealist; **~исти́ческий** [16] idealistic; **~ьный** [14; -лен, -льна] ideal.
иде́йный [14; -е́ен, -е́йна] ideologic(al); ideal; high-principled.
идеолог *m* [1] ideologist; **~и́ческий** [16] ideologic(al); **∠ия** [7] ideology.
иде́я *f* [6] idea.
иди́лл|ия *f* [7] idyl(l); **~и́ческий** [16] idyllic.
идиома́т|ика *f* [5] stock of idioms; idiomology; **~и́ческий** [16] idiomatic(al).
идио́т *m* [1] idiot; **~и́зм** *m* [1] idiocy; **~ский** [16] idiotic.
и́дол *m* [1] idol; *contp.* blockhead.
идти́ [иду́, идёшь; шёл, шла; ше́дший; идя́, F и́дучи; ...дённый], ⟨пойти́⟩ [пойду́, -дёшь; пошёл, -шла́] (be) go(ing, *etc.*; *a. fig.*), walk; come; run, pass, drive, sail, fly, *etc.*; (за Т) follow, *a.* go for, fetch; leave; move (*a. chess*, Т), flow, drift, blow; (в, на В) enter (*school*), join (*army, etc.*), become; proceed, be in progress, take place; be on (*thea., film*); lead (*road*; *a. card* с Р); (на В) attack; spread (*rumo[u]r*); (be) receive(d); ✝ sell; ⊕ work; (в, на, под В) be used, spent (for); (в В) be sent to; ([к] Д) suit; (за В) marry; ~ в счёт count; ~ на вёслах row; ~ по отцу́ take after one's father; идёт! all right!, done!; пошёл (пошли́)! (let's) go!; де́ло (речь) идёт о (П) the question *or* matter is (whether), it is a question *or* matter (of); ... is at stake; ему́ идёт *or* пошёл шесто́й год (деся́ток) he is over *or* past five (fifty).
иезуи́т *m* [1] Jesuit (*a. fig.*).
иеро́глиф *m* [1] hieroglyph(ic).
Иерусали́м *m* [1] Jerusalem.
иждиве́н|ец *m* [1; -нца] dependent; **~ие** *n* [12]: на ~ии (Р) (*live*) at s.b.'s. expense, depend on.
из, ~о (Р) from, out of; of; for, through; with; in; by; что ж ~ э́того? what does that matter?
изба́ *f* [5; *pl. st.*] (peasant's) house, hut, cottage; room (*therein*); ~-чита́льня *f* [5/6] village reading room.
избав|и́тель *m* [4] rescuer, saver, deliverer; **∠ить** *s.* ~ля́ть; **~ле́ние** *n* [12] deliverance, rescue; **~ля́ть** [28], ⟨∠ить⟩ [14] (от Р from) deliver, free; save; relieve; redeem; **-ся** (от Р) escape, get rid of.
избало́ванный [14 *sh.*] spoilt.
избе|га́ть [1], ⟨~жа́ть⟩ [4; -егу́, -ежи́шь, -егу́т], ⟨∠гнуть⟩ [21] (Р) avoid, shun; escape, evade; **~жа́ние** *n* [12]: во ~жа́ние (Р) (in order) to avoid.
изб|ива́ть [1], ⟨~и́ть⟩ [изобью́, -бьёшь; *cf.* бить] beat, thrash; † slaughter, extirpate; F damage; **~ие́ние** *n* [12] beating; extermination, massacre.
избира́тель *m* [4] voter, elector; *pl. a.* electorate; constituency; **~ный** [14] electoral; election...; ~ный уча́сток *m* polling place; ~ное пра́во *n* franchise; ~ное собра́ние *n* caucus, *Brt.* electoral assembly.
изб|ира́ть [1], ⟨~ра́ть⟩ [-беру́, -рёшь; *cf.* брать] choose; elect (В/в И *pl. or* /Т); **∠ранный** *a.* select(ed).
изби́|тый [14 *sh.*] *fig.* beaten (*path*,

etc.); hackneyed, trite; **~ть** *s.* ~ва́ть.
избра́|ние *n* [12] election; **~нник** *m* [1] the elect; **~ть** *s.* избира́ть.
избы́т|ок *m* [1; -тка] superfluity, surplus; abundance, plenty; в ~ке, с ~ком in plenty, plentiful(ly); **~очный** [14; -чен, -чна] superfluous, surplus...
извая́ние *n* [12] statue; *s.* ваять.
изве́д|ывать, 〈~ать〉 [1] learn, (come to) know, see; experience.
и́звер|г *m* [1] monster; **~га́ть** [1], 〈~́гнуть〉 [21] cast out (*a. fig.*); vomit; erupt; **~же́ние** *n* [12] ejection, eruption.
изверну́ться *s.* извора́чиваться.
извести́ *s.* изводи́ть.
изве́ст|ие *n* [12] news *sg.*; information; *pl. a.* bulletin; после́дние ~ия *rad.* news(cast); **~и́ть** *s.* извеща́ть.
извёстк|а *f* [5], **~о́вый** [14] lime.
изве́стн|ость *f* [8] notoriety; reputation, fame; по́льзоваться (мирово́й) ~остью be (world-)renowned *or* famous *or* well known; ста́вить (В) в ~ость bring to a p.'s notice (s. th. о П); **~ый** [14; -тен, -тна] known (for Т; as как, P за В), familiar; well-known, renowned, famous; notorious; certain; ~ое (P ~о) де́ло of course; (мне) ~о it is known (I know); (ему́) э́то хорошо́ ~о it is a well-known fact (he is well aware of this). [′~ь *f* [8] lime.]
извест|ня́к *m* [1 *e.*] limestone;
изве|ща́ть [1], 〈~сти́ть〉 [15 *e.*; -ещу́, -ести́шь; -ещённый] inform (of о П); notify; † *a.* advise; **~ще́ние** *n* [12] notification, information, notice; ⚖ summons, writ.
изви|ва́ться [1] wind, twist, wriggle, meander; **~́лина** *f* [5] bend, curve; turn; **~́листый** [14 *sh.*] winding, tortuous.
извин|е́ние *n* [12] pardon; apology, excuse; **~и́тельный** [14; -лен, -льна] pardonable; [*no sh.*] apologetic; **~я́ть** [28], 〈~и́ть〉 [13] excuse, pardon; forgive (a p. a th. Д/В); ~и́(те)! excuse me!, (I'm) sorry!; нет, (уж) ~и́(те)! oh no!, on no account!; **-ся** apologize (to/for пе́ред Т/в П); beg to be excused (on account of Т); ~я́юсь! P = ~и́(те)!
извл|ека́ть [1], 〈~е́чь〉 [26] take *or* draw out; extract (*a.* ⅔); derive (*a.* *profit*); **~eче́ние** *n* [12] extract(ion).
извне́ from outside *or* without.
изводи́ть F [15], 〈извести́〉 [25] use up; exhaust, ruin.
изво́зчик *m* [1] cabman, cab driver; [cab.]
изво́л|ить [13] please, deign; † want (*or just polite form of respect*); ~ь(те) + *inf.* (would you) please + *vb.*; *a. order, admonition:* (if you) please; *discontent*: how can one ...; F ~ь(те) all right, O. K.; please; *cf.* уго́дно.
извор|а́чиваться [1], 〈изверну́ться〉 [20] F dodge; shift; (try to) wriggle out; **~о́тливый** [14 *sh.*] nimble (*a. fig.*), elusive; shifty.
извра|ща́ть [1], 〈~ти́ть〉 [15 *e.*; -ащу́, -ати́шь; -ащённый] distort; pervert.
изги́б *m* [1] bend, curve, turn; *fig.* shade; **~а́ть** [1], 〈изогну́ть〉 [20] bend, curve, crook (*v/i.* **-ся**).
изгла́|живать [1], 〈~дить〉 [15] (**-ся** be[come]) efface(d), erase(d); smooth out.
изгна́|ние *n* [12] expulsion, banishment; exile; **~нник** *m* [1] exile; **~ть** *s.* изгоня́ть.
изголо́вье *n* [10] head (*bed*); bolster.
изг|оня́ть [28], 〈~на́ть〉 [-гоню́, -го́нишь; -гна́л, -ла́, -о; и́згнанный] drive out; oust; expel; exile, banish.
и́згородь *f* [8] fence; hedge(row).
изгот|а́вливать [1], **~овля́ть** [28], 〈~о́вить〉 [14] make, produce, manufacture; F prepare (*food*); **~овле́ние** *n* [12] production, manufacture; making.
изда|ва́ть [5], 〈~́ть〉 [-да́м, -да́шь, *etc., cf.* дать; и́зданный (и́здан, -а́, -о)] publish; edit; (*order*) issue; (*law*) enact; (*sound*) utter, emit.
и́зда|вна at all times; from of old; long since; **~лека́, ~лёка ~ли** from afar; afar off.
изда́|ние *n* [12] publication; edition; issue; **~тель** *m* [4] publisher; editor (*of material*); **~тельство** *n* [9] publishing house, publishers *pl.*; **~ть** *s.* издава́ть.
издева́т|ельство *n* [9] derision (of над Т), scorn, scoff; **~ься** [1] jeer, sneer, mock (at над Т); bully.
изде́лие *n* [12] make; product(ion), article; (needle)work; *pl. a.* goods.
изде́рж|ивать [1], 〈~а́ть〉 [4] spend; use up; **-ся** F spend much

(*or* run short of) money; **~ки** *f/pl.* [5; *gen.*: -жек] expenses; ⚖ costs.
издыха́|ть [1] *s.* до́хнуть; **~ние** *n* [12] (last) breath *or* gasp.
изж|ива́ть [1], ⟨~и́ть⟩ [-живу́, -вёшь; -жи́тый, F -то́й (изжи́т, -а́, -о)] eliminate, extirpate; complete, end (*life, etc.*); endure; ~и́ть себя́ be(come) outdated, have had one's day; **~о́га** *f* [5] heartburn.
из-за (Р) from behind; from; because of; over; for (the sake of); ~ чего́? what for?; ~ э́того therefore.
излага́ть [1], ⟨изложи́ть⟩ [16] state, set forth, expound, expose.
излеч|е́ние *n* [12] cure, (medical) treatment; recovery; **~ивать** [1], ⟨~и́ть⟩ [16] cure; **~и́мый** [14 *sh.*] curable.
изл|ива́ть [1], ⟨~и́ть⟩ [изолью́, -льёшь; *cf.* лить] shed; ~и́ть ду́шу, мы́сли unbosom o.s.; *anger*: vent ... on (на В).
изли́ш|ек *m* [1; -шка] surplus, (*a.* **~ество** *n* [9]) excess, & = избы́ток; **~ний** [15; -шен, -шня, -не] superfluous, excessive; needless.
изл|ия́ние *n* [12] outpouring, effusion; **~и́ть** [28] = ~ива́ть.
изловчи́ться F [16 *e.*; -чу́сь, -чи́шься] *pf.* contrive.
излож|е́ние *n* [12] exposition, statement; **~и́ть** *s.* излага́ть.
изло́манный [14] broken; angular; spoilt, deformed, unnatural.
излуча́ть [1] radiate.
излу́чина *f* [5] *s.* изги́б.
излю́бленный [14] favo(u)rite.
изме́н|а *f* [5] treason (Д to); unfaithfulness; **~е́ние** *n* [12] change, alteration, modification; впредь до ~е́ния until further notice; **~и́ть** *s.* ~я́ть; **~ник** *m* [1] traitor; **~чивый** [14 *sh.*] changeable, variable; fickle; **~я́ть** [28], ⟨~и́ть⟩ [13; -ню́, -е́нишь] **1.** *v/t.* change (*v/i.* **-ся**), alter; modify; vary; **2.** *v/i.* (Д) betray; be(come) unfaithful (to); break, violate (*oath, etc.*); fail (*memory, etc.*), desert.
измер|е́ние *n* [12] measurement; ⩟ dimension; **~и́мый** [14 *sh.*] measurable; **~и́тель** *m* [4] meter, measure, measuring instrument; **~я́ть** [28], ⟨~ить⟩ [13 *st.*] measure; fathom (*a. fig.*).
измождё**нный** [14 *sh.*] exhausted.
измо́р: взять ~ом ⚔ starve (out).
и́зморозь *f* [8] rime; mist.
и́зморось *f* [8] drizzle.
изму́чи|вать [1], ⟨~ть⟩ [16] (**-ся** be[come]) fatigue(d), exhaust(ed), wear (worn) out; *refl. a.* pine.
измышл|е́ние *n* [12] invention; **~я́ть** [28], ⟨измы́слить⟩ [13; -ы́шленный] invent; contrive, devise.
изна́нка *f* [5] back, inside; (*fabric*) wrong side; *fig.* seamy side.
изна́шивать [1], ⟨износи́ть⟩ [15] wear out (by use); *v/i.* **-ся.**
изне́женный [14] coddled; effeminate.
изнем|ога́ть [1], ⟨~о́чь⟩ [26 г/ж: -огу́, -о́жешь, -о́гут] be(come) exhausted *or* enervated; collapse; **~оже́ние** *n* [12] exhaustion, weariness.
изно́с *m* [1] wear and tear; **~и́ть** *s.* изна́шивать.
изнур|е́ние *n* [12] exhaustion, fatigue; **~и́тельный** [14; -лен, -льна] wearisome, wasting; **~я́ть** [28], ⟨~и́ть⟩ [13] (**-ся** be[come]) fatigue(d), exhaust(ed), waste(d).
изнутри́ from within; within.
изны|ва́ть [1], ⟨~ть⟩ [22] pine (for по Д); *impf. a.* (от Р) die of, be wearied *or* bored to death.
изоби́л|ие *n* [12] abundance, plenty (of Р, *a.* в П); **~овать** [7] abound (in Т); **~ьный** [14; -лен, -льна] rich, abundant (in Т).
изоблич|а́ть [1], ⟨~и́ть⟩ [16 *e.*; -чу́, -чи́шь; -чённый] convict (of в П); unmask; *impf.* reveal, show.
изобра|жа́ть [1], ⟨~зи́ть⟩ [15 *e.*; -ажу́, -ази́шь; -ажённый] represent (*a. impf.* + собо́ю), depict; describe; express; ~жа́ть из себя́ (В) F act, set up for; **~же́ние** *n* [12] representation; description; image, picture; **~зи́тельный** [14; -лен, -льна] graphic, descriptive; (*no sh.*) fine (*arts*).
изобре|сти́ *s.* ~та́ть; **~та́тель** *m* [4] inventor; **~та́тельный** [14; -лен, -льна] inventive, resourceful; **~та́ть** [1], ⟨~сти́⟩ [25 -т-: -брету́, -тёшь] invent; **~те́ние** *n* [12] invention.
изогну́ть *s.* изгиба́ть.
изо́дранный [14] F = изо́рванный.
изол|и́ровать [7] (*im*)*pf.* isolate; ⚡ *a.* insulate; **~я́тор** *m* [1] ⚡ insulator; ⚕ isolation ward; cell *or* jail (for close solitary confinement); **~я́ция** *f* [7] isolation; ⚡ insulation.
изо́рванный [14] torn, tattered.

изощр|ённый [14] refined, subtle; **~ять** [28], ⟨~ить⟩ [13] (**-ся** become) refine(d), sharpen(ed); *refl. impf. a.* exert o.s., excel (in в П *or* Т).
из-под (Р) from under; from; from the vicinity of; бутылка ~ молока́ milk bottle.
изразе́ц *m* [1; -зца́] (Dutch) tile.
Изра́иль *m* [4] Israel.
и́зредка occasionally; here & there.
изре́з|ывать [1], ⟨~ать⟩ [3] cut up.
изре|ка́ть [1], ⟨~́чь⟩ pronounce; **~че́ние** *n* [12] aphorism, maxim.
изруб|а́ть [1], ⟨~и́ть⟩ [14] chop, mince; cut (up, down); saber (-bre).
изря́дный [14; -ден, -дна] (fairly) good *or* big, fair (*amount*).
изуве́р *m* [1] fanatic; monster.
изуве́ч|ивать [1], ⟨~ить⟩ [16] mutilate.
изум|и́тельный [14; -лен, -льна] amazing, wonderful; **~и́ть(ся)** *s.* ~ля́ть(ся); **~ле́ние** *n* [12] amazement; **~ля́ть** [28], ⟨~и́ть⟩ [14 *e*; -млю́, -ми́шь; -млённый] (**-ся** Д be) amaze(d), astonish(ed), surprise(d at, wonder).
изумру́д *m* [1] emerald.
изу́стный [14] oral.
изуч|а́ть [1], ⟨~и́ть⟩ [16] study, learn; familiarize o. s. with, master; scrutinize; **~е́ние** *n* [12] study.
изъе́з|дить [15] *pf.* travel (all) over, through; **~женный** [14] beaten; bumpy (*road*).
изъяв|и́тельный [14] *gr.* indicative; **~ля́ть** [28], ⟨~и́ть⟩ [14] express, show; (*consent*) give.
изъя́н *m* [1] defect; stain; loss.
изыма́ть [1], ⟨изъя́ть⟩ [изыму́, изы́мешь] withdraw; seize.
изыска́ние *n* [12] investigation, research; survey; ⚒ prospect.
изы́сканный [14 *sh.*] refined, elegant; choice, exquisite; far-fetched.
изы́ск|ивать [1], ⟨~а́ть⟩ [3] find.
изю́м *m* [1] *coll.* raisins *pl.*
изя́щн|ый [14; -щен, -щна] graceful, elegant, (*a.*, †, *arts*) fine; ~ое *n su.* the beautiful; ~ая литерату́ра *f* belles-lettres *pl.*
Иису́с *m* [1; *voc.*: -у́се] Jesus.
ик|а́ть [1], ⟨~ну́ть⟩ [20] hiccup.
ико́|на *f* [5] icon; **~та** *f* [5] hiccup.
икра́ *f* [5] (hard) roe, spawn; caviar; *mst. pl.* [*st.*] calf (*leg*).
ил *m* [1] silt.
и́ли or; or else; ~ ... ~ either ... or.
иллю|зия *f* [7] illusion; **~мина́ция** *f* [7] illumination; **~минова́ть** [7] (*im*)*pf.* illuminate; **~стра́ция** *f* [7] illustration; **~стри́ровать** [7] (*im*)*pf.* illustrate.
Ил|ья́ *m* [6], F *dim.* **~ю́ша** [5] Elias.
им. *abbr.*: и́мени, *s.* и́мя.
имби́рь *m* [4 *e.*] ginger.
име́ние *n* [12] estate.
имени́|ны *f/pl.* [5] name day; **~тельный** [14] *gr.* nominative; **~тый** [14 *sh.*] eminent, notable.
и́менно just, very (*adj.*), exactly, in particular; (*a.* а ~, и ~) namely, to wit, that is to say; (*a.* вот ~) F indeed.
именова́ть [7], ⟨на-⟩ call, name.
име́ть [8] have, possess; ~ де́ло с (Т) have to do with; ~ ме́сто take place; ~ в виду́ have in view, mean, intend; remember, bear in mind; **-ся** be at, in *or* on hand; (у Р) have; there is, are, *etc.*
иммигра́нт *m* [1] immigrant.
иммуните́т *m* [1] immunity.
импера́т|ор *m* [1] emperor; **~ри́ца** *f* [5] empress.
империали́|зм *m* [1] imperialism; **~ст** *m* [1] imperialist; **~сти́ческий** [16] imperialist(ic).
импе́рия *f* [7] empire.
и́мпорт *m* [1], **~и́ровать** [7] (*im*)*pf.* import.
импровизи́ровать [7] (*im*)*pf.* & ⟨сымпровизи́ровать⟩ improvise.
и́мпульс *m* [1] impulse.
иму́щ|ество *n* [9] property; belongings *pl.*; (не)дви́жимое ~ество ⚖ (im)movables *pl.*; **~ий** [17] well-to-do.
и́мя *n* [13] (*esp.* first, Christian) name (*a. fig. & gr.*; *parts of speech*: = *Lat.* nomen); и́мени: шко́ла им. Че́хова Chekhov school; и́менем, во ~; от и́мени (*all 3*) in the name of (Р); на ~ addressed to, for; по и́мени named; in name (only); (*know*) by name.
и́на́че differently; otherwise, (or) else; не ~, как just; та́к и́ли ~ one way or another, anyhow.
инвали́д *m* [1] invalid; ~ труда́ (войны́) disabled worker (veteran, *Brt.* ex-serviceman).
инвент|аризация *f* [7] inventory, stock-taking; **~а́рь** *m* [4 *e.*] inventory; (живо́й live)stock; implements, fittings *pl.*

инд|еец *m* [1; -е́йца] (*Am.* Red) Indian; **~е́йка** *f* [5; *g/pl.*: -е́ек] turkey; **~е́йский** [16] (Red) Indian; ~е́йский пету́х *m* = ~ю́к; **~иа́нка** *f* [5; *g/pl.*: -нок] *fem. of* ~е́ец & ~и́ец.
индиви́д, ~уум *m* [1] individual; **~уа́льный** [14; -лен, -льна] individual.
инди́|ец *m* [1; -и́йца] (East) Indian, Hindu; **~йский** [16] Indian (*a.* Ocean: ꝛйский океа́н *m*), Hindu.
Индия *f* [7] India.
Индо|кита́й *m* [3] Indo-China; **~не́зия** *f* [7] Indonesia; **~ста́н** *m* [1] Hindustan.
инду́с *m* [1], **~ка** *f* [5; *g/pl.*: -сок], **~ский** [16] Hindu.
индустриализ|а́ция *f* [7] industrialization (*Brt.* -sa-); **~(и́р)ова́ть** [7] (*im*)*pf.* industrialize (*Brt.* -se).
инд|устриа́льный [14] industrial; **~у́стрия** *f* [7] industry.
индю́к *m* [1 *e.*] turkey cock.
и́ней *m* [3] (white *or* hoar)frost.
ине́р|тный [14; -тен, -тна] inert; **~ция** *f* [7] inertia; по ~ции mechanically.
инжене́р *m* [1] engineer; ~-строи́тель *m* [1/4] civil engineer; **~ный** [14] (*a.* ⚔ & ~ное де́ло *n*) engineering.
инициа́|лы *m/pl.* [1] initials; **~ти́ва** *f* [5] initiative; **~тор** *m* [1] initiator.
иногда́ sometimes, now and then.
иногоро́дний [15] nonresident, foreign.
инозе́м|ец *m* [1; -мца] foreigner; **~ный** [14] foreign.
ино́|й [14] (an)other, different; some, many a; ~й раз sometimes; не кто ~й (не что ~е), как ... nobody (nothing) else but ...
иносказа́тельный [14; -лен, -льна] allegorical.
иностра́н|ец *m* [1; -нца], **~ка** *f* [5; *g/pl.*: -нок] foreigner; **~ный** [14] foreign; *s. a.* министе́рство.
инста́нция *f* [7] ⚖ instance; *pl.* (official) channels; hierarchy.
инсти́нкт *m* [1] instinct; **~и́вный** [14; -вен, -вна] instinctive.
институ́т *m* [1] institute; (*a.* ⚖) institution; *form.* (girls') boarding school (**~ка** *f* [5; *g/pl.*: -ток] pupil *thereof*).
инструме́нт *m* [1] instrument.
инсцени́р|овать [7] (*im*)*pf.* stage, screen; *fig.* feign; **~о́вка** *f* [5; *g/pl.*: -вок] staging, *etc.*; direction; dramatization.
интегра́л *m* [1] integral; **~ьный** [14; *fig.* -лен, -льна] integral.
интеллектуа́льный [14; -лен, -льна] intellectual.
интеллиге́н|т *m* [1] intellectual; **~тность** *f* [8] intelligence; **~тный** [14; -тен, -тна] intelligent; intellectual; **~ция** *f* [7] intelligentsia, intellectuals *pl.*
интенда́нт *m* [1] ⚔ commissary; **~ство** *n* [9] commissariat.
интенси́вный (-tɛn-) [14; -вен, -вна] intense, (*a. econ.*) intensive.
интерва́л *m* [1] interval.
интерве́нция *f* [7] intervention.
интервью́ (-tɛr-) *n* [*indecl.*], **~и́ровать** (-tɛr-) [7] (*im*)*pf.* interview.
интере́с *m* [1] interest (in к Д; be of/to име́ть ~ для Р; in the/of в ~ах Р); F use; **~ный** [14; -сен, -сна] interesting; F handsome, attractive; **~ова́ть** [7], ⟨за-⟩ (**-ся** be[come]) interest(ed, take an interest in T).
интерна́т *m* [1] boarding school; hostel.
Интернациона́л *m* [1] International(e); ꝛ**ьный** [14; -лен, -льна] international.
интерни́рова|ние (-tɛr-) *n* [12] internment; **~ть** (-tɛr-) [7] (*im*)*pf.* intern.
инти́мн|ость *f* [8] intimacy; **~ый** [14; -мен, -мна] intimate.
интри́г|а *f* [5] intrigue; **~а́н** *m* [1] intriguer; **~а́нка** *f* [5; *g/pl.*: -нок] intrigante; **~ова́ть** [7], ⟨за-⟩ intrigue.
интуити́вный [14; -вен, -вна] intuitive.
Интури́ст *m* [1] (Sov.) State bureau of foreign tourism.
инфе́кция *f* [7] infection.
инфля́ция *f* [7] inflation.
информ|а́ция *f* [7] information; ꝛ**бюро́** *n* [*indecl.*] (Communist) Information Bureau, Cominform; **~и́ровать** [7] (*im*)*pf.* & ⟨про-⟩ inform.
и. о. = исполня́ющий обя́занности.
ипподро́м *m* [1] race track (course).
и пр(оч). *abbr.*: и про́чее, *s.* про́чий.
Ира́|к *m* [1] Iraq; **~н** *m* [1] Iran.
ири́дий *m* [3] iridium.
и́рис *m* [1] iris (⚘, *anat.*).
ирла́нд|ец *m* [1; -дца] Irishman; **~ка** *f* [5; *g/pl.*: -док] Irishwoman;

~ский [16] Irish (*a.* Sea: 2ское мо́ре); **2ия** *f* [7] Ireland; Eire.
ирон|изи́ровать [7] mock, sneer (at над Т); **~и́ческий** [16] ironic(al), derisive; **~ия** *f* [7] irony.
иск ⚖ *m* [1] suit, action.
иска|жа́ть [1], ⟨~зи́ть⟩ [15 *e.*; -ажу́, -ази́шь; -ажённый] distort, disfigure; **~же́ние** *n* [12] distortion.
иска́ть [3], ⟨по-⟩ (В) look for; (*mst.* Р) seek; ⚖ sue (a p. for с Р/В).
исключ|а́ть [1], ⟨~и́ть⟩ [16 *e.*; -чу́, -чи́шь; -чённый] exclude, leave out; expel; ~а́я (Р) except(ing); ~ено́ impossible; **~е́ние** *n* [12] exclusion; expulsion; exception (with the за Т; as an в ви́де Р); **~и́тельный** [14; -лен, -льна] exceptional; exclusive; extraordinary; F excellent; *adv. a.* solely, only; **~и́ть** *s.* ~а́ть.
иско́мый [14] sought, looked for.
иск|они́ † = и́здавна; **~о́нный** [14] (ab)original, native; arch...
ископа́ем|ый [14] (*a. fig. & su. n*) fossil; mined; *pl. su.* minerals; поле́зные ~ые treasures of the soil.
искорен|я́ть [28], ⟨~и́ть⟩ [13] extirpate.
и́скоса askance, asquint.
и́скра *f* [5] spark(le); spangle.
и́скренн|ий [15; -ренен, -ренна, -е & -о, -и & -ы] sincere, frank, candid; ~о пре́данный Вам Sincerely (*or* Respectfully) yours; **~ость** *f* [8] sincerity, frankness.
искрив|ля́ть [28], ⟨~и́ть⟩ [14 *e.*; -влю́, -ви́шь; -влённый] (**-ся** become) bend (-t), crook(ed); distort(ed), disfigure(d).
искр|и́стый [14 *sh.*] sparkling; **~и́ться** [13] sparkle, scintillate.
искуп|а́ть [1], ⟨~и́ть⟩ [14] (В) atone for, expiate; **~ле́ние** *n* [12] atonement, expiation.
иску́с *m* [1] trial (*fig.*); **~и́тель** *m* [4] tempter; **~и́ть** *s.* искуша́ть.
иску́с|ный [14; -сен, -сна] skil(l)ful, skilled; **~ственный** [14 *sh.*] artificial; false (*tooth, etc.*), imitation (*pearls, etc.*); **~ство** *n* [9] art; skill.
иску|ша́ть [1], † ⟨~си́ть⟩ [15 *e.*; -ушу́, -уси́шь] tempt; **~ше́ние** *n* [12] temptation; **~шённый** [14 *sh.*] tried; versed, (*a.* ~ённый о́пытом) experienced.
исла́м *m* [1] Islam.
Исла́ндия *f* [7] Iceland.
испа́н|ец *m* [1; -нца], **~ка** *f* [5; *g/pl.*: -нок] Spaniard; **2ия** *f* [7] Spain; **~ский** [16] Spanish.
испар|е́ние *n* [12] evaporation; *pl. a.* vapo(u)r(s); **~я́ть** [28], ⟨~и́ть⟩ [13] evaporate (*v/i.* **-ся**, *a. fig.*).
испе|пеля́ть [28], ⟨~пели́ть⟩ [13] burn to ashes; **~стря́ть** F [28], ⟨~стри́ть⟩ [13], **~щря́ть** [28], ⟨~щри́ть⟩ [13] mottle, speckle, variegate; stud; interlard.
испи́с|ывать [1], ⟨~а́ть⟩ [3] write (*sheet, etc.*), write upon (*on both sides, etc.*), fill (up, *book*); ~ан full of notes, *etc.*; F use up; **-ся** F write o.s. out; be(come) used up (by writing).
испито́й F [14] emaciated.
испове́д|ание *n* [12] confession; creed; **~ать** [1] † = ~овать; **~ник** *m* [1] confessor; **~овать** [7] (*im*)*pf.* confess (*v/i.* **-ся**, to a p. пе́ред Т; s.th. в П); profess (*religion*); F interrogate; **~ь** ('is-) *f* [8] confession (*eccl.* [*prp.*: на В/П to/at] & *fig.*).
и́спод|воль F gradually; **~ло́бья** frowningly; **~тишка́** F on the quiet.
испоко́н: ~ ве́ку (веко́в) = и́здавна.
исполи́н *m* [1] giant; **~ский** [16] gigantic.
исполко́м *m* [1] (исполни́тельный комите́т) executive committee.
исполн|е́ние *n* [12] execution; fulfil(l)ment, performance; приводи́ть в ~е́ние = ~я́ть; **~и́мый** [14 *sh.*] realizable; practicable; **~и́тель** *m* [4] executor; *thea.*, ♪ performer; ⚖ (court) bailiff; **~и́тельный** [14] executive; [-лен, -льна] industrious; **~я́ть** [28], ⟨~ить⟩ [13] carry out, execute; fulfil(l), do (*duty*); hold, fill (*office, etc.*); keep (*promise*); *thea.*, ♪ perform; **-ся** come true; (*age*) be: ему́ ~илось пять лет he is five; (*period*) pass (since [с тех пор] как).
испо́льзова|ние *n* [12] use, utilization; **~ть** [7] (*im*)*pf.* use, utilize.
испо́р|тить *s.* по́ртить; **~ченный** [14 *sh.*] spoilt, broken; depraved.
исправ|до́м F *m* [1] (~и́тельный дом) reformatory, reform school; **~и́тельный** [14] correctional; *s.* ~дом; **~ле́ние** *n* [12] correction; improvement; reform; **~ля́ть** [28], ⟨~ить⟩ [14] correct; improve; reform; repair; *impf.* hold (*office*); **-ся** reform.
испра́вн|ость *f* [8] intactness; ac-

curacy; в ~ости = **~ый** [14; -вен, -вна] intact, in good order; accurate, correct; diligent, industrious.
испражн|éние *n* [12] ⚕ evacuation; *pl.* f(a)eces; **~я́ться** [28], ⟨~и́ться⟩ [13] ⚕ evacuate.
испу́г *m* [1] fright; **~а́ть** *s.* пуга́ть.
испус|ка́ть [1], ⟨~ти́ть⟩ [15] utter; emit; exhale; give up (*ghost*).
испыт|а́ние *n* [12] test, (*a. fig.*) trial; examination (at на П); **~́анный** [14] tried; **~а́тельный** [14] test...; **~у́ющий** [17] searching; **~́ывать,** ⟨~а́ть⟩ [1] try (*a. fig.*), test; experience, undergo, feel.
иссле́дова|ние *n* [12] investigation, research; exploration; examination; ⚗ analysis; treatise, paper, essay (on по Д); **~тель** *m* [4] research worker, researcher; explorer; **~тельский** [16] research... (*a.* нау́чно-~тельский); **~ть** [7] (*im*)*pf.* investigate; explore; examine (*a.* ⚕); ⚗ analyze; ⚓ sound.
иссо́хнуть *s.* иссыха́ть.
и́сстари = и́здавна, *cf.*
исступл|е́ние *n* [12] ecstasy, frenzy; rage; **~ённый** [14] frantic.
исс|уша́ть [1], ⟨~уши́ть⟩ [16] *v/t.*, **~ыха́ть** [1], ⟨~о́хнуть⟩ [21] *v/i.* & **~яка́ть** [1], ⟨~я́кнуть⟩ [21] *v/i.* dry (*v/i.* up); *fig. a.* exhaust, wear out (*v/i.* o.s. *or* become ...).
ист|ека́ть [1], ⟨~е́чь⟩ [26] flow out; *impf.* spring; elapse (*time*), expire, become due (*date*); dissolve (in *tears* Т); ~ека́ть кро́вью bleed to death; **~е́кший** [17] past, last.
исте́р|ика *f* [5] hysterics *pl.*; **~и́ческий** [16], **~и́чный** [14; -чен, -чна] hysterical; **~и́я** *f* [7] hysteria.
исте́ц *m* [1; -тца́] plaintiff.
истече́ни|е *n* [12] expiration (*date*), lapse (*time*); ⚕ discharge; ~е кро́ви bleeding; по ~и (Р) at the end of.
исте́чь *s.* истека́ть.
и́стин|а *f* [5] truth; **~ный** [14; -инен, -инна] true, genuine; right (*way, fig.*); plain (*truth*).
истл|ева́ть [1], ⟨~е́ть⟩ [8] mo(u)lder, rot, decay; die away.
и́стовый [14] true; grave; zealous.
исто́к *m* [1] source (*a. fig.*).
истолк|ова́ние *n* [12] interpretation; **~о́вывать** [1], ⟨~ова́ть⟩ [7] interpret, expound, (*a.* себе́) explain (to o.s.).
исто́м|а *f* [5] languor; **~ля́ть** [28], ⟨~и́ть⟩ [14 *e.*; -млю́, -ми́шь; -млённый] (**-ся** be[come]) tire(d), fatigue(d), weary (-ied).
истоп|ни́к *m* [1 *e.*] stoker; **~та́ть** F [3] *pf.* trample; wear out.
исторг|а́ть *m* [1], ⟨~́нуть⟩ [21] wrest; draw; deliver, save.
исто́р|ик *m* [1] historian; **~и́ческий** [16] historical; **~ия** *f* [7] history; story; F affair, thing; ве́чная ~ия! always the same!
источ|а́ть [1], ⟨~и́ть⟩ [16 *e.*; -чу́, -чи́шь] draw; shed; exhale, emit; **~́ник** *m* [1] spring; (*a. fig.*) source.
истощ|а́ть [1], ⟨~и́ть⟩ [16 *e.*; -щу́, -щи́шь; -щённый] (**-ся** be[come]) exhaust(ed), use(d) up.
истра́чивать [1] *s.* тра́тить.
истреб|и́тель *m* [4] destroyer (*a.* ⚓); ✈ pursuit plane, fighter; **~и́тельный** [14] destructive; fighter...; **~и́ть** *s.* ~ля́ть; **~ле́ние** *n* [12] destruction; extermination; **~ля́ть** [28], ⟨~и́ть⟩ [14 *e.*; -блю́, -би́шь; -блённый] destroy, annihilate; exterminate.
истука́н *m* [1] idol; dolt; statue.
и́стый [14] true, genuine; zealous.
истяза́|ние *n* [12], **~ть** [1] torment.
исхо́д *m* [1] end, outcome, result; way out, outlet, vent; † exit; *Bibl.* Exodus; быть на ~е come to an end; run short of; **~и́ть** [15] (из Р) come, emanate; originate, proceed; start from; † depart; *pf.* F go all over; *s. a.* истека́ть; **~ный** [14] initial, of departure.
исхуда́лый [14] emaciated, thin.
исцара́пать [1] *pf.* scratch (all over).
исцел|е́ние *n* [12] healing; recovery; **~я́ть** [28], ⟨~и́ть⟩ [13] heal, cure; **-ся** recover.
исчез|а́ть [1], ⟨~́нуть⟩ [21] disappear, vanish; **~нове́ние** *n* [12] disappearance; **~́нуть** *s.* ~а́ть.
исче́рп|ывать, ⟨~ать⟩ [1] exhaust, use up; settle (*dispute, etc.*); ~ывающий exhaustive.
исчисл|е́ние *n* [12] calculation; 𝔄 calculus; **~я́ть** [28], ⟨~́ить⟩ [13] calculate.
ита́к thus, so; well, then, now.
Ита́лия *f* [7] Italy.
италья́н|ец *m* [1; -нца], **~ка** *f* [5; *g/pl.*: -нок]; **~ский** [16] Italian; ~ская забасто́вка *f* sit-down strike.
и т. д. *abbr.*: и так да́лее.
ито́г *m* [1] sum, total; result; в ~е

in the end; подвести́ ~ sum up; ~ó (-ˈvɔ) altogether; in all, total.
и т. п. *abbr.*: и тому́ подо́бное.
итти́ *s.* идти́.
их (*a.* jix) their (*a.*, P, ~ний [15]); [*cf.* они́.]
ишь P (just) look, listen; there; on; now.
ище́йка *f* [5; *g/pl.*: -е́ек] bloodhound, sleuthhound.
ию́|ль *m* [4] July; **~нь** *m* [4] June.

Й

йод *m* [1] iodine.
йо́т|а *f* [5]: ни на ~у not a jot.

К

к, ко (Д) to, toward(s); *time a.* by; for.
к. *abbr.*: копе́йка, -ки, -е́ек.
-ка F (*after vb.*) just; will you.
каба́к *m* [1 *e.*] tavern, pub; mess.
кабала́ *f* [5] serfdom, bondage.
каба́н *m* [1 *e.*] (*a.* wild) boar.
ка́бель *m* [4] cable.
каби́н|а *f* [5] cabin, booth; ✈ cockpit; **~е́т** *m* [1] study; office; ⚕ (consulting) room; *pol.* cabinet.
каблу́к *m* [1 *e.*] heel; быть под ~о́м *fig.* be henpecked.
каб|ота́ж *m* [1] coasting; **~ы́** P if.
кавале́р *m* [1] cavalier; knight; **~и́йский** [16] cavalry...; **~и́ст** *m* cavalryman; **~и́я** *f* [7] cavalry, horse.
ка́верз|а F *f* [5] intrigue; trick; **~ный** F [14] trick(s)y.
Кавка́з *m* [1] Caucasus (*prp.*: на В/П to/in); **ℒец** *m* [1; -зца] Caucasian; **ℒский** [16] Caucasian.
кавы́чк|и *f/pl.* [5; *gen.*: -чек] quotation marks; в ~ах *iron.* so-called.
кади́|ло *n* [9] censer; **~ть** [15 *e.*; кажу́, кади́шь] cense.
ка́дка *f* [5; *g/pl.*: -док] tub, vat.
ка́дмий *m* [3] cadmium.
кадр *m* [1] (*mst. pl.*) cadre, key group, van(guard); skilled workers; (*film*) shot; close-up; **~о́вый** [14] ⚔ regular, active; commanding; skilled.
кады́к F *m* [1 *e.*] Adam's apple.
каждодне́вный [14] dayly.
ка́ждый [14] every, each; either (*of two*); *su.* everybody, everyone.
ка́ж|ется, ~ущийся *s.* каза́ться.
каза́к *m* [1 *e.*; *pl. a.* 1] Cossack.
каза́рма ⚔ *f* [5] barracks *pl.*
каза́|ться [3], ⟨по-⟩ (Т) seem, appear, look; мне ка́жется (~лось), что ... it seems (seemed) to me that; он, ка́жется, прав he seems to be right; *a.* apparently; ка́жущийся seeming; ~лось бы one would think.
каза́х *m* [1], **~ский** [16] Kazak(h); ℒская ССР Kazak Soviet Socialist Republic; **ℒста́н** *m* [1] Kazakstan.
каза́|цкий [16], **~чий** [18] Cossack('s)...
каз|ённый [14] state..., government...; official, public; formal, perfunctory; commonplace; на ~ённый счёт *m* gratis; **~на́** *f* [5] treasury, exchequer; **~наче́й** *m* [3] treasurer; ⚔ paymaster.
казн|и́ть [13] (*im*)*pf.* execute, put to death; *impf. fig.* scourge; **~ь** *f* [8] execution; (*a. fig.*) punishment.
Каи́р *m* [1] Cairo.
кайма́ *f* [5; *g/pl.*: каём] border.
как how; as; (as) like; what; but; since; F when, if; (+*su.*, *adv.*) very (much), awfully; (+ *pf. vb.*) suddenly; я ви́дел, как он шёл ... I

saw him going ...; ~ бу́дто, ~ бы as if, as it were; ~ бы мне (+ *inf.*) how am I to ...; ~ ни however; ~ же! sure!; ~ (же) так? you don't say!; ~ ..., так и ... both ... and ...; ~ когда́, *etc.* that depends; ~ не (+ *inf.*) of course ...; ~ мо́жно (нельзя́) скоре́е (лу́чше) as soon as (in the best way) possible.

кака́о *n* [*indecl.*] cocoa.

ка́к-нибу́дь somehow (or other); anyhow; sometime.

како́в [-ва́, -о́] how; what; what sort of; (such) as; ~! just look (at him)!; ~о́? what do you say?; **~о́й** [14] which.

како́й [16] what, which; such as; F any; that; ещё ~! and what ... (*su.*)!; како́е там! not at all!; **~-либо, ~-нибудь** any, some; F no more than, (only) about; **~-то** some, a.

ка́к-то 1. *adv.* somehow; somewhat; F (*a.* ~ раз) once, one day; **2.** *part.* such as.

каламбу́р *m* [1] pun.

каланча́ *f* [5; *g/pl.*: -че́й] watch-tower; F beanpole.

кала́ч *m* [1 *e.*] small (*padlock-shaped*) white loaf; тёртый ~ *fig.* F cunning fellow.

кале́ка *m/f* [5] cripple.

календа́рь *m* [4 *e.*] calendar.

калёный [14] red-hot; roasted.

кале́чить [16], ⟨ис-⟩ cripple, maim.

ка́лий *m* [3] potassium.

кали́на *f* [5] snowball tree.

кали́тка *f* [5; *g/pl.*: -ток] gate, wicket.

кали́ть [13] **1.** ⟨на-, рас-⟩ heat, incandesce; roast; **2.** ⟨за-⟩ ⊕ temper.

кало́рия *f* [7] calorie.

кало́ши *s.* гало́ши.

ка́льк|а *f* [5; *g/pl.*: -лек] tracing; tracing paper; *fig.* loan translation; **~и́ровать** [7], ⟨с-⟩ trace.

калькул|и́ровать [7], ⟨с-⟩ ☿ calculate; **~я́ция** *f* [7] calculation.

кальсо́ны *f/pl.* [5] drawers, underpants.

ка́льций *m* [3] calcium.

ка́мбала *f* [5] flounder.

камен|е́ть [8], ⟨о-⟩ turn (in)to stone, petrify; **~и́стый** [14 *sh.*] stony; **~ноуго́льный** [14] coal (mining)...; **'~ный** [14] stone...; *fig.* stony; rock (*salt*); '~ный у́голь *m* (pit) coal (*hard & soft*); **~оло́мня** *f* [6; *g/pl.*: -мен] quarry; **~отёс** *m* [1] stonemason; **'~щик** *m* [1] bricklayer, (*a. hist.*) mason; **'~ь** *m* [4; -мня; *from g/pl. e.* (*a.*, ⚒, -ме́нья, -ме́ньев)] stone; rock; ⚕ *a.* calculus, gravel; *fig.* weight; ка́мнем like a stone; '~ь преткнове́ния stumbling block.

ка́мер|а *f* [5] (*prison*) cell; ⚕ ward; 🚂 (cloak)room, office; *parl.* (†), ⚖, ⊕, ⚔ chamber; *phot.* camera; bladder (*ball*); tube (*wheel*); **~ный** [14] ♪, ⊕ chamber...

ками́н *m* [1] fireplace.

камка́ *f* [5] damask (*fabric*).

камо́рка *f* [5; *g/pl.*: -рок] closet, small room.

кампа́ния *f* [7] ⚔, *pol.* campaign.

камфара́ *f* [5] camphor.

Камча́т|ка *f* [5] Kamchatka; ♀-**(н)ый** [14] damask...

камы́ш *m* [1 *e.*], **~о́вый** [14] reed.

кана́ва *f* [5] ditch; gutter; drain.

Кана́д|а *f* [5] Canada; ♀**ец** *m* [1; -дца], ♀**ка** *f* [5; *g/pl.*: -док]; ♀**ский** [16] Canadian.

кана́л *m* [1] canal; (*a. fig.*) channel; pipe; **~иза́ция** *f* [7] canalization; (*town*) severage.

канаре́йка *f* [5; *g/pl.*: -е́ек] canary.

кана́т *m* [1], **~ный** [14] rope, cable.

канва́ *f* [5] canvas; *fig.* basis; outline.

кандалы́ *m/pl.* [1 *e.*] fetters, shackles.

кандида́т *m* [1] candidate; *a. lowest Sov. univ. degree, approx.* = master.

кани́кулы *f/pl.* [5] vacation, *Brt. a.* holidays (during на П, в В).

каните́ль F *f* [8] fuss; trouble; humdrum, monotony.

канон|а́да *f* [5] cannonade; **~е́рка** *f* [5; *g/pl.*: -рок] gunboat.

кану́н *m* [1] eve.

ка́нуть [20] *pf.* sink, fall; как в во́ду ~ disappear without leaving a trace; ~ в ве́чность pass into oblivion.

канцеля́р|ия *f* [7] (secretary's) office, secretariat; **~ский** [16] office...; writing; clerk's; **~щина** *f* [5] red tape.

ка́п|ать¹ [1 & 2], *once* ⟨~нуть⟩ [20] drip, drop, trickle; leak; **~елька** *f* [5; *g/pl.*: -лек] droplet; *sg.* F bit, grain.

капита́л *m* [1] ☿ capital; stock; **~и́зм** *m* [1] capitalism; **~и́ст** *m* [1] capitalist; **~исти́ческий** [16] capitalist(ic); **~овложе́ние** *n* [12] investment; **~ьный** [14] capital; dear, expensive; main; thorough.

капита́н *m* [1] ⚔, ⚓ captain.

капитул|и́ровать [7] (*im*)*pf.* capitulate; **~я́ция** *f* [7] capitulation.

капка́н *m* [1] trap (*a. fig.*).

ка́пл|я *f* [6; *g/pl.*: -пель] drop; *sg.* F bit, grain; ~ями by drops; как две ~и воды́ (as like) as two peas.

капо́т *m* [1] dressing gown; overcoat; ⊕ hood, *Brt.* bonnet.

капри́з *m* [1] whim, caprice; **~ничать** F [1] be capricious; **~ный** [14; -зен, -зна] capricious, whimsical.

ка́псюль ⚔ *m* [4] percussion cap.

капу́ста *f* [5] cabbage; ки́слая ~ sauerkraut.

капу́т P *m* [*indecl.*] ruin, end.

капюшо́н *m* [1] hood.

ка́ра *f* [5] punishment.

караби́н *m* [1] carbine.

кара́бкаться [1], ⟨вс-⟩ climb.

карава́й *m* [3] (big) loaf.

карава́н *m* [1] caravan.

кара́емый [14 *sh.*] ⚖ punishable.

кара́кул|ь *m* [4], **~евый** [14] astrakhan; **~я** *f* [6] scrawl.

каран|да́ш *m* [1 *e.*] pencil; **~ти́н** *m* [1] quarantine.

карапу́з F *m* [1] tot; hop-o'-my--thumb.

кара́сь *m* [4 *e.*] crucian (*fish*).

кара́|тельный [14] punitive; **~ть** [1], ⟨по-⟩ punish.

карау́л *m* [1] sentry, guard; взять (сде́лать) на ~! present arms!; стоя́ть на ~е stand sentinel; F ~! help!, murder!; **~ить** [13], ⟨по-⟩ guard, watch (F *a.* for); **~ьный** [14] sentry... (*a. su.*); ~ьная *f* (*su.*) = **~ьня** *f* [6; *g/pl.*: -лен] guardroom.

карбо́ловый [14] carbolic (*acid*).

карбу́нкул *m* [1] carbuncle.

карбюра́тор *m* [1] carburet(t)or.

каре́л *m* [1] Karelian; **2ия** *f* [7] Karelia; **~ка** *f* [5; *g/pl.*: -лок] Karelian.

каре́та *f* [5] carriage, coach.

ка́рий [15] (dark) brown; bay.

карикату́р|а *f* [5] caricature, cartoon; **~ный** [14] caricature...; [-рен, -рна] comic(al), funny.

карка́с *m* [1] frame(work), skeleton.

ка́рк|ать [1], *once* ⟨~нуть⟩ [20] croak (*a.*, F, *fig.*), caw.

ка́рлик *m* [1] dwarf, pygmy; **~овый** [14] dwarf...; dwarfish.

карма́н *m* [1] pocket; э́то мне не по ~у F I can't afford that; э́то бьёт по ~у that makes a hole in my (*etc.*) purse; держи́ ~ (ши́ре) that's a vain hope; он за сло́вом в ~ не ле́зет he has a ready tongue; **~ный** [14] pocket...; note(*book*); ~ный вор *m* pickpocket; *cf.* фона́рик.

карнава́л *m* [1] carnival.

карни́з *m* [1] cornice.

Карпа́ты *f/pl.* [5] Carpathian Mts.

ка́рт|а *f* [5] map; ⚓ chart; (playing) card; menu; ста́вить (всё) на ~у stake (have all one's eggs in one basket); **~а́вить** [14] jar (*or* mispronounce) *Russ.* r *&/or* l (*esp. as uvular* r *or* u, v); **~ёжник** *m* [1] gambler (*at cards*); **~е́ль** (-ˈtɛl̦) *f* [8] cartel; **~е́чь** *f* [8] case shot.

карти́н|а *f* [5] picture (in на П); movie; image; painting; scene (*a. thea.*); **~ка** *f* [5; *g/pl.*: -нок] (small) picture, illustration; **~ный** [14] picture...; picturesque, vivid.

карто́н *m* [1] cardboard, pasteboard; † = **~ка** *f* [5; *g/pl.*: -нок] (cardboard) box; hatbox.

картоте́ка *f* [5] card index.

карто́фель *m* [4] *coll.* potatoes *pl.*

ка́рточ|ка *f* [5; *g/pl.*: -чек] card; F ticket; photo; menu; **~ный** [14] card(s)...; ~ная систе́ма *f* rationing system; ~ный до́мик *m* house of cards.

карто́шка P *f* [5; *g/pl.*: -шек] potato(es).

карту́з *m* [1 *e.*] cap; † pack(age).

карусе́ль *f* [8] merry-go-round.

ка́рцер *m* [1] dungeon; lockup.

карье́р *m* [1] full gallop (at T); с ме́ста в ~ on the spot; **~а** *f* [5] career; fortune; **~и́ст** *m* [1] careerist.

каса́|тельная ⩓ *f* [14] tangent; **~тельно** ([† до] P) concerning; **~ться** [1], ⟨косну́ться⟩ [20] ([до †] P) touch (*a. fig.*); concern; F be about, deal *or* be concerned with; де́ло ~ется *a.* = де́ло идёт о, *s.* идти́; что ~ется ..., то as for (to).

ка́ска *f* [5; *g/pl.*: -сок] helmet.

каспи́йский [16] Caspian.

ка́сса *f* [5] pay desk *or* office; (*a.* биле́тная ~) 🚂 ticket window, *Brt.* booking office; *thea.* box office; bank; fund; cash; cash register; money box *or* chest, safe.

кассац|и́онный [14] *s.* апелляцио́нный; **~ия** ⚖ *f* [7] reversal.

кассе́та *f* [5] *phot.* plate holder.

касси́р *m* [1], **~ша** F *f* [5] cashier.

ка́ста *f* [5] caste (*a. fig.*).

касто́ровый [14] castor (*oil*; *hat*).
кастри́ровать [7] (*im*)*pf*. castrate.
кастрю́ля *f* [6] saucepan; pot.
катало́г *m* [1] catalogue.
ката́нье *n* [10] driving, riding, skating, *etc*. (*cf*. ката́ть[ся]).
катастро́ф|а *f* [5] catastrophe; **~и́ческий** [16] catastrophic.
ката́ть [1] roll (*a*. ⊕); mangle; ⟨по-⟩ (take for a) drive, ride, row, *etc*.; **-ся** (go for a) drive, ride (*a*. верхо́м, *etc*.), row (на ло́дке); skate (на конька́х); sled(ge) (на саня́х), *etc*.; roll.
катег|ори́ческий [16] categorical; **~о́рия** *f* [7] category.
ка́тер ⚓ *m* [1; *pl*.: -pá, *etc*. *e*.] cutter; торпе́дный ~ torpedo boat.
кати́ть [15], ⟨по-⟩ roll, drive, wheel (*v/i* **-ся**; sweep; move, flow; *cf*. *a*. ката́ться).
като́д *m* [1] cathode; **~ный** [14] cathodic.
като́к *m* [1; -тка́] (skating) rink; mangle; ⊕ roll.
като́л|ик *m* [1], **~и́чка** *f* [5; *g/pl*.: -чек], **~и́ческий** [16] (Roman) Catholic.
ка́тор|га *f* [5] hard labo(u)r in (*Siberian*) exile; place of such penal servitude; *fig*. drudgery, misery; **~жа́нин** *m* [1; *pl*.: -а́не, -а́н], **~жник** *m* [1] (exiled) convict; **~жный** [14] hard, penal; *s*. ~га; *su*. = ~жник.
кату́шка *f* [5; *g/pl*.: -шек] spool; [⚡ coil.]
Катю́ша [5], **Ка́тя** *f* [6] (*dim*. *of* Екатери́на) Kitty, Kate.
каучу́к *m* [1] caoutchouc, rubber.
кафе́ (-ˈfɛ) *n* [*indecl*.] café.
ка́федра *f* [5] platform, pulpit, lecturing desk; chair, cathedra.
ка́фель *m* [4] (Dutch) tile.
кача́|лка *f* [5; *g/pl*.: -лок] rocking chair; **~ние** *n* [12] rocking; swing(-ing); pumping; **~ть** [1] **1.** ⟨по-⟩, *once* ⟨качну́ть⟩ [20] rock; swing; shake (*a*. one's head голово́й), toss; ⚓ roll, pitch; (**-ся** *v/i*.; stagger, lurch); **2.** ⟨на-⟩ pump.
каче́ли *f/pl*. [8] swing.
ка́честв|енный [14] qualitative; **~о** *n* [9] quality; в ~е (P) as, in one's capacity as *or* in the capacity of.
ка́ч|ка ⚓ *f* [5] rolling (бортова́я *or* бокова́я ~ка); pitching (килева́я ~ка); **~ну́ть(ся)** *s*. ~а́ть(ся).
ка́ш|а *f* [5] mush, *Brt*. porridge; gruel; pap; F slush; *fig*. mess, jumble; **~ева́р** ⚔ *m* [1] cook.
ка́ш|ель *m* [4; -шля], **~ля́ть** [28], *once* ⟨~лянуть⟩ [20] cough.
кашне́ (-ˈnɛ) *n* [*indecl*.] neckscarf.
кашта́н *m* [1], **~овый** [14] chestnut.
каю́та ⚓ *f* [5] cabin, stateroom.
ка́яться [27], ⟨по-⟩ (в П) repent.
кв. *abbr*.: **1.** квадра́тный; **2.** кварти́ра.
квадра́т *m* [1], **~ный** [14] square.
ква́к|ать [1], *once* ⟨~нуть⟩ [20] croak.
квалифи|ка́ция *f* [7] qualification(s); **~ци́рованный** [14] qualified, competent; skilled, trained.
кварта́л *m* [1] quarter (= district; 3 months); block, F building (*betw*. 2 *cross streets*); **~ьный** [14] quarter(ly); district... (*a*., *su*., *form*.: district inspector).
кварти́р|а *f* [5] apartment, *Brt*. flat; ~а в две ко́мнаты two-room apt./flat; lodgings *pl*.; ⚔ quarter(s); billet; ~а и стол board and lodging; **~а́нт** *m* [1], **~а́нтка** *f* [5; *g/pl*.: -ток] lodger, roomer, subtenant; **~ный** [14] housing, house-...; ~ная пла́та = **квартпла́та** *f* [5] rent.
квас *m* [1; -а & -у; *pl*. *e*.] quass (*Russ*. *drink*); **~́ить** [15], ⟨за-⟩ sour.
квасц|о́вый [14] aluminous; **~ы́** *m/pl*. [1] alum.
ква́шеный [14] sour, leavened.
кве́рху up, upward(s).
квит|а́нция *f* [7] receipt; check, ticket; **~́(ы)** F quits, even, square.
кво́та *f* [5] quota, share.
квт(ч) *abbr*. = kw. (K.W.H.)
кег|ельба́н *m* [1] bowling alley; **~́ля** *f* [6; *g/pl*.: -лей] pin (*pl*.: ninepins), *Brt*. skittle(s).
кедр *m* [1] cedar; сиби́рский ~ cembra pine.
кекс *m* [1] cake.
Кёльн *m* [1] Cologne.
кельт *m* [1] Celt; **~́ский** [16] Celtic.
ке́лья *f* [6] *eccl*. cell.
кем = T *of* кто, *cf*.
кенгуру́ *m* [*indecl*.] kangaroo.
ке́п|и *n* [*indecl*.], **~ка** *f* [5; *g/pl*.: -пок] cap.
кера́м|ика *f* [5] ceramics; **~и́ковый** [14], **~и́ческий** [16] ceramic.
кероси́н *m* [1], **~овый** [14] kerosene.
ке́та *f* [5] Siberian salmon.
кефи́р *m* [1] kefir, yog(h)urt.

киби́тка *f* [5; *g/pl.*: -ток] tilt cart (*or* sledge).
кив|а́ть [1], *once* ⟨**~ну́ть**⟩ [20] nod; beckon; point (to на В); **∠ер** *m* [1; *pl.*: -pá, *etc. e.*] shako; **~о́к** *m* [1; -вка́] nod.
кида́|ть(ся) [1], *once* ⟨ки́нуть(ся)⟩ [20] *s.* броса́ть(ся); меня́ ~ет в жар и хо́лод I'm hot and cold all over (have a shivering fit).
Ки́ев *m* [1] Kiev; **♀ля́нин** *m* [1; *pl.*: -я́не, -я́н], **♀ля́нка** *f* [5; *g/pl.*: -нок] Kiever; **♀ский** [16] Kiev...
кий *m* [3; кия́; *pl.*: кии́, киёв] cue.
кило́ *n* [*indecl.*] = ~гра́мм; **~ва́тт -(-ча́с)** *m* [1; *g/pl.*: -ва́тт] kilowatt(-hour); **~гра́мм** *m* [1] kilogram (-me); **~ме́тр** *m* [1] kilometer (*Brt.* -tre).
киль *m* [4] keel; **~ва́тер** (-tɛr) *m* [1] wake; **∠ка** *f* [5; *g/pl.*: -лек] sprat.
КИМ *m* [1] *abbr.*: Communist Youth International (*1919—1943*).
кинемато́гр|аф *m* [1] cinema(tograph), movie theater; **~а́фия** *f* [7] cinematography.
кинжа́л *m* [1] dagger.
кино́ *n* [*indecl.*] movie, motion picture, *Brt.* the pictures, cinema (to/at в В/П); *coll.* screen, film; **~актёр** *s.* ~арти́ст; **~актри́са** *s.* ~арти́стка; **~арти́ст** *m* [1] screen (*or* film) actor; **~арти́стка** *f* [5; *g/pl.*: -ток] screen (*or* film) actress; **~ателье́** (-tɛ-) *n* [*indecl.*] (film) studio; **'~варь** *f* [8] cinnabar; **~журна́л** *m* [1] newsreel; **~звезда́** F *f* [5; *pl.*: -звёзды] filmstar; **~карти́на** *f* [5] film; **~ле́нта** *f* [5] reel, film (copy); **~опера́тор** *m* [1] cameraman; **~плёнка** *f* [5; *g/pl.*: -нок] film (strip); **~режиссёр** *m* [1] film director; **~сеа́нс** *m* [1] show, performance; **~сцена́рий** *m* [3] scenario; **~съёмка** *f* [5; *g/pl.*: -мок] shooting (of a film), filming; **~теа́тр** *m* [1] movie theater, cinema; **~хро́ника** *f* [5] newsreel.
ки́нуть(ся) *s.* кида́ть(ся).
кио́ск *m* [1] kiosk, stand, stall.
кио́т *m* [1] *eccl.* image case, shrine.
ки́па *f* [5] pile, stack; bale, pack.
кипари́с *m* [1] cypress.
кипе́|ние *n* [12] boiling; то́чка ~ния boiling point; **~ть** [10 *e.*; -плю́, -пи́шь], ⟨за-, вс-⟩ boil; seethe; surge (up), rage, overflow, teem with (T); be in full swing (*work, war*).
Ки́пр *m* [1] Cyprus.
кипу́чий [17 *sh.*] seething; lively, vigorous, exuberant, vehement; busy.
кипят|и́ть [15 *e.*; -ячу́, -яти́шь], ⟨вс-⟩ boil (up; *v/i.* **-ся**); F be(come) excited; **~о́к** *m* [1; -тка́] boiling *or* boiled (hot) water.
кирги́з *m* [1], **~ский** [16] Kirghiz.
Кири́лл *m* [1] Cyril; **♀ица** *f* [5] Cyrillic alphabet.
кирка́ *f* [5; *g/pl.*: -ро́к] pick(ax[e]), mattock.
кирпи́ч *m* [1 *e.*], **~ный** [14] brick.
кисе́ль *m* [4 *e.*] (*kind of*) jelly.
кисе́т *m* [1] tobacco pouch.
кисея́ *f* [6] muslin.
кисл|ова́тый [14 *sh.*] sourish; **~оро́д** *m* [1] oxygen; **~ота́** *f* [5; *pl. st.*: -о́ты] acid; **∠ый** [14; -сел, -сла́, -о] sour, (*a.* ⚗) acid...
ки́снуть [21], ⟨с-, про-⟩ turn sour; F *fig.* get rusty.
ки́ст|очка *f* [5; *g/pl.*: -чек] (*paint, shaving*) brush; tassel; *dim. of* **~ь** *f* [8; *from g/pl. e.*] brush; tassel; cluster, bunch; hand.
кит *m* [1 *e.*] whale.
кита́|ец *m* [1; -та́йца] Chinese; **♀й** *m* [3] China; **~йский** [16] Chinese; ♀йская Наро́дная Респу́блика (КНР) Chinese People's Republic; **~я́нка** *f* [5; *g/pl.*: -нок] Chinese.
ки́тель *m* [4; *pl.* -ля́, *etc. e.*] jacket.
китобо́й *m* [3], **~ный** [14] whaler.
кич|и́ться [16 *e.*; -чу́сь, -чи́шься] put on airs; boast (of T); **~ли́вый** [14 *sh.*] haughty, conceited.
кише́ть [киши́т] teem, swarm (with T; *a.* кишмя́ ~).
киш|е́чник *m* [1] bowels, intestines *pl.*; **~е́чный** [14] intestinal, enteric; digestive (*tract*); **~ка́** *f* [5; *g/pl.*: -шо́к] intestine (small то́нкая, large то́лстая), gut; *pl.* F bowels; hose.
кла́виш *m* [1], **~а** *f* [5] ♪, ⊕ key.
клад *m* [1] treasure (*a. fig.*); **∠бище** *n* [11] cemetery; **∠ка** *f* [5] laying, (*brick-, stone*)work; **~ова́я** *f* [14] pantry, larder; stock- *or* storeroom; **~овщи́к** *m* [1 *e.*] stockman, storekeeper; **~ь** *f* [8] freight, load.
кла́ня|ться [28], ⟨поклони́ться⟩ [13; -оню́сь, -о́нишься] (Д) bow (to); greet; ~йтесь ему́ от меня́ give him my regards; F cringe (to пе́ред T); present (a p. s. th. Д/T).
кла́пан *m* [1] ⊕ valve; ♪ key, stop.

класс *m* [1] class; *shool*: grade, *Brt.* form; classroom; **∠ик** *m* [1] classic; **~ифици́ровать** [7] (*im*)*pf.* classify); **~и́ческий** [16] classic(al); **∠ный** [14] class(*room, etc.*); **∠овый** [14] class (*struggle, etc.*).

класть [кладу́, -дёшь; клал] **1.** ⟨положи́ть⟩ [16] (в, на, *etc.*, В) put, lay (down, on, *etc.*), deposit; apply, spend; take (as *a basis* в В); F fix; rate; make; leave (*mark*); **2.** ⟨сложи́ть⟩ [16] lay (down); erect.

клева́ть [6 *e.*; клюю́, клюёшь], *once* ⟨клю́нуть⟩ [20] peck, pick; bite (*fish*); ~ но́сом F nod.

кле́вер *m* [1] clover, trefoil.

клевет|а́ *f* [5], **~а́ть** [3; -вещу́, -ве́щешь], ⟨о-⟩ *v/t.*, ⟨на-⟩ (на В) slander; **~ни́к** *m* [1 *e.*] slanderer; **~ни́ческий** [16] slanderous.

клевре́т *m* [1] accomplice.

клеён|ка *f* [5], **~чатый** [14] oil-cloth.

кле́|ить [13], ⟨с-⟩ glue, paste; **-ся** stick; F work, get on *or* along; **~й** *m* [3; на клею́] glue, paste; ры́бий ~й isinglass; **~йкий** [16; кле́ек, кле́йка] sticky, adhesive.

клейм|и́ть [14 *e.*; -млю́, -ми́шь], ⟨за-⟩ brand; *fig. a.* stigmatize; **~о́** *n* [9; *pl. st.*] brand; *fig.* stigma, stain; фабри́чное ~о́ trademark.

клён *m* [1] maple.

клепа́ть [1], ⟨за-⟩ rivet; hammer.

клёпка *f* [5; *g/pl.:* -пок] riveting; stave.

кле́т|ка *f* [5; *g/pl.*: -ток] cage; square, check; *biol.* (*a.* ~очка) cell; в ~(оч)ку (~[оч]ками) check(er)ed, *Brt.* chequered; **~ча́тка** *f* [5] cellulose; cellular tissue; **~чатый** [14] checkered (*Brt.* chequered); cellular.

кле|шня́ *f* [6; *g/pl.*: -не́й] claw (*of the crayfish*); **∠щи́** *f/pl.* [5; *gen.*: -ще́й, *etc. e.*] pincers.

клие́нт *m* [1] client.

кли́зма *f* [5] enema.

клик *m* [1] cry, shout; shriek; **∠а** *f* [5] clique; **∠ать** [3], *once* ⟨∠нуть⟩ [20] shriek; P call.

кли́мат *m* [1] climate; **~и́ческий** [16] climatic.

клин *m* [3; *pl.*: кли́нья, -ьев] wedge; gusset; ∠ом pointed (*beard*); свет не ∠ом сошёлся the world is large; there is always a way out.

кли́ника *f* [5] clinic.

клино́к *m* [1; -нка́] blade.

клич *m* [1] call; cry; **∠ка** *f* [5; *g/pl.:* -чек] (*dog's, etc.*) name; nickname.

клише́ *n* [*indecl.*] cliché (*a. fig.*).

клок *m* [1 *e.*; *pl.*: -о́чья, -ьев & клоки́, -ко́в] tuft; shred, rag, tatter, piece, frazzle.

клокота́ть [3] seethe, bubble.

клон|и́ть [13; -оню́, -о́нишь], ⟨на-, с-⟩ bend, bow; *fig.* incline; drive (*or* aim) at (к Д); † cast down; меня́ ∠ит ко сну I am (feel) sleepy; (**-ся** *v/i.*; *a.* decline; approach).

клоп *m* [1 *e.*] bedbug, *Brt.* bug.

кло́ун *m* [1] clown.

клочо́к *m* [1; -чка́] wisp; scrap.

клуб^1 *m* [1; *pl. e.*] cloud, puff (*smoke, etc.*); s. *a.* ~о́к; **~**^{2} [1] club (-house); **∠ень** *m* [4; -бня] tuber, bulb; **~и́ть** [14 *e.*; *3rd p. only*] puff (up), whirl, coil (*v/i.* **-ся**).

клубни́ка *f* [5] strawberry, -ries *pl.*

клубо́к *m* [1; -бка́] clew; tangle.

клу́мба *f* [5] (flower) bed.

клык *m* [1 *e.*] tusk; canine, fang.

клюв *m* [1] beak, bill.

клюка́ *f* [5] crutch(ed stick), staff.

клю́ква *f* [5] cranberry, -ries *pl.*

клю́нуть *s.* клева́ть.

ключ *m* [1 *e.*] key (*a. fig.*, clue; *a.* ⊕ [га́ечный ~] = wrench; англи́йский ~ monkey wrench); ♪ clef; spring, source; Δ keystone; **~и́ца** *f* [5] clavicle, collarbone; **∠ница** *f* [5] housekeeper.

клю́шка *f* [5; *g/pl.*: -шек] club.

кля́кса *f* [5] blot.

кля́нчить F [16] beg for.

кляп *m* [1] gag.

кля|сть [-яну́, -нёшь; -ял, -а́, -о] = проклина́ть, *cf.*; **-ся**, ⟨покля́сться⟩ swear (s. th. в П; by Т); **∠тва** *f* [5] oath; дать ∠тву (*or* ∠твенное обеща́ние) take an oath, swear; **~твопреступле́ние** *n* [12] perjury.

кля́уза *f* [5] intrigue, denunciation; † captious suit; pettifoggery.

кля́ча *f* [5] jade.

кни́г|а *f* [5] book (*a.* ✝); *teleph.* directory; register; **~опеча́тание** *n* [12] (book) printing, typography; **~опрода́вец** *m* [1; -вца] bookseller; **~охрани́лище** *n* [11] archives, storerooms *pl.*; library.

кни́ж|ка *f* [5; *g/pl.*: -жек] book (-let); notebook; passport; **~ный** [14] book...; bookish; **~о́нка** *f* [5; *g/pl.:* -нок] trashy book.

кни́зу down, downward(s).

кно́пка *f* [5; *g/pl.*: -пок] thumbtack,

Brt. drawing pin; ⚡ (push) button; patent (*or* snap) fastener.
кнут *m* [1 *e.*] whip, knout, scourge.
кня|ги́ня *f* [6] princess (*prince's consort*; *daughter*: **~жна́** *f* [5; *g/pl.*: -жо́н]); **~зь** *m* [4; *pl.*: -зья́, -зе́й] prince; вели́кий ~зь grand duke.
коа|лицио́нный [14] coalition ...; **~ли́ция** *f* [7] coalition.
ко́бальтовый [14] cobaltic.
кобура́ *f* [5] holster; saddlebag.
кобы́ла *f* [5] mare; *sport:* horse.
ко́ваный [14] wrought (*iron*).
кова́р|ный [14; -рен, -рна] artful, guileful, insidious; **~ство** *n* [9] craft, guile, wile.
кова́ть [7 *e.*; кую́, куёшь] **1.** ⟨вы́-⟩ forge; **2.** ⟨под-⟩ shoe (*horse*).
ковёр *m* [1; -вра́] carpet, rug.
кове́ркать [1], ⟨ис-⟩ distort, deform; mutilate; murder (*fig.*).
ко́в|ка *f* [5] forging; shoeing; **~кий** [16; -во́к, -вка́, -о] malleable.
ковríжка *f* [5; *g/pl.*: -жек] gingerbread.
ковче́г *m* [1] ark; Но́ев ~ Noah's Ark.
ковш *m* [1 *e.*] scoop; bucket; haven.
ковы́ль *m* [4 *e.*] feather grass.
ковыля́ть [28] toddle; stump, limp.
ковыря́ть [28], ⟨по-⟩ pick, poke.
когда́ when; F if; ever; sometimes; *cf.* ни; **~-либо, ~-нибудь** (at) some time (or other), one day; *interr.* ever; **~-то** once, one day, sometime.
ко́|готь *m* [4; -гтя; *from g/pl. e.*] claw; **~д** *m* [1] code.
ко́е|-где́ here & there, in some places; **~-ка́к** anyhow, somehow; with (great) difficulty; **~-како́й** [16] some; any; **~-когда́** off & on; **~-кто́** [23] some(body); **~-куда́** here & there, (in)to some place(s), somewhere; **~-что́** [23] something, some things.
ко́ж|а *f* [5] skin; leather; из ~и (во́н) лезть F do one's utmost; **~аный** [14] leather...; **~е́венный** [14] leather...; ~е́венный заво́д *m* tannery; **~е́вник** *m* [1] tanner; **~ица** *f* [5] peel; rind (*a.* **~ура́** *f* [5]); cuticle.
коз|а́ *f* [5; *pl. st.*] (she-)goat; **~ёл** *m* [1; -зла́] (he-)goat; **~ий** [18] goat...; **~лёнок** *m* [2] kid; **~лы** *f/pl.* [5; *gen.*: -зел] (coach) box; trestle.
ко́зни *f/pl.* [8] intrigues, plots.
козу́ля *f* [6] roe (deer).
коз|ырёк *m* [1; -рька́] peak (*cap*); **~ырь** *m* [4; *from g/pl. e.*] trump; **~ыря́ть** F [28], *once* ⟨~ырну́ть⟩ [20] trump; boast; ⚔ salute.
ко́йка *f* [5; *g/pl.*: ко́ек] cot; bed.
коке́т|ка *f* [5; *g/pl.*: -ток] coquette; **~ливый** [14 *sh.*] coquettish; **~ничать** [1] coquet, flirt; **~ство** *n* [9] coquetry.
коклю́ш *m* [1] whooping cough.
ко́кон *m* [1] cocoon.
кок|о́с *m* [1] coco; **~о́совый** [14] coco(nut)...; **~с** *m* [1] coke.
кол *m* **1.** [1 *e.*; *pl.*: ко́лья, -ьев] stake, pale; **2.** [*pl.* 1 *e.*] P *s.* едини́ца; ни ~а́ ни двора́ neither house nor home.
колбаса́ *f* [5; *pl. st.*: -а́сы] sausage.
колд|ова́ть [7] conjure; **~овство́** *n* [9] magic, sorcery; **~у́н** *m* [1 *e.*] sorcerer, magician, wizard; **~у́нья** *f* [6] sorceress, enchantress.
колеб|а́ние *n* [12] oscillation; vibration; *fig.* vacillation, hesitation; (*a.* ✝) fluctuation; **~а́ть** [2 *st.*: -е́блю, *etc.*; -е́бли(те)!; -е́бля], ⟨по-⟩, *once* ⟨~ну́ть⟩ [20] shake (*a. fig.*); **-ся** shake; (*a.* ✝) fluctuate; waver, vacillate, hesitate; oscillate, vibrate.
коле́н|о *n* [*sg.*: 9; *pl.*: 4] knee; стать на ~и kneel; [*pl.*: -нья, -ьев] ⚘ joint, knot; [*pl. a.* 9] bend; ⊕ crank; [*pl.* 9] degree, branch (*pedigree*); P ♪ pas(sage); trick; **~чатый** [14] *biol.* geniculate; ⊕ crank(*shaft*).
колес|и́ть F [15 *e.*; -ешу́, -еси́шь] travel (much); take a roundabout way; **~ни́ца** *f* [5] chariot; **~о́** *n* [9; *pl. st.*: -лёса] wheel; кружи́ться как бе́лка в ~е́ fuss, bustle about; вставля́ть па́лки в колёса (Д) put a spoke in a p.'s wheel; но́ги ~о́м bowlegged.
колея́ *f* [6; *g/pl.*: -ле́й] rut, (*a.* 🚂) track (*both a. fig.*).
коли́бри *m/f* [*indecl.*] hummingbird.
ко́лики *f/pl.* [5] colic, gripes.
коли́честв|енный [14] quantitative; *gr.* cardinal (*number*); **~о** *n* [9] quantity; number; amount; по ~у quantitatively.
ко́лка *f* [5] splitting, chopping.
ко́лк|ий [16; ко́лок, колка́, -о] prickly; biting, pungent; **~ость** *f* [8] sarcasm, gibe.
колле́г|а *m/f* [5] colleague; **~ия** *f* [7] board, staff; college.

коллекти́в *m* [1] collective, group, body; **~иза́ция** *f* [7] collectivization; **~ный** [14] collective.
колле́к|тор *m* [1] ⚡ collector; **~ционе́р** *m* [1] (*curiosity*) collector; **~ция** *f* [7] collection.
коло́д|а *f* [5] block; trough; pack, deck (*cards*); **~ец** [1; -дца] well; shaft, pit; **~ка** *f* [5; *g*/*pl*.: -док] last; (foot) stock(s); ⊕ (*brake*) shoe; **~ник** *m* [1] convict (*in stocks*).
ко́локол *m* [1; *pl*.: -ла́, *etc. e*.] bell; **~о́льня** *f* [6; *g*/*pl*.: -лен] bell tower, belfry; **~о́льчик** *m* [1] (little) bell; ⚘ bellflower.
колони|а́льный [14] colonial; **~за́ция** *f* [7] colonization; **~з(и́р)ова́ть** [7] (*im*)*pf*. colonize; **'~я** [7] colony.
коло́н|ка *f* [5; *g*/*pl*.: -нок] *typ*. column; (*gas*) station; water heater, *Brt*. geyser; *a. dim. of* **~на** *f* [5] column (⚠ *a*. pillar; *typ*. †).
ко́лос *m* [1; *pl*.: -ло́сья, -ьев], **~и́ться** [15 *e*.; *3rd p. only*] ear; **~ни́к** *m* [1 *e*.] grate.
колоти́ть [15] knock (at, on в В, [по Д).
коло́ть [17] **1.** ⟨рас-⟩ split, cleave; break (*sugar*); crack (*nuts*); **2.** ⟨на-⟩ (Р) chop (*firewood*); ко́лотый lump (*sugar*); **3.** ⟨у-⟩, *once* ⟨кольну́ть⟩ [20] prick, sting; *fig*. F taunt; **4.** ⟨за-⟩ stab; kill, slaughter (*animals*); *impers*. have a stitch; ~ глаза́ (Д) be a thorn in one's side.
колпа́к *m* [1 *e*.] cap; shade; bell glass.
колхо́з *m* [1] collective farm, kolkhoz; **~ный** [14] kolkhoz...; **~ник** *m* [1], **~ница** *f* [5] collective farmer.
колча́н *m* [1] quiver.
колчеда́н *m* [1] pyrites *pl*.
колыбе́ль *f* [8] cradle; **~ный** [14]: ~ная (пе́сня) *f* lullaby.
колых|а́ть [3 *st*.: -ы́шу, *etc*., *or* 1], ⟨вс-⟩, *once* ⟨~ну́ть⟩ [20] sway, swing; stir; heave; flicker; **-ся** *v*/*i*.
ко́лышек *m* [1; -шка] peg.
кольну́ть *s*. коло́ть 3. *& impers*.
коль|цево́й [14] ring...; circular; **~цо́** *n* [9; *pl. st*., *gen*.: коле́ц] ring; circle; **~чу́га** *f* [5] mail.
колю́ч|ий [17 *sh*.] thorny, prickly; barbed (*wire*); *fig*. *s*. ко́лкий; **~ка** *f* [5; *g*/*pl*.: -чек] thorn, prickle; barb.
Ко́ля *m* [6] (*dim. of* Никола́й) Nick.
коля́ска *f* [5; *g*/*pl*.: -сок] carriage, victoria; baby carriage, *Brt*. perambulator.

ком *m* [1; *pl*.: ко́мья, -ьев] lump, clod; сне́жный ~ snowball.
кома́нда *f* [5] command; detachment; ⚓ crew; *sport:* team; (*fire*) company (*or* department), *Brt*. brigade; F gang.
команди́р *m* [1] commander; **~ова́ть** [7] (*im*)*pf*., *a*. ⟨от-⟩ send (on a mission); detach; **~о́вка** *f* [5; *g*/*pl*.: -вок] mission; sending.
кома́нд|ный [14] command(ing); team...; **~ование** *n* [12] command; **~овать** [7] ([над] Т) command (*a*. = [give] order, ⟨с-⟩); F domineer; **~ующий** [17] (Т) commander.
кома́р *m* [1 *e*.] mosquito, gnat.
комба́йн ⸗ *m* [1] combine.
комбин|а́т *m* [1] combine of complementary industrial plants (*Sov*.); **~а́ция** *f* [7] combination; **~и́ровать** [7], ⟨с-⟩ combine.
коме́дия *f* [7] comedy; F farce.
коменда́|нт *m* [1] commandant; superintendent; **~ту́ра** *f* [5] commandant's office.
коме́та *f* [5] comet.
ком|и́зм *m* [1] comicality; **ˊ~ик** *m* [1] comedian, comic (actor).
Коминте́рн *m* [1] (Third) Communist International (*1919—1943*).
комисса́р *m* [1] commissar (*Sov*.); commissioner; **~иа́т** *m* [1] commissariat.
коми|ссио́нный [14] commission (*a*. ✝; *pl. su*. = *sum*); **ˊ~ссия** *f* [7] commission (*a*. ✝), committee; **~те́т** *m* [1] committee.
коми́ч|еский [16], **~ный** [14; -чен, -чна] comic(al), funny.
ко́мкать [1], ⟨ис-, с-⟩ crumple.
коммент|а́рий *m* [3] comment(ary); **~а́тор** *m* [1] commentator; **~и́ровать** [7] (*im*)*pf*. comment (on).
коммер|са́нт *m* [1] (wholesale) merchant; **ˊ~ческий** [16] commercial.
комму́н|а *f* [5] commune; **~а́льный** [14] municipal; **~и́зм** *m* [1] communism; **~ика́ция** *f* [7] communication (*pl*. ⚔); **~и́ст** *m* [1], **~и́стка** *f* [5; *g*/*pl*.: -ток], **~исти́ческий** [14] communist (*a. cap*., *cf*. КПСС).
коммута́тор *m* [1] commutator; *teleph*. switchboard; operator(s') room).
ко́мнат|а *f* [5] room; **~ный** [14] room...; ⚘ indoor.

комó|д *m* [1] bureau, *Brt.* chest of drawers; **~к** *m* [1; -мкá] lump, clod.
компáн|ия *f* [7] company (*a.* ☤); водить ~ию с (Т) associate with; **~ьóн** *m* [1] ☤ partner; F companion.
компáртия *f* [7] Communist Party.
кóмпас *m* [1] compass.
компенс|áция *f* [7] compensation; **~и́ровать** [7] (*im*)*pf.* compensate.
компетéн|тный [14; -тен, -тна] competent; **~ция** *f* [7] competence; line.
кóмплек|с *m* [1], **~сный** [14] complex; **´~т** *m* [1] (complete) set; **´~тный** [14], **~товáть** [7], ⟨у-⟩ complete.
комплимéнт *m* [1] compliment.
компо|зи́тор *m* [1] composer; **~сти́ровать** [7], ⟨про-⟩ punch; **´~т** *m* [1] sauce, *Brt.* stewed fruit.
компрéсс *m* [1] compress.
компром|ети́ровать [7], ⟨с-⟩, **~и́сс** *m* [1] compromise (*v/i. a.* идти́ на ~и́сс).
комсомóл *m* [1] Komsomol, *cf.* ВЛКСМ; **~ец** *m* [1; -льца], **~ка** *f* [5; *g/pl.*: -лок], **~ьский** [16] Young Communist.
комфóрт *m* [1] comfort, convenience; **~áбельный** [14; -лен, -льна] comfortable, convenient.
конвéйер *m* [1] (belt) conveyor; assembly line.
конвéнция *f* [7] convention.
конвéрт *m* [1] envelope.
конв|óир *m* [1], **~ои́ровать** [7], **~óй** *m* [3], **~óйный** [14] convoy.
конгрéсс *m* [1] congress.
конденс|áтор (-dɛ-) *m* [1] condenser; **~и́ровать** [7] (*im*)*pf.* condense; evaporate (*milk*).
конди́тер *m* [1] confectioner; **~ская** *f* [16] confectioner's shop; ~ские издéлия *pl.* confectionery.
Кондрáт|ий *m* [3], ~ P [1] Conrad.
кондýктор *m* [1; *pl. a.*: -á, *etc. e.*] conductor (🚂 *Brt.* guard).
коневóдство *n* [9] horse breeding.
конёк *m* [1; -нькá] skate; F hobby.
кон|éц *m* [1; -нцá] end; close; point; ⚓ rope; F distance; part; case; без ~цá endless(ly); в ~éц (до ~цá) completely; в ~цé (P) at the end of; в ~цé ~цóв at long last; в оди́н ~éц one way; в óба ~цá there & back; на худóй ~éц at (the) worst; под ~éц in the end; трéтий с ~цá last but two.
конéчно (-ʃnə) of course, certainly.
конéчности *f/pl.* [8] extremities.
конéчн|ый [14; -чен, -чна] *philos.*, A finite; final, terminal; ultimate.
конкрéтный [14; -тен, -тна] concrete.
конкур|éнт *m* [1] competitor; **~éнция** ☤ *f* [7] competition; **~и́ровать** [7] compete; **´~с** *m* [1] competition; ☤ bankruptcy.
кóнн|ица *f* [5] cavalry; **~ый** [14] horse...; (of) cavalry.
конопáтить [15], ⟨за-⟩ calk.
конопля́ *f* [6] hemp; **~ный** [14] hempen.
коносамéнт *m* [1] bill of lading.
консерв|ати́вный [14; -вен, -вна] conservative; **~атóрия** *f* [7] conservatory, *Brt.* school of music, conservatoire; **~и́ровать** [7] (*im*)*pf.*, *a.* ⟨за-⟩ conserve, preserve; can, *Brt.* tin; **´~ный** [14]: ´~ная фáбрика *f* cannery; **´~ы** *m/pl.* [1] canned (*Brt.* tinned) goods; safety goggles.
кóнский [16] horse(*hair, etc.*).
конспéкт *m* [1] summary, abstract; sketch; **~и́вный** [14; -вен, -вна] concise, sketchy; **~и́ровать** [7], ⟨за-⟩ outline, epitomize.
конспир|ати́вный [14; -вен, -вна] secret; **~áция** *f* [7] conspiracy.
конст|ати́ровать [7] (*im*)*pf.* state; find; **~итýция** *f* [7] constitution.
констр|уи́ровать [7] (*im*)*pf.*, *a.* ⟨с-⟩ design; **~ýктор** *m* [1] designer; **~ýкция** *f* [7] design; construction.
кóнсул *m* [1] consul; **~ьский** [16] consular; **~ьство** *n* [9] consulate; **~ьтáция** *f* [7] consultation; advice; advisory board; **~ьти́ровать** [7], ⟨про-⟩ advise; **-ся** consult (with с Т).
контáкт *m* [1] contact.
контингéнт *m* [1] contingent, quota.
континéнт *m* [1] continent.
контóр|а *f* [5] office; **~ский** [16] office...; ~ский слýжащий *m*, **~щик** *m* [1] clerk.
контрабáнд|а *f* [5] contraband; занимáться ~ой smuggle; **~и́ст** *m* [1] smuggler.
контр|агéнт *m* [1] contractor; **~-адмирáл** *m* [1] rear admiral.
контрáкт *m* [1] contract.
контрáст *m* [1], **~и́ровать** [7] contrast.
контратáка *f* [5] counterattack.

контрибу́ция ⚔ *f* [7] contribution.
контрол|ёр *m* [1] (ticket) inspector (🚂 *a.* ticket collector); **~и́ровать** [7], ⟨про-⟩ control, check; **∠ь** *m* [4] control, checkup; **∠ьный** [14] control ..., check...; ∠ьная рабо́та *f* test (paper).
контр|разве́дка *f* [5] counterespionage, secret service; **~револю́ция** *f* [7] counterrevolution.
конту́з|ить [15] *pf.* bruise, contuse; **~ия** *f* [7] contusion, bruise.
ко́нтур *m* [1] contour, outline.
конура́ *f* [5] kennel.
ко́нус *m* [1] cone; **~ообра́зный** [14; -зен, -зна] conic(al).
конфере́нция *f* [7] conference (at на П).
конфе́та *f* [5] candy, *Brt.* sweet(s).
конфи|денциа́льный [14; -лен, -льна] confidential; **~скова́ть** [7] (*im*)*pf.* confiscate.
конфли́кт *m* [1] conflict.
конфу́з|ить [15], ⟨с-⟩ (**-ся** be [-come]) embarrass(ed), confuse(d); **~ливый** F [14 *sh.*] bashful, shy.
конц|ентрацио́нный [14] *s.* ~ла́герь; **~ентри́ровать** [7], ⟨с-⟩ concentrate (**-ся** *v/i.*); **~е́рт** *m* [1] concert (at на П); ♪ concerto; **~ла́герь** *m* [4] concentration camp.
конч|а́ть [1], ⟨∠ить⟩ [16] finish, end (**-ся** *v/i.*); graduate from; P stop; ∠ено! F enough!; **∠чик** *m* [1] tip; end; **~и́на** *f* [5] decease.
конь *m* [4 *e.*; *nom/pl. st.*] horse; *poet.* steed; *chess*: knight; **~ки́** *m/pl.* [1] (ро́ликовые roller) skates; **~кобе́жец** *m* [1; -жца] skater; **~кобе́жный** [14] skating.
конья́к *m* [1 *e.*; *part. g.*: -у́] cognac.
ко́н|юх *m* [1] groom, (h)ostler; **~ю́шня** *f* [6; *g/pl.*: -шен] stable.
коопер|ати́в *m* [1] coöperative (store); **~а́ция** *f* [7] coöperation.
координи́ровать [7] (*im*)*pf.* coördinate.
копа́ть [1], ⟨вы́-⟩ dig (up); **-ся** *impf.* dig, root; rummage (about); dawdle.
копе́йка *f* [5; *g/pl.*: -е́ек] kopeck.
ко́пи *f/pl.* [8] mine, pit.
копи́лка *f* [5; *g/pl.*: -лок] money box.
копир|ова́льный [14]: ~ова́льная бума́га *f* carbon paper; **∠ова́ть** [7], ⟨с-⟩ copy; **~о́вщик** *m* [1] copyist.
копи́ть [14], ⟨на-⟩ save; store up.
ко́п|ия *f* [7] copy (*vb.* снять ~ию с P); **~на́** *f* [5; *pl.*: ко́пны, -пён, -пна́м] stack.
ко́поть *f* [8] soot, lampblack.
копоши́ться [16 *e.*; -шу́сь, -ши́шься], ⟨за-⟩ swarm; F stir; mess around.
копти́ть [15 *e.*; -пчу́, -пти́шь; -пчённый], ⟨за-⟩ smoke; soot.
копы́то *n* [9] hoof.
копьё *n* [10; *pl. st.*] spear.
кора́ *f* [5] bark; crust.
кораб|лекруше́ние *n* [12] shipwreck; **~лестрое́ние** *n* [12] shipbuilding; **∠ль** *m* [4 *e.*] ship; nave (*church*).
кора́лл *m* [1] coral; **~овый** [14] coral..., coralline.
Кордилье́ры *f/pl.* [5] Cordilleras.
коре́|ец *m* [1; -е́йца], **~йский** [16] Korean.
корен|а́стый [14 *sh.*] thickset, stocky; **~и́ться** [13] root; **~но́й** [14] native, aboriginal; fundamental, radical; molar (*tooth*); **'~ь** *m* [4; -рня; *from g/pl. e.*] root; в ко́рне totally; пусти́ть ко́рни take root; вы́рвать с ко́рнем pull up by the roots; **∠нья** *n/pl.* [*gen.*: -ьев] roots.
корешо́к *m* [1; -шка́] rootlet; stalk (*mushroom*); back (*book*); stub, *Brt.* counterfoil.
Коре́|я *f* [6] Korea; **♀я́нка** *f* [5; *g/pl.*: -нок] Korean.
корзи́н(к)а *f* [5 (*g/pl.*: -нок)] basket.
коридо́р *m* [1] corridor, passage.
кори́нка *f* [5; *g/pl.*: -нок] currant.
корифе́й *m* [3] *fig.* luminary, a shining light, leader.
кори́ца *f* [5] cinnamon.
кори́чневый [14] brown.
ко́рка *f* [5; *g/pl.*: -рок] crust; rind, peel.
корм *m* [1; *pl.*: -ма́, *etc. e.*] fodder; seed; **~а́** *f* [5] stern.
корм|и́лец *m* [1; -льца] breadwinner; **~и́лица** *f* [5] wet nurse; **~и́ть** [14], ⟨на-, по-⟩ feed; ~и́ть гру́дью nurse; F board; ⟨про-⟩ *fig.* maintain, support; **-ся** live on (Т); **~ле́ние** *n* [12] feeding; nursing; **~ово́й** [14] feed(ing), fodder...; ⚓ stern...
корнепло́ды *m/pl.* [1] edible roots.
ко́роб *m* [1; *pl.*: -ба́, *etc. e.*] basket; **~е́йник** *m* [1] hawker; **∠ить** [14], ⟨по-⟩ warp; *fig.* offend, sicken: **∠ка** *f* [5; *g/pl.*: -бок] box, case.
коро́в|а *f* [5] cow; до́йная ~а milch cow; **~ий** [18] cow...; **~ка** *f* [5;

g/pl.: -вок]: бо́жья ~ка ladybird; **~ник** *m* [1] cowshed.
короле́в|а *f* [5] queen; **~ский** [16] royal, regal; **~ство** *n* [9] kingdom.
корол|ёк *m* [1; -лька́] wren: **∠ь** *m* [4 *e.*] king.
коромы́сло *n* [9; *g/pl.*: -сел] yoke; (*a. scale*) beam; dragonfly.
коро́н|а *f* [5] crown; **~а́ция** coronation; **~ка** *f* [5; *g/pl.*: -нок] (*tooth*) crown; **~ова́ние** *n* [12] coronation; **~ова́ть** [7] (*im*)*pf.* crown.
коро́ста *f* [5] scab, scabies.
корот|а́ть F [1], ⟨c-⟩ while away, beguile; **∠кий** [16; ко́ро́ток, -тка́, ко́ро́тко́, ко́ро́тки́; *comp.*; коро́че] short, brief; *fig.* intimate, в ∠ких слова́х in a few words; коро́че (говоря́) in a word, in short (brief); '~ко и я́сно (quite) plainly; до́лго ли, ∠ко ли sooner or later.
ко́рпус *m* [1] body; [*pl.*: -са́, *etc. e.*] frame, case; building; (*a.* ⚔) corps.
коррект|и́в *m* [1] correction; **~и́ровать** [7], ⟨про-⟩ correct; *typ.* proofread; **∠ный** [14; -тен, -тна] correct, proper; **∠ор** *m* [1] proofreader; **~у́ра** *f* [5] proof(reading); держа́ть ~у́ру *s.* ~и́ровать (*typ.*).
корреспонд|е́нт *m* [1] correspondent; **~е́нция** *f* [7] correspondence.
корсе́т *m* [1] corset, *Brt. a.* stays *pl.*
ко́ртик *m* [1] cutlass, hanger.
ко́рточк|и *f/pl.* [5; *gen.*: -чек]: сесть (сиде́ть) на ~и (~ах) squat.
корчева́|ние *n* [12] rooting out; **~ть** [7], ⟨вы́-, рас-⟩ root out.
ко́рчить [16], ⟨c-⟩ *impers.* (& **-ся**) writhe (with pain от бо́ли); convulse; (*no pf.*) F make (*faces*); (*a.* ~ из себя́) play, pose, put on airs, set up for.
ко́ршун *m* [1] vulture.
коры́ст|ный [14; -тен, -тна] selfish, self-interested; *a.* = **~олюби́вый** [14 *sh.*] greedy (of gain), mercenary; **~олю́бие** *n* [12] self-interest, greed; **~ь** *f* [8] gain, profit; use; greed.
коры́то *n* [9] trough.
корь *f* [8] measles.
коря́вый [14 *sh.*] knotty, gnarled; rugged, rough; crooked; clumsy.
коса́ *f* [5; *ac/sg.*: ко́су; *pl. st.*] **1.** plait, braid; **2.** [*ac/sg. a.* косу́] scythe; spit (of land); **~рь** *m* [4 *e.*] mower.
ко́свенный [14] oblique, indirect (*a. gr.*); ⚖ circumstantial (*evidence*).
коси́|лка *f* [5; *g/pl.*: -лок] mowing machine; **~ть,** ⟨c-⟩ **1.** [15; кошу́, ко́сишь] mow; **2.** [15 *e.*; кошу́, коси́шь], *a.* ⟨по-⟩ squint; twist (*mouth*), be(come)(a)wry; **-ся,** ⟨по-⟩ *v/i.*; *a.* look askance (at на В); **~чка** *f* [5; *g/pl.*: -чек] *dim.* of коса́ 1.
косма́тый [14 *sh.*] shaggy.
косм|е́тика *f* [5] cosmetics *pl.*; **~ети́ческий** [16] cosmetic; **~и́ческий** [16] cosmic; **~она́вт** *m* [1] astronaut.
косн|е́ть [8], ⟨за-⟩ persist, sink, fossilize (*fig.*); **∠ость** *f* [8] sluggishness, indolence; stagnation; **~у́ться** *s.* каса́ться; **∠ый** [14; -сен, -сна] sluggish, dull; stagnant, fossil.
косо|гла́зый [14 *sh.*] squint-eyed; **~го́р** *m* [1] slope; **∠й** [14; кос, -а́, -о] slanting, oblique; squint(-eyed); F wry; **~ла́пый** [14 *sh.*] bandy-legged; F *s.* неуклю́жий.
костене́ть [8], ⟨o-⟩ ossify; stiffen, grow numb; be(come) transfixed.
костёр *m* [1; -тра́] (camp)fire, bonfire; pile, stake; meeting.
кост|и́стый [14 *sh.*] bony; **~ля́вый** [14 *sh.*] scrawny, raw-boned; **∠очка** *f* [5; *g/pl.*: -чек] bone; ⚘ stone; stay.
косты́ль *m* [4 *e.*] crutch; ⊕ spike.
кост|ь *f* [8; в -ти́; *from g/pl. e.*] bone; die; F бе́лая ~ь blue blood; игра́ть в ∠и (play at) dice.
костю́м *m* [1] suit; costume; **~иро́ванный** [14]: ~иро́ванный бал *m* fancy(-dress) ball.
костя́|к *m* [1 *e.*] skeleton; framework; **~но́й** [14] bone...
косу́ля *f* [6] roe (deer).
косы́нка *f* [5; *g/pl.*: -нок] kerchief.
косьба́ *f* [5] mowing.
кося́к *m* [1 *e.*] lintel; slant; felloe; herd; flock; shoal.
кот *m* [1 *e.*] tomcat; *s. a.* ко́тик; купи́ть ~а́ в мешке́ buy a pig in a poke; ~ напла́кал F very little.
кот|ёл *m* [1; -тла́] boiler, caldron; kitchen; **~ело́к** *m* [1; -лка́] kettle, pot; ⚔ mess kit; derby, *Brt.* bowler.
котёнок *m* [2] kitten.
ко́тик *m* [1] *dim. of* кот; fur seal; seal(skin; *adj.*: **~овый** [14]).
котле́та *f* [5] rissole (*without paste*); cutlet, chop.
котлови́на *f* [5] hollow, basin.
кото́мка *f* [5; *g/pl.*: -мок] knapsack, wallet; bag.
кото́р|ый [14] which; who; that;

what; many a; P some; one; ~ый раз how many times; ~ый час? what time is it?; в ~ом часу́? (at) what time?; ~ый ему́ год? how old is he?
ко́фе *m* [*indecl.*] coffee; **~йник** *m* [1] coffee pot; **~йница** *f* [5] coffee mill; coffee box; **~йный** [14] coffee...; ~йная *f* = **~йня** *f* [6; *g/pl.*: -е́ен] coffee house, café.
ко́фт|а *f* [5] (woman's) jacket; blouse; (вя́заная ~а) jersey, cardigan; **~очка** *f* [5; *g/pl.*: -чек] blouse.
коча́н *m* [1 *e.*] head (of cabbage).
кочев|а́ть [7] wander, roam; F move; travel; **~ник** *m* [1] nomad; **~о́й** [14] nomadic.
кочега́р *m* [1] fireman, stoker.
кочене́ть [8], ⟨за-, о-⟩ grow numb (with *cold* от P), stiffen.
кочерга́ *f* [5; *g/pl.*: -рёг] poker.
ко́чка *f* [5; *g/pl.*: -чек] mound, hillock.
коша́чий [18] cat('s); feline.
кошелёк *m* [1; -лька́] purse.
ко́шка *f* [5; *g/pl.*: -шек] cat.
кошма́р *m* [1] nightmare; **~ный** [14; -рен, -рна] dreadful, horrible; F awful.
кощу́нств|енный [14 *sh.*] blasphemous; **~о** *n* [9] blasphemy; **~овать** [7] blaspheme (*v/t.* над T).
коэффицие́нт *m* [1] coefficient.
КПСС (Коммунисти́ческая па́ртия Сове́тского Сою́за) Communist Party of the Soviet Union.
кра́деный [14] stolen (goods *n su.*).
краеуго́льный [14] *fig.* corner (-*stone*); fundamental.
кра́жа *f* [5] theft; ~ со взло́мом burglary.
край *m* [3; с кра́ю; в -аю́; *pl.*: -ая́, -аёв, *etc. e.*] edge; (b)rim; brink (*a. fig.* = edge); end; fringe, border, outskirt; region, land, country; **~ний** [15] outermost, (*a. fig.*) utmost, extreme(ly, utterly, most, very, badly ~не); в ~нем слу́чае as a last resort; in case of emergency; **~ность** *f* [8] extreme; extremity; до ~ности = ~не, *s.*; впада́ть в (доходи́ть до) ~йности go *or* run to extremes.
крамо́ла † *f* [5] sedition, revolt.
кран *m* [1] tap; ⊕ crane.
кра́пать [1 *or* 2 *st.*] drop, drip.
крапи́в|а *f* [5] nettle; **~ник** *m* [1] wren; **~ный** [14] nettle (*a.*, ⚕, *rash*).
кра́пинка *f* [5; *g/pl.*: -нок] speckle, spot.
крас|а́ *f* [5] † *s.* ~ота́; **~а́вец** *m* [1; -вца] handsome man; **~а́вица** *f* [5] beauty, beautiful woman; **~и́вый** [14 *sh.*] beautiful; handsome; *a. iron.* fine.
крас|и́льный [14] dye...; **~и́льня** *f* [6; *g/pl.*: -лен] dye shop; **~и́льщик** *m* [1] dyer; **~и́тель** *m* [4] dye(stuff); **~ить** [15], ⟨(п)о-, вы́-, рас-⟩ paint, colo(u)r, dye; F ⟨на-⟩ paint, make up; rouge; **~ка** *f* [5; *g/pl.*: -сок] colo(u)r, paint, dye.
красне́ть [8], ⟨по-⟩ redden, grow *or* turn red; blush; *impf.* be ashamed; (*a.* **-ся**) appear, show red.
красно|арме́ец *m* [1; -ме́йца] Red Army man; **~ба́й** *m* [3] glib talker; **~ва́тый** [14 *sh.*] reddish; **~знамённый** [14] decorated with the Order of the Red Banner; **~ко́жий** [17] redskin(ned); **~речи́вый** [14 *sh.*] eloquent; **~ре́чие** *n* [12] eloquence; **~та́** *f* [5] redness; ruddiness; **~фло́тец** *m* [1; -тца] Red Navy man; **~щёкий** [16 *sh.*] ruddy.
красну́ха *f* [5] German measles.
кра́с|ный [14; -сен, -сна́, -о] red (*a. fig.*); † *s.* ~и́вый; ⚘ coniferous; ~ный зверь *m* deer; ~ная строка́ *f typ.* paragraph, new line; ~ная цена́ *f* ✝ F outside price; ~ное словцо́ *n* F witticism; проходи́ть ~ной ни́тью stand out.
красова́ться [7] shine, show (off).
красота́ *f* [5; *pl. st.*: -со́ты] beauty.
красть [25 *pt. st.*; кра́денный], ⟨у-⟩ steal (**-ся** *v/i.*, *impf.*; *a.* prowl, slink).
кра́тк|ий [16; -ток, -тка́, -о; *comp.*: кра́тче] short, brief, concise; и́ ~ое *or* и́ с ~ой *the letter* й; *cf. a.* коро́ткий; **~овре́менный** [14; -енен, -енна] short; passing; **~осро́чный** [14; -чен, -чна] short; short-dated; short-term; **~ость** *f* [8] brevity.
кра́тный [14; -тен, -тна] divisible; *n su.* multiple; ...~ ...fold.
крах *m* [1] failure, crash, ruin.
крахма́л *m* [1], **~ить** [13], ⟨на-⟩ starch; **~ьный** [14] starch(ed).
кра́шеный [14] painted; dyed.
креди́т *m* [1] credit; в ~ on credit; **~ный** [14], **~ова́ть** [7] (*im*)*pf.* credit; **~о́р** *m* [1] creditor; **~оспосо́бный** [14; -бен, -бна] solvent.
кре́йс|ер *m* [1] cruiser; **~ерство** *n* [9] cruise; **~и́ровать** [7] cruise; ply.

крем *m* [1] cream.
креме́нь *m* [4; -мня́] flint.
кремл|ёвский [16], **♀ь** *m* [4 *e.*] Kremlin.
кре́мн|ий [3] silicon; **~и́стый** [14 *sh.*] gravelly, stony; siliceous.
крен ⚓, ✈ *m* [1] list, careen.
кре́ндель *m* [4 *from g/pl. e.*] cracknel.
крени́ть [13], ⟨на-⟩ list (**-ся** *v/i.*).
креп *m* [1] crepe, crape.
креп|и́ть [14 *e.*; -плю́, -пи́шь] fix, secure; reinforce; ⚓ belay; furl; *fig.* strengthen; **-ся** take courage; F persevere; **∠кий** [16; -пок, -пка́, -о; *comp.*: кре́пче] strong; firm, solid, sound; robust; hard; affectionate; ∠ко *a.* fast; deep(ly); **∠нуть** [21], ⟨о-⟩ grow strong(er).
крепост|ни́чество *n* [9] serfdom; **~но́й** [14] (of, in) bond(age); *su.* serf; ~но́е пра́во *s.* ~ни́чество; (of a) fortress; **'~ь** *f* [8; *from g/pl. e.*] fortress; strength; firmness; ⚖ deed.
кре́сло *n* [9; *g/pl.*: -сел] armchair.
крест *m* [1 *e.*] cross (*a. fig.*); ~-на́~ crosswise; **~е́ны** *f/pl.* [5] baptism, christening; **~и́ть** [15; -щённый] (*im*)*pf.*, ⟨о-⟩ baptize, christen; godfather, godmother, sponsor; ⟨пере-⟩ cross (o.s. **-ся**); **∠ник** *m* [1] godson; **∠ница** *f* [5] goddaughter; **∠ный** [14] **1.** (of the) cross; **2.** ('krɔs-) ~ный (оте́ц) *m* godfather; ~ная (мать) *f* godmother.
крестья́н|ин *m* [1; *pl.*: -я́не, -я́н] peasant, farmer; **~ка** *f* [5; *g/pl.*: -нок] countrywoman, country girl; farmer's wife; **~ский** [16] farm (-er['s]), peasant...; country...; **~ство** *n* [9] peasantry.
креще́ние *n* [12] baptism (⚔ боево́е ~ baptism of fire), christening; ♀ Epiphany.
крив|а́я ⩘ *f* [14] curve; **~изна́** *f* [5] crookedness, curvature; **~и́ть** [14 *e.*; -влю́, -ви́шь; -влённый], ⟨по-, с-⟩ (**-ся** be[come]) crook(ed); twist(ed); ~и́ть душо́й (со́вестью) palter; **~ля́ние** *n* [12] grimacing, twisting; **~ля́ться** [28] (make) grimace(s); mince; **~о́й** [14; крив, -а́, -о] crooked (*a. fig.*), wry; curve(d); F one-eyed; **~оно́гий** [16 *sh.*] bandy-legged; **~ото́лки** F *m/pl.* [1] rumo(u)rs, gossip; **~оши́п** ⊕ *m* [1] [crank.
кри́зис *m* [1] crisis.
крик *m* [1] cry, shout; bawl, outcry; (*fashion*) cri; **~ли́вый** [14 *sh.*] shrill; clamorous; (*a. dress, etc.*) loud; **∠нуть** *s.* крича́ть; **~у́н** F *m* [1 *e.*], **~у́нья** F *f* [6] bawler, clamo(u)rer; tattler.
кри|мина́льный [14] criminal; **~ста́лл** *m* [1] crystal; **~ста́льный** [14; -лен, -льна] crystalline.
крите́рий *m* [3] criterion.
кри́ти|к *m* [1] critic; **~ка** *f* [5] criticism; critique, review; **~кова́ть** [7] criticize; **∠ческий** [16], **∠чный** [14; -чен, -чна] critical.
крича́ть [4 *e.*; -чу́, -чи́шь], ⟨за-⟩, *once* ⟨кри́кнуть⟩ [20] cry (out), shout (at на В); scream.
кров *m* [1] shelter; home; † roof.
крова́|вый [14 *sh.*] bloody, sanguinary; **~ть** *f* [8] bed; bedstead.
кро́вельщик *m* [1] tiler; slater.
кровено́сный [14] blood (*vessel*).
кро́вля *f* [6; *g/pl.*: -вель] roof(ing).
кро́вный [14] (*adv.* by) blood; full-blooded, pure-, thoroughbred; vital; arch...
крово|жа́дный [14; -ден, -дна] bloodthirsty; **~излия́ние** ⚕ *n* [12] extravasation, hemorrhage; **~обраще́ние** *n* [12] circulation of the blood; **~пи́йца** *m/f* [5] bloodsucker; **~подтёк** *m* [1] bruise; **~проли́тие** *n* [12] bloodshed; **~проли́тный** [14; -тен, -тна] *s.* крова́вый; **~пуска́ние** *n* [12] bloodletting; **~смеше́ние** *n* [12] incest; **~тече́ние** *n* [12] bleeding; *s.* ~излия́ние; **~точи́ть** [16 *e.*; -чит] bleed.
кров|ь *f* [8; в -ви́] blood (*a. fig.*); **~яно́й** [14] blood...
кро|и́ть [13; кро́енный], ⟨вы́-, с-⟩ cut (out); **∠йка** *f* [5] cutting (out).
крокоди́л *m* [1] crocodile.
кро́лик *m* [1] rabbit.
кро́ме (P) except, besides (*a.* ~ того́), apart (*or* aside) from; but.
кромса́ть [1], ⟨ис-⟩ hack, mangle.
кро́на *f* [5] crown.
кропи́ть [14 *e.*; -плю́, -пи́шь; -плённый], ⟨о-⟩ sprinkle.
кропотли́вый [14 *sh.*] laborious, toilsome; painstaking, assiduous.
кроссво́рд *m* [1] crossword puzzle.
крот *m* [1 *e.*] *zo.* mole.
кро́ткий [16; -ток, -тка́, -о; *comp.*: кро́тче] gentle, meek.
кро|ха́ *f* [5; *ac/sg.*: кро́ху; *from dat/pl. e.*] crumb; bit; **∠хотный** F

[14; -тен, -тна], ∠шечный F [14] tiny; ~ши́ть [16], ⟨на-, по-, ис-⟩ crumb(le); P crush; ∠шка *f* [5; *g*/*pl*.: -шек] crumb; bit; F baby, little one.

круг 1. *m* [1; в, на -у́; *pl. e*.] circle (*a. fig*.); sphere, range; orbit; F average; slice; **~лова́тый** [14 *sh*.] roundish; **~лоли́цый** [14 *sh*.] chubby-faced; **∠лый** [14; кругл, -á, -о] round; F perfect, complete; **~ово́й** [14] circular; mutual (*responsibility*); **~оворо́т** *m* [1] circulation; succession; **~озо́р** *m* [1] horizon, scope; **~о́м** round; around, round about; ~о́м! ⚔ about face (*Brt*. turn)!; F entirely; **~ооборо́т** *m* [1] circulation; **~ообра́зный** [14; -зен, -зна] circular; **~осве́тный** [14] round the world; ⚓ circum...

кру́ж|ево *n* [9; *pl. e*.; *g*/*pl*.: кру́жев] lace **~и́ть** [16 & 16 *e*.; кружу́, кру́жи́шь], ⟨за-, вс-⟩ turn (round), whirl; circle; rotate, revolve, spin; stray about; (**-ся** *v*/*i*.); голова́ ~ится (у P) feel giddy, **~ка** *f* [5; *g*/*pl*.: -жек] mug; box.

кру́жный F [14] roundabout.

кружо́к *m* [1; -жка́] (small) circle, disk; *fig*. circle; slice.

круп *m* [1] (⚕ & *horse*) croup.

круп|а́ *f* [5] grits, groats *pl*.; sleet; **~и́нка** *f* [5; *g*/*pl*.: -нок] grain (*a. fig*. = **~и́ца** *f* [5]).

кру́пный [14; -пен, -пна́, -о] coarse(-grained), gross; big, large(-scale), great; outstanding; ✝ wholesale; (*film*) close(*up*); F ~ разгово́р *m* high words.

крутизна́ *f* [5] steep(ness).

крути́ть [15], ⟨за-, с-⟩ twist; twirl; roll (up); turn; whirl; P *impf*. trick.

круто́|й [14; крут, -á, -о; *comp*.: кру́че] steep, sharp, abrupt, sudden; hard (*a*.-boiled); harsh; **'~сть** *f* [8] steepness; harshness.

кру́ча *f* [5] *s*. крутизна́.

кручи́на P *f* [5] grief, affliction.

круше́ние *n* [12] 🚂 accident; ⚓ wreck; ruin, breakdown.

крыжо́вник *m* [1] gooseberry, -ries [*pl*.]

крыл|а́тый [14 *sh*.] winged (*a. fig*.); **~о́** *n* [9; *pl*.: кры́лья, -льев] wing (*a*. ✈, ⛪, ⚔, *pol*.); sail (*windmill*); splashboard; **~ьцо́** *n* [9; *pl*.: кры́льца, -ле́ц, -льца́м] steps *pl*., (outside) staircase, porch.

Крым *m* [1; в -у́] Crimea; '**∠ский** [16] Crimean.

кры́с|а *f* [5] rat; **~ий** [18] rat('s).

крыть [22], ⟨по-⟩ cover; coat; trump; **-ся** *impf*. lie *or* consist in (в П); be at the bottom of.

кры́ш|а *f* [5] roof; **~ка** *f* [5; *g*/*pl*.: -шек] lid, cover; P (Д p.'s) end, ruin.

крюк *m* [1 *e*.; *pl. a*. крю́чья, -ьев] hook; F detour.

крюч|кова́тый [14 *sh*.] hooked; **~котво́рство** *n* [9] pettifoggery; **~о́к** *m* [1; -чка́] hook; crochet needle; flourish; F hitch.

кряж *m* [1] range; chain of hills.

кря́к|ать [1], *once* ⟨~нуть⟩ [20] quack.

кряхте́ть [11] groan, moan.

кста́ти to the point (*or* purpose); opportune(ly), in the nick of time; apropos; besides, too, as well; incidentally, by the way.

кто [23] who; ~ ..., ~ ... some ..., others ...; ~ бы ни whoever; ~ бы то ни́ был who(so)ever it may be; ~ F = **∠-либо, ∠-нибудь, ∠-то** [23] any-, somebody (*or* -one).

куб *m* [1] ⚗ cube; boiler.

ку́барем F head over heels.

ку́би|к *m* [1] (small) cube; block (*toy*); **∠ческий** [16] cubic(al).

ку́бок *m* [1; -бка] goblet; *prize*: cup.

кубоме́тр *m* [1] cubic meter (-tre).

куве́рт † *m* [1] cover; envelope.

кувши́н *m* [1] jug; pitcher.

кувырк|а́ться [1], *once* ⟨~ну́ться⟩ [20] somersault, tumble; **~о́м** *s*. ку́барем.

куда́ where (... to); what ... for; F (*a*. ~ как[о́й], *etc*.) very, awfully, how; at all; by far, much; (*a*. + Д [& *inf*.]) how can ...; (*a*. ~ тут, там) (that's) impossible!, certainly not!, what an idea!, (*esp*. ~ тебе́!) rats!; ~ ..., ~ ... to some places ..., to others ...; ~ вы (*i. e*. идёте)? where are you going?; хоть ~ P tiptop, smart; *cf*. ни; ~ F = **~-либо, ~-нибудь, ~-то** any-, somewhere.

куда́хтать [3] cackle, cluck.

куде́сник *m* [1] wizard.

ку́др|и *f*/*pl*. [-е́й, *etc. e*.] curls; **~я́вый** [14 *sh*.] curly(-headed); tufty; ornate.

Кузба́сс ⚒ *m* [1] Kuznetsk Basin.

кузн|е́ц *m* [1 *e*.] (black)smith; **~е́чик** *m* [1] *zo*. grasshopper; **∠ица** *f* [5] smithy.

ку́зов *m*[1; *pl.*: -вá, *etc. e.*] body; box.
кукаре́кать [1] crow.
ку́киш P *m* [1] fig, fico.
ку́к|ла *f* [5; *g/pl.*: -кол] doll; **~олка** *f* [5; *g/pl.*: -лок] **1.** *dim. of* ~ла; **2.** *zo.* chrysalis; **~ольный** [14] doll('s); dollish; ~ольный теáтр *m* puppet show.
кукуру́за *f* [5] corn, *Brt.* maize.
куку́шка *f* [5; *g/pl.*: -шек] cuckoo.
кулá|к *m* [1 *e.*] fist; ⊕ cam; kulak; **~цкий** [16] kulak...; **~чество** *n* [9] kulaks *pl.*; **~чный** [14] boxing (*match*); club (*law*); ⊕ cam...
кулёк *m* [1; -лькá] (paper) bag.
кули́к *m* [1 *e.*] curlew; snipe.
кули́са *f* [5] wing, side scene; за ~ми behind the scenes.
кули́ч *m* [1 *e.*] Easter cake.
кулуáры *m/pl.* [1] lobbies.
куль *m* [4 *e.*] sack, bag.
культ *m* [1] cult; **~иви́ровать** [7] cultivate; **~рабо́та** *f* [5] cultural & educational work (*Sov.*); **~у́ра** *f* [5] culture; **~у́рный** [14; -рен, -рна] cultural; cultured, civilized; polite, well-bred.
кум *m* [1; *pl.*: -мовья́, -овьёв] godfather; **~á** *f* [5] godmother; gossip.
кумáч *m* [1 *e.*] red bunting.
куми́р *m* [1] idol.
кумовство́ *n* [9] sponsorship, friendship; *fig.* nepotism.
кумы́с *m* [1] k(o)umiss.
куни́ца *f* [5] marten.
купá|льный [14] bathing (~льный костю́м *m* bathing suit, *Brt.* bathing costume); **~льня** *f* [6; *g/pl.*: -лен] (swimming) bath, bathhouse; **~льщик** *m* [1] bather; **~ть(ся)** [1], ⟨вы́-, F ис-⟩ (take a) bath; bathe.
купе́ (-'pɛ) 🚃 *n* [*ind.*] compartment.
купе́|ц *m* [1; -пцá] merchant; **~ческий** [16] merchant('s); **~чество** *n* [9] merchants *pl.*
купи́ть *s.* покупáть.
куплéт *m* [1] couplet, stanza; song.
ку́пля *f* [6] purchase.
ку́пол *m* [1; *pl.*: -лá] cupola, dome.
купоро́с *m* [1] vitriol.
курга́н *m* [1] burial mound, barrow.
ку́р|ево P *n* [9] tobacco, smoke; *a.* = **~éние** *n* [12] smoking; **~и́льщик** *m* [1] smoker.
кури́|ный [14] chicken...; hen's; F short (*memory*); night... (*blindness*).
кури́|тельный [14] smoking; **~ть** [13; курю́, ку́ришь], ⟨по-, вы́-⟩ smoke (-**ся** *v/i.*); distil(l).
ку́рица *f* [5; *pl.*: ку́ры, *etc. st.*] hen; chicken, fowl.
курно́сый F [14 *sh.*] snub-nosed.
куро́к *m* [1; -ркá] cock (*gun*).
куропáтка *f* [5; *g/pl.*: -ток] partridge.
куро́рт *m* [1] health resort.
курс *m* [1] course (⚓, ✈; ⚕; *educ.*; держáть ~ на [B] head for; *univ. a.* year); ☤ rate of exchange; *fig.* line, policy; держáть (быть) в ~е (P) keep (be) (well) posted on; **~áнт** *m* [1] student; ⚔ cadet; **~и́в** *m* [1] *typ.* italics; **~и́ровать** [7] ply.
ку́ртка *f* [5; *g/pl.*: -ток] jacket.
курчáвый [14 *sh.*] curly(-headed).
курь|ёз *m* [1] fun(ny thing); curiosity; **~éр** *m* [1] messenger; courier; **~éрский** [16]: ~éрский по́езд *m* express (train).
куря́тник *m* [1] hen house.
куря́щий *m* [18] smoker.
кус|áть [1], ⟨укуси́ть⟩ [15] bite (-**ся** *v/i., impf.*), sting; **~ково́й** [14] lump (*sugar*); **~о́к** *m* [1; -скá] piece, bit, morsel; scrap; lump (*sugar*); cake (*soap*); slice; ~кáми by the piece; на ~ки́ to pieces; ~о́к хлéба F living; **~о́чек** *m* [1; -чка] *dim. of* ~о́к.
куст *m* [1 *e.*] bush, shrub; **~áрник** *m* [1] bush(es), shrub(s); *pl. a.* underwood.
кустáр|ный [14] handicraft...; home (-made); *fig.* homespun; **~ь** *m* [4 *e.*] (handi)craftsman.
ку́тать(ся) [1], ⟨за-⟩ muffle, wrap.
кут|ёж *m* [1 *e.*], **~и́ть** [15] carouse.
кух|áрка *f* [5; *g/pl.*: -рок] cook; **~ня** *f* [6; *g/pl.*: ку́хонь] kitchen; cuisine, cookery; **~онный** [14] kitchen...
ку́цый [14 *sh.*] dock-tailed; short.
ку́ч|а *f* [5] heap, pile; a lot of; ~ами in heaps *or* in crowds; класть в ~у pile up; **~ер** *m* [1; *pl.*: -рá, *etc. e.*] coachman; **~ка** *f* [5; *g/pl.*: -чек] *dim. of* ~а; group.
куш *m* [1] stake; F lot, sum.
кушáк *m* [1 *e.*] belt, girdle.
ку́ша|нье *n* [10] dish; meal; food; **~ть** [1], ⟨по-⟩ eat (up ⟨с-⟩); drink.
кушéтка *f* [5; *g/pl.*: -ток] lounge.

Л

лабири́нт *m* [1] labyrinth.
лаборато́рия *f* [7] laboratory.
ла́ва *f* [5] lava.
лави́на *f* [5] avalanche.
лави́ровать [7] tack (⚓ *& fig.*).
ла́в|ка *f* [5; *g/pl.*: -вок] bench; (small) store, *Brt.* shop; **~очник** *m* [1] store-, shopkeeper; **~р** *m* [1] laurel; **~ро́вый** [14] (of) laurel(s).
ла́гер|ь 1. [4; *pl.*: -ря́, *etc. e.*] camp (*a., pl.*: -ри, *etc. st., fig.*); располага́ться (стоя́ть) ~ем camp (out); **~ный** [14] camp...
лад *m* [1; в -ý; *pl. e.*] F harmony, concord; order; way; tune; (не) в ~ý (~áх) *s.* (не) ~ить; идти́ на ~ work (well), get on *or* along; **~ан** *m* [1] incense; **~ить** F [15], ⟨по-, с-⟩ get along *or* on (well), *pf. a.* make it up; manage; fix; tune; не ~ить *a.* be at odds *or* variance; out of keeping; **-ся** F *impf. s.* идти́ на ~ *&* ~ить; **~но** F well, all right, O. K.; **~ный** F [14; -ден, -дна́, -о] harmonious; fine, good(-looking).
ла́дожск|ий [16]: ♀ое о́зеро *n* Lake Ladoga.
ладо́|нь *f* [8], **~ша** P *f* [5] palm; как на ~ни (*lie*) spread before the eyes; бить в ~ши clap (one's hands).
ладья́ *f* [6] boat; *chess*: rook.
лазаре́т ⚔ *m* [1] hospital.
лаз|е́йка *f* [5; *g/pl.*: -е́ек] loophole; **~ить** [15] climb (*v/t.* на В); creep.
лазу́|рный [14; -рен, -рна], **~рь** *f* [8] azure; **~тчик** *m* [1] scout, spy.
лай *m* [3] bark(ing), yelp; **~ка** *f* [5; *g/pl.*: ла́ек] **1.** Eskimo dog; **2.** kid (*leather*); **~ковый** [14] kid...
лак *m* [1] varnish, lacquer; **~овый** [14] varnish(ed), lacquer(ed); patent leather...; **~а́ть** [1], ⟨вы́-⟩ lap.
лаке́й *m* [3] footman, lackey; flunk(e)y; **~ский** [16] lackey('s); *fig.* servile.
лакирова́ть [7], ⟨от-⟩ laquer; varnish.
ла́ком|иться [14], ⟨по-⟩ (Т) enjoy, relish (*a. fig.*), eat with delight; be fond of dainties; **~ка** F *m/f* [5] lover of dainties; быть ~кой *a.* have a sweet tooth; **~ство** *n* [9] dainty, delicacy; *pl.* sweetmeats, *Brt.* sweets; **~ый** [14 *sh.*] dainty; † (*a.* ~ый до P) fond of (dainties); ~ый кусо́(че)к *m* tidbit, *Brt.* titbit.
лакони́ч|еский [16], **~ный** [14; -чен, -чна] laconic(al).
Ла-Ма́нш *m* [1] English Channel.
ла́мп|а *f* [5] lamp; *rad.* tube, *Brt.* valve; **~а́д(к)а** *f* [5 (*g/pl.*: -док)] (*icon*) lamp; **~овый** [14] lamp...; **~очка** *f* [5; *g/pl.*: -чек] bulb.
ландша́фт *m* [1] landscape.
ла́ндыш *m* [1] lily of the valley.
лань *f* [8] fallow deer; hind, doe.
ла́п|а *f* [5] paw; *fig.* clutch; **~оть** *m* [4; -птя; *from g/pl. e.*] bast shoe.
лапша́ *f* [5] noodles *pl.*; noodle soup.
ларёк *m* [1; -рька́] stand, *Brt.* stall.
ларе́ц [1; -рца́] box, chest, casket.
ла́ск|а *f* **1.** [5] caress; F affection; **2.** [5; *g/pl.*: -сок] weasel; **~а́тельный** [14] endearing, pet; † flattering; *s. a.* ~овый; **~а́ть** [1], ⟨при-⟩ caress; pet, fondle; *impf.* cherish; flatter (o.s. with себя́ Т); **-ся** endear o.s. (to к Д); fawn (*dog*); † (Т) cherish; **~овый** [14 *sh.*] affectionate, tender; caressing.
ла́сточка *f* [5; *g/pl.*: -чек] swallow.
лата́ть P [1], ⟨за-⟩ patch, mend.
латви́йский [16] Latvian.
лати́нский [16] Latin.
ла́тка P *f* [5; *g/pl.*: -ток] patch.
лату́к *m* [1] lettuce.
лату́нь *f* [8] brass.
ла́ты *f/pl.* [5] armo(u)r.
латы́нь *f* [8] Latin.
латы́ш *m* [1 *e.*], **~ка** *f* [5; *g/pl.*: -шек] Lett; **~ский** [16] Lettish.
лауреа́т *m* [1] prize winner.
лафе́т *m* [1] gun carriage.
лачу́га *f* [5] hovel, hut.
ла́ять [27], ⟨за-⟩ bark.
лгать [лгу, лжёшь, лгут; лгал, -а́, -о] **1.** ⟨со-⟩ lie; tell a p. (Д, пе́ред Т) a lie; **2.** ⟨на-⟩ (на В) defame.
лгун *m* [1 *e.*], **~ья** *f* [6] liar.
лебёдка *f* [5; *g/pl.*: -док] windlass.
лебе|ди́ный [14] swan...; **'~дь** *m* [4; *from g/pl. e.*] (*poet. a. f*) swan; **~зи́ть** F [15 *e.*; -бежу́, -бези́шь] fawn (upon пе́ред Т).

лев *m* [1; льва] lion; ♀ Leo.
лев|ша́ *m/f* [5; *g/pl.*: -ше́й] left-handed person; **∠ый** [14] left (*a. fig.*), left-hand; wrong (*side*; on с P).
лега́льный [14; -лен, -льна] legal.
леге́нд|а *f* [5] legend; **~а́рный** [14; -рен, -рна] legendary.
легио́н *m* [1] legion.
лёгкий (-xk-) [16; лёгок, легка́; *a.* лёгки; *comp.*: ле́гче] light (*a. fig.*); easy; slight; F lucky; (Д) легко́ + *inf.* it is very well for ... + *inf.*; лёгок на поми́не F talk of the devil!
легко|ве́рный (-xk-) [14; -рен, -рна] credulous; **~ве́сный** [14; -сен, -сна] light; *fig.* shallow; **~во́й** [14]: ~во́й автомоби́ль *m* (*a.* ~ва́я [авто]маши́на *f*) auto(mobile), car.
лёгкое (-xk-) *n* [16] lung.
легкомы́сл|енный (-xk-) [14 *sh.*] light-minded, frivolous; thoughtless; **~ие** *n* [12] levity; frivolity; flippancy.
лёгкость (-xk-) *f* [8] lightness; easiness; ease.
лёд *m* [1; льда; на льду́] ice.
лед|ене́ть [8], ⟨за-, о-⟩ freeze, ice; grow numb (with cold); chill; **~ене́ц** *m* [1; -нца́] (sugar) candy; **~ени́ть** [13], ⟨о(б)-⟩ freeze, ice; chill; **∠ник¹** *m* [1] ice cellar; refrigerator, icebox; **~ни́к²** *m* [1 *e.*] glacier; **~нико́вый** [14] glacial; ice...; **~око́л** *m* [1] icebreaker; **~охо́д** *m* [1] ice drift; **~яно́й** [14] ice...; icy (*a. fig.*); chilly.
лежа́лый [14] stale, old, spoiled.
лежа́|ть [4 *e.*; лёжа] lie; be (situated); rest, be incumbent; form (*the basis* в П); **~чий** [17] lying; (*a.* ⚘) prostrate; turndown (*collar*).
ле́звие *n* [12] edge.
лезть [24 *st.*: ле́зу; лезь!; лез, -ла], ⟨по-⟩ (be) climb(ing, *etc.*; *v/t.* на B); creep; penetrate; F reach into; (к Д [с T]) importune, press; fall out (*hair*); (на B) fit (*v/t.*); P meddle.
лейбори́ст *m* [1] Labo(u)rite.
ле́й|ка *f* [5; *g/pl.*: ле́ек] watering pot, can; **~тена́нт** *m* [1] (second) lieutenant.
лека́р|ственный [14] medicinal, curative; **~ство** *n* [9] medicine, remedy (against, for от, про́тив P); **′~ь** † & P *m* [4; *from g/pl. e.*] doctor.
ле́ксика *f* [5] vocabulary.
ле́к|тор *m* [1] lecturer; **~ция** *f* [7] lecture (at на П; *vb.*: слу́шать [чита́ть] attend [give, deliver]).
леле́ять [27] cherish, fondle.
ле́ме́х *m* [1 & 1 *e*; *pl.*: -ха́, *etc. e.*] plowshare (*Brt.* plough-share).
лён *m* [1; льна] flax.
лени́в|ец *m* [1; -вца] *s.* лентя́й; **~ица** *f* [5] *s.* лентя́йка; **~ый** [14 *sh.*] lazy, idle; sluggish.
Ленингра́д *m* [1] Leningrad; **♀ец** *m* [1; -дца] Leningrader.
ле́нин|ец *m* [1; -нца], **~ский** [16] Leninist.
лени́ться [13; леню́сь, ле́нишься], be lazy.
ле́нта *f* [5] ribbon; band; ⊕ tape.
лентя́й F *m* [3], **~ка** *f* [5; *g/pl.*: -я́ек] lazybones; **~ничать** F [1] idle.
лень *f* [8] laziness, idleness; listlessness; F (мне) ~ I hate, don't want, won't.
лепе|сто́к *m* [1; -тка́] petal; **′~т** *m* [1], **~та́ть** [4], ⟨про-⟩ babble, prattle.
лепёшка *f* [5; *g/pl.*: -шек] scone; lozenge.
леп|и́ть [14], ⟨вы́-, с-⟩ sculpture, model, mo(u)ld; F ⟨на-⟩ stick (to на B); **∠ка** model(l)ing, mo(u)lding; F sculpture; **~но́й** [14] plastic.
ле́пта *f* [5] mite.
лес *m* [1; из лесу & из ле́са; в лесу́; *pl.*: леса́, *etc. e.*] wood, forest; lumber, *Brt.* timber; *pl.* scaffold(ing); ∠ом through a (the) wood; как в ~у́ F *fig.* at sea; **∠а́** *f* [5; *pl.*: лёсы, *etc. st.*] (fishing) line; **~и́стый** [14 *sh.*] woody, wooded; **∠ка** *f* [5; *g/pl.*: -сок] *s.* ∠а́; **~ни́к** *m* [1 *e.*] ranger; **~ни́чество** *n* [9] forest district; **~ни́чий** *m* [17] forester; **~но́й** [14] forest...; wood(y); lumber...; *Brt.* timber...
лесо|во́дство *n* [9] forestry; **~насажде́ние** *n* [12] afforestation; (af)forested tract; wood; **~пи́лка** F *f* [5; *g/pl.*: -лок], **~пи́льный** [14]: ~пи́льный заво́д *m* = **~пи́льня** *f* [6; *g/pl.*: -лен] sawmill; **~ру́б** *m* [1] lumberman, woodcutter.
ле́стница (-şņ-) *f* [5] (flight of) stairs *pl.*, staircase; ladder; *fig.* scale.
ле́ст|ный [14; -тен, -тна] flattering; **~ь** *f* [8] flattery.
лёт *m* [1] flight; на лету́ in the air, on the wing; F *fig.* in haste; instantly, quickly.

лета́, лет *s.* ле́то; *cf. a.* год.
лета́тельный [14] flying.
лета́ть [1] fly.
лете́ть [11], ⟨по-⟩ (be) fly(ing).
ле́тний [15] summer...
лётный [14] flying; run...
ле́т|о *n* [9; *pl. e.*] summer (in [the] T; for the на B); *pl.* years, age (at в B); ско́лько вам ~? how old are you? (*cf.* быть); в ~а́х elderly, advanced in years; **~опи́сец** *m* [1; -сца] chronicler; **~опись** *f* [8] chronicle; **~осчисле́ние** *n* [12] chronology; era.
лету́ч|ий [17 *sh.*] flying; fleeting; offhand, short; ⚗ volatile; ~ая мышь *f zo.* bat; ~ий листо́к = **~ка** F *f* [5; *g/pl.*: -чек] leaflet.
лётчи|к *m* [1], **~ца** *f* [5] aviator, flier, pilot, air(wo)man.
лечёбн|ица *f* [5] clinic, hospital; **~ый** [14] medic(in)al.
леч|е́ние ⚕ *n* [12] treatment; **~и́ть** [16] treat; **-ся** undergo treatment, be treated; treat (one's ... от P).
лечь *s.* ложи́ться; *cf. a.* лежа́ть.
ле́ший *m* [17] satyr; P Old Nick.
лещ *m* [1 *e.*] *zo.* bream.
лж|е... false; pseudo...; **~ец** *m* [1 *e.*] liar; **~и́вость** *f* [8] mendacity; **~и́вый** [14 *sh.*] false, lying; mendacious.
ли, (*short, after vowels, a.*) ль **1.** (*interr. part.*:) зна́ет ~ он ...? (= он зна́ет ...?) does he know ...?; **2.** (*cj.*:) whether, if; ... ~, ... ~ whether ..., or ...
либера́л *m* [1], **~ьный** [14; -лен, -льна] liberal.
ли́бо or; ~ ..., ~ ... either ... or ...
Лива́н *m* [1] Lebanon.
ли́вень *m* [4; -вня] downpour.
ливре́я *f* [6; *g/pl.*: -ре́й] livery.
ли́га *f* [5] league.
ли́дер *m* [1] (*pol., sport*) leader.
Ли́з(очк)а *f* [5] Liz(zy), Lise.
лиз|а́ть [3], *once* ⟨~ну́ть⟩ lick.
лик *m* [1] face; countenance; image.
ликвиди́ровать [7] (*im*)*pf.* liquidate.
ликова́ть [7], ⟨воз-⟩ exult.
ли́лия *f* [7] lily.
лило́вый [14] lilac(-colo[u]red).
лими́т *m* [1], **~и́ровать** [7] (*im*)*pf.* limit.
лимо́н *m* [1] lemon; **~а́д** *m* [1] lemonade.
ли́мфа *f* [5] lymph.
лингви́стика *f* [5] *s.* языкозна́ние.
лине́й|ка *f* [5; *g/pl.*: -е́ек] line; ruler; slide rule; † carriage; **~ный** [14] linear; ⚔ (of the) line; ⚓ battle...
ли́н|за *f* [5] lens; **~ия** *f* [7] line (*a. fig.*; in по Д); **~ко́р** *m* [1] battleship; **~ова́ть** [7], ⟨на-⟩ rule.
Линч: зако́н (*or* суд) ~а lynch law; ≈**ева́ть** [7] (*im*)*pf.* lynch.
линь *m* [4 *e.*] *zo.* tench; ⚓ line.
ли́н|ька *f* [5] mo(u)lt(ing); **~ю́чий** F [17 *sh.*] fading, faded; mo(u)lting; **~я́лый** F [14] faded; mo(u)lted; **~я́ть** [28], ⟨вы́-, по-⟩ fade; mo(u)lt.
ли́па *f* [5] linden, lime tree.
ли́п|кий [16; -пок, -пка́, -о] sticky; sticking (*plaster*); **~нуть** [21], ⟨при-⟩ stick.
ли́р|а *f* [5] lyre; **~ик** *m* [1] lyric poet; **~ика** *f* [5] lyric poetry; **~и́ческий** [16], **~и́чный** [14; -чен, -чна] lyric(al).
лис|(и́ц)а́ *f* [5; *pl. st.*] fox (silver... серебри́стая, черно-бу́рая); **~ий** [18] fox...; foxy.
лист *m* **1.** [1 *e.*] sheet; certificate; ⚖ deed; *typ.* leaf (= 16 pp.); **2.** [1 *e.*; *pl. st.*: ли́стья, -ьев] ⚘ leaf; *coll. a.* = ~ва́; **~а́ть** F [1] leaf, thumb (through); **~ва́** *f* [5] foliage, leaves *pl.*; **~венница** *f* [5] larch; **~венный** [14] foliose, leafy; deciduous; **~ик** *m* [1] *dim. of* ~; **~о́вка** *f* [5; *g/pl.*: -вок] *pol.* leaflet; **~о́к** *m* [1; -тка́] *dim. of* ~; slip; (news)paper; **~ово́й** [14] leaf(y); sheet...; folio...
Литва́ *f* [5] Lithuania.
лите́й|ная *f* [14], **~ный** [14]: ~ный заво́д *m* foundry; **~щик** *m* [1] founder.
ли́тер|а *f* [5] letter, type; **~а́тор** *m* [1] man of letters; writer; **~ату́ра** *f* [5] literature; **~ату́рный** [14; -рен, -рна] literary.
лито́в|ец *m* [1; -вца], **~ка** *f* [5; *g/pl.*: -вок], **~ский** [16] Lithuanian.
лито́й [14] cast.
литр *m* [1] liter (*Brt.* -tre; = *approx.* 1qt.).
лить [лью, льёшь; лил, -а́, -о; ле́й (-те)! ли́тый (лит, -а́, -о)] pour; shed; ⊕ cast; дождь льёт как из ведра́ it's raining cats and dogs; **-ся** flow, pour; spread; sound; **~ё** *n* [10] founding, cast(ing).
лифт *m* [1] elevator, *Brt.* lift; **~ёр** *m*

[1] elevator boy, *Brt.* lift man.
ли́фчик *m* [1] waist, bodice; bra(s-sière).
лих|о́имец † *m* [1; -мца] usurer; bribe taker; **~о́й** [14; лих, -á, -о] bold, daring; dashing; nimble; smart; **~ора́дка** *f* [5] fever; **~ора́дочный** [14; -чен, -чна] feverish; **~́ость** *f* [8] bravery; smartness.
лицев|а́ть [7], ⟨пере-⟩ face; turn; **~о́й** [14] face...; front...; right (*side*).
лицеме́р *m* [1] hypocrite; **~ие** *n* [12] hypocricy; **~ный** [14; -рен, -рна] hypocritical; **~ить** [13] dissemble.
лице́нзия *f* [7] license (for на В).
лиц|о́ *n* [9; *pl. st.*] face; countenance (*change v/t.* в П); front; person, individual(ity); в ~о́ by sight; to s. b.'s face; от ~á (Р) in the name of; ~о́м к ~у́ face to face; быть (Д) к ~у́ suit *or* become a p.; нет ~á (на П) be bewildered; *s. a.* де́йствующий.
личи́н|а *f* [5] mask, guise; **~ка** *f* [5; *g/pl.*: -нок] larva; maggot.
ли́чн|ость *f* [8] personality; identity (*card*); **~ый** [14] personal.
лиша́й *m* [3 *e.*] ⚘ lichen (*a.* ~ник); ⚕ herpes.
лиш|а́ть [1], ⟨~и́ть⟩ [16 *e.*; -шу́, -ши́шь; -шённый] deprive, bereave, strip (of Р); ~а́ть (себя́) жи́зни commit murder (upon В) (suicide); ~ённый *a.* devoid of, lack(-ing); **-ся** (Р) lose; ~и́ться чувств faint; **~е́ние** *n* [12] (de)privation; loss; *pl.* privations, hardships; ~е́ние прав disfranchisement; ~е́ние свобо́ды imprisonment; **~и́ть(ся)** *s.* ~а́ть(ся).
ли́шн|ий [15] superfluous, odd, excessive, over..., sur...; spare; extra; needless, unnecessary; *su.* outsider; ~ее *n* undue (things, *etc.*), (*a.* a glass) too much; ... с ~им over ...; ~ий раз *m* once again; (Д) не ~е + *inf.* (p.) had better.
лишь (*a.* + то́лько) only; merely, just; as soon as, no sooner ... than, hardly; ~ бы if only.
лоб *m* [1; лба; во, на лбу́] forehead.
ло́бзик *m* [1] fret saw.
ло́б|ный *anat.*, **~ово́й** [14] frontal.
лови́ть [14], ⟨пойма́ть⟩ [1] catch; (en)trap; grasp, seize; ~ на сло́ве take at one's word.
ло́вк|ий [16; ло́вок, ловка́, -о; *comp.*: ло́вче] dexterous, adroit, deft; **~ость** *f* [8] adroitness, dexterity.
ло́в|ля *f* [6] catching; fishing; **~у́шка** *f* [5; *g/pl.*: -шек] trap; snare.
логари́фм *m* [1] logarithm.
ло́ги|ка *f* [5] logic; **~́ческий** [16], **~́чный** [14; -чен, -чна] logical.
ло́гов|ище *n* [11], **~о** *n* [9] lair, den.
ло́д|ка *f* [5; *g/pl.*: -док] boat; **~очник** *m* [1] boatman.
лоды́жка *f* [5; *g/pl.*: -жек] ankle.
ло́дырь F *m* [4] idler, loafer.
ло́жа *f* [5] *thea.* box; lodge; stock.
ложби́на *f* [5] hollow.
ло́же *n* [11] couch, bed; stock.
ложи́ться [16 *e.*; -жу́сь, -жи́шься], ⟨лечь⟩ [26 г/ж: ля́гу, ля́жешь, ля́гут; ля́г(те)!; лёг, легла́] lie down; ~ в (В) go to (*bed, a.* ~ [спать]); fall.
ло́жка *f* [5; *g/pl.*: -жек] spoon.
ло́ж|ный [14; -жен, -жна] false; ~ный путь *m* wrong tack; **~ь** *f* [8; лжи; ло́жью] lie, falsehood.
лоза́ *f* [5; *pl. st.*] vine; switch ⚘.
ло́зунг *m* [1] slogan, watchword.
локализова́ть [7] (*im*)*pf.* localize.
локо|моти́в *m* [1] locomotive, engine; **'~н** *m* [1] curl, lock; **'~ть** *m* [4; -ктя; *from g/pl. e.*] elbow.
лом *m* [1; *from g/pl. e.*] crowbar, pry; scrap (metal); **~́аный** [14] broken; **~а́ть** [1], ⟨по-, с-⟩ break (*a.* up); pull (down), tear; ~а́ть го́лову rack one's brains (over над Т); **-ся** break; ⟨по-⟩ F clown, jest; mince, be prim.
ломба́рд *m* [1] pawnshop.
лом|и́ть [14] F = ~а́ть; *impers.* ache, feel a pain in; **-ся** bend, burst; F force (*v/t.* в В), break (into); **~́ка** *f* [5] breaking (up); **~́кий** [16; ло́мок, ломка́, -о] brittle, fragile; **~ово́й** [14] breaking; scrap...; cart(er)...; **~о́та** *f* [5] acute pains *pl.*; **~о́ть** *m* [4; -мтя́] slice; **~́тик** *m* [1] *dim. of* ~о́ть.
ло́но *n* [9] lap; bosom (in на П).
ло́па|сть *f* [8; *from g/pl. e.*] blade; vane, fan; **~́та** *f* [8] shovel, spade; **~́тка** *f* [5; *g/pl.*: -ток] **1.** *dim. of* ~́та; **2.** shoulder blade.
ло́п|аться [1], ⟨~нуть⟩ [20] burst; crack, break; tear; F be exhausted.
лопу́х *m* [1 *e.*] burdock.
лоск *m* [1] luster, gloss, polish.
лоску́т *m* [1 *e.*; *pl. a.*: -ку́тья, -ьев] rag, shred, scrap, frazzle.

лос|ни́ться [13] be glossy *or* sleek, shine; **∠ось** *m* [4] salmon.

лось *m* [4; *from g/pl. e.*] elk.

лот *m* [1] plummet, lead.

лотере́я *f* [6] lottery.

лото́к *m* [1; -тка́] hawker's stand, tray.

лоха́н|ка *f* [5], **~ь** *f* [8] tub.

лохм|а́тый [14 *sh.*] shaggy, dishevel(l)ed; **~о́тья** *n/pl.* [*gen.*: -ьев] rags.

ло́цман ⚓ *m* [1] pilot.

лошад|и́ный [14] horse...; ~и́ная си́ла *f* horsepower; **'~ь** *f* [8; *from g/pl. e., instr.*: -дьми́ & -дя́ми] horse.

лоша́к *m* [1 *e.*] hinny.

лощи́|на *f* [5] hollow, valley; **~ть** [16 *e.*; -щу́, -щи́шь; -щённый] ⟨на-, вы́-⟩ gloss, polish.

лоя́льн|ость *f* [8] loyalty; **~ый** [14; -лен, -льна] loyal.

лу|бо́к *m* [1; -бка́] ⚕ splint; cheap popular print (*or* literature).; **~г** *m* [1; на -у́; *pl.* -а́, *etc. e.*] meadow.

луди́ть [15] tin.

лу́ж|а *f* [5] puddle, pool; сесть в ~у F be in a pretty pickle (*or* fix).

лужа́йка *f* [5; *g/pl.*: -а́ек] (small) glade.

лук *m* [1] **1.** onion(s); **2.** bow.

лука́в|ить [14], ⟨с-⟩ dissemble, dodge; **~ство** *n* [9] cunning, slyness, ruse; **~ый** [14 *sh.*] crafty, wily.

лу́ковица *f* [5] bulb; onion.

лун|а́ *f* [5] moon; **~а́тик** *m* [1] sleepwalker; **∠ный** [14] moon(lit); *astr.* lunar.

лу́па *f* [5] magnifier, magnifying [glass.

лупи́ть [14], ⟨об-⟩ peel (*v/i.* **-ся**).

луч *m* [1 *e.*] ray, beam; **~ево́й** [14] radial; **~еза́рный** [14; -рен, -рна] radiant; **~еиспуска́ние** *n* [12] radiation; **~и́на** *f* [5] (burning) chip, spill; **~и́стый** [14 *sh.*] radiant.

лу́чш|е *adv., comp. of* хорошо́; **~ий** [17] better; best (at ... в ~ем слу́чае).

лущи́ть [16 *e.*; -щу́, -щи́шь], ⟨вы́-⟩ shell, husk.

лыж|а *f* [5] ski (*vb.*: ходи́ть, *etc.*, на ~ах); **~ник** *m* [1], **~ница** *f* [5] skier; **~ный** [14] ski...

лы́ко *n* [9; *nom/pl.*: лы́ки] bast.

лыс|ый [14 *sh.*] bald; **~ина** *f* [5] bald head; blaze.

ль *s.* ли.

льви́|ный [14] lion's; ~ный зев ♀ *m* snapdragon; **~ца** *f* [5] lioness.

льго́т|а *f* [5] privilege; **~ный** [14; -тен, -тна] privileged; reduced; favo(u)rable.

льди́на *f* [5] ice floe.

льну́ть [20], ⟨при-⟩ cling, nestle.

льняно́й [14] flax(en); linen...

льст|е́ц *m* [1 *e.*] flatterer; **~и́вый** [14 *sh.*] flattering; **~ить** [15], ⟨по-⟩ (Д) flatter (o.s. with себя́ Т).

любе́зн|ичать F [1] (с Т) court, flirt, spoon; **~ость** *f* [8] amiability, kindness; favo(u)r; *pl.* compliments; **~ый** [14; -зен, -зна] amiable, kind; dear; *su.* sweetheart; F lovely.

люби́м|ец *m* [1; -мца], **~ица** *f* [5] favo(u)rite, pet; **~ый** [14] beloved, darling; favo(u)rite, pet.

люби́тель *m* [4], **~ница** *f* [5] lover, fan; amateur; **~ский** [16] amateur(-ish).

люби́ть [14] love; like, be (⟨по-⟩ grow) fond of; *pf.* fall in love with.

любов|а́ться [7], ⟨по-⟩ (Т *or* на В) admire, (be) delight(ed) (in); **∠ник** *m* [1] lover; **∠ница** *f* [5] mistress; **∠ный** [14] love...; loving, affectionate; ∠ная связь *f* amour; **∠ь** *f* **1.** [8; -бви́; -бо́вью] love (of, for к Д); **2.** ♀ [8] *fem. name* (*cf.* Amanda).

любо|зна́тельный [14; -лен, -льна] inquisitive, curious; inquiring; **∠й** [14] any(one *su.*); **~пы́тный** [14; -тен, -тна] curious, inquisitive; interesting; мне ~пы́тно ... I wonder ...; **~пы́тство** *n* [9] curiosity; interest.

лю́бящий [17] loving, affectionate.

люд *m* [1] *coll.* F, **∠и** *pl.* [-е́й, -ям, -дьми́, -ях] people; † servants; вы́йти в ∠и arrive, make one's way in life (*or* fortune); на ∠ях in public; **∠ный** [14; -ден, -дна] populous; crowded; **~ое́д** *m* [1] cannibal; ogre; **~ско́й** [16] man...; man's; human(e); servants' (room *su. f*).

люк *m* [1] hatch(way).

лю́лька *f* [5; *g/pl.*: -лек] cradle.

лю́стра *f* [5] chandelier, luster.

лю́тик *m* [1] buttercup.

лю́тый [14; лют, -а́, -о; *comp.*: -те́е] fierce, cruel, grim.

люце́рна *f* [5] alfalfa, *Brt.* lucerne.

ляг|а́ть(ся) [1], ⟨~ну́ть⟩ [20] kick.

лягу́шка *f* [5; *g/pl.*: -шек] frog.

ля́жка *f* [5; *g/pl.*: -жек] thigh; haunch.

лязг *m* [1], **∠ать** [1] clank, clang, [chatter.

ля́мк|а *f* [5; *g/pl.*: -мок] strap; тяну́ть ~у F drudge, toil.

М

мавзолéй *m* [3] mausoleum.
магазúн *m* [1] store, *Brt.* shop.
магистрáль *f* [8] main (✈ air) line 🚂 (✈ *a.* route) *or* waterway; thoroughfare; trunk (line); main.
маг|úческий [16] magic(al); **~нетúческий** [16] magnetic(al).
мáгний *m* [3] magnesium.
магнúт *m* [1] magnet.
магометáн|ин *m* [1; *pl.*: -áне, -áн], **~ка** *f* [5; *g/pl.*: -нок] Mohammedan.
мадьяр *m* [1], **~ский** [16] Magyar.
маёвка *f* [5; *g/pl.*: -вок] May Day meeting, outing *or* picnic.
мáз|анка *f* [5; *g/pl.*: -нок] mud hut; **~ать** [3] **1.** ⟨по-, на-⟩ smear; rub (in); anoint; spread, butter; whitewash; **2.** ⟨с-⟩ oil, lubricate; **3.** F ⟨за-⟩ soil; *impf.* daub; **~ня́** F *f* [6] daub(ing); **~óк** *m* [1; -зкá] touch, stroke; ⚕ swab; **~ь** *f* [8] ointment; grease.
май *m* [3] May; **∠ка** *f* [5; *g/pl.*: мáек] sleeveless sports shirt; **~óр** *m* [1] major; **∠ский** [16] May(-Day)...
мак *m* [1] poppy.
мак|áть [1], *once* ⟨~нýть⟩ [20] dip.
макéт *m* [1] model; dummy.
мáклер *m* [1] broker.
макнýть *s.* макáть.
макрéль *f* [8] mackerel.
максимáльный [14; -лен, -льна] maximum. [crown.]
макýшка *f* [5; *g/pl.*: -шек] top;
малá|ец *m* [1; -лáйца], **~йка** *f* [5; *g/pl.*: -лáек], **~йский** [16] Malay(an).
малевáть F [6], ⟨на-⟩ paint, daub.
малéйший [17] least, slightest.
мáленький [16] little, small; short; trifling, petty.
малúн|а *f* [5] raspberry, -ries *pl.*; **~овка** *f* [5; *g/pl.*: -вок] robin (redbreast); **~овый** [14] raspberry-...; crimson; soft, sonorous.
мáло little (*a.* ~ что); few (*a.* ~ кто); a little; not enough; less; ~ где in few places; ~ когдá seldom; F ~ ли что much, many things, anything; (*a.* ~ что) yes, but ...; that doesn't matter, even though; ~ тогó besides, and what is more; ~ тогó, что not only (that).
мало|вáжный [14; -жен, -жна] insignificant, trifling; **~вáто** F little, not (quite) enough; **~верoя́тный** [14; -тен, -тна] unlikely; **~вóдный** [14; -ден, -дна] shallow; **~говоря́щий** [17] insignificant; **~грáмотный** [14; -тен, -тна] uneducated, ignorant; faulty; **~дýшный** [14; -шен, -шна] pusillanimous; **~знáчащий** [17 *sh.*], **~значúтельный** [14; -лен, -льна] *s.* ~вáжный; **~имýщий** [17 *sh.*] poor; **~крóвие** *n* [12] an(a)emia; **~крóвный** [14; -вен, -вна] an(a)emic; **~лéтний** [15] minor, underage; little (one); **~лю́дный** [14; -ден, -дна] poorly populated (*or* attended); **~-мáльски** F a little bit; somewhat; **~общúтельный** [14; -лен, -льна] unsociable; **~óпытный** [14; -тен, -тна] inexperienced; **~-помáлу** F gradually, little by little; **~рóслый** [14 *sh.*] undersized; **~содержáтельный** [14; -лен, -льна] vapid.
мáл|ость *f* [8] smallness; F trifle; a bit; **~оцéнный** [14; -éнен, -éнна] inferior; **~очúсленный** [14 *sh.*] small (in number), few; **~ый** [14; мал, -á; *comp.*: мéньше] small, little; short; *cf.* ~енький; *su.* fellow, guy; lad; без ~ого almost, just short of; ~ и стар young & old; с ~ых лет from (one's) childhood; **~ы́ш** F *m* [1 *e.*] kid(dy).
мáльч|ик *m* [1] boy; lad; **~úшеский** [16] boyish; mischievous; **~úшка** F *m* [5; *g/pl.*: -шек] urchin; greenhorn; **~угáн** F *m* [1] *s.* малы́ш; *a.* = ~úшка.
малю́тка *m/f* [5; *g/pl.*: -ток] baby, infant; *fig.* pygmy..., miniature...
маля́р *m* [1 *e.*] (house) painter.
малярúя *f* [7] malaria.
мáм|а *f* [5] ma(mma), mum, mother; **~áша** F *f* [5], F **~енька** *f* [5; *g/pl.*: -нек] mammy, mummy.
мандарúн *m* [1] mandarin.
мандáт *m* [1] mandate.
ман|ёвр *m* [1], **~еврúровать** [7] maneuver, manoeuvre; 🚂 shunt, switch; **~екéн** *m* [1] mannequin.
манéр|а *f* [5] manner; **~ка** *f* [5; *g/pl.*: -рок] canteen, *Brt.* water bottle; **~ный** [14; -рен, -рна] affected.
манжéт(к)а *f* [5 (*g/pl.*: -ток)] cuff.

манипули́ровать [7] manipulate.
мани́ть [13; маню́, ма́нишь], ⟨по-⟩ (T) beckon; (al)lure, entice, tempt.
ман|и́шка *f* [5; *g/pl.*: -шек] dick(e)y; **ʌия** *f* [7] (вели́чия megalo)mania; **~ки́ровать** [7] (*im*)*pf.* (T) neglect.
ма́нная [14]: ~ крупа́ *f* semolina.
мануфакту́ра *f* [5] textiles *pl.*
мара́ть F [1], ⟨за-⟩ soil, stain; ⟨на-⟩ scribble, daub; ⟨вы́-⟩ delete.
ма́рганец *m* [1; -нца] manganese.
маргари́тка *f* [5; *g/pl.*: -ток] daisy.
маринова́ть [7], ⟨за-⟩ pickle.
ма́рк|а *f* [5; *g/pl.*: -рок] stamp; mark; counter; make; brand, trademark; **~и́за** *f* [5] awning; **~си́стский** [16] Marxist, Marxian.
ма́рля *f* [6] gauze.
мармела́д *m* [1] fruit candy (*or* drops).
март *m* [1], **ʌовский** [16] March.
мар|ты́шка *f* [5; *g/pl.*: -шек] marmoset; **'ʘфа** Martha.
марш *m* [1], **~ирова́ть** [7] march; **~ру́т** *m* [1] route.
ма́ск|а *f* [5; *g/pl.*: -сок] mask; **~ара́д** *m* [1] (*a.* бал-~ара́д) masked ball, masquerade; **~ирова́ть** [7], ⟨за-⟩, **~иро́вка** *f* [5; *g/pl.*: -вок] mask; disguise, camouflage.
ма́сл|еница *f* [5] (last week of) carnival; F feast; **~ёнка** *f* [5; *g/pl.*: -нок] butter dish; lubricator; **~еный** [14] *s.* ~яный; **~и́на** *f* [5] olive; **ʌи́чный** [14] olive...; oil ...; **~о** *n* [9; *pl.*: -сла́, -сел, -сла́м] (*a.* коро́вье, сли́вочное ~о) butter; (*a.* расти́тельное ~о) oil; как по ~у *fig.* (*go*) on wheels; **~обо́йка** *f* [5; *g/pl.*: -о́ек] churn; oil mill; **~яный** [14] oil(y); butter(y); greasy, unctuous.
ма́сс|а *f* [5] mass; bulk; multitude; **~а́ж** *m* [1], **~и́ровать** [7] (*pt.a.pf.*) massage; **~и́в** *m* [1] massif; **~и́вный** [14; -вен, -вна] massive; **~овый** [14] mass...
ма́стер *m* [1; *pl.*: -ра́, *etc. e.*] master; foreman; craftsman; expert; ~ на все ру́ки jack-of-all-trades; **~и́ть** F [13], ⟨с-⟩ work; make; **~ска́я** *f* [16] workshop; atelier, studio; **~ско́й** [16] masterly (*adv.* ~ски́); **~ство́** *n* [9] mastery, skill; trade, handicraft.
масти́тый [14 *sh.*] venerable.
масть *f* [8; *from g/pl. e.*] colo(u)r; suit.
масшта́б *m* [1] scale (on в П); *fig.* scope; caliber (*Brt.* -bre); repute; standard.
мат *m* [1] mat; (check)mate.
Матве́й *m* [6] Matthew.
матема́ти|к *m* [1] mathematician; **~ка** *f* [5] mathematics; **ʌческий** [16] mathematical.
материа́л *m* [1] material; **~и́зм** *m* [1] materialism; **~и́ст** *m* [1] materialist; **~исти́ческий** [16] materialistic; **~ьный** [14; -лен, -льна] material; economic; financial.
матери́к *m* [1 *e.*] continent.
матери́|нский [16] mother('s), motherly, maternal; **~нство** *n* [9] maternity; **'~я** *f* [7] matter; fabric, material; stuff.
ма́тка *f* [5; *g/pl.*: -ток] *zo.* female; queen (*bee*); *anat.* uterus.
ма́товый [14] dull, dim, mat.
матра́|с, ~ц *m* [1] mattress.
ма́трица *f* [5] *typ.* matrix; stencil.
матро́с *m* [1] sailor.
матч *m* [1] match (*sport*).
мать *f* [ма́тери, *etc.* = 8; *pl.*: ма́тери, -ре́й, *etc. e.*] mother.
мах *m* [1] stroke, flap; с (одного́) ʌу at one stroke *or* stretch; at once; дать ʌу miss one's mark, make a blunder; **~а́ть** [3, F 1], *once* ⟨~ну́ть⟩ [20] (T) wave; wag; strike, flap; *pf.* F jump, go; ~ну́ть руко́й на (B) give up; **~ови́к** *m* [1 *e.*], **~ово́й** [14]: ~ово́е колесо́ *n* flywheel.
махо́рка *f* [5] (poor) tobacco.
ма́чеха *f* [5] stepmother.
ма́чта *f* [5] mast.
Ма́ш([ень]к)а *f* [5] *dim. of* Мари́я.
маши́н|а *f* [5] machine; engine; F car, bike, *etc.*; **~а́льный** [14; -лен, -льна] mechanical, perfunctory; **~и́ст** *m* [1] machinist; 🚂 engineer, *Brt.* engine driver; **~и́стка** *f* [5; *g/pl.*: -ток] (girl) typist; **~ка** *f* [5; *g/pl.*: -нок] (small) machine; typewriter; clipper (под ~ку cropped); **~ный** [14] machine..., engine...; *cf.* MTC; **~опись** *f* [8] typewriting; **~острое́ние** *n* [7] mechanical engineering.
мая́к *m* [1 *e.*] lighthouse.
мая́|тник *m* [1] pendulum; **~ться** P [27] drudge; **ʌчить** F [16] loom.
МВД *abbr.*: Министе́рство вну́тренних дел (*s.* министе́рство).
мгл|а *f* [5] darkness; mist, haze; **~и́стый** [14 *sh.*] hazy, misty.

мгновéн|ие *n* [12] moment; instant, twinkling; **~ный** [14; -éнен, -éнна] momentary, instantaneous.
мéб|ель *f* [8] furniture; **~лировáть** [7] *(im)pf.*, ⟨об-⟩ furnish (with T); **~лирóвка** *f* [5] furnishing(s).
мёд *m* [1; *part. g.*: мёду; в медý; *pl. e.*] honey; mead.
медáль *f* [8] medal; **~óн** *m* [1] locket.
медвé|дица *f* [5] she-bear; *astr.* ♀дица Bear; **~дь** *m* [4] bear (F *a. fig.*); **~жий** [18] bear('s, -skin); bad (*service*); **~жóнок** *m* [2] bear cub.
мéди|к *m* [1] medical man (F student); **~кaмéнты** *m/pl.* [1] medicaments, medical supplies; **~цúна** *f* [5] medicine; **~цúнский** [16] medical; medicinal.
мéдл|енный [14 *sh.*] slow; **~úтельный** [14; -лен, -льна] sluggish, slow, indolent; **~ить** [14], ⟨про-⟩ delay, linger, be slow *or* tardy, hesitate.
мéдный [14] copper(y); brazen.
медóвый [14] honey(ed).
мед|осмóтр *m* [1] medical examination; **~пýнкт** *m* [1] first-aid post; **~сестрá** *f* [5; *pl. st.*: -сёстры, -сестёр, -сёстрам] nurse.
медь *f* [8] copper; жёлтая ~ brass.
меж *s.* ~дý; **~á** *f* [5; *pl.*: мéжи, меж, межáм] border; balk; **~доме́тие** *n* [12] *gr.* interjection; **~доусóбный** [14] internal, civil (*war, etc.*).
мéжду (T; *a.* P *pl.* †) between; among(st); ~ тем meanwhile, (in the) meantime; ~ тем как whereas, while; **~горóдный** [14] *teleph.* long-distance..., *Brt.* trunk... (*e. g. exchange, su. f*); interurban; **~нарóдный** [14] international; **~цáрствие** *n* [12] interregnum.
межпланéтный [14] interplanetary.
Мéксик|а *f* [5] Mexico; ♀**áнец** *m* [1; -нца], ♀**áнка** *f* [5; *g/pl.*: -нок], ♀**áнский** [16] Mexican.
мел *m* [1; в -ý] chalk; whitewash.
меланхóл|ик *m* [1] melancholiac; **~úческий** [16], **~úчный** [14; -чен, -чна] melancholy, melancholic; **~ия** *f* [7] melancholy.
мелéть [8], ⟨об-⟩ (grow) shallow.
мéлк|ий [16; -лок, -лкá, -о; *comp.*: мéльче] small, little; petty; fine, shallow; flat (*plate*); ~ий дождь *m* drizzle; **~овóдный** [14; -ден, -дна] shallow; **~ость** *f* [8], F **~отá** *f* [8] shallowness; ~отá *a.* = мéлочь *coll.*
мелодú|ческий [16] melodic; melodious; **~чный** [14; -чен, -чна] melodious; **'~я** *f* [7] melody.
мéлоч|ность *f* [8] pettiness, paltriness; **~ный** *&* **~нóй** [14; -чен, -чна] petty, paltry; **~ь** *f* [8; *from g/pl. e.*] trifle; trinket; *coll.*small fry; (small) change; *pl.* details, particulars.
мел|ь *f* [8] shoal, sandbank; на ~ú aground; F in a fix.
мельк|áть [1], ⟨~нýть⟩ [20] flash; gleam; flit; fly (past); loom; turn up; **~óм** in passing. [mill.]
мéльни|к *m* [1] miller; **~ца** *f* [5]
мельч|áть [1], ⟨из-⟩ become (**~úть** [16 *e.*; -чý, -чúшь] make) small(er) *or* shallow(er).
мелюзгá F *f* [5] *s.* мéлочь *coll.*
мемуáры *m/pl.* [1] memoirs.
мéна *f* [5] exchange; barter.
мéнее less; ~ всегó least of all; тем не ~ nevertheless.
меновóй [14] exchange...; *cf.* мéна.
мéньш|е less; smaller; *s. a.* мéнее; **~евúк** *m* [1 *e.*] Menshevik; **~ий** [17] smaller, lesser; smallest, least; F (= † **~óй**) youngest; **~инствó** *n* [9] minority.
менió *n* [*indecl.*] menu, bill of fare.
менять [28], ⟨по-, об-⟩ exchange, barter (for на B); change (*cf.* пере~); **-ся** *v/i.* (s. th. with T/cT).
мéр|а *f* [5] measure; degree; way; по ~е (P) *or* тогó как according as, to (*a.* в ~у P); as far as; while the..., the... (+ *comp.*); по крáйней (мéньшей) ~е at least.
мерéщиться F [16], ⟨по-⟩ (Д) seem (*to hear, etc.*); appear; loom.
мерз|áвец F *m* [1; -вца] rascal; **~кий** [16; -зок, -зкá, -о] vile, odious.
мёрз|лый [14] frozen; **~нуть** [21], ⟨за-⟩ freeze; be cold, numb.
мéрзость *f* [8] meanness; nasty thing.
мерúло *n* [9] standard; criterion.
мéрин *m* [1] gelding.
мéр|ить [13], ⟨с-⟩ measure; ⟨при-, по-⟩ F try on; **~иться,** ⟨по-⟩ cope, try conclusions with (с T); **~ка** *f* [5; *g/pl.*: -рок] measure(s) (to по Д).
мéркнуть [21], ⟨по-⟩ fade, darken.
мерлýшка *f* [5; *g/pl.*: -шек] astrakhan.
мéр|ный [14; -рен, -рна] measured; **~оприятие** *n* [12] measure, action.

мéртв|енный [14 *sh.*] deadly (pale); **~éть** [8], ⟨о-⟩ deaden; grow *or* turn numb (pale, desolate); **~éц** *m* [1 *e.*] corpse; **~éцкая** F *f* [14] mortuary.
мёртв|ый [14; мёртв, мертвá, мёртво; *fig.:* мертвó, мертвы́] dead; ~ый час *m* after-dinner rest; ~ая тóчка *f* ⊕ dead center; *fig.* deadlock (at на П).
мерцá|ние *n* [12], **~ть** [1] twinkle.
меси́ть [15], ⟨за-, с-⟩ knead.
мести́ [25 -т-: метý, метёшь; мётший], ⟨под-⟩ sweep.
мéстн|ость *f* [8] region, district, locality, place; **~ый** [14] local; ~ый жи́тель *m* native.
мéст|о *n* [9; *pl. e.*] place, spot; seat; F job, post; passage; package; *pl. a.* = ~ность; óбщее (*or* изби́тое) ~о commonplace; (задéть за) больнóе ~о tender spot (touch on the raw); (не) к ~у in (out of) place; не на ~е in the wrong place; ~áми in (some) places, here & there; **~ожи́тельство** *n* [9] residence; **~оимéние** *n* [12] *gr.* pronoun; **~онахождéние, ~оположéние** *n* [12] location, position; **~опребывáние** *n* [12] whereabouts; residence; **~орождéние** *n* [12] deposit, field.
месть *f* [8] revenge.
мéся|ц *m* [1] month; moon; в ~ц a month, per month; **~чный** [14] month's; monthly; moon...
метáлл *m* [1] metal; **~и́ст** *m* [1] metalworker; **~и́ческий** [16] metal(lic); **~ýргия** *f* [7] metallurgy.
мет|áтельный [14] missile; **~áть** [3], *once* ⟨~нýть⟩ [20] throw; bring forth; keep (*bank*); baste; ~áть икрý spawn; **-ся** toss, jerk; rush about.
метéл|ица *f* [5], **~ь** [8] snowstorm.
метеорóлог *m* [1] meteorologist; **~и́ческий** [16] meteorological; **∠ия** *f* [7] meteorology.
мéт|ить [15], ⟨по-⟩ mark; (в, на В) aim, drive at, mean; **~ка** [5; *g/pl.*: -ток] mark(ing); **~кий** [16; -ток, -ткá, -о] well-aimed; good (*shot*); keen, accurate, steady; pointed; neat; ready(-witted).
мет|лá *f* [5; *pl. st.*: мётлы, мётел; мётлам] broom; **~нýть** *s.* метáть.
мéтод *m* [1] method; **~и́ческий** [16] methodic(al), systematic(al).
метр *m* [1] meter, *Brt.* metre.
мéтрика *f* [5] certificate of birth; metrics.
метрó *n* [*ind.*], **~политéн** (-ˈtɛn) *m* [1] subway, *Brt.* tube, underground.
мех *m* [1] **1.** [*pl. e.*] (*often pl.*) bellows *pl.*; **2.** [*pl.*: -xá, *etc.*, *e.*] fur; (wine)skin; на ~ý fur-lined.
механ|изи́ровать [7] (*im*)*pf.* mechanize; **~и́зм** *m* [1] mechanism; **∠ик** *m* [1] mechanic(ian); **∠ика** *f* [5] mechanics; **~и́ческий** [16] mechanical; propelling (*pencil*).
мехов|óй [14] fur...; **~щи́к** *m* [1 *e.*] furrier.
меч *m* [1 *e.*] sword.
мечéть *f* [8] mosque.
мечтá *f* [5] dream, daydream, reverie; **~ние** *n* [12] **1.** = ~; **2.** dreaming; **~тель** *m* [4] (day)dreamer; **~тельный** [14; -лен, -льна] dreamy; **~ть** [1] dream (of о П).
мешá|ть [1], ⟨раз-⟩ stir; ⟨с-, пере-⟩ mix, mingle; † confuse; ⟨по-⟩ (Д) disturb; hinder, impede, prevent; вам не ~ет (~ло бы) you'd better; **-ся** meddle, interfere (with в В); не ~йтесь не в своё дéло! mind your own business!
мéшк|ать F [1], ⟨про-⟩ = мéдлить; **~овáтый** [14 *sh.*] baggy; clumsy.
мешóк *m* [1; -шкá] sack, bag.
мещан|и́н *m* [1; *pl.*: -áне, -áн], **∠ский** [16] (petty) bourgeois, Philistine; **∠ство** *n* [9] petty bourgeoisie, lower-middle class; Philistinism, Babbittry.
миг *m* [1] moment, instant; ∠ом F in a trice (flash); **~áть** [1], *once* ⟨~нýть⟩ [20] blink, wink; twinkle.
мигрéнь *f* [8] sick headache.
мизéрный [14; -рен, -рна] paltry.
мизи́нец *m* [1; -нца] little finger.
ми́ленький F [16] lovely; dear; darling.
милици|онéр *m* [1] militiaman; policeman (*Sov.*); **ʹ~я** *f* [7] militia; police (*Sov.*).
милли|áрд *m* [1] billion, *Brt.* milliard; **~мéтр** *m* [1] millimeter (*Brt.* -tre); **~óн** *m* [1] million.
ми́ловать [7] pardon; spare.
мило|ви́дный [14; -ден, -дна] lovely, sweet; **~сéрдие** *n* [12] charity, mercy; **~сéрдный** [14; -ден, -дна] charitable, merciful; **ʹ~стивый** [14 *sh.*] gracious, kind; **ʹ~стыня** *f* [6] alms; **ʹ~сть** *f* [8] mercy; favo(u)r; pardon, ⚔ quarter; kindness; ʹ~сти прóсим! welcome!; *iron.* скажи́(те) на ʹ~сть just imagine.

ми́л|ый [14; мил, -á, -o] nice, lovely, sweet; (my) dear, darling.
ми́ля *f* [6] mile.
ми́мо (P) past, by; beside (*mark*); бить ~ miss; **~лётный** [14; -тен, -тна] fleeting, passing; **~хо́дом** in passing; incidentally.
ми́на *f* [5] ⚔, ⚒ mine; look, air.
минда́|лина *f* [5] almond; *anat.* tonsil; **~ль** *m* [4 *e.*] almond(s); **~льничать** F [1] spoon; trifle.
минерало́гия *f* [7] mineralogy.
миниатю́рный [14; -рен, -рна] miniature...; *fig.* tiny, diminutive.
минист́|е́рство *n* [9] ministry; ~е́рство иностра́нных (вну́тренних) дел Ministry of Foreign (Internal) Affairs (*U.S.S.R.*), State Department (Dept. of the Interior) (*U.S.*), Foreign (Home) Office (*Brt.*); **~р** *m* [1] minister, secretary.
мин|ова́ть [7] (*im*)*pf.*, ⟨~у́ть⟩ [20] pass; leave out *or* aside, not enter into; (P) escape; (Д) ~уло *s.* испо́лниться; ~у́вший, ~у́вшее *su.* past.
миноно́сец *m* [1; -сца] torpedo boat; эска́дренный ~ destroyer.
ми́нус *m* [1] minus; defect.
мину́т|а *f* [5] minute; moment, instant (at в В; for на В); сию ~у at once, immediately; at this moment; с ~ы на ~у (at) any moment; *cf.* пя́тый & пять; **~ный** [14] minute('s); moment('s), momentary; **~ь** *s.* минова́ть.
мир *m* [1] **1.** peace; **2.** [*pl. e.*] world, universe; planet; † (peasants') community (meeting); ~ во всём ~е world peace; ходи́ть (пусти́ть) по́ ~у go begging (bring to beggary).
мир|и́ть [13], ⟨по-, при-⟩ reconcile (to с Т); **-ся** make it up, be(come) reconciled; ⟨при-⟩ resign o.s. to; put up with; **~ный** [14; -рен, -рна] peace...; peaceful.
мировоззре́ние *n* [12] Weltanschauung, world view; ideology.
мирово́й [14] world('s), world-wide, universal; peaceful, peaceable, of peace; F *su. f* arrangement.
миро|люби́вый [14 *sh.*] peaceful; peace loving; **~созерца́ние** *n* [12] world view, outlook.
мирско́й [16] worldly; common.
ми́ска *f* [5; *g/pl.*: -сок] dish, tureen; bowl.
мисси|оне́р *m* [1] missionary; **'~я** *f* [7] mission; legation.
ми́стика *f* [5] mysticism.
Ми́тя *m* [6] *dim. of* Дми́трий.
миф *m* [1] myth; **~и́ческий** [16] mythic(al); **~оло́гия** *f* [7] mythology.
Ми|ха́ил *m* [1] Michael; **~ша** *m* [5] (*dim. of* ~ха́ил) Mike.
мише́нь *f* [8] target.
мишура́ *f* [5] tinsel, spangle.
младе́н|ец *m* [1; -нца] infant, baby; **~чество** *n* [9] infancy.
мла́дший [17] younger, youngest; junior.
млекопита́ющее *n* [17] mammal.
мле́ть [8] die, faint, sink, droop.
мле́чный [14] milky (*a.* ♀, *ast.*).
мне́ние *n* [12] opinion (in по Д).
мни́|мый [14 *sh.*, *no m*] imaginary; supposed, pretended, would-be, sham; **~тельный** [14; -лен, -льна] suspicious; hypochondriac(al).
мно́гие *pl.* [16] many (people, *su.*).
мно́го (P) much, many; a lot (*or* plenty) of; more; ~-~ at (the) most; **~ва́то** F rather much (many); **~во́дный** [14; -ден, -дна] abounding in water, deep; **~гра́нный** [14; -а́нен, -а́нна] many-sided; **~жёнство** *n* [9] polygamy; **~значи́тельный** [14; -лен, -льна] significant; **~зна́чный** [14; -чен, -чна] of many places (⅍) *or* meanings; **~кра́тный** [14; -тен, -тна] repeated, frequent(ative *gr.*); ⅍ multiple; **~ле́тний** [15] longstanding, of many years; long-lived; long-term ...; ⚘ perennial; **~лю́дный** [14; -ден, -дна] crowded; populous; mass ...; **~обеща́ющий** [17] (very) promising; **~обра́зный** [14; -зен, -зна] varied, manifold; **~речи́вый** [14 *sh.*], **~сло́вный** [14; -вен, -вна] talkative; wordy; **~сторо́нний** [15; -о́нен, -о́нняя] many-sided; **~страда́льный** [14; -лен, -льна] long-suffering; **~то́чие** *n* [12] dots *pl.*; **~уважа́емый** [14] dear (*address*); **~цве́тный** [14; -тен, -тна] multicolo(u)red; **~чи́сленный** [14 *sh.*] numerous; **~эта́жный** [14] many-storied (*Brt.* -reyed); **~язы́чный** [14; -чен, -чна] polyglot.
мно́ж|ественный [14 *sh.*] plural; **~ество** *n* [9] multitude; **~имое** *n* [14] multiplicand; **~итель** *m* [4] multiplier; **~ить**, ⟨по-⟩ *s.* умножа́ть.

мобилизова́ть [7] (*im*)*pf.* mobilize.
моги́л|а *f* [5] grave; **~ьный** [14] tomb...; **~ьщик** *m* [1] grave digger.
могу́|чий [17 *sh.*], **~щественный** [14 *sh.*] mighty, powerful; **~щество** *n* [9] might.
мо́д|а *f* [5] fashion, vogue; **~е́ль** (-ˈdɛl) *f* [8] model; ⊕ mo(u)ld; **~ернизи́ровать** (-dɛr-) [7] (*im*)*pf.* modernize; **~и́стка** *f* [5; *g*/*pl.*: -ток] milliner; **~ифици́ровать** [7] (*im*-)*pf.* modify; **~ный** [14; -ден, -дна́, -о] fashionable, stylish; [*no sh.*] fashion...
мо́ж|ет быть perhaps, maybe; **~но** (мне, *etc.*) one (I, *etc.*) can *or* may; it is possible; *cf.* как.
моза́ика *f* [5] mosaic.
мозг *m* [1; -а (-у); в -у́; *pl. e.*] brain; marrow; (*spinal*) cord; **~ово́й** [14] cerebral.
мозо́|листый [14 *sh.*] horny, callous; **~лить** [13]: ~лить глаза́ (Д) F be an eyesore to; **~ль** *f* [8] callosity; corn.
мо|й *m*, ~я́ *f*, ~ё *n*, ~и́ *pl.* [24] my; mine; *pl. su.* F my folks; *s.* ваш.
мо́кко *m* [*ind.*] mocha.
мо́к|нуть [21], ⟨про-⟩ become wet; soak; **~ро́та**[1] *f* [5] phleghm; **~рота́**[2] F *f* [5] wet(ness), humidity; **~рый** [14; мокр, -а́, -о] wet; moist.
мол *m* [1] jetty, mole.
молв|а́ *f* [5] rumo(u)r; talk; **~́ить** † [14] (*im*)*pf.*, ⟨про-⟩ say, utter.
молдава́н|ин *m* [1; *pl.*: -ва́не, -а́н], **~ка** *f* [5; *g*/*pl.*: -нок] Moldavian.
моле́бен *m* [1; -бна] thanksgiving (service), Te Deum.
моле́кул|а *f* [5] molecule; **~я́рный** [14] molecular.
моли́т|ва *f* [5] prayer; **~венник** *m* [1] prayer book; **~ь** [13; молю́, мо́лишь] (о П) implore (s. th.), entreat, beseech (for); **~ься**, ⟨по-⟩ pray (to Д; for о П).
молни|ено́сный [14; -сен, -сна] flash-like; blazing; thunder (*cloud*); violent; ⚔ blitz...; **ˈ~я** *f* [7] lightning; flash; zipper, zip fastener.
молод|ёжь *f* [8] youth, young people *pl.*; **~е́ть** [8], ⟨по-⟩ grow (look) younger; **~е́ц** F *m* [1; -дца́] fine fellow, brick; well done!; **~е́цкий** F [16] brave, valiant; smart; **~и́ть** [15 *e.*; -ложу́, -лоди́шь] rejuvenate; **~ня́к** *m* [1 *e.*] offspring; underwood; saplings *pl.*; **~ожёны** *m*/*pl.* [1] newly wedded couple; **~о́й** [14; мо́лод, -а́, -о; *comp.*: моло́же] young; new; *pl. a.* = ~ожёны; **ˈ~ость** *f* [8] youth, adolescence; **~цева́тый** [14 *sh.*] smart.
моложа́вый [14 *sh.*] youthful, young-looking.
моло́к|и *f*/*pl.* [5] milt; **~о́** *n* [9] milk; **~осо́с** F *m* [1] greenhorn.
мо́лот *m* [1] (large) hammer; **~и́лка** *f* [5; *g*/*pl.*: -лок] threshing machine; **~и́ть** [15], ⟨с-⟩ thresh; **~о́к** *m* [1; -тка́] hammer; с ~ка́ by auction; **~́ь** [17; мелю́, ме́лешь; меля́], ⟨пере-, с-⟩ grind; P *impf.* talk; **~ьба́** *f* [5] threshing (time).
моло́чн|ая *f* [14] dairy, creamery; **~ик** *m* [1] milk jug; F milkman; **~ый** [14] milk...; dairy...
мо́лча silently, tacitly; **~ли́вый** [14 *sh.*] taciturn; **~́ние** *n* [12] silence; **~́ть** [4 *e.*; мо́лча], be (*or* keep) silent; (за)молчи́! shut up!
моль *f* [8]moth; [*ind. adj.*] ♪ minor.
мольба́ *f* [5] entreaty; prayer.
моме́нт *m* [1] moment, instant (at в В); **~а́льный** [14] momentary, instantaneous; snap (*shot*).
мона́рхия *f* [7] monarchy.
мона|сты́рь *m* [4 *e.*] monastery, convent; **~́х** *m* [1] monk; **~́хиня** *f* [6] nun (*a.*, F, **~́шенка** *f* [5; *g*/*pl.*: -нок]); **~́шеский** [16] monastic; monk's.
монго́льский [16] Mongolian.
моне́т|а *f* [5] coin; money, cash; той же ~ой in a p.'s own coin; за чи́стую ~у in good faith; **~ный** [14] monetary; ~ный двор *m* mint.
моно|ло́г *m* [1] monologue; **~полизи́ровать** [7] (*im*)*pf.* monopolize; **~по́лия** *f* [7] monopoly; **~то́нный** [14; -то́нен, -то́нна] monotonous.
монт|а́ж *m* [1] assembling, assemblage; cutting (*film*); montage; **~ёр** *m* [1] assembler, mechanic(ian); electrician; **~и́ровать** [7], ⟨с-⟩ assemble, install; cut (*film*).
мора́ль *f* [8] morals *pl.*; morality; moral; F lecture, lecturing; **~ный** [14; -лен, -льна] moral; ~ное состоя́ние *n* morale.
морг|а́ть [1], ⟨~ну́ть⟩ [20] blink [(Т).]
мо́рда *f* [5] muzzle, snout.
мо́ре *n* [10; *pl. e.*] sea; seaside (at на П); ~м by sea; за́ ~м overseas; **~пла́вание** *n* [12] navigation; **~пла́ватель** *m* [4] seafarer.

морж *m* [1 *e.*], **~óвый** [14] walrus.
мори́ть [13], ⟨за-, у-⟩ exterminate; ~ гóлодом starve; torment, exhaust.
морко́вь *f* [8] carrot(s).
моро́женое *n* [14] ice cream.
моро́з *m* [1] frost; **~ить** [15], ⟨за-⟩ freeze; **~ный** [14; -зен, -зна] frosty.
мороси́ть [15; -си́т] drizzle.
моро́чить F [16] fool, beguile.
морско́й [14] sea..., maritime; naval; nautical; seaside...; ~ волк *m* old salt; ~ флот *m* navy.
мо́рфий *m* [3] morphine, morphia.
морфоло́гия *f* [7] morphology.
морщи́|на *f* [5] wrinkle; **~нистый** [14 *sh.*] wrinkled; **'~ть** [16], ⟨на-, с-⟩ wrinkle, frown (*v/i.* **-ся**); distort.
моря́к *m* [1 *e.*] seaman, sailor.
москате́льный [14] drug(gist's).
Моск|ва́ *f* [5] Moscow; **♀ви́ч** *m* [1 *e.*] **♀ви́чка** *f* [5; *g/pl.*: -чек] Moscower; **♀о́вский** [16] Moscow...
моски́т *m* [1] mosquito.
мост *m* [1 & 1 *e.*; на -у́; *pl. e.*] bridge; **~и́ть** [15 *e.*; мощу́, мости́шь; мощённый], ⟨вы-⟩ pave; **~ки́** *m/pl.* [1 *e.*] planked footway, footbridge; **~ова́я** *f* [14] pavement; **~ово́й** [14] bridge...; **~овщи́к** *m* [1 *e.*] pavio(u)r.
мот *m* [1] spendthrift, prodigal.
мот|а́ть [1], ⟨на-, с-⟩ reel, wind; F ⟨по-⟩, *once* ⟨~ну́ть⟩ shake, wag; beckon, point; jerk; F ⟨про-⟩ squander, waste; **-ся** F *impf.* dangle; P knock about.
моти́в *m* [1] motive, motif; **~и́ровать** [7] (*im*)*pf.* motivate.
мотовство́ *n* [9] extravagance.
мото́к *m* [1; -тка́] skein.
мото́р *m* [1] motor, engine; **~изова́ть** [7] (*im*)*pf.* motorize.
мотоци́кл, ~е́т *m* [1] motorcycle; **~и́ст** *m* [1] motorcyclist.
моты́га *f* [5] hoe, mattock.
мотылёк *m* [1; -лька́] butterfly.
мох *m* [1; мха & мо́ха, во (на) мху́; *pl.*: мхи, мхов] moss.
мохна́тый [14 *sh.*] shaggy, hairy.
мохово́й [14] mossy.
моч|а́ *f* [5] urine; **~а́лка** *f* [5; *g/pl.*: -лок] bast whisp; **~ево́й** [14]: ~ево́й пузы́рь *m* (urinary) bladder; **~и́ть** [16], ⟨на-, за-⟩ wet, moisten; soak, steep (*v/i.* **-ся**; *a.* urinate); **∠ка** *f* [5; *g/pl.*: -чек] lobe (*of the ear*).
мочь[1] [26 г/ж: могу́, мо́жешь, мо́гут; мог, -ла́; могу́щий], ⟨с-⟩ can, be able; may; я не могу́ не + *inf.* I can't help ...ing; не могу́ знать ... I don't know (,sir); не мо́жет быть! that's impossible!
моч|ь[2] P *f* [8]: во всю ~ь, изо всей ∠и, что есть ∠и with all one's might; ∠и нет impossible, I, *etc.*, can't; awfully.
моше́нни|к *m* [1] swindler, cheat (-er); **~чать** [1], ⟨с-⟩ swindle; **~ческий** [16] fraudulent; **~чество** *n* [9] swindle, fraud.
мо́шка *f* [5; *g/pl.*: -шек] midge.
мощёный [14] paved.
мо́щи *f/pl.* [*gen.*: -ще́й, *etc. e.*] relics.
мо́щ|ность *f* [8] power; **~ный** [14; мо́щен, -щна́, -о] powerful, mighty; **~ь** *f* [8] power, might; strength.
м. пр. *abbr.*: ме́жду про́чим.
мрак *m* [1] dark(ness); gloom.
мракобе́с *m* [1] obscurant; **~ие** *n* [12] obscurantism.
мра́мор *m* [1] marble.
мрачн|е́ть [8], ⟨по-⟩ darken; **∠ый** [14; -чен, -чна́, -о] dark; obscure; gloomy, somber (*Brt.*-bre).
мсти́|тель *m* [4] avenger; **~тельный** [14; -лен, -льна] revengeful; **~ть** [15], ⟨ото-⟩ revenge o.s., take revenge (on Д); (за В) avenge a p.
МТС (маши́нно-тра́кторная ста́нция) machine and tractor station.
мудр|ёный F [14; -ён, -ена́; -ене́е] difficult, hard, intricate; fanciful; queer; ~ёного нет (it's) no wonder; **~е́ц** *m* [1 *e.*] sage; **~и́ть** F [13], ⟨на-, с-⟩ subtilize; quibble; trick; (над Т) bully; **∠ость** *f* [8] wisdom; зуб ∠ости wisdom tooth; F trick; **∠ствовать** F [7] *s.* ~и́ть; **∠ый** [14; мудр, -а́, -о] wise, sage.
муж *m* **1.** [1; *pl.*: -жья́, -же́й, -жья́м] husband; **2.** † [1; *pl.*: -жи́, -же́й, -жа́м] man; **~а́ть** [1], ⟨воз-⟩ mature, grow; **-ся** *impf.* take courage; **∠ественный** [14 *sh.*] courageous; manly; **∠ество** *n* [9] courage, spirit; **~и́к** † *m* [1 *e.*] peasant; P boor; man; **~и́цкий** [16], P **~и́чий** [18] peasant's, rustic; **~ско́й** [16] male, (*a. gr.*) masculine; (gentle-) man('s); **~чи́на** *m* [5] man.
музе́й *m* [3] museum.
му́зык|а *f* [5] music; P business; **~а́льный** [14; -лен, -льна] musical; **~а́нт** *m* [1] musician.
му́ка[1] *f* [5] pain, torment, suffering, torture(s); F harassment.
мука́[2] *f* [5] flour; meal.

мул *m* [1] mule.
му́мия *f* [7] mummy.
мунди́р *m* [1] uniform; карто́шка в ~е F potatoes in their jackets *or* skin.
мундшту́к (-nʃ-) *m* [1 *e.*] cigarette holder; tip; mouthpiece.
мурава́ *f* [5] (young) grass; glaze.
мурав|е́й *m* [3; -вья́; *pl.*: -вьи́, -вьёв] ant; **~е́йник** *m* [1] ant hill; **~ьи́ный** [14] ant...
мура́шки: (от P) ~ бе́гают по спине́ (у P) F (s. th.) gives (a p.) the shivers.
мурлы́кать [3 & 1] purr; F hum.
муска́т *m* [1], **~ный** [14] nutmeg.
му́скул *m* [1] muscle; **~истый** [14 *sh.*], **~ьный** [14] muscular.
му́скус *m* [1] musk.
му́сор *m* [1] rubbish, refuse; **~ный** [14]: ~ный я́щик *m* ash can, *Brt.* dust-bin; **~щик** *m* [1] ashman.
муссо́н *m* [1] monsoon.
мусульма́н|ин *m* [1; *pl.*: -а́не, -а́н], **~ка** *f* [5; *g/pl.:* -нок] Moslem.
мут|и́ть [15; мучу́, му́тишь], ⟨вз-, по-⟩ trouble, muddle; fog; меня́ ~и́т F I feel sick; **-ся** = **~не́ть** [8], ⟨по-⟩ grow turbid; blur; **∠ный** [14; -тен, -тна́, -о] muddy, (*a. fig.*) troubled (*waters*); dull; blurred; foggy; uneasy; **~о́вка** *f* [5; *g/pl.*: -вок] twirling stick; **~ь** *f* [8] dregs *pl.*; mud; blur; haze; dazzle.
му́фта *f* [5] muff; ⊕ socket, sleeve.
му́х|а *f* [5] fly; **~оло́вка** *f* [5; *g/pl.*: -вок] flycatcher; **~омо́р** *m* [1] toadstool.
муч|е́ние *n* [12] *s.* му́ка; **∠еник** *m* [1] martyr; **~и́тель** *m* [4] tormentor; **~и́тельный** [14; -лен, -льна] painful, agonizing; **∠ить** [16], P **∠ать** [1], ⟨за-, из-⟩ torment, torture; vex, worry; **-ся** agonize, suffer torments; toil; **~но́й** [14] flour(y), mealy.
му́шка *f* [5; *g/pl.*: -шек] midge; beauty spot; speck; (Spanish) fly; (fore)sight (*gun*).
муштр(о́вк)а́ ⚔ *f* [5] drill.
мчать(ся) [4], ⟨по-⟩ rush, whirl *or* speed (along).
мши́стый [14 *sh.*] mossy.
мще́ние *n* [12] vengeance.
мы [20] we; ~ с ним he and I.
мы́л|ить [13], ⟨на-⟩ soap; ~ить го́лову (Д) F blow up, scold; **~о** *n* [9; *pl. e.*] soap; lather; **~оваре́ние** *n* [12] soap boiling; **~ьница** *f* [5] soap dish; **~ьный** [14] soap(y).
мыс *m* [1] cape.
мы́сл|енный [14] mental; **~имый** [14 *sh.*] conceivable; **~и́тель** *m* [4] thinker; **~ить** [13] think (of, about о П); imagine; **~ь** *f* [8] thought, idea (of о П); intention.
мыта́рство *n* [9] toil, drudgery.
мыть(ся) [22], ⟨по-, у-, вы́-⟩ wash.
мыча́ть [4 *e.*; -чу́, -чи́шь] moo, low; F mumble.
мышело́вка *f* [5; *g/pl.*: -вок] mouse trap.
мы́шечный [14] muscular.
мы́шка *f* [5; *g/pl.*: -шек] **1.** armpit; arm; **2.** *dim. of* мышь.
мышле́ние *n* [12] thought, thinking.
мы́шца *f* [5] muscle
мышь *f* [8; *from g/pl. e.*] mouse.
мышья́к *m* [1 *e.*] arsenic.
мя́гк|ий (-xk-) [16; -гок, -гка́, -о; *comp.*: мя́гче] soft; smooth, sleek; tender; mild, gentle; lenient; easy (*chair*); ~ий ваго́н 🚂 first-class coach *or* car(riage); **~осерде́чный** [14; -чен, -чна] soft-hearted; **~ость** *f* [8] softness; **~оте́лый** [14] chubby; *fig.* flabby, spineless.
мягчи́|тельный (-xtʃ-) [14] lenitive; **~ть** [16; -чи́т] soften.
мяк|и́на *f* [5] chaff; **∠иш** *m* [1] crumb; **∠нуть** [21], ⟨на-, раз-⟩ become soft; **∠оть** *f* [8] flesh, pulp.
мя́млить P [13] mumble; dawdle.
мяс|и́стый [14 *sh.*] fleshy, pulpy; F fat, chubby; **~ни́к** *m* [1 *e.*] butcher; **~но́й** [14] meat...; butcher's; **∠о** *n* [9] meat; flesh, pulp; (*cannon*) fodder; **~oру́бка** *f* [5; *g/pl.*: -бок] mincing machine; *fig.* slaughter.
мя́та *f* [8] mint.
мяте́ж *m* [1 *e.*] rebellion, mutiny; **~ник** *m* [1] rebel; **~ный** [14] rebellious.
мять [мну, мнёшь; мя́тый], ⟨с-, по-, из-⟩ [сомну́; изомну́] (c)rumple, press; knead, wrinkle; trample; **-ся** F waver.
мяу́к|ать [1], *once* ⟨~нуть⟩ mew.
мяч *m* [1 *e.*] ball; **∠ик** [1] *dim. of* ~.

Н

на[1] **1.** (В): (*direction*) on, onto; to, toward(s); into, in; (*duration, value, purpose, etc.*) for; till; & by; ~ что? what for?; **2.** (П): (*position*) on, upon; in, at; with; for; ~ ней ... she has ... on.
нá[2] F there, here (you are, *a.* ∠ тебе).
набáв|ка F = надбáвка; **~лять** [28], ⟨~ить⟩ [14] raise; add.
набáт *m* [1] alarm bell, tocsin.
набé|г *m* [1] incursion, raid; **~гáть** [1], ⟨~жáть⟩ [4; -егý, -ежúшь, -егýт; -егú(те)!] run (against *or* on на В); cover; gather.
набекрéнь F aslant, cocked.
нáбело (*make*) a fair copy.
нáбережная *f* [14] quay, wharf.
наби|вáть [1], ⟨∠ть⟩ [-бью, -бьёшь; *cf.* бить] stuff, fill; fix on (*a.* many, much); shoot; print (*calico*); **∠вка** *f* [5; *g/pl.*: -вок] stuffing, padding.
набирáть [1], ⟨набрáть⟩ [-берý, -рёшь; *cf.* брать] gather; enlist, recruit; *teleph.* dial; *typ.* set; take (many, much); gain (*speed, height*); be, have; **-ся** *a.*, (Р), pluck *or* screw up; F catch; acquire.
набú|тый [14 *sh.*] (Т) packed; Р arrant (*fool*); битком ~тый F crammed full; **~ть** *s.* ~вáть.
наблюд|áтель *m* [4] observer; **~áтельный** [14; -лен, -льна] observant, alert; observation (*post*); **~áть** [1] (*v/t.* & за Т) observe; watch; see after *or* to (it that); **~éние** *n* [12] observation; supervision.
нáбожный [14; -жен, -жна] pious, devout.
нáбок to *or* on one side.
наболéвший [16] sore; burning.
набóр *m* [1] enlistment, levy; enrol(l)ment; set; typesetting; taking; **~щик** *m* [1] typesetter, compositor.
набр|áсывать [1] **1.** ⟨~осáть⟩ [1] sketch, design, draft; throw (up); **2.** ⟨~óсить⟩ [15] throw over, on (на В); **-ся** fall (up)on.
набрáть *s.* набирáть.
набрестú F [25] *pf.* come across (на В).
набрóсок *m* [1; -ска] sketch, draft.
набух|áть [1], ⟨∠нуть⟩ [21] swell.
навáл|ивать [1], ⟨~úть⟩ [13; -алю, -áлишь; -áленный] heap; load; **-ся** press; fall (up)on, go at.
навéд|ываться, ⟨~аться⟩ F [1] call on (к Д); inquire after, about (о П).
навéк, ~и forever, for good.
навéрн|о(е) probably; for certain, definitely; (*a.*, F, **~якá**) without fail.
навёрстывать, ⟨наверстáть⟩ [1] make up for.
навéрх up(ward[s]); upstairs; **~ý** above, on high; upstairs.
навéс *m* [1] awning; shed.
навеселé F tipsy, drunk.
навестú *s.* наводúть.
навестúть *s.* навещáть.
навéтренный [14] windward.
навéчно forever, for good.
наве|щáть[1], ⟨~стúть⟩[15*e.*; -ещý, -естúшь; -ещённый] call on.
нáвзничь on one's back.
навзрыд: плáкать ~ sob.
навис|áть [1], ⟨∠нуть⟩ [21] hang (over); impend; ∠ший beetle (*brow*).
навле|кáть [1], ⟨∠чь⟩ [26] incur.
наводúть [15], ⟨навестú⟩ [25] (на В) direct (to); point (at), turn (to); lead (to), bring on *or* about, cause, raise (*cf.* нагонять); apply (*paint, etc.*); make; construct; ~ спрáвки inquire (after о П).
наводн|éние *n* [12] flood, inundation; **~ять** [28], ⟨~úть⟩ [13] flood, inundate.
наводящий [17] leading.
навóз *m* [1], **~ить** [15], ⟨у-⟩ dung, manure; **~ный** [14] dung...; ~ная жижа *f* liquid manure.
нáволочка *f* [5; *g/pl.*: -чек] pillowcase.
навострúть [13] *pf.* prick up (*one's ears*).
наврядли (ли) F hardly, scarcely.
навсегдá forever; (*once*) for all.
навстрéчу toward(s); идтú ~ (Д) go to meet; *fig.* meet halfway.
навы́ворот Р topsy-turvy, inside out, wrongly; дéлать шúворот-~ put the cart before the horse.
нáвык *m* [1] experience, skill (in к Д, на В, в П); habit.
навы́кат(е) goggle (*eye[d]*).
навы́лет (*shot*) through.
навы́тяжку at attention.
навяз|ывать [1], ⟨~áть⟩ [3] tie (to, on на В), fasten; knit; impose,

obtrude ([up]on Д; *v/i.* **-ся**); **~чивый** [14 *sh.*] obtrusive; fixed.
нагáйка *f* [5; *g/pl.*: -гáек] whip.
нагáр *m* [1] snuff (*candle*).
наг|ибáть [1], ‹~нýть› [20] bend, bow, stoop (*v/i.* **-ся**).
нагишóм F naked, nude.
наглáзник *m* [1] blinder.
нагл|éц *m* [1 *e.*] impudent fellow; **~ость** *f* [8] impudence, insolence; **~ухо** tightly; **~ый** [14; нагл, -á, -о] impudent, insolent, F cheeky.
нагляд|éться [11] *pf.* (на В) feast one's eyes (upon); не ~éться never get tired of looking (at); **~ный** [14; -ден, -дна] vivid, graphic; obvious; direct; object (*lesson*); visual (*aid*).
нагнáть *s.* нагонять.
нагнетá|тельный [14] force (*pump*); **~ть** [1], ‹нагнести́› [25 -т-] pump.
нагноéние *n* [12] suppuration.
нагнýть *s.* нагибáть.
нагов|áривать [1], ‹~ори́ть› [13] say, tell, talk ([too] much *or* many ...); F slander (a p. на В, о П); conjure; record; **~ори́ться** *pf.* talk one's fill; не ~ори́ться never get tired of talking.
нагóй [14; наг, -á, -о] nude, naked, bare.
нáгол|о clean(-*shaven*); **~ó** naked.
нáголову (*defeat*) totally.
нагон|я́й F *m* [3] blowup; **~я́ть** [28], ‹нагнáть› [-гоню́, -гóнишь; *cf.* гнать] overtake, catch up (with); make up (for); drive (together); F ~я́ть страх, скýку, *etc.* (на В) frighten, bore, *etc.*
наготá *f* [5] nudity; bareness.
нагот|áвливать [1], ‹~óвить› [14] prepare; lay in; **~óве** (at the) ready.
нагрáбить [14] *pf.* rob, plunder (a lot of).
нагрá|да *f* [5] reward (as a в В), recompense; decoration; **~ждáть** [1], ‹~ди́ть› [15 *e.*; -ажý, -ади́шь; -аждённый] (Т) reward; decorate; *fig.* endow.
нагревáт|ельный [14] heating; **~ь** [1], *s.* греть.
нагромо|ждáть [1], ‹~зди́ть› [15 *e.*; -зжý, -зди́шь; -ождённый] pile up.
нагрýдник *m* [1] bib; plastron.
нагру|жáть [1], ‹~зи́ть› [15 & 15 *e.*; -ужý, -ýзи́шь; -ýжённый] load (with Т); F *a.* burden, busy, assign (*work to*); **~зка** *f* [5; *g/pl.*: -зок] load(ing); F *a.* burden, job, assignment.
нагря́нуть [20] *pf.* appear, come (upon) suddenly, unawares; break out (*war*); take by surprise (на В).
над, ~о (Т) over, above; at; about; with.
надáв|ливать [1], ‹~и́ть› [14] (*a.* на В) press; push; press out (much).
надбáв|ка *f* [5; *g/pl.:* -вок] raise, increase; extra charge; **~ля́ть** [28], ‹~ить› [14] F, *s.* набавля́ть.
надви|гáть [1], ‹~нуть› [20] push; pull; **-ся** approach, draw near; cover.
нáдвое in two (parts *or* halves).
надгрóбный [14] tomb..., grave...
наде|вáть [1], ‹~ть› [-éну, -éнешь; -éтый] put on.
надéжд|а *f* [5] hope (of на В); подавáть ~ы show promise; ♀а *fem. name*, *cf.* Hope.
надёжный [14; -жен, -жна] reliable, dependable; firm; safe; sure.
надéл *m* [1] lot, plot, allotment.
надéл|ать [1] *pf.* make; do, cause, inflict; **~я́ть** [28], ‹~и́ть› [13] allot (s. th. to Т/В); give; endow.
надéть *s.* надевáть.
надéяться [27] (на В) hope (for); rely (on).
надзéмный [14] overground; 🚂 elevated, *Brt.* high-level...
надз|ирáтель *m* [4] supervisor; inspector; jailer; **~óр** *m* [1] supervision; surveillance.
надл|áмывать, ‹~омáть› [1] F, ‹~оми́ть› [14] crack, break; shatter.
надлежá|ть [4; *impers.*] (Д) have to, be to be + *p. pt.*; **~щий** [17] appropriate, suitable: ~щим óбразом properly, duly.
надлóм *m* [1] crack, fissure; *fig.* crisis; **~áть, ~и́ть** *s.* надлáмывать.
надмéнный [14; -éнен, -éнна] haughty.
нáдо it is necessary (for Д); (Д) (one) must (*go, etc.*); need; want; так емý и ~ it serves him right; **~бность** *f* [8] need (of, for в П), necessity; affair, matter (in по Д).
надо|едáть [1], ‹~éсть› [-éм, -éшь, *etc.*, *s.* есть[1]] (Д/Т) tire; bother, molest; мне ~éл ... I'm tired (of), fed up (with); **~éдливый** [14 *sh.*] tiresome; troublesome, annoying.
надóлго for (a) long (time).
надорвáть *s.* надрывáть.

надпи́|сывать [1], ⟨~са́ть⟩ [3] superscribe; ✝ endorse; **'~сь** *f* [8] inscription; ✝ endorsement.
надре́з *m* [1] cut, incision; **~а́ть** & **~ывать** [1], ⟨~ать⟩ [3] cut, incise.
надруга́тельство *n* [9] outrage.
надры́в *m* [1] rent, tear; strain, burst; **~а́ть** [1], ⟨надорва́ть⟩ [-ву́, -вёшь; надорва́л, -а́, -о; -о́рванный] tear; shatter, break, undermine; injure; (over)strain (o. s. себя́, **-ся**; be[come] worn out, exhausted; labo[u]r); ~а́ть живо́тики, ~а́ться (со́ смеху) split one's sides (with laughing).
надсмо́тр *m* [1] supervision (of над, за Т); **~щик** *m* [1] supervisor.
надстр|а́ивать [1], ⟨~о́ить⟩ [13] overbuild; raise; **~о́йка** *f* [5; *g/pl.*: -ро́ек] superstructure.
наду|ва́ть [1], ⟨∠ть⟩ [18] inflate, swell; drift, blow; F dupe; ∠ть гу́бы pout; **-ся** *v/i.*; **~вно́й** [14] inflatable, air...; **∠ть** *s.* ~ва́ть.
наду́м|анный [14] far-fetched, strained; **~ать** F [1] *pf.* think (of, out), devise; make up one's mind.
наду́тый [14] swollen; sulky.
На́дя *f* [6] *dim. of* Наде́жда.
наеда́ться [1], ⟨нае́сться⟩ [-е́мся, -е́шься, *etc.*, *s.* есть¹] eat one's fill.
наедине́ alone, in private; tête-à--tête.
нае́зд *m* [1] (~ом on) short *or* flying visit(s), run; **~ник** *m* [1] horseman, equestrian; (*horse*) trainer.
нае|зжа́ть [1], ⟨∠хать⟩ [нае́ду, -е́дешь] (на В) run into, knock against; come across; F come (occasionally), call on (к Д); run (up, down to в В).
наём *m* [1; на́йма] hire; rent; **~ник** *m* [1] hireling, mercenary; **~ный** [14] hired, rent(ed); hackney, mercenary.
нае́|сться *s.* ~да́ться; **~хать** *s.* ~зжа́ть.
нажа́ть *s.* нажима́ть.
нажда́|к *m* [1*e.*], **~чный** [14] emery.
нажи́|ва *f* [5] profit(s), gain(s); *a.* = ~вка; **~ва́ть** [1], ⟨~ть⟩ [-живу́, -вёшь; на́жил, -а́, -о; нажи́вший; на́житый (на́жит, -а́, -о)] earn, gain, profit(eer), amass; make (*a fortune*; *enemies*); get, catch; **~вка** *f* [5; *g/pl.*: -вок] bait.
нажи́м *m* [1] pressure; stress, strain; **~а́ть** [1], ⟨нажа́ть⟩ [-жму́, -жмёшь; -жа́тый] (*a.* на В) press, push (*a.*, F, *fig.* = urge, impel; influence); stress.
нажи́ть *s.* нажива́ть.
наза́втра F the next day; tomorrow.
наза́д back(ward[s]); ~! get back!; тому́ ~ ago; **~и́** F behind.
назва́|ние *n* [12] name; title; **~ть** *s.* называ́ть.
назе́мный [14] land..., ground...
на́земь F to the ground (*or* floor).
назида́|ние *n* [12] edification (for p.'s в В/Д); instruction; **~тельный** [14; -лен, -льна] edifying, instructive.
на́зло́ (Д) to spite (s. b.).
назнач|а́ть [1], ⟨∠ить⟩ [16] appoint (p. s. th. В/Т), designate; fix, settle; prescribe; destine; F assign; **~е́ние** *n* [12] appointment; assignment; prescription; destination.
назо́йливый [14 *sh.*] importunate.
назре|ва́ть [1], ⟨∠ть⟩ [8] ripen; swell; ⚕ gather; *fig.* mature; be imminent *or* impending.
назубо́к F by heart, thoroughly.
называ́|ть [1], ⟨назва́ть⟩ [-зову́, -зовёшь; -зва́л, -а́, -о; на́званный (на́зван, -а́, -о)] call, name; mention; ~ть себя́ introduce o. s.; F invite; ~ть ве́щи свои́ми имена́ми call a spade a spade; **-ся** call o. s., be called; как ~ется ...? what is (*or* do you call) ...?
наи... *in compds.* ... of all, very; **~бо́лее** most, ...est of all.
наи́вн|ость *f* [12] naïveté; **~ый** [14; -вен, -вна] naïve, ingenuous; unsophisticated.
наизна́нку inside out.
наизу́сть by heart.
наиме́нее least ... of all.
наименова́ние *n* [12] name; title.
на́искос|ь, F **~о́к** obliquely, aslant.
наи́тие *n* [12] inspiration; intuition.
найдёныш *m* [1] foundling.
найми́т *m* [1] hireling, mercenary.
найти́ *s.* находи́ть.
нака́з *m* [1] order; mandate.
наказ|а́ние *n* [12] punishment (as a в В); penalty; F nuisance; **~у́емый** [14 *sh.*] punishable; **∠ывать** [1], ⟨~а́ть⟩ [3] punish; † order.
нака́л *m* [1] incandescence; **~ивать** [1], ⟨~и́ть⟩ [13] incandesce; ~ённый incandescent, red-hot.
нак|а́лывать [1], ⟨~оло́ть⟩ [17]

pin, fix; chop, break; prick; kill.
накану́не the day before; ~ (P) on the eve (of).
нак|а́пливать [1] & **~опля́ть** [28], ⟨~опи́ть⟩ [14] accumulate, amass; collect, gather.
наки́|дка *f* [5; *g/pl.:* -док] cape, cloak; **~дывать** [1] **1.** ⟨~да́ть⟩ [1] throw (up); **2.** ⟨~нуть⟩ [20] throw upon; F add; raise; **-ся** (на В) F fall (up)on.
на́кипь *f* [8] scum; scale, deposit.
наклад|на́я *f* [14] waybill; **~но́й** [14] laid on; plated; false; ✝ overhead; **∠ывать** & **налага́ть** [1], ⟨наложи́ть⟩ [16] (на В) lay (on), apply (to); put (on), set (to); impose; leave (*trace*); fill; pack, load.
накле́|ивать [1], ⟨~ить⟩ [13; -е́ю] glue *or* paste on; stick on, affix; **~йка** *f* [5; *g/pl.*: -е́ек] label.
накло́н *m* [1] inclination; slope; **~е́ние** *n* [12] *s.* ~; *gr.* mode, mood; **~и́ть** *s.* ~я́ть; **~ный** [14] inclined, slanting; **~я́ть** [28], ⟨~и́ть⟩ [13; -оню́, -о́нишь; -онённый] bend, tilt; bow, stoop; † incline; **-ся** *v/i.*
накова́льня *f* [6; *g/pl.:* -лен] anvil.
нако́жный [14] skin..., cutaneous.
наколо́ть *s.* нака́лывать.
наконе́|ц (~ц-то oh) at last, finally; at length; **~чник** *m* [1] ferrule; tip, point.
накоп|ле́ние *n* [12] accumulation; ⚔ concentration; **~ля́ть, ~и́ть** *s.* нака́пливать.
накра|хма́ленный [14] starched; **∠шенный** [14] painted, rouged.
на́крепко fast, tightly, firmly.
на́крест crosswise.
накры|ва́ть [1], ⟨∠ть⟩ [22] cover; (*a.* на) lay (*the table*); serve (*meal*); ⚔ hit; P catch, trap; dupe.
накуп|а́ть [1], ⟨~и́ть⟩ [14] (P) [buy.]
наку́р|ивать [1], ⟨~и́ть⟩ [13; -урю́, -у́ришь; -у́ренный] (fill with) smoke *or* perfume, scent.
налага́ть *s.* накла́дывать.
нала́|живать [1], ⟨~дить⟩ [15] put right *or* in order, get straight, fix; set going; establish; tune.
нале́во to *or* on the left; *s.* напра́во.
нале|га́ть [1], ⟨∠чь⟩ [26 г/ж: -ля́гу, -ля́жешь, -ля́гут; -лёг, -легла́; -ля́г(те)!] (на В) press (against, down), *fig.* opress; apply o. s. (to); lie; sink, cover; F stress.
налегке́ F (-xk-) with light *or* no baggage (luggage); lightly dressed.
налёт *m* [1] flight; blast; ⚔, ✈ raid, attack; ⚘ fur; (*a. fig.*) touch; с ~а on the wing, with a swoop; *cf.* лёт; **~а́ть** (-]ı-) [1], ⟨~е́ть⟩ [11] (на В) fly (at, [*a.* knock, strike] against); swoop down; raid, attack; fall ([up]on); rush, squall; **~чик** *m* [1] bandit.
нале́чь *s.* налега́ть.
нали|ва́ть [1], ⟨∠ть⟩ [-лью́, -льёшь; -ле́й(те)!; на́ли́л, -а́, -о; -ли́вший; на́ли́тый (на́ли́т, -а́, -о)] pour (out); fill; ripen; *p.pt.p.* (*a.* ~то́й) ripe; plump; sappy; (**-ся** *v/i.*; *a.* swell; ∠ться кро́вью become bloodshot); **∠вка** *f* [5; *g/pl.*: -вок] (fruit) liqueur; **~вно́й** [14] *s.* ~ва́ть *p.pt.p.*; ~вно́е су́дно *n* tanker; **∠м** *m* [1] burbot.
налито́й, нали́ть *s.* налива́ть.
налицо́ present, on hand.
нали́ч|ие *n* [12] presence; **~ность** *f* [8] stock; cash; *a.* = ~ие; в ~ности = налицо́; **~ный** [14] (*a. pl., su.*) cash (*a.* down T), ready (*money*); present, on hand; за ~ные (against) cash (down).
нало́г *m* [1] tax, duty, levy; **~оплате́льщик** *m* [1] taxpayer.
нало́ж|енный [14]: ~енным платежо́м cash (*or* collect) on delivery; **~и́ть** *s.* накла́дывать.
налюбова́ться [7] *pf.* (T) admire to one's heart's content; не ~ never get tired of admiring (o. s. собо́й).
нама́|зывать [1] *s.* ма́зать; **~тывать** [1] *s.* мота́ть.
наме́дни P recently, the other day.
нам|ёк *m* [1] (на В) allusion (to), hint (at); **~ека́ть** [1], ⟨~екну́ть⟩ [20] (на В) allude (to), hint (at).
намер|ева́ться [1] intend = (я I, *etc.*) **∠ен(а)**; **∠ение** *n* [12] intention, design, purpose (on с T); **∠енный** [14] intentional, deliberate.
наме́стник *m* [1] governor.
намета́ть *s.* намётывать.
наме́тить *s.* намеча́ть.
нам|ётка *f* [5; *g/pl.:* -ток], **~ётывать** [1], ⟨~ета́ть⟩ [3] draft, plan; tack; *s. a.* мета́ть.
наме|ча́ть [1], ⟨∠тить⟩ [15] mark, trace; design, plan; select; nominate.
намно́го much, (by) far.
намок|а́ть [1], ⟨∠нуть⟩ [21] get wet.
намо́рдник *m* [1] muzzle.
нанести́ *s.* наноси́ть.

нани́з|ывать [1], ‹~а́ть› [3] string.
нан|има́ть [1], ‹~я́ть› [найму́, -мёшь; на́нял, -á, -о; -я́вший; на́нятый (на́нят, -á, -о)] hire, engage, rent; F lodge; **-ся** *a.* hire out (as в И *pl. or* Т).
на́ново anew, (over) again.
нано́с *m* [1] alluvium; **~и́ть** [15], ‹нанести́› [24 -с-: -несу́, -сёшь; -нёс, -несла́] bring (much, many); carry, waft, deposit, wash ashore; heap; enter, mark; lay on, apply; inflict (on Д), cause; pay (*visit*); deal (*blow*); **~ный** [14] alluvial; *fig.* casual, assumed.
наня́ть(ся) *s.* нанима́ть(ся).
наоборо́т the other way round, vice versa, conversely; on the contrary.
наобу́м F at random, haphazardly.
наотре́з bluntly, categorically.
напа|да́ть [1], ‹~́сть› [25; *pt. st.:* -па́л, -а; -па́вший] (на В) attack, fall (up)on; come across *or* upon; hit on; overcome; **~да́ющий** *m* [17] assailant; (*sport*) forward; **~де́ние** *n* [12] attack; aggression; forwards *pl.*; **~́дки** *f/pl.* [5; *gen.:* -док] accusations, cavils; carping, faultfinding *sg*.
нап|а́ивать [1], ‹~ои́ть› [13] give to drink; make drunk; imbue.
напа́|сть 1. F *f* [8] misfortune, bad luck; **2.** *s.* ~да́ть.
напе́|в *m* [1] melody, tune; **~ва́ть** [1] **1.** hum, sing; **2.** ‹~ть› [-пою́, -поёшь; -пе́тый] record.
напере|бо́й F vying with each other; **~ве́с** atilt; **~го́нки́** F: бежа́ть ~го́нки́ (run a) race; chase each other; **~д** (-ˈt̢ɔt) F *s.* вперёд; **~ди́** P *s.* спе́реди; **~ко́р** (Д) in spite *or* defiance (of), contrary (to); **~ре́з** (in a) short cut, cutting (across *or* s.b.'s way Д, P); **~ры́в** F = ~бо́й; **~чёт** each and all; few.
напе́рсник *m* [1] favo(u)rite; pet.
напёрсток *m* [1; -тка] thimble.
напи|ва́ться [1], ‹~́ться› [-пью́сь, -пьёшься; -пи́лся, -пила́сь; -пе́йся, -пе́йтесь!] drink, quench one's thirst, have enough (P); get drunk.
напи́льник *m* [1] file.
напи́|ток *m* [1; -тка] drink, beverage; **~ться** *s.* ~ва́ться.
напи́т|ывать, ‹~а́ть› [1] (T) (**-ся** become) saturate(d), soak(ed), imbue(d).
напи́х|ивать, ‹~а́ть› F [1] cram.
наплы́|в *m* [1] rush; deposit; excrescence; **~ва́ть** [1], ‹~ть› [23] swim (against на В), run (on); flow; deposit; approach, cover; waft, reach; gather; **~вно́й** [14] *s.* нано́сный.
напова́л (*kill, etc.*) outright.
наподо́бие (P) like, resembling.
напои́ть *s.* напа́ивать.
напока́з for show; *cf.* выставля́ть.
наполн|я́ть [28], ‹~́ить› [13] (T) fill; crowd; imbue; *p.pt.p.* a. full.
наполови́ну half; (*do*) by halves.
напом|ина́ние *n* [12] reminder; dun(ning); **~ина́ть** [1], ‹~́нить› [13] remind (a p. of Д/о П), dun.
напо́р *m* [1] pressure; charge; F rush, push, vigo(u)r.
напосле́док F ultimately.
напр. *abbr.*: наприме́р.
напра́в|ить(ся) *s.* ~ля́ть(ся); **~ле́ние** *n* [12] direction (in в П, по Д); trend; *fig.* current, school; assignment; **~ля́ть** [28], ‹~ить› [14] direct; refer; send; assign, detach; **-ся** go, head for; turn (to на В).
напра́во (от P) to *or* on the (s.b.'s) right; ~! ⚔ right face!
напра́сн|ый [14; -сен, -сна] vain; groundless, idle; ~о in vain, wrongly.
напр|а́шиваться [1], ‹~оси́ться› [15] (на В) (pr)offer (o.s. for), solicit; provoke; fish (for); suggest o.s.
наприме́р for example *or* instance.
напро|ка́т for hire; **~лёт** F (all) ... through[out]; on end; **~ло́м** F: идти́ ~ло́м force one's way.
напроси́ться *s.* напра́шиваться.
напро́тив (P) opposite; on the contrary; *s. a.* напереко́р & наоборо́т.
напря|га́ть [1], ‹~́чь› [26 г/ж: -ягу́, -яжёшь; -пря́г, -ягла́; -яжённый] strain (*a. fig.*); exert; stretch; bend (*bow*); **~же́ние** *n* [12] tension (*a.* ⚡; voltage), strain, exertion; effort; close attention; **~жённый** [14 *sh.*] strained; (in)tense; keen, close.
напрями́к F straight on; outright.
напря́чь *s.* напряга́ть.
напу́ганный [14] scared, frightened.
напус|ка́ть [1], ‹~ти́ть› [15] let in, fill; set at (на В); fall; F (~ка́ть на себя́) put on (*airs*); P cause; **-ся** F fall (up)on (на В); **~кно́й** [14] affected.
напу́тств|енный [14] farewell...,

parting; **~ие** *n* [12] parting words.
напы́щенный [14 *sh.*] pompous.
наравне́ (с Т) on a level with; equally; together (*or* along) with.
нараспа́шку F unbuttoned; (душа́) ~ frank, candid; in grand style.
нараспе́в with a singing accent.
нараст|а́ть [1], ⟨~и́⟩ [24; -стёт; *cf.* расти́] grow; accrue.
нарасхва́т F greedily; like hot cakes.
нарез|а́ть [1], ⟨´~ать⟩ [3] cut; carve; ⊕ thread; **´~ка** *f* [5; *g/pl.*: -зок] ⊕ thread; **´~ывать** = ~а́ть.
нарека́ние *n* [12] blame, censure.
наре́чие *n* [12] dialect; *gr.* adverb.
нар|ица́тельный [14] *gr.* common; † nominal; **~ко́з** *m* [1] narcosis.
наро́д *m* [1] people, nation; **~ность** *f* [8] nationality; **~ный** [14] people's, popular, folk...; national; public; **~онаселе́ние** *n* [12] population.
наро|жда́ться [1], ⟨~ди́ться⟩ [15] arise, spring up; F be born; grow.
наро́ст *m* [1] (out)growth.
нароч|и́тый [14 *sh.*] deliberate, intentional; *adv.* = **´~но** (-ʃn-) *a.* on purpose; specially, expressly; F in fun; F*a.* = на́зло́; **'~ный** [14] courier.
на́рты *f/pl.* [5] sledge.
нару́ж|ность *f* [8] appearance; exterior; **~ный** [14] external, outward; outdoor, outside; **~у** out(-side), outward(s), (*get*) abroad *fig.*
наруш|а́ть [1], ⟨´~ить⟩ [16] disturb; infringe, violate; break (*oath*; *silence*); **~е́ние** *n* [12] violation, transgression, breach; disturbance; **~и́тель** *m* [4] trespasser; disturber; **´~ить** *s.* ~а́ть.
на́ры *f/pl.* [5] plank bed.
нары́в *m* [1] abcess; *cf.* гнои́ть.
наря́|д *m* [1] attire, dress; assignment, commission, order; ⚔ fatigue (on в П); detachment; **~ди́ть** *s.* ~жа́ть; **~дный** [14; -ден, -дна] smart, trim, elegant; order...
наряду́ (с Т) together *or* along with, beside(s); side by side; *s. a.* наравне́.
наря|жа́ть [1], ⟨~ди́ть⟩ [15 & 15 *e.*; -яжу́, -я́ди́шь; -я́женный & -яжённый] dress (up) (*v/i.* **-ся**); disguise; ⚔ detach; assign; † set up.
наса|жда́ть [1], ⟨~ди́ть⟩ [15] (im)plant (*a. fig.*); *cf. a.* ´~живать; **~жде́ние** *n* [12] planting; (im-)plantation; trees, plants *pl.*; **´~живать**, ⟨~жа́ть⟩ [1], ⟨~ди́ть⟩ [15] plant (many); F set, put, place.
насви́стывать [1] whistle.
насе|да́ть [1], ⟨´~сть⟩ [25; -ся́ду, -ся́дешь; *cf.* сесть] set; sit down; cover; press; **´~дка** *f* [5; *g/pl.*: -док] brood hen.
насеко́мое *n* [14] insect.
насел|е́ние *n* [12] population; **~я́ть** [28], ⟨~и́ть⟩ [13] people, populate; *impf.* inhabit, live in.
насе́|ст *m* [1] roost; **~сть** *s.* ~да́ть; **~чка** *f* [5; *g/pl.*: -чек] notch, cut.
наси́|живать [1], ⟨~де́ть⟩ [11] brood, hatch; ~женный *a.* snug, habitual, long-inhabited.
наси́|лие *n* [12] violence, force, coercion; rape; **~ловать** [7], ⟨из-⟩ violate, force; rape; **~лу** F *s.* е́ле; **~льно** by force; forcedly; **~льственный** [14] forcible, forced; violent.
наск|а́кивать [1], ⟨~очи́ть⟩ [16] (на В) fall (up)on; run *or* strike against, come across.
наскво́зь through(out); F through and through.
наско́лько as (far as); how (much).
на́скоро F hastily, in a hurry.
наскочи́ть *s.* наска́кивать.
наску́чить F [16] *pf.*, *s.* надоеда́ть.
насла|жда́ться [1], ⟨~ди́ться⟩ [15 *e.*; -ажу́сь, -ади́шься] (Т) enjoy (o.s.), (be) delight(ed); **~жде́ние** *n* [12] enjoyment; delight; pleasure.
насле́д|ие *n* [12] heritage, legacy; *s. a.* ~ство; **~ник** *m* [1] heir; **~ница** *f* [5] heiress; **~ный** [14] crown...; *s. a.* ~ственный; **~овать** [7] (*im*)*pf.*, ⟨у-⟩ inherit; (Д) succeed; **~ственность** *f* [8] heredity; **~ственный** [14] hereditary, inherited; **~ство** *n* [9] inheritance; *s. a.* ~ие; *vb.* + в ~ство (*or* по ~ству) inherit.
наслое́ние *n* [12] stratification.
насл|у́шаться [1] *pf.* (Р) listen to one's heart's content; не мочь ~у́шаться never get tired of listening to; *a.* = **~ы́шаться** F [4] (Р) hear a lot (of), much; *cf.* понаслы́шке.
на́смерть to death; mortal(ly *fig.* P).
насме|ха́ться [1] mock, jeer; sneer (at над Т); **´~шка** *f* [5; *g/pl.*: -шек] mockery, sneer; **´~шливый** [14 *sh.*] (fond of) mocking; **´~шник** *m* [1], **´~шница** *f* [5] scoffer, mocker.
на́сморк *m* [1] cold (in the head).

насмотре́ться [9; -отрю́сь, -о́тришься] *pf.* = нагляде́ться, *cf.*

насо́с *m* [1] pump.

на́спех hurriedly, in a hurry.

наста|ва́ть [5], ⟨ˊ~ть⟩ [-ста́нет] come; **~ви́тельный** [14; -лен, -льна] instructive; preceptive; **ˊ~вить** *s.* ~вля́ть; **~вле́ние** *n* [12] instruction; admonition; lecture, lesson *fig.*; **~вля́ть** [28], ⟨ˊ~вить⟩ [14] put, place, set (many P); piece (on), add; aim, level (at на В); instruct; teach (s. th. Д, в П); **ˊ~вник** *m* [1] tutor, mentor, preceptor; **ˊ~ивать** [1], ⟨настоя́ть⟩ [-стою́, -стои́шь] insist (on на П); draw, extract; настоя́ть на своём have one's will; **ˊ~ть** *s.* ~ва́ть.

на́стежь wide (open).

насти|га́ть [1], ⟨ˊ~гнуть⟩ & ⟨ˊ~чь⟩ [21 -г-: -и́гну] overtake; find, catch.

наст|ила́ть [1], ⟨~ла́ть⟩ [-телю́, -те́лешь; на́стланный] lay, spread; plank, pave.

насто́й *m* [3] infusion, extract; **~ка** *f* [5; *g/pl.*: -о́ек] liqueur; *a.* = ~.

насто́йчивый [14 *sh.*] persevering, pertinacious; persistent; obstinate.

насто́ль|ко so (*or* as [much]); **~ный** [14] table...; reference...

настор|а́живаться [1], ⟨~ожи́ться⟩ [16 *e.*; -жу́сь, -жи́шься] prick up one's ears; **~оже́** on the alert, on one's guard.

настоя́|ние *n* [12] insistence, urgent request (at по Д); **~тельный** [14; -лен, -льна] urgent, pressing, instant; **~ть** *s.* наста́ивать.

настоя́щ|ий [17] present (*a. gr.*; at ... *time* в В); true, real, genuine; по-~ему properly.

настр|а́ивать [1], ⟨~о́ить⟩ [13] build (many P); tune (up, in); set against; *s. a.* нала́живать; **ˊ~ого** F most strictly; **~ое́ние** *n* [12] mood, spirits *pl.*, frame (of mind); disposition; **~о́ить** *s.* ~а́ивать; **~о́йка** *f* [5; *g/pl.*: -о́ек] superstructure; tuning.

наступ|а́тельный [14] offensive; **~а́ть** [1], ⟨~и́ть⟩ [14] tread *or* step (on на В); come, set in; *impf.* attack, advance; press (hard); approach; **~ле́ние** *n* [12] offensive, attack, advance; beginning, ...break, ...fall (at с Т).

насу́пить(ся) [14] *pf.* frown.

на́сухо *adv.* dry.

насу́щный [14; -щен, -щна] vital; daily.

насчёт (P) F concerning, about.

насчи́т|ывать, ⟨~а́ть⟩ [1] count, number; **-ся** *impf.* there is/are.

насып|а́ть [1], ⟨ˊ~ать⟩ [2] pour; strew, scatter; fill; throw up, raise; **'~ь** *f* [8] embankment, mound.

насы|ща́ть [1], ⟨ˊ~тить⟩ [15] satisfy; saturate; **~ще́ние** *n* [12] saturation.

нат|а́лкивать [1], ⟨~олкну́ть⟩ [20] (на В) push (against, on); F prompt, suggest; **-ся** strike against; come across.

натвори́ть F [13] *pf.* do, cause.

нате́льный [14] under(*clothes*).

нат|ира́ть [1], ⟨~ере́ть⟩ [12] (Т) rub (*a.* sore); get (*corn*); wax, polish.

на́т|иск *m* [1] press(ure), rush; onslaught, charge; urge.

наткну́ться *s.* натыка́ться.

натолкну́ть(ся) *s.* ната́лкиваться.

натоща́к on an empty stomach.

натра́в|ливать [1], ⟨~ить⟩ [14] set (on, at на В), incite.

на́трий *m* [3] natrium.

нату́|га F *f* [5] strain, effort; **'~го** F tight(ly); **~живать** F [1], ⟨~жить⟩ [16] strain, exert (o.s. **-ся**).

нату́р|а *f* [5] nature; model (= **~щик** *m* [1], **~щица** *f* [5]); ~ой, в ~е in kind; с ~ы from nature *or* life; **~а́льный** [14; -лен, -льна] natural.

нат|ыка́ться [1], ⟨~кну́ться⟩ [20] (на В) run against, (*a.* come) across.

натя́|гивать [1], ⟨~ну́ть⟩ [19] stretch, (*a. fig.*) strain; pull (on на В); draw in (*reins*); **~жка** *f* [5; *g/pl.*: -жек] strain(ing); affectation, forced *or* strained argument(ation), detail, trait, *etc.*; с ~жкой *a.* with great reserve; **~нутый** [14] strained, forced, affected, far-fetched; tense, bad; **~ну́ть** *s.* ~гивать.

нау|га́д, ~да́чу at random.

нау́ка *f* [5] science; lesson.

наутёк F (*take*) to one's heels.

нау́тро the next morning.

науч|а́ть [1], ⟨~и́ть⟩ [16] teach (a p. s. th. В/Д); **-ся** learn (s.th. Д).

нау́чный [14; -чен, -чна] scientific.

нау́шник F *m* [1] informer; **~и** *m/pl.* [1] earflaps; headphones.

наха́л *m* [1] impudent fellow; **~ьный** [14; -лен, -льна] impudent, insolent; **~ьство** *n* [12] impudence, insolence.

нахва́т|ывать, ⟨~а́ть⟩ F [1] (P) snatch (up), pick up (a lot of; a

smattering of; hoard; *a.* **-ся**).
нахлы́нуть [20] *pf.* rush (up [to]).
нахму́ривать [1] = хму́рить, *cf.*
наход|и́ть [15], ⟨найти́⟩ [найду́, -дёшь; нашёл, -шла́; -ше́дший; на́йденный; *g. pt.*: найдя́] find (*a. fig.* = think, consider); come (across на В); cover; be seized (F wrong) with; *impf.* take (*pleasure*); (**-ся,** ⟨найти́сь⟩) be (found, there, [*impf.*] situated, located); happen to have; not to be at a loss; **ˆка** *f* [5; *g/pl.*: -док] find; F discovery; бюро́ ˆок lost-property office; **ˆчивый** [14 *sh.*] resourceful; ready-witted, smart.
национал|из(и́р)ова́ть [7] (*im*)*pf.* nationalize (*Brt.* -ise); **ˆьность** *f* [8] nationality; **~ьный** [14; -лен, -льна] national.
нача́|ло *n* [9] beginning (at в П); source, origin; basis; principle; *pl.* rudiments; **~льник** *m* [1] chief, superior; ⚔ commander; 🚂 (*station*) master, agent; **~льный** [14] initial, first; opening; elementary, primary; **~льство** *n* [9] command(er[s], chief[s], superior[s]); authority, -ties *pl.*; **~льствовать** [7] (над Т) command; manage; **~тки** *m/pl.* [1] *s.* ~ло *pl.*; **~ть(ся)** *s.* начина́ть(ся).
начеку́ on the alert, on one's guard.
на́черно roughly, (in) a draft.
начерта́|ние *n* [12] tracing; pattern; outline; **~тельный** [14] descriptive; **~ть** [1] *pf.* trace, design.
начина́|ние *n* [12] undertaking; † beginning; **~ть** [1], ⟨нача́ть⟩ [-чну́, -чнёшь; на́чал, -а́, -о; нача́вший; на́чатый (на́чат, -а́, -о)] begin, start (with с Р *or* Т); **-ся** *v/i.*; **~ющий** [17] beginner.
начи́н|ка *f* [5; *g/pl.*: -нок] filling; **~я́ть** [28], ⟨~и́ть⟩ [13] fill (with Т).
начисле́ние *n* [12] extra fee.
на́чисто clean; *s.* на́бело; outright.
начи́т|анный [14 *sh.*] well-read; **~а́ться** [1] (Р) read (a lot of); have enough (of); не мочь ~а́ться never get tired of reading.
наш *m*, ˆа *f*, ˆе *n*, ˆи *pl.* [25] our; ours; по-ˆему in our way *or* opinion *or* language; ˆа взяла́! we've won!
нашаты́р|ный [14]: ~ный спирт *m* aqueous ammonia; **~ь** *m* [4 *e.*] sal ammoniac, ammonium chloride.
наше́ствие *n* [12] invasion, inroad.
наши|ва́ть [1], ⟨ˆть⟩ [-шью́, -шьёшь; *cf.* шить] sew on (на В *or* П) *or* many ...; **ˆвка** *f* [5; *g/pl.*: -вок] galloon, braid; ⚔ stripe.
нащу́п|ывать, ⟨~ать⟩ [1] grope, fumble; *fig.* sound; detect, find.
наяву́ in reality; waking.
не not; no; ~ то F (or) else.
неаккура́тный [14; -тен, -тна] careless; inaccurate; unpunctual.
не без... rather ..., not without ...
небе́сный [14] celestial, heavenly; of heaven; divine; *cf.* небосво́д.
неблаго|ви́дный [14; -ден, -дна] unseemly; **~да́рность** *f* [8] ingratitude; **~да́рный** [14; -рен, -рна] ungrateful; **~надёжный** [14; -жен, -жна] unreliable; **~полу́чный** [14; -чен, -чна] unfortunate, adverse, bad; *adv.* not well, wrong; **~прия́тный** [14; -тен, -тна] unfavo(u)rable, negative; **~разу́мный** [14; -мен, -мна] imprudent; unreasonable; **~ро́дный** [14; -ден, -дна] ignoble; indelicate; **~скло́нный** [14; -о́нен, -о́нна] unkindly; unfavo(u)rable.
не́бо[1] *n* [9; *pl.*: небеса́, -е́с] sky (in на П); heaven(s); под откры́тым ~м in the open air.
нёбо[2] *n* [9] palate.
небога́тый [14 *sh.*] (of) modest (means); poor.
небольш|о́й [17] small; short; ... с ~и́м ... odd.
небо|сво́д *m* [1] firmament; *a.* **~скло́н** *m* [1]; horizon; **~скрёб** *m* [1] skyscraper.
небо́сь F I suppose; sure.
небре́жный [14; -жен, -жна] careless, negligent.
небы|ва́лый [14] unheard-of, unprecedented; **~ли́ца** *f* [5] tale, fable, invention.
небьющийся [17] unbreakable.
Нева́ *f* [5] Neva.
нева́жный [14; -жен, -жна́, -о] unimportant, trifling; F poor, bad.
невдалеке́ not far off, *or* from (от Р).
неве́|дение *n* [12] ignorance; **~домый** [14 *sh.*] unknown; **~жа** *m/f* [5] boor; **~жда** *m/f* [5] ignoramus; **~жество** *n* [9] ignorance; **~жливость** *f* [8] incivility; **~жливый** [14 *sh.*] impolite, uncivil.
неве́р|ие *n* [12] unbelief; **~ный** [14; -рен, -рна́, -о] incorrect; false; unfaithful; unsteady; *su.* infidel;

~оя́тный [14; -тен, -тна] incredible; **~ующий** [17] unbelieving.
невесо́мый [14 *sh.*] imponderable.
неве́ст|а *f* [5] fiancée, bride; F marriageable girl; **~ка** *f* [5; *g*/*pl.*: -ток] daughter-in-law; sister-in-law (*brother's wife*).
невз|го́да *f* [5] adversity, misfortune; affliction; **~ира́я** (на В) in spite of, despite; without respect (of p.'s); **~нача́й** F unexpectedly, by chance; **~ра́чный** [14; -чен, -чна] plain, homely, mean; **~ыска́тельный** [14; -лен, -льна] unpretentious.
неви́д|анный [14] singular, unprecedented; **~имый** [14 *sh.*] invisible.
неви́нный [14; -и́нен, -и́нна] innocent; virgin.
невку́сный [14; -сен, -сна́, -о] insipid.
невме|ня́емый [14 *sh.*] irresponsible; **~ша́тельство** *n* [9] nonintervention.
невнима́тельный [14; -лен, -льна] inattentive.
невня́тный [14; -тен, -тна] indistinct, inarticulate; unintelligible.
не́вод *m* [1] seine.
невоз|врати́мый [14 *sh.*], **~вра́тный** [14; -тен, -тна] irretrievable, irreparable; **~вращéнец** *n* [1; -нца] non-returnee; **~де́ржанный** [14 *sh.*] intemperate; unbridled, uncontrolled; **~мо́жный** [14; -жен, -жна] impossible; **~мути́мый** [14 *sh.*] imperturbable.
нево́л|ить [13] force, compel; **~ьник** *m* [1] slave; captive; **~ьный** [14; -лен, -льна] involuntary; forced; **~я** *f* [6] captivity; bondage; need, necessity.
невоо|брази́мый [14 *sh.*] unimaginable; **~ружённый** [14] unarmed.
невоспи́танный [14 *sh.*] ill-bred.
невпопа́д F *s.* некста́ти.
невреди́мый [14 *sh.*] sound, unhurt.
невы́|годный [14; -ден, -дна] unprofitable; disadvantageous; **~держанный** [14 *sh.*] unbalanced, uneven; unseasoned; **~носи́мый** [14 *sh.*] unbearable, intolerable; **~полне́ние** *n* [12] nonfulfillment; **~полни́мый** *s.* неисполни́мый; **~рази́мый** [14 *sh.*] inexpressible, ineffable; **~рази́тельный** [14; -лен, -льна] inexpressive; **~со́кий** [16; -со́к, -а́, -со́ко́] low, small; short; inferior, slight.
не́га *f* [5] luxury, comfort; bliss, delight; affection.
не́где there is no(where *or* room *or* place to [... from] *inf.*; Д for).
негла́сный [14; -сен, -сна] secret, private.
него́д|ный [14; -ден, -дна́, -о] useless; unfit; F nasty; **~ова́ние** *n* [12] indignation; **~ова́ть** [7] be indignant (with на В); **~я́й** *m* [3] scoundrel, rascal.
негр *m* [1] Negro; **~а́мотность** *s.* безгра́мотность; **~а́мотный** *s.* безгра́мотный; **~итя́нка** *f* [5; *g*/*pl.*: -нок] Negress; **~итя́нский** [16] Negro...
неда́|вний [15] recent; с **~вних** (**~вней**) пор(ы́) of late; **~вно** recently; **~лёкий** [16; -ёк, -ека́, -еко́ & -ёко] near(by), close; short; not far (off); recent; dull, stupid; **~льнови́дный** [14; -ден, -дна] short-sighted; **~ром** not in vain, not without reason; justly.
недви́жи́мый [14 *sh.*] immovable.
неде|йстви́тельный [14; -лен, -льна] invalid, void; ineffective, ineffectual; **~ли́мый** [14] indivisible.
неде́л|ьный [14] a week's, weekly; **~я** *f* [6] week; в **~ю** a *or* per week; на э́той (про́шлой, бу́дущей) **~е** this (last, next) week.
недобро|жела́тельный [14; -лен, -льна] unkindly, ill-natured; **~ка́чественный** [14 *sh.*] inferior, off-grade; **~со́вестный** [14; -тен, -тна] unfair; unprincipled; careless.
недо́брый [14; -до́бр, -а́, -о] unkind(ly), hostile; evil, bad, ill(-boding).
недове́р|ие *n* [12] distrust; **~чивый** [14 *sh.*] distrustful (of к Д).
недово́ль|ный [14; -лен, -льна] (Т) dissatisfied, discontented; **~ство** *n* [9] discontent, dissatisfaction.
недога́дливый [14 *sh.*] slow-witted.
недоеда́|ние *n* [12] malnutrition; **~ть** [1] not eat enough (*or* one's fill).
недои́мки *f*/*pl.* [5; *gen.*: -мок] arrears.
недо́лго not long, short; F easily.
недомога́ть [1] be unwell, sick.
недомо́лвка *f* [5; *g*/*pl.*: -вок] omission.

недоно́сок *m* [1; -ска] abortion.
недооце́н|ивать [1], ⟨**~и́ть**⟩ [13] underestimate, undervalue.
недо|пусти́мый [14 *sh.*] inadmissible; intolerable, impossible; **~ра́звитый** [14 *sh.*] underdeveloped; **~разуме́ние** *n* [12] misunderstanding (through по Д); **~рого́й** [16; -до́рог, -á, -o] inexpensive.
не́до|росль *m* [4] greenhorn; ignoramus; **~слы́шать** [1] *pf.* fail to hear.
недосмо́тр *m* [1] oversight, inadvertence (through по Д); **~е́ть** [9; -отрю́, -о́тришь; -о́тренный] *pf.* overlook (*s. th.*).
недост|ава́ть [5], ⟨**~а́ть**⟩ [-ста́нет] *impers.*: (Д) (be) lack(ing), want (-ing), be short *or* in want of (Р); miss; э́того ещё ~ава́ло! and that too!; **~а́ток** *m* [1; -тка] want (for за Т, по Д), lack, shortage (of Р, в П); deficiency; defect, shortcoming; privation; **~а́точный** [14; -чен, -чна] insufficient, deficient, inadequate; *gr.* defective; **~а́ть** *s.* ~ава́ть.
недо|стижи́мый [14 *sh.*] unattainable; **~сто́йный** [14; -о́ин, -о́йна] unworthy; **~сту́пный** [14; -пен, -пна] inaccessible.
недосу́г F *m* [1] lack of time (for за Т, по Д); мне ~ I have no time.
недо|сяга́емый [14 *sh.*] unattainable; **~у́здок** *m* [1; -дка] halter.
недоум|ева́ть [1] (be) puzzle(d, perplexed); **~е́ние** *n* [12] bewilderment; в ~е́нии at a loss.
недочёт *m* [1] deficit; defect.
не́дра *n/pl.* [9] bosom, entrails.
недружелю́бный [14; -бен, -бна] unfriendly.
неду́г *m* [1] ailment, infirmity.
недурно́й [14; -ду́рен & -рён, -рна́, -o] not bad, pretty, nice, handsome.
недю́жинный [14] remarkable.
неесте́ственный [14 *sh.*] unnatural; affected, forced.
нежела́|ние *n* [12] unwillingness; **~тельный** [14; -лен, -льна] undesirable.
не́жели † = чем than.
нежена́тый [14] single, unmarried.
нежи́зненный [14 *sh.*] impracticable; unreal.
нежило́й [14] uninhabited; deserted, desolate; store...
не́ж|ить [16] coddle, pamper, fondle; **-ся** loll, lounge; **~ничать** F [1] flirt, spoon; trifle; **~ность** *f* [8] tenderness; fondness; civility; **~ный** [14; -жен, -жна́, -o] tender, fond; delicate; soft.
незаб|ве́нный [14 *sh.*], **~ыва́емый** [14 *sh.*] unforgettable; **~у́дка** *f* [5; *g/pl.:* -док] forget-me-not.
незави́сим|ость *f* [8] independence; **~ый** [14 *sh.*] independent.
незада́чливый F [14 *sh.*] unlucky.
незадо́лго shortly (before до Р).
незако́нный [14; -о́нен, -о́нна] illegal, unlawful, illegitimate; illicit.
незаме|ни́мый [14 *sh.*] irreplaceable; **~́тный** [14; -тен, -тна] imperceptible, unnoticeable; plain, ordinary, humdrum; **~́ченный** [14] unnoticed.
неза|мыслова́тый F [14 *sh.*] simple, plain; dull; **~па́мятный** [14] immemorial; **~те́йливый** [14 *sh.*] plain, simple; **~уря́дный** [14; -ден, -дна] remarkable.
не́зачем there is no need *or* point.
незва́ный [14] uninvited.
нездоро́в|иться [14]: мне ~ится I feel (am) sick *or* ill, unwell; **~ый** [14 *sh.*] sick; morbid.
незло́бивый [14 *sh.*] gentle, placid.
незнако́м|ец *m* [1; -мца], **~ка** *f* [5; *g/pl.:* -мок] stranger; *a.*, F, **~ый** [14] unknown, strange; unacquainted.
незна́|ние *n* [12] ignorance; **~чи́тельный** [14; -лен, -льна] insignificant.
незр|е́лый [14 *sh.*] unripe; immature; **~и́мый** [14 *sh.*] invisible.
незы́блемый [14 *sh.*] firm; unshakable.
неиз|бе́жный [14; -жен, -жна] inevitable; **~ве́данный** [14 *sh.*] *s.* **~ве́стный** [14; -тен, -тна] unknown; *su. a.* stranger; **~глади́мый** [14 *sh.*] indelible; **~лечи́мый** [14 *sh.*] incurable; **~ме́нный** [14; -е́нен, -е́нна] invariable; permanent; true; **~мери́мый** [14 *sh.*] immense; **~ъясни́мый** [14 *sh.*] inexplicable.
неим|е́ние *n* [12]: за ~е́нием (Р) for want of; **~ове́рный** [14; -рен, -рна] incredible; **~у́щий** [17] poor.
неис|кренний [15; -енен, -енна] insincere; **~ку́сный** [14; -сен, -сна] unskillful; **~полне́ние** *n* [12] nonfulfillment; **~полни́мый** [14 *sh.*] impracticable.

неиспр|ави́мый [14 *sh.*] incorrigible; **~а́вность** *f* [8] ⊕ disrepair; **~а́вный** [14; -вен, -вна] out of repair *or* order, broken, defective; careless, faulty; inaccurate; unpunctual.

неиссяка́емый [14 *sh.*] inexhaustible.

не́истов|ство *n* [9] rage, frenzy; atrocity; **~ствовать** [7] rage; **~ый** [14 *sh.*] frantic, furious.

неис|тощи́мый [14 *sh.*] inexhaustible; **~требимый** [14 *sh.*] ineradicable; **~цели́мый** [14 *sh.*] incurable; **~черпа́емый** [14 *sh.*] *s.* ~тощи́мый; **~числи́мый** [14 *sh.*] innumerable.

нейтрал|ите́т *m* [1] neutrality; **~ьный** [14; -лен, -льна] neutral.

неказ́истый F [14 *sh.*] = невзра́чный.

не́|кий [24 *st.*] a certain, some; **~когда** there is (мне ~когда I have) no time; once; **~кого** [23] there is (мне ~кого I have) nobody *or* no one (to *inf.*); **~который** [14] some (*pl.* of из P); **~краси́вый** [14 *sh.*] homely, ugly; mean.

некроло́г *m* [1] obituary.

некста́ти inopportunely; inappropriately, malapropos, off the point.

не́кто somebody, -one; a certain.

не́куда there is no(where *or* room *or* place to *inf.*; Д for); *s. a.* не́зачем; F could not be (*better, etc.*).

неку|льту́рный [14; -рен, -рна] uncultured; ill-mannered; **~ря́щий** [17] nonsmoker, nonsmoking.

нел|а́дный F [14; -ден, -дна] wrong, bad; **~ега́льный** [14; -лен, -льна] illegal; **~е́пый** [14 *sh.*] absurd; F awkward.

нело́вкий [16; -вок, -вка́, -о] awkward, clumsy; inconvenient, embarrassing.

нельзя́ (it is) impossible, one (мне I) cannot, must not; ~! no!; как ~ лу́чше in the best way possible, excellently; ~ не *s.* (не) мочь.

нелюди́мый [14 *sh.*] unsociable.

нема́ло (P) a lot, a great deal (of).

неме́дленный [14] immediate.

неме́ть [8], ⟨о-⟩ grow dumb, numb.

не́м|ец *m* [1; -мца], **~е́цкий** [16], **~ка** *f* [5; *g/pl.*: -мок] German.

немилосе́рдный [14; -ден, -дна] unmerciful, ruthless.

неми́лост|ивый [14 *sh.*] ungracious; **~ь** *f* [8] disgrace.

немину́емый [14 *sh.*] inevitable.

немно́|гие *pl.* [16] (a) few, some; **~го** a little; slightly, somewhat; *s. a.* ~гие; **~гое** *n* [16] little; ~гим a little; **~ж(еч)ко** F a (little) bit.

немо́й [14; нем, -á, -о] dumb, mute.

немо|лодо́й [14; -мо́лод, -á, -о] elderly; **~та́** *f* [5] muteness.

не́мощный [14; -щен, -щна] infirm.

немы́слимый [14 *sh.*] inconceivable.

ненави́|деть [11], ⟨воз-⟩ hate; **~стный** [14; -тен, -тна] hateful, odious; **~сть** ('ne-) *f* [8] hatred (against к Д).

нена|гля́дный [14] dear, beloved; **~дёжный** [14; -жен, -жна] unreliable; unsafe, insecure; **~до́лго** for a short while; **~ме́ренный** [14] unintentional; **~паде́ние** *n* [12] nonagression; **~руши́мый** [14 *sh.*] inviolable; **~стный** [14; -тен, -тна] rainy, foul; **~стье** *n* [10] foul weather; **~сы́тный** [14; -тен, -тна] insatiable.

нен|орма́льный [14; -лен, -льна] abnormal; F (mentally) deranged; **~у́жный** [14; -жен, -жна́, -о] unnecessary.

необ|ду́манный [14 *sh.*] rash, hasty; **~ита́емый** [14 *sh.*] uninhabited; desert; **~озри́мый** [14 *sh.*] immense, vast; **~осно́ванный** [14 *sh.*] unfounded; **~рабо́танный** [14] uncultivated; crude, unpolished; **~у́зданный** [14 *sh.*] unbridled, unruly.

необходи́м|ость *f* [8] necessity (of по Д), need (of, for P, в П); **~ый** [14 *sh.*] necessary (for Д; для P), essential; *cf.* ну́жный.

необ|щи́тельный [14; -лен, -льна] unsociable, reserved; **~ъясни́мый** [14 *sh.*] inexplicable; **~ъя́тный** [14; -тен, -тна] immense, vast, huge; **~ыкнове́нный** [14; -е́нен, -е́нна], **~ы́ч(а́й)ный** [14; -ч(а́)ен, ч(а́й)на] unusual, uncommon; **~яза́тельный** [14; -лен, -льна] optional.

неограни́ченный [14 *sh.*] unrestricted.

неод|нокра́тный [14] repeated; **~обре́ние** *n* [12] disapproval; **~обри́тельный** [14; -лен, -льна] disapproving; **~оли́мый** *s.* непреодоли́мый; **~ушевлённый** [14] inanimate.

неожи́данн|ость *f* [8] surprise;

~ый [14 *sh.*] unexpected, sudden.

нео́н *m* [1] neon; **~овый** [14] neon-...

неоп|ису́емый [14 *sh.*] indescribable; **~ла́ченный** [14 *sh.*] unpaid, unsettled; **~ра́вданный** [14] unjustified; **~ределённый** [14; -ёнен, -ённа] indefinite (*a. gr.*), uncertain, vague; *gr.* (*vb.*) infinitive; **~ровержи́мый** [14 *sh.*] irrefutable; **~ы́тный** [14; -тен, -тна] inexperienced.

неос|ла́бный [14; -бен, -бна] unremitting, unabated; **~мотри́тельный** [14; -лен, -льна] imprudent; **~нова́тельный** [14; -лен, -льна] unfounded, baseless; **~пори́мый** [14 *sh.*] incontestable; **~торо́жный** [14; -жен, -жна] careless, incautious; imprudent; **~уществи́мый** [14 *sh.*] impracticable; **~яза́емый** [14 *sh.*] intangible.

неот|врати́мый [14 *sh.*] unavoidable; fatal; **~вя́зный** [14; -зен, -зна], **~вя́зчивый** [14 *sh.*] obtrusive, importunate; **~ёсанный** [14 *sh.*] unhewn; F rude; **'~куда** *s.* не́где; **~ло́жный** [14; -жен, -жна] pressing, urgent; **~лу́чный** *s.* неразлу́чный & постоя́нный; **~рази́мый** [14 *sh.*] irresistible; **~сту́пный** [14; -пен, -пна] persistent; importunate; **~чётливый** [14 *sh.*] indistinct; **~ъе́млемый** [14 *sh.*] integral; inalienable.

неохо́т|а *f* [5] listlessness; reluctance; (мне) ~а F I (*etc.*) am not in the mood; **~но** unwillingly.

не|оцени́мый [14 *sh.*] invaluable; **~перехо́дный** [14] intransitive; **~платёж** *m* [1 *e.*] nonpayment; **~платёжеспосо́бный** [14; -бен, -бна] insolvent.

непо|беди́мый [14 *sh.*] invincible; **~воро́тливый** [14 *sh.*] clumsy, slow; **~го́да** *f* [5] foul weather; **~греши́мый** [14 *sh.*] infallible; **~далёку** not far (away *or* off); **~да́тливый** [14 *sh.*] unyielding, refractory.

непод|ви́жный [14; -жен, -жна] motionless, (*a. ast.*) fixed; sluggish; **~де́льный** [14; -лен, -льна] genuine, true; sincere; **~ку́пный** [14; -пен, -пна] incorruptible; **~обаю́щий** [17] improper, unbecoming; undue; **~ража́емый** [14 *sh.*] inimitable; **~ходя́щий** [17] unsuitable; **~чине́ние** *n* [12] insubordination.

непо|зволи́тельный [14; -лен, -льна] improper, unbecoming; **~колеби́мый** [14 *sh.*] firm, steadfast; unflinching; imperturbable; **~ко́рный** [14; -рен, -рна] intractable; **~ла́дка** F *f* [5; *g/pl.:* -док] defect, trouble; strife; **~́лный** [14; -лон, -лна́, -о] incomplete; short; **~ме́рный** [14; -рен, -рна] excessive, exorbitant.

непоня́т|ливый [14 *sh.*] slow-witted; **~ный** [14; -тен, -тна] unintelligible, incomprehensible; strange, odd.

непо|прави́мый [14 *sh.*] irreparable; **~ро́чный** [14; -чен, -чна] chaste, immaculate; virgin...; **~ря́дочный** [14; -чен, -чна] dishono(u)rable, disreputable; **~се́дливый** [14 *sh.*] fidgety; **~си́льный** [14; -лен, -льна] beyond one's strength; **~сле́довательный** [14; -лен, -льна] inconsistent; **~слу́шный** [14; -шен, -шна] disobedient.

непо|сре́дственный [14 *sh.*] immediate, direct; spontaneous; **~стижи́мый** [14 *sh.*] inconceivable; **~стоя́нный** [14; -я́нен, -я́нна] inconstant, unsteady, fickle; **~хо́жий** [17 *sh.*] unlike, different (from на В).

непра́в|да *f* [5] untruth, lie; (it is) not true; ... и ~дами (*by hook*) or by crook; **~доподо́бный** [14; -бен, -бна] improbable; **~едный** [14; -ден, -дна] unjust; sinful; **~ильный** [14; -лен, -льна] incorrect, wrong; irregular (*a. gr.*); improper (*a.* ⚕); **~ота́** *f* [5] wrong(fulness); **~ый** [14; непра́в, -а́, -о] wrong; unjust.

непре|взойдённый [14 *sh.*] unsurpassed; **~дви́денный** [14] unforeseen; **~дубеждённый** [14] unbias(s)ed; **~кло́нный** [14; -о́нен, -о́нна] uncompromising; steadfast; **~ло́жный** [14; -жен, -жна] inviolable, invariable; incontestable; **~ме́нный** [14; -е́нен, -е́нна] indispensable; permanent; ~ме́нно *s.* обяза́тельно; **~одоли́мый** [14 *sh.*] insuperable; irresistible; **~река́емый** [14 *sh.*] indisputable; **~ры́вный** [14; -вен, -вна] continuous; **~ста́нный** [14; -а́нен, -а́нна] incessant.

непри|вы́чный [14; -чен, -чна] unaccustomed; unusual; **~гля́дный** [14; -ден, -дна] homely, mean; **~го́дный** [14; -ден, -дна] unfit; useless; **~е́млемый** [14 *sh.*] unacceptable; **~косновéнный** [14; -éнен, -éнна] inviolable; untouched, untouchable; **~кра́шенный** [14] unvarnished; **~ли́чный** [14; -чен, -чна] indecent, unseemly; **~мéтный** [14; -тен, -тна] imperceptible, unnoticeable; plain; **~мири́мый** [14 *sh.*] irreconcilable, implacable; **~нуждённый** [14 *sh.*] (free and) easy, at ease; **~сто́йный** [14; -óен, -óйна] obscene, indecent; **~сту́пный** [14; -пен, -пна] inaccessible; impregnable; unapproachable, haughty; **~тво́рный** [14; -рен, -рна] sincere, unfeigned; **~тяза́тельный** [14; -лен, -льна] unpretentious, modest, plain.

неприя́|зненный [14 *sh.*] hostile, unkind(ly); **~знь** *f* [8] dislike; **~тель** *m* [4] enemy; **~тельский** [16] enemy('s); **~тность** *f* [8] trouble; **~тный** [14; -тен, -тна] disagreeable, unpleasant.

непро|гля́дный [14; -ден, -дна] pitch-dark; **~должи́тельный** [14; -лен, -льна] short, brief; **~е́зжий** [17] impassable; **~зра́чный** [14; -чен, -чна] opaque; **~изводи́тельный** [14; -лен, -льна] unproductive; **~изво́льный** [14; -лен, -льна] involuntary; **~мока́емый** [14 *sh.*] waterproof; **~ница́емый** [14 *sh.*] impenetrable, impermeable, impervious; **~сти́тельный** [14; -лен, -льна] unpardonable; **~ходи́мый** [14 *sh.*] impassable; F complete; **~́чный** [14; -чен, -чна́, -о] flimsy, unstable.

нера́бочий [17] free, off (*day*).

нера́в|енство *n* [9] inequality; **~номéрный** [14; -рен, -рна] uneven; **~ный** [14; -вен, -вна́, -о] unequal.

неради́вый [14 *sh.*] careless, listless.

нераз|бери́ха F *f* [5] mess; **~бо́рчивый** [14 *sh.*] illegible; unscrupulous; **~вито́й** [14; -ра́звит, -а́, -о] undeveloped; **~дéльный** [14; -лен, -льна] indivisible, integral; undivided; **~личи́мый** [14 *sh.*] indistinguishable; **~лу́чный** [14; -чен, -чна] inseparable; **~реши́мый** [14 *sh.*] insoluble; **~ры́вный** [14; -вен, -вна] indissoluble; **~у́мный** [14; -мен, -мна] injudicious.

нерас|положéние *n* [12] dislike; **~суди́тельный** [14; -лен, -льна] imprudent.

нерв *m* [1] nerve; **~и́ровать** [7] make nervous; **~́ничать** [1] be nervous; **~нобольно́й** [14] neurotic; **~(о́з)ный** [14; -вен, -вна́, -о (-зен, -зна)] nervous; high-strung.

нереши́тельн|ость *f* [8] indecision; в **~ости** at a loss; **~ый** [14; -лен, -льна] irresolute.

неро́|бкий [16; -бок, -бка́, -о] brave; **~вный** [14; -вен, -вна́, -о] uneven.

неруши́мый [14 *sh.*] inviolable.

неря́|ха *m/f* [5] sloven; **~шливый** [14 *sh.*] slovenly; careless.

несамостоя́тельный [14; -лен, -льна] dependent (on, *or* influenced by, others).

несбы́точный [14; -чен, -чна] unrealizable.

не|свéдущий [17 *sh.*] ignorant (of в П); **~своевремéнный** [14; -енен, -енна] untimely; tardy; **~свя́зный** [14; -зен, -зна] incoherent; **~сгора́емый** [14] fireproof; **~сдéржанный** [14 *sh.*] unrestrained; **~серьёзный** [14; -зен, -зна] frivolous; **~сказа́нный** [14 *sh.*, *no m*] indescribable; **~скла́дный** [14; -ден, -дна] ungainly, unwieldy; incoherent; **~склоня́емый** [14 *sh.*] indeclinable.

нéсколько [32] a few, some, several; somewhat.

не|скро́мный [14; -мен, -мна́, -о] immodest; **~слы́ханный** [14 *sh.*] unheard-of; awful; **~слы́шный** [14; -шен, -шна] inaudible, noiseless; **~смéтный** [14; -тен, -тна] innumerable.

несмотря́ (на В) in spite of, despite, notwithstanding; (al)though.

несно́сный [14; -сен, -сна] intolerable.

несо|блюдéние *n* [12] nonobservance; **~вершеннолéтие** *n* [12] minority; **~вершéнный** [14; -éнен, -éнна] imperfect(ive *gr.*); **~вершéнство** *n* [8] imperfection; **~вмести́мый** [14 *sh.*] incompatible; **~гла́сие** *n* [12] disagreement; **~гла́сный** [14; -сен, -сна] discordant; inconsistent; **~измери́-**

мый [14 *sh.*] incommensurable; **~крушимый** [14 *sh.*] indestructible; **~мнённый** [14; -éнен, -éнна] doubtless; ~мнённо *a.* undoubtedly, without doubt; **~обрáзный** [14; -зен, -зна] incompatible; absurd, foolish; **~ответствие** *n* [12] discrepancy; **~размéрный** [14; -рен, -рна] disproportionate; **~стоятельный** [14; -лен, -льна] needy; insolvent; unsound, baseless.

несп|окóйный [14; -óен, -óйна] restless, uneasy; **~осóбный** [14; -бен, -бна] incapable (of к Д, на В), unfit (for); **~раведли́вость** *f* [8] injustice; wrong; **~раведли́вый** [14 *sh.*] unjust, wrong; **~ростá** F *s.* недáром.

несравнéнный [14; -éнен, -éнна] incomparable.

нестерпи́мый [14 *sh.*] intolerable.

нести́ [24 -с-: -сý], ⟨по-⟩ (be) carry(ing, *etc.*); bear; bring; suffer (*loss*); do (*duty*); drift, waft, speed (along) (**-сь** *v/i.*; *a.* be heard; spread); ⟨с-⟩ lay (eggs **-сь**); F talk (*nonsense*); smell (of Т); несёт there's a draught.

не|строевóй [14] noncombatant; **~стрóйный** [14; -óен, -ойнá, -о] ungainly; discordant; disorderly; **~сурáзный** F [14; -зен, -зна] foolish, absurd; ungainly; **~схóдный** [14; -ден, -дна] unlike, different (from с Т).

несчáст|ный [14; -тен, -тна] unhappy, unlucky; F paltry; **~ье** *n* [12] misfortune; disaster; accident; к ~ью *or* на ~ье unfortunately.

несчётный [14; -тен, -тна] innumerable.

нет 1. *part.*: no; ~ ещё not yet; **2.** *impers. vb.* [*pt.* нé было, *ft.* не бýдет] (Р): there is (are) no; у меня́ (*etc.*) ~ I (*etc.*) have no(ne); егó (её) ~ (s)he is not (t)here *or* in.

нетерп|ели́вый [14 *sh.*] impatient; **~éние** *n* [12] impatience; **~и́мый** [14 *sh.*] intolerant; intolerable.

не|тлéнный [14; -éнен, -éнна] imperishable; **~трéзвый** [14; -трéзв, -á, -о] drunk (*a.* в ~трéзвом ви́де); **~трóнутый** [14 *sh.*] untouched; **~трудоспосóбный** [14; -бен, -бна] disabled.

нет|то ('nɛ-) [*ind.*] net; **~ý** F = нет 2.

неу|важéние *n* [12] disrespect (for к Д); **~вéренный** [14 *sh.*] uncertain; **~вядáемый** [14 *sh.*] unfading; **~гаси́мый** [14 *sh.*] inextinguishable; **~гомóнный** [14; -óнен, -óнна] restless, unquiet; untiring.

неудáч|а *f* [5] misfortune; failure; **~ливый** [14 *sh.*] unlucky; **~ник** *m* [1] unlucky fellow; **~ный** [14; -чен, -чна] unsuccessful, unfortunate.

неуд|ержи́мый [14 *sh.*] irrepressible; **~иви́тельно** (it is) no wonder.

неудóб|ный [14; -бен, -бна] inconvenient; uncomfortable; improper; **~ство** *n* [9] inconvenience.

неудов|летвори́тельный [14; -лен, -льна] unsatisfactory; **~óльствие** *n* [12] displeasure.

неужéли really?, is it possible?

неу|жи́вчивый [14 *sh.*] unsociable, unaccomodating; **~клóнный** [14; -óнен, -óнна] unswerving, firm; **~клю́жий** [17 *sh.*] clumsy, awkward; **~кроти́мый** [14 *sh.*] indomitable; **~лови́мый** [14 *sh.*] elusive; imperceptible; **~мéлый** [14 *sh.*] unskillful, awkward; **~мéние** *n* [12] inability; **~мéренный** [14 *sh.*] intemperate, immoderate; **~мéстный** [14; -тен, -тна] inappropriate; **~моли́мый** [14 *sh.*] inexorable; **~мы́шленный** [14 *sh.*] unintentional; **~потреби́тельный** [14; -лен, -льна] not in use; **~рожáй** *m* [3] bad harvest; **~рóчный** [14] unseasonable; **~спéх** *m* [1] failure; **~стáнный** [14; -áнен, -áнна] incessant; constant; *s. a.* ~томи́мый; **~стóйка** *f* [5; *g/pl.*: -óек] forfeit; **~стóйчивый** [14 *sh.*] unstable; unsteady; **~страши́мый** [14 *sh.*] intrepid, dauntless; **~стýпчивый** [14 *sh.*] uncomplying, tenacious; **~сы́пный** [14; -пен, -пна] incessant, unremitting; *s. a.* ~томи́мый; **~тéшный** [14; -шен, -шна] disconsolate, inconsolable; **~толи́мый** [14 *sh.*] unquenchable; insatiable; **~томи́мый** [14 *sh.*] tireless, indefatigable, untiring.

нéуч F *m* [1] ignoramus; **~ёный** [14] illiterate; **~éнье** *n* [10] ignorance.

неу|чти́вый [14 *sh.*] uncivil; **~ю́тный** [14; -тен, -тна] uncomfortable; **~язви́мый** [14 *sh.*] invulnerable.

нефт|еналивнóй *s.* наливнóй;

~епрово́д *m* [1] pipe line; **~ь** *f* [8] (mineral) oil; **~яно́й** [14] oil...
не|хва́тка F *f* [5; *g/pl.:* -ток] shortage; **~хоро́ший** [17; -ро́ш, -á] bad; **∠хотя** unwillingly; **~цензу́рный** [14; -рен, -рна] *s.* ~присто́йный; **~ча́янный** [14] unexpected; accidental, casual.
не́чего [23]: (мне, *etc.*) ~ + *inf.* (there is *or* one can) (I have) nothing to ...; (one) need not, (there is) no need; (it is) no use; stop ...ing.
не|челове́ческий [16] inhuman; superhuman; **~чести́вый** [14 *sh.*] ungodly; **~че́стность** *f* [8] dishonesty; **~че́стный** [14; -тен, -тнá, -о] dishonest; **∠чет** F *m* [1] *s.* нечётный; **~чётный** [14] odd (*number*).
нечист|оплóтный [14; -тен, -тна] uncleanly, dirty; **~отá** *f* [5; *pl. st.*: -óты] unclean(li)ness; *pl.* sewage; **∠ый** [14; -чи́ст, -á, -о] unclean, dirty; impure; evil, vile, bad, foul.
не́что something.
не|чувстви́тельный [14; -лен, -льна] insensitive; insensible; **~щáдный** [14; -ден, -дна] unmerciful; **~я́вка** *f* [5] nonappearance; **~я́ркий** [16; -я́рок, -яркá, -о] dull, dim; mediocre; **~я́сный** [14; -сен, -снá, -о] not clear; *fig.* vague.
ни not a (single оди́н); ~ ..., ~ neither ... nor; ... ever (*e.g.* кто [бы] ~ whoever); кто (что, когдá, где, кудá) бы то ∠ был(о) whosoever (what-, when-, wheresoever); как ~ + *vb. a.* in spite *or* for all + *su.*; как бы (то) ∠ было be that as it may; ~ за что ~ про что for nothing.
ни́ва *f* [5] field (*a. fig.*; in на П).
нигдé nowhere.
Нидерлáнды *m/pl.* [1] The Netherlands.
ни́ж|е below, beneath, under; lower; shorter; **~еподписáвшийся** *m* [17] the undersigned; **~ний** [15] lower; under...; ground *or* first (*floor*).
низ *m* [1; *pl. e.*] bottom, lower part; *pl. a.* masses; **~áть** [3], ⟨на-⟩ string.
низвер|гáть [1], ⟨∠гнуть⟩ [21]; **~жéние** *n* [12] (over)throw.
низи́на *f* [5] hollow, lowland.
ни́зк|ий [16; -зок, -зкá, -о; *comp.*: ни́же] low; mean, base; short; **~опоклóнник** *m* [1] groveler; **~опоклóнничать** [1] grovel, fawn, cringe.
ни́зменн|ость *f* [8] lowland, plain; **~ый** [14 *sh.*] low(er).
низо|вóй [14] lower; local; **∠вье** *n* [10; *g/pl.*: -ьев] lower (course); **~йти́** *s.* нисходи́ть; **'~сть** *f* [8] meanness.
никáк by no means, not at all; **~óй** [16] no (at all F); ни в какóм слу́чае on no account; *s. a.* ~.
ни́кел|евый [14], **~ь** *m* [4] nickel.
никогдá never.
Николáй [3] Nicholas.
ни|кóй *s.* никáк(óй); **~ктó** [23] nobody, no one, none; **~кудá** nowhere; *cf. a.* годи́ться, гóдный; **~кчёмный** F [14] good-for-nothing; **~мáло** *s.* ~скóлько; **~откýда** from nowhere; **~почём** F very cheap, easy, *etc.*; **~скóлько** not in the least, not at all.
нисходя́щий [17] descending.
ни́т|ка *f* [5; *g/pl.:* -ток], **~ь** [8] thread; string; cotton; ~ь *a.* filament; до (послéдней) ~ки F to the skin; (как) по ~ке straight; ши́то бéлыми ~ками be transparent; на живýю ~ку carelessly, superficially.
ниц: пáдать ~ prostrate o. s.
ничегó (-'vɔ) nothing; ~ (себé) not bad; so-so; no(t) matter; ~! never mind!, that's all right!
нич|éй *m*, ~ья́ *f*, ~ьё *n*, ~ьи́ *pl.* [26] nobody's; *su. f* draw (*games*).
ничкóм prone; *s. a.* ниц.
ничтó [23] nothing; *s.* ничегó; **~жество** *n* [9], **~жность** *f* [8] nothingness, vanity, nonentity; **~жный** [14; -жен, -жна] insignificant, tiny; vain.
нич|ýть F *s.* нискóлько; **~ья́** *s.* ~éй.
ни́ша *f* [5] niche.
ни́щ|ая *f* [17], **~енка** F [5; *g/pl.*: -нок] beggar woman; **~енский** [16] beggarly; **~енство** *n* [9] begging; beggary; **~енствовать** [7] beg; **~етá** *f* [5] poverty, destitution; **~ий** **1.** [17; нищ, -á, -е] beggarly; **2.** *m* [17] beggar.
НКВД (Нарóдный комиссариáт внýтренних дел) People's Commissariat of Internal Affairs (*1935 to 1946*; *since 1946* МВД, *cf.*).
но but, yet.
новáтор *m* [1] innovator.
новéлла *f* [5] short story.
нóв|енький [16; -нек] (brand-) new; **~изнá** *f* [5], **~и́нка** [5; *g/pl.:* -нок] novelty; news; **~ичóк** *m* [1; -чкá] novice, tyro; newcomer.
ново|брáнец *m* [1; -нца] recruit;

~**бра́чный** [14] newly married; ~**введе́ние** *n* [12] innovation; ~**го́дний** [15] New Year's (Eve ~го́дний ве́чер *m*); ~**лу́ние** *n* [12] new moon; ~**прибы́вший** [17] newly arrived; newcomer; ~**рождённый** [14] newborn (child); ~**се́лье** *n* [10] new home; house-warming; ~**стро́йка** *f* [5; *g/pl.*: -о́ек] new building (project).

но́в|ость *f* [8] (piece of) news; novelty; ~**шество** *n* [9] innovation, novelty; ~**ый** [14; нов, -а́, -о] new; novel; recent; modern; ∽ый год *m* New Year's Day; с ∽ым го́дом! a happy New Year!; ~ый ме́сяц *m* crescent; что ~ого? what's (the) new(s *Brt.*)?; ~**ь** *f* [8] virgin soil.

ног|а́ *f* [5; *ac/sg.*: но́гу; *pl.*: но́ги, ног, нога́м, *etc. e.*] foot, leg; идти́ в ∠у march in (*or* keep) step; со всех ~ with all one's might, at full speed; стать на́ ~и recover; become independent; положи́ть ∠у на́ ~у cross one's legs; на ... ~е́ *or* ∠у on ... terms *or* a ... footing; in (*grand*) style; ни ~о́й (к Д) not visit (a p.); (е́ле) ∠и унести́ (have a narrow) escape; в ~а́х at the foot (*cf.* голова́); под ~а́ми underfoot.

но́готь *m* [4; -гтя; *from g/pl. e.*] nail.

нож *m* [1 *e.*] knife; на ~а́х at daggers drawn; ∠**ик** *m* [1] F = нож; ∠**ка** *f* [5; *g/pl.*: -жек] *dim. of* нога́, *s.*; leg (*chair, etc.*); ∠**ницы** *f/pl.* [5] (pair of) scissors; disproportion; ~**но́й** [14] foot...; ∠**ны́** *f/pl.* [5; *gen.*: -жен & -жо́н] sheath.

ноздря́ [6; *pl.*: но́здри, ноздре́й, *etc. e.*] nostril.

ноль & **нуль** *m* [4 *e.*] naught; zero.

но́мер *m* [1; *pl.*: -ра́, *etc. e.*] number ([with] за Т); size; (*hotel*) room; item, turn, trick; (*a., dim.,* ~**о́к** *m* [1; -рка́]) tag, plate.

номина́льный [14; -лен, -льна] nominal.

нора́ *f* [5; *ac/sg.*: -ру́; *pl.st.*] hole, burrow.

Норве́|гия *f* [7] Norway; ∽**жец** *m* [1; -жца], ∽**жка** *f* [5; *g/pl.*: -жек], ∽**жский** [16] Norwegian.

но́рка *f* [5; *g/pl.*: -рок] **1.** *dim. of* нора́; **2.** *zo.* mink.

но́рм|а *f* [5] norm, standard; rate; ~**а́льный** [14; -лен, -льна] normal; ~**ирова́ть** [7] (*im*)*pf.* standardize.

нос *m* [1; в, на носу́; *pl. e.*] nose; beak; prow; F spout; в ~ (*speak*) through one's nose; за́ ~ (*lead*) by the nose; на ~у́ (*time*) at hand; у меня́ идёт кровь ∠ом my nose is bleeding; ∠**ик** *m* [1] *dim. of* ~; spout.

носи́|лки *f/pl.* [5; *gen.*: -лок] stretcher, litter; ~**льщик** *m* [1] porter; ~**тель** *m* [4] bearer; carrier; ~**ть** [15] carry, bear, *etc., s.* нести́; wear (*v/i.* **-ся**); F **-ся** (с Т) *a.* have one's mind occupied with.

носово́й [14] nasal; prow ...; ~ плато́к *m* handkerchief.

носо́к *m* [1; -ска́] sock; toe; *a.* = но́сик.

носоро́г *m* [1] rhinoceros.

но́та *f* [5] note; *pl. a.* music.

нота́риус *m* [1] notary (public).

нота́ция *f* [7] reprimand, lecture.

ноч|ева́ть [7], ⟨пере-⟩ pass (*or* spend) the night; ~**ёвка** *f* [5; *g/pl.*: -вок] overnight stop (*or* stay *or* rest); *a.* = ~ле́г; ~**ле́г** *m* [1] night's lodging, night quarters; *a.* = ~ёвка; ~**но́й** [14] night(ly), (*a.* ♀, *zo.*) nocturnal; ~на́я ба́бочка *f* moth; ~**ь** *f* [8; в ночи́; *from g/pl. e.*] night; ∠ью at (*or* by) night (= *a.* в ~ь, по ~а́м); ~ь под ... (В) ... night.

но́ша *f* [5] load, burden.

ноя́брь *m* [4 *e.*] November.

нрав *m* [1] disposition, temper; *pl.* customs; (не) по ∠у (Д) (not) to one's liking; ∠**иться** [14], ⟨по-⟩ please (a p. Д); он мне ∠ится I like him; ~**оуче́ние** *n* [12] moral(ity), moral teaching; ~**оучи́тельный** [14] moral(izing); ∠**ственность** *f* [8] morals *pl.*, morality; ~**ственный** [14 *sh.*] moral.

ну (*a.* ∠-ка) well *or* now (then же)!, come (on)!, why!, what!; the deuce (take him *or* it ~ его́)!; (*a.* да ~?) indeed?, really?, you don't say!; ha?; ~ да of course, sure; ~ + *inf.* begin to; ~ так что́ же? what about it?

ну́дный F [14; ну́ден, -дна́, -о] tedious, humdrum.

нужд|а́ *f* [5; *pl. st.*] need, want (of в П); necessity (of из Р, по Д); F request; concern; ~ы́ нет it doesn't matter; ~**а́ться** [1] (в П) (be in) need (of), be hard up, needy.

ну́жн|ый [14; ну́жен, -жна́, -о, ну́жны́] necessary (for Д); (Д) ~о + *inf.* must (*cf.* на́до).

нуль = ноль.

ну́мер = но́мер; **~а́ция** *f* [7] numeration; **~ова́ть** [7], ⟨за-, про-⟩ number.
ны́н|е now(adays), today; **~ешний** F [15] present, this; actual, today's; **~че** F = ~е.
ныр|я́ть [28], *once* ⟨~ну́ть⟩ [20] dive.
ныть [22] ache; whimper; F lament.
Нью-Йо́рк *m* [1] New York.
н. э. (на́шей э́ры) A. D.
нэп (но́вая экономи́ческая поли́тика) NEP (New Economic Policy. *Sov., from 1921 to 1928*).
нюх *m* [1] flair, scent; **∠ательный** [14]: ∠ательный таба́к *m* snuff; **∠ать** [1], ⟨по-⟩ smell; scent; snuff.
ня́н|чить [16] nurse, tend (*a.* **-ся**; F fuss over, busy o. s. with [с Т]); **~я** *f* [6] (F **~ька** [5; *g/pl.*: -нек]) nurse, *Brt. a.* nanny.

О

о, об, обо **1.** (П) about, of; on; with; **2.** (В) against, (up)on; by, in.
о! oh!, o!
о́б|а *m & n*, **~е** *f* [37] both.
обагр|я́ть [28], ⟨~и́ть⟩ [13] redden, purple; stain (with Т); steep.
обанкро́титься *s.* банкро́титься.
обая́|ние *n* [12] spell, charm; **~тельный** [14; -лен, -льна] fascinating.
обва́л *m* [1] collapse; landslide; avalanche; **~иваться** [1], ⟨~и́ться⟩ [13; обва́лится] fall in *or* off; **~я́ть** [1] *pf.* roll.
обвари́ть [13; -арю́, -а́ришь] scald.
обвёр|тывать [1], ⟨~ну́ть⟩ [20] wrap (up), envelop.
обве́|сить [15] F = ~шать.
обвести́ *s.* обводи́ть.
обве́тренный [14 *sh.*] weather-beaten.
обветша́лый [14] decayed.
обве́ш|ивать, ⟨~ать⟩ [1] hang (with Т).
обви|ва́ть [1], ⟨∠ть⟩ [обовью́, -вьёшь; *cf.* вить] wind round; embrace (with Т).
обвин|е́ние *n* [12] accusation, charge; indictment; prosecution; **~и́тель** *m* [4] accuser; prosecutor; **~и́тельный** [14] accusatory; of 'guilty'; ~и́тельный акт *m* indictment; **~я́ть** [28], ⟨~и́ть⟩ [13] (в П) accuse (of), charge (with); find guilty; ~я́емый accused; defendant.
обви́слый F [14] flabby.
обви́|ть *s.* ~ва́ть.
обводи́ть [13], ⟨обвести́⟩ [25] lead, see *or* look (round, about); enclose, encircle *or* border (with Т); draw out; F turn (*a p. round one's finger*).
обвор|а́живать [1], ⟨~ожи́ть⟩ [16 *e.*; -жу́, -жи́шь; -жённый] charm, fascinate; **~ожи́тельный** [14; -лен, -льна] charming, fascinating; **~ожи́ть** *s.* ~а́живать.
обвя́з|ывать [1], ⟨~а́ть⟩ [3] tie up *or* round; dress; hang.
обгоня́ть [28], ⟨обогна́ть⟩ [обгоню́, -о́нишь; обогна́л, -а́, -о; обо́гнанный] (out)distance, outstrip.
обгор|а́ть [1], ⟨~е́ть⟩ [9] scorch.
обгрыз|а́ть [1], ⟨∠ть⟩ [24; *pt. st.*] gnaw (at, round, away).
обда|ва́ть [5], ⟨∠ть⟩ [-а́м, -а́шь; *cf.* дать; о́бдал, -а́, -о; о́бданный (о́бдан, -а́, -о)] pour over; scald; bespatter; wrap up; seize.
обде́л|ать *s.* ~ывать; **~и́ть** *s.* ~я́ть; **~ывать**, ⟨~ать⟩ [1] work; lay out; cut (*gem*); F manage, wangle; **~я́ть** [28], ⟨~и́ть⟩ [13; -елю́, -е́лишь] deprive of one's due share (of Т).
обдирать [1], ⟨ободра́ть⟩ [обдеру́, -рёшь; ободра́л, -а́, -о; обо́дранный] bark, peel; tear (off).
обду́м|ать *s.* ~ывать; **~анный** [14 *sh.*] deliberate; **~ывать,** ⟨~ать⟩ [1] consider, think over.
обе́д *m* [1] dinner (at за Т; for на В, к Д), lunch; F noon; до (по́сле) ~а in the morning (afternoon); **~ать** [1], ⟨по-⟩ have dinner (lunch), dine; **~енный** [14] dinner..., lunch...
обедне́вший [17] impoverished.
обе́дня *f* [6; *g/pl.*: -ден] mass.
обез|бо́ливание *n* [12] an(a)esthe-

tization; ~вре́живать [1], ⟨~вре́дить⟩ [15] neutralize; ~гла́вливать [1], ⟨~гла́вить⟩ [14] behead; ~до́ленный [14] wretched, miserable; ~зара́живание *n* [12] disinfection; ~ли́чивать [1], ⟨~ли́чить⟩ [16] deprive of personal character, assignment *or* responsibility; ~лю́деть [8] *pf.* become deserted; ~надёживать [1], ⟨~надёжить⟩ [16] bereave of hope; ~обра́живать [1], ⟨~обра́зить⟩ [15] disfigure; ~опа́сить [15] *pf.* secure (against от P); ~ору́живать [1], ⟨~ору́жить⟩ [16] disarm; ~у́меть [8] *pf.* lose one's senses, go mad.

обезья́н|а *f* [5] monkey; ape; **~ий** [18] monkey('s); apish, apelike; **~ничать** F [1] ape.

обер|ега́ть [1], ⟨~е́чь⟩ [26 г/ж: -гу́, -жёшь] guard (*v/i.* **-ся**), protect (o. s.; against, from от P).

оберну́ть(ся) *s.* обёртывать(ся).

обёрт|ка *f* [5; *g/pl.*: -ток] cover; (book) jacket; **~очный** [14] wrapping (*or* brown *paper*); **~ывать** [1], ⟨оберну́ть⟩ [20] wrap (up); wind; turn (*a.* F, *cf.* обводи́ть F); **-ся** turn (round, F back); F wangle.

обескура́ж|ивать [1], ⟨~ить⟩ [16] discourage, dishearten.

обеспе́ч|ение *n* [12] securing; security (on под B), guarantee; maintenance; (*social*) security; **~енность** *f* [8] (adequate) provision; prosperity; **~енный** [14] well-to-do; **~ивать** [1], ⟨~ить⟩ [16] provide (for; with T); secure, guarantee; protect.

обесси́л|еть [8] *pf.* become enervated; **~ивать** [1], ⟨~ить⟩ [13] enervate.

обессме́ртить [13] *pf.* immortalize.

обесцве́|чивать [1], ⟨~тить⟩ [15] discolo(u)r, make colo(u)rless.

обесце́н|ивать [1], ⟨~ить⟩ [13] depreciate.

обесче́стить [15] *pf.* dishono(u)r.

обе́т *m* [1] vow, promise; **~ова́нный** [14] Promised (*Land*).

обеща́|ние *n* [12], **~ть** [1] (*im*)*pf.*, F *a.* ⟨по-⟩ promise.

обжа́лование ⚖ *n* [12] appeal.

обж|ига́ть [1], ⟨~е́чь⟩ [26 г/ж: обожгу́, -жжёшь, обожгу́т; обжёг, обожгла́; обожжённый] burn; scorch; ⊕ bake, calcine (*cf.* ~ига́тельная печь *f* kiln); **-ся** burn o. s. (F one's fingers).

обжо́р|а F *m/f* [5] glutton; **~ливый** F [14 *sh.*] gluttonous; **~ство** F *n* [9] gluttony.

обзав|оди́ться [15], ⟨~ести́сь⟩ [25] provide o. s. (with T), acquire, get.

обзо́р *m* [1] survey; review.

обзыва́ть [1], ⟨обозва́ть⟩ [обзову́, -ёшь; обозва́л, -а́, -о; обо́званный] call (*names* T).

оби|ва́ть [1], ⟨~ть⟩ [обобью́, обобьёшь; *cf.* бить] upholster; strike off; F wear out; ~ва́ть поро́ги (у P) importune; **~вка** *f* [5] upholstery.

оби́|да *f* [5] insult; не в ~ду будь ска́зано no offence meant; не дать в ~ду let not be offended; **~деть (-ся)** *s.* ~жа́ть(ся); **~дный** [14; -ден, -дна] offensive, insulting; (мне) ~дно it is a shame *or* vexing (it offends *or* vexes me; I am sorry [for за B]); **~дчивый** [14 *sh.*] touchy; **~дчик** F *m* [1] offender; **~жа́ть** [1], ⟨~деть⟩ [11] (**-ся** be) offend(ed), hurt (*a.* be angry with *or* at на B); wrong; overreach (*cf. a.* обделя́ть); **~женный** [14 *sh.*] offended (*s. a.* ~жа́ть[ся]).

оби́л|ие *n* [12] abundance, wealth; **~ьный** [14; -лен, -льна] abundant (in T), plentiful, rich.

обиня́к *m* [1 *e.*]: говори́ть ~а́ми speak in a roundabout way.

обира́ть F [1], ⟨обобра́ть⟩ [оберу́, -ёшь; обобра́л, -а́, -о; обо́бранный] rob; P gather.

обита́|емый [14 *sh.*] inhabited; **~тель** *m* [4] inhabitant; **~ть** [1] live, dwell, reside.

оби́ть *s.* обива́ть.

обихо́д *m* [1] use, custom, way; дома́шний ~ household; **~ный** [14; -ден, -дна] everyday; colloquial.

обкла́д|ка *f* [5] facing; **~ывать** [1], ⟨обложи́ть⟩ [16] lay round; face, cover; ✗ fur; *pf.* besiege; *s.* облага́ть.

обко́м *m* [1] (областно́й комите́т) regional committee (*Sov.*).

обкра́дывать [1], ⟨обокра́сть⟩ [25; обкраду́, -дёшь; *pt. st.*: обкра́денный] rob.

обла́ва *f* [5] battue; raid.

облага́ть [1], ⟨обложи́ть⟩ [16] impose (*tax, fine* T); tax; fine.

облагор|а́живать [1], ⟨~о́дить⟩ [15] ennoble, refine; finish.

облада́|ние *n* [12] possession (of T);

~ть [1] (Т) possess; command; (*health*) be in; ~ть собой control o. s.
óблако *n* [9; *pl.*: -кá, -кóв] cloud.
обл|áмывать [1], ⟨~омáть⟩ [1] & ⟨~омить⟩ [14] break off.
обласкáть [1] *pf.* treat kindly.
област|нóй [14] regional; **'~ь** *f* [8; *from g/pl. e.*] region; province, sphere, field (*fig.*).
облáтка *f* [5; *g/pl.*: -ток] wafer; capsule.
облачéние *n* [12] *eccl.* vestments [*pl.*]
óблачный [14; -чен, -чна] cloudy.
обле|гáть [1], ⟨ҁчь⟩ [26 г/ж; *cf.* лечь] cover; fit (*close*).
облегч|áть (-xtʃ-) [1], ⟨~ить⟩ [16 *e.*; -чý, -чишь; -чённый] lighten; facilitate; ease, relieve.
обледенéлый [14] ice-covered.
облéзлый F [14] mangy, shabby.
обле|кáть [1], ⟨ҁчь⟩ [26] dress; invest (with Т); put, express; **-ся** put on (в В); be(come) invested.
облеп|лять [28], ⟨~ить⟩ [14] stick all over (*or* round); besiege.
облет|áть [1], ⟨~éть⟩ [11] fly round (*or*: *all* over, past, in); fall.
облéчь [1], *s.* облегáть & облекáть.
обли|вáть [1], ⟨ҁть⟩ [оболью, -льёшь; облéй!; óблил, -á, -о; óблитый (óблит, -á, -о)] pour (s. th. Т) over, wet; flood; soak; **-ся** [*pf.*: -ился, -илáсь, -илóсь] (Т) pour over o. s.; shed (*tears*); be dripping (*with sweat*) *or* covered (*with blood*); bleed (*heart*).
облигáция *f* [7] bond.
облиз|ывать [1], ⟨~áть⟩ [3] lick (off); **-ся** lick one's lips (*or* o. s.).
óблик *m* [1] face, look; figure.
обли́|ть(ся) *s.* ~вáть(ся); **~цóвывать** [1], ⟨~цевáть⟩ [7] face.
облич|áть [1], ⟨~ить⟩ [16 *e.*; -чý, -чишь; -чённый] unmask; reveal; convict (of в П); **~éние** *n* [12] exposure; conviction; **~ительный** [14; -лен, -льна] accusatory, incriminating; **~ить** *s.* ~áть.
облож|éние *n* [12] taxation; ⚔ siege; **~ить** *s.* обкладывать & облагáть; **ҁка** [5; *g/pl.*: -жек] cover, (book) jacket.
облок|áчиваться [1], ⟨~отиться⟩ [15 & 15 *e.*; -кочýсь, -кóтишься] lean one's elbows (on на В).
облом|áть, ~ить *s.* облáмывать; **ҁок** *m* [1; -мка] fragment; *pl.* debris, wreckage.
облуч|áть [1], ⟨~ить⟩ [16 *e.*; -чý, -чишь; -чённый] ray.
облучóк *m* [1; -чкá] (coach) box.
облюбовáть [7] *pf.* take a fancy to.
обмáз|ывать [1], ⟨~ать⟩ [3] besmear; plaster, coat, cement.
обмáк|ивать [1], ⟨~нуть⟩ [20] dip.
обмáн *m* [1] deception; deceit, fraud; ~ зрéния optical illusion; **~ный** [14] deceitful, fraudulent; **~ýть(ся)** *s.* ~ывать(ся); **~чивый** [14 *sh.*] deceptive; **~щик** *m* [1], **~щица** *f* [5] cheat, deceiver; **~ывать** [1], ⟨~ýть⟩ [20] (**-ся** be) deceive(d), cheat; (be mistaken in в П).
обм|áтывать, ⟨~отáть⟩ [1] wind (round); **~áхивать** [1], ⟨~ахнýть⟩ [19] wipe, dust; fan.
обмéн *m* [1] exchange (in/for в В/на В); interchange (of Т, Р); **~ивать** [1], ⟨~ять⟩ [28] & F ⟨~ить⟩ [13; -еню, -éнишь; -енённый] exchange (for на В; **-ся** s. th. Т).
обм|ерéть *s.* ~ирáть; **~етáть** [1], ⟨~ести⟩ [25 -т-: обметý] sweep (off), dust; **~ирáть** F [1], ⟨~ерéть⟩ [12; обомрý, -рёшь; óбмер, -рлá, -о; обмéрший] be struck *or* stunned (with *fear* от Р).
обмóлв|иться [14] *pf* make a slip (in speaking); (Т) mention, say; **~ка** *f* [5; *g/pl.*: -вок] slip of the tongue.
обмолóт *m* [1] thresh(ing).
обморóзить [15] *pf.* frostbite.
óбморок *m* [1] faint, swoon (*vb.*: пáдать, *pf.* упáсть в ~).
обмот|áть *s.* обмáтывать; **ҁка** *f* [5; *g/pl.*: -ток] ⚡ winding; *pl.* puttees. [*pf.* uniform, outfit.]
обмундировá|ние *n* [12], **~ть** [7]
обмы|вáть [1], ⟨ҁть⟩ [22] wash (off); **~вáние** *n* [12] *a.* ablution.
обнадёж|ивать [1], ⟨~ить⟩ [16] (re)assure, encourage, raise hopes.
обнаж|áть [1], ⟨~ить⟩ [16 *e*; -жý, -жишь; -жённый] bare, strip; lay bare; uncover; unsheathe.
обнарóдовать [7] *pf.* promulgate.
обнарýж|ивать [1], ⟨~ить⟩ [16] disclose, show, reveal; discover, detect; **-ся** appear, show; come to light; be found, discovered.
обнести́ *s.* обносить.
обн|имáть [1], ⟨~ять⟩ [обнимý, обнимешь; óбнял, -á, -о; óбнятый (óбнят, -á, -о)] embrace, hug, clasp.

обнищáлый [14] impoverished.
обнóв|(к)а F *f* [5; (*g/pl.*: -вок)] new thing, novelty; **~и́ть** *s.* ~ля́ть; **~лéние** *n* [12] renewal; renovation; **~ля́ть** [28], ⟨~и́ть⟩ [14 *e.*; -влю́, -ви́шь; -влённый] renew; renovate.
обн|оси́ть [15], ⟨~ести́⟩ [24 -с-: -су́] carry (round); serve; pass by; (T) fence in, enclose; **-ся** F *impf.* wear out one's clothes.
обнюх|ивать, ⟨~ать⟩ [1] smell at.
обня́ть *s.* обнимáть.
обобрáть *s.* обирáть.
обобщ|áть [1], ⟨~и́ть⟩ [16 *e.*; -щу́, -щи́шь; -щённый] generalize; **~ествля́ть** [28], ⟨~естви́ть⟩ [14 *e.*; -влю́, -ви́шь; -влённый] socialize; **~и́ть** *s.* ~áть.
обога|щáть [1], ⟨~ти́ть⟩ [15 *e.*; -ащу́, -ти́шь; -ащённый] enrich.
обогнáть *s.* обгоня́ть.
обогну́ть *s.* огибáть.
обоготворя́ть [28] *s.* боготвори́ть.
обогревáть [1] *s.* греть.
óбод *m* [1; *pl.*: ободья, -дьев] rim, felloe; **~óк** *m* [1; -дкá] rim.
обóдр|анный F [14 *sh.*] ragged, shabby; **~áть** *s.* обдирáть; **~éние** *n* [12] encouragement; **~я́ть** [28], ⟨~и́ть⟩ [13] encourage; **-ся** take courage.
обожáть [1] adore, worship.
обождáть F = подождáть.
обожеств|ля́ть [28], ⟨~и́ть⟩ [14 *e.*; -влю́, -ви́шь; -влённый] deify.
обожжённый [14; -ён, -енá] burnt.
обóз *m* [1] train (*a.* ⚔), carts *pl.*
обозвáть *s.* обзывáть.
обознач|áть [1], ⟨¿ить⟩ [16] denote, designate, mark; **-ся** appear; **~éние** *n* [12] designation.
обозр|евáть [1], ⟨~éть⟩ [9], **~éние** *n* [12] survey; review.
обó|и *m/pl.* [3] wallpaper; **~йти́(сь)** *s.* обходи́ть(ся); **~йщик** *m* [1] upholsterer; **~крáсть** *s.* обкрáдывать.
оболóчка *f* [5; *g/pl.*: -чек] cover(-ing), envelope; *anat.* membrane; ⊕ jacket, casing; рáдужная ~ iris.
оболь|сти́тель *m* [4] seducer; **~сти́тельный** [14; -лен, -льна] seductive; **~щáть** [1], ⟨~сти́ть⟩ [15 *e.*; -льщу́, -льсти́шь; -льщённый] seduce; (**-ся** be) delude(d; flatter o. s.); **~щéние** *n* [12] seduction; delusion.
обомлéть F [8] *pf.* be stupefied.
обоня́ние *n* [12] (sense of) smell.
оборáчивать(ся) *s.* обёртывать (-ся).
оборв|áнец F *m* [1; -нца] ragamuffin; **¿анный** [14 *sh.*] ragged; **~áть** *s.* обрывáть.
обóрка *f* [5; *g/pl.*: -рок] frill, ruffle.
оборóн|а *f* [5] defense (*Brt.* defence); **~и́тельный** [14] defensive, defense...; **~ный** [14] defense..., armament...; **~оспосóбность** *f* [8] defensive capacity; **~я́ть** [28] defend.
оборóт *m* [1] revolution; rotation; circulation; turn; turnover; transaction; back, reverse; (см.) на ~е p. t. o.; в ~ F (*take*) to task; **~и́ть(ся)** P [15] *pf. s.* оберну́ть(ся); **~ливый** F [14 *sh.*] sharp, smart; **~ный** [14] back, reverse, seamy (*side*); ✝ circulating.
обору́дова|ние *n* [12] equipment; **~ть** [7] (*im*)*pf.* equip; fit out.
обосн|овáние *n* [12] substantiation; ground(s); **~óвывать** [1], ⟨~овáть⟩ [7] prove, substantiate; **-ся** settle down.
обос|обля́ть [28], ⟨~óбить⟩ [14] segregate, isolate, detach.
обостр|я́ть [28], ⟨~и́ть⟩ [13] (**-ся** become) aggravate(d), strain(ed); refine(d).
обоюд|ный [14; -ден, -дна] mutual; **~оóстрый** [14 *sh.*] double-edged.
обраб|áтывать, ⟨~óтать⟩ [1] work, process; ⸙ till; elaborate, finish, polish; treat; adapt; F work; *p. pr. a.* ⊕ manufacturing; **~óтка** *f* [5; *g/pl.*: -ток] processing; ⸙ cultivation; elaboration; adaptation.
óбраз *m* [1] manner, way (in T), mode; form; figure, character; image; [*pl.*: ~á, *etc. e.*] icon; каки́м (таки́м) ~ом how (thus); никóим ~ом by no means; **~éц** *m* [1; -зцá] specimen, sample; model, example; pattern; fashion, way (in на B); **~ный** [14; -зен, -зна] graphic, vivid; **~овáние** *n* [12] formation; constitution; education; **~óванный** [14 *sh.*] educated; **~овáтельный** [14; -лен, -льна] (in)formative; **~óвывать** [1], ⟨~овáть⟩ [7] form (*v/i.* **-ся**; arise); constitute; educate; cultivate; **~у́мить(ся)** F [14] *pf.* bring (come) to one's senses; **~цóвый** [14] exemplary, model...; **¿чик** *m* [1] *s.* ~éц.

обрам|ля́ть [28], ⟨*ѧ*ить⟩ [14 *st.*], *fig.* ⟨~и́ть⟩ [14 *e.*; -млю́, -ми́шь; -млённый] frame.

обраст|а́ть [1], ⟨~и́⟩ [24 -ст-: -сту́; обро́с, -ла́] overgrow; be overgrown.

обра|ти́ть *s.* ~ща́ть; *ѧ*тный [14] back, return...; reverse, (*a.* ⚔) inverse; ⚖ retroactive; *ѧ*тно back; conversely; **~ща́ть** [1], ⟨~ти́ть⟩ [15 *e.*; -ащу́, -ати́шь; -ащённый] turn; direct; convert; employ; draw *or* pay *or* (на себя́) attract (*attention*; to на В); не ~ща́ть внима́ния (на В) disregard; **-ся** turn (to в В); address o.s. (to к Д), apply (to; for за Т); appeal; take (to *flight* в В); *impf.* (с Т) treat, handle; circulate; **~ще́ние** *n* [12] conversion; transformation; circulation; (с Т) treatment (of), management; manners *pl.*; address; appeal.

обре́з *m* [1] edge; **~а́ть** [1], ⟨~ать⟩ [3] cut off; cut short; **~ок** *m* [1; -зка] scrap; **~ывать** [1] *s.* ~а́ть.

обре|ка́ть [1], ⟨*ѧ*чь⟩ [26] doom (to на В, Д).

обремен|и́тельный [14; -лен, -льна] burdensome; **~я́ть** [28], ⟨~и́ть⟩ [13] burden.

обре|чённый [14] doomed (to на В); *ѧ***чь** *s.* ~ка́ть.

обрисо́в|ывать [1], ⟨~а́ть⟩ [7] outline, sketch; **-ся** loom, appear.

обро́к *m* [1] (quit)rent, tribute.

обро́сший [17] overgrown.

обруб|а́ть [1], ⟨~и́ть⟩ [14] hew (off), lop; *ѧ***ок** *m* [1; -бка] stump, block.

о́бруч *m* [1; *from g/pl. e.*] hoop; **~а́льный** [14] engagement...; **~а́ть** [1], ⟨~и́ть⟩ [16 *e.*; -чу́, -чи́шь; -чённый] affiance, betroth; **-ся** be(come) engaged (to с Т); **~е́ние** *n* [12] betrothal; **~ённый** [14] fiancé(e ~ённая *f*).

обру́ш|ивать [1], ⟨~ить⟩ [16] demolish; cast; **-ся** fall in, collapse; fall (up)on (на В).

обры́в *m* [1] precipice, steep; **~а́ть** [1], ⟨оборва́ть⟩ [-ву́, -вёшь; -ва́л, -вала́, -о; обо́рванный] tear *or* pluck (off, round); break off, cut short; **-ся** *a.* fall (from с Р); **~истый** [14 *sh.*] steep; abrupt; **~ок** *m* [1; -вка] scrap, shred; **~очный** [14; -чен, -чна] scrappy.

обры́зг|ивать, ⟨~ать⟩ [1] sprinkle.

обрю́зглый [14] flabby, bloated.

обря́д *m* [1] ceremony, rite.

об|са́живать [1], ⟨~сади́ть⟩ [15] plant (with Т); **~сева́ть** [1], ⟨~се́ять⟩ [27] sow; stud (with Т).

обсервато́рия *f* [7] observatory.

обсле́дова|ние *n* [12] (P) inspection (of), inquiry (into), investigation (of); **~ть** [7] (*im*)*pf.* inspect, examine, investigate.

обслу́ж|ивание *n* [12] service; operation; **~ивать** [1], ⟨~и́ть⟩ [16] serve, attend; operate; supply (В/Т).

обсо́хнуть *s.* обсыха́ть.

обста|вля́ть [28], ⟨*ѧ*вить⟩ [14] surround; furnish, fit out (with Т); F arrange, settle; **~но́вка** *f* [5; *g/pl.*: -вок] furniture; *thea.* scenery; situation, conditions *pl.*

обстоя́тель|ный [14; -лен, -льна] detailed, circumstantial; F solid, thorough; **~ственный** [14] adverbial; **~ство** *n* [9] circumstance (under, in при П, в П; for по Д); *gr.* adverb.

обстоя́ть [-ои́т] be, stand; как обстои́т де́ло с (Т)? what about ...?

обстре́л *m* [1] bombardment, fire; **~ивать** [1], ⟨~я́ть⟩ [28] fire on, shell; *p. pt. p.* F tried.

обступ|а́ть [1], ⟨~и́ть⟩ [14] surround.

об|сужда́ть [1], ⟨~суди́ть⟩ [15; -ждённый] discuss; **~сужде́ние** *n* [12] discussion; **~суши́ть** [16] *pf.* dry; **~счита́ть** [1] *pf.* cheat; **-ся** miscalculate.

обсып|а́ть [1], ⟨*ѧ*ать⟩ [2] strew.

обс|ыха́ть [1], ⟨~о́хнуть⟩ [21] dry.

обт|а́чивать [1], ⟨~очи́ть⟩ [16] turn; **~ека́емый** [14] streamline...; **~ере́ть** *s.* ~ира́ть; **~ёсывать** [1], ⟨~еса́ть⟩ [3] hew; **~ира́ть** [1], ⟨~ере́ть⟩ [12; оботру́; обтёр; *ger. pt. a.*: -тёрши & -терёв] rub off *or* down, wipe (off), dry; F fray.

обточи́ть *s.* обта́чивать.

обтрёпанный [14] shabby, frayed.

обтя́|гивать [1], ⟨~ну́ть⟩ [19] cover (with Т); *impf.* fit close; **~жка** *f* [5]: в ~жку close-fitting.

обу|ва́ть [1], ⟨*ѧ*ть⟩ [18] put (**-ся** one's) shoes on; F shoe; **'~вь** *f* [8] footwear, shoes *pl.*

обу́гл|ивать [1], ⟨~ить⟩ [13] char.

обу́за *f* [5] burden, load.

обу́зд|ывать [1], ⟨~а́ть⟩ [1] bridle.

обусло́в|ливать [1], ⟨~ить⟩ [14] condition (on Т); cause.

обу́ть(ся) *s.* обува́ть(ся).
о́бух *m* [1] butt; F thunder(*struck*).
обуч|а́ть [1], ⟨~и́ть⟩ [16] teach (s. th. Д), train; **-ся** (Д) learn, be taught; **~е́ние** *n* [12] instruction, training; education.
обхва́т *m* [1] arm's span; circumference; **~ывать** [1], ⟨~и́ть⟩ [15] clasp (in T), embrace, infold.
обхо́|д *m* [1] round, beat (be on де́лать); detour; *vb.* + в ~д *s.* ~ди́ть; evasion; **~ди́тельный** [14; -лен, -льна] affable, amiable; **~ди́ть** [15], ⟨обойти́⟩ [обойду́, -дёшь; *cf.* идти́] go *or* pass round; travel through (many) *or* over; visit (all [one's]); ⚔ outflank; avoid; pass over (in T); (**-ся,** ⟨-сь⟩) cost (me мне); manage; do without (без P); there is (*no ... without*); treat (s.b. с T); **~дный** [14] roundabout; **~жде́ние** *n* [12] treatment, manners *pl.*
обш|а́ривать [1], ⟨~а́рить⟩ [13] rummage (around); **~ива́ть** [1], ⟨~и́ть⟩ [обошью́, -шьёшь; *cf.* шить] sew round, border (with T); plank, face, sheath; F clothe; **~и́вка** *f* [5] trimming, *etc.* (*s. vb.*).
обши́|рный [14; -рен, -рна] vast, extensive; numerous; **~ть** *s.* ~ва́ть.
обща́ться [1] associate (with с T).
обще|досту́пный [14; -пен, -пна] popular; *s. a.* досту́пный; **~жи́тие** *n* [12] hostel, home; social intercourse *or* (way of) life; **~изве́стный** [14; -тен, -тна] well-known.
обще́ние *n* [12] intercourse.
общепри́нятый [14 *sh.*] generally accepted, common.
обще́ств|енность *f* [8] community, public (opinion); **~енный** [14] social, public; common; **'~о** *n* [9] society; company; association; community; **~ове́дение** *n* [12] social science.
общеупотреби́тельный [14; -лен, -льна] current, common, widespread.
о́бщ|ий [17; общ, -а́, -е] general; common (in ~его); public; total, (в ~ем on the) whole; (*table*) d'hôte; **~ина** *f* [5] community; † *a.* = ~ество; **~и́тельный** [14; -лен, -льна] sociable, affable; **~ность** *f* [8] community; commonness.
объе|да́ть [1], ⟨~сть⟩ [-е́м, -е́шь, *etc. s.* есть[1]] eat *or* gnaw round, away; **-ся** overeat o.s.
объедин|е́ние *n* [12] association, union; unification; **~я́ть** [28], ⟨~и́ть⟩ [13] unite (*cf. a.* ООН), join (**-ся** *v/i.*); rally.
объе́дки F *m/pl.* [1] leavings.
объе́|зд *m* [1] detour, by-pass; *vb.* + в ~зд = **~зжа́ть** [1] **1.** ⟨~хать⟩ [-е́ду, -е́дешь] go, drive round; travel through *or* over; visit (all [one's]); **2.** ⟨~здить⟩ [15] break in; F *s.* 1.; **~кт** *m* [1] object; **~кти́вный** [14; -вен, -вна] objective.
объём *m* [1] volume; size; extent, range; **~истый** [14 *sh.*] voluminous.
объе́сть(ся) *s.* объеда́ть(ся).
объе́хать *s.* объезжа́ть 1.
объяв|и́ть *s.* ~ля́ть; **~ле́ние** *n* [12] announcement, notice; advertisement; declaration; **~ля́ть** [28], ⟨~и́ть⟩ [14] declare (s.th. *a.* о П; s.b. [to be] s.th. В/T), tell; announce, proclaim; advertise; express.
объясн|е́ние *n* [12] explanation; declaration (of *love* в П); **~и́мый** [14 *sh.*] explicable, accountable; **~и́тельный** [14] explanatory; **~я́ть** [28], ⟨~и́ть⟩ [13] explain, illustrate; account for; **-ся** explain o.s.; be accounted for; declare o.s.; *impf.* make o.s. understood (by T).
объя́тия *n/pl.* [12] embrace (*vb.*: заключи́ть в ~); (*with open*) arms.
обыва́тель *m* [4] inhabitant; Philistine; **~ский** [16] Philistine...
обы́гр|ывать, ⟨~а́ть⟩ [1] beat; win.
обы́денный [14] everyday, ordinary.
обыкнове́н|ие *n* [12] habit; по ~ию as usual; **~ный** [14; -е́нен, -е́нна] ordinary, usual, habitual.
о́быск *m* [1], **~ивать** [1], ⟨~а́ть⟩ [3] search.
обы́ч|ай *m* [3] custom; F habit; **~ный** [14; -чен, -чна] customary, usual, habitual.
обя́занн|ость *f* [8] duty; ⚔ service; исполня́ющий ~ости (P) acting; **~ый** [14 *sh.*] obliged; indebted, owe; responsible.
обяза́тель|ный [14; -лен, -льна] obligatory, compulsory; ~но without fail, certainly; **~ство** *n* [9] obligation; liability; engagement.
обя́з|ывать [1], ⟨~а́ть⟩ [3] oblige; bind, commit; **-ся** engage, undertake, pledge o.s.
овдове́вший [17] widowed.

овёс *m* [1; овса́] oats *pl.*
ове́чий [18] sheep('s).
овлад|ева́ть [1], ⟨~е́ть⟩ [8] (T) seize, take possession of; get control over; master.
о́вощ|и *m/pl.* [1; *gen.*: -ще́й, *etc. e.*] vegetables; **~но́й** [14]: ~но́й магази́н *m* greengrocery.
овра́г *m* [1] ravine.
овся́нка *f* [5; *g/pl.*: -нок] oatmeal.
овц|а́ *f* [5; *pl. st.*; *g/pl.*: ове́ц] sheep; **~ево́дство** *n* [9] sheep breeding.
овча́рка *f* [5; *g/pl.*: -рок] sheep dog.
овчи́на *f* [5] sheepskin.
ога́рок *m* [1; -рка] candle end.
огиба́ть [1], ⟨обогну́ть⟩ [20] turn *or* bend (round); ⚓ double.
оглавле́ние *n* [12] table of contents.
огла́|ска *f* [5] publicity; **~ша́ть** [1], ⟨~си́ть⟩ [15 *e.*; -ашу́, -аси́шь -ашённый] announce; divulge; publish (the banns of); fill, resound; **-ся** ring; **~ше́ние** [12] announcement; publication; banns *pl.*
огло́бля *f* [6; *g/pl.*: -бель] shaft.
оглуш|а́ть [1], ⟨~и́ть⟩ [16 *e.*; -шу́, -ши́шь; -шённый] deafen, stun; **~и́тельный** [14; -лен, -льна] deafening, stunning.
огля́|дка F *f* [5]: без ~дки headlong, hastily; **~дывать** [1], ⟨~де́ть⟩ [11] examine, take a view of; **-ся 1.** look round; **2.** *pf.*: ⟨~ну́ться⟩ [20] look back (at на B).
огне|во́й [14] fire...; fiery; **~дыша́щий** [17] volcanic; **~мёт** *m* [1] flame thrower; **'~нный** [14] fiery; **~опа́сный** [14; -сен, -сна] inflammable; **~сто́йкий** [16; -о́ек, -о́йка] *s.* ~упо́рный; **~стре́льный** [14] fire(*arm*); **~туши́тель** *m* [4] fire extinguisher; **~упо́рный** [14; -рен, -рна] fireproof; fire (*clay, etc.*).
огни́во *n* [9] (fire) steel, stone.
огов|а́ривать [1], ⟨~ори́ть⟩ [13] slander; stipulate; *a.* = **-ся** make a reservation; *s. a.* обмо́лвиться; **~о́р** F *m* [1] slander; **~о́рка** *f* [5; *g/pl.*: -рок] reservation, reserve, proviso; *a.* = обмо́лвка, *cf.*
огол|я́ть [28], ⟨~и́ть⟩ [13] bare.
огонёк *m* [1; -нька́] light; spark.
ого́нь *m* [4; огня́] fire (*a. fig.*); light; из огня́ да в по́лымя out of the frying pan into the fire; сквозь ~ и во́ду through thick & thin.
огор|а́живать [1], ⟨~оди́ть⟩ [15 & 15 *e.*; -ожу́, -о́ди́шь; -о́женный] enclose, fence (in); **~о́д** *m* [1] kitchen garden; **~о́дник** *m* [1] trucker, market *or* kitchen gardener; **~о́дничество** *n* [9] trucking, market gardening.
огорч|а́ть [1], ⟨~и́ть⟩ [16 *e.*; -чу́, -чи́шь; -чённый] grieve (**-ся** *v/i.*), (be) afflict(ed), vex(ed), distress(ed with T); **~е́ние** *n* [9] grief, affliction, trouble; **~и́тельный** [14; -лен, -льна] grievous; vexatious.
огра|бле́ние *n* [12] robbing, robbery; **~́да** *f* [5] fence; wall; **~жда́ть** [1], ⟨~ди́ть⟩ [15 *e.*; -ажу́, -ади́шь; -аждённый] enclose; guard, protect; **~жде́ние** *n* [12] enclosure; protection.
огранич|е́ние *n* [12] limitation; restriction; **~́енный** [14 *sh.*] confined; limited; narrow(-minded); **~́ивать** [1], ⟨~́ить⟩ [16] confine, limit, restrict (o.s. **-ся**; to T; content o.s. with; not go beyond); **~и́тельный** [14]; -лен, -льна] restrictive.
огро́мный [14; -мен, -мна] huge, vast; enormous, tremendous.
огрубе́лый [14] coarse, hardened.
огрыз|а́ться F [1], *once* ⟨~ну́ться⟩ [20] snap; **~́ок** *m* [1; -зка] bit, end; stump, stub.
огу́льный F [14; -лен, -льна] wholesale, indiscriminate; unfounded; *adv. a.* in the lump.
огуре́ц *m* [1; -рца́] cucumber.
ода́лживать [1], ⟨одолжи́ть⟩ [16 *e.*; -жу́, -жи́шь] lend (a. p. s. th. Д/В); borrow; oblige (a p. by В/Т).
одар|ённый [14 *sh.*] gifted; **~́ивать** [1], ⟨~и́ть⟩ [13] present, gift; (with T); *fig.* (*impf.* **~я́ть** [28]) endow (with T).
оде|ва́ть [1], ⟨~́ть⟩ [-е́ну, -е́нешь; -е́тый) dress (**-ся** *v/i.*); **~́жда** *f* [5] clothes *pl.*, clothing.
одеколо́н *m* [1] cologne.
одел|я́ть [28], ⟨~и́ть⟩ [13] *s.* одари́вать.
одеревене́лый [14] numb.
оде́рж|ивать [1], ⟨~а́ть⟩ [4] gain, win; **~и́мый** [14 *sh.*] (T) obsessed (by), afflicted (with).
оде́ть(ся) *s.* одева́ть(ся).
одея́ло *n* [9] blanket, cover(let).
оди́н *m*, одна́ *f*, одно́ *n*, одни́ *pl.* [33] one; alone; only; a, a certain, some; одно́ *su.* one thing, thought,

etc.; ~ на ~ face to face; tête-à-tête; hand to hand; все до одного́ (*or* все как ~) all to a (*or* the last) man; *cf.* пять & пя́тый.

один|а́ковый [14 *sh.*] equal, identical, the same; **~ёшенек** [-нька] F quite alone; **~надцатый** [14] eleventh; *cf.* пя́тый; **~надцать** [35] eleven; *cf.* пять; **~о́кий** [16 *sh.*] lonely; single; lonesome; **~о́чество** *n* [9] solitude, loneliness; **~о́чка** *m/f* [5; *g/pl.*: -чек] lone person; individualist; one-man boat (*or* F cell); ~о́чкой, в ~о́чку alone; **~о́чный** [14] single, solitary; individual; one-man...

одича́лый [14] (run) wild.

однажды once, one day.

одна́ко, (*a.* ~ ж[е]) however, yet, still.

одно́... : **~бо́ртный** [14] single-breasted; **~вре́ме́нный** [14] simultaneous; **~гла́зый** [14] one-eyed; **~дне́вный** [14] one-day; **~зву́чный** [14; -чен, -чна] monotonous; **~зна́чный** [14; -чен, -чна] synonymous (*a.* **~зна́чащий** [17]); ⅍ simple, of one place; **~имённый** [14; -ёнен, -ённа] of the same name; **~кла́ссник** *m* [1] classmate; **~коле́йный** [14] single-track; **~кра́тный** [14; -тен, -тна] occuring once, single; *gr.* momentary; **~ле́тний** [15] one-year(-old); ⚘ annual; **~ле́ток** *m* [1; -тка] coeval; **~ме́стный** [14] single-seated; **~обра́зный** [14; -зен, -зна] monotonous; **~ро́дный** [14; -ден, -дна] homogeneous; **~ру́кий** [16] one-armed; **~сло́жный** [14; -жен, -жна] monosyllabic; **~сторо́нний** [15; -о́нен, -о́ння] one-sided (*a. fig.*); unilateral; **~фами́лец** *m* [1; -льца] namesake; **~цве́тный** [14; -тен, -тна] monochromatic; plain; **~эта́жный** [14] one-storied (*Brt.* -reyed).

одобр|е́ние *n* [12] approval, approbation; **~и́тельный** [14; -лен, -льна] approving; **~я́ть** [28], ⟨**~ить**⟩ [13] approve (of).

одол|ева́ть [1], ⟨~е́ть⟩ [8] overcome, defeat; F exhaust; master.

одолж|е́ние *n* [12] favo(u)r; **~и́ть** *s.* ода́лживать.

одр † *m* [1 *e.*] bed, couch; bier.

одува́нчик *m* [1] dandelion.

оду́м|ываться, ⟨~аться⟩ [1] change one's mind.

одур|ма́нивать [1], ⟨~ма́нить⟩ [13] stupefy; **'~ь** F [8] stupor; **~я́ть** F [28] stupefy.

одутлова́тый [14 *sh.*] puffed up.

одухотвор|я́ть [28], ⟨~и́ть⟩ [13] inspire.

одушев|лённый [14] *gr.* animate; **~ля́ть** [28], ⟨~и́ть⟩ [14 *e.*; -влю́, -ви́шь; -влённый] animate, inspire.

оды́шка *f* [5] short wind.

ожере́лье *n* [10] necklace.

ожесточ|а́ть [1], ⟨~и́ть⟩ [16 *e.*; -чу́, -чи́шь; -чённый] harden; exasperate; **~е́ние** *n* [12] exasperation; bitterness; **~ённый** [14 *sh.*] *a.* violent, fierce, bitter.

ожи|ва́ть [1], ⟨~ть⟩ [-иву́, -ивёшь; о́жил, -а́, -о] revive; **~ви́ть(ся)** *s.* ~вля́ть(ся); **~вле́ние** *n* [12] animation; **~влённый** [14 *sh.*] animated, lively; bright; **~вля́ть** [28], ⟨~ви́ть⟩ [14 *e.*; -влю́, -ви́шь, -влённый] enliven, animate, resuscitate; **-ся** quicken, revive; brighten.

ожида́|ние *n* [12] expectation; зал ~ния waiting room; **~ть** [1] wait (for P); expect, await.

ожи́ть *s.* оживать.

ожо́г *m* [1] burn; scald.

озабо́|чивать [1], ⟨~тить⟩ [15] disquiet, alarm; **-ся** attend to (T); **~ченный** [14 *sh.*] anxious, solicitous (about T); preoccupied.

озагла́в|ливать [1], ⟨~ить⟩ [14] entitle, give a title to.

озада́ч|ивать [1], ⟨~ить⟩ [16] puzzle, perplex.

озар|я́ть [28], ⟨~и́ть⟩ [13] (**-ся** be[come]) illuminate(d), light (lit) up; brighten, lighten.

озвере́ть [8] *pf.* become brutal.

оздоров|ля́ть [1], ⟨~и́ть⟩ [14] reorganize, reform, improve (the health of).

о́зеро *n* [9; *pl.*: озёра, -ёр] lake.

ози́мый [14] winter (*crops*).

озира́ться [1] look (round *or* back).

озлоб|ля́ть [28], ⟨~ить⟩ [14] (**-ся** become) exasperate(d), embitter(ed); **~ле́ние** *n* [12] exasperation.

ознак|омля́ть [28], ⟨~о́мить⟩ [14] familiarize (o.s. **-ся**, с T with).

ознамен|ова́ние *n* [12] commemoration (in в В); **~о́вывать** [1], ⟨~ова́ть⟩ [7] mark, commemorate, celebrate.

означа́ть [1] signify, mean.

озно́б *m* [1] chill.

озор|ни́к *m* [1 *e.*], **~ни́ца** *f* [5] F *s.* шалу́н(ья); P ruffian; **~нича́ть** [1] F *s.* шали́ть; P behave outrageously; **~но́й** F [14] mischievous, naughty; **~ство́** F *n* [9] mischief; outrage, excess.
ой oh! o dear!; ~ како́й F awful.
ока́з|ывать [1], ⟨~а́ть⟩ [3] show; render, do; exert (*influence*); give (*preference*); **-ся** (T) turn out (to be), be found; find o.s.; be (shown, rendered, given).
окайм|ля́ть [1], ⟨~и́ть⟩ [14 *e.*; -млю́, -ми́шь, -млённый] border.
окамене́лый [14] petrified.
ока́нчивать [1], ⟨око́нчить⟩ [16] finish, end (**-ся** *v/i.*).
ока́пывать [1], ⟨окопа́ть⟩ [1] dig round; entrench (o.s. **-ся**).
окая́нный [14] damned, cursed.
океа́н *m* [1], **~ский** [16] ocean.
оки́|дывать [1], ⟨~нуть⟩ [20] (взгля́дом) take a view of, look at.
окис|ля́ть [28], ⟨~ли́ть⟩ [13] oxidize; **'~ь** *f* [8] oxide.
оккуп|ацио́нный [14] occupation-...; **~и́ровать** [7] (*im*)*pf.* occupy.
окла́д *m* [1] salary; tax rate.
окла́дистый [14 *sh.*] full (*beard*).
оклеи|вать [1], ⟨~ть⟩ [13] paste; paper.
о́клик *m* [1], **~а́ть** [1], ⟨**~**нуть⟩ [20] call, hail.
окно́ *n* [9; *pl. st.*: о́кна, о́кон, о́кнам] window (*look* through в В).
о́ко ⚒ [9; *pl.*: о́чи, оче́й, *etc. e.*] eye.
оков|а́ть *s.* **~**ывать; **~ы** *f/pl.* [5] fetters; **~ывать** [1], ⟨~а́ть⟩ [7 *e.*; окую́, окуёшь; око́ванный] bind; fetter.
околдова́ть [7] *pf.* bewitch.
окол|ева́ть [1], ⟨~е́ть⟩ [8] die.
око́лица *f* [5] *s.* окра́ина & обиня́к.
о́кол|о (P) about, around; by, at, near(ly); nearby; **~ыш** *m* [1] cap-band; **~ьный** [14] roundabout.
око́нный [14] window...
оконч|а́ние *n* [12] end(ing *gr.*), close, termination, completion ([up]on по П), conclusion; **~а́тельный** [14; -лен, -льна] final, definitive; **~ить** *s.* ока́нчивать.
око́п *m* [1] trench; **~а́ть(ся)** *s.* ока́пывать(ся).
о́корок *m* [1; *pl.*: -ка́, *etc. e.*] ham.
око|стене́лый [14] ossified; hardened; *a.* = **~чене́лый** [14] numb (with cold).
око́ш|ечко *n* [9; *g/pl.*: -чек], **~ко** *n* [9; *g/pl.*: -шек] *dim. of* окно́.
окра́ина *f* [5] outskirts *pl.*
окра́|ска *f* [5] painting; dyeing; tinge; **~шивать** [1], ⟨~сить⟩ [15] paint; dye; tinge.
окре́стн|ость (*often pl.*) *f* [8] environs *pl.*, neighbo(u)rhood; **~ый** [14] surrounding; in the vicinity.
окрова́вленный [14] bloodstained.
о́круг *m* [1; *pl.*: -га́, *etc. e.*] district; избира́тельный ~ constituency.
округл|я́ть [28], ⟨~и́ть⟩ [13] round (off); **~ый** [14 *sh.*] roundish.
окруж|а́ть [1], ⟨~и́ть⟩ [16 *e.*; -жу́, -жи́шь; -жённый] surround; **~а́ющий** [17] surrounding; **~е́ние** *n* [12] environment; environs *pl.*, neighbo(u)rhood; encirclement; circle, company; **~и́ть** *s.* **~**а́ть; **~но́й** [14] district...; circular; **~ность** *f* [8] circumference; circle; † vicinity.
окрыл|я́ть [28], ⟨~и́ть⟩ [13] *fig.* wing, encourage.
октя́брь *m* [4 *e.*], **~ский** [16] October.
окули́ровать [7] (*im*)*pf.* graft.
окун|а́ть [1], ⟨~у́ть⟩ [20] dip, plunge (*v/i.* **-ся**; dive, *a. fig.*).
о́кунь *m* [4; *from g/pl. e.*] perch.
окуп|а́ть [1], ⟨~и́ть⟩ [14] (**-ся** be) offset, recompense(d), compensate(d).
оку́рок *m* [1; -рка] cigarette end, cigar stub.
оку́т|ывать, ⟨~ать⟩ [1] wrap (up).
ола́дья *f* [6; *g/pl.*: -дий] fritter.
оледене́лый [14] frozen, iced.
оле́нь *m* [4] deer; се́верный ~ reindeer.
оли́в|а *f* [5], **~ка** *f* [5; *g/pl.*: -вок], **~ковый** [14] olive.
олимп|иа́да *f* [5] Olympiad; **~и́йский** [16] Olympic.
олицетвор|е́ние *n* [12] personification, embodiment; **~я́ть** [28], ⟨~и́ть⟩ [13] personify, embody.
о́лов|о *n* [8], **~я́нный** [14] tin.
о́лух P *m* [1] blockhead, dolt.
ольх|а́ *f* [5], **~о́вый** [14] alder.
ома́р *m* [1] lobster.
оме́ла *f* [5] mistletoe.
омерз|е́ние *n* [12] abhorrence, loathing; **~и́тельный** [14; -лен, -льна] abominable, detestable, loathsome; F lousy.
омертве́лый [14] numb; dead.
омле́т *m* [1] omelet(te).
омоложе́ние *n* [12] rejuvenation.
омо́ним *m* [1] *ling.* homonym.

омрач|áть [1], ⟨**~и́ть**⟩ [16 *e.*; -чу́, -чи́шь; -чённый] darken, sadden (*v/i.* **-ся**).
óмут *m* [1] whirlpool, vortex; deep.
омы|вáть [1], ⟨**~ть**⟩ [22] wash.
он *m*, **~á** *f*, **~ó** *n*, **~и́** *pl.* [22] he, she, it, they.
онемéлый [14] numb; F dumb.
онéжск|ий [16]: ≈ое óзеро *n* Lake Onega.
ону́ча *f* [5] *s.* портя́нка.
ООН (Организáция Объединённых Нáций) U.N.O. (United Nations Organization).
опа|дáть [1], ⟨**~сть**⟩ [25; *pt. st.*] fall (off); diminish, decrease.
опáздывать, ⟨опоздáть⟩ [1] be late (for на В, к Д), arrive (5 min.) late (на 5 мину́т); miss (*train* на В).
опá|ла *f* [5] disgrace, ban; **~льный** [14] disgraced.
опал|я́ть [28], ⟨**~и́ть**⟩ [13] singe.
опас|áться [1] (Р) fear, apprehend; beware (of); **~éние** *n* [12] fear, apprehension, anxiety; **~ливый** [14 *sh.*] wary; anxious; **~ность** *f* [8] danger, peril, jeopardy; risk (at/of с Т/для Р); **~ный** [14; -сен, -сна] dangerous (to для Р); **~ть** *s.* опадáть.
опéк|а *f* [5] guardianship, (*a. fig.*) tutelage; trusteeship; **~áть** [1] be guardian (trustee) to; patronize; **~áемый** [14] ward; **~у́н** *m* [1 *e.*], **~у́нша** *f* [5] guardian; trustee.
опер|ати́вный [14] operative; surgical; executive; ⚔ front..., war...; **~áтор** *m* [1] operator (*a.* ⚕ = surgeon); **~ациóнный** [14] operating.
опере|жáть [1], ⟨**~ди́ть**⟩ [15] outstrip (*a. fig.* = outdo, surpass); **~ние** *n* [12] plumage; **~ться** *s.* опирáться.
опери́ровать [7] (*im*)*pf.* operate.
óперный [14] opera(tic).
опер|я́ться [28], ⟨**~и́ться**⟩ [13] fledge.
опечáт|ка *f* [5; *g/pl.*: -ток] misprint, erratum; **~ывать,** ⟨**~ать**⟩ [1] seal (up).
опи́лки *f/pl.* [5; *gen.*: -лок] sawdust.
опирáться [1], ⟨оперéться⟩ [12; обопру́сь, -рёшься; опёрся, оперлáсь] lean (against, on на В), *a. fig.* = rest, rely ([up]on).
опис|áние *n* [12] description; **~áтельный** [14] descriptive; **~áть** *s.* **~ывать**; **~ка** *f* [5; *g/pl.*: -сок] slip of the pen; **~ывать** [1], ⟨**~áть**⟩ [3] describe (*a.* ⚖); make (*an inventory* [of]); distrain (upon); **-ся** make a slip of the pen; **'~ь** *f* [8] list, inventory; distraint.
оплáк|ивать [1], ⟨**~ать**⟩ [3] bewail, deplore, mourn (over).
оплá|та *f* [5] pay(ment); settlement; **~чивать** [1], ⟨**~ти́ть**⟩ [15] pay (for); remunerate; settle.
оплеу́ха F *f* [5] box on the ear.
оплодотвор|éние *n* [12] fertilization; **~я́ть** [28], ⟨**~и́ть**⟩ [13] fertilize, fecundate.
оплóт *m* [1] bulwark, stronghold.
оплóшность *f* [8] blunder.
опове|щáть [1], ⟨**~сти́ть**⟩ [15 *e.*; -ещу́, -ести́шь; -ещённый] notify; inform, ✝ *a.* advise (of о П).
опоздá|ние *n* [12] delay; *vb.* + с **~нием** = **~ть,** *s.* опáздывать.
опозн|авáтельный [14] distinctive; **~авáть** [5], ⟨**~áть**⟩ [1] identify.
óползень *m* [4; -зня] landslide.
ополч|áться [1], ⟨**~и́ться**⟩ [16 *e.*; -чу́сь, -чи́шься] rise in arms; **~éние** *n* [12] militia; Territorial Army; **~éнец** *m* [1; -нца] militiaman.
опóмниться [13] *pf.* come to *or* recover one's senses, come round.
опóр *m* [1]: во весь ~ at full speed, at a gallop; **~а** *f* [5] support, prop, rest; **~ный** [14] strong, of support.
опорó|жнить [13] *pf.* empty; **~чивать** [1], ⟨**~чить**⟩ [16] defile.
опошл|я́ть [28], ⟨**~ить**⟩ [13] vulgarize.
опоя́с|ывать [1], ⟨**~ать**⟩ [3] gird.
оппозициóнный [14] opposition...
оппони́ровать [7] (Д) oppose.
опрáва *f* [5] setting; rim, frame.
оправд|áние *n* [12] justification, excuse; ⚖ acquittal; **~áтельный** [14] justificatory; of ‚not guilty'; **~áтельный докумéнт** *m* voucher; **~ывать** [1], ⟨**~áть**⟩ [1] justify, excuse; acquit; **-ся** *a.* prove (*or* come) true.
оправ|ля́ть [28], ⟨**~ить**⟩ [14] put in order; set; **-ся** recover (*a.* o.s.); put one's dress, hair in order.
опрáшивать [1], ⟨опроси́ть⟩ [15] interrogate, question.
определ|éние *n* [12] determination; definition; designation (to. for на В); ⚖ decision; *gr.* attribute; **~ённый** [14; -ёнен, -ённа] definite;

fixed; certain, positive; **~я́ть** [28], ⟨**~и́ть**⟩ [13] determine; define; designate (to, for на В к Д); appoint, fix; **-ся** take shape; enter, enlist (in[to] на В).

опров|ерга́ть [1], ⟨~е́ргнуть⟩ [21] refute; deny; **~ерже́ние** *n* [12] refutation; denial.

опроки́|дывать [1], ⟨~нуть⟩ [20] overturn, upset, capsize (**-ся** *v/i.*); overthrow, throw (down, over).

опро|ме́тчивый [14 *sh.*] rash, precipitate; **'~метью** headlong, at top speed.

опро́с *m* [1] interrogation, inquiry; **~и́ть** *s.* опра́шивать; **~ный** [14]: ~ный лист *m* questionnaire.

опры́ск|ивать, ⟨~ать⟩ [1] sprinkle.

опря́тный [14; -тен, -тна] tidy.

о́птик *m* [1] optician; **~а** *f* [5] optics.

опто́|вый [14], **'~м** *adv.* wholesale.

опубликов|а́ние *n* [12] publication; **∠ывать** [1] *s.* публикова́ть.

опус|ка́ть [1], ⟨~ти́ть⟩ [15] lower; cast down; hang; drop; draw (down); ~ти́ть ру́ки lose heart; **-ся** sink; fall; go down; *fig.* come down (in the world); *p.pt a.* down & out.

опуст|е́лый [14] deserted; **~и́ть** (**-ся**) *s.* опуска́ть(ся); **~оша́ть** [1], ⟨~оши́ть⟩[16 *e.*; -шу́, -ши́шь; -шённый] devastate; **~оше́ние** *n* [12] devastation; **~оши́тельный** [14; -лен, -льна] devastating.

опу́т|ывать, ⟨~ать⟩ [1] wrap (up), muffle (in); *fig.* entangle.

опух|а́ть [1], ⟨∠нуть⟩ [21] swell; **'~оль** *f* [8] swelling, tumo(u)r.

опу́|шка *f* [5; *g/pl.*: -шек] edge, border; **~ще́ние** *n* [12] ommission.

опыл|я́ть [28],⟨~и́ть⟩ [13] pollinate.

о́пыт *m* [1] experiment; attempt; essay; [*sg.*, *pl.* †] experience; **~ный** [14] experiment(al); empirical; [-тен, -тна] experienced.

опьяне́ние *n* [12] intoxication.

опя́ть again (*a.*, F, ~-таки; and ..., too).

ора́ва P *f* [5] gang, horde, mob.

ора́кул *m* [1] oracle.

ора́нже|вый [14] orange...; **~ре́я** *f* [6] greenhouse.

ора́ть F [ору́, орёшь] yell, bawl.

орби́та *f* [5] orbit.

о́рган[1] *m* [1] organ.

орга́н[2] ♪ *m* [1] organ.

организ|а́тор *m* [1] organizer; **∠м** *m* [1] organism; constitution; **~ова́ть** [7] *(im)pf.* (*impf. a.* **~о́вывать** [1]) organize (*v/i.* **-ся**).

органи́ческий [16] organic.

о́ргия *f* [7] orgy.

орда́ *f* [5; *pl. st.*] horde.

о́рден *m* [1; *pl.*: -на́, *etc. e.*] order, decoration.

о́рдер *m* [1; *pl.*: -pá, *etc. e.*] warrant.

ордина́р|ец ⚔ *m* [1; -рца] orderly.

орёл *m* [1; орла́] eagle; ~ или ре́шка? heads or tails?

орео́л *m* [1] halo, aureole.

оре́х *m* [1] nut; лесно́й ~ hazel (-nut); **~овый** [14] (wal)nut...

оригина́льный [14; -лен, -льна] original.

ориенти́р|оваться [7] *(im)pf.* orient o. s. (to на В), take one's bearings; familiarize o. s.; **~о́вка** *f* [5; *g/pl*: -вок] orientation, bearings *pl.*; **~о́вочный** [14; -чен, -чна] approximate, tentative.

орке́стр *m* [1] orchestra; band.

орли́ный [14] aquiline.

оро|ша́ть [1], ⟨~си́ть⟩ [15 *e.*; -ошу́, -оси́шь; -ошённый] irrigate; **~ше́ние** *n* [12] irrigation.

ору́д|ие *n* [12] tool, instrument, implement; ⚔ gun; **~и́йный** [14] gun...; **~овать** F [7] (T) handle, operate.

оруж|е́йный [14] arms...; **∠ие** *n* [12] weapon(s), arm(s); (*cold*) steel.

орфогра́ф|ия *f* [7] spelling; **~и́ческий** [16] orthographic(al).

орхиде́я *f* [6] orchid.

оса́ *f* [5; *pl. st.*] wasp.

оса́|да *f* [5] siege; **~ди́ть** *s.* ~жда́ть & ~живать; **~дный** [14] of siege *or* martial law; **~док** *m* [1; -дка] sediment; *fig.* aftertaste; ~дки *pl.* precipitations; **~жда́ть** [1], ⟨~ди́ть⟩ [15 & 15 *e.*; -ажу́, -а́ди́шь; -аждённый] besiege; ⚗ precipitate; F importune; **~живать** [1], ⟨~ди́ть⟩ [15] check, snub.

оса́н|истый [14 *sh.*] dignified, stately; **~ка** *f* [5] bearing.

осв|а́ивать [1], ⟨~о́ить⟩ [13] master; open up; ⚘ acclimate (*Brt.* -tize); **-ся** accustom o. s. (to в П); familiarize o. s. (with с Т).

осведом|ля́ть [28], ⟨'~ить⟩ [14] inform (of о П); **-ся** inquire (after, for; about о П); **~лённый** [14] informed; versed.

освеж|а́ть [1], ⟨~и́ть⟩ [16 *e.*; -жу́, -жи́шь; -жённый] refresh; freshen *or* touch up; brush up; **~и́тельный** [14; -лен, -льна] refreshing.

осве|щать [1], ⟨~ти́ть⟩ [15 *e.*; -ещу́, -ети́шь; -ещённый] light (up), illuminate; *fig.* elucidate, illustrate.

освиде́тельствова|ние *n* [12] examination; **~ть** [7] *pf.* examine.

освис́т|ывать [1], ⟨~а́ть⟩ [3] hiss.

освобо|ди́тель *m* [4] liberator; **~ди́тельный** [14] emancipatory; **~жда́ть** [1], ⟨~ди́ть⟩ [15*e.*; -ожу́, -оди́шь; -ождённый] (set) free, release; liberate, deliver; emancipate; exempt, excuse; clear; vacate, quit; **~жде́ние** *n* [12] liberation; release; emancipation; exemption.

осво|е́ние *n* [12] mastering; opening up; **~́ить(ся)** *s.* осва́ивать(ся).

освя|щáть [1], ⟨~ти́ть⟩ [15 *e.*; -ящу́, -яти́шь; -ящённый] consecrate.

осе|да́ть [1], ⟨~́сть⟩ [25; ося́дет; осе́л; *cf.* сесть] subside, settle; **~́длый** [14] settled.

осёл *m* [1; осла́] donkey, (*a. fig.*) ass.

осени́ть *s.* осеня́ть.

осе́н|ний [15] autumnal, fall...; **'~ь** *f* [8] fall, *Brt.* autumn (in [the] T).

осен|я́ть [28], ⟨~и́ть⟩ [13] shade; invest; bless, make (*cross*); flash on.

осе́сть *s.* оседа́ть.

осётр *m* [1 *e.*] sturgeon.

осе́чка *f* [5; *g/pl.*: -чек] misfire.

оси́ли|вать [1], ⟨~ть⟩ [13] *s.* одолева́ть.

оси́н|а *f* [5] asp; **~овый** [14] asp(en).

оси́пнуть [21] *pf.* grow hoarse.

осироте́лый [14] orphan(ed).

оска́ли|вать [1], ⟨~ть⟩ [13] show.

оскверн|я́ть [28] ⟨~и́ть⟩ [13] profane, desecrate, defile.

оско́лок *m* [1; -лка] splinter.

оскорб|и́тельный [14; -лен, -льна] offensive, insulting; **~ле́ние** *n* [12] insult, offence; **~ля́ть** [28], ⟨~и́ть⟩ [14 *e.*; -блю́, -би́шь; -блённый] (**-ся** feel) offend(ed), insult.

оскуд|ева́ть [1], ⟨~е́ть⟩ [8] become poor *or* scanty.

ослаб|ева́ть [1], ⟨~е́ть⟩ [8] grow weak *or* feeble, languish; slacken; abate; **~́ить** *s.* **~**ля́ть; **~ле́ние** *n* [12] weakening; relaxation; **~ля́ть** [28], ⟨~́ить⟩ [14] weaken, enfeeble; relax, slacken, loosen.

ослеп|и́тельный [14; -лен. -льна] dazzling; **~ля́ть** [28], ⟨~и́ть⟩ [14 *e.*; -плю́, -пи́шь; -плённый] blind; dazzle.

осложн|е́ние *n* [12 complication; **~я́ть** [28], ⟨~и́ть⟩ [13] (**-ся** be [-come]) complicate(d).

ослу́ш|иваться, ⟨~аться⟩ [1] disobey; **~ник** *m* [1] disobedient p.

ослы́шаться [4] *pf.* hear amiss.

осм|а́тривать [1], ⟨~отре́ть⟩ [9; -отрю́, -о́тришь; -о́тренный] view, examine; inspect; see (*sights*); **-ся** look round; take a view of (в П).

осме́|ивать [1], ⟨~я́ть⟩ [27 *e.*; -ею́, -еёшь; -е́янный] laugh at, ridicule, deride.

осме́ли|ваться [1], ⟨~ться⟩ [13] dare, venture; beg *to*.

осмея́|ние *n* [12] ridicule, derision; **~ть** *s.* осме́ивать.

осмо́тр *m* [1] examination, inspection; (*sight*)seeing; visit (to P); **~е́ть(ся)** *s.* осма́тривать(ся); **~и́тельность** *f* [8] circumspection, prudence; **~и́тельный** [14; -лен, -льна] circumspect, prudent.

осмы́сл|енный [14 *sh.*] sensible; intelligent; **~ивать** [1] & **~я́ть** [28], ⟨~ить⟩ [13] comprehend, conceive; grasp, make sense of.

осна́|стка *f* [5] rigging (out, up); **~ща́ть** [1], ⟨~сти́ть⟩ [15 *e.*: -ащу́, -асти́шь; -ащённый] rig (out, up); **~ще́ние** *n* [12] equipment.

осно́в|а *f* [5] basis, foundation; fundamental, essential principle; *gr.* stem; *text.* warp; **~а́ние** *n* [12] foundation, basis; Å, △, ⌒ base; fundamental; ground(s), reason; argument; **~а́тель** *m* [4] founder; **~а́тельный** [14; -лен, -льна] valid; sound, solid; thorough; **~а́ть** *s.* ~ывать; **~но́й** [14] fundamental, basic, principal, primary; ✝ original (*stock*); **~ополо́жник** *m* [1] founder; **~ывать** [1], ⟨~а́ть⟩ [7] found; establish; **-ся** be based, rest; settle.

осо́ба *f* [5] person; personage.

осо́бенн|ость *f* [8] peculiarity; **~ый** [14] (e)special, particular, peculiar.

особня́к *m* [1 *e.*] villa, private residence; **~о́м** apart; aloof; separate (-ly).

осо́б|ый [14] *s.* ~енный; separate.

осозн|ава́ть [5], ⟨~а́ть⟩ [1] realize.

осо́ка *f* [5] sedge.

о́сп|а *f* [5] smallpox; **~опрививáние** *n* [12] vaccination.

осп|а́ривать [1], ⟨~о́рить⟩ [13] contest, dispute; contend (for).

остава́ться [5], ⟨оста́ться⟩ [-а́нусь,

-áнешься] (T) remain, stay; be left; keep; stick (to); be(come); have to; go, get off; ~ (за T) get, win; reserve, take; owe; ~ без (P) lose, have no (left); ~ с нóсом F get nothing.

остав|лять [28], ⟨∠ить⟩ [14] leave; give up; drop, stop; let (*alone*); keep; ~лять за собóй reserve to o.s.

остальнó|й [14] remaining; *pl. a.* the others; *n & pl. a. su.* the rest (в ~м as for the rest).

остан|áвливать [1], ⟨~ови́ть⟩ [14] stop, bring to a stop; fix; **-ся** stop; put up (at в П); dwell (on на П); **∠ки** *m/pl.* [1] remains; **~ови́ть(ся)** *s.* ~áвливать(ся); **~óвка** *f* [5; *g/pl.*: -вок] stop(page); break; ~óвка за ... (T) (*only*) ... is wanting.

остá|ток *m* [1; -тка] remainder (*a.* A), rest; remnant; *pl.* remains; **~ться** *s.* ~вáться.

остекл|я́ть [28], ⟨~и́ть⟩ [13] glaze.

остервенéлый [14] furious.

остер|егáться [1], ⟨~éчься⟩ [26 г/ж: -егýсь, -ежёшься, -егýтся] (P) beware of, be careful of.

óстов *m* [1] skeleton, framework.

остолбенéлый F [14] stunned.

остолóп F *contp. m* [1] dolt, dunce.

осторóжн|ость *f* [8] caution, heed; **~ый** [14; -жен, -жна] cautious, careful, wary; prudent; ~о! look out!; with care!

остри|гáть [1], ⟨∠чь⟩ [26 г/ж: -игý, -ижёшь, -игýт] (**-ся** have one's hair) cut; crop; shear; pare; **~ё** *n* [12; *g/pl.*: -иёв] point; edge; **∠ть** [13], ⟨за-⟩ sharpen; ⟨с-⟩ joke, be witty; **∠чь(ся)** *s.* ~гáть(ся).

óстров *m* [1; *pl.*: -вá, *etc. e.*] island; isle; **~итя́нин** *m* [1; *pl.*: -я́не, -я́н] islander; **~óк** *m* [1; -вкá] islet.

острóг *m* [1] prison; *hist.* burg.

остро|глáзый F [14 *sh.*] sharp-sighted; **~конéчный** [14; -чен, -чна] pointed; **~тá** *f* [5; *pl. st.*: -óты] sharpness, keenness, acuteness; witticism; joke; **~ýмие** *n* [12] wit; sagacity; **~ýмный** [14; -мен, -мна] witty; ingenious.

óстр|ый [14; остр (F *a.* остёр), -á, -о] sharp, pointed; keen; acute; critical; **~я́к** *m* [1 *e.*] wit(ty fellow).

оступ|áться [1], ⟨~и́ться⟩ [14] stumble.

остывáть [1] *s.* сты́нуть.

осу|ждáть [1], ⟨~ди́ть⟩ [15; -уждённый] condemn; doom (to на B); **~ждéние** *n* [12] condemnation; conviction.

осýнуться [20] *pf.* grow lean.

осуш|áть [1], ⟨~и́ть⟩ [16] drain; dry (up); empty.

осуществ|и́мый [14 *sh.*] practicable; **~ля́ть** [28], ⟨~и́ть⟩ [14 *e.*; -влю́, -ви́шь; -влённый] realize; **-ся** be carried out; come true; **~лéние** *n* [12] realization.

осчастли́вить [14] *pf.* make happy.

осып|áть [1], ⟨∠ать⟩ [2] strew(over); stud; *fig.* heap; **-ся** crumble; fall.

ось *f* [8; *from g/pl. e.*] axis; axle.

осязá|емый [14 *sh.*] tangible; **~ние** *n* [12] sense of touch; **~тельный** [14] of touch; [-лен, -льна] palpable; **~ть** [1] touch, feel.

от, ото (P) from; of; off; against; for, with; in; on behalf.

отáпливать [1], ⟨отопи́ть⟩ [14] heat.

отбав|лять [28], ⟨∠ить⟩ [14] take away *or* off; diminish.

отбе|гáть [1], ⟨~жáть⟩ [4; -бегý, -бежи́шь, -бегýт] run off.

отби|вáть [1], ⟨∠ть⟩ [отобью́, -бьёшь; *cf.* бить] beat, strike (*or* kick) off; ⚔ repel; deliver; snatch away (from у P); break off; **-ся** ward off (от P); get lost, drop behind; break off; F get rid.

отбирáть [1], ⟨отобрáть⟩ [отберý, -рёшь; отобрáл, -á, -о; отóбранный] take away *or* off; select, pick out; collect.

отби́ть(ся) *s.* отбивáть(ся).

óтблеск *m* [1] reflection; vestige.

отбóй *m* [3] ⚔ retreat; all clear (*signal*); *teleph.* ring off.

отбóр *m* [1] selection, choice; **~ный** [14] select, choice, picked.

отбр|áсывать [1], ⟨~óсить⟩ [15] throw off *or* away; ⚔ throw back; reject; **~óсы** *m/pl.* [1] refuse, waste.

отбы|вáть [1], ⟨∠ть⟩ [-бýду, -бýдешь; óтбыл, -á, -о] **1.** *v/i.* leave, depart (for в B); **2.** *v/t.* serve; do; **∠тие** *n* [12] departure.

отвá|га *f* [5] bravery, valo(u)r; **~живаться** [1], ⟨~житься⟩ [16] venture, dare; **~жный** [14; -жен, -жна] valiant, brave.

отвáл: до ~а F one's fill; **~иваться** [1], ⟨~и́ться⟩ [13; -áлится] fall off.

отварнóй [14] boiled.

отвé|дывать, ⟨~дать⟩ [1] (*a.* P) taste; **~зти́** *s.* отвози́ть. [repudiate.

отверг|áть [1], ⟨∠нуть⟩ [21] reject,

отвердева́ть [1] *s.* тверде́ть.
отве́рженный [14] outcast.
отверну́ть(ся) *s.* отвёртывать & отвора́чивать(ся).
отвёр|тка [5; *g/pl.*: -ток] screwdriver; **~тывать** [1], ⟨отверну́ть⟩ [20; отвёрнутый], ⟨отверте́ть⟩ F [11] turn off.
отве́с *m* [1] plummet; **~ить** *s.* отве́шивать; **~ный** [14; -сен, -сна] plumb; sheer; **~ти́** *s.* отводи́ть.
отве́т *m* [1] answer, reply (в ~ на В in reply to); responsibility.
ответвл|е́ние *n* [12] branch, offshoot; **~я́ться** [28] branch off.
отве́|тить *s.* ~ча́ть; **~тственность** *f* [8] responsibility; **~тственный** [14 *sh.*] responsible (to пе́ред Т); **~тчик** *m* [1] defendant; **~ча́ть** [1], ⟨~тить⟩ [15] (на В) answer, reply (to); (за В) answer, account (for); (Д) answer, suit.
отве́|шивать [1], ⟨~сить⟩ [15] weigh out; make (*a bow*).
отви́н|чивать [1], ⟨~ти́ть⟩ [15 *e.*; -нчу́, -нти́шь; -и́нченный] unscrew, unfasten.
отвис|а́ть [1], ⟨~́нуть⟩ [21] hang down, lop; **~́лый** [14] loppy.
отвле|ка́ть [1], ⟨~́чь⟩ [26] divert, distract; abstract; **~чённый** [14 *sh.*] abstract.
отво́д *m* [1] allotment; rejection; **~и́ть** [15], ⟨отвести́⟩ [25] lead, get, take (off); turn off, avert; parry; reject; allot; ~и́ть ду́шу F unburden one's heart; **~ный** [14] drain ...
отво|ёвывать [1], ⟨~ева́ть⟩ [6] (re)conquer, win; **~зи́ть** [15], ⟨отвезти́⟩ [24] take, get, drive (off).
отвора́чивать [1], ⟨отверну́ть⟩ [20] turn off; **-ся** turn away.
отвори́ть(ся) *s.* отворя́ть(ся).
отворо́т *m* [1] lapel; (*boot*) top.
отвор|я́ть [28], ⟨~и́ть⟩ [13; -орю́, -о́ришь; -о́ренный] open (*v/i.* **-ся**).
отвра|ти́тельный [14; -лен, -льна] disgusting, abominable; **~ща́ть** [1], ⟨~ти́ть⟩ [15 *e.*; -ащу́, -ати́шь; -ащённый] avert; **~ще́ние** *n* [12] aversion, disgust (for, at к Д).
отвык|а́ть [1], ⟨~́нуть⟩ [21] (от Р) wean (from), leave off, become disaccustomed (to).
отвя́з|ывать [1], ⟨~а́ть⟩ [3] (**-ся** [be]come) untie(d), undo(ne); F get rid of (от Р); let a person alone.
отга́д|ывать, ⟨~а́ть⟩ [1] guess; **~ка** *f* [5; *g/pl.*: -док] solution.
отгиба́ть [1], ⟨отогну́ть⟩ [20] unbend; turn up (*or* back).
отгов|а́ривать [1], ⟨~ори́ть⟩ [13] dissuade (from от Р); **-ся** pretend (s. th. Т), extricate o. s.; **~о́рка** *f* [5; *g/pl.*: -рок] excuse, pretext.
отголо́сок *m* [1; -ска] *s.* о́тзвук.
отгоня́ть [28], ⟨отогна́ть⟩ [отгоню́, -о́нишь; ото́гнанный; *cf.* гнать] drive (*or* frighten) away; *fig.* banish.
отгор|а́живать [1], ⟨~оди́ть⟩ [15 & 15 *e.*; -ожу́, -о́ди́шь; -о́женный] fence in; partition off.
отгру|жа́ть [1], ⟨~зи́ть⟩ [15 & 15 *e.*; -ужу́, -у́зи́шь; -у́женный & -ужённый] load, ship.
отгрыз|а́ть [1], ⟨~́ть⟩ [24; *pt. st.*] gnaw (off), pick.
отда|ва́ть [5], ⟨~́ть⟩ [-да́м, -да́шь, *etc.*, *cf.* дать; о́тдал, -а́, -о] give back, return; give (away); send (to в В); devote; deliver, (*baggage*) check, *Brt.* book; put; pay; marry; make (*bow*); cast (*anchor*); recoil (*gun*); ~ва́ть честь (Д) ⚔ salute; F sell; *impf.* smell *or* taste (of Т); **-ся** devote o. s.; surrender, give o. s. up; resound; be reflected.
отда́в|ливать [1], ⟨~и́ть⟩ [14] crush.
отдал|е́ние *n* [12] removal; estrangement; distance; **~ённый** [14 *sh.*] remote; **~я́ть** [28], ⟨~и́ть⟩ [13] move away, remove; put off, postpone; alienate; **-ся** move away (from от Р); become estranged.
отда́|ть(ся) *s.* ~ва́ть(ся); **~ча** *f* [5] delivery; recoil; return.
отде́л *m* [1] department; office; section; **~ать(ся)** *s.* ~ывать(ся); **~е́ние** *n* [12] separation; secretion; department, division; branch (office); ⚔ squad; compartment; (police) station; **~и́мый** [14 *sh.*] separable; **~и́ть(ся)** *s.* ~я́ть(ся); **~ка** *f* [5; *g/pl.*: -лок] finishing; trimming; **~ывать**, ⟨~ать⟩ [1] finish, put the final touches on; trim; **-ся** get rid of (от Р); get off, escape (with Т); **~ьность** *f* [8]: в ~ьности individually; **~ьный** [14] separate; individual, single; **~я́ть** [28], ⟨~и́ть⟩ [13; -елю́, -е́лишь] separate (*v/i.* **-ся** from от Р; come off); secrete.
отдёр|гивать [1], ⟨~нуть⟩ [20] draw back; draw open.

отдира́ть [1], ⟨отодра́ть⟩ [отдеру́, -рёшь; отодра́л, -а́, -о; ото́дранный] tear (off); *pf.* F thrash; pull.
отдохну́ть *s.* отдыха́ть.
отду́шина *f* [5] vent (*a. fig.*).
о́тдых *m* [1] rest, relaxation; дом ~а rest home, sanatorium; **~а́ть** [1], ⟨отдохну́ть⟩ [20] rest, relax.
отдыша́ться [4] *pf.* recover breath.
отёк *m* [1] edema.
оте|ка́ть [1], ⟨∠чь⟩ [26] swell; become dropsical.
оте́ц *m* [1; отца́] father.
оте́че|ский [16] fatherly; paternal; **~ственный** [14] native, home...; patriotic (*war*); **~ство** *n* [9] motherland, fatherland, one's (native) country.
оте́чь *s.* отека́ть.
отжи|ва́ть [1], ⟨∠ть⟩ [-живу́, -вёшь; о́тжил, -а́, -о; о́тжи́тый (о́тжи́т, -а́, -о)] (have) live(d, had) (one's time *or* day); become obsolete, die out.
о́тзвук *m* [1] echo, repercussion; response; reminiscence.
о́тзыв *m* [1] response; opinion (in по Д *pl.*), reference; comment, review; recall; password; **~а́ть** [1], ⟨отозва́ть⟩ [отзову́, -вёшь; отозва́л, -а́, -о; ото́званный] take aside; recall; **-ся** respond, answer; speak (of о П); (re)sound; call forth (s. th. Т); affect (s. th. на П); *impf.* smack (of Т); **∠чивый** [14 *sh.*] responsive, sympathetic.
отка́з *m* [1] refusal, denial, rejection (of в П, Р); renunciation (of от Р); ⊕ breakdown; ♪ natural; без ~а smoothly; до ~а to the full; получи́ть ~ be refused; **~ывать** [1], ⟨~а́ть⟩ [3] refuse, deny (a p. s. th. Д/в П); (от Р) dismiss; ⊕ break; **-ся** (от Р) refuse, decline, reject; renounce, give up; would(*n't*) mind.
отка́|лывать [1], ⟨отколо́ть⟩ [17] cut *or* chop off; unfasten; **-ся** come off; secede; **~пывать,** ⟨откопа́ть⟩ [1] dig up, unearth; **~рмливать** [1], ⟨откорми́ть⟩ [14] feed, fatten; **~тывать** [1], ⟨~ти́ть⟩ [15] roll (aside, away) (**-ся** *v/i.*); **~чивать,** ⟨~ча́ть⟩ [1] pump out; **~шливаться** [1], ⟨~шляться⟩ [28] clear one's throat.
отки|дно́й [14] folding, tip-up; **∠дывать** [1], ⟨∠нуть⟩ [20] throw (off; back); turn down; drop, leave; **-ся** recline.
откла́|дывать [1], ⟨отложи́ть⟩ [16] lay aside; save; put off, defer, postpone; **~няться** [28] *pf.* take one's leave.
откле́|ивать [1], ⟨~ить⟩ [13] unstick; **-ся** come unstuck.
о́тклик *m* [1] response; comment; suggestion; *s. a.* о́тзвук; **~а́ться** [1], ⟨∠нуться⟩ [20] (на В) respond (to), answer; comment (on).
отклон|е́ние *n* [12] deviation, deflection; digression; rejection; **~я́ть** [28], ⟨~и́ть⟩ [13; -оню́, -о́нишь] deflect; decline, reject; divert, dissuade; **-ся** deviate, deflect; digress.
отк|оло́ть *s.* ~а́лывать; **~опа́ть** *s.* ~а́пывать; **~орми́ть** *s.* ~а́рмливать.
отко́с *m* [1] slope, slant, (e)scarp.
открове́н|ие *n* [12] revelation; **~ный** [14; -е́нен, -е́нна] frank, candid, open(-hearted), outspoken.
откры|ва́ть [1], ⟨∠ть⟩ [22] open; turn on; discover; disclose; reveal; unveil; inaugurate; **-ся** open; declare *or* unbosom o. s.; **∠тие** *n* [12] opening; discovery; revelation; inauguration; unveiling; **∠тка** *f* [5; *g/pl.*: -ток] (с ви́дом picture) post card; **∠тый** [14] open; public; **∠ть(ся)** *s.* ~ва́ть(ся).
отку́да where from?; wherefrom; P why; *a.*, F, = **~-нибудь, ~-то** (from) somewhere *or* anywhere.
о́ткуп *m* [1; *pl.*: -па́, *etc. e.*] *hist.* lease; **~а́ть** [1], ⟨~и́ть⟩ [14] buy (up); take on lease; **-ся** ransom o. s.
отку́пори|вать [1], ⟨~ть⟩ [13] uncork; open.
отку́с|ывать [1], ⟨~и́ть⟩ [15] bite off; pinch off.
отлага́тельство *n* [9] delay.
отлага́ться [1], ⟨отложи́ться⟩ [16] be deposited; secede, fall away.
отла́мывать, ⟨отлома́ть⟩ [1], ⟨отломи́ть⟩ [14] break off (*v/i.* **-ся**).
отл|епи́ть(ся) [14] *pf.*, *s.* откле́ить (-ся); **~ёт** *m* [1] ✈ start; **~ета́ть** [1], ⟨~ететь⟩ [11] fly away *or* off; F come off.
отли́|в *m* [1] ebb (tide); shimmer; **~ва́ть** [1], ⟨~ть⟩ [отолью́, -льёшь; о́тли́л, -а́, -о; *cf.* лить] pour off, in, out (some ... Р); ⊕ found, cast; *impf.* (Т) shimmer, play.
отлич|а́ть [1], ⟨~и́ть⟩ [16 *e.*; -чу́, -чи́шь; -чённый] distinguish (from от Р); decorate; **-ся** *a.*, *impf.*, differ; be noted (for Т); **∠ие** *n* [12] distinction, difference; в ∠ие от (Р)

as against; зна́ки ∠ия decorations; **~и́тельный** [14] distinctive; **∠ник** *m* [1], **∠ница** *f* [5] excellent pupil, *etc.*; **∠ный** [14; -чен, -чна] excellent, perfect; different; *adv. a.* very good, A (*mark*, *cf.* пятёрка).

отло́гий [16 *sh.*] sloping.

отлож|е́ние *n* [12] deposit; **~и́ть** (**-ся**) *s.* откла́дывать & отлага́ться; **~но́й** [14] turndown (*collar*).

отлом|а́ть, ~и́ть *s.* отла́мывать.

отлуч|а́ть [1], ⟨~и́ть⟩ [16 *e.*; -чу́, -чи́шь; -чённый] separate; wean; ~и́ть от це́ркви excommunicate; **-ся** (из Р) leave, absent o. s. (from); **∠ка** *f* [5] absence.

отма́лчиваться [1] keep silence.

отма́|тывать [1], ⟨отмота́ть⟩ [1] wind *or* reel off, unwind; **~хивать** [1], ⟨~хну́ть⟩ [20] drive (*or* brush) away (aside) (*a.* **-ся** от Р; F disregard, dismiss).

о́тмель *f* [8] shoal, sandbank.

отме́н|а *f* [5] abolition; cancellation; countermand; **~ный** [14; -е́нен, -е́нна] *s.* отли́чный; **~я́ть** [28], ⟨~и́ть⟩ [13; -еню́, -е́нишь] abolish; cancel; countermand.

отмер|е́ть *s.* отмира́ть; **~за́ть** [1], ⟨отмёрзнуть⟩ [21] be frostbitten.

отме́р|ивать [1] & **~я́ть** [28], ⟨~ить⟩ [13] measure (off).

отме́стк|а F *f* [5]: в ~у in revenge.

отме́|тка *f* [5; *g/pl.*: -ток] mark, grade; **~ча́ть** [1], ⟨~тить⟩ [15] mark, note.

отмира́ть [1], ⟨отмере́ть⟩ [12; отомрёт; о́тмер,- рла́, -о; отме́рший] die away *or* out; fade; mortify. [frostbite.]

отмор|а́живать [1], ⟨~о́зить⟩ [15]

отмота́ть *s.* отма́тывать.

отмы|ва́ть [1], ⟨∠ть⟩ [22] wash (off); **~ка́ть** [1], ⟨отомкну́ть⟩ [20] unlock, open; **∠чка** *f* [5; *g/pl.*: -чек] picklock.

отне́киваться F [1] deny, disavow.

отнести́(сь) *s.* относи́ть(ся).

отнима́ть [1], ⟨отня́ть⟩ [-ниму́, -ни́мешь; о́тнял, -а́, -о; о́тнятый (о́тнят, -а́, -о)] take away (from у Р); take (*time, etc.*); F amputate; ~ от гру́ди wean; **-ся** grow numb.

относи́тельн|ый [14; -лен, -льна] relative; ~о (Р) concerning, about.

отно|си́ть [15], ⟨отнести́⟩ [24 -с-: -есу́; -ёс, -есла́] take (to Д, в В); carry (off, away); put; refer to; ascribe; **-ся**, ⟨отнести́сь⟩ (к Д) treat, be; show; speak (of о П); *impf.* concern; refer; belong; date from; be relevant; **~ше́ние** *n* [12] attitude (toward[s] к Д); treatment; relation; ratio; (official) letter; respect (in, with в П, по Д); по ~ше́нию (к Д) as regards, to (-ward[s]); име́ть ~ше́ние concern.

отны́не henceforth, henceforward.

отню́дь: ~ не by no means.

отня́|тие *n* [12] taking (away); amputation; weaning; **~ть(ся)** *s.* отнима́ть(ся).

отобра|жа́ть [1], ⟨~зи́ть⟩ [15 *e.*; -ажу́, -ази́шь; -ажённый] (**-ся** be) reflect(ed); **~же́ние** *n* [12] reflection.

ото|бра́ть *s.* отбира́ть; **~всю́ду** from everywhere; **~гна́ть** *s.* отгоня́ть; **~гну́ть** *s.* отгиба́ть; **~грева́ть** [1], ⟨~гре́ть⟩ [8; -гре́тый] warm (up); **~двига́ть** [1], ⟨~дви́нуть⟩ [20 *st.*] move aside, away (*v/i.* **-ся**); F put off.

отодра́ть *s.* отдира́ть.

отож(д)еств|ля́ть [28], ⟨~и́ть⟩ [14 *e.*; -влю́, -ви́шь; -влённый] identify.

ото|зва́ть(ся) *s.* отзыва́ть(ся); **~йти́** *s.* отходи́ть; **~мкну́ть** *s.* отмыка́ть; **~мсти́ть** *s.* мстить.

отоп|и́ть [28] *s.* ота́пливать; **~ле́ние** *n* [12] heating.

оторва́ть(ся) *s.* отрыва́ть(ся).

оторопе́ть F [8] *pf.* be struck dumb.

отосла́ть *s.* отсыла́ть.

отпа|да́ть [1], ⟨∠сть⟩ [25; *pt. st.*] (от Р) fall off; fall away, secede, desert; be dropped; pass.

отпе|ва́ние *n* [12] burial service; **∠тый** F [14] inveterate, incorrigible; **~ре́ть(ся)** *s.* отпира́ть(ся).

отпеча́т|ок *m* [1; -тка] (im)print; mark; stamp; **~ывать**, ⟨~ать⟩ [1] print; type; imprint, impress.

отпи|ва́ть [1], ⟨∠ть⟩ [отопью́, -пьёшь; о́тпил, -а́, -о; -пе́й(те)!] drink (some ... Р); **∠ливать** [1], ⟨~ли́ть⟩ [13] saw off.

отпира́т|ельство *n* [9] disavowel; **~ь** [1], ⟨отпере́ть⟩ [12; отопру́, -прёшь; о́тпер, -рла́, -о; отпе́рший; о́тпертый (-ерт, -а́, -о)] unlock, unbar, open; **-ся** open; (от Р) disavow.

отпи́ть *s.* отпива́ть.

отпи́х|ивать F [1], *once* ⟨~ну́ть⟩ [20] push off, away, aside, back.

отпла́|та *f* [5] repayment, requital; **~чивать** [1], ⟨~ти́ть⟩ [15] (re)pay, requite.

отплы|ва́ть [1], ⟨ˊ~ть⟩ [23] sail, leave; swim (off); **ˊ~тие** *n* [12] sailing off, departure.

о́тповедь *f* [8] rebuff, snub.

отпо́р *m* [1] repulse, rebuff.

отноро́ть [17] *pf.* rip (off).

отправ|и́тель *m* [4] sender; **ˊ~ить** (**-ся**) *s.* ~ля́ть(ся); **ˊ~ка** F *f* [5] dispatch; **~ле́ние** *n* [12] dispatch; departure; exercise, practice; function; **~ля́ть** [28], ⟨ˊ~ить⟩ [14] send, dispatch, forward; mail, *Brt.* post; exercise, perform; **-ся** go; leave, set off (for в, на В); *impf.* (от P) start from (*fig.*); **~но́й** [14] starting.

отпра́шиваться [1], ⟨отпроси́ться⟩ [15] ask (and get) leave (*to go*...).

отпры́г|ивать [1], *once* ⟨~нуть⟩ [20] jump back (*or* aside); rebound.

о́тпрыск *m* [1] offshoot.

отпря|га́ть [1], ⟨ˊ~чь⟩ [26 г/ж: -ягу́, -яжёшь] unharness; **ˊ~нуть** [20 *st.*] *pf.* recoil.

отпу́г|ивать [1], ⟨~ну́ть⟩ [20] scare.

о́тпуск *m* [1; *pl.* -ка́, *etc. e.*] leave, vacation (on: *go* в В; *be* в П: *a.*, F, в ~у́); sale; supply; allotment; **~а́ть** [1], ⟨отпусти́ть⟩ [15] let go; release, set free; dismiss; sell; provide; allot; slacken; remit; grow; F crack; **~ни́к** *m* [1 *e.*] vacationist; **~но́й** [14] vacation..., holiday...; selling (*price*).

отпуще́н|ие *n* [12] remission; козёл ~ия scapegoat.

отраб|а́тывать, ⟨~о́тать⟩ [1] work off; finish work; *p. pt. p. a.* waste.

отра́в|а *f* [5] poison; *fig.* bane; **~ле́ние** *n* [12] poisoning; **~ля́ть** [28], ⟨~и́ть⟩ [14] poison; spoil.

отра́д|а *f* [5] comfort, joy, pleasure; **~ный** [14; -ден, -дна] pleasant, gratifying, comforting.

отра|жа́ть [1], ⟨~зи́ть⟩ [15 *e.*; -ажу́, -ази́шь; -ажённый] repel, ward off; refute; reflect, mirror (*v/i.* **-ся**; на П affect; show).

о́трасль *f* [8] branch.

отра|ста́ть [1], ⟨~сти́⟩ [24 -ст-: -сту́; *cf.* расти́] grow; grow again; **ˊ~щивать** [1], ⟨~сти́ть⟩ [15 *e.*; -ащу́, -асти́шь; -ащённый] grow.

отре́бье *n* [10] rubbish; rabble.

отре́з *m* [1] pattern, length (*of material*); **~а́ть** & **~ывать** [1], ⟨~ать⟩ [3] cut off; F cut short.

отрезв|ля́ть [28], ⟨~и́ть⟩ [14 *e.*; -влю́, -ви́шь; -влённый] sober; *fig.* disillusion.

отре́з|ок *m* [1; -зка] piece; stretch; ⚹ segment; **~ывать** *s.* ~а́ть.

отре|ка́ться [1], ⟨ˊ~чься⟩ [26] (от P) disown, disavow; renounce; ˊ~чься от престо́ла abdicate.

отре́пье *n* [10] *coll.* rags *pl.*

отре|че́ние *n* [12] (от P) disavowal; renunciation; abdication; **ˊ~чься** *s.* ~ка́ться; **~ша́ть** [1], ⟨~ши́ть⟩ [16 *e.*; -шу́, -ши́шь; -шённый] dismiss; release; **-ся** relinquish; **~ше́ние** *n* [12] dismissal, removal; renunciation (of от P).

отрица́|ние *n* [12] negation, denial; **~тельный** [14; -лен, -льна] negative; **~ть** [1] deny.

отро́|г *m* [1] spur; **ʼ~ду** F from birth; in one's life; **~дье** F *n* [10] spawn; **ʼ~к** † *m* [1] boy; **~сток** *m* [1; -тка] ⚘ shoot; *anat.* appendix; **ʼ~чество** *n* [9] boyhood; adolescence.

отруб|а́ть [1], ⟨~и́ть⟩ [14] cut off.

о́труби *f/pl.* [8; *from g/pl. e.*] bran.

отры́в *m* [1] separation; disengagement (*a.* ⚔); alienation; interruption; **~а́ть** [1] **1.** ⟨оторва́ть⟩ [-ву́, -вёшь; -ва́л, -а́, -о; ото́рванный] tear (*or* pull, turn) off, away; separate; **-ся** (от P) come off; turn (tear o. s.) away; lose contact (with); ⚔ disengage; не ~а́ясь without rest; **2.** ⟨отры́ть⟩ [22] dig up, out, away; F disinter; **~истый** [14 *sh.*] abrupt; **~но́й** [14] sheet *or* block (*calendar*); **~ок** *m* [1; -вка] fragment; extract, passage; **~очный** [14; -чен, -чна] fragmentary; scrappy.

отры́жка *f* [5; *g/pl.*: -жек] belch (-ing); F survival.

отры́ть *s.* отрыва́ть.

отря́|д *m* [1] detachment; squadron; troop; ⚘, *zo.* class; **~жа́ть** [1], ⟨~ди́ть⟩ [15 *e.*; -яжу́, -яди́шь; -яжённый] detach; **~хивать** [1], *once* ⟨~хну́ть⟩ [20] shake off.

отсве́чивать [1] shimmer (with T).

отсе́|ивать [1], ⟨~ять⟩ [27] sift; *fig.* eliminate; **~ка́ть** [1], ⟨~чь⟩ [26; *pt.*: -се́к, -секла́; -сечённый] cut off; **~че́ние** *n* [12] cutting off.

отск|а́кивать [1], ⟨~очи́ть⟩ [16] jump off back; rebound; F fall off.

отслу́ж|ивать [1], ⟨~и́ть⟩ [16]

serve (one's time); be worn out; hold.
отсове́товать [7] *pf.* dissuade (from).
отсохну́ть *s.* отсыха́ть.
отсро́ч|ивать [1], ‹~ить› [16] postpone; respite; **~ка** *f* [5; *g/pl.*: -чек] delay; respite; prolongation.
отста|ва́ть [5], ‹~ть› [-а́ну, -а́нешь] (от Р) lag, fall *or* remain behind; *clock*: be slow (5 min. на пять мину́т); desert; leave off; come (*or* fall) off; F *pf.* leave alone.
отста́в|ка *f* [5] resignation, retirement; dimissal; в ~ке = ~ной; **~ля́ть** [28], ‹~ить› [14] remove, set aside; dismiss; F countermand; **~но́й** [14] retired.
отст|а́ивать [1], ‹~оя́ть› [-ою́, -ои́шь] defend, save; maintain, assert; push; F stand; tire; *pf.* be away; **-ся** settle.
отста́|лость *f* [8] backwardness; **~лый** [14] backward; **~ть** *s.* ~ва́ть.
отстёгивать [1], ‹отстегну́ть› [20; -ёгнутый] unbutton, unfasten.
отстоя́ть(ся) *s.* отста́ивать(ся).
отстр|а́ивать [1], ‹~о́ить› [13] build (up); **~аня́ть** [28], ‹~ани́ть› [13] push aside, remove; dismiss; debar; **-ся** (от Р) dodge; shirk; **~о́ить** *s.* ~а́ивать.
отступ|а́ть [1], ‹~и́ть› [14] step back; retreat, fall back; recoil; *fig.* recede; deviate; indent; **-ся** renounce (s. th. от Р); **~ле́ние** *n* [12] retreat; deviation; digression; **´~ник** *m* [1] apostate; **~но́е** *n* [14] smart money.
отсу́тств|ие *n* [12] absence (in в В; in the/of за Т/Р); lack; в ~ии absent; **~овать** [7] be absent; be lacking.
отсчи́т|ывать, ‹~а́ть› [1] count.
отсыл|а́ть [1], ‹отосла́ть› [-ошлю́, -шлёшь; ото́сланный] send (off, back); refer (to к Д); **´~ка** *f* [5; *g/pl.*: -лок] dispatch; reference.
отсып|а́ть [1], ‹´~ать› [2] pour (out).
отсы|ре́лый [14] damp; **~ха́ть** [1], ‹отсо́хнуть› [21] wither (off).
отсю́да from here; hence.
отта́|ивать [1], ‹~ять› [27] thaw; **~лкивать** [1], ‹оттолкну́ть› [20] push off, away, aside; repel; **~лкивающий** [17] repellent; **~скивать** [1], ‹~щи́ть› [16] pull off, away, aside; **~чивать** [1], ‹отточи́ть› [16] sharpen; **~ять** *s.* ~ивать.
отте́н|ок *m* [1; -нка] shade, nuance, tinge; **~я́ть** [28], ‹~и́ть› [13] shade; set off, emphasize.
о́ттепель *f* [8] thaw.
оттесн|я́ть [28], ‹~и́ть› [13] push off, aside; ⚔ drive back; F oust.
о́ттис|к *m* [1] impression, reprint; **´~кивать** [1], ‹´~нуть› [20] print (off).
отто|го́ therefore, (*a.* ~го́ и) that's why; ~го́ что because; **~лкну́ть** *s.* отта́лкивать; **~пы́рить** F [13] *pf.* bulge, protrude (*v/i.* **-ся**); **~чи́ть** *s.* отта́чивать.
отту́да from there.
оття́|гивать [1], ‹~ну́ть› [20; -я́нутый] draw off (back); delay.
отуч|а́ть [1], ‹~и́ть› [16] disaccustom (to от Р), cure (of); **-ся** leave off.
отхлы́нуть [20] *pf.* rush away, back.
отхо́д *m* [1] departure; ⚔ withdrawal; deviation; rupture; **~и́ть** [15], ‹отойти́› [-ойду́, -дёшь; отошёл, -шла́; отоше́дший; отойдя́] go (away, aside); leave; deviate; ⚔ withdraw; turn away; come (*or* fall) off; thaw; recover; expire; *impers.* be relieved; **~ы** *m/pl.* [1] waste.
отцве|та́ть [1], ‹~сти́› [25 -т-: -ету́] fade, wither.
отцеп|ля́ть [28], ‹~и́ть› [14] unhook; uncouple; F remove.
отцо́в|ский [16] paternal; fatherly; **~ство** *n* [9] paternity.
отча́|иваться [1], ‹~яться› [27] despair (of в П), despond.
отча́ли|вать [1], ‹~ть› [13] unmoor; push off; sail away.
отча́сти partly, in part.
отча́я|ние *n* [12] despair; **~нный** [14 *sh.*] desperate; **~ться** *s.* отча́иваться.
о́тче: ~ наш Our Father; Lord's Prayer.
отчего́ why; ~-то for some reason.
отчека́н|ивать [1], ‹~ить› [13] coin; say distinctly.
о́тчество *n* [9] patronymic.
отчёт *m* [1] account (of о, в П), report (on); return; (от)дава́ть себе́ ~ в П realize *v/t.*; **~ливый** [14 *sh.*] distinct, clear; precise; **~ность** *f* [8] accounting; F accounts *pl.*; **~ный** [14] of account.
отчи́|зна *f* [5] fatherland; **'~й** [17] paternal; **'~м** *m* [1] stepfather.

отчисл|éние *n* [12] deduction; subscription; dismissal; **~я́ть** [28], ⟨**∠**ить⟩ [13] deduct; allot; dismiss.

отчи́т|ывать F, ⟨~áть⟩ [1] blow up, rebuke; **-ся** give *or* render an account (to пéред Т).

от|чуждáть [1] alienate, expropriate; **~шатну́ться** [20] *pf.* start *or* shrink back; **~швырну́ть** F [20] *pf.* hurl (away); **~шéльник** *m* [1] hermit.

отшиб|áть F [1], ⟨~и́ть⟩ [-бу́, -бёшь; -ши́б(ла); -ши́бленный] strike (off).

отщепéнец *m* [1; -нца] renegade.

отъé|зд *m* [1] departure; **~зжáть** [1], ⟨**∠**хать⟩ [-éду, -éдешь] drive (off), depart.

отъя́вленный [14] notorious, arch.

оты́гр|ывать, ⟨~áть⟩ [1] win back, regain (one's [lost] money **-ся**).

оты́ск|ивать [1], ⟨~áть⟩ [3] find.

отяго|щáть [1], ⟨~ти́ть⟩ [15 *e.*; -щу́, -оти́шь; -ощённый] (over-) burden.

офиц|éр *m* [1] officer; **~éрский** [16] office(r's, -s'); **~иáльный** [14; -лен, -льна] official; **~иáнт** *m* [1] waiter; **~ио́зный** [14; -зен, -зна] semiofficial.

оформ|ля́ть [28], ⟨**∠**ить⟩ [14] form, shape; get up (*book*); mount (*play*); legalize; adjust.

ох oh!, ah!; **∠анье** *n* [10] groan(s).

охáпка *f* [5; *g/pl.*: -пок] armful; fagot.

óх|ать [1], *once* ⟨~нуть⟩ [20] groan.

охвáт|ывать [1], ⟨~и́ть⟩ [15] seize, grasp; embrace; envelop.

охла|девáть, ⟨~дéть⟩ [8] cool down; **~ждáть** [1], ⟨~ди́ть⟩ [15 *e.*; -ажу́, -ади́шь; -аждённый] cool; **~ждéние** *n* [12] cooling.

охмел|я́ть [28], ⟨~и́ть⟩ [13] (**~еть** F [8] become) intoxicate(d).

óхнуть *s.* óхать.

охóт|а *f* [5] (на В, за Т) hunt(ing) (of, for); chase (after); (к Д) F desire (for), mind (to); ~а Д + *inf.*! what do(es) ... want + *inf.* for?; **~иться** [15] (на В, за Т) hunt; chase (after); **~ник** *m* [1] hunter; volunteer; lover (of до Р); **~ничий** [18] hunting, shooting; hunter's (-s'); **~но** willingly, gladly, with pleasure; ~нее rather; ~нее всегó best of all.

охрáн|а *f* [5] guard(s); protection; **~éние** *n* [12] protection; ⚔ outpost (-s); **~я́ть** [28], ⟨~и́ть⟩ [13] guard, protect (from, against от Р).

охри́п|лый F [14], **~ший** [17] hoarse.

оцéн|ивать [1], ⟨~и́ть⟩ [13; -еню́, -éнишь] value (at в В), appraise, estimate; appreciate; **~ка** *f* [5; *g/pl.*: -нок] valuation, appraisal; estimation, appreciation; mark.

оцепенé|лый [14] benumbed; stupefied; **~ние** *n* [12] numbness.

оцеп|ля́ть [28],⟨~и́ть⟩ [14] encircle.

очáг *m* [1 *e.*] fireplace, (*a. fig.* = home) hearth; *fig.* center (-tre), seat.

очаров|áние *n* [12] charm, fascination; **~áтельный** [14; -лен, -льна] charming; **∠ывать** [1], ⟨~áть⟩ [7] charm, fascinate, enchant.

очеви́д|ец *m* [1; -дца] eyewitness; **~ный** [14; -ден, -дна] evident.

óчень very, (very) much.

очереднóй [14] next (in turn); regular; foremost; latest.

óчеред|ь *f* [8; *from g/pl. e.*] turn (in; by turns по ~ди); order, succession; line (*Brt.* queue); ⚔ volley; вáша ~ь *or* ~ь за вáми it is your turn; на ~и next; в свою́ ~ь in (for) my, *etc.*, turn (part).

óчерк *m* [1] sketch; outline; essay.

очерня́ть [28] *s.* черни́ть.

очерствéлый [14] hardened.

очер|тáние *n* [12] outline, contour; **∠чивать** [1], ⟨~ти́ть⟩ [15] outline, sketch; ~тя́ гóлову F headlong

очи́|стка *f* [5; *g/pl.*: -ток] clean(s)ing; clearance; *pl.* peelings; **~щáть** [1], ⟨~стить⟩ [15] clean(se); clear; peel; purify; evacuate, quit; empty.

очк|и́ *n/pl.* [1] spectacles, glasses; **~ó** *n* [9; *pl.*: -ки́, -кóв] *sport*: point; *cards*: spot, *Brt.* pip; ⚘, ⊕ eye; **~овтирáтельство** F *n* [9] eyewash, humbug.

очну́ться [20] *pf.*, *s.* опóмниться.

очумéлый P [14] crazy, mad.

очути́ться [15; *1st. p. sg. not used*] get, find o. s.

ошалéлый F [14] crazy, mad.

ошéйник *m* [1] collar (*on a dog only*).

ошелом|ля́ть [28], ⟨~и́ть⟩ [14 *e.*; -млю́, -ми́шь; -млённый] stun, stupefy.

ошиб|áться [1], ⟨~и́ться⟩ [-бу́сь, -бёшься; -и́бся, -и́блась] be mistaken, make a mistake (-s), err; miss; **∠ка** *f* [5; *g/pl.*: -бок] mistake (by по Д), error, fault; **∠очный** [14;

-чен, -чна] erroneous, mistaken.
ошпа́р|ивать [1], ⟨~ить⟩ [13] scald.
ощу́п|ывать, ⟨~ать⟩ [1] feel, touch; **'~ь** *f* [8]: на '~ь to the touch; **'~ью** *adv.* gropingly.
ощу|ти́мый [14 *sh.*], **~ти́тельный** [14; -лен, -льна] palpable, tangible; felt; not(ice)able; **~ща́ть** [1], ⟨~ти́ть⟩ [15 *e.*; -ущу́, -ути́шь; -ущённый] feel, sense; **-ся** be felt; **~ще́ние** *n* [12] sensation; feeling.

П

Па́вел *m* [1; -вла] Paul.
павиа́н *m* [1] baboon.
павильо́н *m* [1] pavilion; (*fair*) hall; (*film*) studio.
павли́н *m* [1], **~ий** [18] peacock.
па́водок *m* [1; -дка] flood.
па́|губный [14; -бен, -бна] pernicious; **~даль** *f* [8] carrion.
па́да|ть [1] **1.** ⟨упа́сть⟩ [25; *pt. st.*] fall; **2.** ⟨пасть⟩ *fig.* fall; die; ~ть ду́хом lose courage (*or* heart).
пад|ёж[1] *m* [1 *e.*] *gr.* case; **~ёж**[2] *m* [1 *e.*] (*cattle*) plague, rinderpest; **~е́ние** *n* [12] fall; downfall, overthrow; ⚕ slump; **∠кий** [16; -док, -дка] (на В) greedy (of, for), mad (after); **~у́чая** *f* [17] epilepsy.
па́дчерица *f* [5] stepdaughter.
паёк *m* [1; пайка́] ration.
па́зуха *f* [5] bosom (in за В; за Т); cavity.
пай *m* [3; *pl. e.*: пай. паёв] share; **∠щик** *m* [1] shareholder.
паке́т *m* [1] parcel, package, packet; dispatch; paper bag.
па́кля *f* [6] tow, oakum.
пакова́ть [7], ⟨у-, за-⟩ pack.
па́к|ость *f* [8] filth, smut, dirt(y trick); **~т** *m* [1] pact, treaty.
пала́т|а *f* [5] chamber; *parl.* house; board; ward; оружейная ~а armo(u)ry; **~ка** *f* [5; *g/pl.*: -ток] tent; booth.
пала́ч *m* [1 *e.*] hangman, executioner.
Палести́на *f* [5] Palestine.
па́л|ец *m* [1; -льца] finger; toe; смотре́ть сквозь ~ьцы wink (at на В); знать как свой пять ~ьцев have at one's fingertips; **~иса́дник** *m* [1] (small) front garden
пали́тра *f* [5] palette.
пали́ть [13] **1.** ⟨с-⟩ burn, scorch; **2.** ⟨о-⟩ singe; **3.** ⟨вы́-⟩ fire, shoot.
па́л|ка *f* [5; *g/pl.*: -лок] stick; cane; club; из-под ~ки F under *or* in constraint; **~очка** *f* [5; *g/pl.*: -чек] (small) stick; ♪ baton; wand; ⚕ bacillus.
паломни|к *m* [1] pilgrim; **~чество** *n* [9] pilgrimage.
па́луба *f* [5] deck.
пальба́ *f* [5] firing, fire.
па́льма *f* [5] palm (tree).
пальто́ *n* [*indecl.*] (over)coat.
па́мят|ник *m* [1] monument; memorial; **~ный** [14; -тен, -тна] memorable; unforgettable; **~ь** *f* [8] memory (in/of на В/о П); remembrance; recollection (of о П); на ~ь *a.* by heart; без ~и unconscious; F mad (about от Р).
Пана́мский [16]: ~ кана́л *m* Panama Canal.
пане́ль *f* [8] pavement; wainscot.
па́ника *f* [5] panic.
панихи́да *f* [5] requiem, dirge.
пансио́н *m* [1] boarding house; boarding school.
панталоны *m/pl.* [5] drawers, pants.
панте́ра *f* [5] panther.
па́нцирь *m* [4] coat of mail.
па́па[1] F *m* [5] papa; dad(dy).
па́па[2] *m* [5] pope.
па́перть *f* [8] porch (*of a church*).
папильо́тка *f* [5; *g/pl.*: -ток] hair curler.
папиро́са *f* [5] cigarette.
па́пка *f* [5; *g/pl.*: -пок] folder; cardboard.
па́поротник *m* [1] fern.
пар *m* [1; в -у́; *pl. e.*] **1.** steam; **2.** fallow; **∠а** *f* [5] pair; couple.
Парагва́й *m* [4] Paraguay.
пара́граф *m* [1] paragraph.
пара́д *m* [1] parade; **~ный** [14] full (*dress*); front (*door*).

парашю́т (-ˈʃut) *m* [1] parachute; **~и́ст** *m* [1] parachutist; ⚔ paratrooper.
паре́ние *n* [12] soar(ing), hover.
па́рень *m* [4; -рня; *from g/pl. e.*] lad, guy.
пари́ *n* [*indecl.*] bet, wager (*vb.*: держа́ть ~); (идёт) ~? what do you bet?
Пари́ж *m* [1] Paris; **2а́нин** *m* [1; *pl.*: -а́не, -а́н], **2а́нка** *f* [5; *g/pl.*: -нок] Parisian.
пари́к *m* [1 *e.*] wig; **~ма́хер** *m* [1] hairdresser, barber; **~ма́херская** *f* [16] hairdressing saloon, barber's (shop).
пари́|ровать [7] (*im*)*pf.*, *a.* ⟨от-⟩ parry; **~ть**[1] [13] soar, hover.
па́рить[2] [13] steam (*in a bath*: **-ся**).
парла́мент *m* [1] parliament; **~а́рий** *m* [3] parliamentarian; **~ский** [16] parliamentary.
парни́к *m* [1 *e.*], **~о́вый** [14] hotbed.
парни́шка F *m* [5; *g/pl.*: -шек] guy, lad, youngster.
парно́й [14] fresh (*milk, meat*).
па́рный [14] paired; twin...
паро|во́з *m* [1] 🚂 engine; **~во́й** [14] steam...; **~ди́ровать** [7] (*im*)*pf.*, **∠дия** *f* [7] parody.
паро́ль *m* [4] password, parole.
паро́м *m* [1] ferry(boat); **~щик** *m* [1] ferryman.
парохо́д *m* [1] steamer; **~ный** [14] steamship...; **~ство** *n* [9] (steamship) line.
па́рт|а *f* [5] (*school*) bench, *Brt. a.* form; **~акти́в** *m* [1] = ~и́йный акти́в; **~биле́т** *m* [1] = ~и́йный биле́т; **~е́р** (-ˈtɛr) *m* [1] parterre, *Brt.* pit; **~и́ец** F *m* [1; -и́йца] Party man *or* member (*Sov.*); **~иза́н** *m* [1] guerilla, partisan; **~и́йность** *f* [8] Party membership; partisanship; Party discipline (*Sov.*); **~и́йный** [14] party...; *su.* = ~и́ец; **~иту́ра** *f* [5] ♪ score; **~ия** *f* [7] party; ☤ parcel, lot, consignment; ⚔ detachment; batch; game, set; match; ♪ part; ☤ ~иями in lots; **~нёр** *m* [1], **~нёрша** *f* [5] partner; **~о́рг** *m* [1] Party organizer (*Sov.*).
па́рус *m* [1; *pl.*: -са́, *etc. e.*] sail; на всех ~а́х under full sail; **~и́на** *f* [5] sailcloth, canvas, duck; **~и́новый** [14] canvas...; **~ник** *m* [1] = ~ное су́дно *n* [14/9] sailing ship.
парфюме́рия *f* [7] perfumery.
парч|а́ *f* [5] brocade; **~о́вый** [14] brocade(d).
парши́вый [14 *sh.*] mangy.
пас *m* [1] pass (*sport, cards*).
па́сквиль *m* [4] lampoon.
паску́дный P [14; -ден, -дна] foul, filthy.
па́смурный [14; -рен, -рна] dull; gloomy.
пасова́ть [7] pass (*sport*; *cards*, ⟨с-⟩); F yield (to пе́ред T).
па́спорт *m* [1; *pl.*: -та́, *etc. e.*], **~ный** [14] passport.
пассажи́р *m* [1], **~ка** *f* [5; *g/pl.*: -рок], **~ский** [16] passenger.
пасси́в *m* [1] ☤ liabilities *pl.*; **~ный** [14; -вен, -вна] passive.
па́ста *f* [5] paste.
па́ст|бище *n* [11] pasture; **~ва** *f* [5] *eccl.* flock; **~и́** [24 -с-] graze (*v/i.* **-сь**), pasture; **~у́х** *m* [1 *e.*] herder (*Brt.* herdsman), shepherd; **~у́шка** *f* [5; *g/pl.*: -шек] shepherdess; **~у́ший** [18] shepherd's; **~ырь** *m* [4] pastor; **~ь 1.** *s.* па́дать; **2.** *f* [8] jaws *pl.*, mouth.
па́сха *f* [5] Easter (for на В; on на П); Easter cake; Passover; **∠льный** [14] Easter...
па́сынок *m* [1; -нка] stepson.
пате́нт *m* [1], **~ова́ть** [7] (*im*)*pf.*, *a.* ⟨за-⟩ patent.
патефо́н *m* [1] record player.
па́тока *f* [5] molasses, *Brt. a.* treacle.
патр|ио́т *m* [1] patriot; **~иоти́ческий** [16] patriotic; **~о́н** *m* [1] **1.** cartridge, shell; (lamp) socket; **2.** patron; **3.** pattern; **~онта́ш** *m* [1] cartridge belt, pouch; **~ули́ровать** [7], **~у́ль** *m* [4 *e.*] patrol.
па́уза *f* [5] pause.
пау́к *m* [1 *e.*] spider.
паути́на *f* [5] cobweb.
па́фос *m* [1] pathos; verve, vim.
пах *m* [1; в -у́] *anat.* groin; **∠арь** *m* [4] plowman, *Brt.* ploughman; **~а́ть** [3], ⟨вс-⟩ plow (*Brt.* plough), till.
па́хн|уть[1] [20] smell (of T); **~у́ть**[2] F [20] *pf.* puff.
па́хот|а *f* [5] tillage; **~ный** [14] arable.
паху́чий [17 *sh.*] fragrant.
пацие́нт *m* [1], **~ка** *f* [5; *g/pl.*: -ток] patient.
па́че F: тем ~ all the more.
па́чка *f* [5; *g/pl.*: -чек] pack(et), package; batch.

па́чкать [1], ⟨за-, ис-, вы́-⟩ soil.
па́шня *f* [6; *g/pl.:* -шен] tillage, field.
паште́т *m* [1] pie.
пая́льник *m* [1] soldering iron.
пая́сничать F [1] play the fool.
пая́ть [28], ⟨за-⟩ solder.
пая́ц *m* [1] buffoon, merry-andrew.
ПВО = противовозду́шная оборо́на.
пев|е́ц *m* [1; -вца́], **~и́ца** *f* [5] singer; **~у́чий** [17 *sh.*] melodious; **∠чий** [17] singing (*bird*); *su.* chorister, choirboy.
пе́гий [16 *sh.*] piebald.
педаго́г *m* [1] pedagogue, teacher; **~ика** *f* [5] pedagogics; **~и́ческий** [16], **~и́чный** [14; -чен, -чна] pedagogic(al).
педа́ль *f* [8] treadle, pedal.
педа́нт *m* [1] pedant, **~и́чный** [14; -чен, -чна] pedantic(al).
пейза́ж *m* [1] landscape.
пека́р|ня *f* [6; *g/pl.:* -рен] bakery; **'~ь** *m* [4; *pl. a.* -ря́, *etc. e.*] baker.
пелен|а́ *f* [5] shroud; **~а́ть** [1], ⟨за-, с-⟩ swaddle; **~ка** (-ˈlɔn-) *f* [5; *g/pl.:* -нок] swaddling band (*pl.* clothes), diaper, *Brt. a.* napkin.
пельме́ни *m/pl.* [*gen.:* -ней] ravioli.
пе́на *f* [5] foam, froth; lather.
пена́л *m* [1] pen case.
пе́ние *n* [12] singing; crow.
пе́н|истый [14 *sh.*] foamy, frothy; **~иться** [13], ⟨вс-⟩ foam, froth; sparkle, mantle; **~ка** *f* [5; *g/pl.:* -нок] scum; froth.
пе́нсия *f* [7] pension.
пенсне́ (-ˈnɛ) *n* [*indecl.*] pince-nez, eyeglasses *pl.*
пе́нь *m* [4; пня] stump; blockhead.
пеньк|а́ *f* [5] hemp; **~о́вый** [14] hemp(en).
пе́ня *f* [6; *g/pl.:* -ней] fine.
пеня́ть F [28], ⟨по-⟩ blame (a p. for Д *or* на В/за В).
пе́пел *m* [1; -пла] ashes *pl.*; **~и́ще** *n* [11] the ashes; *s. a.* пожа́рище; **~ьница** *f* [5] ash tray; **~ьный** [14] ashy.
пе́рвен|ец *m* [1; -нца] first-born; **~ство** *n* [9] primogeniture; superiority; championship.
перви́чный [14; -чен, -чна] primary.
перво|бы́тный [14; -тен, -тна] primitive, primeval; **~исто́чник** *m* [1] (first) source, origin; **~кла́ссный** [14] first-rate *or* -class; **~ку́рсник** *m* [1] freshman; **~-на́перво** P first of all; **~нача́льный** [14; -лен, -льна] original; primary; **~о́браз** *m* [1] prototype; **~осно́вы** *f/pl.* [5] elements; **~очередно́й** [14] top-priority; **~со́ртный** = ~кла́ссный; **~степе́нный** [14; -е́нен, -е́нна] paramount, supreme.
пе́рв|ый [14] first; chief, main; *Brt.* ground (*floor*); *thea.* dress (*circle*); ~oe *n* first course (*meal*; for на В); ~ым де́лом (до́лгом) *or* в ~ую о́чередь first of all, first thing; ~е́йший the very first; first-rate; *cf.* пя́тый.
перга́мент *m* [1] parchment.
переб|ега́ть [1], ⟨~ежа́ть⟩ [4; -егу́, -ежи́шь, -егу́т] run over (*or* across); desert; **~е́жчик** *m* [1] deserter; turncoat; **~ива́ть** [1], ⟨~и́ть⟩ [-бью́, -бьёшь, *cf.* бить] interrupt; break; kill; **-ся** break; F rough it.
переб|ира́ть [1], ⟨~ра́ть⟩ [-беру́, -рёшь; -бра́л, -а́, -о; -е́бранный] look a th. over; sort (out); *impf.* ♪ finger; tell (one's beads); **-ся** move (into на, в В); cross (*v/t.* че́рез В).
переб|и́ть *s.* ~ива́ть; **~о́й** *m* [3] stoppage, break; irregularity; **~оро́ть** [17] *pf.* overcome, master.
перебр|а́нка F *f* [5; *g/pl.:* -нок] wrangle; **~а́сывать** [1], ⟨~о́сить⟩ [15] throw over; ⚔, ⚕ transfer, shift; lay (*bridge*); **-ся** exchange (*v/t.* Т); **~а́ть(ся)** *s.* перебира́ть (-ся); **~о́ска** *f* [5; *g/pl.:* -сок] transference.
перева́л *m* [1] pass; **~ивать** [1], ⟨~и́ть⟩ [13; -алю́, -а́лишь; -а́ленный] tumble, turn (over; *v/i.* **-ся**; *impf.* waddle); F pass; *impers.* (Д) ~и́ло за (В) (p.) is past ...
перева́р|ивать [1], ⟨~и́ть⟩ [13; -арю́, -а́ришь; -а́ренный] digest.
пере|везти́ *s.* ~вози́ть; **~вёртывать** [1], ⟨~верну́ть⟩ [20; -вёрнутый] turn over (*v/i.* **-ся**); overturn; turn; **~ве́с** *m* [1] preponderance; **~вести́(сь)** *s.* переводи́ть(ся); **~ве́шивать** [1], ⟨~ве́сить⟩ [15] hang (elsewhere); reweigh; outweigh; **-ся** hang *or* bend over; **~вира́ть** F [1], ⟨~вра́ть⟩ [-вру́, -врёшь; -е́вранный] misquote, distort.
перево́д *m* [1] transfer(ence); translation (from/into с Р/на В); **re-**

mittance; (*money*) order; **~и́ть** [15], ⟨перевести́⟩ [25] lead; transfer; translate (from/into с Р/на В), turn; interpret; remit; set (*watch, clock; usu.* стре́лку); ~и́ть дух take breath; (**-ся**, ⟨-сь⟩) transfer; die out; (у Р/И) run out/of; **~ный** [14] translated; (*a.* ⚕) transfer...; ~ный ве́ксель *m* draft; **~чик** *m* [1], **~чица** *f* [5] translator; interpreter.

перево́з *m* [1] ferriage, ferry; *a.* = ~ка; **~и́ть** [15], ⟨перевезти́⟩ [24] transport, convey; remove; ferry (over); **~ка** *f* [5; *g/pl.:* -зок] transport(ation), conveyance; **~чик** *m* [1] ferryman.

пере|вооруже́ние *n* [12] rearmament; **~вора́чивать** [1] = ~вёртывать; **~воро́т** *m* [1] revolution; **~воспита́ние** *n* [12] reëducation; **~вра́ть** *s.* ~вира́ть; **~вы́боры** *m/pl.* [1] reëlection.

перевыполн|е́ние *n* [12] overfulfil(l)ment (*Sov.*); **~я́ть** [28], ⟨'~ить⟩ [13] exceed, surpass.

перевя́з|ка *f* [5; *g/pl.:* -зок] dressing, bandage; **~очный** [14] dressing; **~ывать** [1], ⟨~а́ть⟩ [3] tie up; dress, bandage.

переги́б *m* [1] bend, fold; dog-ear; **~а́ть** [1], ⟨перегну́ть⟩ [20] bend; **-ся** lean over.

перегля́|дываться [1], *once* ⟨~ну́ться⟩ [19] exchange glances.

пере|гна́ть *s.* ~гоня́ть; **~гно́й** *m* [3] humus; **~гну́ть(ся)** *s.* ~гиба́ть(ся).

перегов|а́ривать [1], ⟨~ори́ть⟩ [13] talk (s. th.) over (о Т), discuss; **~о́ры** *m/pl.* [1] negotiations; ⚔ parley.

перег|о́нка *f* [5] distillation; **~оня́ть** [28], ⟨~на́ть⟩ [-гоню́, -го́нишь; -гна́л, -а́, -о; -е́гнанный] (out)distance, outstrip; surpass, outdo; ⚗ distil.

перегор|а́живать [1], ⟨~оди́ть⟩ [15 & 15 *e.*; -рожу́, -ро́ди́шь] partition (off); **~а́ть** [1], ⟨~е́ть⟩ [9] (*lamp*) burn out; (*fuse, etc.*) blow (out); **~о́дка** *f* [5; *g/pl.:* -док] partition.

перегр|ева́ть [1], ⟨~е́ть⟩ [8; -е́тый] overheat; **~ужа́ть** [1], ⟨~узи́ть⟩ [15 & 15 *e.*; -ужу́, -у́зишь], **~у́зка** *f* [5; *g/pl.:* -зок] overload; overwork; **~уппирова́ть** [7] *pf.* regroup; **~уппиро́вка** *f* [5; *g/pl.:* -вок] regrouping; **~ыза́ть** [1], ⟨~ы́зть⟩ [24; *pt. st.*; -ы́зенный] gnaw through.

пе́ред[1], ~о (Т) before, in front of.

перёд[2] *m* [1; пе́реда; *pl.:* -да́, *etc. e.*] front.

перед|ава́ть [5], ⟨~а́ть⟩ [-да́м, -да́шь, *etc.*, *cf.* дать; *pt.* пе́редал, -а́, -о] pass, hand (over), deliver; give (*a.* regards); broadcast; transmit; reproduce; render; tell; take a message (for Д, *on the phone*); ⚕ endorse; **-ся** ⚕ be communicated; **~а́точный** [14] transmissive; **~а́тчик** *m* [1] transmitter; **~а́ть(ся)** *s.* ~ава́ть(ся); **~а́ча** *f* [5] delivery, handing over; transfer; broadcast, (*a.* ⊕) transmission; gear; ⚕ communication; reproduction; package.

передв|ига́ть [1], ⟨~и́нуть⟩ [20] move, shift; **~иже́ние** *n* [12] movement; transportation; **~и́жка** *f* [5; *g/pl.*: -жек], **~ижно́й** [14] travel(l)ing, mobile, itinerant.

переде́л *m* [1] repartition; **~ка** *f* [5; *g/pl.:* -лок] alteration; recast; F mess; **~ывать**, ⟨~ать⟩ [1] recast; make over, alter.

пере́дн|ий [15] front..., fore...; **~ик** *m* [1] apron; **~яя** *f* [15] hall, antechamber.

передов|и́к *m* [1 *e.*] best worker *or* farmer (*Sov.*); **~и́ца** *f* [5] leading article, editorial; **~о́й** [14] progressive; leading, foremost; front (*line*); ~о́й отря́д *m* vanguard.

пере|до́к *m* [1; -дка́] front; ⚔ limber; **~дохну́ть** [20] *pf.* take breath *or* rest; **~дра́знивать** [1], ⟨~дразни́ть⟩ [13; -азню́, -а́знишь] mimic; **~дря́га** F *f* [5] fix, scrape; **~ду́мывать**, ⟨~ду́мать⟩ [1] change one's mind; F *s.* обду́мать; **~ды́шка** *f* [5; *g/pl.*: -шек] respite.

перее́|зд *m* [1] passage; crossing; move, removal (в, на В [in]to); **~зжа́ть** [1], ⟨~хать⟩ [-е́ду, -е́дешь; -езжа́й!] **1.** *v/i.* cross (*v/t.* через В); (re)move (в, на В [in]to); **2.** *v/t.* run over.

переж|да́ть *s.* ~ида́ть; **~ёвывать** [1], ⟨~ева́ть⟩ [7 *e.*; -жую́, -жуёшь] chew (well); F repeat over and over again; **~ива́ние** *n* [12] experience; **~ива́ть** [1], ⟨~и́ть⟩ [-живу́, -вёшь; пе́режил, -а́, -о; пе́режитый (пе́режит, -а́, -о)] experience;

go through, endure; survive, outlive; **~ида́ть** [1], ⟨~да́ть⟩ [-жду́, -ждёшь; -жда́л, -а́, -о] wait (till *s. th.* is over); **~и́ток** *m* [1; -тка] survival.
перезре́лый [14] overripe.
переиз|бира́ть [1], ⟨~бра́ть⟩ [-беру́, -рёшь; -бра́л, -а́, -о; -и́збранный] reëlect; **~бра́ние** *n* [12] reëlection; **~дава́ть** [5], ⟨~да́ть⟩ [-да́м, -да́шь, *etc. cf.* дать; -да́л, -а́, -о] republish; **~да́ние** *n* [12] reëdition: **~да́ть** *s.* ~дава́ть.
переименова́ть [7] *pf.* rename.
перена́чи|вать F [1], ⟨~ть⟩ [16] alter, modify; distort.
перейти́ *s.* переходи́ть.
переки́|дывать [1], ⟨~нуть⟩ [20] throw over (че́рез В); upset; **-ся** exchange (*v/t.* Т).
переки|па́ть [1], ⟨~пе́ть⟩ [10 *e.*; *3rd. p. only*] boil over; **~сь** (ˈре-) *f* [8] peroxide.
перекла́д|ина *f* [5] crossbar, crossbeam; **~ывать** [1], ⟨переложи́ть⟩ [16] put, lay *or* pack (elsewhere), shift; interlay (with Т); *cf.* перелага́ть.
перекл|ика́ться [1], ⟨~и́кнуться⟩ [20] shout to o.a.; reëcho (*v/t.* с Т); **~и́чка** *f* [5; *g/pl.:* -чек] roll call.
переключ|а́ть [1], ⟨~и́ть⟩ [16 *e.*; -чу́, -чи́шь; -чённый] switch over (*v/i.* **-ся**); **~е́ние** *n* [12] switching over; **~и́ть** *s.* ~а́ть.
перекова́ть [7 *e.*; -кую́, -куёшь] *pf.* shoe over again; *fig.* reëducate, remake.
перeко́шенный [14] wry.
перекр|а́ивать [1], ⟨~ои́ть⟩ [13; -о́енный] cut again; remake.
перекрёст|ный [14] cross (*fire*, *-examination*); **~ок** *m* [1; -тка] crossroad(s).
перекрои́ть *s.* перекра́ивать.
перекр|ыва́ть [1], ⟨~ы́ть⟩ [22] (re-)cover; exceed, surpass; **~ы́тие** *n* [12] covering.
переку́с|ывать [1], ⟨~и́ть⟩ [15] bite through; F take a bite.
перел|ага́ть [1], ⟨~ожи́ть⟩ [16] transpose; arrange.
перел|а́мывать [1] **1.** ⟨~оми́ть⟩ [14] break in two; overcome; **2.** ⟨~ома́ть⟩ [1] break to pieces.
перел|еза́ть [1], ⟨~е́зть⟩ [24 *st.*; -ле́з] climb over (че́рез В).
перел|ёт *m* [1] passage (*birds*); ✈ flight; **~ета́ть** [1], ⟨~ете́ть⟩ [11] fly (across); pass, migrate; flit; **~ётный** [14] (*bird*) of passage.
перели́|в *m* [1] ♪ run, roulade; play (*colo*[*u*]*rs*); **~ва́ние** ⚕ *n* [12] transfusion; **~ва́ть** [1], ⟨~ть⟩ [-лью́, -льёшь, *etc.*, *cf.* лить] decant, pour; ⚕ transfuse; ~ва́ть из пусто́го в поро́жнее mill the wind; **-ся** overflow; *impf.* ♪ warble, roll; (*colo*[*u*]*rs*) play, shimmer.
перели́ст|ывать, ⟨~а́ть⟩ [1] turn over (*pages*); look through.
перели́ть *s.* перелива́ть.
перелицева́ть [7] *pf.* turn (*clothes*).
перелож|е́ние *n* [12] transposition; arrangement; setting to music; **~и́ть** *s.* перекла́дывать & перелага́ть.
перело́м *m* [1] fracture; crisis, turning point; **~а́ть, ~и́ть** *s.* перела́мывать.
перем|а́лывать [1], ⟨~оло́ть⟩ [17; -мелю́, -ме́лешь; -меля́] grind, mill; **~ежа́ть(ся)** [1] alternate; intermit.
переме́н|а *f* [5] change; recess, break (*school*); **~и́ть(ся)** *s.* ~я́ться; **~ный** [14] variable; ⚡ alternating; **~чивый** F [14] changeable, variable; **~я́ть** [28], ⟨~и́ть⟩ [13; -еню́, -е́нишь] change (*v/i.* **-ся**); exchange.
переме|сти́ть(ся) *s.* ~ща́ть(ся); **~шивать**, ⟨~ша́ть⟩ [1] mix (up); confuse; **~ща́ть** [1], ⟨~сти́ть⟩ [15 *e.*; -ещу́, -ести́шь; -ещённый] move, shift (*v/i.* **-ся**); **~щённый** [14]: ~щённые ли́ца *pl.* displaced persons.
переми́рие *n* [12] armistice, truce.
перемоло́ть *s.* перема́лывать.
перенаселе́ние *n* [12] overpopulation.
перенести́ *s.* переноси́ть.
перен|има́ть [1], ⟨~я́ть⟩ [-ейму́, -мёшь; пе́ренял, -а́, -о; пе́ренятый (пе́ренят, -а́, -о)] adopt; take over.
перено́с *m* [1] transfer, carrying over; sum carried over; syllabification; **~и́ть** [15], ⟨перенести́⟩ [24 -с-] transfer, carry over; bear, endure, stand; postpone, put off (till на В); **~ица** *f* [5] bridge (*of nose*).
перено́с|ка *f* [5; *g/pl.:* -сок] carrying, transport(ation); **~ный** [14] portable; figurative.
переня́ть *s.* перенима́ть.
переобору́дова|ть [7] (*im*)*pf.* re-

ёquip; **~ние** *n* [12] reёquipment.
переод|ева́ться [1], ⟨**~е́ться**⟩ [-е́нусь, -нешься] change (one's clothes); **~е́тый** [14 *sh.*] *a.* disguised.
переоце́н|ивать [1], ⟨**~и́ть**⟩ [13; -еню́, -е́нишь] overestimate, overrate; revalue; **~ка** *f* [5; *g/pl.:* -нок] overestimation; revaluation.
пе́репел *m* [1; *pl.*: -ла́, *etc. e.*] quail.
перепеча́т|ка *f* [5; *g/pl.:* -ток] reprint; **~ывать,** ⟨**~ать**⟩ [1] reprint; type.
перепи́с|ка *f* [5; *g/pl.:* -сок] copying; typing; correspondence; **~чик** *m* [1] copyist; **~ывать** [1], ⟨**~а́ть**⟩ [3] copy; type; list; enumerate; **-ся** *impf.* correspond (with с T); **~ь** ('pe-) *f* [8] census.
перепла́|чивать [1], ⟨**~ти́ть**⟩ [15] overpay.
перепл|ета́ть [1], ⟨**~ести́**⟩ [25 -т-] bind (*book*); interlace, intertwine (*v/i.* **-ся,** ⟨-сь⟩); **~ёт** *m* [1] binding, book cover; **~ётчик** *m* [1] bookbinder; **~ыва́ть** [1], ⟨**~ы́ть**⟩ [23] swim *or* sail (across че́рез В).
переполз|а́ть [1], ⟨**~ти́**⟩ [24] creep, crawl (over).
перепо́лн|енный [14 *sh.*] overcrowded; overflowing; **~я́ть** [28], ⟨**~ить**⟩ [13] overfill (*v/i.* **-ся**), cram; overcrowd.
переполо́|х *m* [1] tumult, turmoil; dismay, fright; **~ши́ть** F [16 *e.*; -шу́, -ши́шь; -шённый] *pf.* (**-ся** get) alarm(ed), perturb(ed).
перепо́нка *f* [5; *g/pl.:* -нок] membrane; web.
перепра́в|а *f* [5] crossing, passage; ford; temporary bridge; **~ля́ть** [28], ⟨**~ить**⟩ [14] carry (over), convey; **-ся** cross, pass.
перепрод|ава́ть [5], ⟨**~а́ть**⟩ [-да́м, -да́шь, *etc., cf.* дать; *pt.:* -о́да́л, -ла́, -о] resell; **~а́жа** *f* [5] resale.
перепры́г|ивать [1], ⟨**~нуть**⟩ [20] jump (over).
перепу́г F *m* [1] fright (for с **~**у); **~а́ть** [1] *pf.* (**-ся** get) frighten(ed).
перепу́тывать [1] *s.* пу́тать.
перепу́тье *n* [10] crossroad(s).
перераб|а́тывать, ⟨**~о́тать**⟩ [1] work (up), process; remake; **~о́тка** *f* [5; *g/pl.:* -ток] working (up), processing; remaking.
перерас|та́ть [1], ⟨**~ти́**⟩ [24 -ст-; -ро́с, -сла́] grow, develop; overgrow; **~хо́д** *m* [1] excess expenditure.
перерез|а́ть & **~ы́вать** [1], ⟨**~ать**⟩ [3] cut (through); cut off; kill.
переро|жда́ться [1], ⟨**~ди́ться**⟩ [15 *e.*; -ожу́сь, -оди́шься; -ождённый] regenerate; degenerate.
переруб|а́ть [1], ⟨**~и́ть**⟩ [14] hew *or* cut through.
переры́в *m* [1] interruption; stop, break, interval; (*lunch*) time.
переса́|дка *f* [5; *g/pl.:* -док] transplanting; grafting; 🚂 change; **~живать** [1], ⟨**~ди́ть**⟩ [15] transplant; graft; make change seats; **-ся,** ⟨пересе́сть⟩ [25; -ся́ду, -дешь; се́л] take another seat, change seats; change (*trains*).
пересд|ава́ть [5], ⟨**~а́ть**⟩ [-да́м, -да́шь, *etc., cf.* дать] repeat (*exam.*).
пересе|ка́ть [1], ⟨**~чь**⟩ [26; *pt.* -се́к, -секла́] cut (through, off); intersect, cross (*v/i.* **-ся**).
пересел|е́нец *m* [1; -нца] (re-) settler; **~е́ние** *n* [12] (e)migration; removal, move; **~я́ть** [28], ⟨**~и́ть**⟩ [13] (re)move (*v/i.* **-ся**; [e]migrate).
пересе́сть *s.* переса́живаться.
пересе|че́ние *n* [12] intersection; **~чь** *s.* **~**ка́ть.
переси́ли|вать [1], ⟨**~ть**⟩ [13] overpower, master, subdue.
переска́з *m* [1] retelling; **~ывать** [1], ⟨**~а́ть**⟩ [3] retell.
переск|а́кивать [1], ⟨**~очи́ть**⟩ [16] jump (over че́рез В); skip.
пересла́ть *s.* пересыла́ть.
пересм|а́тривать [1], ⟨**~отре́ть**⟩ [9; -отрю́, -о́тришь; -о́тренный] reconsider, revise; ⚖ review; **~о́тр** *m* [1] reconsideration, revision; ⚖ review.
пересо|ли́ть [13; -солю́, -о́ли́шь] *pf.* oversalt; **~хнуть** *s.* пересыха́ть.
переспр|а́шивать [1], ⟨**~оси́ть**⟩ [15] repeat one's question.
перессо́риться [13] *pf.* quarrel.
перест|ава́ть [5], ⟨**~а́ть**⟩ [-а́ну, -а́нешь] stop, cease, quit; **~авля́ть** [28], ⟨**~а́вить**⟩ [14] put (elsewhere), (*a. clock*) set, move; rearrange; transpose; convert (into на В); 𝔄 permute; **~ано́вка** *f* [5; *g/pl.:* -вок] shift, move; rearrangement; transposition; conversion (into на В); 𝔄 permutation; **~а́ть** *s.* **~**ава́ть.
перестр|а́ивать [1], ⟨**~о́ить**⟩ [13] rebuild, reconstruct; reorganize;

regroup (*v/i.* **-ся**; adapt o. s., change one's views); **~éливаться** [1], **~éлка** *f* [5; *g/pl.:* -лок] skirmish; **~óить** *s.* ~áивать; **~óйка** *f* [5; *g/pl.:* -óек] rebuilding, reconstruction; reorganization.
переступ|áть [1], ⟨~и́ть⟩ [14] step over, cross; *fig.* transgress.
пересу́ды F *m/pl.* [1] gossip.
пересчи́т|ывать, ⟨~áть⟩ [1] re--count; (*a.* ⟨перечéсть⟩ [-чту́, -чтёшь; -чёл, -члá]) count (down).
перес|ылáть [1], ⟨~лáть⟩ [-ешлю́, -шлёшь; -éсланный] send (over), transmit; forward; **~ы́лка** *f* [5; *g/pl.:* -лок] consignment, conveyance; carriage; **~ыхáть** [1], ⟨~óхнуть⟩ [21] dry up; parch.
перетá|скивать [1], ⟨~щи́ть⟩ [16] drag *or* carry (over, across чéрез В).
перéт|ь F [12] press, push; **~я́гивать** [1], ⟨~яну́ть⟩ [19] draw (*fig.* win) over; outweigh; cord.
переубе|ждáть [1], ⟨~ди́ть⟩ [15 *e.*; *no 1st p. sg.*; -ди́шь; -еждённый] make s. o. change his mind.
переу́лок *m* [1; -лка] lane, alleyway, side street.
переутомл|éние *n* [12] overfatigue; **~ённый** [14 *sh.*] overtired.
переучёт *m* [1] inventory, stock--taking; new registration.
перехвáт|ывать [1], ⟨~и́ть⟩ [15] intercept; embrace; F borrow.
перехитри́ть [13] *pf.* outwit.
перехóд *m* [1] passage; crossing; ⚔ march; *fig.* transition; conversion; **~и́ть** [15], ⟨перейти́⟩ [-йду́, -дёшь; -шёл, -шлá; *cf.* идти́] cross, go over; pass (on), proceed (to); turn ([in]to); exceed, transgress; **~ный** [14] transitional; *gr.* transitive; **~я́щий** [17] challenge (*cup, etc.*).
пéрец *m* [1; -рца] pepper; paprika.
пéречень *m* [4; -чня] list; index.
пере|чёркивать [1], ⟨~черкну́ть⟩ [20] cross out; **~чéсть** *s.* ~считывать & ~чи́тывать; **~числя́ть** [28], ⟨~чи́слить⟩ [13] enumerate; **~чи́тывать,** ⟨~читáть⟩ [1] & ⟨~чéсть⟩ [-чту́, чтёшь; -чёл, -члá] reread; read (many, all ...); **~́чить** F [16] contradict, oppose; **~шагну́ть** [20] *pf.* step over, cross; transgress; **~шéек** *m* [1; -шéйка] isthmus; **~шёптываться** [1] whisper (to one another); **~шивáть** [1], ⟨~ши́ть⟩ [-шью́, -шьёшь, *etc.*, *cf.* шить] make over, alter; **~щеголя́ть** F [28] *pf.* outdo.
пери́ла *n/pl.* [9] railing; banisters.
пери́на *f* [5] feather bed.
пери́од *m* [1] period; epoch, age; **~и́ческий** [16] periodic(al); ⚗ circulating.
периферия *f* [7] circumference, periphery; outskirts *pl.* (in на П).
перламу́тр *m* [1] mother-of-pearl.
перлóвый [14] pearl (*barley*).
перманéнт *m* [1] permanent wave.
пернáтый [14 *sh.*] feathered, feathery.
перó *n* [9; *pl.:* пéрья, -ьев] feather, plume; pen; вéчное ~ fountain pen; **~чи́нный** [14]: ~чи́нный нóж(ик) *m* penknife.
перрóн *m* [1] 🚂 platform.
перс *m* [1], **~и́дский** [16] Persian; **~́ик** *m* [1] peach; **~ия́нин** *m* [1; *pl.:* -я́не, -я́н], **~ия́нка** *f* [5; *g/pl.:* -нок] Persian; **~óна** *f* [5] person; **~онáл** *m* [1] personnel; **~пекти́ва** *f* [5] perspective; *fig.* prospect, outlook.
пéрстень *m* [4; -тня] (*finger*) ring.
пéрхоть *f* [8] dandruff.
перчáтка *f* [5; *g/pl.:* -ток] glove.
пёс *m* [1; пса] dog; F cur.
пéсенка *f* [5; *g/pl.:* -нок] ditty.
песéц *m* [1; песцá] Arctic fox.
пескáрь *m* [4 *e.*] gudgeon.
песн|ь *f* [8] (*poet., eccl.*), **~́я** *f* [6; *g/pl.:* -сен] song; F story.
песó|к *m* [1; -скá] sand; granulated sugar; **~чный** [14] sand(y).
пессимисти́ч|еский [16], **~ный** [14; -чен, -чна] pessimistic.
пестр|éть [8] grow (*or* appear, *a.* **~и́ть** [13]) variegated; gleam, glisten; **~отá** *f* [5] motley; gayness; **~ый** ('pɔ-) [14; пёстр, пестрá, пёстро & пестрó] variegated, parti--colo(u)red, motley (*a. fig.*); gay.
песч|áный [14] sand(y); **~и́нка** *f* [5; *g/pl.:* -нок] grain (of sand).
петли́ца *f* [5] buttonhole; tab.
пéтля *f* [6; *g/pl.:* -тель] loop (*a.*, ✈, мёртвая ~); eye; mesh; stitch; hinge.
Пётр *m* [1; Петрá] Peter.
Петру́шка [5; *g/pl.:* -шек] **1.** *m* Punch (and Judy); **2.** ♀ *f* parsley.
петý|х *m* [1 *e.*] rooster, cock; **~ши́ный** [14] cock(s)...
петь [пою́, поёшь; пéтый] **1.** ⟨с-, про-⟩ sing; **2.** ⟨про-⟩ crow.

пехо́т|а *f* [5], **~ный** [14] infantry; **~и́нец** *m* [1; -нца] infantryman.
печа́л|ить [13], ⟨о-⟩ grieve (*v/i.* **-ся**); **~ь** *f* [8] grief, sorrow; F business, concern; **~ьный** [14; -лен, -льна] sad, grieved, sorrowful.
печа́т|ать [1], ⟨на-⟩ print; type; **-ся** *impf.* be in the press; write for, appear in (в П); **~ник** *m* [1] printer; **~ный** [14] printed; printing; **~ь** *f* [8] seal, stamp (*a. fig.*); press; print, type.
печён|ка *f* [5; *g/pl.:* -нок] liver (*food*); **~ый** [14] baked.
пе́чень *f* [8] liver (*anat.*); **∠е** *n* [10] pastry; cookie, biscuit.
пе́чка *f* [5; *g/pl.:* -чек] *s.* печь[1].
печь[1] *f* [8; в -чи́; *from g/pl. e.*] stove; oven; furnace; kiln.
печь[2] [26], ⟨ис-⟩ bake; scorch (*sun*).
пе́чься [26] care (for о П).
пеш|ехо́д *m* [1] pedestrian; **∠ий** [17] unmounted; **∠ка** *f* [5; *g/pl.:* -шек] pawn (*a. fig.*); **~ко́м** on foot.
пеще́ра *f* [5] cave.
пиани́но *n* [*indecl.*] piano.
пивна́я *f* [14] alehouse, bar, saloon.
пи́во *n* [9] beer; ale; **~ва́р** *m* [1] brewer; **~ва́ренный** [14]: ~ва́ренный заво́д *m* brewery.
пиджа́к *m* [1 *e.*] coat, jacket.
пижа́ма *f* [5] pajamas (*Brt.* py-) *pl.*
пик *m* [1] peak.
пи́ка *f* [5] pike, lance; **∠нтный** [14; -тен, -тна] piquant, spicy (*a. fig.*).
пи́ки *f/pl.* [5] spades (*cards*).
пики́ровать ✈ [7] (*im*)*pf.* dive.
пи́кнуть [20] *pf.* peep; F stir.
пил|а́ *f* [5; *pl. st.*], **~и́ть** [13; пилю́, пи́лишь] saw; **~о́т** *m* [1] pilot.
пилю́ля *f* [6] pill.
пингви́н *m* [1] penguin.
пино́к *m* [1; -нка́] kick.
пинце́т *m* [1] tweezers *pl.*
пионе́р *m* [1] pioneer (*a. member of Communist youth organization in the U.S.S.R.*); **~ский** [16] pioneer …
пир *m* [1; в -у́; *pl. e.*] feast.
пирами́да *f* [5] pyramid.
пирова́ть [7] feast, banquet.
пиро́|г *m* [1 *e.*] pie; **~жник** *m* [1] pastry cook; **~жное** *n* [14] pastry; (fancy) cake; **~жо́к** *m* [1; -жка́] patty.
пир|у́шка *f* [5; *g/pl.:* -шек] carousal, revel(ry); **∠шество** *n* [9] feast, banquet.
писа́|ние *n* [12] writing; (*Holy*) Scripture; **'~рь** *m* [4; *pl.:* -ря́, *etc. e.*] clerk; **~тель** *m* [4] writer, author; **~тельница** *f* [5] authoress; **~ть** [3], ⟨на-⟩ write; type(write); paint.
писк *m* [1] squeak; **~ли́вый** [14 *sh.*] squeaky; **∠нуть** *s.* пища́ть.
пистоле́т *m* [1] pistol.
писч|ебума́жный [14] stationery (*store, Brt. shop*); **∠ий** [17] note (*paper*).
пи́сьмен|ность *f* [8] literature; **~ный** [14] written; in writing; writing (*a. table*).
письмо́ *n* [9; *pl. st., gen.*: пи́сем] letter; writing (in на П); **~но́сец** *m* [1; -сца] postman, mailman.
пита́|ние *n* [12] nutrition; nourishment, food; board; ⊕ feeding; **~тельный** [14; -лен, -льна] nutritious, nourishing; **~ть** [1] nourish (*a. fig.*), feed (*a.* ⊕); cherish (*hope, etc.*), bear (*hatred, etc.*, against к Д); **-ся** feed *or* live (on Т).
пито́м|ец *m* [1; -мца], **~ица** *f* [5] pupil; nursling; **~ник** *m* [1] nursery.
пить [пью, пьёшь; пил, -а́, -о; пе́й (-те)!; пи́тый (пит, -а́, -о)], ⟨вы́-⟩ drink (*pf. a.* up; to за В); have, take; **~ё** *n* [10] drink(ing); **~ево́й** [14] drinking (*water*), drinkable.
пих|а́ть F [1], ⟨~ну́ть⟩ [20] shove.
пи́хта *f* [5] fir.
пи́чкать F [1], ⟨на-⟩ stuff (with Т).
пи́шущ|ий [17] writing; ~ая маши́нка *f* typewriter.
пи́ща *f* [5] food; fare, board.
пища́ть [4 *e.*; -щу́, -щи́шь], ⟨за-⟩, *once* ⟨пи́скнуть⟩ [20] peep, squeak, cheep.
пище|варе́ние *n* [12] digestion; **~во́д** *m* [1] *anat.* gullet; **~во́й** [14] food(*stuffs*).
пия́вка *f* [5; *g/pl.:* -вок] leech.
пла́ва|ние *n* [12] swimming; navigation; voyage, trip; **~ть** [1] swim; float; sail, navigate.
плав|и́льный [14] melting; **~и́льня** *f* [6; *g/pl.:* -лен] foundry; **∠ить** [14], ⟨рас-⟩ smelt, fuse; **∠ка** *f* [5] fusion; **~ни́к** *m* [1 *e.*] fin.
пла́вный [14; -вен, -вна] fluent, smooth; *gr.* liquid.
плагиа́т *m* [1] plagiarism.
плака́т *m* [1] poster, placard, bill.
пла́к|ать [3] weep (for от Р; о П), cry; **-ся** F complain (of на В); **~са** F *m/f* [5] crybaby; **~си́вый** F [14 *sh.*] whining.

плам|ене́ть [8] flame; **∠енный** [14] flaming, fiery; *fig. a.* ardent; **∠я** *n* [13] flame; blaze.
план *m* [1] plan; draft; plane; пе́рвый, пере́дний (за́дний) ~ fore-(back)ground (in на П).
планёр ✈ *m* [1] glider.
плане́та *f* [5] planet.
плани́ров|ать¹ [7] **1.** ⟨за-⟩ plan; **2.** ⟨с-⟩ ✈ glide; **~а́ть²**, ⟨рас-⟩ level; **∠ка** *f* [5; *g/pl.:* -вок] planning; level(l)ing.
пла́нка *f* [5; *g/pl.:* -нок] lath.
пла́но|вый [14] planned; plan(-ning); **~ме́рный** [14; -рен, -рна] systematic, planned.
планта́тор *m* [1] planter.
пласт *m* [1 *e.*] layer, stratum; **∠ика** *f* [5] plastic arts *pl.*; plastic figure; **~и́нка** *f* [5; *g/pl.:* -нок] plate; (*gramophone*) record; **~ма́сса** *f* [5] plastic; **∠ырь** *m* [4] plaster.
пла́т|а *f* [5] pay(ment); fee; wages *pl.*; fare; rent; **~ёж** *m* [1 *e.*] payment; **~ёжеспосо́бный** [14; -бен, -бна] solvent; **~ёжный** [14] of payment; **~е́льщик** *m* [1] payer; **~ина** *f* [5] platinum; **~и́ть** [15], ⟨за-, у-⟩ pay (in T; for за B); settle (*account* по Д); **-ся**, ⟨по-⟩ *fig.* pay (with T); **~ный** [14] paid; to be paid for.
плато́к *m* [1; -тка́] (hand)kerchief.
платфо́рма *f* [5] platform.
пла́т|ье *n* [10; *g/pl.*: -ьев] dress, gown; **~яно́й** [14] clothes...
пла́ха *f* [5] block.
плац|да́рм *m* [1] base; bridgehead; **~ка́рта** *f* [5] reserved seat (ticket).
пла|ч *m* [1] weeping; **~че́вный** [14; -вен, -вна] deplorable, pitiable, lamentable; plaintive; **~шмя́** flat.
плащ *m* [1 *e.*] raincoat; cloak.
плебисци́т *m* [1] plebiscite.
плева́ *f* [5] membrane; pleura.
плева́т|ельница *f* [5] cuspidor, spittoon; **~ь** [6 *e.*; плюю́, плюёшь], *once* ⟨плю́нуть⟩ [20] spit (out); F not care (for на B).
пле́вел *m* [1] weed.
плево́к *m* [1; -вка́] spit(tle).
плеври́т *m* [1] pleurisy.
плед *m* [1] plaid, travel(l)ing rug.
плем|енно́й [14] tribal; brood..., stud...; **∠я** *n* [13] tribe; race; family; generation; breed; F brood.
племя́нни|к *m* [1] nephew; **~ца** *f* [5] niece.
плен *m* [1; в -у́] captivity; взять (попа́сть) в ~ (be) take(n) prisoner; **~а́рный** [14] plenary; **~и́тельный** [14; -лен, -льна] captivating, fascinating; **~и́ть(ся)** *s.* ~я́ть(ся).
плён|ка *f* [5; *g/pl.*: -нок] film; pellicle.
пле́н|ник *m* [1], **~ный** *m* [14] captive, prisoner; **~я́ть** [28], ⟨~и́ть⟩ [13] (**-ся** be) captivate(d).
пле́нум *m* [1] plenary session.
пле́сень *f* [8] mo(u)ld.
плеск *m* [1], **~а́ть** [3], *once* ⟨плесну́ть⟩ [20], **-ся** *impf.* splash.
пле́сневеть [8], ⟨за-⟩ get mo(u)ldy.
пле|сти́ [25 -т-: плету́], ⟨с-, за-⟩ braid, plait; weave; spin; F twaddle; lie; **-сь** F drag, lag; **~тёный** [14] wicker...; **~те́нь** *m* [4; -тня́] wicker fence.
плётка *f* [5; *g/pl.*: -ток], **плеть** *f* [8; *from g/pl. e.*] lash, scourge.
плеч|о́ *n* [9; *pl.*: пле́чи, плеч, -ча́м] shoulder; back; ⊕ arm; с ~ доло́й F be rid of s. th.; с(о всего́) ~а́ with all one's might; straight from the shoulder; (И) не по ~у́ (Д) not be equal to a th.; на ~о́! shoulder arms!; пра́вое ~о́ вперёд! ⚔ left turn (*Brt.* wheel)!; *cf. a.* гора́ F.
плеш|и́вый [14 *sh.*] bald; **~ь** *f* [8] bald patch.
плит|а́ *f* [5; *pl. st.*] slab, (flag-, *grave-*) stone; plate; (*kitchen*) range; (*gas*) stove; **∠ка** *f* [5; *g/pl.*: -ток] tablet, cake, bar; hot plate.
плов|е́ц *m* [1; -вца́] swimmer; **~у́чий** [17] floating (*dock*); ~у́чий мая́к *m* lightship; *s. a.* льди́на.
плод *m* [1 *e.*] fruit; **~и́ть** [15 *e.*; пложу́, -ди́шь], ⟨рас-⟩ propagate, multiply (*v/i.* **-ся**); **~ови́тый** [14 *sh.*] fruitful, prolific; **~ово́дство** *n* [9] fruit growing; **~о́вый** [14] fruit...; **~оно́сный** [14; -сен, -сна] fructiferous; **~оро́дие** *n* [12] fertility; **~оро́дный** [14; -ден, -дна] fertile, fruitful, fecund; **~отво́рный** [14; -рен, -рна] fruitful, productive; profitable; favo(u)rable.
пло́мб|а *f* [5] (lead) seal; (*tooth*) filling; **~ирова́ть** [7], ⟨о-⟩ seal; ⟨за-⟩ fill, stop.
пло́ск|ий [16; -сок, -ска́, -о; *comp.*: пло́ще] flat (*a. fig.* = stale, trite), plain, level; **~ого́рье** *n* [10] plateau, tableland; **~огу́бцы** *pl.* [1; *g/pl.*: -цев] pliers; **~ость** *f* [8; *from g/pl.*

e.] flatness; plane; level (on в П); angle (under в П); platitude.

плот *m* [1 *e.*] raft; **~и́на** *f* [5] dam, dike; **∠ник** *m* [1] carpenter.

пло́тн|ость *f* [8] density; solidity; **~ый** [14; -тен, -тна́, -о] compact, solid; dense; close, thick; thickset.

плот|оя́дный [14; -ден, -дна] carnivorous; **∠ский** [16] carnal, fleshly; **~ь** *f* [8] flesh.

плох|о́й [16; плох, -á, -о; *comp.*: ху́же] bad; ∠о bad(ly); bad, F (*mark*; *cf.* дво́йка & едини́ца).

плоша́ть F [1], ⟨с-⟩ blunder.

площа́д|ка *f* [5; *g/pl.*: -док] ground; playground; (*tennis*) court; platform; landing; **~но́й** [14] vulgar; **′~ь** *f* [8; *from g/pl. e.*] square; area (*a.* ⚘); (*living*) space, *s.* жилпло́щадь.

плуг *m* [1; *pl. e.*] plow, *Brt.* plough.

плут *m* [1 *e.*] rogue; trickster, cheat; **~а́ть** F [1] stray; **~ова́ть** [7], ⟨с-⟩ trick, cheat; **~овско́й** [16] roguish; rogue...; **~овство́** *n* [9] roguery.

плыть [23] (be) swim(ming); float (-ing), sail(ing); *cf.* пла́вать.

плюга́вый F [14 *sh.*] shabby.

плю́нуть *s.* плева́ть.

плюс (*su. m* [1]) plus; F advantage.

плюш *m* [1] plush.

плющ *m* [1 *e.*] ivy.

пляж *m* [1] beach.

пляс|а́ть [3], ⟨с-⟩ dance; **∠ка** *f* [5; *g/pl.*: -сок] (folk) dance; dancing; **~ово́й** [14] dance..., dancing.

пневмати́ческий [16] pneumatic.

по 1. (Д) on, along; through; all over; in; by; according to, after; through; owing to; for; over; across; upon; each, at a time (*2, 3, 4 with* В: по́ два); **2.** (В) to, up to; till, through; for; **3.** (П) (up)on; ~ мне for all I care; ~ ча́су в день an hour a day.

по- (in *compds.*): *cf.* ру́сский; ваш.

поба́иваться [1] be (a little) afraid of (Р).

побе́г *m* [1] escape, flight; ⚘ shoot, sprout; **~у́шки:** быть на ~у́шках F run errands (for у Р).

побе́|да *f* [5] victory; **~ди́тель** *m* [4] victor; winner; **~ди́ть** *s.* ~жда́ть; **~дный** [14], **~доно́сный** [14; -сен, -сна] victorious; **~жда́ть** [1], ⟨~ди́ть⟩ [15 *e.*; *1st p. sg. not used*; -ди́шь; -ждённый] be victorious (over В), win (a victory), conquer, vanquish, defeat; overcome; beat.

побере́жье *n* [10] shore, coast.

побла́жка F *f* [5; *g/pl.*: -жек] indulgence.

побли́зости close by; (от Р) near.

побо́и *m/pl.* [3] beating; **~ще** *n* [11] (great) battle.

побо́р|ник *m* [1] advocate; **~о́ть** [17] *pf.* conquer; overcome; beat.

побо́чный [14] accessory, incidental, casual; secondary; subsidiary; by-(*product*); illegitimate.

побу|ди́тельный [14]: ~ди́тельная причи́на *f* motive; **~жда́ть** [1], ⟨~ди́ть⟩ [15 *e.*; -ужу́, -уди́шь; -уждённый] induce, prompt, impel; **~жде́ние** *n* [12] motive, impulse, incentive.

побы́вка F *f* [5; *g/pl.*: -вок] stay, visit (for, on на В [*or* П]).

пова́д|иться F [15] *pf.* fall into the habit (of [visiting] *inf.*); **~ка** *f* [5; *g/pl.*: -док] F habit; P encouragement.

пова́льный [14] epidemic; general.

по́вар *m* [1; *pl.*: -pá, *etc. e.*] cook; **∠енный** [14] culinary; cook(*book*, *Brt.* cookery book); kitchen (*salt*); **~и́ха** *f* [5] cook.

пове|де́ние *n* [12] behavio(u)r, conduct; **~лева́ть** [1] (Т) rule; ⟨~ле́ть⟩ [9] (Д) order; command; **~ли́тельный** [14; -лен, -льна] imperative (*a. gr.*).

поверг|а́ть [1], ⟨∠нуть⟩ [21] throw *or* cast (down); put into (в В).

пове́р|енный [14] confidant; plenipotentiary; chargé (d'affaires в дела́х); **~ить** *s.* ~я́ть & ве́рить; **~ка** *f* [5; *g/pl.*: -рок] check(up); roll call; **~ну́ть(ся)** *s.* повора́чивать (-ся).

пове́рх (Р) over, above; **~ностный** [14; -тен, -тна] superficial; surface...; **~ность** *f* [8] surface.

пове́р|ье *n* [10] legend, popular belief; **~я́ть** [28], ⟨~ить⟩ [13] entrust, confide (to Д); check (up).

пове́с|а F *m* [5] scapegrace; **~ить** (-ся) *s.* ве́шать(ся); **~ничать** F [1] romp, play pranks.

повествова́|ние *n* [12] narration, narrative; **~тель** *m* [4] narrator; **~тельный** [14] narrative; ~тельное предложе́ние *n gr.* statement; **~ть** [7] narrate (*v/t.* о П).

пове́ст|ка *f* [5; *g/pl.*: -ток] sum-

mons; notice; ~ка дня agenda; **'~ь** *f* [8; *from g/pl. e.*] story, tale; narrative.
повешение *n* [12] hanging.
по-видимому apparently.
повидло *n* [9] jam, fruit butter.
повин|ность *f* [8] duty; **~ный** [14; -инен, -инна] guilty; owing; ~ная *f* confession; **~оваться** [7] (*pt. a. pf.*) (Д) obey; submit (to); **~овение** *n* [12] obedience.
повод *m* **1.** [1] cause; occasion (on по Д); по ~у (Р) *a.* concerning; **2.** [1; в -ду; *pl.*: -одья, -одьев] rein; на ~у (у Р) in (s.b.'s) leading strings.
повозка *f* [5; *g/pl.*: -зок] cart; wag(g)on.
Поволжье *n* [10] Volga region.
повор|ачивать [1], ‹повернуть› [20], F ‹~отить› [15] turn (*v/i.* **-ся**; ~ачивайся! come on!); **~от** *m* [1] turn; **~отливый** [14 *sh.*] nimble, agile; **~отный** [14] turning.
повре|ждать [1], ‹~дить› [15 *e.*; -ежу, -едишь; -еждённый] damage; injure, hurt; spoil; **~ждение** *n* [12] damage; injury.
поврем|енить F [13] *pf* wait a little; **~енный** [14] periodical; time...
повсе|дневный [14; -вен, -вна] everyday, daily; **~местный** [14; -тен, -тна] general, universal; ~местно everywhere.
повстан|ец *m* [1; -нца] rebel, insurgent; **~ческий** [16] rebel(lious).
повсюду everywhere.
повтор|ение *n* [12] repetition; review; **~ительный** [14] repetitive; **∠ный** [14] repeated, second; **~ять** [28], ‹~ить› [13] repeat (o.s. **-ся**); review (*lessons, etc.*).
повы|шать [1], ‹∠сить› [15] raise; promote; **-ся** rise; advance; **~шение** *n* [12] rise; promotion; **∠шенный** [14] increased, higher.
повяз|ка *f* [5; *g/pl.*: -зок] bandage; band, armlet; **~ывать** [1], ‹~ать› [3] bind (up); put on.
пога|шать [1], ‹~сить› [15] put out, extinguish; discharge (*debt*).
погиб|ать [1], ‹∠нуть› [21] perish; **∠ель** † *s.* гибель; **∠ший** [17] lost.
погло|щать [1], ‹~тить› [15; -ощу; -ощённый] swallow up, devour; absorb; **~щение** *n* [12] absorption.
поглядывать [1] look (F *a.* after).

погов|аривать [1] speak; say; **~орка** [5; *g/pl.*: -рок] saying, proverb.
пого|да *f* [5] weather (in в В, при П); **~дить** F [15 *e.*; -гожу, -годишь] *pf.* wait; **~дя** later; **~ловный** [14] general, universal; ~ловно without exception; **~ловье** *n* [10] livestock.
погон *m* [1] epaulet, shoulder strap; **~щик** *m* [1] drover; **~я** *f* [6] pursuit (of за Т); pursuers *pl.*; **~ять** [28] drive *or* urge (on), hurry (up).
пого|релец *m* [1; -льца] burnt down p.; **∠ст** [1] churchyard.
погранични|ый [14] frontier...; **~ик** *m* [1] frontier guard.
погре|б *m* [1; *pl.*: -ба, *etc. e.*] cellar; (*powder*) magazine; **~бальный** [14] funeral; **~бать** [1], ‹~сти› [24 -б-: -бу] bury, inter; **~бение** *n* [12] burial; funeral; **~мушка** *f* [5; *g/pl.*: -шек] rattle; **∠шность** *f* [8] error, fault.
погру|жать [1], ‹~зить› [15 & 15 *e.*; -ужу, -узишь; -уженный & -ужённый] immerse; sink, plunge, submerge (*v/i.* **-ся**); ~жённый *a.* absorbed, lost (in в В); load, ship; **~жение** *n* [12] immersion; **∠зка** [5; *g/pl.*: -зок] loading, shipment.
погряз|ать [1], ‹∠нуть› [21] sink.
под[1], ~о **1.** (В): (*direction*) under; toward(s), to; (*age, time*) about; on the eve of; à la, in imitation of; for, suitable as; **2.** (Т): (*position*) under, below, beneath; near, by, (*battle*) of; (used) for, with; поле ~ рожью rye field; **~**[2] *m* [1; на -у] hearth, floor.
подавальщица *f* [5] waitress.
пода|вать [5], ‹∠ть› [-дам, -дашь, *etc., cf.* дать] give; serve (*a. sport*); drive up, get ready; move (in); hand (*or* send) in; lodge (*complaint*), bring (*action*); set (*example*); render; raise (*voice*); не ~вать виду *s.* показывать; **-ся** move; yield.
подав|ить *s.* ~лять; **~иться** *pf.* [14] choke, suffocate; **~ление** *n* [12] suppression; **~лять** [28], ‹~ить› [14] suppress; repress; depress; crush; ~ляющий *a.* overwhelming.
подавно F so much *or* all the more.
подагра *f* [5] gout; podagra.
подальше F rather far off.
пода|рок *m* [1; -рка] present, gift; **~тель** *m* [4] bearer; petitioner;

~тливый [14 *sh.*] (com)pliant; **'~ть** *f* [8; *from g/pl. e.*] tax; **~ть(ся)** *s.* ~вать(ся); **~ча** *f* [5] giving; serving; serve; presentation; rendering; supply; ~ча го́лоса voting; **~чка** *f* [5; *g/pl.*: -чек] charity, gift; **~я́ние** *n* [12] alms.
подбе|га́ть [1], ⟨~жа́ть⟩ [4; -бегу́, -бежи́шь, -бегу́т] run up (to к Д).
подби|ва́ть [1], ⟨~ть⟩ [подобью́, -бьёшь, *etc.*, *cf.* бить] line, fur; (re)sole; hit, injure; F instigate, incite; ~тый F black (*eye*).
под|бира́ть [1], ⟨~обра́ть⟩ [подберу́, -рёшь; подобра́л, -á, -o; подо́бранный] pick up; tuck up; draw in; pick out, select; **-ся** sneak up (to к Д); **~би́ть** *s.* ~бива́ть; **~бо́р** *m* [1] picking up *or* out; selection; assortment; на ~бо́р chosen, select.
подборо́док *m* [1; -дка] chin.
подбр|а́сывать [1], ⟨~о́сить⟩ [15] throw (up); jolt; add; foist, palm (on Д).
подва́л *m* [1] basement; cellar.
подвезти́ *s.* подвози́ть.
подвер|га́ть [1], ⟨~гнуть⟩ [21] subject, expose; **-ся** undergo; be exposed; run (*risk*); **~женный** [14 *sh.*] subject; **~же́ние** *n* [12] subjection.
подве́с|ить *s.* подве́шивать; **~но́й** [14] hanging (*lamp*); ⊕ suspension.
подвести́ *s.* подводи́ть.
подве́тренный [14] leeward.
подве́|шивать [1], ⟨~сить⟩ [15] hang (under; on); fix.
по́двиг *m* [1] feat, exploit, deed.
подви|га́ть [1], ⟨~нуть⟩ [20] move (*v/i.* **-ся**; advance, get on); push (on, ahead); **~жно́й** [14] mobile; movable; nimble; 🚂 rolling (*stock*); **~жность** *f* [8] mobility; agility; **~за́ться** [1] be active; **~нуть(ся)** *s.* ~га́ть(ся).
подв|ла́стный [14; -тен, -тна] subject; **~о́да** *f* [5] cart; wag(g)on.
подводи́ть [15], ⟨подвести́⟩ [25] lead ([up] to); bring, get; lay; build; make (up); F let a p. down.
подво́дн|ый [14] submarine ~ая ло́дка *f* submarine; ~ый ка́мень *m* reef.
подво́з *m* [1] supplies *pl.*; **~и́ть** [15], ⟨подвезти́⟩ [24] bring, get; give a p. a lift.
подвы́пивший F [17] tipsy, drunk.
подвя́з|ка *f* [5; *g/pl.*: -зок] garter; **~ывать** [1], ⟨~а́ть⟩ [3] tie (up).
под|гиба́ть [1], ⟨~огну́ть⟩ [20] tuck (under); bend; **-ся** fail.
подгля́д|ывать [1], ⟨~е́ть⟩ [11] peep, spy.
подгов|а́ривать [1], ⟨~ори́ть⟩ [13] instigate, talk a p. into.
под|гоня́ть [28], ⟨~огна́ть⟩ [подгоню́, -го́нишь; *cf.* гнать] drive *or* urge on, hurry (up); fit, adapt.
подгор|а́ть [1], ⟨~е́ть⟩ [9] burn.
подготов|и́тельный [14] preparatory; **~ка** *f* [5; *g/pl.*: -вок] preparation (for к Д); training; ⚔ drill; **~ля́ть** [28], ⟨~ить⟩[14] prepare.
подда|ва́ться [5], ⟨~ться⟩ [-да́мся, -да́шься, *etc.*, *cf.* дать] yield; не ~ва́ться (Д) defy (*description*).
подда́к|ивать F [1], ⟨~нуть⟩ [20] say yes (to everything), consent.
по́дда|нный *m* [14] subject; **~нство** *n* [9] nationality, citizenship; **~ться** *s.* ~ва́ться.
подде́л|ка *f* [5; *g/pl.*: -лок] forgery, counterfeit; **~ывать,** ⟨~ать⟩ [1] forge; **~ьный** [14] counterfeit...; sham...
подде́рж|ивать [1], ⟨~а́ть⟩ [4] support; back up; uphold; maintain; **~ка** *f* [5; *g/pl.*: -жек] support; approval.
поде́л|ать F [1] *pf.* do; ничего́ не ~аешь there's nothing to be done; *cf. a.* де́лать F; **~о́м** F rightly; ~о́м ему́ it serves him right; **~ывать** F [1]: что (вы) ~ываете? what are you doing (now)?
поде́ржанный [14] second-hand; worn, used.
поджа́р|ивать [1], ⟨~ить⟩ [13] roast, brown; toast; **~ый** [14 *sh.*] lean.
поджа́ть *s.* поджима́ть.
под|же́чь *s.* ~жига́ть; **~жига́тель** *m* [4] incendiary; **~жига́ть** [1], ⟨~же́чь⟩ [26; подожгу́, -жжёшь; поджёг, подожгла́; подожжённый] set on fire (*or* fire to).
под|жида́ть [1], ⟨~ожда́ть⟩ [-ду́, -дёшь; -а́л, -á, -o] wait (for Р, В).
под|жима́ть [1], ⟨~жа́ть⟩ [подожму́, -мёшь; поджа́тый] cross (*legs* under под В); purse (*lips*); draw in (*tail*).
поджо́г *m* [1] arson; burning.
подзаголо́вок *m* [1; -вка] subtitle.
подзадо́р|ивать F [1], ⟨~ить⟩ [13] instigate, incite (to на В).
подза|ты́льник *m* [1] cuff on the

nape; **~щи́тный** *m* [14] ⚖ client.
подзем|е́лье *n* [10] (underground) vault, cave; dungeon; **~ный** [14] underground, subterranean; *cf.* метро́.
подзо́рная [14]: ~ труба́ *f* spyglass.
под|зыва́ть [1], ⟨~озва́ть⟩ [подзову́, -ёшь; подозва́л, -а́ -о; подо́званный] call, beckon; **~и́** P come (,now); go; try; I suppose.
под|ка́пываться, ⟨~копа́ться⟩ [1] undermine (*v/t.* под В); **~карау́ливать** F [1], ⟨~карау́лить⟩ [13] *s.* подстерега́ть; **~ка́рмливать** [1], ⟨~корми́ть⟩ [14] feed, fatten; **~ка́тывать** [1], ⟨~кати́ть⟩ [15] roll *or* drive up (under); **~ка́шиваться** [1], ⟨~коси́ться⟩ [15] fail.
подки́|дывать [1], ⟨~нуть⟩ [20] *s.* подбра́сывать; **~дыш** *m* [1] foundling.
подкла́д|ка *f* [5; *g/pl.*: -док] lining; ⊕ support; **~ывать** [1], ⟨подложи́ть⟩ [16] lay (under); add; enclose; foist (on Д).
подкле́|ивать [1], ⟨~ить⟩ [13] glue, paste (under).
подко́в|а *f* [5] horseshoe; **~ывать** [1], ⟨~а́ть⟩ [7 *e.*; -кую́, -куёшь] shoe; ~анный *a.* versed.
подко́жный [14] hypodermic.
подко́п *m* [1] sap, mine; **~а́ться** *s.* подка́пываться.
подкоси́ться *s.* подка́шиваться.
подкра́|дываться [1], ⟨~сться⟩ [25] steal *or* sneak up (to к Д); **~шивать** [1], ⟨~сить⟩ [15] touch up; make up.
подкреп|ля́ть [28], ⟨~и́ть⟩ [14 *e.*; -плю́, -пи́шь; -плённый] reinforce, fortify; corroborate; refresh; **~ле́ние** *n* [12] reinforcement; corroboration; refreshment.
по́дкуп *m* [1] bribery; **~а́ть** [1], ⟨~и́ть⟩ [14] bribe; win, prepossess; **~но́й** [14] corrupt.
подла́|живаться F [1], ⟨~диться⟩ [15] adapt o. s.; make up to.
по́дле (P) beside, by (the side of); nearby.
подлеж|а́ть [4 *e.*; -жу́, -жи́шь] be subject to; be to be; (И) не ~и́т (Д) there can be no (*doubt* about); **~а́щий** [17] subject (to Д); ...able; ~а́щее *n gr.* subject.
подле|за́ть [1], ⟨~зть⟩ [24 *st.*] creep (under; up); **~та́ть** [1], ⟨~те́ть⟩ [11] fly (up).
подле́ц *m* [1 *e.*] scoundrel, rascal.
подли|ва́ть [1], ⟨~ть⟩ [подолью́, -льёшь; подле́й!; по́дли́л, -а́, -о; по́дли́тый (-ли́т, -а́, -о)] pour, add; **~вка** *f* [5; *g/pl.*: -вок] gravy; sauce.
подли́з|а *m/f* [5] toady; **~ываться** F [1], ⟨~а́ться⟩ [3] flatter, insinuate o. s. (with к Д).
по́длинн|ик *m* [1] original; **~ый** [14; -инен, -инна] original; authentic, genuine; true; pure.
подли́ть *s.* подлива́ть.
по́дличать F [1], ⟨с-⟩ act meanly.
подло́|г *m* [1] forgery; **~жи́ть** *s.* подкла́дывать; **~жный** [14; -жен, -жна] spurious, false.
по́дл|ость *f* [8] meanness; low act; **~ый** [14; подл, -а́, -о] mean, base, low.
подма́з|ывать [1], ⟨~ать⟩ [3] grease (*a.*, F, *fig.*), smear; F make up; **-ся** F insinuate o. s. (with к Д).
подма́н|ивать [1], ⟨~и́ть⟩ [13; -аню́, -а́нишь] beckon.
подмасте́рье *m* [10; *g/pl.*: -ьев] journeyman.
подме́н|а *f* [5] substitution, exchange; **~ивать** [1], ⟨~и́ть⟩ [13; -еню́, -е́нишь] substitute (s.th./for Т/В), (ex)change.
подме|та́ть [1], ⟨~сти́⟩ [25 -т-: -мету́] sweep; **~тить** *s.* подмеча́ть.
подмётка *f* [5; *g/pl.*: -ток] sole.
подме|ча́ть [1], ⟨~тить⟩ [15] notice, observe, perceive.
подме́ш|ивать, ⟨~а́ть⟩ [1] mix (s. th. with s. th. Р/в В), adulterate.
подми́г|ивать [1], ⟨~ну́ть⟩ [20] wink (at Д).
подмо́га F *f* [5] help, assistance.
подмок|а́ть [1], ⟨~нуть⟩ get wet.
подмо́стки *m/pl.* [1] scaffold; stage.
подмо́ченный [14] wet; F stained.
подмы|ва́ть [1], ⟨~ть⟩ [22] wash (*a.* out, away); F press.
подне|бе́сье *n* [10] firmament; **~во́льный** [14; -лен, -льна] dependent; forced; **~сти́** *s.* подноси́ть.
поднима́ть [1], ⟨подня́ть⟩ [-ниму́, -ни́мешь; по́днял, -а́, -о; по́днятый (-нят, -а́, -о)] lift; pick up (from с Р); elevate; set (up; off); take up (*arms*); hoist (*flag*); weigh (*anchor*); set (*sail*); give (*alarm*); make (*noise*); scare (*game*); plow (*Brt.* plough) up; ~ нос assume airs; ~ на́ ноги alarm; ~ на́ смех ridicule; **-ся** [*pt.*: -ня́лся́, -ла́сь] (с Р from) rise;

arise; go up(*stairs* по Д); climb (*hill* на В); set out; get agitated.
подного́тная F *f* [14] ins & outs *pl.*
подно́ж|ие *n* [12] foot, bottom (at у Р); pedestal; **~ка** *f* [5; *g/pl.*: -жек] footboard; *mot.* running board; trip; **~ный** [14] green (*fodder*).
подно́|с *m* [1] tray; **~си́ть** [15], ⟨поднести́⟩ [24 -с-] bring, carry; offer, present (Д); **~ше́ние** *n* [12] gift.
подня́т|ие *n* [12] raise, raising; rise; elevation, *etc.*, *cf.* поднима́ть(ся); **~ь(ся)** *s.* поднима́ть(ся).
подоб|а́ть: ~а́ет it becomes; ought; **∠ие** *n* [12] resemblance; image (*a. eccl.*); ⁂ similarity; **∠ный** [14; -бен, -бна] similar (to Д); such; и тому́ ∠ное and the like; ничего́ ∠ного nothing of the kind; **~о-стра́стный** [14; -тен, -тна] servile.
подо|бра́ть(ся) *s.* подбира́ть(ся); **~гна́ть** *s.* подгоня́ть; **~гну́ть(ся)** *s.* подгиба́ть(ся); **~грева́ть** [1], ⟨~гре́ть⟩ [8; -е́тый] warm up; **~двига́ть** [1], ⟨~дви́нуть⟩ [20] move ([up] to к Д) (*v/i.* **-ся**; draw near); **~жда́ть** *s.* поджида́ть & ждать; **~зва́ть** *s.* подзыва́ть.
подозр|ева́ть [1], ⟨заподо́зрить⟩ [13] suspect (of в П); **~е́ние** *n* [12] suspicion; **~и́тельный** [14; -лен, -льна] suspicious.
подойти́ *s.* подходи́ть.
подоко́нник *m* [1] window sill.
подо́л *m* [1] lap, hem.
подо́лгу (for a) long (time).
подо́нки *m/pl.* [1] dregs (*a. fig.*).
подо́пытный [14; -тен, -тна] test...
подорва́ть *s.* подрыва́ть.
подоро́жн|ая *f* [14] *hist.* post-horse order; **~ик** *m* [1] plantain, ribwort.
подо|сла́ть *s.* подсыла́ть; **~спе́ть** [8] *pf.* come (in time); **~стла́ть** *s.* подстила́ть.
подотде́л *m* [1] sub-division.
подотчётный [14; -тен, -тна] accountable.
подохо́дный [14] income (*tax*).
подо́шва *f* [5] sole; foot, bottom.
подпа|да́ть [1], ⟨∠сть⟩ [25; *pt. st.*] fall (under); **∠ивать** F [1], ⟨подпои́ть⟩ [13] make drunk; **~ли́ть** [13] *pf.* F = подже́чь; singe; **∠сок** *m* [1; -ска] shepherd boy; **∠сть** *s.* ~да́ть.
подпева́ть [1] *s.* вто́рить.
подпира́ть [1], ⟨подпере́ть⟩ [12; подопру́, -прёшь] support, prop.
подпис|а́ть(ся) *s.* ∠ывать(ся); **∠ка** *f* [5; *g/pl.*: -сок] subscription (to; for на В); pledge (take дать); **~но́й** [14] subscription...; **∠чик** *m* [1] subscriber; **∠ывать(ся)** [1], ⟨~а́ть (-ся)⟩ [3] sign; subscribe (to; for на В); **'~ь** *f* [8] signature (for на В); за '~ью (Р) signed by.
подплы|ва́ть [1], ⟨~ть⟩ [23] swim (under *or* up [to к Д]).
подпо|и́ть *s.* подпа́ивать; **~лза́ть** [1], ⟨~лзти́⟩ [24] creep *or* crawl (under *or* up [to к Д]); **~лко́вник** *m* [1] lieutenant colonel; **∠лье** *n* [10; *g/pl.*: -ьев], **∠льный** [14] underground; **∠р(к)а** *f* [5 (*g/pl.*: -рок)] prop; **∠чва** *f* [5] subsoil; **~я́сывать** [1], ⟨~я́сать⟩ [3] gird.
подпр|у́га *f* [5] girth; **~ы́гивать** [1], *once* ⟨~ы́гнуть⟩ [20] jump up.
подпус|ка́ть [1], ⟨~ти́ть⟩ [15] allow to approach; admit; F add.
подр|а́внивать [1], ⟨~овня́ть⟩ [28] straighten; level; clip.
подража́|ние *n* [12] imitation (in /of в В/Д); **~тель** *m* [4] imitator (of Д); **~ть** [1] imitate, copy (*v/t.* Д); counterfeit.
подраздел|е́ние *n* [12] subdivision; ⚔ unit; **~я́ть** [28], ⟨~и́ть⟩ [13] (**-ся** be) subdivide(d) (into на В).
подра|зумева́ть [1] mean (by под Т), imply; **-ся** be implied; ✝ be understood; **~ста́ть** [1], ⟨~сти́⟩ [24 -ст-; -ро́с, -ла́] grow (up); rise.
подрез|а́ть & **∠ывать** [1], ⟨∠ать⟩ [3] cut; crop, clip.
подро́бн|ость *f* [8] detail; **~ый** [14; -бен, -бна] detailed, full-length; ~о in detail, in full.
подровня́ть *s.* подра́внивать.
подро́сток *m* [1; -стка] teenager; youth, juvenile.
подруб|а́ть [1], ⟨~и́ть⟩ [14] cut; [hem.]
подру́га [5] (girl) friend; playmate.
по-дру́жески (in a) friendly (way).
подружи́ться [16 *e.*; -жу́сь, -жи́шься] *pf.* make friends (with с Т).
подрумя́нить [13] *pf.* redden.
подру́чный [14] assistant; helper.
подры́|в *m* [1] undermining; blowing up; **~ва́ть** [1] **1.** ⟨~ть⟩ [22] sap, undermine; **2.** ⟨подорва́ть⟩ [-рву́, -рвёшь; -рва́л, -а́, -о; подо́рванный] blow up, blast, spring; *fig.* undermine; **~вно́й** [14] blasting, explosive; subversive.

подря́д 1. *adv.* successive(ly), running; one after another; **2.** *m* [1] contract; **~чик** *m* [1] contractor.
подс|а́живать [1], ⟨**~ади́ть**⟩ [15] help; plant; **-ся**, ⟨**~е́сть**⟩ [25; -ся́ду, -ся́дешь; -се́л] sit down (by к Д).
подсве́чник *m* [1] candlestick.
подсе́сть *s.* подса́живаться.
подска́з|ывать [1], ⟨**~а́ть**⟩ [3] prompt; **~ка** F *f* [5] prompting.
подскак|а́ть [3] *pf.* gallop (up to к Д); **∠ивать** [1], ⟨подскочи́ть⟩ [16] run ([up] to к Д); jump up.
под|сла́щивать [1], ⟨**~сласти́ть**⟩ [15 *e.*; -ащу́, -асти́шь; -ащённый] sweeten; **~сле́дственный** *m* [14] (prisoner) on trial; **~слепова́тый** [14 *sh.*] weak-sighted; **~слу́шивать**, ⟨**~слу́шать**⟩ [1] eavesdrop, overhear; **~сма́тривать** [1], ⟨**~смотре́ть**⟩ [9; -отрю́, -о́тришь] spy, peep; **~сме́иваться** [1] laugh (at над Т); **~смотре́ть** *s.* ~сма́тривать.
подсне́жник *m* [1] snowdrop.
подсо́|бный [14] subsidiary, by-..., side..., subordinate; **~вывать** [1], ⟨подсу́нуть⟩ [20] push, shove; present; F palm ([off] on Д); **~зна́тельный** [14; -лен, -льна] subconscious; **~лнечник** *m* [1] sunflower; **~хнуть** *s.* подсыха́ть.
подспо́рье F *n* [10] help, support.
подста́в|ить *s.* ~ля́ть; **~ка** *f* [5; *g/pl.*: -вок] support, prop, stay; stand; saucer; **~ля́ть** [28], ⟨**~ить**⟩ [14] put, place, set (under под В); move up (to [к] Д); expose; Ѧ substitute; ~ля́ть но́гу *or* но́жку (Д) trip (a p.) up; **~но́й** [14] false, straw...; ~но́е лицо́ *n* dummy.
подстан|о́вка Ѧ *f* [5; *g/pl.*: -вок] substitution; **∠ция** *f* [7] substation.
подстер|ега́ть [1], ⟨**~е́чь**⟩ [26 г/ж: -регу́, -режёшь; -рёг, -регла́] lie in wait of; *pf.* trap.
подстил|а́ть [1], ⟨подостла́ть⟩ [подстелю́, -е́лешь; подо́стланный *&* подсте́ленный] spread (under под В); **∠ка** *f* [5; *g/pl.*: -лок] bedding; spreading.
подстр|а́ивать [1], ⟨**~о́ить**⟩ [13] △ build, add; F ♪ tune (to под В); plot.
подстрек|а́тель *m* [4] instigator, monger; **~а́тельство** *n* [9] instigation; **~а́ть** [1], ⟨**~ну́ть**⟩ [20] incite (to на В); stir up, provoke.
подстр|е́ливать [1], ⟨**~ели́ть**⟩ [13; -елю́, -е́лишь] hit, wound; **~ига́ть** [1], ⟨**~и́чь**⟩ [26 г/ж: -игу́, -ижёшь; -и́г, -и́гла; -и́женный] cut, crop, clip; trim, lop; **~о́ить** *s.* подстра́ивать; **~о́чный** [14] interlinear; foot(*note*).
по́дступ *m* [1] approach (*a.* ⚔); **~а́ть** [1], ⟨**~и́ть**⟩ [14] approach (*v/t.* к Д); rise; press.
подсуд|и́мый *m* [14] defendant; **∠ность** *f* [8] jurisdiction.
подсу́нуть *s.* подсо́вывать.
подсч|ёт *m* [1] calculation, computation, cast; **~и́тывать**, ⟨**~ита́ть**⟩ [1] count (up), compute.
подсы|ла́ть [1], ⟨подосла́ть⟩ [-шлю́, -шлёшь; -о́сланный] send (secretely); **~па́ть** [1], ⟨**∠пать**⟩ [2] add, pour; **~ха́ть** [1], ⟨подсо́хнуть⟩ [21] dry (up).
подта́|лкивать [1], ⟨подтолкну́ть⟩ [20] push; nudge; **~со́вывать** [1], ⟨**~сова́ть**⟩ [7] shuffle (trickily); garble; **~чивать** [1], ⟨подточи́ть⟩ [16] eat (away); wash (out); sharpen; *fig.* undermine.
подтвер|жда́ть [1], ⟨**~ди́ть**⟩ [15 *e.*; -ржу́, -рди́шь; -рждённый] confirm, corroborate; acknowledge; **-ся** prove (to be) true; **~жде́ние** *n* [12] confirmation; acknowledg(e)ment.
под|тере́ть *s.* ~тира́ть; **~тёк** *m* [1] bloodshot spot; **~тира́ть** [1], ⟨**~тере́ть**⟩ [12; подотру́; подтёр] wipe (up); **~толкну́ть** *s.* ~та́лкивать; **~точи́ть** *s.* ~та́чивать.
подтру́н|ивать [1], ⟨**~и́ть**⟩ [13] tease, banter, chaff (*v/t.* над Т).
подтя́|гивать [1], ⟨**~ну́ть**⟩ [19] pull (up); draw (in *reins*); tighten; raise (*wages*); wind *or* key up, egg on; join in (*song*); **-ся** chin; brace up; improve, pick up; **~жки** *f/pl.* [5; *gen.*: -жек] suspenders, *Brt.* braces.
поду́мывать [1] think (about о П).
подуч|а́ть [1], ⟨**~и́ть**⟩ [16] *s.* учи́ть.
поду́шка *f* [5; *g/pl.*: -шек] pillow; cushion, pad.
подхали́м *m* [1] toady, lickspittle.
подхва́т|ывать [1], ⟨**~и́ть**⟩ [15] catch; pick up; take up; join in.
подхо́д *m* [1] approach (*a. fig.*); **~и́ть** [15], ⟨подойти́⟩ [-ойду́, -дёшь; -ошёл; -шла́; *g. pt.* -ойдя́] (к Д) approach, go (up to); arrive, come; (Д) suit, fit; **~я́щий** [17] suitable, fit(ting), appropriate; convenient.

подцеп|ля́ть [28], ⟨**~и́ть**⟩ [14] hook (*a. fig.*); pick up, catch.
подча́с at times, sometimes.
подч|ёркивать [1], ⟨**~еркну́ть**⟩ [20; -ёркнутый] underline; stress.
подчин|е́ние *n* [12] submission; subjection; *gr.* hypotaxis; **~ённый** [14] subordinate; **~я́ть** [28], ⟨**~и́ть**⟩ [13] subject, subdue; subordinate; put under (s.b.'s Д) supervision; **-ся** (Д) submit (to); obey.
под|ше́фный [14] sponsored; **~шива́ть** [1], ⟨**~ши́ть**⟩ [подошью́, -шьёшь; *cf* шить] sew on (to к Д); hem; file; **~ши́пник** ⊕ *m* [1] bearing; **~ши́ть** *s.* ~шива́ть; **~шу́чивать** [1], ⟨**~шути́ть**⟩ [15] play a trick (on над Т).
подъе́|зд *m* [1] entrance, porch; drive; approach; **~здно́й** [14] 🚂 branch (*line*); **~зжа́ть** [1], ⟨**~хать**⟩ [-е́ду, -е́дешь] (к Д) drive *or* ride up (to), approach; F drop in (on); make up to.
подъём *m* [1] lift(ing); ascent, rise (*a. fig.*); enthusiasm; instep; лёгок (тяжёл) на ~ nimble (slow); **~ник** *m* [1] elevator, lift, hoist; **~ный** [14]: ~ный мост *m* drawbridge; ~ная си́ла *f* carrying capacity; ~ные (де́ньги) *pl.* travel(l)ing expenses.
подъе́|хать *s.* ~зжа́ть.
под|ыма́ть(ся) *s.* ~нима́ть(ся).
поды́ск|ивать [1], ⟨**~а́ть**⟩ [3] *impf.* look for; *pf.* find; choose.
подыто́ж|ивать [1], ⟨**~ить**⟩ [16] sum up.
поеда́ть [1], ⟨пое́сть⟩ *cf.* есть[1].
поеди́нок *m* [1; -нка] duel (with *arms* на П).
по́езд *m* [1; *pl.:* -да́, *etc. e.*] train; **∠ка** *f* [5; *g/pl.:* -док] trip, journey; voyage; tour; **~но́й** 🚂 [14] train...
поє́ние *n* [12] watering.
пожа́луй maybe, perhaps; I suppose; **~ста** (pa'ʒałustə) please; *cf. a.* (не́ за) что; скажи́(те) ~ста! I say!; **~те** come in(to в В), please; ~те сюда́! this way, please; *cf.* жа́ловать & добро́[2].
пожа́р *m* [1] fire (to/at на В/П); conflagration; **~ище** *n* [11] scene of conflagration; **~ник** *m* [1] fireman; **~ный** [14] fire...; *su.* = ~ник; *cf.* кома́нда.
пожа́т|ие *n* [12] shake (*of hand*); **~ь** *s.* пожима́ть & пожина́ть.
пожела́ние *n* [12] wish; request.
пожелте́лый [14] yellow, faded.
поже́ртвование *n* [12] donation.
пожи́|ва *f* [5] F = нажи́ва, *s.*; **~ва́ть** [1] F live; как (вы) ~ва́ете? how are you (getting on)?; **~ви́ться** [14 *e.*; -влю́сь, -ви́шься] *pf.* F (Т) = нажи́ть; **~зненный** [14] life...; **~ло́й** [14] elderly.
пожи|ма́ть [1], ⟨пожа́ть⟩ [-жму́, -жмёшь; -а́тый] *s.* жать[1]; ~ма́ть плеча́ми shrug one's shoulders; **~на́ть** [1], ⟨пожа́ть⟩ [-жну́, -жнёшь; -жа́тый] *s.* жать[2]; **~ра́ть** P [1], ⟨пожра́ть⟩ [-жру́, -рёшь; -а́л, -а́, -о] eat up; devour; **∠тки** F *m/pl.* [1] belongings, things; со всёми ∠тками with bag & baggage.
по́за *f* [5] pose, posture, attitude.
поза|вчера́ the day before yesterday; **~ди́** (P) behind; past; **~про́шлый** [14] the ... before last.
позвол|е́ние *n* [12] permission (with с Р), leave (by); **~и́тельный** [14; -лен, -льна] permissible; ~и́тельно one may; **~я́ть** [28], ⟨**∠ить**⟩ [13] allow (*a.* of), permit (Д); ~я́ть себе́ venture, presume; ✝ beg *to*; afford; ∠ь(те) may I; let; I say.
позвоно́|к *m* [1; -нка́] *anat.* vertebra; **~чник** *m* [1] spinal (*or* vertebral) column, spine, backbone; **~чный** [14] vertebral; vertebrate.
по́здн|ий [15] (-zn-) (~о *a.* it is) late.
поздоро́вит|ься F *pf.*: ему́ не ~ся he will (have to) pay for it.
поздрав|и́тель *m* [4] congratulator; **~и́тельный** [14] congratulatory; **∠ить** *s.* ~ля́ть; **~ле́ние** *n* [12] congratulation; *pl.* compliments (of the season с Т); **~ля́ть** [28], ⟨**∠ить**⟩ [14] (с Т) congratulate (on), wish (many happy returns [of the day]); send (*or* give) one's compliments (of the season).
поземе́льный [14] land..., ground...
по́зже later; не ~ (Р) ... at the latest.
позити́вный [14; -вен, -вна] positive.
позици|о́нный [14] trench..., position...; **'~я** *f* [7] position; *pl.* ⚔ line; *fig.* attitude (on по Д).
позна|ва́ть [5], ⟨**∠ть**⟩ [1] perceive; (come to) know; **∠ние** *n* [12] perception; *pl.* knowledge.
позоло́та *f* [5] gilding.
позо́р *m* [1] shame, disgrace, infamy; **~ить** [13], ⟨о-⟩ dishono(u)r, disgrace; **~ный** [14; -рен, -рна]

shameful, disgraceful, infamous, ignominious; ~ный столб *m* pillory.

позы́в *m* [1] desire; impulse.

поим|ённый [14] of names; by (roll) call; **~енова́ть** [7] *pf.* name; **~у́щественный** [14] property...

по́ис|ки *m/pl.* [1] search (in в П), quest; **∠тине** truly, really.

по|и́ть [13], ⟨на-⟩ water; give to drink (s. th. T); **∠йло** *n* [9] swill.

пой|ма́ть *s.* лови́ть; **~ти́** *s.* идти́.

пока́ for the time being (*a.* ~ что); meanwhile; while; ~ (не) until; ~! F so long!, (I'll) see you later.

пока́з *m* [1] demonstration; showing; **~а́ние** (*usu. pl.*) *n* [12] evidence; ⊕ indication; **~а́тель** *m* [4] 𝔄 exponent; index; figure; **~а́тельный** [14; -лен, -льна] significant; demonstrative; model; show (*trial*); **~а́ть(ся)** *s.* ~ывать(ся); **~но́й** [14] ostentatious; sham...; **~ывать** [1], ⟨~а́ть⟩ [3] show; demonstrate; point (at на В); ⚖ testify, depose (against на В); ⊕ read; ~а́ть себя́ (Т) prove; и ви́ду не ~ывать seem to know nothing; look unconcerned; **-ся** appear (*a.* = seem, T), turn up.

пока́мест P, *s.* пока́.

пока́т|ость *f* [8] declivity; slope, slant; **~ый** [14 *sh.*] slanting, sloping; retreating (*forehead*).

покая́н|ие *n* [12] penance (do быть на П); penitence; repentance.

поквита́ться F [1] *pf.* settle accounts.

поки|да́ть [1], ⟨∠нуть⟩ [20] leave, quit; abandon, desert.

покла|дя́: не ~дя́ рук unremittingly; **∠дистый** [14 *sh.*] accommodating; **∠жа** *f* [5] load, lading.

покло́н *m* [1] bow; regards *pl.*; **~е́ние** *n* [12] (Д) worship; deference; **~и́ться** *s.* кла́няться; **~ник** *m* [1] worship(p)er; admirer; **~я́ться** [28] (Д) worship; bow (to).

поко́иться [13] rest, lie; be based.

поко́й *m* [3] rest; repose, peace; calm; † apartment; (оста́вить в П let) alone; **~ник** *m* [1], **~ница** *f* [5] the deceased; ⚖ decedent; **~ницкая** *f* [14] mortuary; **~ный** [14; -о́ен, -о́йна] quiet; calm; easy; the late; *su.* = ~ник, ~ница; *cf.* споко́йный.

поколе́ние *n* [12] generation.

поко́нчить [16] *pf.* ([c] T) finish; (с T) do away with; commit (suicide с собо́й).

покор|е́ние *n* [12] conquest; subjugation; **~и́тель** *m* [4] conqueror; **~и́ть(ся)** *s.* ~я́ть(ся); **∠ность** *f* [8] submission, obedience; **∠ный** [14; -рен, -рна] obedient; humble, submissive; ∠но *a.* (*thank*) very much; **~я́ть** [28], ⟨~и́ть⟩ [13] conquer, subdue; **-ся** submit; resign o. s.

поко́с *m* [1] (hay)mowing; meadow.

покри́кивать F [1] shout (at на В).

покро́в *m* [1] cover; hearse cloth.

покрови́тель *m* [4] patron, protector; **~ница** *f* [5] patroness, protectress; **~ственный** [14] patronizing; ⚘ protective; **~ство** *n* [9] protection (of Д); patronage; **~ствовать** [7] (Д) patronize; protect.

покро́й *m* [3] cut; kind, breed.

покры|ва́ло *n* [9] coverlet; veil; **~ва́ть** [1], ⟨∠ть⟩ [22] (T) cover (*a.* = defray); coat; beat, trump; P call *or* run down; **-ся** cover o. s.; be(come) covered; **∠тие** *n* [12] cover(ing); coat(ing); defrayal; **∠шка** *f* [5; *g/pl.*: -шек] (tire) cover; F lid.

покуп|а́тель *m* [4], **~а́тельница** *f* [5] buyer; customer; **~а́тельный** [14] purchasing; **~а́ть** [1], ⟨купи́ть⟩ [14] buy, purchase (from у Р); **∠ка** *f* [5; *g/pl.*: -пок] purchase; package; за ∠ками (*go*) shopping; **~но́й** [14] purchasing; purchase(d).

поку|ша́ться [1], ⟨~си́ться⟩ [15 *e.*; -ушу́сь, -уси́шься] attempt (*v/t.* на В); encroach ([up]on); **~ше́ние** *n* [12] attempt ([up]on на В).

пол[1] *m* [1; на́ ~; на -у́; *pl. e.*] floor.

пол[2] *m* [1; *from g/pl. e.*] sex.

пол[3](...) [*g/sg., etc.*: ~(у)...] half (...).

пола́ *f* [5; *pl. st.*] skirt, tail.

полага́|ть [1], ⟨положи́ть⟩ [16] put; decide; ♪ set (to на В); *impf.* think, suppose, guess; fancy; на́до ~ть probably; поло́жим, что ... suppose, let's assume that; **-ся** rely (on на В); (Д) ~ется must; be due *or* proper; как ~ется properly.

по́л|день *m* [*gen.*: -(у́)дня; *g/pl.*: -дён] noon (at в В); *cf.* обе́д; **~дне́вный** [14] midday...; **~доро́ги** *s.* ~пути́; **~дю́жины** [*gen.*: -удю́жины] half (a) dozen.

по́ле *n* [10; *pl. e.*] field (*a. fig.*; in на, в П; across по́ Д; T); ground; *mst. pl.* margin; **~во́й** [14] field...; **∠зный** [14; -зен, -зна] useful, of use; helpful; wholesome; ⊕ effective; net.

полем|изи́ровать [7] polemize; **ʹ~ика** *f* [5], **~и́ческий** [16] polemic.
поле́но *n* [9; *pl.*: -нья, -ньев] log.
полёт *m* [1] flight; бре́ющий ~ low-level flight; слепо́й ~ blind flying.
по́лз|ать [1], **~ти́** [24] creep, crawl; **~ко́м** on all fours; **~у́чий** [17]: ~у́чее расте́ние *n* creeper, climber.
поли|ва́ть [1], ⟨ʹ~ть⟩ [-лью́, -лёшь; *cf.* лить] water; *pf.* start raining (*or* pouring); **ʹ~вка** *f* [5] watering; flushing.
полиго́н *m* [1] (target) range.
полиня́лый [14] faded.
поли|рова́ть [7], ⟨от-⟩ polish, burnish; **~ро́вка** *f* [5; *g/pl.*: -вок] polish(ing); **ʹ~с** *m* [1] (*insurance*) policy.
Полит|бюро́ *n* [*indecl.*] Politburo (*Sov.*), Political Bureau; **~гра́мота** *f* [5] political primer (*Sov.*); **~е́хникум** *m* [1] polytechnic; **~заключённый** *m* [14] political prisoner.
поли́т|ик *m* [1] politician; **~ика** *f* [5] policy; politics *pl.*; **~и́ческий** [16] political; **~ру́к** *m* [1] political instructor (*or* commissar[y]) (*Sov.*); **~у́ра** *f* [5] polish; **~учёба** *f* [5] political instruction (*Sov.*); **~ь** *s.* полива́ть; **~эконо́мия** *f* [7] political economy, economics.
полиц|е́йский [16] police(man *su.*); **ʹ~ия** *f* [7] police.
поли́чн|ое *n* [14] corpus delicti; с ~ым (*catch*) red-handed.
полк *m* [1 *e.*; в -у́] regiment; **ʹ~а** *f* [5; *g/pl.*: -лок] shelf; pan (*gun*).
полко́в|ник *m* [1] colonel; **~о́дец** *m* [1; -дца] commander, general; **~о́й** [14] regimental.
полне́ть [8], ⟨по-⟩ grow stout.
по́лно 1. full, to the brim; **2.** F (*a.* ~те) okay, all right; never mind; enough *or* no more (of this); (*a.* ~ Д + *inf.*) stop, quit (that) (...ing)!; **~ве́сный** [14; -сен, -сна] weighty; **~вла́стный** [14; -тен, -тна] absolute; **~во́дный** [14; -ден, -дна] deep; **~кро́вный** [14; -вен, -вна] full-blooded; ⚕ plethoric; **~лу́ние** *n* [12] full moon; **~мо́чие** *n* [12] (full) power; **~мо́чный** [14; -чен, -чна] plenipotentiary; *cf.* полпре́д (-ство); **~пра́вный** [14; -вен, -вна]: ~пра́вный член *m* full member; **~стью** completely, entirely; **~та́** *f* [5] fullness, plenitude; completeness; corpulence; **~це́нный** [14; -е́нен, -е́нна] full (value)...; *fig.* full-fledged.
по́лночь *f* [8; -(у́)ночи] midnight.
по́лн|ый [14; по́лон, полна́, по́лно́; полне́е] full (of P *or* T); complete, absolute; perfect (*a. right*); stout; chubby; ~ы́м-~ый F full up, packed (with P).
полови́к *m* [1 *e.*] mat.
полови́н|а *f* [5] half (by на В); ~а (в ~е) пя́того (at) half past four; два с ~ой two & a half; **~ка** *f* [5; *g/pl.*: -нок] half; leaf (*door*); **~чатый** [14] *fig.* vague, evasive.
полови́ца *f* [5] deal, board.
полово́дье *n* [10] high water (*in spring*).
полов|о́й[1] [14] floor...; ~а́я тря́пка *f* mop; **~о́й**[2] [14] sexual; ~а́я зре́лость *f* puberty; ~ы́е о́рганы *m/pl.* genitals.
по́лог *m* [1] bed curtain.
поло́гий [16; *comp.*: поло́же] slightly sloping, flat.
полож|е́ние *n* [12] position, location; situation; state, condition; standing; regulations *pl.*; thesis; в (интере́сном) ~е́нии F in the family way; **~и́тельный** [14; -лен, -льна] positive; affirmative; **~и́ть** (**-ся**) *s.* класть 1. & полага́ть(ся).
по́лоз *m* [1; *pl.*: -ло́зья, -ло́зьев] runner.
поло́мка *f* [5; *g/pl.*: -мок] breakage.
полоса́ *f* [5; *ac/sg.*: по́лосу́; *pl.*: по́лосы, поло́с, -са́м] stripe, streak; strip; belt, zone; bar; field; period; **~тый** [14 *sh.*] striped.
полоска́ть [3], ⟨про-⟩ rinse; gargle; **-ся** paddle; flap (*flag, etc.*).
по́лость *f* [8; *from g/pl. e.*] cavity.
полоте́нце *n* [11; *g/pl.*: -нец] towel (on T); мохна́тое ~ Turkish towel.
поло́тн|ище *n* [11] width; **~о́** *n* [9; *pl.*: -о́тна, -о́тен, -о́тнам] linen; bunting; 🚂 roadbed; embankment; (*saw*) blade; **~я́ный** [14] linen...
поло́ть [17], ⟨вы́-, про-⟩ weed.
пол|пре́д *m* [1] ambassador; **~пре́дство** *n* [9] embassy (*Sov., till 1941*); **~пути́** halfway (*a.* на́ ~пути́); **~сло́ва** [9; *gen.*: -(у)сло́ва] half a word; (a few) word(s); на ~(у)сло́ве (*stop*) short; **~со́тни** [6; *g/sg.*: -(у)со́тни; *g/pl.*: -лусо́тен] fifty; **~ти́нник** F *m* [1], P **~ти́на** *f* [5] half (a) ruble, 50 kopecks.
полтор|а́ *m* & *n*, ~ы́ *f* [*gen.*: -у́тора; -ры (*f*)] one and a half; **~а́ста**

[*obl. cases*; -у́тораста] a hundred and fifty.
полу|боти́нки *m/pl.* [1; *g/pl.:* -нок] (low) shoes; **~гла́сный** [14] semivowel; **~го́дие** *n* [12] half year, six months; **~годи́чный, ~годово́й** [14] semiannual, half-yearly; **~гра́мотный** [14; -тен, -тна] semiliterate; **~́денный** [14] midday...; meridional; **~живо́й** [14; -жи́в, -á, -о] half dead; **~защи́тник** *m* [1] halfback; **~кру́г** *m* [1] semicircle; **~ме́сяц** *m* [1] half moon, crescent; **~мра́к** *m* [1] twilight, semi-darkness; **~́ночный** [14] midnight...; **~оборо́т** *m* [1] half-turn; **~о́стров** *m* [1; *pl.:* -ва́, *etc. e.*] peninsula; **~све́т** *m* [1] twilight; demimonde; **~спу́щенный** [14] half-mast; **~ста́нок** *m* [1; -нка] 🚂 stop, substation; **~тьма́** *f* [5] = ~мра́к.
получ|а́тель *m* [4] addressee, recipient; **~а́ть** [1], ⟨~и́ть⟩ [16] receive, get; obtain; catch; have; **-ся** come in, arrive; result; prove, turn out; **~че́ние** *n* [12] receipt; getting; **~́чка** F *f* [5; *g/pl.:* -чек] pay (day).
полу|ша́рие *n* [12] hemisphere; **~шу́бок** *m* [1; -бка] short fur coat.
пол|фу́нта [*g/sg.*: -уфу́нта] half pound; **~цены́:** за ~цены́ at half price; **~часа́** *m* [1; *g/sg.:* -уча́са] half (an) hour.
по́лчище *n* [11] horde; mass.
по́лый [14] hollow; high; iceless.
полы́нь *f* [8] wormwood.
полынья́ *f* [6] ice-hole (*on frozen river, etc.*).
по́льз|а *f* [5] use; benefit (for на, в В, для Р); profit; advantage; utility; в ~у (Р) in favo(u)r of; **~ова́ть** [7] treat; **-ся,** ⟨вос~оваться⟩ (Т) use, make use of; avail o. s. of; enjoy, have; take (*opportunity*).
по́ль|ка *f* [5; *g/pl.:* -лек] **1.** Pole; **2.** polka; **~ский** [16] Polish; **~ша** *f* [5] Poland.
полюбо́вный [14] amicable.
по́люс *m* [1] pole; ⚡ *a.* terminal.
поля́|к *m* [1] Pole; **~на** *f* [5] glade; meadow; **~рный** [14] polar.
пома́да *f* [5] pomade; (*lip*)stick.
пома́з|ание *n* [12] unction; **~ывать** [1], ⟨~ать⟩ [3] anoint; *s.* ма́зать.
помале́ньку F so-so; little by little.
пома́лкивать F [1] keep silent.
пома́|рка *f* [5; *g/pl.:* -рок] blot, erasure; **~хивать** [1] wag; flourish.
помести́т|ельный [14; -лен, -льна] spacious; **~ь(ся)** *s.* помеща́ть[(-ся).
поме́стье *n* [10] estate.
по́месь *f* [8] cross breed, mongrel.
поме́сячный [14] monthly.
помёт *m* [1] dung; litter, brood.
поме́|тить *s.* ~ча́ть; **~тка** *f* [5; *g/pl.*: -ток] mark, note; **~ха** *f* [5] hindrance; trouble, disturbance (*a.* ⊕); **~ча́ть** [1], ⟨~́тить⟩ [15] mark, note.
поме́ш|анный [14 *sh.*] crazy; mad (about на П); **~а́тельство** *n* [9] insanity; **~а́ть** *s.* меша́ть; **-ся** *pf.* go mad (*a.* ~а́ться в уме́); F be mad (about на П).
поме|ща́ть [1], ⟨~сти́ть⟩ [15 *e.*; -ещу́, -ести́шь; -ещённый] place; lodge, accommodate; settle; invest; insert, publish; **-ся** settle (o. s.), locate; lodge; find room; hold; be placed *or* invested; *impf.* be (located); **~ще́ние** *n* [12] lodg(e)ment, premise(s), room; investment; **~́щик** *m* [1] landowner, landlord.
помидо́р *m* [1] tomato.
поми́л|ование *n* [12], **~овать** [7] *pf.* pardon; **~у́й(те)**! for goodness' sake; good gracious; ~у́й бог! God forbid!; го́споди ~у́й! God, have mercy upon us.
поми́мо (Р) besides; in spite of; ~ него́ without his knowledge.
поми́н *m* [1] mention (of о П); **~а́ть** [1], ⟨помяну́ть⟩ [19] recollect, remember; speak about, mention; pray for (*a.* о П); commemorate; ~а́й, как зва́ли (be) off and away; не ~а́ть ли́хом bear no ill will (toward[s] a p. В); **~ки** *f/pl.* [5; *gen.*: -нок] commemoration (for the dead); **~у́тно** every minute; constantly.
по́мнит|ь [13], ⟨вс-⟩ remember, recollect, think of (*a.* о П); мне ~ся (as far as) I remember.
помо|га́ть [1], ⟨~́чь⟩ [26 г/ж: -огу́, -о́жешь, -о́гут; -о́г, -огла́] (Д) help; aid, assist; avail.
помо́|и *m/pl.* [3] slops; **~йный** [14] slop, garbage, dust (*hole* =, F, **~йка** *f* [5; *g/pl.*: -о́ек]).
помо́л *m* [1] grind(ing); **~вить** [14] *pf.* affiance (to с Т); **~вка** *f* [5; *g/pl.*: -вок] betrothal, engagement.
помо́ст *m* [1] dais; rostrum; scaffold.
по́моч|и F *f/pl.* [8; *from gen. e.*] leading strings (in на П); = подтя́жки; **~́ь** *s.* помога́ть.

помо́щ|ник *m* [1], **~ница** *f* [5] assistant; deputy (s. th. P); helper, aid; **'~ь** *f* [8] help, aid, assistance (with с Т *or* при П; to one's на В/Д; *call* for на В, о П); ⚕ treatment; relief; каре́та ско́рой '~и ambulance.

по́мпа *f* [5] pomp; ⊕ pump.

помрача́ть *s.* омрача́ть.

помутне́ние *n* [12] turbidity.

по́мыс|ел *m* [1; -сла] thought; design; **~ли́ть** [28] think (of о П)

помяну́ть *s.* помина́ть.

помя́тый [14] (c)rumpled; trodden.

пона́|добиться [14] *pf.* (Д) need, want; **~пра́сну** F = напра́сно; **~слы́шке** F by hearsay.

поне|во́ле F willy-nilly; against one's will; **~де́льник** *m* [1] Monday (on: в В, *pl.*: по Д).

понемно́|гу, F **~жку** (a) little; little by little, gradually; F *a.* so-so.

пони|жа́ть [1], ⟨**~зить**⟩ [15] lower, reduce (*v/i.* **-ся**; fall, sink); **~же́ние** *n* [12] fall; reduction; decrease; degradation.

поник|а́ть [1], ⟨**~нуть**⟩ [21] hang (one's head голово́й); droop; wilt.

понима́|ние *n* [12] comprehension, understanding; conception; **~ть** [1], ⟨поня́ть⟩ [пойму́, -ёшь; по́нял, -а́, -о; по́нятый (по́нят, -а́, -о)] understand, comprehend, see; realize; appreciate; **~ю** (~ешь, ~ете [ли]) I (you) see.

понома́рь *m* [4 *e.*] sexton.

поно́|с *m* [1] diarrhea; **~си́ть** [15], **~ше́ние** *n* [12] abuse.

поно́шенный [14 *sh.*[worn, shabby.

понто́н *m* [1], **~ный** [14] pontoon.

пону|жда́ть [1], ⟨**~дить**⟩ [15; -у-ждённый] force, compel; **~жде́ние** *n* [12] compulsion.

понука́ть [1] urge on, spur.

пону́р|ить [13] hang; **~ый** [14 *sh.*] downcast.

по́нчик *m* [1] doughnut.

поны́не until now.

поня́т|ие *n* [12] idea, notion; concept(ion); comprehension; **~ливый** [14 *sh.*] quick-witted, bright; **~ный** [14; -тен, -тна] intelligible, understandable; clear, plain; ~но *a.*, F, = коне́чно; **~ь** *s.* понима́ть.

поо́|даль at some distance; **~ди-но́чке** one by one; **~черёдный** [14] alternate.

поощр|е́ние *n* [12] encouragement; **~я́ть** [28], ⟨~и́ть⟩ [13] encourage.

поп F *m* [1 *e.*] priest.

попа|да́ние *n* [12] hit; **~да́ть** [1], ⟨**~сть**⟩ [25; *pt. st.*] (в *or* на В) get, come (*a.* across), fall, find o. s.; hit; catch (*train*); become (в И *pl.*); F (Д *impers.*) get it; не ~сть miss; как ~ло anyhow, at random, haphazard; кому́ ~ло to the first comer (= пе́рвому ~вшемуся); **-ся** (в В) be caught; fall (into a trap на у́дочку); F (Д + *vb.* + И) come across, chance (up)on, meet; occur, there is (are); strike (a p.'s eye Д на глаза́; не ~да́ться be out of a p.'s sight).

попадья́ *f* [6] priest's wife.

попа́рно by pairs, in couples.

попа́сть(ся) *s.* попада́ть(ся).

попер|ёк (P) across, crosswise; in (*a p.'s way*); **~еме́нно** by turns; **~е́чный** [14] transverse, transversal; cross...

попеч|е́ние *n* [12] care, charge (in на П); **~и́тель** *m* [4] curator, trustee.

попира́ть [1] trample (on) (*fig.*).

по́пка F *m* [5; *g/pl.*: -пок] parrot.

поплаво́к *m* [1; -вка́] float (*a.* ⊕).

попо́йка F *f* [5; *g/pl.*: -о́ек] booze.

попол|а́м in half; half & half; fifty-fifty; **~знове́ние** *n* [12] mind; pretension (to на В); **~ня́ть** [28], ⟨**~нить**⟩ [13] replenish, supplement; enrich; reman, reinforce.

пополу́дни in the afternoon, p. m.

попо́на *f* [5] horsecloth.

попра́в|ить(ся) *s.* ~ля́ть(ся); **~ка** *f* [5; *g/pl.*: -вок], **~ле́ние** *n* [12] correction; amendment; improvement; recovery; repair; **~ля́ть** [28], ⟨~ить⟩ [14] repair; adjust; correct, (a)mend; improve; recover (*v/i.* **-ся**; put on weight, look better).

по-пре́жнему (now) as before.

попрек|а́ть [1], ⟨~ну́ть⟩ [20] reproach (with Т).

по́прище *n* [11] field (in на П).

по́про|сту plainly, unceremoniously; downright; **~ша́йка** F *m/f* [5; *g/pl.*: -а́ек] beggar.

попуга́й *m* [3] parrot.

популя́рн|ость *f* [8] popularity; **~ый** [14; -рен, -рна] popular.

попус|ти́тельство *n* [9] connivance; **'~т(о́м)у** F in vain, to no purpose.

попу́т|ный [14] fair, favo(u)rable

(*wind*); (~но in) passing, incidental(ly); **~чик** *m* [1] fellow travel(l)er.

попыт|áть F [1] *pf.* try (one's luck счáстья); **∠ка** *f* [5; *g/pl.*: -ток] attempt.

пор|á[1] *f* [5; *ac/sg.*: пóру; *pl. st.*] time; season; weather (in в В); period; F prime; (давнó) ~á it's (high) time (for Д); в (сáмую) ∠у in the nick of time; до ~ы́, до врéмени not last forever; *wait* for one's opportunity; до (с) каких ~? how long (since when)?; до сих ~ hitherto, so far, up to now (here); до тех ~ (, покá) so (*or* as) long (as); с тех ~ (как) since then (since); на пéрвых ~áх at first, in the beginning; ~óй at times; вечéрней ~óй = вéчером.

пóра[2] *f* [5] pore.

порабо|щáть [1], ⟨~тить⟩ [15 *e.*; -ощу́, -оти́шь; -ощённый] enslave, subjugate.

поравня́ться [28] *pf.* overtake (с Т).

пора|жáть [1], ⟨~зи́ть⟩ [15 *e.*; -ажу́, -ази́шь; -ажённый] strike (*a. fig.* = amaze, & ⚕ = affect); defeat; **~жéнец** *m* [1; -нца] defeatist; **~жéние** *n* [12] defeat; ⚕ affection; ⚖ deprivation; striking; **~жéнчество** *n* [9] defeatism; **~зи́тельный** [14; -лен, -льна] striking; **~зи́ть** *s.* ~жáть; **∠нить** [13] *pf.* wound, cut.

порвáть(ся) *s.* порывáть(ся).

порéз *m* [1], **~ать** [3] *pf.* cut.

порéй *m* [3] leek.

пóристый [14 *sh.*] porous.

порицá|ние *n* [12], **~ть** [1] censure.

пóровну (in) equal parts.

порóг *m* [1] threshold; *pl.* rapids.

порó|да *f* [5] breed, species, race; stock; ⚒ rock; layer; **~дистый** [14 *sh.*] thoroughbred; racy; **~ждáть** [1], ⟨~ди́ть⟩ [15 *e.*; -ожу́, -оди́шь; -ождённый] cause, give rise to, entail; **~ждéние** *n* [12] brood; production.

порóжний F [15] empty.

пóрознь F separately; one by one.

порóк *m* [1] vice; defect; disease.

поросёнок *m* [2] young pig.

порó|ть [17] **1.** ⟨рас-⟩ undo, unpick; *impf.* F talk (*nonsense*); **2.** F ⟨вы́-⟩ whip, flog; **′~х** *m* [1] gunpowder; **~ховóй** [14] (gun)powder...

порóч|ить [16], ⟨о-⟩ discredit; defile; **~ный** [14; -чен, -чна] vicious.

порошóк *m* [1; -шкá] powder.

порт *m* [1; в -у́; *from g/pl. e.*] port; harbo(u)r; **~ати́вный** [14; -вен, -вна] portable; **∠ить** [15], ⟨ис-⟩ spoil (*v/i.* **-ся**; break down).

портн|и́ха *f* [5] dressmaker; **~óй** *m* [14] tailor.

портов|и́к *m* [1 *e.*] longshoreman, *Brt. a.* docker; **∠ый** [14] port..., dock...; ∠ый гóрод *m* seaport.

портсигáр *m* [1] cigar(ette) case.

португáл|ец *m* [1; -льца] Portuguese; **♀ия** *f* [7] Portugal; **~ка** *f* [5; *g/pl.*: -лок], **~ьский** [16] Portuguese.

порт|упéя *f* [6] sword knot; **~фéль** *m* [4] brief case; portfolio; **~я́нка** *f* [5; *g/pl.*: -нок] foot wrap (rag).

поругáние *n* [12] abuse, affront.

порý|ка *f* [5] bail (on на В *pl.*), security; guarantee; responsibility; **~чáть** [1], ⟨~чи́ть⟩ [16] charge (a p. with Д/В); commission, bid, tell (+ *inf.*); entrust; **~чéние** *n* [12] commission; instruction; message; mission; (*a.* ✝) order (by по Д; *a.* on behalf); **~чик** † *m* [1] (first) lieutenant; **~чи́тель** *m* [4] bail, surety; **~чи́ть** *s.* ~чáть.

порх|áть [1], *once* ⟨~нуть⟩ [20] flit.

пóрция *f* [7] portion, helping.

пóр|ча *f* [5] spoiling, spoilage; damage; **~шень** *m* [4; -шня] piston.

поры́в *m* [1] gust, squall; fit, outburst; impulse; **~áть** [1], ⟨порвáть⟩ [-ву́, -вёшь; -áл, -á, -о; пóрванный] tear; break (off; with с Т); **-ся** *v/i.*; *impf.* jerk; strive; *s. a.* рвáть(ся); **~истый** [14 *sh.*] gusty; jerky; impulsive.

поря́дко|вый [14] current; *gr.* ordinal; **~м** F rather; properly.

поря́д|ок *m* [1; -дка] order; way (by в П; in Т), form; course; *pl.* conditions; kind; ~ок дня agenda; по ~ку one after another; current (*no.*); **~очный** [14; -чен, -чна] orderly, decent; fair(ly large *or* great).

посáд|ить *s.* сажáть & сади́ть; **~ка** *f* [5; *g/pl.*: -док] planting; embarkation, (*a.* 🚂) boarding; ✈ landing, alighting; **~очный** [14] landing...

по-своему in one's own way.

посвя|щáть [1], ⟨~ти́ть⟩ [15 *e.*; -ящу́, -яти́шь; -ящённый] devote ([o.s.] to [себя́] Д); dedicate; initiate (into в В); (в И *pl.*) ordain;

knight; **\~щéние** *n* [12] dedication; initiation.
посéв *m* [1] sowing; crop; **\~нóй** [14] sowing (campaign *su. f*).
поседéлый [14] (turned) gray, *Brt.* grey.
посел|éнец *m* [1; -нца] settler; **\~éние** *n* [12] colony (*a.* **посёлок** *m* [1; -лка]); **\~я́ть** [28], ⟨\~и́ть⟩ [13] settle (*v/i.* **-ся**; put up [at в П]); inspire.
посереди́не in the middle *or* midst.
посе|ти́тель *m* [4], **\~ти́тельница** *f* [5] visitor, caller; **\~ти́ть** *s.* \~щáть; **\~щáемость** *f* [8] attendance; **\~щáть** [1], ⟨\~ти́ть⟩ [15 *e.*; -ещу́, -ети́шь; -ещённый] visit, call on; *impf.* attend; **\~щéние** *n* [12] visit (to P), call.
поси́льный [14; -лен, -льна] according to one's strength *or* possibilities, adequate, equal to.
поскользну́ться [20] *pf.* slip.
поскóльку inasmuch as, as.
послаблéние *n* [12] indulgence.
послá|ние *n* [12] message; epistle; **\~нник** *m* [1] envoy; messenger; **\~ть** *s.* посылáть.
пóсле 1. (P) after (*a.* \~ тогó как + *vb.*); \~ чегó whereupon; **2.** *adv.* after(ward[s]), later (on); **\~воéнный** [14] postwar.
послéдний [15] last; latest; ultimate, final; latter; worst; highest.
послéд|ователь *m* [4] follower; **\~овательный** [14; -лен, -льна] consistent; successive; **\~ствие** *n* [12] consequence; **\~ующий** [17] following.
после|зáвтра the day after tomorrow; **\~слóвие** *n* [12] epilogue.
послóвица *f* [5] proverb.
послуш|áние *n* [12] obedience; **∠ник** *m* [1] novice; **∠ный** [14; -шен, -шна] obedient; docile.
посм|áтривать [1] (keep) look(-ing); **\~éиваться** [1] chuckle; laugh (in one's sleeve в кулáк; at над Т); **\~éртный** [14] posthumous; **\~éшище** *n* [11] laughingstock; **\~еяние** *n* [12] ridicule.
посóб|ие *n* [12] grant; relief, dole, benefit; aid, means; textbook, manual; **\~ля́ть** P [28], ⟨\~и́ть⟩ [14 *e.*; -блю́, -би́шь] (Д) help, remedy.
посóл *m* [1; -слá] ambassador; **\~ьство** *n* [9] embassy.
пóсох *m* [1] staff, stick.
поспáть [-сплю́, -спи́шь; -спáл, -á, -о] *pf.* (have a) nap.
поспе|вáть [1], ⟨∠ть⟩ [8] ripen; F = успевáть; be done; get ready.
поспéшн|ость *f* [8] haste; **\~ый** [14; -шен, -шна] hasty, hurried; rash.
посред|и́(не) (P) amid(st), in the middle; **∠ник** *m* [1] mediator, intermediary, middleman; **∠ничество** *n* [9] mediation; **∠ственность** *f* [8] mediocrity; **∠ственный** [14 *sh.*] middling; mediocre; ∠ственно *a.* fair, satisfactory, C (*mark*; *cf.* трóйка); **∠ство** *n* [9]: при ∠стве, чéрез ∠ство =**∠ством** (P) by means of.
пост *m* [1 *e.*] **1.** post; на \~у́ ⚔ *stand* sentinel; **2.** fast; вели́кий \~ Lent.
постáв|ить *s.* \~ля́ть & стáвить; **\~ка** *f* [5; *g/pl.*: -вок] delivery (on при П); supply; **\~ля́ть** [28], ⟨\~ить⟩ [14] deliver (*v/t.*; *p.* Д); supply, furnish; **\~щи́к** *m* [1 *e.*] supplier.
постан|ови́ть *s.* \~овля́ть; **\~óвка** *f* [5; *g/pl.*: -вок] erection; staging, production; performance; position; organization; **\~овлéние** *n* [12] resolution, decision; decree; **\~овля́ть** [28], ⟨\~ови́ть⟩ [14] decide; decree; **\~óвщик** *m* [1] stage manager, director.
посте|ли́ть *s.* стлать; **∠ль** *f* [8] bed; **\~пéнный** [14; -éнен, -éнна] gradual.
пости|гáть [1], ⟨∠гнуть⟩ & ⟨∠чь⟩ [21] comprehend, grasp; overtake; **\~жи́мый** [14 *sh.*] conceivable.
пост|илáть [1] *s.* стлать; **\~и́ться** [15 *e.*; пощу́сь, пости́шься] fast; **\~и́чь** *s.* \~игáть; **∠ный** [14; -тен, -тнá, -о] fast...; vegetable (*oil*); F lean (*meat*); *fig.* sour; sanctimonious; **\~овóй** *m* [14] sentry; **\~óй** *m* [3] quarters, billets *pl.*
постóльку insomuch.
посторóнний [15] strange(r *su.*), outside(r), foreign (*a. body*); unauthorized; accessory, secondary.
постоя́лый [14]: \~ двор *m* inn.
постоя́н|ный [14; -я́нен, -я́нна] constant, permanent; continual, continuous; steady; ⚔ standing; ⚡ direct; **\~ство** *n* [9] constancy.
пострадáвший [17] injured.
пострéл F *m* [1] scapegrace, rogue.
постри|гáть [1] ⟨∠чь⟩ [26 г/ж:

-игу́, -ижёшь, -игу́т] (**-ся** have one's hair) cut; make (become) a monk *or* nun.

постро|е́ние [12], **∠йка** *f* [5; *g/pl.*: -óек] construction; building.

поступ|а́тельный [14] progressive; **~а́ть** [1], ⟨~и́ть⟩ [14] act; (с T) treat, deal (with), handle; (в, на B) enter, join, matriculate; become; come in, be received (for на B); **-ся** (T) renounce; **~ле́ние** *n* [12] entrance, entry; matriculation; receipt; **∠ок** *m* [1; -пка] act; behavio(u)r, conduct; **′~ь** *f* [8] gait, step.

посты́|дный [14; -ден, -дна] shameful; **~лый** [14 *sh.*] odious.

посу́д|а *f* [5] crockery; (*tea*) service, F things *pl.*; F vessel; **~ный** [14] cup(*board*); dish (*towel*).

посу́точный [14] daily; 24 hours'.

посчастли́ви|ться [14; *impers.*] *pf.*: ему́ ~лось he succeeded (in *inf.*) *or* was lucky (enough).

посыл|а́ть [1], ⟨посла́ть⟩ [пошлю́, -шлёшь; по́сланный] send (for за T); dispatch; **∠ка** *f* [5; *g/pl.*: -лок] dispatch, sending; package, parcel; premise; *cf. a.* побегу́шки; **∠ьный** *m* [14] messenger.

посып|а́ть [1], ⟨∠ать⟩ [2] (be)strew (over; with T); sprinkle; **∠аться** *pf.* fall down; F shower (down).

посяг|а́тельство *n* [9] encroachment; **~а́ть** [1], ⟨~ну́ть⟩ [20] encroach (on на B), attempt.

пот *m* [1] sweat; весь в ~у́ sweating all over.

пота|йно́й [14] secret; **~ка́ть** F [1] connive (at Д); **~со́вка** F *f* [5; *g/pl.*: -вок] scuffle; thrashing; **∠ш** *m* [1] potash.

потво́рство *n* [9] indulgence, connivance; **~вать** [7] indulge, connive (at Д).

пот|ёмки *f/pl.* [5; *gen.*: -мок] darkness; **~енциа́л** (-tɛ-) *m* [1] potential.

потерпе́вший [17] (*ship*)wrecked.

потёртый [14 *sh.*] shabby, worn.

поте́ря *f* [6] loss; waste.

поте́ть [8], ⟨вс-⟩ sweat (*a.* F = toil; *pane:* ⟨за-⟩), perspire.

поте́|ха *f* [5] fun, F lark; **~ша́ть** [1], ⟨~шить⟩ [16] entertain, amuse; **~шный** [14; -шен, -шна] funny, amusing.

поти|ра́ть F [1] rub; **~хо́ньку** F slowly; silently; secretly, on the sly.

по́тный [14; -тен, -тна́; -o] sweaty.

пото́к *m* [1] stream; torrent; flow.

потоло́к *m* [1; -лка́] ceiling (*a.* ✈).

пото́м afterward(s); then; **~ок** *m* [1; -мка] descendant, offspring; **~ственный** [14] hereditary; **~ство** *n* [9] posterity, descendants *pl.*

потому́ therefore; ~ что because.

пото́п *m* [1] flood, deluge.

потреб|и́тель *m* [4] consumer; buyer; **~и́ть** *s.* ~ля́ть; **~ле́ние** *n* [12] consumption; use; **~ля́ть** [28], ⟨~и́ть⟩ [14 *e.*; -блю́, -би́шь; -блённый] consume; use; **∠ность** *f* [8] need, want (of в П), requirement; **∠бный** [14; -бен, -бна] necessary.

потрёпанный F [14] shabby, worn.

потро|ха́ *m/pl.* [1 *e.*] giblets; bowels; **~ши́ть** [16 *e.*; -шу́, -ши́шь; -шённый], ⟨вы́-⟩ draw, disembowel.

потряс|а́ть [1], ⟨~ти́⟩ [24 -с-] shake (*a. fig.*); **~а́ющий** [17] tremendous; **~е́ние** *n* [12] shock, shake; **~ти́** *s.* ~а́ть.

поту́|ги *f/pl.* [5] travail, labo(u)r; **~пля́ть** [28], ⟨~пить⟩ [14] cast down (*eyes*); hang (*head*); **~ха́ние** *n* [12] extinction; **~ха́ть** [1] *s.* ту́хнуть.

по́тчевать [7], ⟨по-⟩ F = угоща́ть.

потя́гивать(ся) *s.* тяну́ть(ся).

поутру́ F early in the morning.

поуч|а́ть [1] teach (s. th. Д); **~и́тельный** [14; -лен, -льна] instructive; edifying.

поха́бный P [14; -бен, -бна] obscene, smutty.

похвал|а́ *f* [5] praise; commendation; **∠ьный** [14; -лен, -льна] laudable, commendable, praiseworthy; laudatory.

похи|ща́ть [1], ⟨∠тить⟩ [15; -и́щу; -и́щенный] purloin; kidnap; **~ще́ние** *n* [12] kidnap(p)ing, abduction.

пох|лёбка *f* [5; *g/pl.*: -бок] soup; skilly; **~ме́лье** *n* [10] hang-over.

похо́д *m* [1] campaign; march; cruise; кресто́вый ~ crusade; **~и́ть** [15] (на B) be like, resemble; **~ка** *f* [5] gait; **~ный** [14] marching; camp-...; battle...

похожде́ние *n* [12] adventure.

похо́ж|ий [17 *sh.*] (на B) like, resembling; similar (to); быть ~им look like; ни на что не ~е F shocking.

похо|ро́нный [14] funeral...; dead (*march*); undertaker's (*office*); **'~роны** *f/pl.* [5; -óн, -она́м] funeral, burial (at на П); **~тли́вый** [14 *sh.*] lustful, lewd; **'~ть** *f* [8] lust.
поцелу́й *m* [3] kiss (on в В).
поча́сно hourly.
по́чва *f* [5] soil, (*a. fig.*) ground.
почём F how much (is); how should.
почему́ why; ~-то for some reason.
по́черк *m* [1] handwriting.
почерп|а́ть [1], ⟨~ну́ть⟩ [20; -éрпнутый] gather, derive; obtain.
по́честь[1] *f* [8] hono(u)r.
поче́сть[2] *s.* почита́ть 2.
почёт *m* [1] hono(u)r, esteem; **~ный** [14; -тен, -тна] honorary; hono(u)rable; (*e. g. guard*) of hono(u)r.
почи|ва́ть [1], ⟨**~ть**⟩ [-и́ю, -и́ешь] rest, repose; F sleep.
почи́н *m* [1] initiative; F ✝ start.
почи́н|ка *f* [5; *g/pl.:* -нок] repair (for в В); **~я́ть** [28] *s.* чини́ть 1 a.
поч|ита́ть[1] [1] **1.** ⟨~ти́ть⟩ [-чту́, -ти́шь; -чтённый] esteem, respect, hono(u)r; worship; ✝ favo(u)r (with Т); **2.** ⟨~е́сть⟩ [25; -чту́, -тёшь; -чла́; -чтённый] (Т, за В) esteem, consider; **-ся** be held *or* reputed (to be Т); **~ита́ть**[2] [1] *pf.* read (a while); **~и́ть** *s.* почива́ть; **~ка** *f* [5; *g/pl.*: -чек] ⚘ bud; *anat.* kidney.
по́чт|а *f* [5] mail, *Brt.* post (by по Д, Т); post; *a.* = ~а́мт; **~алько́н** *m* [1] mailman, postman; **~а́мт** *m* [1] post office (at на П).
почте́н|ие *n* [12] respect (for к Д), esteem, obeisance; F compliments; с соверше́нным ~ием respectfully yours, yours faithfully; **~ный** [14; -éнен, -éнна] respectable; venerable.
почти́ almost, nearly, all but; **~тельность** *f* [8] respect; **~тельный** [14; -лен, -льна] respectful; respectable; **~ть** *s.* почита́ть.
почто́в|ый [14] post(al), mail...; post-office; note (*paper*); ~ый я́щик *m* mail (*Brt.* letter) box; (*abbr.*: п/я) Post Office Box (POB); ~ая ма́рка *f* (postage) stamp.
по́шл|ина *f* [5] custom, duty; **~ость** *f* [8] platitude; **~ый** [14; пошл, -á, -o] common(place), trite, stale.
поштý́чный [14] (by the) piece.
поща́да *f* [5] mercy; ⚔ quarter.
пощёчина *f* [5] slap in the face.
поэ́|зия *f* [7] poetry; **~ти́ческий** [16] poetic(al); **~тому** therefore.
появ|и́ться *s.* ~ля́ться; **~ле́ние** *n* [12] appearance; **~ля́ться** [28], ⟨~и́ться⟩ [14] appear; emerge.
по́яс *m* [1; *pl.:* -cá, *etc. e.*] belt; zone.
поясн|е́ние *n* [12] explanation; **~и́тельный** [14] explanatory; **~и́ть** *s.* ~я́ть; **~и́ца** *f* [5] small of the back; **~о́й** [14] belt...; zone...; half-length; **~я́ть** [28], ⟨~и́ть⟩ [13] explain.
праба́бушка *f* [5; *g/pl.*: -шек] great-grandmother.
пра́вд|а *f* [5] truth; (э́то) ~а it is true; ва́ша ~а you are right; не ~а ли? isn't it, (s)he?, aren't you, they?, do(es)n't ... (*etc.*)?; **~и́вый** [14 *sh.*] truthful; **~оподо́бный** [14; -бен, -бна] likely, probable, verisimilar.
пра́ведн|ик *m* [1] (*pl.* the) righteous (man); **~ый** [14; -ден, -дна] just, righteous, godly.
пра́вил|о *n* [9] rule; principle; *pl.* regulations; **~ьный** [14; -лен, -льна] correct, right; regular.
прави́тель *m* [4] ruler; regent; **~ственный** [14] governmental; **~ство** *n* [9] government.
пра́в|ить [14] (Т) govern, rule; drive; ⚓ steer; (В) (proof)read; strop; perform; **~ка** *f* [5] proofreading; stropping; **~ле́ние** *n* [12] government; board of directors, managing *or* executive committee; † administration.
пра́внук *m* [1] great-grandson.
пра́во 1. *n* [9; *pl. e.*] right (to на В; of, by по Д); law; justice; *pl.* F license; **2.** *adv.* F indeed, really; **~ве́д** *m* [1] jurist; **~ве́дение** *n* [12] jurisprudence; **~ве́рный** [14; -рен, -рна] orthodox; **~во́й** [14] legal; **~мо́чный** [14; -чен, -чна] authorized; **~писа́ние** *n* [12] orthography, spelling; **~сла́вие** *n* [12] Orthodoxy; **~сла́вный** [14] Orthodox; **~су́дие** *n* [12] (administration of) justice; **~та́** *f* [5] right(fulness), rectitude.
пра́вый [14; *fig.* прав, -á, -o] right (*a. fig.*; *a. side*, on *a.* с Р), right-hand.
пра́вящий [17] ruling.
Пра́га *f* [5] Prague.
пра́дед *m* [1] (great-)grandfather.
пра́здн|ик *m* [1] holiday; festival; с ~иком! compliments *pl.* (of the season)!; **~ичный** [14] festive,

holiday...; **\~ование** *n* [12] celebration; **\~овать** [7], ⟨от-⟩ celebrate; **\~ословие** *n* [12] idle talk; **\~ость** *f* [8] idleness; **\~ый** [14; -ден, -дна] idle.
практи|к *m* [1] practical man; expert; **\~ка** *f* [5] practice (in на П); **\~ковать** [7] practice, -ise (*v/i.* **-ся**; *a.* be practiced); **´\~ческий** [16], **´\~чный** [14; -чен, -чна] practical.
прапорщик † *m* [1] ensign.
прах *m* [1] dust; ashes *pl.* (*fig.*).
прач|ечная (-ʃn-) *f* [14] laundry; **\~ка** *f* [5; *g/pl.:* -чек] laundress.
праща *f* [5; *g/pl.:* -щей] sling.
пребыва|ние *n* [12], **\~ть** [1] stay.
превзойти *s.* превосходить.
превоз|могать [1], ⟨\~мочь⟩ [26 г/ж: -огу, -ожешь, -огут; -ог, -гла] overcome, subdue; **\~носить** [15], ⟨\~нести⟩ [24 -с-] extol, exalt.
превосх|одительство *n* [9] Excellency; **\~одить** [15], ⟨превзойти⟩ [-йду, -йдёшь, *etc.*, *cf.* идти; -йдённый] excel, surpass; **\~одный** [14; -ден, -дна] excellent, splendid; superior; *gr.* superlative; **\~одство** *n* [9] superiority.
превра|тить(ся) *s.* \~щать(ся); **´\~тность** *f* [8] vicissitude; wrongness; **´\~тный** [14; -тен, -тна] wrong, mis-...; adverse, changeful; **\~щать** [1], ⟨\~тить⟩ [15 *e.*; -ащу, -атишь; -ащённый] change, turn, transform (into в В) (*v/i.* **-ся**); **\~щение** *n* [12] change; transformation; conversion.
превы|шать [1], ⟨´\~сить⟩ [15] exceed; **\~шение** *n* [12] excess.
прегра|да *f* [5] barrier; obstacle; **\~ждать** [1], ⟨\~дить⟩ [15 *e.*; -ажу, -адишь; -аждённый] bar, block (up).
прегреш|ать [1], ⟨\~ить⟩ [16] sin.
пред = перед.
преда|вать [5], ⟨´\~ть⟩ [-дам, -дашь, *etc.*, *cf.* дать; предал, -а, -о; -дай (-те)!; преданный (-ан, -а, -о)] betray; subject, expose; ´\~ть забвению bury in oblivion; **-ся** (Д) indulge (in); devote o. s., give o. s. up (to); **´\~ние** *n* [12] legend; tradition; **'\~нный** [14 *sh.*] devoted, faithful, true; *cf.* искренний; **´\~тель** *m* [4] traitor; **´\~тельский** [16] treacherous; **´\~тельство** *n* [9] treason, treachery; **´\~ть(ся)** *s.* \~вать(ся).
предвар|ительно previously, before(hand); **\~ительный** [14] preliminary; ⚖ *a.* on remand; **\~ять** [28], ⟨\~ить⟩ [13] (В) forestall; advise (of о П).
предве|стие = предзнаменование; **\~стник** *m* [1] harbinger; **\~щать** [1] forebode, presage.
предвзятый [14 *sh.*] preconceived.
предвидеть [11] foresee.
предвку|шать [1], ⟨\~сить⟩ [15] foretaste; **\~шение** *n* [12] foretaste.
предводитель *m* [4] (ring)leader; † marshal; **\~ство** *n* [9] leadership.
предвосх|ищать [1], ⟨\~итить⟩ [15; -ищу] anticipate, forestall.
предвыборный [14] election...
предел *m* [1] limit, bound(ary) (within в П); border; *pl.* precincts; **\~ьный** [14] limit..., maximum...; utmost, extreme.
предзнаменова|ние *n* [12] omen, presage, portent; **\~ть** [7] *pf.* portend, presage.
предисловие *n* [12] preface.
предл|агать [1], ⟨\~ожить⟩ [16] offer (a p. s. th. Д/В); propose; suggest; order.
предло|г *m* [1] pretext (on, under под Т), pretense (under); *gr.* preposition; **\~жение** *n* [12] offer; proposal, proposition, suggestion; *parl.* motion; ⚚ supply; *gr.* sentence, clause (*cf.* пятый); **\~жить** *s.* предлагать; **\~жный** [14] *gr.* prepositional (*case*).
предместье *n* [10] suburb.
предмет *m* [1] object; subject (matter); ⚚ article; на \~ (Р) for the purpose of; **\~ный** [14] subject...; [-тен, -тна] objective.
предназн|ачать [1], ⟨\~ачить⟩ [16] (**-ся** be) destine(d).
предна|меренный [14 *sh.*] premeditated, deliberate; **\~чертать** [1] *pf.* predetermine.
предок *m* [1; -дка] ancestor.
предопредел|ение *n* [12] predestination; **\~ять** [28], ⟨\~ить⟩ [13] predetermine.
предост|авлять [28], ⟨\~авить⟩ [14] (Д) let (a p.) have; leave (to); give, render; grant; place (at a p.'s disposal).
предостер|егать [1], ⟨\~ечь⟩ [26 г/ж] warn (of от Р); **\~ежение** *n* [12] warning.
предосторожност|ь *f* [8] precaution(ary measure мера \~и).
предосудительный [14; -лен,

-льна] reprehensible, scandalous.

предотвра|щáть [1], ⟨**~тúть**⟩ [15 *e*.; -ащý, -атúшь; -ащённый] avert, prevent; **~щéние** *n* [12] prevention,

предохран|éние *n* [12] protection (from, against от Р); **~úтельный** [14] precautionary; ⚕ preventive; ⊕ safety...; **~я́ть** [28], ⟨**~úть**⟩ [13] guard, preserve (from от Р).

предпис|áние *n* [12] order, instruction, direction; **~ывать** [1], ⟨**~áть**⟩ [3] order, prescribe.

предпол|агáть [1], ⟨**~ожúть**⟩ [16] suppose, assume; *impf.* intend, plan; presuppose; **~ожúтельный** [14; -лен, -льна] presumable; **~ожúть** *s.* **~агáть**.

предпо|слáть *s.* **~сылáть**; **~слéдний** [15] last but one; **~сылáть** [1], ⟨**~слáть**⟩ [-шлю, -шлёшь; *cf.* слать] premise; **~сы́лка** *f* [5; *g/pl.*: -лок] (pre)supposition; (pre-)condition, prerequisite.

предпоч|итáть [1], ⟨**~éсть**⟩ [25 -т-: -чтý, -чтёшь; -чёл, -члá; -чтённый] prefer; *pt.* + бы would rather; **~тéние** *n* [12] preference; favo(u)r; отдáть **~тéние** (Д) prefer; **~тúтельный** [14; -лен, -льна] preferable.

предпри|и́мчивость *f* [8] enterprise; **~и́мчивый** [14 *sh.*] enterprising; **~нимáтель** *m* [4] employer; industrialist, businessman; **~нимáть** [1], ⟨**~ня́ть**⟩ [-имý, -и́мешь; -и́нял, -á, -о; -и́нятый (-и́нят, -á, -о)] undertake; **~я́тие** *n* [12] undertaking, enterprise; business; plant, works, factory (at на П).

предраспол|агáть [1], ⟨**~ожúть**⟩ [16] predispose; **~ожéние** *n* [12] predisposition.

предрассýдок *m* [1; -дка] prejudice.

председáтель *m* [4] chairman, president; **~ство** *n* [9] presidency; **~ствовать** [7] preside (over на П), be in the chair.

предсказ|áние *n* [12] prediction; forecast; prophecy; **~ывать** [1], ⟨**~áть**⟩ [3] foretell, predict; forecast; prophesy.

предсмéртный [14] death..., dying.

представúтель *m* [4] representative; *cf. a.* полпрéд; advocate; **~ный** [14; -лен, -льна] representative; stately, imposing; **~ство** *n* [9] representation; *cf. a.* полпрéдство.

предстáв|ить(ся) *s.* **~ля́ть(ся)**; **~лéние** *n* [12] presentation; performance; introduction; idea, notion; application (for на В); **~ля́ть** [28], ⟨**~ить**⟩ [14] present (o.s., occur, offer **-ся**); produce; introduce (o.s.); (*a.* собóй) represent, be; act (*a.* = feign -ся [Т]); (*esp.* **~ля́ть** себé) imagine; propose (for к Д); *refl. a.* appear; seem.

предст|авáть [5], ⟨**~áть**⟩ [-áну, -áнешь] appear; **~оя́ть** [-ои́т] be in store (of Д), expect; (will) have to; **~оя́щий** [17] (forth)coming.

преду|беждéние *n* [12] prejudice, bias; **~ведомля́ть** [28], ⟨**~вéдомить**⟩ [14] advise (of о П); **~гáдывать** [1], ⟨**~гадáть**⟩ [1] guess (beforehand), foresee; **~мы́шленный** [14] *s.* преднамéренный.

предупре|дúтельный [14; -лен, -льна] preventive; obliging; **~ждáть** [1], ⟨**~дúть**⟩ [15 *e*.; -ежý, -едúшь; -еждённый] forestall, anticipate (*p*.), prevent (*th*.); warn (of о П); give notice (of); **~ждéние** *n* [12] warning; notice; notification; prevention.

предусм|áтривать [1], ⟨**~отрéть**⟩ [9; -отрю́, -óтришь] foresee; provide (for), stipulate; **~отрúтельный** [14; -лен, -льна] prudent.

предчýвств|ие *n* [12] presentiment; **~овать** [7] have a presentiment (of).

предшéств|енник *m* [1] predecessor; **~овать** [7] (Д) precede.

предъяв|úтель *m* [4] bearer; **~ля́ть** [28], ⟨**~úть**⟩ [14] present, produce, show; ⚖ bring (*action* against к Д); assert (*claim*).

пре|ды́дущий [17] preceding, previous; **~éмник** *m* [1] successor.

прéж|де formerly; (at) first; (Р) before (*a.* **~де** чем); **~девремéнный** [14; -енен, -енна] premature, early; **~ний** [15] former, previous.

презид|éнт *m* [1] president; **~иум** *m* [1] presidium (*Sov.*).

през|ирáть [1] despise; ⟨**~рéть**⟩ [9] scorn, disdain; **~рéние** *n* [12] contempt (for к Д); **~рéнный** [14 *sh.*] contemptible, despicable; **~рéть** *s.* **~ирáть**; **~рúтельный** [14; -лен, -льна] contemptuous, scornful.

преимýществ енно predominantly, mainly; **~о** *n* [9] advantage;

preference; privilege; по ~у = ~енно.
прейскура́нт *m* [1] price list.
преклон|е́ние *n* [12] inclination; admiration (of пе́ред T); **~и́ться** *s.* ~я́ться; **∠ный** [14] old, advanced; senile; **~я́ться** [28], ⟨~и́ться⟩ [13] bow (to, before пе́ред T); admire.
прекосло́вить [14] contradict.
прекра́сный [14; -сен, -сна] beautiful; fine, splendid, excellent; *adv.* *a.* very well.
прекра|ща́ть [1], ⟨~ти́ть⟩ [15 *e.*; -ащу́, -ати́шь; -ащённый] stop, cease, end (*v/i.* **-ся**); break off; **~ще́ние** *n* [12] cessation, stoppage.
преле́ст|ный [14; -тен, -тна] lovely, charming, delightful; **'~ь** *f* [8] charm; F *s.* ~ный.
прелом|ле́ние *n* [12] refraction; **~ля́ть** [28], ⟨~и́ть⟩ [14; -млённый] (**-ся** be) refract(ed).
пре́лый [14 *sh.*] rotten, putrid.
прель|ща́ть [1], ⟨~сти́ть⟩ [15 *e.*; -льщу́, -льсти́шь; -льщённый] (**-ся** be) charm(ed), tempt(ed), entice(d), seduce(d).
прелю́дия *f* [7] prelude.
преми́|нуть [19] *pf.* fail; **~ровать** [7] (*im*)*pf.* award a prize (to B); **'~я** *f* [7] prize; bonus; premium; rate.
премье́р *m* [1] premier, (*usu.* ~-мини́стр) prime minister; **~а** *f* [5] première, first night.
пренебр|ега́ть [1], ⟨~е́чь⟩ [26 г/ж], **~еже́ние** *n* [12] (T) neglect, disregard, disdain, scorn, slight; **~ежи́тельный** [14; -лен, -льна] slighting, scornful, disparaging; **~е́чь** *s.* ~ега́ть.
пре́ния *n/pl.* [12] debate, discussion.
преоблада́|ние *n* [12] predominance; **~ть** [1] prevail, predominate.
преобра|жа́ть [1], ⟨~зи́ть⟩ [15 *e.*; -ажу́, -ази́шь; -ажённый] change, transform (*v/i.* **-ся**); **~же́ние** *n* [12] transformation; *eccl.* Transfiguration; **~зи́ть(ся)** *s.* ~жа́ть(ся); **~зова́ние** *n* [12] transformation; reorganization; reform; **~зова́тель** *m* [4] reformer; **~зо́вывать** [1], ⟨~зова́ть⟩ [7] reform, reorganize; transform.
преодол|ева́ть [1], ⟨~е́ть⟩ [8] overcome, subdue; surmount.
препара́т *m* [1] preparation.
препира́тельство *n* [9] wrangle.
преподава́|ние *n* [12] teaching, instruction; **~тель** *m* [4], **∠тельница** *f* [5] teacher, instructor; **~ть** [5] teach.
преподн|оси́ть [15], ⟨~ести́⟩ [24 -с-] present, offer.
препрово|жда́ть [1], ⟨~ди́ть⟩ [15 *e.*; -ожу́, -оди́шь; -ождённый] forward, send; spend, pass.
препя́тств|ие *n* [12] obstacle, hindrance; бег (*or* ска́чки) с ~иями steeplechase; **~овать** [7], ⟨вос-⟩ hinder, prevent (a p. from Д/в П).
прер|ва́ть(ся) *s.* ~ыва́ть(ся); **~ека́ние** *n* [12] squabble; **~ыва́ть** [1], ⟨~ва́ть⟩ [-ву́, -вёшь; -а́л, -а́, -о; пре́рванный (-ан, -а́, -о)] interrupt; break (off), *v/i.* **-ся**; **~ы́вистый** [14 *sh.*] broken, faltering.
пресе|ка́ть [1], ⟨∠чь⟩ [26] cut short; suppress; **-ся** break; stop.
пресле́дов|ание *n* [12] pursuit; persecution; ⚖ prosecution; **~ать** [7] pursue; persecute; haunt; ⚖ prosecute.
преслову́тый [14] notorious.
пресмыка́|ться [1] creep, crawl; *fig.* cringe (to пе́ред T); **~ющиеся** *n/pl.* [17] reptiles.
пре́сный [14; -сен, -сна́, -о] fresh (*water*); unleavened (*bread*); stale.
пресс *m* [1] ⊕ press; **∠а** *f* [5] press; **~-конфере́нция** *f* [7] press conference; **~-папье́** *n* [*ind.*] paperweight.
престаре́лый [14] aged.
престо́л *m* [1] throne; altar.
преступ|а́ть [1], ⟨~и́ть⟩ [14] break, infringe; **~ле́ние** *n* [12] crime; на ме́сте ~ле́ния red-handed; **∠ник** *m* [1] criminal, delinquent; **∠ность** *f* [8] criminality, delinquency.
пресы|ща́ть [1], ⟨∠тить⟩ [15] surfeit (*v/i.* **-ся**), satiate; **~ще́ние** *n* [12] satiety.
претвор|я́ть [28], ⟨~и́ть⟩ [13] change, transform; ~я́ть в жизнь put into practice, realize.
претен|дова́ть [7] (на B) (lay) claim (to); **∠зия** *f* [7] claim, pretension, title (to на B, к Д); быть в ∠зии (на B [за B]) take (a p.'s [th.]) amiss *or* ill.
преувел|иче́ние *n* [12] exaggeration; **~и́чивать** [1], ⟨~и́чить⟩ [16] exaggerate.

преусп|ева́ть [1], ⟨**~е́ть**⟩ [8] succeed; thrive, prosper.

при (П) by, at, near; (*battle*) of; under, in the time of; in a p.'s presence; about (one ~ себе́), with; in (*health, weather, etc.*); for (all that ~ всём том); when, on (*-ing*); быть ~ have; be attached to; ~ э́том at that; ✝ ~ сём herewith; быть ни ~ чём F have nothing to do with (it тут), not be p.'s fault.

приба́в|ить(ся) *s.* **~ля́ть(ся)**; **~ка** *f* [5; *g/pl.:* -вок], **~ле́ние** *n* [12] increase, raise; addition; addendum; **~ля́ть** [28], ⟨**~ить**⟩ [14] (В *or* Р) add; increase; put on (*weight* в П); mend (one's pace ~ля́ть ша́гу) **-ся** increase; be added; (a)rise; grow longer; **~очный** [14] additional; surplus...

прибалти́йский [16] Baltic.

прибау́тка F *f* [5; *g/pl.:* -ток] byword, saying.

прибе|га́ть [1] **1.** ⟨**~жа́ть**⟩ [4; -егу́, -ежи́шь, -егу́т] come running; **2.** ⟨**´гнуть**⟩ [20] resort, have recourse (to к Д); **~рега́ть** [1], ⟨**~ре́чь**⟩ [26 г/ж] save, reserve.

прибы|ва́ть [1], ⟨**´ть**⟩ [-бью́, -бьёшь, *etc., cf.* бить] fasten, nail; beat (down); throw (*ashore*); **~ра́ть** [1], ⟨прибра́ть⟩ [-беру́, -рёшь; -бра́л, -а́, -о; при́бранный] tidy *or* clean (up); прибра́ть к рука́м appropriate; **-ся** F make o.s. up; **´ть** *s.* **~ва́ть**.

прибли|жа́ть [1], ⟨**´зить**⟩ [15] approach, draw near (к Д; *v/i.* **-ся**); approximate; **~же́ние** *n* [12] approach(ing); approximation; **~жённый** [14] confidant; *a.* = **~зи́тельный** [14; -лен, -льна] approximate; **´зить(ся)** *s.* **~жа́ть(ся)**.

прибо́й *m* [3] surf.

прибо́р *m* [1] apparatus, instrument; set; cover; service; (*table*)ware; utensils *pl.*, (*shaving*) things *pl.*

прибра́ть *s.* прибира́ть.

прибре́жный [14] littoral.

прибы|ва́ть [1], ⟨**´ть**⟩ [-бу́ду, -дешь; при́был, -а́, -о] arrive (in, at в В); increase, rise; **'~ль** *f* [8] profit, gains *pl.*; rise; **'~льный** [14; -лен, -льна] profitable; **´тие** *n* [12] arrival (in, at в В; upon по П); **´ть** *s.* **~ва́ть**.

прива́л *m* [1] halt, rest.

приве|де́ние *n* [12] putting (*in order* в В); ⩓ reduction; **~зти́** *s.* привози́ть; **~ре́дливый** [14 *sh.*] fastidious.

приве́ржен|ец *m* [1; -нца] adherent; **~ный** [14 *sh.*] attached.

привести́ *s.* приводи́ть.

приве́т *m* [1] greeting(s); *esp.* ⚔ salute; regards, compliments *pl.*; F hello!, hi!; **~ливый** [14 *sh.*] affable; **~ственный** [14] of welcome; **~ствие** *n* [12] greeting, welcome; **~ствовать** [7; *pt. a. pf.*] greet, salute; welcome.

приви|ва́ть [1], ⟨**´ть**⟩ [-вью́, -вьёшь, *etc., cf.* вить] inoculate, vaccinate; ⚘ (en)graft; **-ся** take; **´вка** *f* [5; *g/pl.:* -вок] inoculation, vaccination; grafting; **~де́ние** *n* [12] ghost, specter (*Brt.*-tre), apparition; **~легиро́ванный** [14] privileged; **~ле́гия** *f* [7] privilege; **´нчивать** [1], ⟨**~нти́ть**⟩ [15 *e.*; -нчу́, -нти́шь] screw on; **´ть(ся)** *s.* **~ва́ть(ся)**.

при́вкус *m* [1] smack (*a. fig.*).

привле|ка́тельный [14; -лен, -льна] attractive; **~ка́ть** [1], ⟨**´чь**⟩ [26] draw, attract; engage (in к Д); call (*to account*); bring (*to trial*); **~че́ние** *n* [12] attraction; calling.

приво́д *m* [1] bringing; ⊕ drive; **~и́ть** [15], ⟨привести́⟩ [25] bring; lead; result (in к Д); quote, cite; ⩓ reduce; put, set; drive, throw; **-ся**, ⟨-сь⟩ Д + *vb.* F happen; have to; **~но́й** [14] driving (*belt, etc.*).

привоз|и́ть [15], ⟨привезти́⟩ [24] bring; import; **~но́й** & **´ный** [14] imported.

приво́лье *n* [10] open (space), expanse; freedom; ease, comfort; в ~ *a.* in clover.

привы|ка́ть [1], ⟨**´кнуть**⟩ [21] get *or* be(come) accustomed *or* used (to к Д); **´чка** *f* [5; *g/pl.:* -чек] habit; custom; **´чный** [14; -чен, -чна] habitual.

привя́з|анность *f* [8] attachment; **~а́ть(ся)** *s.* **~ывать(ся)**; **~чивый** F [14 *sh.*] affectionate; captious; obtrusive; **~ывать** [1], ⟨**~а́ть**⟩ [3] (к Д) tie, attach (to); **-ся** become attached; F run after; intrude (upon); cavil; **'~ь** *f* [8] leash.

пригла|си́тельный [14] invitation...; **~ша́ть** [1], ⟨**~си́ть**⟩ [15 *e.*; -ашу́, -аси́шь; -ашённый] invite (to *mst* на В), ask; call (*doctor*); **~ше́ние** *n* [12] invitation.

пригна́ть *s.* пригоня́ть.
пригов|а́ривать [1], ⟨~ори́ть⟩ [13] sentence; condemn; *impf.* F say (at the same time); **~óр** *m* [1] sentence; verdict (*a. fig.*); **~ори́ть** *s.* ~а́ривать.
приго́дный [14; -ден, -дна] *s.* го́дный.
пригоня́ть [28], ⟨пригна́ть⟩ [-гоню́, -го́нишь; -гна́л, -а́, -о; при́гнанный] drive; fit, adjust.
пригор|а́ть [1], ⟨~е́ть⟩ [9] burn; **'~од** *m* [1] suburb; **'~одный** [14] suburban; **'~шня** *f* [6; *g/pl.*: -ней & -шен] hand(ful).
пригот|а́вливать(ся) [1] *s.* ~овля́ть(ся); **~ови́тельный** [14] preparatory; **~о́вить(ся)** *s.* ~овля́ть (-ся); **~овле́ние** *n* [12] preparation (for к Д); **~овля́ть** [28], ⟨~о́вить⟩ [14] prepare (*v/i.*, o.s. **-ся**) (for к Д).
прида|ва́ть [5], ⟨~ть⟩ [-да́м, -да́шь, *etc.*, *cf.* дать; при́да́л, -а́, -о; при́данный (-ан, -а́, -о)] add; give; attach; **~ное** *n* [14] dowry; **~ток** *m* [1; -тка] appendage; *anat.* appendix; **~точный** [14] *gr.* subordinate (*clause*); **~ть** *s.* ~ва́ть; **~ча** *f* [5]: в ~чу to boot.
придви|га́ть [1], ⟨~нуть⟩ [20] move up (*v/i.* **-ся**; draw near).
придво́рный [14] court(ier *su. m*).
приде́л|ывать, ⟨~ать⟩ [1] fasten, fix (to к Д).
приде́рж|ивать [1], ⟨~а́ть⟩ [4] hold (back); **-ся** *impf.* (Р) adhere to; F hold (on [to]).
приди́р|аться [1], ⟨придра́ться⟩ [-деру́сь, -рёшься; -дра́лся, -а-ла́сь, -а́лось] (к Д) find fault (with), carp *or* cavil (at); seize; **~ка** *f* [5; *g/pl.:* -рок] cavil; **~чивый** [14 *sh.*] captious.
придра́ться *s.* придира́ться.
приду́м|ывать, ⟨~ать⟩ [1] think out, devise, contrive.
придыха́ние *n* [12] aspiration.
прие́з|д *m* [1] arrival (in в В; upon по П); **~жа́ть** [1], ⟨прие́хать⟩ [-е́ду, -е́дешь] arrive (in, at в В); **~жий** [17] visitant..., guest...
приём *m* [1] reception; acceptance, admission; consultation; engagement, ⚔ enlistment; taking; dose; movement (with в В); draught; sitting (at в В); device, trick; method, way; **~ник** *m* [1] receiver, receiving set; *s.* радиоприёмник; **~ный** [14] reception (*day*; *room: a.* waiting, *usu. su. f* ~ная), receiving, consultation..., office (*hours*); entrance (*examination*); foster (*father*, *etc.*; foster child *a.* **~ыш** *m* [1]).
при|е́хать *s.* ~езжа́ть; **~жа́ть(ся)** *s.* ~жима́ть(ся); **~жига́ть** [1], ⟨~же́чь⟩ [26 г/ж: -жгу́, -жжёшь; *cf.* жечь] cauterize; **~жима́ть** [1], ⟨~жа́ть⟩ [-жму́, -жмёшь; -а́тый] press (to, on к Д); **-ся** press; nestle; **~з** *m* [1] prize; **~заду́м(ыв)аться** *s.* заду́м(ыв)аться.
призва́|ние *n* [12] vocation, calling; **~ть** *s.* призыва́ть.
приземл|я́ться ✈ [28], ⟨~и́ться⟩ [13] land; **~е́ние** *n* [12] landing.
при́зма *f* [5] prism.
призна|ва́ть [5], ⟨~ть⟩ [1] (Т; *a.* за В) recognize, acknowledge (as); see, admit, own; find, consider, declare; **-ся** confess (s. th. в П), avow, admit; ~ться *or* ~ю́сь to tell the truth, frankly speaking; **'~к** *m* [1] sign; feature, characteristic; **~ние** *n* [12] acknowledg(e)ment, recognition; confession; declaration (of love в любви́); **~тельность** *f* [8] gratitude; **~тельный** [14; -лен, -льна] grateful, thankful (for за В); **~ть(ся)** *s.* ~ва́ть(ся).
при́зра|к *m* [1] phantom, specter (*Brt.* -tre); **~чный** [14; -чен, -чна] ghostly; illusive.
призы́в *m* [1] appeal, call (for на В), summons; ⚔ draft, conscription; **~а́ть** [1], ⟨призва́ть⟩ [-зову́, -вёшь; -зва́л, -а́, -о; при́званный] call (for на В; to witness в свиде́тели), appeal; ⚔ draft, call out *or* up (for на В); при́званный *a.* qualified; **~ни́к** *m* [1 *e.*] draftee, conscript; **~но́й** [14] ⚔ draft(ee)...
при́иск *m* [1] mine, field.
прийти́(сь) *s.* приходи́ть(ся).
прика́з *m* [1] order, command; *hist.* office, board; **~а́ть** *s.* ~ывать; **~чик** *m* [1] † *s.* продаве́ц; steward; **~ывать** [1], ⟨~а́ть⟩ [3] order, command; tell; F should, ought; *s. a.* уго́дно.
при|ка́лывать [1], ⟨~коло́ть⟩ [17] pin, fasten, stab; **~каса́ться** [1], ⟨~косну́ться⟩ [20] (к Д, † Р) touch; **~ки́дывать** [1], ⟨~ки́нуть⟩ [20] weigh; calculate; estimate; **-ся** F pretend *or* feign to be, act (the Т).
прикла́д *m* [1] (*rifle*) butt; **~но́й**

[14] applied; **~ывать** [1], ⟨приложи́ть⟩ [16] (к Д) apply (to), put (on); enclose (with); affix (*seal*); **-ся** kiss; F level; apply (s. th. to Т/к Д).
прикле́и|вать [1], ⟨~ть⟩ [13] paste.
приключ|а́ться F [1], ⟨~и́ться⟩ [16 *e.*; *3rd p. only*] happen, occur; **~е́ние** *n* [12] (**~е́нческий** [16] of) adventure.
прико́|вывать [1], ⟨~ва́ть⟩ [7 *e.*; -кую́, -куёшь] chain, fetter; arrest, captivate; **~ла́чивать** [1], ⟨~лоти́ть⟩ [15] nail (on, to к Д), fasten; **~ло́ть** *s.* прика́лывать; **~мандирова́ть** [7] *pf.* attach; **~снове́ние** *n* [12] touch, contact; **~сну́ться** *s.* прикаса́ться.
прикра́|са F *f* [5] embellishment; **~шивать** [1], ⟨~сить⟩ [15] embellish.
прикреп|и́ть(ся) *s.* ~ля́ть(ся); **~ле́ние** *n* [12] fastening; attaching; **~ля́ть** [28], ⟨~и́ть⟩ [14 *e.*; -плю́, -пи́шь; -плённый] fasten; attach; **-ся** register (with к Д).
прикри́к|ивать [1], ⟨~нуть⟩ [20] shout (at на В).
прикры|ва́ть [1], ⟨ˊ~ть⟩ [22] cover; protect; **ˊ~тие** *n* [12] cover (*a.* ⚔); convoy; *fig.* cloak.
прила́вок *m* [1; -вка] counter.
прилага́|тельное *n* [14] adjective (*a.* и́мя ~тельное); **~ть** [1], ⟨приложи́ть⟩ [16] (к Д) enclose (with); apply (to); take (*pains*), make (*efforts*); ~емый enclosed.
прила́|живать [1], ⟨~дить⟩ [15] fit.
приле|га́ть [1] **1.** (к Д) (ad)join, border; **2.** ⟨ˊ~чь⟩ [26 г/ж: -ля́гу, -ля́жешь, -ля́гут; -лёг, -легла́; -ля́г(те)!] lie down (for a while); fit (closely); **~жа́ние** *n* [12] diligence; **ˊ~жный** [14; -жен, -жна] diligent, industrious; **~пля́ть** [28], ⟨~пи́ть⟩ [14] stick; **~та́ть** [1], ⟨~те́ть⟩ [11] arrive, fly; **ˊ~чь** *s.* ~га́ть 2.
прили́|в *m* [1] flood, flow; *fig.* rush; **~ва́ть** [1], ⟨~ть⟩ [-лью́, -льёшь; *cf.* лить] rush; add; **~па́ть** [1], ⟨~пнуть⟩ [21] stick; **~ть** *s.* ~ва́ть.
прили́ч|ие *n* [12] decency (for d.'s sake из *or* для Р), decorum; **~ный** [14; -чен, -чна] decent, proper; F respectable.
прилож|е́ние *n* [12] enclosure; supplement; application; *gr.* apposition; *seal*: affixture; **~и́ть** *s.* прикла́дывать & прилага́ть.
прима́нка *f* [5; *g/pl.*: -нок] bait, lure.
примен|е́ние *n* [12] application; use; adaptation; **~и́мый** [14 *sh.*] applicable; **~я́ть** [28], ⟨~и́ть⟩ [13; -еню́, -е́нишь; -енённый] apply (to к Д); use, employ; **-ся** adapt o.s.
приме́р *m* [1] example (в ~ *cite* as an example); не в ~ F far + *comp.*; к ~у F = наприме́р; **~ивать** [1], ⟨~ить⟩ [13] try *or* fit on; **~ка** *f* [5; *g/pl.*: -рок] trying *or* fitting on; **~ный** [14; -рен, -рна] exemplary; approximate; **~я́ть** [28] = ~ивать.
при́месь *f* [8] admixture.
приме́|та *f* [5] mark, sign, token; omen; *pl.* signalment, description; на ~те in view; **~тить** *s.* ~ча́ть; **~тный** *s.* заме́тный; **~ча́ние** *n* [12] (foot)note; notice; **~ча́тельный** [14; -лен, -льна] notable, remarkable; **~ча́ть** F [1], ⟨~тить⟩ [15] notice; **~шивать** [1], ⟨~ша́ть⟩ [1] add, (ad)mix.
примир|е́ние *n* [12] reconciliation; **~и́тельный** [14; -лен, -льна] (re-)conciliatory; arbitration...; **~я́ть** (**-ся**) [28] *s.* мири́ть(ся).
примити́вный [14; -вен, -вна] primitive.
прим|кну́ть *s.* ~ыка́ть; **~о́рский** [16] coastal, seaside...; **~о́чка** *f* [5; *g/pl.*: -чек] lotion; **ˊ~ула** *f* [5] primrose; **ˊ~ус** *m* [1] kerosene stove; **~ча́ться** [4 *e.*; -мчу́сь, -чи́шься] *pf.* come in a great hurry; **~ыка́ть** [1], ⟨~кну́ть⟩ [20] join (*v/t.* к Д); *impf.* adjoin.
принадл|ежа́ть [4 *e.*; -жу́, -жи́шь] belong (to [к] Д), pertain; **~е́жность** *f* [8] accessory; material, implement; *pl. a.* equipment; membership.
принести́ *s.* приноси́ть.
принима́ть [1], ⟨приня́ть⟩ [приму́, -и́мешь; при́нял, -а́, -о; при́нятый (-ят, -а́, -о)] take (*a.* over; for за В; *measures*); accept; receive; admit ([in]to в, на В); pass (*law*, *etc.*); adopt; assume; ~ на себя́ take (up)on o.s., undertake; ~ на свой счёт feel hurt; ~ пара́д review troops; **-ся** [-ня́лся́, -ла́сь] (за В) set about *or* to, start; F take to task; ⚘, ⚕ take. [*pf.* adapt; fit.]
принорови́ть F [14 *e.*; -влю́, -ви́шь]

прин|оси́ть [15], 〈~ести́〉 [24 -с-: -есу́; -ёс, -есла́] bring (*a.* forth, in); yield (*a. profit, thanks*); make (*sacrifice* в В); ~оси́ть в дар *s.* дари́ть.
прину|ди́тельный [14; -лен, -льна] forced, compulsory, coercive; **~жда́ть** [1], 〈ˊ~дить〉 [15] force, compel, constrain, oblige; **~жде́ние** *n* [12] compulsion, coercion, constraint (under по Д); **~ждённый** [14] forced, constrained, obliged.
при́нцип *m* [1] principle; (on в П, ~иа́льно); **~иа́льный** [14; -лен, -льна] of principle(s) (*a.* из ~а).
приня́|тие *n* [12] taking (over); acceptance; admission ([in]to в, на В); passing (*law, etc.*); adoption; assumption; **'~тый** [14] customary; *cf. a.* **~ть(ся)** → принима́ть(ся).
приобре|та́ть [1], 〈~сти́〉 [25 -т-] acquire, obtain, get; buy; **~те́ние** *n* [12] acquisition.
приобщ|а́ть [1], 〈~и́ть〉 [16 *e.*; -щу́, -щи́шь; -щённый] (к Д) join, add; **-ся** join.
приостан|а́вливать [1], 〈~ови́ть〉 [14] stop (*v/i.* **-ся**); ⚖ suspend.
припа́док *m* [1; -дка] fit, attack.
припа́сы *m/pl.* [1] supplies, stores.
припая́ть [28] *pf.* solder (on to к Д).
припе́|в *m* [1] refrain; **~ва́ть** F [1] sing; ~ва́ючи F in clover; **~ка́ть** [1], 〈~чь〉 [26] burn, be hot.
припи́с|ка *f* [5; *g/pl.*: -сок] postscript; addition; **~ывать** [1], 〈~а́ть〉 [3] ascribe, attribute (to к Д); add.
припла́та *f* [5] extra payment.
припло́д *m* [1] increase, offspring.
приплы|ва́ть [1], 〈ˊ~ть〉 [23] come, arrive, swim *or* sail (up to к Д).
приплю́снутый [14] flat (*nose*).
приподн|има́ть [1], 〈~я́ть〉 [-ниму́, -ни́мешь; -по́днял, -а́, -о; -по́днятый (-ят, -а́, -о)] lift *or* raise (**-ся** rise) (a little); **ˊ~ятый** [14] high (*spirits*); elevated (*style*).
приполз|а́ть [1], 〈~ти́〉 [24] creep.
припом|ина́ть [1], 〈ˊ~нить〉 [13] remember (*a. impers.* Д **-ся** И).
припра́в|а *f* [5] seasoning; **~ля́ть** [28], 〈~ить〉 [14] season, dress.
припух|а́ть [1], 〈ˊ~нуть〉 [21] swell.
прира́вн|ивать [1], 〈~я́ть〉 [28] compare (to к Д); level.
прира|ста́ть [1], 〈~сти́〉 [24 -ст-: -стёт; -ро́с, -сла́] take; grow (to к Д); increase (by на В); **~ще́ние** *n* [12] increase; taking.
приро́|да *f* [5] nature (by, *a.* birth от Р [*a.* in]; по Д); **~дный** [14] natural; *a.* = **~ждённый** [14] (in)born; **~ст** *m* [1] increase.
прируч|а́ть [1], 〈~и́ть〉 [16 *e.*; -чу́, -чи́шь; -чённый] tame.
при|са́живаться [1], 〈~се́сть〉 [25; -ся́ду; -се́л] sit down (a while).
присв|а́ивать [1], 〈~о́ить〉 [13] appropriate; adopt; confer ([up]on Д); **~ое́ние** *n* [12] appropriation; adoption; conferment.
присе|да́ть [1], 〈ˊ~сть〉 [25; -ся́ду; -се́л] squat; curts(e)y; **ˊ~ст** *m* [1] sitting (at, in в В); **ˊ~сть** *s.* ~да́ть & приса́живаться.
приска́к|ивать [1], 〈~а́ть〉 [3] come, arrive (at full gallop; leaping).
приско́рб|ие *n* [12] regret; **~ный** [14; -бен, -бна] deplorable, pitiable.
присла́ть *s.* присыла́ть.
прислон|я́ть [28], 〈~и́ть〉 [13] lean (*v/i.* **-ся**; against к Д).
прислу́|га *f* [5] servant(s); ⚔ crew, gunners *pl.*; **~живать** [1] wait (up)on (Д), serve; **-ся** (Д) be subservient (to), ingratiate o. s. (with); **~шиваться**, 〈~шаться〉 [1] listen (to к Д).
присм|а́тривать [1], 〈~отре́ть〉 [9; -отрю́, -о́тришь; -о́тренный] look after (за Т); F find; **-ся** (к Д) peer, look narrowly (at); examine (closely); familiarize o.s., get acquainted (with, *or* accustomed to); **~о́тр** *m* [1] care, supervision; **~отре́ть(ся)** *s.* ~а́тривать(ся).
присовокуп|ля́ть [28], 〈~и́ть〉 [14 *e.*; -плю́, -пи́шь; -плённый] add; enclose (with к Д).
присоедин|е́ние *n* [12] joining; connection; annexation; **~я́ть** [28], 〈~и́ть〉 [13] (к Д) join (*a.* **-ся**); connect, attach (to); annex, incorporate.
приспе́шник *m* [1] accomplice.
приспосо́б|ить(ся) *s.* ~ля́ть(ся); **~ле́ние** *n* [12] adaptation; device; **~ля́ть** [28], 〈~ить〉 [14] fit, adapt (o.s. **-ся**; to, for к Д, под В).
при́став *m* [1] (*form.*) police officer.
приста|ва́ть [5], 〈ˊ~ть〉 [-а́ну, -а́нешь] (к Д) stick (to); importune, pester; join; ⚓ land; F become; befit; ⚘ be taken (with); **ˊ~вить** *s.*

~влять; ∠вка *f* [5; *g/pl.*: -вок] prefix; **~влять** [28], ⟨∠вить⟩ [14] (к Д) set, put (to), lean (against); add, piece on; appoint (to look after); **'~льный** [14; -лен, -льна] steadfast; **'~нь** *f* [8; *from g/pl. e.*] quay, wharf, pier; **∠ть** *s.* ~вать.

пристёгивать [1], ⟨пристегнуть⟩ [20] button *or* fasten (to).

пристр|аивать [1], ⟨~оить⟩ [13] (к Д) add *or* attach (to); settle; place; provide; **-ся** F = устраиваться; join.

пристраст|ие *n* [12] predilection (for к Д); bias; **~ный** [14; -тен, -тна] bias(s)ed, partial (to к Д).

пристрели|вать [1], ⟨∠ть⟩ [13; -стрелю, -елишь] shoot.

пристр|оить(ся) *s.* ~аивать(ся); **~ойка** *f* [5; *g/pl.*: -оек] addition; annex.

приступ *m* [1] assault, onset, onslaught, storm (by Т); ⚕ & *fig.* fit, attack; F access; **~ать** [1], ⟨~ить⟩ [14] set about, start, begin; proceed (to); approach (*a.*, F, **-ся**).

прису|ждать [1], ⟨~дить⟩ [15; -уждённый] (к Д) sentence, condemn (to); award; **~ждение** *n* [12] awarding.

присутств|ие *n* [12] presence (in в П; of mind духа); † office (hours); **~овать** [7] be present (at на, в, при П); **~ующий** [17] present.

присущий [17 *sh.*] peculiar (to Д).

прис|ылать [1], ⟨~лать⟩ [-шлю, -шлёшь; присланный] send (for за Т); **~ыпать** [1], ⟨~ыпать⟩ [2] (be)strew.

прися|га *f* [5] oath (upon под Т); **~гать** [1], ⟨~гнуть⟩ [20] swear; **~жный** [14] juror; суд ~жных jury.

прита|ить [13] *pf.* F *s.* затаить; **-ся** hold (*breath*); hide; keep quiet; **∠скивать** [1], ⟨~щить⟩ [16] drag (o.s. **-ся** F; [up] to к Д); F bring (come).

притвор|ить(ся) *s.* ~ять(ся); **∠ный** [14; -рен, -рна] feigned, pretended, sham; **∠ство** *n* [9] pretense, dissimulation; **~ять** [28], ⟨~ить⟩ [13; -орю, -оришь; -оренный] close; leave ajar; **-ся** [13] feign, pretend (to be Т).

притесн|ение *n* [12] oppression; **~итель** *m* [4] oppressor; **~ять** [28], ⟨~ить⟩ [13] oppress; † press.

притих|ать [1], ⟨∠нуть⟩ [21] become silent, stop; abate (*wind*).

приток *m* [1] tributary; afflux.

притом besides; to that *or* it.

притон *m* [1] den, nest.

приторный [14; -рен, -рна] sugary, luscious.

притр|агиваться [1], ⟨~онуться⟩ [20] touch (slightly; *v/t.* к Д).

притуп|лять [28], ⟨~ить⟩ [14] (**-ся** become) blunt, dull.

притча *f* [5] parable.

притя|гивать [1], ⟨~нуть⟩ [19] draw, pull; attract; F *s.* привлекать; **~жательный** [14] possessive; **~жение** *n* [12] attraction; **~зание** *n* [12] claim, pretension (to на В); **~нуть** *s.* ~гивать.

приу|рочить [16] *pf.* time, date (for к Д); **~чать** [1], ⟨~чить⟩ [16] accustom, habituate; train.

при|хварывать F [1], ⟨~хворнуть⟩ [20] be(come *pf.*) unwell *or* sickly.

приход *m* [1] arrival, coming; † receipt(s), credit; parish; **~ить** [15], ⟨прийти⟩ [приду, -дёшь; пришёл, -шла; -шедший; *g. pt.*: придя] come (to), arrive (in, at в, на В; for за Т); *fig.* fall, get, fly (into в В); (Д) ~ить в голову, на ум, *etc.* think of, hit on (the idea), take into one's head; *not: a.* dream; ~ить в себя (*or* чувство) come to (o.s.); **-ся**, ⟨~сь⟩ suit, fit ([p.'s] s. th. [Д] по Д), be (to; Т p.'s *aunt, etc.*); fall (on в В; to на В); мне ~ится I have to, must; придётся *a.* = попало, *s.* попасть; **~ный** [14] receipt...; **~о-расходный** [14] cash(*book*); **~ский** [16] parish...; **~ящий** [17] day (*servant*); ⚕ ambulatory.

прихож|анин *m* [1; *pl.* -ане, -ан] parishioner; **∠ая** *f* [17] *s.* передняя.

прихот|ливый [14 *sh.*] freakish; fastidious; **'~ь** *f* [8] whim, freak.

прихрамывать [1] limp slightly.

прицел *m* [1] sight; *a.* = **~ивание** *n* [12] (taking) aim; **~иваться** [1], ⟨~иться⟩ [13] (take) aim (at в В).

прицеп *m* [1] trailer; **~ка** *f* [5; *g/pl.*: -пок] coupling; **~лять** [28], ⟨~ить⟩ [14] hook (on; to к Д); couple; **-ся** stick, cling; *s. a.* приста(ва)ть; **~ной** [14]: ~ной вагон *m* = ~.

причал *m* [1] mooring(s); **~ивать** [1], ⟨~ить⟩ [13] moor; land.

прича|стие *n* [12] *gr.* participle; *eccl.* Eucharist; F = ~щение; **~ст-**

ный [14; -тен, -тна] participating *or* involved (in к Д); **~щáть** [1], 〈~сти́ть〉 [15 *e.*; -ащу́, -асти́шь; -ащённый] administer (**-ся** receive) the Lord's Supper *or* Sacraments; **~щéние** *n* [12] administration of the Lord's Supper.

причём: ... ~ извéстно, что ... = ... it being known that ...

причёс|ка *f* [5; *g/pl.*: -сок] hairdo (*Brt.* -dress), coiffure; **~ывать** [1], 〈причесáть〉 [3] do, brush, comb (one's hair **-ся**).

причи́н|а *f* [5] cause; reason (for по Д); по ~е because of; **~ность** *f* [8] causality; **~ный** [14] causal; **~я́ть** [28], 〈~и́ть〉 [13] cause, do.

причи|сля́ть [28], 〈**~**сли́ть〉 [13] rank, number (among к Д); ⚔ assign; F add; **~тáние** *n* [12] lamentation; **~тáть** [1] lament; **~тáться** [1] be due, (p.: с Р) have to pay.

причу́д|а *f* [5] whim, freak; **~ливый** [14 *sh.*] freakish; cranky.

при|шéлец *m* [1; -льца] newcomer, arrival; **~ши́бленный** F [14] dejected; **~шивáть** [1], 〈~ши́ть〉 [-шью́, -шьёшь, *etc.*, *cf.* шить] (к Д) sew ([on] to); F involve (in), impose ([up]on); **~шпóрить** [13] *pf.* spur on; **~щемля́ть** [28], 〈~щеми́ть〉 [14 *e.*; -млю́, -ми́шь; -млённый] pinch, squeeze in; **~щу́ривать** [1], 〈~щу́рить〉 [13] *s.* жму́рить.

приют *m* [1] refuge, shelter; asylum, orphanage; **~и́ть** [15 *e.*; -ючу́, -юти́шь] *pf.* shelter (*v/i.* **-ся**).

прия́|тель *m* [4], **~тельница** *f* [5] friend; **~тельский** [16] friendly; **~тный** [14; -тен, -тна] pleasant, pleasing, agreeable.

про F (В) about, of; ~ себя́ to o.s., (*read*) silently.

прóба *f* [5] trial (on [= probation] на В), test; ⊕ assay, sample; standard, hallmark.

пробé|г *m* [1] run, race; **~гáть** [1], 〈~жáть〉 [4 *e.*; -егу́, -ежи́шь, -гу́т] run (through, over), pass (by); cover; skim.

пробéл *m* [1] blank, gap; defect.

проби|вáть [1], 〈**~**ть〉 [-бью́, -бьёшь; -бéй(те)!; проби́л, -а, -о] break through; pierce, punch; *s. a.* бить 2.; **-ся** fight (*or* make) one's way (through сквозь В); *fig.* F rough it; ♀ come up; shine through; *pf.* toil (at над Т); **~рáть** [1], 〈пробрáть〉 [-берý, -рёшь; *cf.* брать] F scold; blow up, upbraid; **-ся** [-брáлся, -лáсь, -лóсь] make one's way (through сквозь В); steal *or* slip; **~рка** *f* [5; *g/pl.*: -рок] test tube; **~ть(ся)** *s.* ~вáть(ся).

прóбк|а *f* [5; *g/pl.*: -бок] cork; stopper, plug; ⚡ fuse; *traffic*: jam; **~овый** [14] cork...

проблéма *f* [5] problem; **~ти́ческий** [16], **~ти́чный** [14; -чен, -чна] problematic(al).

прóблеск *m* [1] gleam; flash.

прóб|ный [14] trial..., test...; specimen..., sample...; touch(*stone*); pilot (*balloon*); **~овать** [7], 〈по-〉 try; taste.

пробóина *f* [5] hole; ⚓ leak.

пробóр *m* [1] (hair) parting.

прóбочник *m* [1] corkscrew.

пробрáться *s.* пробирáть(ся).

пробу|ждáть [1], 〈~ди́ть〉 [15; -уждённый] waken, rouse; **-ся** awake, wake up; **~ждéние** *n* [12] awakening.

пробы́ть [-бу́ду, -бу́дешь; прóбыл, -á, -о] *pf.* stay.

провáл *m* [1] collapse; *fig.* failure; **~ивать** [1], 〈~и́ть〉 [13; -алю́, -áлишь; -áленный] wreck; fail; reject; *thea.* damn; ~ивáй(те)! F decamp; **-ся** break *or* fall in; fail, flunk; *thea.* be damned; disappear; ~и́сь! F the deuce take you!

провáнский [16] olive (*oil*).

провé|дать F [1] *pf.* visit; find out; **~дéние** *n* [12] carrying out, realization; construction, installation; **~зти́** *s.* провози́ть; **~рить** *s.* ~ря́ть; **~рка** *f* [5; *g/pl.*: -рок] check(up), examination, control; **~ря́ть** [28], 〈~рить〉 [13] examine, check (up), control; **~сти́** *s.* проводи́ть; **~тривать** [1], 〈~трить〉 [13] air, ventilate.

прови|áнт *m* [1] *s.* **~**зия; **~зия** *f* [7] provisions, foodstuffs, victuals *pl.*; **~ни́ться** [13] *pf.* commit offence, be guilty (of в П), offend (p. пéред Т; with в П); **~нциáльный** [14; -лен, -льна] provincial; **~нция** *f* [7] province.

прóво|д *m* [1; *pl.*: -дá, *etc. e.*] wire, line; cable; lead; **~ди́мость** *f* [8] conductivity; **~ди́ть** [15] **1.** 〈провести́〉 [25] lead, *a.* ⚡, *impf.* conduct, guide; carry out (*or* through), realize, put (*into practice*); put *or* get through; pass; spend (*time*; at за Т); draw (*line*, *etc.*); lay, construct; develop (*idea*); pursue (*policy*); hold (*meeting*); † enter, book; *pf.* F trick, cheat; **2.** *s.* ~жа́ть; **∠дка** *f* [5; *g/pl.*: -док] construction, installation; ⚡ lead; *tel.* line, wire(s); **~дни́к** *m* [1 *e.*] guide; 🚂, ⚡ conductor (*Brt.* 🚂 guard); **~жа́ть** [1], ‹~ди́ть› [15] see (off), accompany; follow; **∠з** *m* [1] transport(ation).

провозгла|ша́ть [1], ‹~си́ть› [15 *e.*; -ашу́, -аси́шь; -ашённый] proclaim; propose (*toast*).

провози́ть [15], ‹провезти́› [24] drive, convey; take, get, carry.

провока́|тор *m* [1] agent provocateur; **~ция** *f* [7] provocation.

про́вол|ока *f* [5] wire; **~о́чка** F *f* [5; *g/pl.*: -чек] delay (in с Т), protraction.

прово́р|ный [14; -рен, -рна] quick, nimble, deft; **~ство** *n* [9] quickness, nimbleness, deftness.

провоци́ровать [7] (*im*)*pf.*, *a.* ‹с-› provoke (to на В).

прогада́ть F [1] *pf.* lose (by на П).

прога́лина *f* [5] glade; patch, spot.

прогл|а́тывать [1], ‹~оти́ть› [15] swallow, gulp; F lose (*tongue*); **~я́дывать** [1] **1.** ‹~яде́ть› [11] overlook; look over (*or* through); **2.** ‹~яну́ть› [19] peep out, appear.

прогн|а́ть *s.* прогоня́ть; **~о́з** *m* [1] forecast; ⚕ prognosis.

прого|ва́ривать [1], ‹~вори́ть› [13] say; talk; **-ся** blab (*v/t.* о П); **~лода́ться** [1] *pf.* get *or* feel hungry; **~ня́ть** [28], ‹прогна́ть› [-гоню́, -го́нишь; -гна́л, -а́, -о; про́гнанный] drive (away); F *fig.* banish; F fire; run (the gantlet сквозь строй); **~ра́ть** [1], ‹~ре́ть› [9] burn through; F smash (up).

програ́мма *f* [5] program(me *Brt.*).

прогре́сс *m* [1] progress; **~и́вный** [14; -вен, -вна] progressive; **~и́ровать** [7] (make) progress.

прогрыз|а́ть [1], ‹∠ть› [24; *pt. st.*] gnaw *or* bite through.

прогу́л *m* [1] truancy; **~ивать** [1], ‹~я́ть› [28] shirk (work), play truant; **-ся** take (*or* go for a) walk; **~ка** *f* [5; *g/pl.*: -лок] walk (for на В), stroll, ride; **~ьщик** *m* [1] shirker, truant; **~я́ть(ся)** *s.* ~ивать(ся).

прода|ва́ть [5], ‹∠ть› [-да́м, -да́шь, *etc.*, *cf.* дать; про́дал, -а́, -о; про́данный (про́дан, -а́, -о)] sell (*v/i.* **-ся**; *a.* = be for *or* on sale); **~ве́ц** *m* [1; -вца́], **~вщи́ца** *f* [5] seller, sales(wo)man, (store) clerk, *Brt.* shop assistant; **∠жа** *f* [5] sale (on в П; for в В); **∠жный** [14] for sale; [-жен, -жна] venal, corrupt; **∠ть** (**-ся**) *s.* ~ва́ть(ся).

продви|га́ть [1], ‹∠нуть› [20] move, push (ahead); **-ся** advance; **~же́ние** *n* [12] advance(ment).

проде́л|ать *s.* ~ывать; **~ка** *f* [5; *g/pl.*: -лок] trick, prank; **~ывать**, ‹~ать› [1] break through, make; carry through *or* out, do; F play (*trick*).

проде́ть [-де́ну, -де́нешь; -де́нь (-те)!; -де́тый] *pf.* pass through, thread.

продл|ева́ть [1], ‹~и́ть› [13] prolong; **~е́ние** *n* [12] prolongation.

продово́льств|енный [14] food...; grocery...; **~ие** *n* [12] food(stuffs), provisions *pl.*

продол|гова́тый [14 *sh.*] oblong; **~жа́тель** *m* [4] continuator; **~жа́ть** [1], ‹∠жить› [16] continue, go on; lengthen; prolong; **-ся** last; **~же́ние** *n* [12] continuation; sequel; course (in в В); ~же́ние сле́дует to be continued; **~жи́тельность** *f* [8] duration; **~жи́тельный** [14; -лен, -льна] long; **∠жить** (**-ся**) *s.* ~жа́ть(ся); **∠ьный** [14] longitudinal.

продро́гнуть [21] *pf.* be chilled (to the marrow).

проду́к|т *m* [1] product; material; *pl. a.* (food)stuffs; **~ти́вный** [14; -вен, -вна] productive; **~то́вый** [14] grocery (*store*); **~ция** *f* [7] production (= product[s]), output.

проду́м|ывать, ‹~ать› [1] think over.

про|еда́ть [1], ‹~е́сть› [-е́м, -е́шь, *etc.*, *cf.* есть[1]] eat away *or* through; F spend (on eating); eat.

прое́з|д *m* [1] passage, thoroughfare (no t.! ~а нет!); ~ом on the way, in passing; transient(ly); **~дить** *s.* ~жа́ть 2.; **~дно́й** [14]: ~дно́й биле́т *m* ticket; ~дна́я пла́та *f* fare; **~жа́ть** [1] **1.** ‹прое́хать› [-е́ду, -е́дешь; -езжа́й(те)!] pass, drive *or* ride through (*or* past, by); travel; **-ся** F take a drive *or* ride; **2.** ‹~дить› [15] break in (*horse*); F spend (on fare *or* in driving, riding); **~жий** [17] (through) traveller, transient; ~жая доро́га *f* highway.

прое́к|т *m* [1] project, plan, scheme; draft; **~ти́ровать** [7], ⟨с-⟩ project, plan: **~цио́нный** [14]: ~цио́нный аппара́т *m* projector.

прое́|сть *s.* ~да́ть; **~хать** *s.* ~зжа́ть.

проже́ктор *m* [1] searchlight.

прожи|ва́ть [1], ⟨∠ть⟩ [-иву́, -и-вёшь; про́жил, -а́, -о; про́житый (про́жит, -а́, -о)] live; F spend; **~га́ть** [1], ⟨проже́чь⟩ [26 г/ж: -жгу́, -жжёшь] burn (through); ~га́ть жизнь F live fast; **∠точный** [14]: ∠точный ми́нимум *m* living wage; **∠ть** *s.* ~ва́ть.

прожо́рлив|ость *f* [8] gluttony, voracity; **~ый** [14 *sh.*] gluttonous.

про́за *f* [5] prose; **∠ик** *m* [1] prose writer; **~и́ческий** [16] prosaic.

про́|звище *n* [11] nickname; по ~звищу nicknamed; **~зва́ть** *s.* ~зыва́ть; **~зева́ть** F [1] *pf.* miss; let slip; **~зорли́вый** [14 *sh.*] perspicacious; **~зра́чный** [14; -чен, -чна] transparent; **~зре́ть** [9] *pf.* recover one's sight: see, perceive; **~зыва́ть** [1], ⟨~зва́ть⟩ [-зову́, -вёшь; -зва́л, -а́, -о; про́званный] (Т) nickname; **~зяба́ть** [1] vegetate; **~зя́бнуть** F [21] *s.* продро́гнуть.

прои́гр|ывать [1], ⟨~а́ть⟩ [1] lose (at play); F play; **-ся** lose all one's money; **ʹ~ыш** *m* [1] loss (в П lose).

произв|еде́ние *n* [12] work, product(ion); **~ести́** *s.* ~оди́ть; **~оди́тель** *m* [4] producer; **~оди́тельность** *f* [8] productivity; output; **~оди́тельный** [14; -лен, -льна] productive; **~оди́ть** [15], ⟨~ести́⟩ [25] (**-ся** *impf.* be) make (made), carry (-ried) out, execute(d), effect (-ed); (⊕ *usu. impf.*) produce(d); bring forth; promote(d [to the rank of] [в И *pl.*]); *impf.* derive(d; from от Р); **~о́дный** [14] derivative (*a. su. f* 𝒜); **~о́дственный** [14] production...; manufacturing; works...; industrial; **~о́дство** *n* [9] production, manufacture; plant, works, factory (at на П); execution; promotion.

произ|во́л *m* [1] arbitrariness; mercy; despotism, tyranny; **~во́льный** [14; -лен, -льна] arbitrary; **~носи́ть** [15], ⟨~нести́⟩ [24 -с-] pronounce; deliver, make (*speech*); utter; **~ноше́ние** *n* [12] pronunciation; **~ойти́** *s.* происходи́ть.

про́ис|ки *m/pl.* [1] intrigues; **~ходи́ть** [15], ⟨произойти́⟩ [-зойдёт; -зошёл, -шла́; *g. pt.*: произойдя́] take place, happen; arise, originate (from от Р); descend (from от, из Р); **~хожде́ние** *n* [12] origin (by [= birth] по Д), descent; **~ше́ствие** *n* [12] incident, occurrence, event.

про|йти́(сь) *s.* ~ходи́ть & ~ха́живаться).

прок F *m* [1] *s.* по́льза & впрок.

прока́з|а *f* [5] prank, mischief; ⚕ leprosy; **~ник** *m* [1], **~ница** *f* [5] F *s.* шалу́н(ья); **~ничать** [1] F *s.* шали́ть.

прока́|лывать [1], ⟨проколо́ть⟩ [17] pierce, stick, stab; **~пывать** [1], ⟨прокопа́ть⟩ [1] dig (through); **~рмливать** [1], ⟨прокорми́ть⟩ [14] support, nourish; feed; **-ся** F subsist (on, by Т).

прока́т *m* [1] hire (for на В), lease; (*film, etc.*) distribution; отда́ть в ~ hire out; **~и́ть(ся)** [15] *pf.* give (take) a drive *or* ride; **~ный** [14] rolled (*iron*); rolling (*mill*); for hire; lending; **~ывать,** ⟨~а́ть⟩ [1] mangle; ⊕ roll; ride; **-ся** F *s.* ~и́ться.

прокла́д|ка *f* [5; *g/pl.*: -док] laying; construction; packing; lining; **~ывать** [1], ⟨проложи́ть⟩ [16] lay (*a.* = build); *fig.* pave; force (one's *way* себе́), interlay; draw.

прокламá́ция *f* [7] leaflet.

прокл|ина́ть [1], ⟨~я́сть⟩ [-яну́, -янёшь; про́клял, -а́, -о; про́клятый (про́клят, -а́, -о)] curse, damn; **~я́тие** *n* [12] damnation; **~я́тый** [14] cursed, damned.

проко́|л *m* [1] perforation; **~ло́ть** *s.* прока́лывать; **~па́ть** *s.* прока́пывать; **~рми́ть(ся)** *s.* прока́рмливать(ся); **~рмле́ние** *n* [12] support.

прокра́|дываться [1], ⟨~сться⟩ [25; *pt. st.*] steal, go stealthily.

прокуро́р *m* [1] public prosecutor.

про|лага́ть *s.* ~кла́дывать; **~ла́мывать,** ⟨~лома́ть⟩ [1] & ⟨~ломи́ть⟩ [14] break (through; *v/i.* **-ся**); fracture; **~лега́ть** [1] run; **~леза́ть** [1], ⟨~ле́зть⟩ [24 *st.*] creep *or* get (in[to]); **~лёт** *m* [1] passage; flight; △ span; well; **~летариа́т** *m* [1] proletariat; **~лета́рий** *m* [3],

~летáрский [16] proletarian; **~летáть** [1], ⟨~летéть⟩ [11] fly (past, by, over), pass (by, quickly); **~лётка** *f* [5; *g/pl.*: -ток] droshky.

пролú|в *m* [1] strait (*e.g.* Strait of Dover ~в Па-де-Калé); **~вáть** [1], ⟨~ть⟩ [-лью́, -льёшь; -лéй(те)!; прóлил, -á, -o; прóлитый (прóлит, -á, -o)] spill (*v/i.* **-ся**); shed; **~внóй** [14]: ~внóй дождь *m* downpour, cloudburst; **~ть** *s.* ~вáть.

прoлó|г *m* [1] prologue; **~жи́ть** *s.* проклáдывать; **~м** *m* [1] breach; fracture; **~мáть, ~ми́ть** *s.* прoлáмывать.

прóмах *m* [1] miss; blunder (make дать *or* сдéлать; *a.* miss, fail; F fool); **~ивaться** [1], ⟨~нýться⟩ [20] miss; blunder.

промедлéние *n* [12] delay.

промежýто|к *m* [1; -тка] interval (at в П; ... of в В); period; **~чный** [14] intermediate.

проме|лькнýть *s.* мелькáть; **~нивать** [1], ⟨~ня́ть⟩ [28] exchange (for на В); **~рзáть** [1], ⟨промёрзнуть⟩ [21] freeze (through); F *s.* продрóгнуть.

промо|кáтельный [14]: ~кáтельная бумáга *f* blotting paper; **~кáть** [1], ⟨~кнуть⟩ [21] get wet *or* drenched; **~лчáть** [4 *e.*; -чý, -чи́шь] *pf.* keep silent; **~чи́ть** [16] *pf.* wet, drench.

промтовáры *m/pl.* [1] *s.* ширпо-[треб.

промчáться [4] *pf.* dash *or* fly (past, by).

промы|вáть [1], ⟨~ть⟩ [22] wash (out, away); ⚕ irrigate.

прóмы|сел *m* [1; -сла] trade, (line of) business; (*oil, gold*) field; (*salt, etc.*) works; **~слóвый** [14] trade(s) ...; **~ть** *s.* ~вáть.

промы́шлен|ник *m* [1] industrialist; **~ность** *f* [8] industry; **~ный** [14] industrial.

пронести́(сь) *s.* проноси́ть(ся).

прон|зáть [1], ⟨~зи́ть⟩ [15*e.*; -нжý, -нзи́шь; -нзённый] pierce, stab; **~зи́тельный** [14; -лен, -льна] shrill, piercing, penetrating; **~и́зывать** [1], ⟨~изáть⟩ [3] penetrate, pierce.

прони|кáть [1], ⟨~кнуть⟩ [21] penetrate; permeate; get (in); spread; **-ся** be imbued *or* inspired (with T); **~кновéние** *n* [12] penetration; fervo(u)r; **~кновéнный** [14; -éнен, -éнна] feeling, heartfelt, pathetic; **~цáемый** [14 *sh.*] permeable; **~цáтельный** [14; -лен, -льна] penetrating, searching; acute, shrewd; **~цáть** *s.* ~кáть.

про|носи́ть [15] **1.** ⟨~нести́⟩ [24 -с-: -есý; -ёс, -еслá] carry (through, by, away); speed; **-ся**, ⟨-сь⟩ fly (past, by), pass *or* spread (swiftly); **2.** *pf.* F wear out; **~ны́рливый** [14 *sh.*] crafty; **~ню́хать** P [1] smell out.

прообраз *m* [1] prototype.

пропагáнд|и́ровать [7] propagandize; **~и́стский** [16] propagandist...; propaganda...

пропа|дáть [1], ⟨~сть⟩ [25; *pt. st.*] get *or* be lost, be gone (wasted); be (missing; *a.* ~сть без вести); lose, fail; vanish; perish, die; **~жа** *f* [5] loss; **~сть**[1] *s.* ~дáть; **'~сть**[2] *f* [8] precipice, abyss; chasm, gap; disaster; F lots *or* a lot (of).

пропи|вáть [1], ⟨~ть⟩ [-пью́, -пьёшь; -пéй(те)!; прóпил, -á, -o; прóпитый (прóпит, -á, -o)] spend (on drinking); drink.

пропис|áть(ся) *s.* ~ывать(ся); **~ка** *f* [5; *g/pl.*: -сок] registration; **~нóй** [14] capital, *cf.* бýква; common; registration...; **~ывать** [1], ⟨~áть⟩ [3] prescribe (for Д), order; register (*v/i.* **-ся**); **'~ью** (*write*) in full.

пропи|тáние *n* [12] livelihood, living (*earn* one's себé на В); **~тывать**, ⟨~тáть⟩ [1] (**-ся** be[come]) impregnate(d), imbue(d; with T); **~ть** *s.* ~вáть.

проплы|вáть [1], ⟨~ть⟩ [23] swim *or* sail (by, under); pass; strut.

проповéд|ник *m* [1] preacher; **~овать** [1] preach; **~ь** ('prɔ-) *f* [8] *eccl.* sermon; propagation.

пропол|зáть [1], ⟨~зти́⟩ [24] creep (by, through, under); **~ка** *f* [5] weeding.

пропорционáльный [14; -лен, -льна] proportional, proportionate.

прóпус|к *m* [1] **1.** ommission, blank; absence; **2.** [*pl.*: -кá, *etc. e.*] pass(-age); ⚔ password; **~кáть** [1], ⟨~ти́ть⟩ [15] let pass (*or* through); pass; omit; miss; let slip; *impf.* leak; **~кнóй** [14] blotting (*paper*).

прора|бáтывать, ⟨~бóтать⟩ F [1] study; **~стáть** [1], ⟨~сти́⟩ [24 -ст-: -стёт; -рос, -рослá] grow (through); come up.

прорва́ть(ся) *s.* прорыва́ть(ся).

прорез|а́ть [1], ⟨**∠ать**⟩ [3] cut (through); **-ся** cut (*teeth*); **~и́ненный** [14] gummed.

проре́ха *f* [5] slit, hole, tear.

проро́|к *m* [1] prophet; **~ни́ть** [13; -оню́, -о́нишь; -о́ненный] *pf.* utter; **~ческий** [16] prophetic(al); **~чество** *n* [9] prophecy; **~чить** [16] prophesy.

проруб|а́ть [1], ⟨**~и́ть**⟩ [14] cut (through); **'~ь** *f* [8] ice hole.

прор|ы́в *m* [1] break; breach; gap, arrear(s), hitch; **~ыва́ть** [1] **1.** ⟨**~ва́ть**⟩ [-ву́, -вёшь; -ва́л, -а́, -о; про́рванный (-ан, -а́, -о)] tear; break through (*v/i.* **-ся**; burst open; force one's way); **2.** ⟨**~ы́ть**⟩ [22] dig (through).

про|са́чиваться [1], ⟨**~сочи́ться**⟩ [16 *e.*; *3rd p. only*] ooze (out), percolate; **~сверли́ть** [13] *pf.* bore (through).

просве́|т *m* [1] gleam, glimpse; chink; △ bay, opening; *fig.* hope; **~ти́тельный** [14] of enlightenment; educational; **~ти́ть** *s.* **~**щáть *&* **~**чивать 2.; **~тле́ть** [8] *pf.* clear up, brighten; **~чивать** [1] **1.** shine through, be seen; **2.** ⟨**~ти́ть**⟩ [15] radiograph, X-ray; test (*egg*); **~ща́ть** [1], ⟨**~ти́ть**⟩ [15 *e.*; -ещу́, -ети́шь; -ещённый] enlighten, educate, instruct; **~ще́ние** *n* [12] enlightenment, education, instruction.

про́|седь *f* [8] grayish (*Brt.* greyish), grizzly (hair); **~се́ивать** [1], ⟨**~се́ять**⟩ [27] sift; **~сека** *f* [5] glade; **~сёлок** *m* [1; -лка] = **~**сёлочная доро́га; **~сёлочный** [14]: **~**сёлочная доро́га *f* by-road, field path; **~се́ять** *s.* **~**се́ивать.

проси́|живать [1], ⟨**~де́ть**⟩ [11] sit (up); stay, remain; spend; F wear out; **~тель** *m* [4], **~тельница** *f* [5] petitioner, applicant; **~ть** [15], ⟨по-⟩ ask (p. for В/о П; у Р/Р, *a.* beg p.'s), request; entreat; invite; intercede (for за В); прошу́, про́сят *a.* please; **-ся** (в, на В) ask (for; leave [to enter, go]; F suggest o. s.; **~я́ть** [28] *pf.* shine forth, brighten.

проск|ользну́ть [20] *pf.* slip (into в В); **~очи́ть** [16] *pf.* jump *or* slip (by, through, in[to]).

просл|авля́ть [28], ⟨**~а́вить**⟩ [14] glorify, make (**-ся** become) famous; **~еди́ть** [15 *e.*; -ежу́, -еди́шь; -е́женный] *pf.* follow up; **~ези́ться** [15 *e.*; -ежу́сь, -ези́шься] *pf.* shed tears.

просло́йка *f* [5; *g/pl.*: -о́ек] streak, layer.

про|слу́шать [1] *pf.* hear; ⚕ auscultate; F miss; **~сма́тривать** [1], ⟨**~смотре́ть**⟩ [9; -отрю́, -о́тришь; -о́тренный] look through *or* over; overlook; **~смо́тр** *m* [1] examination, review, revision; oversight; **~сну́ться** *s.* **~**сыпа́ться; **∠со** *n* [9] millet; **~со́вывать** [1], ⟨**~су́нуть**⟩ [20] pass *or* push (through); **~со́хнуть** *s.* **~**сыха́ть; **~сочи́ться** *s.* **~**са́чиваться; **~спа́ть** *s.* **~**сыпа́ть.

проспе́кт *m* [1] avenue; prospectus.

просро́ч|ивать [1], ⟨**~ить**⟩ [16] let lapse, expire; exceed; **~ка** *f* [5; *g/pl.*: -чек] expiration; exceeding.

прост|а́ивать [1], ⟨**~оя́ть**⟩ [-ою́, -ои́шь] stand; stay; **~а́к** *m* [1 *e.*] simpleton; **~е́нок** *m* [1; -нка] pier.

прост|ира́ть [1], ⟨**~ере́ть**⟩ [12] stretch (out; *v/i.* **-ся**), extend.

прости́тельный [14; -лен, -льна] pardonable, excusable, venial.

проститу́тка *f* [5; *g/pl.*: -ток] prostitute.

прости́ть(ся) *s.* проща́ть(ся).

простоду́ш|ие *n* [12] naïveté; **~ный** [14; -шен, -шна] simple-minded, ingenuous, artless.

просто́й 1. [14; прост, -á, -о; *comp.*: про́ще] simple, plain; easy; artless, unsophisticated; ordinary, common; prime (*number*); **2.** *m* [3] stoppage, standstill.

простоква́ша *f* [5] curdled milk.

просто́|р *m* [1] open (space); freedom (in на П); scope; **~ре́чие** *n* [12] language of the (uneducated) people; vernacular; **~рный** [14; -рен, -рна] spacious, roomy; **~серде́чный** [14; -чен, -чна] *s.* **~**ду́шный; **~та́** *f* [5] simplicity; naïveté; silliness; **~фи́ля** *m/f* F [6] ninny; **~я́ть** *s.* проста́ивать.

простра́н|ный [14; -а́нен, -а́нна] vast; diffuse; **~ство** *n* [9] space; room; area.

простре́л *m* [1] lumbago; **~ивать** [1], ⟨**~и́ть**⟩ [13; -елю́, -е́лишь; -е́ленный] shoot (through).

просту́|да *f* [5] cold; **~живать** [1], ⟨**~ди́ть**⟩ [15] chill; **-ся** catch a cold.

просту́пок *m* [1; -пка] offence.

простыня́ *f* [6; *pl.*: про́стыни, -ы́нь, *etc. e.*] (*bed*) sheet.

просу́|нуть *s.* просо́вывать; **~ши-вать** [1], ⟨~ши́ть⟩ [16] dry (up).

просфора́ *f* [5; *pl.*: про́сфоры, -фо́р, *etc. e.*] *eccl.* Host.

просчита́ться [1] *pf.* miscalculate.

просыпа́ть [1], ⟨проспа́ть⟩ [-плю́, -пи́шь; -спа́л, -а́, -о] oversleep; sleep; F miss (by sleeping); **~ся,** ⟨просну́ться⟩ [20] awake, wake up.

прос|ыха́ть [1], ⟨~о́хнуть⟩ [21] dry.

про́сьба *f* [5] request (at по П; for о П); entreaty; † petition; please (don't не + *inf.*); (у Р/к Д) ~ (may p.) ask (p.) a favo(u)r.

про|та́лкивать [1], *once* ⟨~толк-ну́ть⟩ [20], F ⟨~толка́ть⟩ [1] push (through); **-ся** force one's way (through); **~та́птывать** [1], ⟨~топ-та́ть⟩ [3] tread (out); F wear out *or* down; **~та́скивать** [1], ⟨~тащи́ть⟩ [16] carry *or* drag (past, by); F smuggle in.

проте́з (-ˈtɛs) *m* [1] artificial limb.

проте|ка́ть [1], ⟨**~**чь⟩ [26] flow (by); leak; pass, elapse; take a ... course; **~кция** *f* [7] patronage; **~ре́ть** *s.* протира́ть; **~ст** *m* [1], **~стова́ть** [7], *v/t.* (*im*)*pf.* & ⟨о-⟩ protest; **~чь** *s.* **~**ка́ть.

про́тив (Р) against (*a.* as against); opposite; быть *or* име́ть ~ (have) object(ion; to), mind; **~иться** [14], ⟨вос-⟩ (Д) oppose, object; **~ник** *m* [1] opponent, adversary; enemy; **~ный** [14; -вен, -вна] repugnant, disgusting, offensive, nasty; opposite, contrary; мне ~но *a.* I hate; в ~ном слу́чае otherwise, failing which.

противо|ве́с *m* [1] counterbalance; **~возду́шный** [14] anti-aircraft (*defense*), air-raid (*precautions, protection*); **~га́з** *m* [1] gas mask; **~де́йствие** *n* [12] counteraction; resistance; **~де́йствовать** [7] counteract; resist; **~есте́ствен-ный** [14 *sh.*] unnatural; **~зако́н-ный** [14; -о́нен, -о́нна] unlawful, illegal; **~обще́ственный** [14] antisocial; **~поло́жность** *f* [8] contrast, opposition (in в В); antithesis; **~поло́жный** [14; -жен, -жна] opposite; contrary, opposed; **~-поставля́ть** [28], ⟨~поста́вить⟩ [14] oppose; **~поставле́ние** *n* [12] opposition; **~ре́чие** *n* [12] contradiction; **~речи́вый** [14 *sh.*] contradictory; **~ре́чить** [16] (Д) contradict; **~стоя́ть** [-ою́, -ои́шь] (Д) withstand; stand against; **~та́нко-вый** [14] antitank...; **~хими́че-ский** [16] (anti)gas...; **~я́дие** *n* [12] antidote.

про|тира́ть [1], ⟨~тере́ть⟩ [12] rub (through); wipe; **~ткну́ть** *s.* ~ты-ка́ть; **~токо́л** *m* [1] (**~токоли́ро-вать** [7] [*im*]*pf.*, *a.* ⟨за-⟩ take down the) minutes *pl.*, record; *su. a.* protocol; **~толка́ть, ~толкну́ть** *s.* ~та́лкивать; **~топта́ть** *s.* ~та́пты-вать; **~торённый** [14] beaten (*path*), trodden; **~тоти́п** *m* [1] prototype; **~то́чный** [14] flowing, running; **~трезвля́ться** [28], ⟨~трезви́ться⟩ [14 *e.*; -влю́сь, -ви́шься; -влённый] (become) sober; **~тыка́ть** [1], *once* ⟨~ткну́ть⟩ [20] pierce.

протя́|гивать [1], ⟨~ну́ть⟩ [19] stretch (out), extend, hold out; pass; drawl; P turn up (one's toes но́ги); **~же́ние** *n* [12] extent, stretch (at на П); course (in на П); **~жный** [14; -жен, -жна] drawling, lingering; **~ну́ть** *s.* ~гивать.

проучи́ть F [16] *pf.* teach a lesson.

професс|иона́льный [14] professional; trade (*union, cf.* профсою́з); **~ия** *f* [7] profession (by по Д), calling, trade; **~ор** *m* [1; *pl.*: -ра́, *etc. e.*] professor; **~у́ра** *f* [5] professorship; professorate.

про́филь *m* [4] profile.

профо́рма F *f* [5] formality.

профсою́з *m* [1], **~ный** [14] trade union.

про|ха́живаться [1], ⟨~йти́сь⟩ [-йду́сь, -йдёшься; -ошёлся, -шла́сь] (go for a) walk, stroll; F pass; mock (at насчёт Р); **~хва́ты-вать** F [1], ⟨~хвати́ть⟩ [15] pierce; blow up; **~хво́ст** F *m* [1] scoundrel.

прохла́д|а *f* [5] cool(ness); **~и́-тельный** [14; -лен, -льна] refreshing, cooling; **~ный** [14; -ден, -дна] cool (*a. fig.*), fresh.

прохо́|д *m* [1] passage, pass; *anat.* duct (за́дний ~д anus); **~ди́мец** *m* [1; -мца] impostor, villain; **~ди́-мость** *f* [8] passableness; maneuverability; **~ди́ть** [15], ⟨пройти́⟩ [пройду́, -дёшь; прошёл, -шла́; -ше́дший; про́йденный; *g. pt.*: пройдя́] pass, go (by, through, over, along); take a ... course, be; spread; **~дной** [14] (with a) through passage; **~жде́ние** *n* [12] passing *or* going (through, over); **~жий** *m* [17] passer-by; travel(l)er.

процвета́ть [1] prosper, thrive.

проце|ду́ра *f* [5] procedure; **∠жи-ва́ть** [1], ⟨**~ди́ть**⟩ [15] filter; **∠нт** *m* [1] percent(age) (by на В); (*usu. pl.*) interest; **∠сс** *m* [1] process; ⚖ trial (at на П); **∠ссия** *f* [7] procession.

проче́сть *s.* прочи́тывать.

про́ч|ий [17] other; *n & pl. a. su.* the rest; и ~ее and so on *or* forth, etc.; ме́жду ~им by the way, incidentally; among other things.

прочи́|стить *s.* ~ща́ть; **~тывать**, ⟨~та́ть⟩ [1] & ⟨проче́сть⟩ [25 -т-: -чту́, -тёшь; -чёл, -чла́; *g. pt.*: -чтя́; -чтённый] read (through); recite; **'~ть** [16] designate (to в В); **~ща́ть** [1], ⟨~стить⟩ [15] clean.

про́чн|ость *f* [8] durability; **~ый** [14; -чен, -чна́, -о] firm, solid, strong; lasting.

прочте́ние *n* [12] reading, perusal.

прочь away, off (with you поди́[те] ~); *cf.* доло́й; я не ~ + *inf.* F I wouldn't mind ...ing.

прош|е́дший [17] past (*a. su. n* ~е́дшее), *a. gr.*, last; **~е́ние** *n* [12] petition, application (for о П; on по Д); **~е́ствие** *n* [12] *s.* истече́ние; **~ло-го́дний** [15] last year's; **∠лый** [14] past (*a. su. n* ∠лое), last; **~мыгну́ть** F [20] *pf.* slip, whisk.

прощ|а́й(те)! farewell!, goodby(e)!, adieu!; **~а́льный** [14] farewell...; parting; **~а́ние** *n* [12] parting (when, at при П; на В), leave-taking, farewell; **~а́ть** [1], ⟨про-сти́ть⟩ [15 *e.*; -ощу́, ости́шь; -ощённый] forgive (р. Д), excuse, pardon; прости́(те) *a.* = ~а́й(те), *s.*; **-ся** (с Т) take leave (of), say goodby (to); **~е́ние** *n* [12] forgiveness; pardon.

прояв|и́тель *m* [4] *phot.* developer; **~и́ть(ся)** *s.* ~ля́ть(ся); **~ле́ние** *n* [12] manifestation, display, demonstration; *phot.* development; **~ля́ть** [28], ⟨~и́ть⟩ [14] show, display, evince, manifest; *phot.* develop.

проясн|я́ться [28], ⟨~и́ться⟩ [13] clear up, brighten.

пруд *m* [1 *e.*; в -у́] pond.

пружи́на *f* [5] spring; motive.

прусс|а́к *m* [1*e.*], **∠кий** [16] Prussian.

прут *m* [1; *a. e.*; *pl.*: -ья, -ьев] rod, switch.

пры́|гать [1], *once* ⟨~гнуть⟩ [20] jump, spring, leap; **~гу́н** *m* [1 *e.*] jumper; **∠жо́к** *m* [1; -жка́] jump, leap, bound; dive; **~ткий** [16; -ток, -тка́, -о] nimble, quick; **~ть** F *f* [8] agility; speed (at full во всю); **~щ** *m* [1 *e.*], **~щик** *m* [1] pimple.

пряди́ль|ный [14] spinning; **~щик** *m* [1], **~щица** *f* [5] spinner.

пря|дь *f* [8] lock, tress, strand; **∠жа** *f* [5] yarn; **∠жка** *f* [5; *g/pl.*: -жек] buckle; **∠лка** *f* [*g/pl.*: -лок] spinning wheel.

прям|изна́ *f* [5] straightness; **~о-ду́шие** *n* [12] *s.* ~ота́; **~оду́шный** [14; -шен, -шна] *s.* ~о́й *fig.*; **~о́й** [14; прям, -а́, -о] straight (*a.* [= bee] line ~а́я *su. f*); direct (*a. gr.*); 🚂 through...; ⦣ right; *fig.* straight (-forward), downright, outspoken, frank; ~а́я кишка́ *f* rectum; **~оли-не́йный** [14; -е́ен, -е́йна] rectilinear; *fig. s.* ~о́й *fig.*; **~ота́** *f* [5] straightforwardness, frankness; **~оуго́ль-ник** *m* [1] rectangle; **~оуго́льный** [14] rectangular.

пря́н|ик *m* [1] gingerbread; **~ость** *f* [8] spice, *pl.* spicery; spiciness; **~ый** [14 *sh.*] spicy, piquant.

прясть [25; -ял, -а́, -о], ⟨с-⟩ spin.

пря́т|ать [3], ⟨с-⟩ hide (*v/i.* **-ся**), conceal; **~ки** *f/pl.* [5; gen.: -ток] hide-and-seek.

пря́ха *f* [5] spinner.

псал|о́м *m* [1; -лма́] psalm; **~о́мщик** *m* [1] *s.* дьяк; **~ты́рь** *f* [8] Psalter.

пса́рня *f* [6; *g/pl.*: -рен] kennel(s).

псевдони́м *m* [1] pseudonym.

псих|иа́тр *m* [1] psychiatrist; **∠ика** *f* [5] mind, psyche; mentality; **~и́ческий** [16] mental, psychic(al); **~о́лог** *m* [1] psychologist; **~оло́гия** *f* [7] psychology.

птене́ц [1; -нца́] nestling.

пти́|ца *f* [5] bird; дома́шняя ~ца poultry; **~чий** [18] bird('s); poultry...; вид с ~чьего полёта bird's-eye view; **~чка** *f* [5; *g/pl.*: -чек] birdie.

пу́бли|ка *f* [5] audience; public; **~ка́ция** *f* [7] publication; advertisement; **~кова́ть** [7], ⟨о-⟩ publish; **~ци́ст** *m* [1] publicist; **∠чность** *f* [8] publicity; **∠чный** [14] public; ∠чная же́нщина *f* prostitute.

пу́г|ало *n* [9] scarecrow; **~а́ть** [1],

⟨ис-, на-⟩, *once* ⟨~нуть⟩ [20] (**-ся** be) frighten(ed; of P), scare(d); **~ли́вый** [14 *sh.*] timid, fearful.
пу́говица *f* [5] button.
пуд *m* [1; *pl. e.*] pood (= *36 lbs.*); **≈ель** *m* [4; *pl. a.* -ля́, *etc. e.*] poodle.
пу́др|а *f* [5] powder; са́харная ~а powdered sugar; **~еница** *f* [5] powder box; **~ить** [13], ⟨на-⟩ powder.
пуз|а́тый P [14 *sh.*] paunchy; **≈о** P *n* [9] paunch.
пузыр|ёк *m* [1; -рька́] vial; *a. dim. of* **≈ь** *m* [4 *e.*] bubble; *anat.* bladder; F blister; kid.
пук *m* [1; *pl. e.*] wisp; bunch, bundle.
пулемёт *m* [1] machine gun; **~ный** [14] machine-gun; cartridge (*belt*); **~чик** *m* [1] machine gunner.
пуль|веризá тор *m* [1] spray(er); **~с** *m* [1] pulse; **~си́ровать** [7] puls(at)e; **~т** *m* [1] desk, stand.
пу́ля *f* [6] bullet.
пункт *m* [1] point (at *all* по Д); station; place, spot; item, clause, article; **~и́р** *m* [1] dotted line; **~и́рный** [14] dotted; **~уа́льность** *f* [8] punctuality; accuracy; **~уа́льный** [14; -лен, -льна] punctual; accurate.
пунцо́вый [14] crimson.
пунш *m* [1] punch (*drink*).
пуп|о́к *m* [1; -пка́], F **~** *m* [1 *e.*] navel.
пурга́ *f* [5] blizzard, snowstorm.
пу́рпур *m* [1], **≈ный, ≈овый** [14] purple.
пуск *m* [1] (*a.* ~ в ход) start(ing), setting in operation; **~а́й** F *s.* пусть; **~а́ть** [1], ⟨пусти́ть⟩ [15] let (go; in[to]), set (free; going, in motion *or* operation [*a.* ~а́ть в ход]); start; launch, throw; release; allow; put (forth); send; force; take (*root*); ~а́ть под отко́с derail; **-ся** (+ *inf.*) start (...ing; *v/t.* в В), set out (on в В); enter *or* engage (into), begin, undertake.
пуст|е́ть [8], ⟨о-, за-⟩ become empty *or* deserted; **~и́ть** *s.* пуска́ть.
пуст|о́й [14; пуст, -á, -о] empty; void; vain, idle (talk ~о́е *n su.*; *s. a.* ~я́к); vacant; blank; dead (*rock*); F hollow; **~ота́** *f* [5; *pl. st.*: -о́ты] emptiness; void; *phys.* vacuum; vacancy.
пусты́|нный [14; -ы́нен, -ы́нна] desert, desolate; **~ня** *f* [6] desert, waste, wilderness; **~рь** *m* [4 *e.*] waste ground; **~шка** F *f* [5; *g/pl.*: -шек] blank; nonentity.
пусть let (him, *etc.*, + *vb.*; ~ [он] + *vb. 3rd p.*) may; even (if).
пустя́|к F *m* [1 *e.*] trifle; *pl.* nonsense; (it's) nothing; **~ко́вый, ~чный** (-ʃn-) F [14] trifling.
пу́та|ница *f* [5] confusion, muddle, mess; **~ть** [1], ⟨за-, с-, пере-⟩ (**-ся** get) confuse(d), muddle(d), mix(ed) up, entangle(d; interfere in в В).
путёвка *f* [5; *g/pl.*: -вок] pass, permit (*Sov.*).
путе|води́тель *m* [4] guide(book) (to по Д); **~во́дный** [14] lode..., pole(*star*); **~во́й** [14] travel(l)ing; travel(l)er's; road...
путеше́ств|енник *m* [1] travel(l)er; **~ие** *n* [12] journey, travel, tour (on в В *or* П); voyage; **~овать** [7] travel (through по Д).
пу́т|ник *m* [1] travel(l)er; **~ный** F [14] *s.* де́льный; **~ы** *pl.* [9] shackles.
пут|ь *m* [8 *e.*; *instr/sg.*: -тём] way (*a. fig.*: [in] *that* way ~ём, *a.* by means of P), road, path; 🚂 track (*a. fig.*), line; means; trip, journey (on в В *or* П); route; в *or* по ~и́ on the way; in passing; нам по ~и́ I (we) have the same way (as с Т); F *s.* толк.
пух *m* [1; в -ху́] down; в ~ (и прах) (*smash*) to pieces; (*defeat*) utterly, totally; F over(*dress*); **≈ленький** F [16], **≈лый** [14; пухл, -á, -о] chubby, plump; **≈нуть** [21], ⟨рас-⟩ swell; **~о́вка** *f* [5; *g/pl.*: -вок] powder puff; **~о́вый** [14] down...
пучи́на *f* [5] gulf, abyss; eddy.
пучо́к *m* [1; -чка́] *dim. of* пук, *s.*
пу́ш|ечный [14] gun..., cannon...; **~и́нка** *f* [5; *g/pl.*: -нок] down, fluff; **~и́стый** [14 *sh.*] downy, fluffy; **~ка** *f* [5; *g/pl.*: -шек] gun, cannon; F hoax; **~ни́на** *f* [5] furs *pl.*; **~но́й** [14] fur...; **~о́к** F *m* [1; -шка́] down.
пу́ще P more (than P).
пчел|а́ *f* [5; *pl. st.*: пчёлы] bee; **~ово́д** *m* [1] beekeeper; **~ово́дство** *n* [9] beekeeping; **≈ьник** *m* [1] apiary.
пшен|и́ца *f* [5] wheat; **~и́чный** [14] wheaten; **≈ный** (ˈpʃɔ-) [14] millet...; **~о́** *n* [9] millet.
пыл *m* [1] ardo(u)r, zeal, blaze; в ~у́ in the thick (*of the fight*); **~а́ть** [1], ⟨вос-, за-⟩ blaze, flare (up), (in-) flame; glow, burn; (en)rage (with Т); **~есо́с** *m* [1] vacuum cleaner; **~и́нка** *f* [5; *g/pl.*: -нок] mote; **~и́ть** [13], ⟨за-⟩ dust; **-ся** be(come) dusty;

∠кий [16; -лок, -лка́, -о] ardent, fiery.

пыль *f* [8; в -ли́] dust; **∠ный** [14; -лен, -льна́, -о] dusty (*a.* = в -ли́); **~ца́** *f* [5] pollen.

пыт|а́ть [1] torture; **~а́ться** [1], ⟨по-⟩ try, attempt; **∠ка** *f* [5; *g/pl.*: -ток] torture; **~ли́вый** [14 *sh.*] inquisitive, searching.

пыхте́ть [11] puff, pant; F sweat.

пы́шн|ость *f* [8] splendo(u)r, pomp; **~ый** [14; -шен, -шна́, -о] magnificent, splendid, sumptuous; luxuriant, rich.

пьедеста́л *m* [1] pedestal.

пье́са *f* [5] *thea.* play; ♪ piece.

пьян|е́ть [8], ⟨о-⟩ get drunk (*a. fig.*; with от Р); **∠ица** *m/f* [5] drunkard; **∠ство** *n* [9] drunkenness; **∠ствовать** [7] drink, F booze; **∠ый** [14; пьян, -а́, -о] drunk(en), *a. fig.* (with от Р).

пюре́ (-'rɛ) *n* [*ind.*] mashed potatoes *pl.*

пядь *f* [8; *from g/pl. e.*] span; *fig.* inch.

пята́ *f* [5; *nom/pl. st.*] heel (on по Д).

пят|а́к F *m* [1 *e.*], **~ачо́к** F *m* [1; -чка́] five-kopeck coin; **~ёрка** *f* [5; *g/pl.*: -рок] five (*cf.* дво́йка); F (*mark*) = отли́чно, *cf.*; five-ruble note; **∠еро** [37] five (*cf.* дво́е).

пяти|деся́тый [14] fiftieth; ~деся́тые го́ды *pl.* the fifties; *cf.* пя́тый; **~коне́чный** [14] five-pointed (*star*); **~ле́тка** *f* [5; *g/pl.*: -ток] five-year plan (*Sov.*); **~ле́тний** [15] five-year (old), of five; **~со́тый** [14] five hundredth.

пя́титься [15], ⟨по-⟩ (move) back.

пя́тка *f* [5; *g/pl.*: -ток] heel (take to one's heels показа́ть ~и).

пятна́дцат|ый [14] fifteenth; *cf.* пя́тый; **~ь** [35] fifteen; *cf.* пять.

пятни́стый [14 *sh.*] spotty, spotted.

пя́тн|ица *f* [5] Friday (on: в В, *pl.*: по Д); **~о́** *n* [9; *pl. st.*; *g/pl.*: -тен] spot, stain, blot(ch) (with *pl.* в П); роди́мое ~о́ birthmark, mole.

пя́т|ый [14] fifth; (*page, chapter, year, etc., sentence or lesson no.*) five; ~ая *f su.* 𝔄 fifth (*part*); ~ое *n su.* fifth (*date*; on Р: ~ого; *cf.* число́); ~ь (мину́т) ~ого five (minutes) past four; **~ь** [35] five; без ~и́ (мину́т) час (два, *etc.*, [часа́], ~ь, *etc.* [часо́в]) five (minutes) to one (two, *etc.* [o'clock]); **~ьдеся́т** [35] fifty; **~ьсо́т** [36] five hundred; **~ью** five times.

Р

р. *abbr.*: **1.** рубль, -ля́, -ле́й; **2.** река́.

раб *m* [1 *e.*], **~а́** *f* [5] slave; **~овладе́лец** *m* [1; -льца] slaveholder; **~оле́пство** *n* [9] servility, **~оле́пствовать** [7] cringe (to пе́ред Т).

рабо́т|а *f* [5] work (at за Т; на П); labo(u)r, toil; assignment, task; **~ать** [1] work (on th. над Т; for p. на В; as Т), function; labo(u)r, toil; be open; **~ник** *m* [1], **~ница** *f* [5] worker, working (wo)man; (day) labo(u)rer, (farm)hand; (*house*)maid; official, functionary; employee; member; clerk; **~ода́тель** *m* [4] employer, F boss; **~оспосо́бный** [14; -бен, -бна] able to work, able-bodied; hard-working, efficient.

рабо́ч|ий *m* [17] (*esp. industrial*) worker; *adj.*: working, work (*a.* day); workers', labo(u)r...; ~ая си́ла *f* man power; labo(u)r.

ра́б|ский [16] slave...; slavish, servile; **~ство** *n* [9] slavery; **~ы́ня** *f* [6] *s.* ~а́.

ра́в|енство *n* [9] equality; **~не́ние** *n* [12] ⚔ eyes (*right!*); **~ни́на** *f* [5] plain; **~но́** equal(ly); as well (as); всё ~но́ it's all the same, it doesn't matter; anyway, in any case.

равно|ве́сие *n* [12] balance (*a. fig.*), equilibrium; **~ду́шие** *n* [12] indifference (to к Д) **~ду́шный** [14; -шен, -шна] indifferent (to к Д); **~зна́чный** [14; -чен, -чна] equivalent; **~ме́рный** [14; -рен, -рна] uniform, even, equal; **~пра́вие** *n* [12] equality (of rights); **~пра́вный** [14; -вен, -вна] (enjoying) equal (rights); **~си́льный** [14; -лен, -льна] equivalent; **~це́нный** [14; -е́нен, -е́нна] equal (in value).

ра́вн|ый [14; ра́вен, -вна́] equal; (*a. su.*); ~ым о́бразом *s.* ~о́; ему́ нет ~ого he has no match; **~я́ть** [28], ⟨с-⟩ equalize; ⚔ dress (*ranks*); F compare; (*v/i.* **-ся**; *a.* be [equal to Д]).

рад [14; ра́да] (be) glad (at, of Д; *a.* to see p.), pleased, delighted; would like; (be) willing; не ~ (be) sorry; ~ не ~ willy-nilly; **~а́р** *m* [1] radar; **∠и** (Р) for the sake of (*or*... ['s] sake); for.

радиа́тор *m* [1] radiator.

ра́дий *m* [3] radium.

радика́л *m* [1], **~ьный** [14; -лен, льна] radical.

ра́дио *n* [*ind.*] radio, *Brt. a.* wireless (on по Д); **~акти́вность** *f* [8] radioactivity; **~акти́вный** [14; -вен, -вна] radioactive; **~аппара́т** *m* [1] *s.* ~приёмник; **~веща́ние** *n* [12] broadcasting (system); **∠ла** *f* [5] radio-gramophone; **~люби́тель** *m* [4] radiofan; **~переда́ча** *f* [5] (radio)broadcast, transmission; **~приёмник** *m* [1] receiving set, radio, *Brt.* wireless (set); **~слу́шатель** *m* [4] listener; **~ста́нция** *f* [7] radio station; **~у́зел** [1; -зла́] radio center (*Brt.*: -tre); **~устано́вка** *f* [5; *g/pl.*: -вок] radio plant.

ради́|ст *m* [1] radio (wireless) operator; **′~ус** *m* [1] radius.

ра́до|вать [7], ⟨об-, по-⟩ (В) gladden, please, rejoice; **-ся** (Д) rejoice (at), be glad *or* pleased (of, at); look forward (to); **~стный** [14; -тен, -тна] joyful, glad; merry; **~сть** *f* [8] joy, gladness; pleasure.

ра́ду|га *f* [5] rainbow; **~жный** [14] iridescent, rainbow...; *fig.* rosy.

раду́ш|ие *n* [12] kindliness; hospitality; **~ный** [14; -шен, -шна] kindly, hearty; hospitable.

раз *m* [1; *pl. e., gen.* раз] time (*this, etc.* [в] В); one; (оди́н) ~ once; два ∠а twice; ни ∠у not once, never; не ~ repeatedly; как ~ just (in time F в са́мый ~; *s. a.* впо́ру), the very; вот тебе́ ~ F *s.* на́².

разба|вля́ть [28], ⟨∠вить⟩ [14] dilute; **∠лтывать** F, ⟨разболта́ть⟩ [1] let out.

разбе́|г *m* [1] start, run (with, at с Р); **~га́ться** [1], ⟨~жа́ться⟩ [4; -еrу́сь, -ежи́шься, -егу́тся] take a run; scatter; disperse.

разби|ва́ть [1], ⟨∠ть⟩ [разобью́, -бьёшь; разбе́й(те)!; -и́тый] break (to pieces), crash, crush; defeat; divide (into на В); lay out (*park*); pitch (*tent*); knock; **-ся** break; crash; split; come to nothing; **~ра́тельство** *n* [9] trial; **~ра́ть** [1], ⟨разобра́ть⟩ [разберу́, -рёшь; разобра́л, -а́, -о; -о́бранный] take to pieces, dismantle, pull down; investigate, inquire into; review; analyze (*Brt.* -se), parse; make out, decipher, understand; sort out; ⚖ try; buy up; F take; *impf.* be particular; **-ся** F (в П) grasp, understand; unpack; **∠тие** *n* [12] crash, defeat (*cf.* ~ва́ть); **∠тый** [14 *sh.*] broken; F jaded; **∠ть(ся)** *s.* ~ва́ть(ся).

разбо́й *m* [3] robbery; **~ник** *m* [1] robber; **~ничать** [1] rob; pirate; **~нический** [16], **~ничий** [18] predatory; of robbers *or* brigands.

разболта́ть *s.* разба́лтывать.

разбо́р *m* [1] analysis; review, critique; investigation, inquiry (into); ⚖ trial; без ~а, ~у F indiscriminately; **~ка** *f* [5] taking to pieces, dismantling; sorting (out); **~ный** [14] folding, collapsible; **~чивость** *f* [8] legibility; scrupulousness; **~чивый** [14 *sh.*] legible; discerning; scrupulous, fastidious.

разбр|а́сывать, ⟨~оса́ть⟩ [1] scatter, throw about, strew; F squander; **~еда́ться** [1], ⟨~ести́сь⟩ [25] disperse; **~о́д** *m* [1] disorder, mess; **~о́санный** [14] scattered; **~оса́ть** *s.* ~а́сывать.

разбух|а́ть [1], ⟨∠нуть⟩ [21] swell.

разва́л *m* [1] collapse, breakdown; chaos; **~ивать** [1], ⟨~и́ть⟩ [13; -алю́, -а́лишь] pull (*or* break) down; disorganize; **-ся** fall to pieces, collapse; F sprawl; **~ины** *f/pl.* [5] ruins (F *a. sg.* = *p.*).

ра́зве really; perhaps; only; F unless.

развева́ться [1] flutter; stream.

разве́д|ать *s.* ~ывать; **~е́ние** *n* [12] breeding; cultivation; **~ённый** [14] divorced, divorcé(e) *su.*; **~ка** *f* [5; *g/pl.*: -док] reconnaissance; intelligence service; **~очный** [14] reconnaissance...; **~чик** *m* [1] scout; intelligence officer; reconnaissance plane; **~ывательный** [14] *s.* ~оч-

ный; **~ывать,** ⟨~ать⟩ [1] reconnoiter (*Brt.* -tre); F find out.
разве|зти́ *s.* развози́ть; **~нча́ть** [1] *pf.* uncrown, dethrone; unmask.
развёр|нутый [14] large-scale; **~тывать** [1], ⟨разверну́ть⟩ [20] unfold, unroll, unwrap; open; ⚔ deploy; *fig.* develop; (**-ся** *v/i.*; *a.* turn).
разве|сно́й [14] weighed out; **∠сить** *s.* **∠шивать**; **~сти́(сь)** *s.* разводи́ть(ся); **~твле́ние** *n* [12] ramification, branching; **~твля́ться** [28], ⟨~тви́ться⟩ [14 *e.*; *3rd p. only*] ramify, branch; **∠шивать** [1], ⟨∠сить⟩ [15] weigh (out); hang (out); **∠ять** [27] *pf.* disperse, dispel.
разви|ва́ть [1], ⟨∠ть⟩ [разовью́, -вьёшь; разве́й(те)!; разви́л, -á, -о; -ви́тый (ра́зви́т, -á, -о]) develop (*v/i.* **-ся**); evolve; untwist; **∠нчивать** [1], ⟨~нти́ть⟩ [15 *e.*; -нчу́, -нти́шь; -и́нченный] unscrew; **∠тие** *n* [12] development; evolution; **~то́й** [14; ра́звит, -á, -о] developed; intelligent; advanced; **∠ть(ся)** *s.* ~ва́ть(ся).
развле|ка́ть [1], ⟨∠чь⟩ [26] entertain, amuse (o.s. **-ся**); divert; **~че́ние** *n* [12] entertainment, amusement, diversion.
разво́д *m* [1] divorce; ⚔ relief, mounting; **~и́ть** [15], ⟨развести́⟩ [25] take (along), bring; divorce (from c T); separate; dilute; mix; rear, breed; plant, cultivate; light, make; ⚔ mount, relieve; **-ся,** ⟨-сь⟩ get divorced (from c T); F multiply, grow *or* increase in number.
раз|вози́ть [15], ⟨~везти́⟩ [24] deliver, carry; **~вора́чивать** F *s.* ~вёртывать.
развра́|т *m* [1] debauch; depravity; **~ти́ть(ся)** *s.* ~щáть(ся); **~тник** *m* [1] libertine, debauchee, rake; **~тничать** F [1] (indulge in) debauch; **~тный** [14; -тен, -тна] dissolute, licentious; **~щáть** [1], ⟨~ти́ть⟩ [15 *e.*; -ащу́, -ати́шь; -ащённый] (**-ся** become) deprave(d), debauch(ed), corrupt; **~ще́ние** *n* [12], **~щённость** *f* [8] depravity.
развяз|а́ть *s.* ∠ывать; **∠ка** *f* [5; *g/pl.*: -зок] denouement; outcome, conclusion, head; **∠ный** [14; -зен, -зна] forward, (free &) easy; **∠ывать** [1], ⟨~áть⟩ [3] untie, undo; *fig.* unleash; F loosen; **-ся** come untied; F get rid (of c T).

разгад|а́ть *s.* ∠ывать; **∠ка** *f* [5; *g/pl.*: -док] solution; **∠ывать,** ⟨~áть⟩ [1] solve, unriddle.
разга́р *m* [1] (в П *or* В) heat, thick (in), height (at), (in full) swing.
раз|гиба́ть [1], ⟨~огну́ть⟩ [20] unbend, straighten (o.s. **-ся**).
разгла́|живать [1], ⟨~дить⟩ [15] smooth; iron, press; **~ша́ть** [1], ⟨~си́ть⟩ [15 *e.*; -ашу́, -аси́шь; -ашённый] divulge; trumpet.
разгляд|е́ть [11] *pf.* make out; **∠ывать** [1] examine, view.
разгне́ванный [14] angry.
разгов|а́ривать [1] talk (to, with с Т; about, of о П), converse, speak; **~о́р** *m* [1] talk, conversation; *cf.* речь; **~о́рный** [14] colloquial; **~о́рчивый** [14 *sh.*] talkative.
разго́н *m* [1] dispersal; *a.* = разбе́г; в ~е out; **~я́ть** [28], ⟨разогна́ть⟩ [разгоню́, -о́нишь; разогна́л, -á, -о; разо́гнанный] disperse, scatter; dispel; F drive away; **-ся** take a run.
разгор|а́ться [1], ⟨~е́ться⟩ [9] kindle (*a. fig.*), (in)flame, blaze up.
разгра|бля́ть [28], ⟨∠бить⟩ [14], **~бле́ние** *n* [12] plunder, pillage, loot; **~ниче́ние** *n* [12] delimitation; **~ни́чивать** [1], ⟨~ни́чить⟩ [16] demarcate, delimit.
разгро́м *m* [1] rout; debacle, destruction, ruin, chaos.
разгру|жа́ть [1], ⟨~зи́ть⟩ [15 & 15 *e.*; -ужу́, -у́зи́шь; -у́женный & -ужённый] (**-ся** be) unload(ed); F relieve(d); **∠зка** *f* [5; *g/pl.*: -зок] unloading.
разгу́л *m* [1] revelry, carouse; debauch(ery), licentiousness; **~ивать** F [1] stroll, saunter; **-ся,** ⟨~я́ться⟩ [28] clear up; F have a good walk *or* run, move without restraint; **~ьный** F [14; -лен, -льна] dissolute; loose, easy.
разда|ва́ть [5], ⟨∠ть⟩ [-да́м, -да́шь, *etc.*, *s.* дать; ро́здал, раздала́, ро́здало; ро́зданный (-ан, раздана́, ро́здано)] distribute; play (*cards:* deal) out; **-ся** (re)sound, be heard; give way; split, separate; F expand; **∠вливать** [1] *s.* дави́ть 2.; **∠ть(ся)** *s.* ~ва́ть(ся); **∠ча** *f* [5] distribution.
раздва́иваться *s.* двои́ться.
раздви|га́ть [1], ⟨∠нуть⟩ [20] part, separate, move apart; pull out; **~жно́й** [14] sash...; telescope, -pic.
раздвое́ние *n* [12] bifurcation.

раздева́|лка F *f* [5; *g/pl.*: -лок], F **~льня** *f* [6; *g/pl.*: -лен] checkroom, cloakroom; **~ть** [1], ⟨разде́ть⟩ [-де́ну, -де́нешь; -де́тый] undress (*v/i.* **-ся**), take off; F strip (of).

разде́л *m* [1] division; section; **~аться** F [1] *pf.* get rid *or* be quit (of с T); **~е́ние** *n* [12] division (into на B); *eccl.* schism; **~и́тельный** [14] dividing; *gr.* disjunctive; **~и́ть(ся)** *s.* **~я́ть(ся)** & дели́ть(ся); **~ьный** [14] separate; distinct; **~я́ть** [28], ⟨**~и́ть**⟩ [13; -елю́, -е́лишь; -елённый] divide (into на B; *a.* [-ed] by); separate; share; **-ся** (be) divide(d), fall.

разде́ть(ся) *s.* раздева́ть(ся).

раз|дира́ть F [1], ⟨**~одра́ть**⟩ [раздеру́, -рёшь; разодра́л, -а́, -о; -о́дранный] *impf.* rend; *pf.* F tear; **~добы́ть** F [-бу́ду, -бу́дешь] *pf.* get, procure.

раздо́лье *n* [10] *s.* приво́лье.

раздо́р *m* [1] discord, contention.

раздоса́дованный F [14] angry.

раздраж|а́ть [1], ⟨**~и́ть**⟩ [16 *e.*; -жу́, -жи́шь; -жённый] irritate, provoke; vex, annoy; **-ся** lose one's temper; **~е́ние** *n* [12] irritation; temper; **~и́тельный** [14; -лен, -льна] irritable, touchy; **~и́ть(ся)** *s.* **~а́ть(ся)**.

раздробл|е́ние *n* [12] breaking; smashing; **~я́ть** [28] *s.* дроби́ть.

разду|ва́ть [1], ⟨**∠ть**⟩ [18] fan; blow (away); swell; puff up, exaggerate; **-ся** swell, inflate.

разду́м|ывать, ⟨**~ать**⟩ [1] change one's mind; *impf.* deliberate, consider; **~ье** *n* [10] thought(s), meditation; doubt(s).

разду́ть(ся) *s.* раздува́ть(ся).

раз|ева́ть F [1], ⟨**~и́нуть**⟩ [20] open wide; **~ева́ть** рот gape; **~жа́лобить** [14] *pf.* move to pity; **~жа́ловать** [7] *pf.* degrade (to в И *pl.*); **~жа́ть** *s.* **~жима́ть**; **~жёвывать** [1], ⟨**~жева́ть**⟩ [7 *e.*; -жую́, -жуёшь] chew; **~жига́ть** [1], ⟨**~же́чь**⟩ [г/ж: -зожгу́, -жжёшь, -жгу́т; разжёг, -зожгла́; разожжённый] kindle (*a. fig.*); heat; rouse; unleash; **~жима́ть** [1], ⟨**~жа́ть**⟩ [разожму́, -мёшь; разжа́тый] unclench, open; **~и́нуть** *s.* **~ева́ть**; **~и́ня** F *m/f* [6] gawk, gaper; **~и́тельный** [14; -лен, -льна] striking.

раз|лага́ть [1], ⟨**~ложи́ть**⟩ [16] analyze (*Brt.* -se); decompose; (*v/i.* **-ся**); (become) demoralize(d), corrupt(ed; decay); **~ла́д** *m* [1] dissension, discord, dissonance; disturbance; **~ла́мывать** [1], ⟨**~лома́ть**⟩ [1], ⟨**~ломи́ть**⟩ [14] break; pull down; **~лета́ться** [1], ⟨**~лете́ться**⟩ [11] fly (away, asunder); F break (to pieces); come to naught; take a sweep.

разли́|в *m* [1] flood; **~ва́ть** [1], ⟨**~ть**⟩ [разолью́, -льёшь; *cf.* лить; -ле́й(те)!; -и́л, -а́, -о; -и́тый (-и́т, -а́, -о)] spill; pour out; bottle; ladle; flood, overflow; spread; bestow; (*v/i.* **-ся**).

различ|а́ть [1], ⟨**~и́ть**⟩ [16 *e.*; -чу́, -чи́шь; -чённый] distinguish; **-ся** *impf.* differ (in T, по Д); **∠ие** *n* [12] distinction, difference; **~и́тельный** [14] distinctive; **~и́ть** *s.* **~а́ть**; **∠ный** [14; -чен, -чна] different (from от P); different, various, diverse.

разлож|е́ние *n* [12] analysis; decomposition, decay; corruption, degeneration; **~и́ть(ся)** *s.* разлага́ть(ся) & раскла́дывать.

разлом|а́ть, ~и́ть *s.* разла́мывать.

разлу́|ка *f* [5] separation (from с T), parting; **~ча́ть** [1], ⟨**~чи́ть**⟩ [16 *e.*; -чу́, -чи́шь; -чённый] separate (*v/i.* **-ся**; from с T), part.

разма́|зывать [1], ⟨**~зать**⟩ [3] smear, spread; **~тывать** [1], ⟨размота́ть⟩ unwind, wind off; **~х** *m* [1] swing, brandish (with [*a.* might] с **~ху**); span (✈ & *fig.*), sweep; amplitude; *fig.* vim, verve, élan; scope; **~хивать** [1], *once* ⟨**~хну́ть**⟩ [20] (T) swing, sway, dangle; brandish; gesticulate; **-ся** lift (one's hand T); **~шистый** F [14 *sh.*] wide; diffuse.

разме|жева́ть [7] *pf.* mark off, demarcate; **~льча́ть** [1], ⟨**~льчи́ть**⟩ [16 *e.*; -чу́, -чи́шь; -чённый] pound, crush.

разме́н *m* [1], **~ивать** [1], ⟨**~я́ть**⟩ [28] (ex)change (for на B); **~ный** [14]: **~ная** моне́та *f* change.

разме́р *m* [1] size; dimension(s), measure(ment); rate (at в П), amount; scale; *poetic*, ♪ meter (*Brt.* -tre; in T), ♪ *a.* time, measure (of в B); **~енный** [14 *sh.*] measured; **~я́ть** [28], ⟨**~ить**⟩ [13] measure (off).

разме|сти́ть *s.* **~ща́ть**; **~ча́ть** [1], ⟨**∠тить**⟩ [15] mark; **∠шивать** [1]

⟨~шáть⟩ [1] stir (up); knead; **~щáть** [1], ⟨~стúть⟩ [15 *e.*; -ещý, -естúшь; -ещённый] place; lodge, accommodate (in, at, with в П, по Д); distribute; **~щéние** *n* [12] distribution; accomodation; arrangement, order.

размин|áть [1], ⟨размя́ть⟩ [разомнý, -нёшь; размя́тый] knead; F stretch (*limbs*); **~ýться** F *pf.* [20] cross; miss o. a.

размнож|áть [1], ⟨**~ить**⟩ [16] multiply (*v/i.* **-ся**); mimeograph; **~éние** *n* [12] multiplication; propagation, reproduction; **~ить(ся)** *s.* ~áть(ся).

размо|зжúть [16 *e.*; -жý, -жúшь; -жённый] *pf.* smash, crush; **~кáть** [1], ⟨~кнуть⟩ [21] soak, swell; **~лвка** *f* [5; *g/pl.*: -вок] tiff, quarrel; **~лóть** [17; -мелю́, -мéлешь] *pf.* grind, crush; **~тáть** *s.* размáтывать; **~чúть** [16] *pf.* soak.

размы|вáть [1], ⟨**~ть**⟩ [22] wash out *or* away; **~кáть** [1], ⟨разомкнýть⟩ [20] open (⚡, ⊕); **~ть** *s.* ~вáть.

размышл|éние *n* [12] reflection (for на В), thought; **~я́ть** [28] reflect, meditate (on о П).

размягч|áть (-xtʃ-) [1], ⟨~úть⟩ [16 *e.*; -чý, -чúшь; -чённый] soften, mollify.

раз|мя́ть *s.* ~минáть; **~нáшивать,** ⟨~носúть⟩ [15] tread out, wear to shape; **~нéсти** *s.* ~носúть 1.; **~нимáть** [1],⟨~ня́ть⟩ [-нимý,-нúмешь; -ня́л & рóзнял, -á, -о; -ня́тый (-ня́т, -á, -о)] part; take to pieces.

рáзница *f* [5; *sg. only*; -цей] difference.

разно|вúдность *f* [8] variety, sort; **~глáсие** *n* [12] discord, disagreement, difference, variance; discrepancy; **~калúберный** F [14], **~мáстный** [14; -тен, -тна] *s.* ~шёрстный; **~образúе** *n* [12] variety, diversity, multiplicity; **~образный** [14; -зен, -зна] manifold, multifarious, various; **~реч...** *s.* противореч...; **~рóдный** [14; -ден, -дна] heterogeneous.

разнóс *m* [1] delivery; peddlery; **~úть** [15] **1.** ⟨разнестú⟩ [25 -с-] deliver (to, at по Д), carry; hawk, peddle; F spread; smash, destroy; blow up; scatter; swell; **2.** *s.* разнáшивать; **~ка** *f* [5] *s.* ~; **~ный** [14] peddling.

разно|сторóнний [15; -óнен, -óння] many-sided; **'~сть** *f* [8] difference; **~счик** *m* [1] peddler, hawker; (*news*)boy, man; messenger; **~цвéтный** [14; -тен, -тна] multicolo(u)red; **~шёрстный** [14; -тен, -тна] variegated; F motley, mixed.

разнýзданный [14 *sh.*] unbridled.

рáзн|ый [14] various, different, diverse; **~я́ть** *s.* ~имáть.

разо|блачáть [1], ⟨~блачúть⟩ [16 *e.*; -чý, -чúшь; -чённый] expose, disclose, unmask; **~блачéние** *n* [12] exposure, disclosure, unmasking; **~брáть(ся)** *s.* разбирáть(ся); **~гнáть(ся)** *s.* разгоня́ть(ся); **~гнýть(ся)** *s.* разгибáть(ся); **~гревáть** [1], ⟨~грéть⟩ [8; -éтый] warm (up); **~дéтый** F [14 *sh.*] dressed up; **~дрáть** *s.* раздирáть; **~йтúсь** *s.* расходúться; **~мкнýть** *s.* размыкáть; **~рвáть(ся)** *s.* разрывáть (-ся).

разор|éние *n* [12] ruin, destruction, devastation; **~úтельный** [14; -лен, -льна] ruinous; **~úть(ся)** *s.* ~я́ть(ся); **~ужáть** [1], ⟨~ужúть⟩ [16 *e.*; -жý, -жúшь; -жённый] disarm (*v/i.* **-ся**); **~ужéние** *n* [12] disarmament; **~я́ть** [28], ⟨~úть⟩ [13] (**-ся** be[come]) ruin(ed), destroy(ed), ravage(d).

разослáть *s.* рассылáть.

разостлáть *s.* расстилáть.

разочар|овáние *n* [12] disappointment; **~óвывать** [1], ⟨~овáть⟩ [7] (**-ся** be) disappoint(ed) (in в П).

разра|бáтывать, ⟨~бóтать⟩ [1] work up (into на В), process; work out, elaborate; ⸺ till; ⚒ exploit; **~бóтка** *f* [5; *g/pl.*: -ток] working (out); elaboration; ⸺ tillage; ⚒ exploitation; **~жáться** [1], ⟨~зúться⟩ [15 *e.*; -ажýсь, -азúшься] burst out (into Т); **~стáться** [1],⟨~стúсь⟩ [24; *3rd p. only*: -тётся; -рóсся, -слáсь] grow; enlarge, expand.

разрежённый [14] rarefied.

разрéз *m* [1] cut; section; angle (from в П); **~áть** [1], ⟨~ать⟩ [3] cut (up), slit; **~нóй** [14]: ~нóй нож *m* paper knife; **~ывать** [1] *s.* ~áть.

разреш|áть [1], ⟨~úть⟩ [16 *e.*; -шý, -шúшь; -шённый] permit, allow; (re)solve; release (for к Д); absolve; settle; **-ся** be (re)solved; end, burst (in[to] Т); be delivered (of Т); **~éние** *n* [12] permission (with с Р);

licence (for на В); (re)solution; settlement; absolution; delivery; **~и́ть(ся)** *s.* ~а́ть(ся).

раз|рисова́ть [7] *pf.* ornament; **~ро́зненный** [14] odd; isolated; **~руба́ть** [1], ⟨~руби́ть⟩ [14] split.

разру́|ха *f* [5] ruin; **~ша́ть** [1], ⟨~шить⟩ [16] destroy, demolish; ruin; frustrate; **-ся** (fall *or* come to) ruin; **~ше́ние** *n* [12] destruction, demolition, devastation; **~шить** (**-ся**) *s.* ~ша́ть(ся).

разры́|в *m* [1] breach, break, rupture; explosion; gap; ⊕ на ~в tensile; **~ва́ть** [1] **1.** ⟨разорва́ть⟩ [-ву́, -вёшь; -ва́л, -а́, -о; -о́рванный] tear (to *pieces* на В); break (off); *impers.* burst, explode; (**-ся** *v/i.*); **2.** ⟨~ть⟩ [22] dig up; **~вно́й** [14] explosive; **~да́ться** [1] *pf.* break into sobs; **~ть** *s.* ~ва́ть 2.; **~хля́ть** [28] *s.* рыхли́ть.

разря́|д *m* [1] category, class; discharge; unloading; **~ди́ть** *s.* ~жа́ть; **~дка** *f* [5; *g/pl.*: -док] spacing, space; slackening; disengagement; **~жа́ть** [1], ⟨~ди́ть⟩ [15 *e.* & 15; -яжу́, -я́ди́шь; -яжённый & -я́женный] unload; discharge; reduce, disengage (*tension*); *typ.* space; [15] F dress up.

разу|бежда́ть [1], ⟨~бедить⟩ [15 *e.*; -ежу́, -еди́шь; -еждённый] (в П) dissuade (from); **-ся** change one's mind (about); **~ва́ться** [1], ⟨∠ться⟩ [18] take off one's shoes; **~веря́ть** [28], ⟨~ве́рить⟩ [13] (в П) (**-ся** be) undeceive(d), disabuse(d) (of); disappoint(ed); **~знава́ть** F [5], ⟨~зна́ть⟩ [1] find out (about о П, В); **~кра́шивать** [1], ⟨~кра́сить⟩ [15] decorate; embellish; **~крупня́ть** [28], ⟨~крупни́ть⟩ [14] diminish; decentralize.

ра́зум *m* [1] reason; sense(s); **~е́ть** [8] understand; know; mean, imply (by под Т); **-ся** be meant *or* understood; ~е́ется of course; **∠ный** [14; -мен, -мна] rational; reasonable, sensible; clever, wise.

разу́|ться *s.* ~ва́ться; **~чивать** [1], ⟨~чи́ть⟩ [16] study, learn; **-ся** forget, unlearn.

разъе|да́ть [1] *s.* есть[1] 2.; **~диня́ть** [28], ⟨~дини́ть⟩ [13] separate; ⚡ disconnect; **∠зд** *m* [1] trip, journey (on в П); setting out, departure; ⚔ horse patrol; 🚂 siding; **~зжа́ть** [1] drive, ride, go about; be on a journey *or* trip; **-ся**, ⟨∠хаться⟩ [-е́дусь, -е́дешься; -езжа́йтесь!] leave (for по Д); separate; pass o. a. (с Т).

разъярённый [14] enraged, furious.

разъясн|е́ние *n* [12] explanation; clarification; **~я́ть** [28], ⟨~и́ть⟩ [13] explain, elucidate.

разы́|грывать, ⟨~гра́ть⟩ [1] play; raffle (off); **-ся** break out; run high; happen; **~скивать** [1], ⟨~ска́ть⟩ [3] seek, search (for; *pf.* out = find).

рай *m* [3; в раю́] paradise.

рай|ко́м *m* [1] (райо́нный комите́т) district committee (*Sov.*); **~о́н** *m* [1] district; region, area; **~о́нный** [14] district...; regional; **~сове́т** *m* [1] (райо́нный сове́т) district soviet (*or* council).

рак *m* [1] crawfish, *Brt.* crayfish; морско́й ~ lobster; ⚕, *ast.* (♋) cancer.

раке́т|а *f* [5] (*a.* sky) rocket; **~ка** *f* [5; *g/pl.*: -ток] racket (*sport*); **~ный** [14] rocket...

ра́ковина *f* [5] shell; sink; bowl.

ра́м|(к)а *f* [5; (*g/pl.*: -мок)] frame (-work, *a. fig.* = limits; within в П); **~па** *f* [5] footlights *pl.*; stage.

ра́н|а *f* [5] wound; **~г** *m* [1] rank; **~е́ние** *n* [12] wound(ing); **~еный** [14] wounded (*a. su.*); **~ец** *m* [1; -нца] satchel; ⚔ knapsack; **~ить** [13] (*im*)*pf.* wound, injure (in в В).

ра́н|ний [15] early (*adv.* ~о); morning...; spring...; ~о или по́здно sooner or later; **~ова́то** F rather early; **~ьше** earlier; formerly; first; (Р) before.

рап|и́ра *f* [5] rapier; **∠орт** *m* [1], **~ортова́ть** [7] (*im*)*pf.* report; **~с** *m* [1] ✿ rape; **~со́дия** *f* [7] rhapsody.

ра́са *f* [5] race.

раска́|иваться [1], ⟨~яться⟩ [27] repent (*v/t.*, of в П); **~лённый** [14], **~ли́ть(ся)** *s.* ~ля́ть(ся); **~лывать** [1], ⟨расколо́ть⟩ [17] split, cleave; crack; (*v/i.* **-ся**); **~ля́ть** [28], ⟨~ли́ть⟩ [13] make (**-ся** become) red-hot, white-hot; **~пывать** [1], ⟨раскопа́ть⟩ [1] dig out *or* up; **~т** *m* [1] roll, peal; **~тистый** [14 *sh.*] rolling; **~тывать,** ⟨~та́ть⟩ [1] (un-) roll; *v/i.* **-ся**; ⟨~ти́ться⟩ [15] gain speed; roll (off); **~чивать,** ⟨~ча́ть⟩ [1] swing; shake; F bestir; **~яние** *n* [12] repentance (of в П); **~яться** *s.* ~иваться.

расквартирова́ть [7] *pf.* quarter.

раски́|дывать [1], ⟨~нуть⟩ [20] spread (out); throw out; pitch (*tent*), set up.

раскла|дно́й [14] folding, collapsible; **∠дывать** [1], ⟨разложи́ть⟩ [16] lay *or* spread out, display; lay; set up; make, light; apportion, repartition; **∠ниваться** [1], ⟨∠няться⟩ [28] (с T) bow (to), greet; take leave (of).

раско́|л *m* [1] split, schism; **~ло́ть** (**-ся**) *s.* раска́лывать(ся); **~па́ть** *s.* раска́пывать; **~пка** *f* [5; *g/pl.*: -пок] excavation.

раскр|а́шивать [1] *s.* кра́сить; **~епоща́ть** [1], ⟨~епости́ть⟩ [15 *e.*; -ощу́, -ости́шь; -ощённый] emancipate, liberate; **~епоще́ние** *n* [12] emancipation, liberation; **~итикова́ть** [7] *pf.* scarify; **~ича́ться** [4*e.*; -чу́сь, -чи́шься] *pf.* shout, bawl (at на B); **~ыва́ть** [1], ⟨~ы́ть⟩ [22] open (*v/i.* **-ся**); uncover; disclose, reveal; put *one's cards* on the table.

раску|ла́чить [16] *pf.* dispossess *or* oust (the kulak[s]) (*Sov.*); **~па́ть** [1], ⟨~пи́ть⟩ [14] buy up; **∠поривать** [1], ⟨∠порить⟩ [13] uncork; open; **∠сывать** [1], ⟨~си́ть⟩ [15] crack; F see through, get (the hang of); **∠тывать**, ⟨∠тать⟩ [1] unwind, unwrap.

ра́совый [14] racial.

распа́д *m* [1] disintegration; decay.

распа|да́ться [1], ⟨∠сться⟩ [25; -па́лся, -лась; -па́вшийся] fall to pieces; decay; disintegrate; break up (into на B), split; **~ко́вывать** [1], ⟨~кова́ть⟩ [7] unpack; **∠рывать** [1] *s.* поро́ть; **∠сться** *s.* ~да́ться; **∠хивать** [1] **1.** ⟨~ха́ть⟩ [3] plow (*Brt.* plough) up; **2.** ⟨~хну́ть⟩ [20] throw *or* fling open (*v/i.* **-ся**); **~я́ть** [24] *pf.* (**-ся** come) unsolder(ed).

распе|ва́ть [1] sing; **~ка́ть** F [1], ⟨∠чь⟩ [26] dress down, scold, call down, blow up; **~ча́тывать**, ⟨~ча́тать⟩ [1] unseal; open.

распи́|ливать [1], ⟨~ли́ть⟩ [13; -илю́, -и́лишь; -и́ленный] saw; **~на́ть** [1], ⟨распя́ть⟩ [-пну, -пнёшь; -пя́тый] crucify.

распис|а́ние *n* [12] timetable (🚂 ~а́ние поездо́в; *school:* ~а́ние уро́ков), schedule (on по Д); **~а́ть(ся)** *s.* ∠ывать(ся); **∠ка** *f* [5; *g/pl.*: -сок] receipt (against под B); **∠ывать** [1], ⟨~а́ть⟩ [3] write, enter; paint; ornament; **-ся** sign (one's name); (acknowledge) receipt (в П); F register one's marriage.

распл|авля́ть [28] *s.* пла́вить; **~а́каться** [3] *pf.* burst into tears; **~а́та** *f* [5] payment; requital; **~а́чиваться** [1], ⟨~ати́ться⟩ [15] (с T) pay off, settle accounts (with); pay (for за B); **~еска́ть** [3] *pf.* spill.

распле|та́ть [1], ⟨~сти́⟩ [25-т-] (**-ся**, ⟨-сь⟩ get) unbraid(ed); untwist.

расплы|ва́ться [1], ⟨∠ться⟩ [23] spread; run; swim about; blur; swell; F grow fat; **∠вчатый** [14 *sh.*] blurred, diffuse, vague.

расплю́щить [16] *pf.* flatten.

распозн|ава́ть [5], ⟨~а́ть⟩ [1] perceive, discern; find out.

распол|ага́ть [1], ⟨~ожи́ть⟩ [16] dispose (*a. fig.* = incline), arrange; place, lodge; *impf.* (T) dispose (of), have (at one's disposal); **-ся** settle; encamp; *pf.* be situated; **~ага́ющий** [17] engaging; **~за́ться** [1], ⟨~зти́сь⟩ [24] creep *or* crawl (away); **~оже́ние** *n* [12] arrangement, order, (dis)position (toward[s] к Д); situation; inclination, favo(u)r; mind; ~оже́ние ду́ха mood; **~о́женный** [14 *sh.*] *a.* situated; (well-) disposed (toward[s] к Д); inclined; **~ожи́ть(ся)** *s.* ~ага́ть(ся).

распор|яди́тельность *f* [8] administrative ability, management; **~яди́тельный** [14; -лен, -льна] circumspect, efficient; **~яди́ться** *s.* ~яжа́ться; **~я́док** *m* [1; -дка] order, rule, (*office, etc.*) regulations *pl.*; **~яжа́ться** [1], ⟨~яди́ться⟩ [15 *e.*; -яжу́сь, -яди́шься] give orders; (T) dispose (of); take charge *or* care (of); *impf.* manage, direct; **~яже́ние** *n* [12] order(s), instruction(s); decree; disposal (at в B; в П); charge, command (to в B).

распра́в|а *f* [5] punishment (of с T); massacre; *short* work (of с T); **~ля́ть** [28], ⟨~ить⟩ [14] straighten; smooth; spread, stretch; **-ся** (с T) punish, avenge o.s. (on).

распредел|е́ние *n* [12] distribution; **~и́тельный** [14] distributing; ⊕ control...; ⚡ switch...; **~я́ть** [28], ⟨~и́ть⟩ [13] distribute; allot; assign (to по Д); arrange, classify.

распрод|ава́ть [5], ⟨~а́ть⟩ [-да́м, -да́шь, *etc.*, *s.* дать; -про́дал, -а́, -о;

-про́данный] sell out (*or* off); **~а́жа** *f* [5] (clearance) sale.

распрост|ира́ть [1], ⟨~ере́ть⟩ [12] spread, stretch; extend; (*v/i.* **-ся**); ~ёртый *a.* open (arms объя́тия *pl.*); **~и́ться** [15 *e.*; -ощу́сь, -ости́шься] (с Т) bid farewell (to); give up, abandon.

распростран|е́ние *n* [12] spread(-ing), expansion; dissemination, propagation; circulation; **~ённый** [14] widespread; **~я́ть** [28], ⟨~и́ть⟩ [13] spread, extend (*v/i.* **-ся**); propagate, disseminate; diffuse; -ся F enlarge upon.

распро|ща́ться [1] F = ~сти́ться.

ра́спря *f* [6; *g/pl.*: -рей] strife, contention, conflict; **~га́ть** [1], ⟨∠чь⟩ [26 г/ж: -ягу́, -яжёшь] unharness.

распу|ска́ть [1], ⟨~сти́ть⟩ [15] dismiss, disband, dissolve, break up; unfurl; undo; loosen; spread; melt; *fig.* spoil; **-ся** open; expand; loosen, untie; dissolve; F become spoiled; **∠тать** *s.* ∠тывать; **∠тица** *f* [5] impassability of roads; **∠тник** *s.* развра́тник; **∠тывать**, ⟨∠тать⟩ [1] untangle; **∠тье** *n* [10] crossroad(s); **~ха́ть** [1], ⟨∠хнуть⟩ [21] swell; **∠хший** [17] swollen; **∠щенный** [14 *sh.*] spoiled, undisciplined; dissolute.

распыл|и́тель *m* [4] spray(er), atomizer; **~я́ть** [28], ⟨~и́ть⟩ [13] spray, atomize; scatter.

распя́|тие *n* [12] crucifixion; **~ть** *s.* распина́ть.

расса́|да *f* [5] sprout(s); **~ди́ть** *s.* ~живать; **~дник** *m* [1] nursery; *fig.* hotbed; **~живать** [1], ⟨~ди́ть⟩ [15] transplant; seat; **-ся**, ⟨рассе́сться⟩ [расся́дусь, -дешься; -се́лся, -се́лась] sit down, take seats; F sit at ease.

рассве́|т *m* [1] dawn (at на П), daybreak; **~та́ть** [1], ⟨~сти́⟩ [25 -т-: -светёт; -свело́] dawn.

рассе|дла́ть [1] *pf.* unsaddle; **∠ивать** [1], ⟨∠ять⟩ [27] disseminate; scatter, disperse (*v/i.* **-ся**); dissipate, dispel; divert (*usu.* **-ся** o.s.); **~ка́ть** [1], ⟨∠чь⟩ [26] cut (up), dissect, hew, cleave; swish; **~ля́ть** [28], ⟨~ли́ть⟩ [13] settle (*v/i.* **-ся**); separate; **∠сться** *s.* расса́живаться; **∠янность** *f* [8] absent-mindedness; **∠янный** [14 *sh.*] absent-minded; dissipated; scattered; *phys.* diffused; **∠ять(ся)** *s.* ∠ивать(ся).

расска́з *m* [1] story, tale, narrative; short novel (*or* story); **~а́ть** *s.* ~ывать; **~чик** *m* [1] narrator; storyteller; **~ывать** [1], ⟨~а́ть⟩ [3] tell; relate, narrate.

расслаб|ля́ть [28], ⟨∠ить⟩ [14] weaken, enervate (*v/i.* **~е́ть** [8] *pf.*).

рассл|е́дование *n* [12] investigation, inquiry into; **~е́довать** [7] (*im*)*pf.* investigate, inquire into; **~ое́ние** *n* [12] stratification; **~ы́шать** [16] *pf.* hear distinctly; не ~ы́шать not (quite) catch.

рассм|а́тривать [1], ⟨~отре́ть⟩ [-отрю́, -о́тришь; -о́тренный] examine, view; consider; discern, distinguish; **~ея́ться** [27 *e.*; -ею́сь, -еёшься] *pf.* burst out laughing; **~отре́ние** *n* [12] examination (at при П); consideration; **~отре́ть** *s.* ~а́тривать.

рассо́л *m* [1] brine, pickle.

расспр|а́шивать [1], ⟨~оси́ть⟩ [15] inquire, ask; **~о́сы** *pl.* [1] inquiries.

рассро́чка *f* [5] (payment by) instal(l)ments (by в В *sg.*).

расста|ва́ние *s.* проща́ние; **~ва́ться** [5], ⟨∠ться⟩ [-а́нусь, -а́нешься] part, separate (from с Т); leave; **~вля́ть** [28], ⟨∠вить⟩ [14] place; arrange; set (up); move apart; **~но́вка** *f* [5; *g/pl.*: -вок] arrangement; distribution; order; punctuation; drawing up; pause; **∠ться** *s.* ~ва́ться.

расст|ёгивать [1], ⟨~егну́ть⟩ [20] unbutton; unfasten (*v/i.* **-ся**); **~ила́ть** [1], ⟨разостла́ть⟩ [расстелю́, -е́лешь; разо́стланный] spread (*v/i.* **-ся**); **~оя́ние** *n* [12] distance (at на П).

расстр|а́ивать [1], ⟨~о́ить⟩ [13] upset, derange; disorganize; disturb, spoil; shatter; frustrate; ♪ put out of tune (*or* humo[u]r, *fig.*); **-ся** be(come) upset, *etc.*; fail.

расстре́л *m* [1] (death by) shooting, execution; **~ивать** [1], ⟨~я́ть⟩ [28] shoot, execute.

расстро́|ить(ся) *s.* расстра́ивать (-ся); **~йство** *n* [9] disorder, confusion; disturbance, derangement; frustration.

расступ|а́ться [1], ⟨~и́ться⟩ [14] give way, part; open, split.

рассу|ди́тельность *f* [8] judiciousness; **~ди́тельный** [14; -лен, -льна] judicious, wise; **~ди́ть** [15] *pf.* judge; decide (*a. issue*); consider; **∠док** *m* [1; -дка] reason, sense(s); judg(e)ment, mind (of в П); **∠дочный** [14; -чен, -чна] rational; **~жда́ть** [1] argue, reason; talk; **~жде́ние** *n* [12] reasoning, argument(ation); objection; treatise, essay (on о П).

рассчи́т|ывать [1], ⟨**~а́ть**⟩ [1] & F ⟨расче́сть⟩ [25; разочту́, -тёшь; расчёл, разочла́; разочтённый; *g. pt.*: разочтя́] (не mis)calculate, estimate; judge; dismiss, pay off; *impf.* count *or* reckon (on на В); expect; intend; **-ся** settle accounts, get even (with с Т), pay off; count off.

рассыл|а́ть [1], ⟨разосла́ть⟩ [-ошлю́, -ошлёшь; -о́сланный] send out (*or* round); **∠ка** *f* [5] distribution, dispatch.

рассып|а́ть [1], ⟨∠ать⟩ [2] scatter, spill; spread; (*v/i.* **-ся**; crumble, fall to pieces; break up; fail; shower [s.th. on в П/Д]; resound; burst out).

раста́|лкивать, ⟨растолка́ть⟩ [1] push aside; push; **~пливать** [1], ⟨растопи́ть⟩ [14] light, kindle; melt; (*v/i.* **-ся**); **~птывать** [1], ⟨растопта́ть⟩ [3] tread down; **~скивать** [1], ⟨~щи́ть⟩ [16], F ⟨~ска́ть⟩ [1] pilfer; take to pieces; F separate.

раство́р *m* [1] solution; mortar; **~и́мый** [14 *sh.*] soluble; **~я́ть** [28], ⟨~и́ть⟩ **1.** [13] dissolve; **2.** [13; -орю́, -о́ришь; -о́ренный] open.

расте́|ние *n* [12] plant; **~ре́ть** *s.* растира́ть; **~рза́ть** [1] *pf.* tear to pieces; lacerate; **~рянный** [14 *sh.*] confused, perplexed, bewildered; **~ря́ть** [28] *pf.* lose (one's head **-ся**; be[come] perplexed *or* puzzled).

расти́ [24 -ст-: -сту́, -стёшь; рос, -сла́; ро́сший], ⟨вы́-⟩ grow, increase.

раст|ира́ть [1], ⟨~ере́ть⟩ [12; разотру́, -трёшь] pound, pulverize; rub; smear.

расти́тельн|ость *f* [8] vegetation, flora; hair; **~ый** [14] vegetable; vegetative.

расти́ть [15 *e.*; ращу́, расти́шь] rear; F grow.

расто|лка́ть *s.* раста́лкивать; **~лкова́ть** [7] *pf.* expound, explain; **~пи́ть** *s.* раста́пливать; **~пта́ть** *s.* раста́птывать; **~пы́рить** F [13] *pf.* spread; **~рга́ть** [1], ⟨∠ргнуть⟩ [21] break (off), annul; dissolve, sever; **~рже́ние** *n* [12] breaking off; annulment; dissolution; **~ро́пный** [14; -пен, -пна] deft, quick; **~ча́ть** [1], ⟨~чи́ть⟩ [16 *e.*; -чу́, -чи́шь; -чённый] squander, waste, dissipate; lavish (on Д); **~чи́тель** *m* [4], **~чи́тельный** [14; -лен, -льна] prodigal, spendthrift, extravagant.

растра|вля́ть [28], ⟨~ви́ть⟩ [14] irritate; fret, stir (up); **∠та** *f* [5] waste; embezzlement; **∠тчик** *m* [1] embezzler; **∠чивать** [1], ⟨∠тить⟩ [15] spend, waste; embezzle.

растр|епа́ть [2] *pf.* (**-ся** be[come]) tousle(d, **~ёпанный** [14]), dishevel (-[1]ed); tear (torn), thumb(ed).

растро́гать [1] *pf.* move, touch.

растя́|гивать [1], ⟨~ну́ть⟩ [19] stretch (*v/i.* **-ся**; F fall flat); ⚕ strain; drawl; extend, prolong; **~же́ние** *n* [12] stretching; strain(ing); **~жи́мый** [14 *sh.*] extensible, elastic; *fig.* vague; **~нутый** [14] long-drawn; **~ну́ть(ся)** *s.* ~гивать(ся).

рас|формирова́ть [8] *pf.* disband; **~ха́живать** [1] walk about *or* up & down, pace; **~хва́ливать** [1], ⟨~хвали́ть⟩ [13; -алю́, -а́лишь; -а́ленный] extol(l *Brt.*), praise (highly); **~хва́тывать** F, ⟨~хвата́ть⟩ [1] snatch away; buy up (quickly).

расхи|ща́ть [1], ⟨∠тить⟩ [15] plunder; **~ще́ние** *n* [12] plunder.

расхо́|д *m* [1] expenditure (for на В), expense(s); ✝ *a.* debit; consumption; sale; **~и́ться** [15], ⟨разойти́сь⟩ [-ойду́сь, -ойдёшься; -ошёлся, -ошла́сь; -оше́дшийся; *g. pt.*: -ойдя́сь] disperse; break up; differ (from с Т); diverge; part, separate, get divorced (from с Т); pass *or* miss o.a., (*letters*) cross; be sold out, sell; be spent, (у Р) run out of; melt, dissolve; ramify; radiate; F spread; become enraged; get excited *or* animated; **~дова́ть** [7], ⟨из-⟩ spend, expend; *pf. a.* use up; **~жде́ние** *n* [12] divergence, difference (of в П); radiation.

расцара́п|ывать, ⟨~ать⟩ [1] scratch.

расцве́|т *m* [1] blossom, (*a. fig.*) bloom; prime; prosperity; **~та́ть** [1], ⟨~сти́⟩ [25 -т-] blo(ss)om; flourish, thrive; **~тка** *f* [5; *g/pl.*: -ток] colo(u)ring.

расце́|нивать [1], ⟨**~ни́ть**⟩ [13; -еню́, -е́нишь; -енённый] estimate, value, rate; **~нка** *f* [5; *g/pl.*: -нок] valuation; rate, tariff; **~пля́ть** [28], ⟨**~пи́ть**⟩ [14] uncouple, unhook.

рас|чеса́ть *s.* ~чёсывать; **~чёска** *f* [5; *g/pl.*: -сок] comb; **~че́сть** *s.* рассчита́ть; **~чёсывать** [1], ⟨**~чеса́ть**⟩ [3] comb (one's hair **-ся** F).

расчёт *m* [1] calculation; estimation; settlement (of accounts); payment; dismissal, *Brt.* F *a.* sack; account, consideration; intention; providence; F use; ⚔ gunners *pl.*; из ~а on the basis (of); в ~е quits; **~ливый** [14 *sh.*] provident, thrifty; circumspect.

рас|чища́ть [1], ⟨**~чи́стить**⟩ [15] clear (away); **~членя́ть** [28], ⟨**~члени́ть**⟩ [13] dismember; **~ша́тывать**, ⟨**~шата́ть**⟩ [1] loosen (*v/i.* **-ся**); (be[come]) shatter(ed); **~шевели́ть** F [13] *pf.* stir (up).

расши|ба́ть F *s.* ушиба́ть; **~ва́ть** [1], ⟨**~ть**⟩ [разошью́, -шьёшь; *cf.* шить] embroider; undo, rip; **~ре́ние** *n* [12] widening, enlargement; expansion; **~ря́ть** [28], ⟨**~рить**⟩ [13] widen, enlarge; extend, expand; ⚕ dilate; **~ть** *s.* ~ва́ть; **~фро́вывать** [1], ⟨**~фрова́ть**⟩ [7] decipher, decode.

рас|шнурова́ть [7] *pf.* untie; **~ще́лина** *f* [5] crevice, cleft, crack; **~щепле́ние** *n* [12] splitting; fission; **~щепля́ть** [28], ⟨**~щепи́ть**⟩ [14 *e.*; -плю́, -пи́шь; -плённый] split.

ратифи|ка́ция *f* [7] ratification; **~ци́ровать** [7] (*im*)*pf.* ratify.

ра́товать [7] fight, struggle.

рафина́д *m* [1] lump sugar.

рахи́т *m* [1] rickets.

рацион|ализи́ровать [7] (*im*)*pf.* rationalize; **~а́льный** [14; -лен, -льна] rational (*a.* ✗, *no sh.*).

рвану́ть [20] *pf.* jerk; **-ся** dart.

рвать [рву, рвёшь; рвал, -á, -o] **1.** ⟨разо-, изо-⟩ [-о́рванный] tear (to, in *pieces* на, в В), *v/i.* **-ся**; **2.** ⟨со-⟩ pluck; **3.** ⟨вы́-⟩ pull out; *impers.* (В) vomit, spew; **4.** ⟨пре-⟩ break off; **5.** ⟨взо-⟩ blow up; ~ и мета́ть F be in a rage; **-ся** break; strive *or* long (eagerly).

рве́ние *n* [12] zeal; eagerness.

рво́т|а *f* [5] vomit(ing); **~ный** [14] emetic (*a. n, su.*).

рдеть [8] redden, flush.

реа|билити́ровать [7] (*im*)*pf.* rehabilitate; **~ги́ровать** [7] (на В) react (upon); respond (to); **~кти́вный** [14] reactive; jet (*plane*); **~кционе́р** *m* [1], **~кцио́нный** [14] reactionary.

реал|и́зм *m* [1] realism; **~изова́ть** [7] (*im*)*pf.* realize; ✝ *a.* sell; **~исти́ческий** [16] realistic; **~ьность** *f* [8] reality; **~ьный** [14; -лен, -льна] real; realistic.

ребёнок *m* [2; *pl. a.* де́ти, *s.*] child; baby, F kid; грудно́й ~ suckling.

ребро́ *n* [9; *pl.*: рёбра, рёбер, рёбрам] rib; edge (on ~м); ~м *fig.* point-blank.

ребя́|та *pl. of* ребёнок; F boys; **~ческий** [16], **~чий** F [18] childish; **~чество** F [9] childishness; **~читься** F [16] behave childishly.

рёв *m* [1] roar; bellow; howl.

рев|а́нш *m* [1] revenge; return match; **~е́нь** *m* [4 *e.*] rhubarb; **~е́ть** [-ву, -вёшь] roar; bellow; howl; F cry.

реви́з|ия *f* [7] inspection; auditing; revision; **~о́р** *m* [1] inspector; auditor.

ревмати́|зм *m* [1] rheumatism; **~ческий** [16] rheumatic.

ревн|и́вый [14 *sh.*] jealous; **~ова́ть** [7], ⟨при-⟩ be jealous (of [p.'s] к Д [В]); **~ость** *f* [8] jealousy; zeal, eagerness; **~остный** [14; -тен, -тна] zealous, eager.

револ|ьве́р *m* [1] revolver; **~юционе́р** *m* [1], **~юцио́нный** [14] revolutionary; **~ю́ция** *f* [7] revolution.

реги́стр *m* [1], **~и́ровать** [7], ⟨за-⟩ register (*v/i.* **-ся**; *a.* get married *in a civil ceremony*); index.

рег|ла́мент *m* [1] order, regulations *pl.*; **~ре́сс** *m* [1] retrogression.

регул|и́ровать [7], ⟨у-⟩ regulate; (*esp. pf.*) settle; **~я́рный** [14; -рен, -рна] regular; **~я́тор** *m* [1] regulator.

редак|ти́ровать [7], ⟨от-⟩ edit, redact; **~тор** *m* [1] editor; **~ция** *f* [7] editorial staff; editorship; editor's office; wording, text, version; redaction; (*radio*) desk.

ред|е́ть [8], ⟨по-⟩ (grow) thin; **~и́ска** *f* [5; *g/pl.*: -сок] (*red*) radish.

ре́дк|ий [16; -док, -дка́, -о; *comp.*: ре́же] rare; thin, sparse; scarce; *adv. a.* seldom; **~ость** *f* [8] rarity, curiosity; sparsity, thinness; uncommon (thing); на ~ость F extremely, awfully.

ре́дька *f* [5; *g/pl.:* -дек] radish.

режи́м *m* [1] regime(n); conditions *pl.*; regulations *pl.*, order.

режисс|ёр *m* [1] stage manager; director, producer; **~и́ровать** [7] stage.

ре́зать [3] **1.** ⟨раз-⟩ cut (up, open); carve (*meat*); **2.** ⟨за-⟩ slaughter, kill; **3.** ⟨вы́-⟩ carve, cut (in *wood* по Д, на П); **4.** ⟨с-⟩ cut off; F fail; *impf.* hurt; F say; P talk; **5.** **-ся** F cut (one's teeth); gamble.

резв|и́ться [14 *e.*; -влю́сь, -ви́шься] frolic, frisk, gambol; **∠ый** [14; резв, -á, -о] frisky, sportive, frolicsome; quick; lively.

резе́рв *m* [1] reserve(s); **~и́ст** *m* [1] reservist; **~ный** [14] reserve...

резе́ц *m* [1; -зцá] incisor.

рези́н|а *f* [5] rubber; **~овый** [14] rubber...; **~ка** *f* [5; *g/pl.*: -нок] eraser, (india) rubber; elastic.

ре́з|кий [16; -зок, -зкá, -о; *comp.*: ре́зче] sharp, keen; biting, piercing; acute; harsh, shrill; glaring; rough, abrupt; **~кость** *f* [8] sharpness, *etc.*, *s.* ~кий; harsh word; **~но́й** [14] carved; **~ня́** *f* [6] slaughter; **~олю́ция** *f* [7] resolution; decision; **~о́н** *m* [1] reason; **~она́нс** *m* [1] resonance; **~о́нный** F [14; -о́нен, -о́нна] reasonable; **~ульта́т** *m* [1] result (as a в П); **~ьба́** *f* [5] carving.

резюм|е́ *n* [*ind.*] summary; **~и́ровать** [7] (*im*)*pf.* summarize.

рейд *m* [1] ⚓ road(stead); ⚔ raid.

Рейн *m* [1] Rhine.

рейс *m* [1] trip; voyage; flight.

река́ *f* [5; *ac/sg. a. st.*; *pl. st.*; *from dat/pl. a. e.*] river, stream.

рекла́м|а *f* [5] advertising; advertisement; publicity; **~и́ровать** [7] (*im*)*pf.* advertise; boost; (re-)claim, complain; **~ный** [14] advertising.

реко|мендáтельный [14] of recommendation; **~мендáция** *f* [7] recommendation; reference; **~мендова́ть** [7] (*im*)*pf.*, *a.* ⟨по-⟩ recommend, advise; † introduce; **~нструи́ровать** [7] (*im*)*pf.* reconstruct; **∠рд** *m* [1] record; **∠рдный** [14] record...; **~рдсме́н** *m* [1], **~рдсме́нка** *f* [5; *g/pl.*: -нок] champion.

ре́ктор *m* [1] president, (*Brt.* vice-)-chancellor, rector (*univ.*).

рели|гио́зный [14; -зен, -зна] religious; **∠гия** *f* [7] religion; **∠квия** *f* [7] relic.

рельс *m* [1], **∠овый** [14] rail; track.

реме́нь *m* [4; -мня́] strap; belt.

реме́сл|енник *m* [1] (handi)craftsman, artisan; *fig.* bungler; **~енный** [14] trade...; handicraft...; home--made; bungling; **~о́** *n* [9; *pl.:* -мёсла, -мёсел, -мёслам] trade, (handi)craft; occupation.

ремо́нт *m* [1] repair(s); remount (-ing); **~и́ровать** [7] (*im*)*pf.*, **~ный** [14] repair.

ре́нта *f* [5] rent; revenue; (*life*) annuity; **∠бельный** [14; -лен, -льна] profitable.

рентге́новск|ий [16]: ~ий сни́мок *m* roentgenogram; ~ие лучи́ *m/pl.* X rays.

реорганизова́ть [7] (*im*)*pf.* reorganize (*Brt.* -se).

ре́па *f* [5] turnip.

репа|рацио́нный [14] reparation...; **~трии́ровать** [7] (*im*)*pf.* repatriate.

репе́йник *m* [1] bur(dock); agrimony.

репертуа́р *m* [1] repertoire, repertory.

репети́|ровать [7], ⟨про-⟩ rehearse; **~ция** *f* [7] rehearsal.

ре́плика *f* [5] retort; *thea.* cue.

репорта́ж *m* [1] report(ing).

репортёр *m* [1] reporter.

репре́сс(а́л)ия *f* [7] reprisal.

репроду́ктор *m* [1] loud-speaker.

ресни́ца *f* [5] eyelash.

респу́блик|а *f* [5] republic; **~а́нец** *m* [1; -нца], **~а́нский** [16] republican.

рессо́ра *f* [5] spring.

рестора́н *m* [1] restaurant (at в П).

ресу́рсы *m/pl.* [1] resources.

рети́вый [14] zealous; mettlesome.

ре|туши́ровать [7] (*im*)*pf.*, ⟨от-⟩ retouch; **~фера́т** *m* [1] report, paper.

рефо́рм|а *f* [5], **~и́ровать** [7] (*im*)*pf.* reform; **~а́тор** *m* [1] reformer.

реценз|е́нт *m* [1] reviewer; **~и́ровать** [7], ⟨про-⟩, **∠ия** *f* [7] review.

реце́пт *m* [1] recipe.

рециди́в *m* [1] relapse.

речево́й [14] speech...

ре́ч|ка *f* [5; *g/pl.*: -чек] (small) river; **~но́й** [14] river...

реч|ь *f* [8; *from g/pl. e.*] speech; discourse, talk, conversation; word;

об э́том не мо́жет быть и ∠и that is out of the question; *cf.* идти́.

реш|а́ть [1], 〈**~и́ть**〉 [16 *e.*; -шу́, -ши́шь; -шённый] solve; decide, resolve (*a.* **-ся** [on, to на В]; make up one's mind); dare, risk; не **~а́ться** hesitate; **~а́ющий** [17] decisive; **~е́ние** *n* [12] decision; (re)solution; **~ётка** *f* [5; *g*/*pl.*: -ток] grating; lattice; trellis; grate; **~ето́** *n* [9; *pl. st.*: -шёта] sieve; **~ётчатый** [14] trellis(ed); **~и́мость** *f* [8] determination; **~и́тельный** [14; -лен, -льна] resolute, firm; decisive; definite; absolute; **~и́ть(ся)** *s.* ~а́ть(ся).

ре́ять [27] soar, fly.

ржа́|веть [8], 〈за-〉, **~вчина** *f* [5] rust; **~вый** [14] rusty; **~но́й** [14] rye...; **~ть** [ржёт], 〈за-〉 neigh.

ри́за *f* [5] chasuble; robe.

Рим *m* [1] Rome; **'2ля́нин** *m* [1; *pl.*: -яне, -ян], **'2ля́нка** *f* [5; *g*/*pl.*: -нок], **'2ский** [14] Roman.

ри́нуться [20] *pf.* rush; plunge.

рис *m* [1] rice.

риск *m* [1] risk (at на В); **~о́ванный** [14 *sh.*] risky; **~ова́ть** [7], 〈~ну́ть〉 [20] (*usu.* Т) risk, venture.

рисова́|ние *n* [12] drawing; designing; **~ть** [7], 〈на-〉 draw; design; **-ся** appear, loom; pose, mince.

ри́совый [14] rice...

рису́нок *m* [1; -нка] drawing, design; picture, illustration (in на П).

ритм *m* [1] rhythm; **~и́чный** [14; -чен, -чна] rhythmical.

риф *m* [1] reef; **∠ма** *f* [5] rhyme.

роб|е́ть [8], 〈о-〉 be timid, quail; не ~е́й! courage!; **∠кий** [16; -бок, -бка́, -о; *comp.*: ро́бче] shy, timid; **∠ость** *f* [8] shyness, timitidy.

ров *m* [1; рва; во рву] ditch.

рове́сник *m* [1] coeval, of the same age.

ро́вн|ый [14; -вен, -вна́, -о] even, level, flat; straight; equal; equable; ~о precisely, exactly, *time a.* sharp; F absolutely; **∠я́** F *f* [5] equal.

рог *m* [1; *pl. e.*: -га́] horn; antler; bugle; **~а́тый** [14*sh.*] horned; **~ови́ца** *f* [5] cornea; **~ово́й** [14] horn ...

рого́жа *f* [5] (bast) mat.

род *m* [1; в, на -у́; *pl. e.*] genus; race; generation; kind; way; *gr.* gender; birth (by Т); F class; ∠ом из, с Р come *or* be from; о́т ~у (Д) *be* ... old; с ∠у in one's life.

роди́|льный [14] maternity (hospital дом *m*); **~мый** [14] *s.* родно́й & '~нка; **'~на** *f* [5] native land, home(land) (in на П); **'~нка** *f* [5; *g*/*pl.*: -нок] birthmark, mole; **~тели** *m*/*pl.* [4] parents; **~тельный** [14] genitive (*case*); **~тельский** [16] parental.

роди́ть [15 *e.*; рожу́, роди́шь; -и́л, -а (*pf.*: -а́), -о; рождённый] (*im*-) *pf.*, (*impf. a.* **рожда́ть**, F **рожа́ть** [1]) bear, give birth to; beget; *fig.* bring forth, produce; **-ся** [*pf.* -и́лся́] be born; arise; come up, grow.

родн|и́к *m* [1 *e.*] spring; **~о́й** [14] own; native; (my) dear; *pl.* = **~я́** *f* [6] relative(s), relation(s).

родо|во́й [14] patrimonial; generic; **~нача́льник** *m* [1] ancestor, (*a. fig.*) father; **~сло́вный** [14] genealogical; ~сло́вная *f* family tree.

ро́дствен|ник *m* [1], **~ница** *f* [5] relative, relation; **~ный** [14 *sh.*] related, kindred, cognate; of blood.

родств|о́ *n* [9] relationship; cognation; F relatives; в ~е́ related (to с Т).

ро́ды *pl.* [1] (child)birth.

ро́жа *f* [5] ⚕ erysipelas; P mug.

рожд|а́емость *f* [8] birth rate; **~а́ть(ся)** *s.* роди́ть(ся); **~е́ние** *n* [12] birth (by от Р); день ~е́ния birthday (on в В); **~е́ственский** [16] Christmas...; **~ество́** *n* [9] (*a.* 2ество́ [Христо́во]) Christmas (at на В); поздра́вить с 2ество́м Христо́вым wish a Merry Xmas; до (по́сле) Р.Хр. В. С. (А. D.).

рож|о́к *m* [1; -жка́] *dim. of* рог; ear trumpet; feeding bottle; (*gas*) burner; shoehorn; **~ь** *f* [8; ржи; *instr*/*sg.*: ро́жью] rye.

ро́за *f* [5] rose.

ро́зга *f* [5; *g*/*pl.*: -зог] rod.

розе́тка *f* [5; *g*/*pl.*: -ток] rosette; ⚡ (*plug*) socket.

ро́зн|ица *f* [5]: в ~ицу by retail; **~ичный** [14] retail...; **~ь** F *f* [8] discord; И/Д ~ь th. *or* p. & th/p. are not the same *or* different.

ро́зовый [14 *sh.*] pink, rosy.

ро́зыгрыш *m* [1] draw; drawn game; drawing of a lottery; ~ пе́рвенства play(s) for championship.

ро́зыск *m* [1] search (in/of в П *pl.*/Р); ⚖ preliminary trial; уголо́вный ~ criminal investigation department.

ро|и́ться [13], **~й** *m* [3; в рою́; *pl. e.*: рои́, роёв] swarm.

рок *m* [1] fate; **~ово́й** [14] fatal; **∠от** *m* [1], **~ота́ть** [3] roll.
ро́лик *m* [1] roller (skates *pl.*).
роль *f* [8; *from g/pl. e.*] part, role.
ром *m* [1] rum.
рома́н *m* [1] novel; F (love) affair, romance; **~и́ст** *m* [1] novelist; **~ти́зм** *m* [1] romanticism; **~ти́ческий** [16], **~ти́чный** [14; -чен, -чна] romantic.
ром|а́шка *f* [5; *g/pl.*: -шек] camomile; **~б** *m* [1] rhombus.
роня́ть [28], ⟨урони́ть⟩ [13; -оню́, -о́нишь; -о́ненный] drop; droop; lose; shed; *fig.* disparage, discredit.
ро́п|от *m* [1], **~та́ть** [3; -пщу́, ро́пщешь] murmur, grumble, growl (at на В).
роса́ *f* [5; *pl. st.*] dew.
роско́ш|ный [14; -шен, -шна] luxurious; magnificent, splendid, sumptuous; F luxuriant, exuberant; **'~ь** *f* [8] luxury; magnificence, sumptuousness; luxuriance.
ро́слый [14] big, tall.
ро́спись *f* [8] list; fresco.
ро́спуск *m* [1] dissolution; dismissal; disbandment; breaking up.
Росси́|я *f* [7] Russia; **♀и́йский** [16] Russian; *cf.* РСФСР.
рост *m* [1] growth; increase; stature, size; ... высо́кого ∠а tall ...
ростовщи́к *m* [1 *e.*] usurer.
рос|то́к *m* [1; -тка́] sprout, shoot; **∠черк** *m* [1] flourish; stroke.
рот *m* [1; рта; во рту́] mouth; **∠а** *f* [5] company; **∠ный** [14] company (commander); **~озе́й** F [3] gaper.
ро́ща *f* [5] grove.
роя́ль *m* [4] (grand) piano.
РСФСР (Росси́йская Сове́тская Федерати́вная Социалисти́ческая Респу́блика) Russian Soviet Federative Socialist Republic.
рту́ть *f* [8] mercury.
руба́|нок *m* [1; -нка] plane; **~шка** *f* [5; *g/pl.*: -шек] shirt; chemise.
рубе́ж *m* [1 *e.*] boundary; border (line), frontier; за ~о́м abroad.
рубе́ц *m* [1; -бца́] hem; scar, wake.
руби́ть [14] **1.** ⟨на-⟩ chop, cut, hew, hack; mince; **2.** ⟨с-⟩ fell; F *impf.* speak bluntly; **-ся** fight (hand to hand).
ру́бка *f* [5] felling; ⚓ cabin.
ру́бленый [14] chopped, minced.
рубль *m* [4 *e.*] r(o)uble.
ру́б|рика *f* [5] heading; column; **~чатый** [14] ribbed.
ру́га|нь *f* [8] abuse; **∠тельный** [14] abusive; **∠тельство** *n* [9] curse, oath; **∠ть** [1], ⟨вы́-⟩ abuse, scold; **-ся** swear, curse; abuse o. a.
руд|а́ *f* [5; *pl. st.*] ore; **~ни́к** *m* [1 *e.*] mine, pit; **~ни́чный** [14] mine(r's); fire(*damp*); **~око́п** *m* [1] miner.
руж|е́йный [14] gun...; **~ьё** *n* [10; *pl. st.*; *g/pl.*: -жей] gun, rifle.
рук|а́ *f* [5; *ac/sg.*: ру́ку; *pl.*: ру́ки, рук, -ка́м] hand; arm; ~а́ в ∠у (*or* об ~у) hand in hand (arm in arm; *a.* по́д ~у); из ~ вон (пло́хо) F quite wretched(ly); быть на́ ~у (Д) suit a p. (well); на́ ~у нечи́ст light-fingered; от ~и́ in handwriting; по ~а́м! it's bargain!; под ~о́й at hand, within reach; ~о́й пода́ть it's no distance (a stone's throw); (у Р) ∠и коротки́ F it's not in (p.'s) power; из пе́рвых ~ at first hand; приложи́ть ∠у sign.
рука́в *m* [1 *e.*; *pl.*: -ва́, -во́в] sleeve; branch; hose; **~и́ца** *f* [5] mitten; gauntlet; **~чик** *m* [1] cuff.
руковод|и́тель *m* [4] leader; chief; manager; teacher; **~и́ть** [15] (Т) lead; direct, manage; **-ся** follow, conform (to); **∠ство** *n* [9] leadership; guidance; instruction; textbook, guide; **∠ствовать(ся)** [7] *s.* ~и́ть(ся); **~я́щий** [17] leading.
руко|де́лие *n* [12] needlework; **~мо́йник** *m* [1] washstand; **~па́шный** [14] hand-to-hand; **'~пись** *f* [8] manuscript; **~плеска́ние** *n* [12] (*mst pl.*) applause; **~пожа́тие** *n* [12] hand shake; **~я́тка** *f* [5; *g/pl.*: -ток] handle, gripe; hilt.
рул|ево́й [14] steering; control...; *su.* steersman, helmsman; **~ь** *m* [4 *e.*] rudder; helm; steering wheel; handle bar; ~ь высоты́ ✈ elevator.
румы́н *m* [1], **~ка** *f* [5; *g/pl.*: -нок]; **~ский** [16] R(o)umanian.
румя́н|а *n/pl.* [9] rouge; **~ец** *m* [1; -нца] ruddiness; blush; **~ить** [13] **1.** ⟨за-⟩ redden; **2.** ⟨на-⟩ rouge; **~ый** [14 *sh.*] ruddy, rosy; red, scarlet.
ру|но́ *n* [9; *pl. st.*] fleece; **∠пор** *m* [1] megaphone; mouthpiece.
руса́лка *f* [5; *g/pl.*: -лок] mermaid.
ру́сло *n* [9] bed, (*a. fig.*) channel.

ру́сский [16] Russian (*a. su.*); *adv.* по-ру́сски (in) Russian.
ру́сый [14*sh.*] fair(-haired), blond(e).
Русь *f* [8; -си́] *hist.*, *poet.* Russia.
рути́н|а *f* [5], **~ный** [14] routine.
ру́хлядь F *f* [8] lumber, stuff.
ру́хнуть [20] *pf.* crash down; fail.
руча́|тельство *n* [9] guarantee; **~ться** [1], ⟨поручи́ться⟩ [16] (за В) warrant, guarantee, vouch for.
руче́й *m* [3 *e.*; -чья́] brook, stream.
ру́чка *f* [5; *g/pl.*: -чек] (small) hand; handle, knob; *chair* arm; lever; pen(holder).
ручно́й [14] hand...; manual; hand-made; small; ⚔ *a.* light; tame; wrist (*watch*).
ру́шить(ся) [16] (*im*)*pf.* collapse, break down.
ры́б|а *f* [5] fish; **~а́к** *m* [1 *e.*] fisherman; **~ий** [18] fish...; cod-liver (*oil*); **~ный** [14] fish(y); **~ный** про́мысел *m* fishery.
рыболо́в *m* [1] angler; **~ный** [14] fishing; fish...; **~ство** *n* [9] fishery.
рыво́к *m* [1; -вка́] jerk.
рыг|а́ть [1], ⟨**~**ну́ть⟩ [20] belch.
рыда́|ние *n* [12] sob(bing); **~ть** [1] sob.
ры́жий [17; рыж, -а́, -е] red; sorrel.
ры́ло *n* [9] snout; P mug.
ры́но|к *m* [1]; -нка] market (in на П); **~чный** [14] market...
рыс|а́к *m* [1 *e.*] trotter; **∠кать** [3] rove, run about; **~ь** *f* [8] trot (at, in в В, на **~**си́, Т); *zo.* lynx.
ры́твина *f* [5] rut, groove, hole.
рыть [22], ⟨вы́-⟩ dig; burrow, mine; **~ся** rummage.
рыхл|и́ть [13], ⟨вз-, раз-⟩ loosen (*soil*); **∠ый** [14; рыхл, -а́, -о] friable, crumbly, loose.
ры́цар|ский [16] knightly, chivalrous; knight's; **~ь** *m* [4] knight.
рыча́г *m* [1 *e.*] lever.
рыча́ть [4 *e.*; -чу́, -чи́шь] growl.
рья́ный [14 *sh.*] zealous; mettlesome.
рю́мка *f* [5; *g/pl.:* -мок] (wine-) glass.
ряби́на *f* [5] mountain ash; F pit.
ряби́ть [14 *e.*; -и́т] ripple; mottle; *impers.* flicker (before p.'s *eyes* в П/у Р).
рябо́й [14; ряб, -а́, -о] pockmarked; piebald, spotted; freckled.
ря́б|чик *m* [1] hazel grouse; **~ь** *f* ripples *pl.*; flicker.
ря́вк|ать F [1], *once* ⟨**~**нуть⟩ [20] bellow, bawl; snap (at на В).
ряд *m* [1; в -у́; *pl. e.*; *after 2,3,4,* ряда́] row; line; file; series; [в -е] number, several; *pl.* ranks; *thea. a.* tier; **~**а́ми in rows; из **∠**а вон выходя́щий remarkable, outstanding; **~ово́й** [14] ordinary; *su.* ⚔ private; **∠ом** side by side; (с Т) beside, next to; next door; close by.
ря́женый [14] disguised, masked; masker.
ря́са *f* [5] cassock.

С

с. *abbr.*: село́.
с, со: 1. (Р) from; since; with; for; **2.** (В) about; **3.** (Т) with; of; to.
са́бля *f* [6; *g/pl.*: -бель] saber (*Brt.* -bre).
сабот|а́ж *m* [1] sabotage; **~а́жник** *m* [1] saboteur; **~и́ровать** [7] (*im*)*pf.* sabotage.
са́ван *m* [1] shroud.
савра́сый [14] roan.
сад *m* [1; в -у́; *pl. e.*] garden.
сади́ть [15], ⟨по-⟩ *s.* сажа́ть; **~ся**, ⟨сесть⟩ [25; ся́ду, -дешь; сел, -а; се́вший] (на, в В) sit down; get in(to) *or* on, board; ⚓ embark, 🚂 entrain; mount (*horse*); alight (*bird*); ✈ land; set (*sun*); settle; sink; shrink (*fabric*); set (to *work* за В); run (aground на мель).
садо́в|ник *m* [1] gardener; **~о́дство** *n* [9] gardening, horticulture.
са́ж|а *f* [5] soot; в **~**е sooty.
сажа́ть [1] (*iter. of* сади́ть) seat; put; plant; ⚓ embark, 🚂 entrain.
са́же́нь *f* [8] *Russ.* fathom (= 7*ft.*).
саквоя́ж *m* [1] travel(l)ing bag.
сала́зки *f/pl.* [5; *gen.*: -зок] sled.
сала́т *m* [1] salad; lettuce.

са́ло *n* [9] bacon; suet, tallow.
салфе́тка *f* [5; *g/pl.*: -ток] napkin.
са́льдо *n* [*ind.*] ✝ balance.
са́льный [14; -лен, -льна] greasy; obscene. [salute.]
салю́т *m* [1], **~ова́ть** [7] (*im*)*pf.*
сам *m*, ~а́ *f*, ~о́ *n*, ~и *pl.* [30] -self: я ~(á) I ... myself; мы ~и we ... ourselves; **~е́ц** *m* [1; -мца́] *zo.* male; **~ка** *f* [5; *g/pl.*: -мок] *zo.* female.
само|бы́тный [14; -тен, -тна] original; **~ва́р** *m* [1] samovar; **~вла́стный** [14; -тен, -тна] autocratic; **~во́льный** [14; -лен, -льна] arbitrary; **~го́н** *m* [1] home-brew; **~де́льный** [14] homemade, self-made.
самодержа́в|ие *n* [12] autocracy; **~ный** [14; -вен, -вна] autocratic.
само|де́ятельность *f* [8] amateur performance(s); **~дово́льный** [14; -лен, -льна] self-satisfied, self-complacent; **~ду́р** *m* [1] despot; **~защи́та** *f* [5] self-defense; **~зва́нец** *m* [1; -нца] impostor, usurper; pseudo...; **~ка́т** *m* [1] scooter; **~кри́тика** *f* [5] self-criticism.
самолёт *m* [1] airplane (*Brt.* aeroplane), aircraft; пассажи́рский ~ air liner; ~-снаря́д *m* guided missile.
само|люби́вый [14 *sh.*] ambitious; vain, conceited; **~лю́бие** *n* [12] ambition; vanity; **~мне́ние** *n* [12] self-conceit; **~наде́янный** [14 *sh.*] self-confident, self-assertive; **~обладáние** *n* [12] self-control; **~обма́н** *m* [1] self-deception; **~оборо́на** *f* [5] self-defense; **~обслу́живание** *n* [12] self-service; **~определе́ние** *n* [12] self-determination; **~отве́рженный** [14 *sh.*] self-denying, self-sacrificing; **~пи́шущий** [17] fountain (*pen*); **~поже́ртвование** *n* [12] self-sacrifice; **~ро́дный** [14; -ден, -дна] native, pure; original; **~сохране́ние** *n* [12] self-preservation.
самостоя́тельн|ость *f* [8] independence; **~ый** [14; -лен, -льна] independent.
само|су́д *m* [1] lynch law; **~убий́ство** *n* [9], **~уби́йца** *m/f* [5] suicide; **~уве́ренный** [14 *sh.*] self-confident; **~управле́ние** *n* [12] self-government; **~у́чка** *m/f* [5; *g/pl.*: -чек] self-taught p.; **~хва́льство** F *n* [9] boasting; **~хо́дный** [14] self-propelled; **~це́ль** *f* [8] end in itself; **~чу́вствие** *n* [12] (state of) health.
са́м|ый [14] the most, ...est; the very; the (self)same; just, right; early *or* late; ~ое бо́льшее (ма́лое) F at (the) most (least).
сан *m* [1] dignity.
санато́рий *m* [3] sanatorium.
санда́лии *f/pl.* [7] sandals.
са́ни *f/pl.* [8; *from gen. e.*] sled(ge).
санита́р *m* [1], **~ка** *f* [5; *g/pl.*: -рок] nurse; *m a.* hospital attendant, orderly; **~ный** [14] sanitary.
сан|кциони́ровать [7] (*im*)*pf.* sanction; **~о́вник** *m* [1] dignitary.
сантиме́тр *m* [1] centimeter.
сапёр *m* [1] engineer, *Brt.* sapper.
сапо́г *m* [1 *e.*; *g/pl.:* сапо́г] boot.
сапо́жник *m* [1] shoemaker.
сара́й *m* [3] shed; barn.
саранча́ *f* [5; *g/pl.:* -че́й] locust.
сарафа́н *m* [1] sarafan (*long sleeveless gown of countrywomen*).
сард|е́лька *f* [5; *g/pl.*: -лек] wiener (*thick variety*); **~и́на** *f* [5] sardine.
сатана́ *m* [8] Satan.
сателли́т *m* [1] satellite.
сати́н *m* [1] sateen, glazed cotton.
сати́р|а *f* [5] satire; **~ик** *m* [1] satirist; **~и́ческий** [16] satirical.
сафья́н *m* [1] morocco.
са́хар *m* [1; *part. g.*: -у] sugar; **~истый** [14 *sh.*] sugary; **~ница** *f* [5] sugar bowl; **~ный** [14] sugar...; ~ная болéзнь *f* diabetes.
сачо́к *m* [1; -чка́] butterfly net.
Са́ш([ень]к)а *m/f* [5] *dim. of* Алекса́ндр, -а.
сба́в|ить *s.* ~ля́ть; **~ка** *f* [5; *g/pl.:* -вок] reduction; **~ля́ть** [28], ⟨~ить⟩ [14] reduce.
сбе|га́ть¹ [1], ⟨~жа́ть⟩ [4; -егу́, -ежи́шь, -егу́т] run down; *pf.* run away, escape, flee; **-ся** come running; **~гать²** [1] *pf.* run (for за T).
сбере|га́тельный [14] savings (bank)...; **~га́ть** [1], ⟨~чь⟩ [26 г/ж: -регу́, -режёшь, -регу́т] save; preserve; **~же́ние** *n* [12] saving; preservation.
сберка́сса *f* [5] savings bank.
сби|ва́ть [1], ⟨~ть⟩ [собью́, -бьёшь; сбей!; сби́тый] knock down (*or* off); overthrow (*a.* с ног); shoot down; whip (*cream*), beat up (*eggs*), churn (*butter*); mix; lead (astray с пути́; **-ся** lose one's way); (-ся be[come])

confuse(d) *or* puzzle(d) (с то́лку); *refl. a.* run o.s. off (one's legs с ног); flock; **∠вчивый** [14 *sh.*] confused; uneven; **∠ть(ся)** *s.* ~ва́ть(ся).

сбли|жа́ть [1], ⟨∠зить⟩ [15] bring *or* draw together; **-ся** become friends (with с T); **~же́ние** *n* [12] (*a. pol.*) rapprochement; approach (-es).

сбо́ку sideways; next to it.

сбор *m* [1] collection; gathering; harvest; levy; tax; duty; receipts *pl.*; ⚔ muster; *pl.* preparations; в ∠е assembled; **∠ище** *n* [11] concourse, crowd; **∠ка** *f* [5; *g/pl.:* -рок] pleat, tuck; ⊕ assemblage; **∠ник** *m* [1] collection; symposium; **∠ный** [14] ⚔ assembly (*point*); *sport:* select (*team*); **∠очный** [14] assembling.

сбр|а́сывать [1], ⟨~о́сить⟩ [15] throw off, drop, shed; discard; **~од** *m* [1] rabble, riff-raff; **~о́сить** *s.* ~а́сывать; **~у́я** *f* [6] harness.

сбы|ва́ть [1], ⟨~ть⟩ [сбу́ду, -дешь; сбыл, -а́, -о] sell, market; get rid of (*a.* с рук); fall; **-ся** come true; **~т** *m* [1] sale; **~ть(ся)** *s.* ~ва́ть(ся).

сва́д|ебный [14], **~ьба** *f* [5; *g/pl.:* -деб] wedding.

сва́л|ивать [1], ⟨~и́ть⟩ [13; -алю́, -а́лишь] knock down, overthrow; fell; dump; heap up; shift (off) (to на B); **-ся** fall down; **~ка** *f* [5; *g/pl.:* -лок] dump; brawl.

сва́р|ивать [1], ⟨~и́ть⟩ [13; сварю́, сва́ришь; сва́реннный] weld; **~ка** *f* [5], **~очный** [14] welding.

сварли́вый [14 *sh.*] quarrelsome.

сва|т *m* [1] matchmaker; **∠тать** [1], ⟨по-⟩ seek (**-ся** ask) in marriage (for за B); **∠ха** *f* [5] matchmaker.

сва́я *f* [6; *g/pl.:* свай] pile.

све́д|ение *n* [12] information; приня́ть к ~ению take notice (of B); **~ущий** [17 *sh.*] expert, versed.

све́ж|есть *f* [8] freshness; **~е́ть** [8], ⟨по-⟩ freshen, become fresh; **~ий** [15; свеж, -а́, -о́, све́жи́] fresh; cool; latest; new.

свезти́ *s.* свози́ть.

свёкла *f* [5; *g/pl.:* -кол] beet.

свёкор *m* [1; -кра] (**свекро́вь** *f* [8]) father-(mother-)in-law (*husband's father or mother resp.*).

свер|га́ть [1], ⟨∠гнуть⟩ [21] overthrow; dethrone (с тро́на); shake off (*yoke*); **~же́ние** *n* [12] overthrow; **∠ить** *s.* ~я́ть.

сверк|а́ть [1], *once* ⟨~ну́ть⟩ [20] sparkle, glitter; flash; мо́лния ~а́ет it lightens.

сверл|е́ние *n* [12], **~и́льный** [14] drilling; **~и́ть** [13], ⟨про-⟩, **~о́** *n* [9; *pl. st.:* свёрла] drill.

свер|ну́ть(ся) *s.* свёртывать(ся) & свора́чивать; **∠стник** *s.* рове́сник.

свёрт|ок *m* [1; -тка] roll; parcel; **~ывать** [1], ⟨сверну́ть⟩ [20] roll (up); turn; curtail; break up (*camp*); twist; **-ся** coil up; curdle; coagulate.

сверх (P) above, beyond; over; besides; ~ того́ moreover; **~звуково́й** [14] supersonic; **~при́быль** *f* [8] surplus profit; **∠у** from above; **~уро́чный** [14] overtime; **~шта́тный** [14] supernumerary; **~ъесте́ственный** [14 *sh.*] supernatural.

сверчо́к *m* [1; -чка́] *zo.* cricket.

свер|я́ть [28], ⟨∠ить⟩ [13] compare, collate.

све́сить *s.* све́шивать.

свести́(сь) *s.* своди́ть(ся).

свет *m* [1] light; world (in на П); day(light); (high) society; P dear, darling; чуть ~ at dawn; **~а́ть** [1] dawn; **~и́ло** *n* [9] star; (*celestial*) body; **~и́ть(ся)** [15] shine.

светл|е́ть [8], ⟨по-⟩ brighten; grow light(er); **~о...** light...; **∠ый** [14; -тел, -тла́, -о] light, bright; serene; **~я́к** *m* [1 *e.*], **~ячо́к** [1 *e.*; -чка́] glowworm.

свето|во́й [14] light...; **~маскиро́вка** *f* [5; *g/pl.:* -вок] blackout; **~фо́р** *m* [1] traffic light.

све́тский [16] secular, worldly; of high society.

светя́щийся [17] luminous.

свеча́ *f* [5; *pl.:* све́чи, -е́й, -а́м] candle; ⚡ plug.

све́|шивать [1], ⟨~сить⟩ [15] hang down; dangle; **-ся** hang over.

сви|ва́ть [1], ⟨~ть⟩ [совью́, -вьёшь; *cf.* вить] braid, plait; build (*nest*).

свида́ни|е *n* [12] appointment, meeting (at на П); до ~я good-by(e).

свиде́тель *m* [4], **~ница** *f* [5] witness; **~ство** *n* [9] evidence; certificate; licence; **~ствовать** [7], ⟨за-⟩ testify; attest; *impf.* (о П) show.

свина́рник *m* [1] pigsty.

свине́ц *m* [1; -нца́] lead.

свин|и́на *f* [5] pork; **∠ка** *f* [5; *g/pl.:* -нок] mumps; морска́я ∠ка guinea pig; **~о́й** [14] pig...; pork...; **∠ство** *n* [9] dirty *or* rotten act, smut; **~цо́вый** [14] lead(en).

свин|чивать [1], ⟨~ти́ть⟩ [15 *e.*; -нчу́, -нти́шь; сви́нченный] screw together, fasten with screws.
свинья́ *f* [6; *pl. st., gen.*: -не́й; *a.* -ньям] pig, hog, swine.
свире́ль *f* [8] pipe, reed.
свире́п|ствовать [7] rage; **~ый** [14 *sh.*] fierce, furious, grim.
свиса́ть [1] hang down; slouch.
свист *m* [1] whistle; hiss; **~а́ть** [3] & **~е́ть** [11], *once* ⟨∠нуть⟩ [20] whistle; *pf.* P pilfer; **~о́к** *m* [1; -тка́] whistle.
сви́т|а *f* [5] retinue, suite; **~ер** (-tɛr) *m* [1] sweater; **~ок** *m* [1; -тка] roll; **~ь** *s.* свива́ть.
свихну́ть F [20] *pf.* sprain; **-ся** go mad.
свищ *m* [1 *e.*] fistula; crack.
свобо́д|а *f* [5] freedom, liberty; на ~у (*set*) free; **~ный** [14; -ден, -дна] free (from, of от P); vacant (*seat, etc.*); spare (*time, etc.*); ready (*money*); easy; loose; fluent; exempt (from от P); **~омы́слящий** [17] freethinking; *su.* freethinker, liberal.
свод *m* [1] ⚠ vault; ⚖ code.
своди́ть [15], ⟨свести́⟩ [25] lead, take (down); bring (together); close (*vault*); reduce (to в В); square (*accounts*); contract; remove; drive (mad с ума́); ~ на нет bring to nought; **-ся**, ⟨-сь⟩ (к Д) come *or* amount (to), result (in); turn (into на В).
сво́д|ка *f* [5; *g/pl.*: -док] summary; report, communiqué; *typ.* revise; **~ный** [14] summary; step...; **~ча́тый** [14] vaulted.
свое|во́льный [14; -лен, -льна] self-willed, wil(l)ful; **~вре́менный** [14; -менен, -менна]] timely; **~нра́вный** [14; -вен, -вна] capricious; **~обра́зный** [14; -зен, -зна] original; peculiar.
свози́ть [15], ⟨свезти́⟩ [24] take.
сво|й *m*, ~я́ *f*, ~ё *n*, ~и́ *pl.* [24] my, his, her, its, our, your, their (*refl.*); one's own; peculiar; *su. pl.* one's people, folks, relations; не ~й frantic (*voice* in T); **∠йственный** [14 *sh.*] peculiar (to Д); (p.'s Д) usual; **∠йство** *n* [9] property, quality; F kind.
сво́|лочь *f* [8] rabble, riff-raff; rascal; **~ра** *f* [5] pack; **~ра́чивать** [1], ⟨сверну́ть⟩ [20] &, P, ⟨~роти́ть⟩ [15] turn (off с P); **~я́ченица** *f* [5] sister-in-law (*wife's sister*).
свы|ка́ться [1], ⟨∠кнуться⟩ [21] get used (to с T); **~сока́** haughtily; **∠ше** from above; (P) over; beyond.
связ|а́ть(ся) *s.* ∠ывать(ся); **~и́ст** *m* [1] signalman; **∠ка** *f* [5; *g/pl.*: -зок] bunch; *anat.* ligament; (*vocal*) cord; *gr.* copula; **∠ный** [16; -зен, -зна] coherent; **∠ывать** [1], ⟨~а́ть⟩ [3] tie (together), bind; connect, join; unite; associate; *teleph.* put through, connect; **-ся** get into touch, contact; associate (with с T); **~ь** *f* [8; в -зи́] tie, bond; connection (*Brt.* connexion); relation; contact; liaison; ⚔ signal (*service, etc.*); communication; post(al system).
свят|и́ть [15 *e.*; -ячу́, -яти́шь], ⟨о-⟩ consecrate, hallow; **∠ки** *f/pl.* [5; *gen.*: -ток] Christmastide (at на П); **~о́й** [14; свят, -а́, -о] holy; sacred; godly; solemn; Easter (week *su. f*); *su.* saint; **∠ость** *f* [8] holiness, sanctity; **~ота́тство** *n* [9] sacrilege; **~о́ша** *m/f* [5] hypocrite; **~ы́ня** *f* [6] relic; sanctuary.
свяще́нн|ик *m* [1] priest; **~ый** [14 *sh.*] holy; sacred.
с. г. *abbr.*: сего́ го́да; *cf.* сей.
сгиб *m* [1], **~а́ть** [1], ⟨согну́ть⟩ [20] bend, curve, fold; *v/i.* **-ся.**
сгла́|живать [1], ⟨~дить⟩ [15] smooth; **-ся** be smoothed (out).
сгнива́ть [1] *s.* гнить.
сго́вор *m* [1] F *s.* угово́р; **~и́ться** [13] *pf.* agree; come to terms; **∠чи́вый** [14 *sh.*] compliant, amenable.
сго|ня́ть [28], ⟨согна́ть⟩ [сгоню́, сго́нишь; согна́л, -а́, -о; со́гнанный] drive (off); **~ра́ние** *n* [12] combustion; **~ра́ть** [1], ⟨~ре́ть⟩ [9] burn down; perish; die (of от, с P); **~ряча́** in a temper.
сгр|еба́ть [1], ⟨~ести́⟩ [24-б-: сгребу́; сгрёб, сгребла́] rake up; shovel (down); **~ужа́ть** [1], ⟨~узи́ть⟩ [15 & 15 *e.*; -ужу́, -у́зи́шь; -у́женный & -ужённый] unload.
сгу|сти́ть *s.* ~ща́ть; **∠сток** *m* [1; -тка] clot; **~ща́ть** [1], ⟨~сти́ть⟩ [15 *e.*; -ущу́, -усти́шь; -ущённый] thicken; condense; ~ща́ть кра́ски exaggerate.
сда|ва́ть [5], ⟨~ть⟩ [сдам, сдашь, *etc. s.* дать] deliver, hand in (*or* over); surrender; check, register; rent, let (out); deal (*cards*); return (*change*); pass (*examination*); yield; **-ся** surrender; P seem; ~ётся ... ... for rent (*Brt.* to let); **∠вливать** [1], ⟨~ви́ть⟩ [14] squeeze; **~ть(ся)** *s.*

~вать(ся); ∠ча *f* [5] surrender; delivery; deal; change; check, register.
сдвиг *m* [1] shift; (land)slide; **~ать** [1], ⟨сдвинуть⟩ [20] move (*v/i.* **-ся**); join; knit (*brow*).
сдéл|ка *f* [5; *g/pl.*: -лок] bargain, transaction, deal; arrangement, settlement; **~ьный** [14] piece (*work*).
сдéрж|анный [14 *sh.*] reserved, (self-)restrained; **~ивать** [1], ⟨~áть⟩ [4] check, restrain; suppress; keep (*word, etc.*); **-ся** control o.s.
сдирáть [1], ⟨содрáть⟩ [сдерý, -рёшь; содрáл, -á, -о; сóдранный] tear off (*or* down), strip; flay (*a. fig*).
сдóбн|ый [14]: ~ая бýл(оч)ка *f* bun.
сдружи́ться *s.* подружи́ться.
сду|вáть [1], ⟨~ть⟩ [16], *once* ⟨∠нуть⟩ [20] blow off (*or* away); **∠ру** F foolishly.
сеáнс *m* [1] sitting; *cinema:* show.
себестóимость *f* [8] prime cost.
себ|я́ [21] myself, yourself, himself, herself, itself, ourselves, yourselves, themselves (*refl.*); oneself; к ~é home; into one's room; от ~я́ on p.'s behalf; тáк ~é so-so; **~ялюби́вый** [14 *sh.*] selfish, self-loving.
сев *m* [1] sowing.
Севастóполь *m* [4] Sevastopol.
сéвер *m* [1] north; *cf.* востóк; **~ный** [14] north(ern); northerly; arctic; ♀ный Ледови́тый океáн *m* Arctic Ocean; **~о-востóк** *m* [1] northeast; **~о-востóчный** [14] northeast...; **~о-зáпад** *m* [1] northwest; **~о-зáпадный** [14] northwest...
сегóдня today; ~ ýтром this morning; **~шний** [15] today's; this (*day*).
сед|éть [8], ⟨по-⟩ turn gray (*Brt.* grey); **~инá** *f* [5] gray hair; *pl. a. fig.* great age.
седл|áть [1], ⟨о-⟩, **~ó** *n* [9; *pl. st.*: сёдла, сёдел, сёдлам] saddle.
седо|волóсый [14 *sh.*], **∠й** [14; сед, -á, -о] gray(-haired, -headed), *Brt.* grey.
седóк *m* [1 *e.*] horseman; passenger.
седьмóй [14] seventh; *cf.* пя́тый.
сезóн *m* [1] season; **~ный** [14] seasonal.
сей *m*, сия́ *f*, сиé *n*, сии́ *pl.* † [29] this; сим herewith, hereby; при сём enclosed; сегó гóда (мéсяца) of this year (month); *cf.* порá.
сейчáс now, at present; presently, (*a.* ~ же) immediately, at once; just (now).
секрéт *m* [1] secret (in по Д, под Т); **~ариáт** *m* [1] secretariat; **~áрь** *m* [4 *e.*] secretary; **~ничать** F [1] be secretive, act secretely; whisper; **~ный** [14; -тен, -тна] secret; confidential.
сек|суáльный [14; -лен, -льна] sexual; **∠та** *f* [5] sect; **∠тор** *m* [1] sector; sphere, branch.
секýнд|а *f* [5] second; **~ный** [14] second...; **~омéр** *m* [1] stop watch.
селёдка *f* [5; *g/pl.*: -док] herring.
селез|ёнка *f* [5; *g/pl* : -нок] *anat.* spleen; **'~ень** *m* [4; -зня] drake.
селéние *n* [12] settlement, colony.
сели́т|ра *f* [5] saltpeter, niter, *Brt.* nitre; **~ь(ся)** [13] *s.* поселя́ть(ся).
сел|ó *n* [9; *pl. st.*: сёла] village (in в *or* на П); на ~é *a.* in the country; ни к ~ý ни к гóроду F without rhyme or reason.
сельд|ерéй *m* [3] celery; **~ь** *f* [8; *from g/pl. e.*] herring.
сéль|ский [16] rural, country..., village...; ~ское хозя́йство *n* agriculture; **~скохозя́йственный** [14] agricultural; farming; **~совéт** *m* [1] village soviet.
сéльтерская *f* [16] Seltzer.
сёмга *f* [5] salmon.
семéй|ный [14] family...; married; **~ство** *n* [9] family.
Семён *m* [1] Simeon.
семен|и́ть F [13] trip, mince; **~нóй** [14] seed...; seminal.
семёрка *f* [5; *g/pl.*: -рок] seven; *cf.* двóйка.
сéмеро [37] seven; *cf.* двóе.
семéстр *m* [1] term, semester.
сéмечко *n* [9; *pl.*: -чки, -чек, -чкам] seed.
семи|деся́тый [14] seventieth; *cf.* пя́(тидеся́)тый; **~лéтка** *f* [5; *g/pl.*: -ток] seven-year school (*or* plan); **~лéтний** [15] seven-year (old), of seven.
семинáр *m* [1], **~ий** *m* [3] seminar; **~ия** *f* [7] seminary.
семисóтый [14] seven hundredth.
семнáдцат|ый [14] seventeenth; *cf.* пя́тый; **~ь** [35] seventeen; *cf.* пять.
семь [35] seven; *cf.* пять & пя́тый; **∠десят** [35] seventy; **~сóт** [36] seven hundred; **∠ю** seven times.
семья́ *f* [6; *pl.*: сéмьи, семéй, сéмьям] family; **~ни́н** *m* [1] family man.
сéмя *n* [13; *pl.*: -менá, -мя́н, -менáм] seed (*a. fig.*).

сенáт *m* [1] senate; **~ор** *m* [1] senator.
сéни *f/pl.* [8; *from gen. e.*] hall(way).
сéно *n* [9] hay; **~вáл** *m* [1] hayloft; **~кóс** *m* [1] haymaking; *cf.* косилка.
сен|сациóнный [14; -óнен, -óнна] sensational; **~тиментáльный** [14; -лен, -льна] sentimental.
сентябрь *m* [4 *e.*] September.
сень † *f* [8; в -нй] shade; shelter.
сепарáтный [14] separate.
сéра *f* [5] sulfur; F earwax.
серб *m* [1], **∠(иян)ка** *f* [5; *g/pl.*: -б(иян)ок] Serb(ian); **∠ский** [16] Serbian.
серви́|з *m* [1] service, set; **~ровáть** [7] *(im)pf.* serve.
Сергéй *m* [3] Sergius, Serge.
сердéчный [14; -чен, -чна] heart('s); hearty, cordial; intimate; dear; best.
серди́|тый [14 *sh.*] angry, mad (with, at на В), wrathful; irascible, fretful; spiteful, vicious; **~ть** [15], ⟨рас-⟩ annoy, vex, fret, anger; **-ся** be(come) angry (with на В).
сéрдц|е *n* [11; *pl. e.*: -дцá, -дéц, -дцáм] heart; temper; anger; darling, love, sweetheart (*address*); от всегó ~а whole-heartedly; пó ~у (Д) to one's liking; положá рýку нá ~е F (quite) frankly; **~ебиéние** *n* [12] palpitation; **~еви́на** *f* [5] core, heart.
серебр|и́стый [14 *sh.*] silvery; **~и́ть** [13], ⟨по-, вы́-⟩ silver; **-ся** glisten like silver; **~ó** *n* [9] silver; **∠яный** [14] silver(y).
середи́на *f* [5] middle; center (*Brt.* -tre); mean.
Сер|ёж([ень]к)а *m* [5] *dim. of* Сергéй; **♀éть** [8], ⟨по-⟩ turn (*impf.* show) gray (*Brt.* grey).
сержáнт *m* [1] sergeant; млáдший ~ corporal.
сери́|йный [14] serial; multiple; **′~я** *f* [7] series.
сéрна *f* [5] chamois.
сéр|ный [14] sulfuric; sulfur...; **~овáтый** [14 *sh.*] grayish, Brt. greyish.
серп *m* [1 *e.*] sickle; crescent.
сéрый [14; сер, -á, -о] gray, *Brt.* grey; dull (*a. fig.* = humdrum).
сéрьги *f/pl.* [5; серёг, серьгáм; *sg. e.*] earrings.
серьёзн|ый [14; -зен, -зна] serious, grave; earnest (in ~о); ~о *a.* indeed, really.
сéссия *f* [7] session (in на П).
сестрá *f* [5; *pl.*: сёстры, сестёр, сёстрам] sister; nurse; нáша ~ F (such as) we.
сесть *s.* сади́ться.
сéт|ка *f* [5; *g/pl.*: -ток] net; ⚡ grid; scale; **~овать** [1] complain (about на В); **~чáтка** *f* [5; *g/pl.*: -ток] retina; **~ь** *f* [8; в сéти́; *from g/pl. e.*] net; network.
сечéние *n* [12] section.
сечь¹ [26; *pt. e.*; сек, секлá] cut (up), chop, hew; cleave; **-ся** split; ravel; **~**² [26: *pt. st.*; сек, сéкла], ⟨вы́-⟩ whip, flog.
сéялка *f* [5; *g/pl.*: -лок] seeder.
сéять [27], ⟨по-⟩ sow (*a. fig.*).
сжáлиться [13] *pf.* (над Т) have *or* take pity (on), pity.
сжáт|ие *n* [12] pressure; compression; **~ый** [14] compressed; compact, concise, terse; **~ь(ся)** *s.* сжимáть(ся) *&* жать¹, жать².
сжигáть [1], ⟨сжечь⟩ *cf.* жечь.
сжимáть [1], ⟨сжать⟩ [сожмý, -мёшь; сжáтый] (com)press, squeeze; clench; **-ся** contract; shrink; become clenched.
сзáди (from) behind (*as prp.*: Р).
сзывáть *s.* созывáть.
Сиби́р|ь *f* [8] Siberia; **♀ский** [16], **♀я́к** *m* [1 *e.*], **♀я́чка** *f* [5; *g/pl.*: -чек] Siberian.
си́вый [14; сив, -á, -о] (ash) gray (grey).
сигáр(éт)а *f* [5] cigar(ette).
сигнáл *m* [1], **~изи́ровать** [7] *(im)pf.*, **~ьный** [14] signal; alarm.
сидéлка *f* [5; *g/pl.*: -лок] nurse.
сидé|нье *n* [10] seat; **~ть** [11; си́дя] sit (at, over за Т); be, stay; fit (a p. на П); **-ся**: емý не сиди́тся he can't sit still.
сидр *m* [1] cider.
сидя́чий [17] sedentary; sitting.
си́зый [14; сиз, -á, -о] (bluish) gray, *Brt.* grey; dove-colo(u)red.
си́л|а *f* [5] strength; force; power, might; vigo(u)r; intensity; efficacy; energy; volume; свои́ми ~ами by o. s.; в ~у (Р) by virtue (of); не в ~ах unable; не по ~ам above one's strength; ~ нет F awfully; изо всех ~ F with all one's might; **~áч** *m* [1 *e.*] athlete; **~иться** [13] try, endeavo(u)r; **~овóй** [14] power...
силóк *m* [1; -лкá] snare, noose.
си́льн|ый [14; си́лен *&* силён,

-льнá, -о, сúльны́] strong; powerful, mighty; intense; heavy (*rain*); bad (*cold*); great; ⚡ power...; ~о *a.* very much; hard.

сúмвол *m* [1] symbol; **~úческий** [16], **~úчный** [14; -чен, -чна] symbolic(al).

симметрú|чный [14; -чен, -чна] symmetrical; **~я** *f* [7] symmetry.

симпат|изúровать [7] sympathize (with Д); **~úчный** [14; -чен, -чна] nice, sympathetic; он мне ~úчен I like him; **∠ия** *f* [7] sympathy.

симул|úровать [7] (*im*)*pf.* feign, sham; malinger; **~я́нт** *m* [1], **~я́нтка** *f* [5; *g*/*pl.*: -ток] simulator.

симфонú|ческий [16] symphonic, symphony...; **'~я** *f* [7] symphony.

синдикáт *m* [1] syndicate.

син|евá *f* [5] blue; **~евáтый** [14 *sh.*] bluish; **~éть** [8], ⟨по-⟩ turn (*impf.* show) blue; **∠ий** [15; синь, синя́, сúне] blue; **~úльный** [14] hydrocyanic, prussic (*acid*); **~úть** [13], ⟨под-⟩ blue; **~úца** *f* [5] titmouse.

син|óд *m* [1] synod; **~óним** *m* [1] synonym; **∠таксис** *m* [1] syntax; **∠тез** *m* [1] synthesis; **~тетúческий** [16] synthetic(al); **~хронизúровать** [7] (*im*)*pf.* synchronize.

синь *f* [8], **∠ка** *f* [5; *g*/*pl.*: -нек] blue.

синя́к *m* [1 *e.*] livid spot, bruise.

сúплый [14; сипл, -á, -о] hoarse.

сирéна *f* [5] siren.

сирéн|евый [14], **~ь** *f* [8] lilac.

сирóп *m* [1] syrup.

сиротá *m*/*f* [5; *pl. st.*: сирóты] orphan.

систéма *f* [5] system; **~тúческий** [16], **~тúчный** [14; -чен, -чна] systematic(al).

сúтец *m* [1; -тца] chintz, cotton.

сúто *n* [9] sieve.

Сицúлия *f* [7] Sicily.

сия́|ние *n* [12] radiance; light, shine; halo; **~ть** [28] shine, beam; radiate.

сказ|áние *n* [12] legend; saga; story; **~áть** *s.* говорúть; **∠ка** *f* [5; *g*/*pl.*: -зок] fairy tale; tale, fib; **∠очный** [14; -чен, -чна] fabulous, fantastic; fairy (tale)...

сказýемое *n* [14] *gr.* predicate.

скак|áть [3] skip, hop, leap; gallop; race; **~овóй** [14] race...; racing.

скал|á *f* [5; *pl. st.*] rock, cliff, crag; **~úстый** [14 *sh.*] rocky, cliffy; **∠ить** [13], ⟨о-⟩ show, bare (*one's teeth*); F *impf.* grin; jeer; **∠ка** *f* [5; *g*/*pl.*: -лок] rolling pin; **∠ывать** [1], ⟨сколóть⟩ [17] pin together; split (off); prick.

скам|éечка *f* [5; *g*/*pl.*: -чек] footstool; *a. dim. of* **~éйка** *f* [5; *g*/*pl.*: -éек], **~ья́** *f* [6; *nom*/*pl. a. st.*] bench; ~ья́ подсудúмых dock.

скандáл *m* [1] scandal; row; F shame; **~ить** [13], ⟨на-⟩ row; **~ьный** [14; -лен, -льна] scandalous; F wretched.

скандинáвский [16] Scandinavian.

скáпливать(ся) [1] *s.* скопля́ть (-ся).

скар|б F [1] belongings, things *pl.*; **∠едный** F [14; -ден, -дна] stingy; **~латúна** *f* [5] scarlet fever.

скат *m* [1] slope, pitch.

скат|áть *s.* скáтывать 2; **∠ерть** *f* [8; *from g*/*pl. e.*] tablecloth.

скáт|ывать [1] **1.** ⟨~úть⟩ [15] roll (*or* slide) down (*v*/*i.* **-ся**); **2.** ⟨~áть⟩ [1] roll (up); P copy.

скáч|ка *f* [5; *g*/*pl.*: -чек] gallop; *pl.* horse race(s); **~óк** *s.* прыжóк.

скáшивать [1], ⟨скосúть⟩ [15] mow off *or* down; slope; bevel.

сквáжина *f* [5] chink, crack; pore; ⊕ hole; замóчная ~ keyhole.

сквер *m* [1] square, park; **~нослóвить** [14] talk smut; **∠ный** [14; -рен, -рнá, -о] nasty, foul.

сквоз|úть [15 *e.*; -úт] shine through, appear; ~úт there is a draft, *Brt.* draught; **~нóй** [14] through...; thorough...; transparent; **~ня́к** *m* [1 *e.*] draft, *Brt.* draught; **~ь** (В) through.

скворé|ц *m* [1; -рцá] starling; **~чница** (-ʃn-) *f* [5] nestling box.

скелéт *m* [1] skeleton.

скептúческий [16] skeptic(al).

скú|дка *f* [5; *g*/*pl.*: -док] discount, rebate; **~дывать** [1], ⟨~нуть⟩ [20] throw off *or* down; take *or* put off; discount, reduce; **~петр** *m* [1] scepter, *Brt.* -tre; **~пидáр** *m* [1] turpentine; **~рд** *m* [1 *e.*] haystack.

скис|áть [1], ⟨∠нуть⟩ [21] turn sour.

скитá|лец *m* [1; -льца] wanderer; **~ться** [1] wander, rove.

склад *m* [1] warehouse, storehouse (in на П); ⚔ depot; constitution, disposition, turn; breed; way (*of life*); F harmony; sense; **∠ка** *f* [5; *g*/*pl.*: -док] pleat, fold; crease;

wrinkle; ~**но́й** [14] fold(ing), collapsible; camp...; falt(*boat*); ⁓**ный** [14; -ден, -дна́, -о] harmonious; coherent; fluent, smooth; P well-made (*or* -built); accommodating; ⁓**чина** *f* [5]: в ~чину by clubbing (together); ⁓**ывать** [1], ⟨сложи́ть⟩ [16] lay *or* put (together, up, down); pile up; pack (up); fold; add; compose; lay down (*arms; one's life*); сложа́ ру́ки idle; **-ся** (be) form (-ed), develop; F club (together).

скле́и|вать [1], ⟨~ть⟩ [13; -е́ю] stick together (*v/i.* **-ся**).

склеп *m* [1] crypt, vault.

скло́ка *f* [5] squabble.

склон *m* [1] slope; ~**е́ние** *n* [12] inclination; *gr.* declension; *ast.* declination; ~**и́ть(ся)** *s.* ~я́ть(ся); ⁓**ность** *f* [8] inclination (*fig.*; to, for к Д), disposition; ⁓**ный** [14; -о́нен, -онна́, -о] inclined (to к Д), disposed; ~**я́ть** [28] **1.** ⟨~и́ть⟩ [13; -оню́, -о́нишь; -онённый] bend, incline (*a. fig.*; *v/i.* **-ся**; sink); persuade; **2.** ⟨просклоня́ть⟩ *gr.* (**-ся** be) decline(d).

скоб|а́ *f* [5; *pl.*: ско́бы, скоб, ско-ба́м] cramp (iron); ⁓**ка** *f* [5; *g/pl.*: -бок] cramp; *gr.*, *typ.* bracket, parenthesis; ~**ли́ть** [13; -облю́, -о́бли́шь; -о́бленный] scrape; ~**яно́й** [14] hard(*ware*).

скова́ть *s.* ско́вывать.

сковорода́ *f* [5; *pl.*: ско́вороды, -ро́д, -да́м] frying pan.

ско́в|ывать [1], ⟨~а́ть⟩ [7 *e.*; скую́, скуёшь] forge (together); weld; fetter, chain; bind; arrest.

сколо́ть *s.* ска́лывать.

скольз|и́ть [15 *e.*; -льжу́, -льзи́шь], *once* ⟨~ну́ть⟩ [20] slide, glide, slip; ⁓**кий** [16; -зок, -зка́, -о] slippery.

ско́лько [32] how (*or* as) much, many; ~ лет, ~ зим *s.* ве́чность F.

сконча́ться [1] *pf.* die, expire.

скоп|ля́ть [28], ⟨~и́ть⟩ [14] accumulate, gather (*v/i.* **-ся**), amass; save; ~**ле́ние** *n* [12] accumulation; gathering, crowd.

скорб|е́ть [10 *e.*; -блю́, -би́шь] grieve (over о П); ⁓**ный** [14; -бен, -бна] mournful, sorrowful; ~**ь** *f* [8] grief, sorrow.

скорлупа́ *f* [5; *pl. st.*: -лу́пы] shell.

скорня́к *m* [1 *e.*] furrier.

скоро|гово́рка *f* [5; *g/pl.*: -рок] tongue twister; rapid speech, sputter; ⁓**мный** [14; -мен, -мна] meat, milk (*food, forbidden in Lent*); ~**пости́жный** [14; -жен, -жна] sudden; ~**спе́лый** [14 *sh.*] early; precocious; ~**стно́й** [14] (high-)speed-...; '~**сть** *f* [8; *from g/pl. e.*] speed; rate; *mot.* gear; груз большо́й (ма́лой) '~сти express (ordinary) freight; ~**те́чный** [14; -чен, -чна] transient; ⚔ galloping.

ско́р|ый [14; скор, -а́, -о] quick, fast, rapid, swift; speedy, prompt; first (*aid*); near (*future*); early (*reply*); ~о *a.* soon; ~е́е всего́ F most probably; на ~ую ру́ку F in haste, offhand, anyhow.

скоси́ть *s.* ска́шивать.

скот *m* [1 *e.*] cattle, livestock; ~**и́на** *f* [5] F cattle; P brute; dolt, boor; ⁓**ный** [14]: ⁓ный двор cattle yard; ~**обо́йня** *f* [6; *g/pl.*: -о́ен] slaughterhouse; ~**ово́дство** *n* [9] cattle breeding; ~**ский** [16] brutish, bestial, swinish.

скребо́к *m* [1; -бка́] scraper.

скре́жет *m* [1], ~**а́ть** [3] (Т) gnash.

скре́п|а *f* [5] cramp, clamp; ~**и́ть** *s.* ~ля́ть; ~**ка** *f* [5; *g/pl.*: -пок] (paper) clip; ~**ле́ние** *n* [12] fastening; ~**ля́ть** [28], ⟨~и́ть⟩ [14 *e.*; -плю́, -пи́шь; -плённый] fasten; tighten; corroborate; validate; countersign; ~я́ се́рдце reluctantly.

скрести́ [24 -б-: скребу́; скрёб] scrape; scratch.

скре́щива|ть [1], ⟨скрести́ть⟩ [15 *e.*; -ещу́, -ести́шь; -ещённый] cross (*v/i.* **-ся**); ~**ние** *n* [12] crossing.

скрип *m* [1] creak; scratch; ~**а́ч** *m* [1 *e.*] violinist; ~**е́ть** [10 *e.*; -плю́, -пи́шь], ⟨про-⟩, *once* ⟨⁓нуть⟩ [20] creak; scratch; grit, gnash; ⁓**ка** *f* [5; *g/pl.*: -пок] violin.

скро́мн|ость *f* [8] modesty; ~**ый** [14; -мен, -мна́, -о] modest; frugal.

скру́|чивать [1], ⟨~ти́ть⟩ [15] braid; roll; bind; P bend.

скры|ва́ть [1], ⟨~ть⟩ [22] hide, conceal (from от Р); **-ся** disappear; hide; ⁓**тность** *f* [8] reserve; ⁓**тный** [14; -тен, -тна] reserved, reticent; ⁓**тый** [14] concealed; latent; secret; ⁓**ть(ся)** *s.* ~ва́ть(ся).

скря́га *m/f* [5] miser.

ску́дный [14; -ден, -дна́, -о] scanty, poor.

ску́ка *f* [5] boredom, ennui.

скула́ *f* [5; *pl. st.*] cheekbone; ~-

стый [14 *sh.*] with high cheek-bones.
скули́ть [13] whimper.
скульпту́ра *f* [5] sculpture.
ску́мбрия *f* [7] mackerel.
скуп|а́ть [1], ⟨~и́ть⟩ [14] buy up.
скуп|и́ться [14], ⟨по-⟩ be stingy (*or* sparing), stint (in, of на В); **~о́й** [14; скуп, -á, -о] avaricious, stingy; sparing (in на В); scanty, poor; taciturn (на слова́); *su.* miser; **~́ость** *f* [8] avarice.
скуч|а́ть [1] be bored; (по П *or* Д) long (for), miss; **~́ный** (-ʃn-) [14; -чен, -чна́, -о] boring, tedious, dull; sad; (Д) ~но feel bored.
слаб|е́ть [8], ⟨о-⟩ weaken, slacken; **~и́тельный** [14] laxative (*n a. su.*); **~ово́льный** [14; -лен, -льна] weak-willed (*or* -minded); **~оси́льный** [14; -лен, -льна] *s.* ~́ый; **~́ость** *f* [8] weakness (*a. fig.* = foible; for к Д); infirmity; **~оу́мный** [14; -мен, -мна] feeble-minded; **~оха-ра́ктерный** [14; -рен, -рна] flabby; **~́ый** [14; слаб, -á, -о] weak (*a.* ⚡), feeble; faint; infirm; delicate; flabby; poor.
сла́в|а *f* [5] glory; fame, renown; reputation, repute; (Д) hail; long live; ~а бо́гу! God be praised!, thank goodness!; на ~у F first-rate, A-one; **~ить** [14], ⟨про-⟩ glorify; praise, extol; **-ся** be famous (for Т) **~ный** [14; -вен, -вна́, -о] famous; glorious; F nice; capital, dandy.
славян|и́н *m* [1; *pl.*: -я́не, -я́н], **~́ка** *f* [5; *g/pl.*: -нок] Slav; **~́ский** [16] Slavic, *Brt.* Slavonic.
слага́ть [1], ⟨сложи́ть⟩ [16] compose; lay down; resign (from); exonerate; relieve o.s. (of); *cf.* скла́дывать(ся); **-ся** *a.* be composed.
сла́д|кий [16; -док, -дка́, -о; *comp.*: сла́ще] sweet; sugary; ~ое *su.* dessert (for на В); **~остный** [14; -тен, -тна] sweet, delightful; **~остра́стие** *n* [12] voluptuousness; **~остра́стный** [14; -тен, -тна] voluptuous; **~ость** *f* [8] sweetness; delight; *cf.* сла́сти.
сла́женный [14*sh.*] harmonious.
сла́нец *m* [1; -нца] slate.
сла́сти *f/pl.* [8; *from gen. e.*] candy *sg.*, *Brt. a.* sweets.
слать [шлю, шлёшь], ⟨по-⟩ send.
слаща́вый [14 *sh.*] sugary.
сле́ва on, to (*or* from) the left.
слегка́ (-xk-) slightly; in passing.
след *m* [1; *g/sg. e.* & -ду; на -ду́; *pl. e.*] trace (*a. fig.*), track; footprint, footstep; print; scent; ~́ом (right) behind; его́ и ~ просты́л F he was off and away; **~и́ть** [15 *e.*; -ежу́, -еди́шь] (за Т, † В) watch, follow; look after; shadow; trace.
сле́доват|ель *m* [4] examining magistrate; **~ельно** consequently, therefore; so; **~ь** [7] (за Т; Д) follow; ensue (from из Р); go, move; (Д) *impers.* should, ought to; be to be; как сле́дует properly, duly; F downright, thoroughly; as it should be; кому́ *or* куда́ сле́дует to the proper p. *or* quarter; ско́лько с меня́ сле́дует? how much do I have to pay?
сле́дствие *n* [12] consequence; inquest, trial.
сле́дующий [17] following, next.
сле́жка *f* [5; *g/pl.*: -жек] shadowing.
слез|а́ *f* [5; *pl.*: слёзы, слёз, слеза́м] tear; **~а́ть** [1], ⟨~ть⟩ [24 *st.*] climb *or* get down; dismount, alight; get out; F come off; **~и́ться** [15; -и́тся] water; **~ли́вый** [14*sh.*] tearful, lachrymose; **~оточи́вый** [14] tear (*gas*); watering; **~ть** *s.* ~а́ть.
слеп|е́нь *m* [4; -пня́] gadfly; **~е́ц** *m* [1; -пца́] blind man; **~и́ть 1.** [14 *e.*; -плю́, -пи́шь], ⟨о-⟩ [ослеплённый] blind; dazzle; **2.** [14] *pf.*; *impf.*: **~ля́ть** [28] stick together (*v/i.* **-ся**); *s. a.* лепи́ть; **~́нуть** [21], ⟨о-⟩ grow (*or* become) blind; **~о́й** [14; слеп, -á, -о] blind (in, *Brt.* of *one eye* на В); dull (*glass*); indistinct; *su.* blind man; **~́ок** *m* [1; -пка] mould, cast; **~ота́** *f* [5] blindness.
сле́сар|ь *m* [4; *pl.*: -ря́, *etc. e.*, & -ри] locksmith; fitter, mechanic.
слёт *m* [1] flight; rally, meeting (at на П).
слет|а́ть [1], ⟨~е́ть⟩ [11] fly (down, off); F fall (down, off); **-ся** fly together; F gather.
слечь F [26 г/ж: сля́гу, сля́жешь; сля́г(те)!] *pf.* fall ill.
сли́ва *f* [5] plum.
сли|ва́ть [1], ⟨~ть⟩ [солью, -льёшь; *cf.* лить] pour (off, out, together); fuse, merge, amalgamate (*v/i.* **-ся**).
сли́в|ки *f/pl.* [5; *gen.*: -вок] cream (*a. fig.* = elite); **~очный** [14] creamy; (*ice*) cream.
сли́з|истый [14 *sh.*] mucous; slimy; **~ь** *f* [8] slime; mucus, phlegm.

слипáться [1] stick together; close.

слúт|ный [14] conjoint; continuous; ~но *a.* together; in one word; **~ок** *m* [1; -тка] ingot; **~ь(ся)** *s.* сливáть(ся).

слич|áть [1], ⟨~ить⟩ [16 *e.*; -чý, -чúшь; -чённый] compare, collate.

слúшком too, too much; э́то (уж) ~ F that beats everything.

слия́ние *n* [12] confluence; fusion, amalgamation; blending.

словáк *m* [1] Slovak.

словáр|ный [14]: ~ный состáв *m* stock of words; **~ь** *m* [4 *e.*] dictionary; vocabulary, glossary; lexicon.

слов|áцкий [16], **~áчка** *f* [5; *g/pl.*: -чек] Slovak; **~éнец** *m* [1; -нца], **~éнка** *f* [5; *g/pl.*: -нок], **~éнский** [16] Slovene.

словéсн|ость *f* [8] literature; (*folk-*)lore; philology; **~ый** [14] verbal, oral; literary; philologic(al).

слóвно as if; like; F as it were.

слóво *n* [9; *pl. e.*] word (in a T; ... for ... И/в В); term; speech; к слóву сказáть by the way; на словáх by word of mouth, orally; по словáм according to; просúть (предостáвить Д) ~ ask (give p.) permission to speak; **~изменéние** *n* [12] inflection (*Brt.* -xion); **~охóтливый** [14 *sh.*] talkative.

слог *m* [1; *from g/pl. e.*] syllable; [style.

слоёный [14] puff (*paste*).

слож|éние *n* [12] addition; composition; constitution, build; laying down; resignation; **~úть(ся)** *s.* склáдывать(ся), слагáть(ся) & класть 2.; **~́ность** *f* [8] complexity, complicacy, complication; **~́ный** [14; -жен, -жнá, -о] complicated, complex, intricate; compound.

сло|úстый [14 *sh.*] stratiform; flaky; **~й** *m* [3; *pl. e.*: слоú, слоёв] layer, stratum (in T *pl.*); coat(ing).

слом *m* [1] demolition, destruction; **~úть** [14] *pf.* break, overcome; overpower; ~я́ гóлову F headlong.

слон *m* [1 *e.*] elephant; bishop (*chess*); **~óвый** [14]: ~óвая кость *f* ivory.

слоня́ться F [28] linger, loaf.

слу|гá *m* [5; *pl. st.*] servant; **~́жащий** *m* [17] employee; **~́жба** *f* [5] (на П) service (in); employment, job; office, work (at); duty (on); **~жéбный** [14] office...; official; secondary, subordinate, subservient; *gr.* relational; **~жéние** *n* [12] service; **~жúть** [16], ⟨по-⟩ serve (a p./th. Д); work (as T); be.

слух *m* [1] hearing; ear (by на В; по Д); rumo(u)r, hearsay; news, sign; **~овóй** [14] of hearing; acoustic(al); ear...; dormer (*window*).

слýча|й *m* [3] case; occurrence, event; occasion (on по Д; при П), opportunity, chance, (*a.* несчáстный ~й) accident; на вся́кий (пожáрный F) ~й to be on the safe side; по ~ю second hand; (P) on account of; **~́йность** *f* [8] chance, fortuity; **~́йный** [14; -áен, -áйна] accidental, casual, chance (by ~́йно); **~́ться** [1], ⟨случúться⟩ [16 *e.*; *3rd p. or impers.*] happen (to с T); come; take place; F be.

слýша|тель *m* [4] listener, hearer; student; *pl.* audience; **~ть** [1], ⟨по-⟩ listen (to В), hear; attend; ⚕ auscultate; ~й! *a.*, ⚔, attention!; ~ю! *teleph.*: hullo!; ~ю(сь)! yes (, sir); **-ся** obey (p. P); take (*advice*).

слыть [23], ⟨про-⟩ (T, за В) pass for, have the reputation of.

слыхáть, ⟨у-⟩ *s.* слы́шать.

слы́|шать [4] (F ~хáть [*no pr.*]), ⟨у-⟩ hear (of, about о П); F feel, notice; **~шаться** [4] be heard; **~шимость** *f* [8] audibility; **~шно** it can be heard (of о П); it is said; (мне) ~шно one (I) can hear; что ~шно? what is the news?; **~шный** [14; -шен, -шнá, -о] audible.

слюдá *f* [5] mica.

слюн|á *f* [5], **~́и** F *pl.* [8; *from gen. e.*] saliva, spittle; **~́ки** F *f/pl.*: (у Р) ~́ки текýт (p.'s) mouth waters; **~я́вый** F [14 *sh.*] slobbery.

сля́коть *f* [8] slush.

см. *abbr.*: смотрú see, v(ide).

с. м. *abbr.*: сегó мéсяца; *cf.* сей.

смáз|ать *s.* ~ывать; **~ка** *f* [5 *g/pl.*: -зок] greasing, oiling, lubrication; **~очный** [14] lubricant; **~ывать** [1], ⟨~ать⟩ [3] grease, oil, lubricate; F blur.

смá|нивать [1], ⟨~нúть⟩ [13; сманю́, -áнишь; -áненный & -анённый] lure away, entice; **~тывать,** ⟨смотáть⟩ [1] reel on *or* off; **~хивать** [1], ⟨~хнýть⟩ [20] brush off (*or* aside); *impf.* F have a likeness (with на В); **~чивать** [1], ⟨смочúть⟩ [16] moisten. [jacent.

смéжный [14; -жен, -жна] ad-

сме́л|ость *f* [8] boldness; courage; **~ый** [14; смел, -á, -о] courageous, bold; ~о *a.* F easily; offhand.
сме́н|а *f* [5] shift (in в В); ⚔ relief; change; supersession; successors *pl.*; прийти́ на ~у *s.* ~и́ться; **~я́ть** [28], ⟨~и́ть⟩ [13; -еню́, -е́нишь; -енённый] (**-ся** be) supersede(d; o. a.), ⚔ relieve(d), replace(d; by T), substitute(d; for); change.
смерк|а́ться [1], ⟨∠нуться⟩ [20] grow dusky *or* dark.
смерт|е́льный [14; -лен, -льна] mortal, fatal, (*a. adv.*) deadly; **∠ность** *f* [8] mortality, death rate; **∠ный** [14; -тен, -тна] mortal (*a. su.*), deadly, fatal; (a. ⚖) death ...; ⚖ capital; **~ь** *f* [8; *from g/pl. e.*] death; F (*a.* ~ь как, до́ ~и, на́ ~ь) deadly, utterly; при́ ~и at death's door.
смерч *m* [1] waterspout; tornado.
смести́ *s.* смета́ть; **~ть** *s.* смеща́ть.
сме|сь *f* [8] mixture; blend; alloy; miscellanies *pl.*; **∠та** *f* [5] estimate.
смета́на *f* [5] sour cream.
сме|та́ть [1], ⟨~сти́⟩ [25 -т-] sweep away; sweep together; wipe off
сме́тливый [14 *sh.*] sharp(-witted).
сметь [8], ⟨по-⟩ dare, venture; beg.
смех *m* [1] laughter (with со́ ~у); joke, fun (for ра́ди Р, в *or* на́ В); *cf.* шу́тка.
сме́ш|анный [14] mixed; **~а́ть(ся)** *s.* ~ивать(ся); **~е́ние** *n* [12] mixture; confusion; **~ивать,** ⟨~а́ть⟩ [1] mix (up), mingle, blend (*v/i.* **-ся**; get *or* be[come]) confuse(d).
смеш|и́ть [16 *e.*; -шу́, -ши́шь], ⟨рас-⟩ [-шённый] make laugh; **~но́й** [14; -шо́н, -шна́] laughable, ludicrous, ridiculous; funny; (Д) ~но́ amuse (p.).
сме|ща́ть [1], ⟨~сти́ть⟩ [15 *e.*; -ещу́, -ести́шь; -ещённый] displace, shift, dislocate; **~ще́ние** *n* [12] displacement.
смея́ться [27 *e.*; -ею́сь, -еёшься], ⟨за-⟩ laugh (at *impf.* над T); mock (at); deride; F joke.
смир|е́ние *n* [12], **~е́нность** *f* [8] humility; meekness; **~е́нный** [14 *sh.*] humble; meek; **~и́ть(ся)** *s.* ~я́ть(ся); **∠ный** [14; -рен (F -рён), -рна́, -о] quiet, still; meek, gentle; ∠но! ⚔ (at) attention!; **~я́ть** [28], ⟨~и́ть⟩ [13] subdue; restrain, check; **-ся** humble o.s.
смо́кинг *m* [1] tuxedo, dinner jacket.
смол|а́ *f* [5; *pl. st.*] resin; pitch; tar; **~и́стый** [14 *sh.*] resinous; **~и́ть** [13], ⟨вы-, за-⟩ pitch, tar; **~ка́ть** [1], ⟨∠кнуть⟩ [21] grow silent; cease; **∠оду** F from one's youth; **~яно́й** [14] pitch..., tar...
сморка́ться [1], ⟨вы́-⟩ blow one's nose.
сморо́дина *f* [5] currant(s *pl.*).
смота́ть *s.* сма́тывать.
смотр *m* [1; ⚔ на -у́ & *pl. e.*] review; parade, show; inspection; **~е́ть** [9; -отрю́, -о́тришь; -о́тренный], ⟨по-⟩ look (at на В; after за T), gaze; (re)view, see, watch; examine, inspect; mind (*v/t.* на В); look out; ~я́ it depends (on по Д), according (to); ~е́ть в о́ба be all eyes; **~и́тель** *m* [4] inspector; (*post*)master.
смочи́ть *s.* сма́чивать.
смрад *m* [1] stench; **∠ный** [14; -ден, -дна] stinking.
сму́глый [14; смугл, -á, -о] swarthy.
смут|и́ть(ся) *s.* смуща́ть(ся); **∠ный** [14; -тен, -тна́, -о] vague, dim; restless, uneasy; of unrest.
смущ|а́ть [1], ⟨смути́ть⟩ [15 *e.*; -ущу́, -ути́шь; -ущённый] (**-ся** be[come]) embarrass(ed), confuse(d), perplex(ed); **~е́ние** *n* [12] embarrassment, confusion; **~ённый** [14] embarrassed.
смы|ва́ть [1], ⟨~ть⟩ (22) wash off (*or* away); **~ка́ть** [1], ⟨сомкну́ть⟩ [20] close (*v/i.* **-ся**); **~сл** *m* [1] sense, meaning; respect; F use; **∠слить** F [13] understand; **~ть** *s.* ~ва́ть; **~чко́вый** [14] ♪ stringed; **~чо́к** *m* [1; -чка́] ♪ bow; **~шлёный** F [14 *sh.*] clever, bright.
смягч|а́ть (-xtʃ-) [1], ⟨~и́ть⟩ [16 *e.*; -чу́, -чи́шь; -чённый] soften (*v/i.* **-ся**); mitigate, alleviate; extenuate; *phon.* palatalize; **-ся** *a.* relent; ~а́ющий ⚖ extenuating; **~е́ние** *n* [12] mitigation; extenuation; palatalization; **~и́ть(ся)** *s.* ~а́ть(ся).
смяте́ние *n* [12] confusion.
снаб|жа́ть [1], ⟨~ди́ть⟩ [15 *e.*; -бжу́, -бди́шь; -бжённый] supply, furnish, provide (with T); **~же́ние** *n* [12] supply, provision; purchasing (*dept.*).
сна́йпер *m* [1] sharpshooter.
снару́жи from (the) outside.
снаря́|д shell; missile, projectile;

apparatus; tool, equipment; tackle; **~жáть** [1], ⟨~дить⟩ [15 *e.*; -яжý, -ядúшь; -яжённый] equip, fit out (with T); **~жéние** *n* [12] equipment; munitions *pl.*
снасть *f* [8; *from g/pl. e.*] tackle; rigging.
сначáла at first; first; over again.
снег *m* [1; в -ý; *pl. e.*: -á] snow; ~ идёт it is snowing; **~úрь** *m* [4 *e.*] bullfinch; **~опáд** *m* [1] snowfall.
снеж|úнка *f* [5; *g/pl.*: -нок] snowflake; **ᐟный** [14; -жен, -жна] snow(y); **~óк** *m* [1; -жкá] *dim. of* снег; snowball.
снестú(сь) *s.* сносúть(ся).
сни|жáть [1], ⟨ᐟзить⟩ [15] lower; reduce, decrease; (**-ся** *v/i.*; *a.* fall; ✈ land); **~жéние** *n* [12] lowering; reduction, decrease; fall; landing; **~зойтú** *s.* ~сходúть; **ᐟзу** from below.
сним|áть [1], ⟨снять⟩ [снимý, снúмешь; снял, -á, -о; снятый (снят, -á, -о)] take (off, away *or* down); remove, discard, dismiss; withdraw; cut (off); rent; (take a) photograph (of); reap, gather; cancel, strike off; deprive (of); release (from с P); raise (*siege*); strike (*camp*); make (*copy, etc.*); ~áть слúвки skim; **-ся** take off; weigh (*anchor* с P); have a picture of o.s. taken; be struck off (*a list*); **ᐟок** *m* [1; -мка] photograph, picture (in на П).
снúск|ивать [1], ⟨~áть⟩ [3] get, win.
снисхо|дúтельный [14; -лен, -льна] indulgent; condescending; **~дúть** [15], ⟨снизойтú⟩ [-ойдý, -ойдёшь; *cf.* идтú] condescend; **~ждéние** *n* [12] indulgence, leniency; condescension.
снúться [13], ⟨при-⟩ *impers.*: (Д) dream (of И).
снóва (over) again, anew.
сно|вáть [7 *e.*] scurry, whisk; **~видéние** *n* [12] vision, dream.
сноп *m* [1 *e.*] sheaf.
сноровка *f* [5] knack, skill.
снос|úть [15], ⟨снестú⟩ [24 -с-: снесý; снёс] carry (down, away *or* off, together), take; pull down, demolish; endure, bear, tolerate; *cf. a.* нестú; **-ся**, ⟨-сь⟩ communicate (with с T); get in touch, contact; **ᐟка** *f* [5; *g/pl.*: -сок] footnote; **ᐟный** [14; -сен, -сна] tolerable.
снохá [5; *pl. st.*] daughter-in-law.
сношéние *n* [12] (*usu. pl.*) intercourse; relations.
снят|ие *n* [12] taking down; raising; removal; dismissal; **~óй** [14] skim (*milk*); **~ь(ся)** *s.* снимáть(ся).
собá|ка *f* [5] dog; hound; **~чий** [18] dog('s).
собесéдник *m* [1] interlocutor.
собирáт|ель *m* [4] collector; **~ельный** [14] *gr.* collective; **~ь** [1], ⟨собрáть⟩ [-берý, -рёшь; -áл, -á, -о; сóбранный (-ан, -á, -о)] gather, collect; ⊕ assemble; prepare; **-ся** gather, assemble; prepare, make o.s. *or* be ready to start (*or* set out *or* go; on a journey в путь); be going, intend, collect (*one's thoughts* с T); brace up (с сúлами).
соблáзн *m* [1] temptation; **~úтель** *m* [4] seducer, tempter; **~úтельный** [14; -лен, -льна] tempting, seductive; **~ять** [28], ⟨~úть⟩ [13] (**-ся** be) tempt(ed); seduce(d).
соблю|дáть [1], ⟨~стú⟩ [25] observe, obey, adhere (to); maintain (*order*); **~дéние** *n* [12] observance; maintenance; **~стú** *s.* ~дáть.
соболéзнова|ние *n* [12] condolence; **~ть** [7] condole (with Д).
сóбо|ль *m* [4; *pl. a.* -ля́, *etc. e.*] sable; **ᐟр** *m* [1] cathedral; council; diet; **ᐟровать(ся)** [7] administer (receive) extreme unction.
собрá|ние *n* [12] meeting (at, in на П), assembly; collection; **~ть(ся)** *s.* собирáть(ся).
сóбственн|ик *m* [1] owner, proprietor; **~ость** *f* [8] property; **~ый** [14] own; proper; personal; dead (*weight*).
собы́тие *n* [12] event, occurrence.
совá *f* [5; *pl. st.*] owl.
совáть [7 *e.*; сую́, суёшь], ⟨сýнуть⟩ [20] put; F slip, give; poke (one's nose **-ся**; *a.* butt in).
соверш|áть [1], ⟨~úть⟩ [16 *e.*; -шý, -шúшь; -шённый] accomplish; commit; make (*a. trip*); strike (*bargain*), effect; celebrate, do; **-ся** happen, take place; be effected, *etc.*; **~еннолéтие** *n* [12] majority, full age; **~еннолéтний** [15] (стать T come) of age; **~éнный** [14; -éнен, -éнна] perfect(ive *gr.*); absolute, complete; *adv. a.* quite; **~éнство** *n* [9] perfection; в ~éнстве *a.* perfectly; **~éнствовать** [7], ⟨у-⟩ per-

fect (o. s. **-ся**), improve, polish up; **~и́ть(ся)** *s.* соверша́ть(ся).

со́вест|ливый [14 *sh.*] conscientious; **~но** (p. Д) ashamed; **~ь** *f* [8] conscience; по ~и honestly.

сове́т *m* [1] advice, counsel; council, board; *USSR a.* soviet; Верхо́вный ♀ Supreme Soviet; **~ник** *m* [1] council(l)or; **~овать** [7], ⟨по-⟩ advise (p. Д); **-ся** consult, deliberate (on о П); **~ский** [16] Soviet; **~чик** *m* [1] adviser.

совеща́|ние *n* [12] conference (at на П), meeting (*a.* in); deliberation, consultation (for на В); **~тельный** [14] advisory, consultative; **~ться** [1] confer, consult, deliberate.

совлада́ть F [1] *pf.* (с Т) master.

совме|сти́мый [14 *sh.*] compatible; **~сти́ть** *s.* ~ща́ть; **∠стный** [14] joint, combined; co(*education*); ∠стно together, conjointly; **~ща́ть** [1], ⟨~сти́ть⟩ [15 *e.*; -ещу́, ести́шь; -ещённый] combine; unite; reconcile.

сово́к *m* [1; -вка́] scoop.

совоку́пн|ость *f* [8] total(ity), aggregate, whole; **~ый** [14] joint.

совпа|да́ть [1], ⟨∠сть⟩ [25; *pt. st.*] coincide; agree; ⩓ be congruent; **~де́ние** *n* [12] coincidence, *etc. s. vb.*

совреме́нн|ик *m* [1] contemporary; **~ый** [14; -е́нен, -е́нна] modern; present-day, up-to-date; *s. a.* ~ик.

совсе́м quite, entirely; at all.

совхо́з *m* [1] (сове́тское хозя́йство) state farm; *cf.* колхо́з.

согла́|сие *n* [12] consent (to на В; with с Р); agreement (by по Д); harmony, concord; accordance; **~си́ться** *s.* ~ша́ться; **~сно** (Д) according to, in accordance with; **~сный** [14; -сен, -сна] agreeable, accordant; harmonious; я ~сен (*f* ~сна) I agree (with с Т; to на В); (*a. su.*) consonant; **~сова́ние** *n* [12] coördination; *gr.* agreement, concord; **~сова́ть** *s.* ~со́вывать; **~сова́ться** [7] (*im*)*pf.* (с Т) conform (to); agree (with); **~со́вывать** [1], ⟨~сова́ть⟩ [7] coördinate; adjust; (*a. gr.*) make agree; **~ша́тельский** [16] conciliatory; **~ша́ться** [1], ⟨~си́ться⟩ [15 *e.*; -ашу́сь, -аси́шься] agree (with с Т; to на В), consent (to), assent; F admit; **~ше́ние** *n* [12] agreement, understanding; consent.

согна́ть *s.* сгоня́ть.

согну́ть(ся) *s.* сгиба́ть(ся).

согре|ва́ть [1], ⟨∠ть⟩ [8] warm, heat.

соде́йств|ие *n* [12] assistance, help; **~овать** [7] (*im*)*pf.*, *a.* ⟨по-⟩ (Д) assist, help, coöperate; contribute (to), further, promote.

содерж|а́ние *n* [12] content(s); maintenance, support, upkeep; cost (at на П); salary; **~а́тель** *m* [4] holder, owner; **~а́тельный** [14; -лен, -льна] pithy, substantial; **~а́ть** [4] contain, hold; maintain, support; keep; **-ся** be contained, *etc.*; **~и́мое** *n* [14] contents *pl.*

содра́ть *s.* сдира́ть.

содрог|а́ние *n* [12], **~а́ться** [1], *once* ⟨~ну́ться⟩ [20] shudder.

содру́жество *n* [9] community.

соедин|е́ние *n* [12] union, junction, (at *a.* на П), connection; combination; ⚗ compound; ⚔ formation; **~и́тельный** [14] connective; *gr. a.* copulative; **~я́ть** [28], ⟨~и́ть⟩ [13] unite, join; (*a. teleph.*) connect; (*a.* ⚗) combine; (*v/i.* **-ся**); *cf.* США.

сожал|е́ние *n* [12] regret (for о П); pity (on к Д); к ~е́нию unfortunately, to (p.'s) regret; **~е́ть** [8] (о П) regret.

сожже́ние *n* [12] burning.

сожи́тельство *n* [9] cohabitation.

созв|а́ть *s.* созыва́ть; **~е́здие** *n* [12] constellation; **~они́ться** F [13] *pf.* (с Т) phone; **~у́чный** [14; -чен, -чна] conformable, accordant; concordant.

созда|ва́ть [5], ⟨∠ть⟩ [-да́м, -да́шь *etc.*, *cf.* дать; со́здал, -а́, -о; со́зданный (-ан, -а́, -о)] create; produce; build up; prepare; **-ся** arise, form; **∠ние** *n* [12] creation; creature; **∠тель** *m* [4] creator; founder; **∠ть** (**-ся**) *s.* ~вать(ся).

созерца́т|ельный [14; -лен, -льна] contemplative; **~ь** [1] contemplate.

созида́тельный [14; -лен, -льна] creative.

созна|ва́ть [5], ⟨∠ть⟩ [1] realize (*Brt.* realise), see; **-ся** (в П) confess, avow, own; **∠ние** *n* [12] consciousness; realization, perception, awareness; confession (of в П); без ∠ния unconscious; **∠тельный** [14; -лен, -льна] conscious; class conscious; conscientious; **∠ть(ся)** *s.* ~ва́ть(ся).

созы́в *m* [1] convocation; **~а́ть** [1], ⟨созва́ть⟩ [созову́, -вёшь; -зва́л, -а́, -о; со́званный] call, invite; convoke, convene, summon.

соизмери́мый [14 *sh.*] commensurable.
сойти́(сь) *s.* сходи́ть(ся).
сок *m* [1; в -ý] juice; sap.
со́кол *m* [1] falcon.
сокра|ща́ть [1], ⟨~ти́ть⟩ [15 *e.*; -ащý, -ати́шь; -ащённый] shorten; abbreviate; abridge; reduce, curtail; *p. pt. p. a.* short, brief; **-ся** decrease, shorten; contract; **~ще́ние** *n* [12] abbreviation; reduction, curtailment; abridg(e)ment; contraction.
сокров|е́нный [14 *sh.*] secret; **~́ище** *n* [11] treasure; F darling; **~́ищница** *f* [5] treasury, thesaurus.
сокруш|а́ть [1], ⟨~и́ть⟩ [16 *e.*; -шý, -ши́шь; -шённый] smash, break; distress, afflict; **-ся** *impf.* grieve, be distressed; **~е́ние** *n* [12] destruction; distress, contrition; **~и́тельный** [14; -лен, -льна] shattering; **~и́ть** *s.* ~а́ть.
солда́т *m* [1; *g/pl.*: солда́т] soldier; **~ский** [16] soldier's.
сол|е́ние *n* [12] salting; **~ёный** [14; со́лон, -á, -о] salt(y); saline; pickled; corned; *fig.* spicy.
солида́рн|ость *f* [8] solidarity; **~ый** [14; -рен, -рна] solidary; in sympathy with.
соли́дн|ость *f* [8] solidity; **~ый** [14; -ден, -дна] solid, firm, sound; respectable.
соли́ст *m* [1], **~ка** *f* [5; *g/pl.*: -ток] soloist.
солитёр *m* [1] tapeworm.
соли́ть [13; солю́, со́ли́шь; со́ленный] **1.** ⟨по-⟩ salt; **2.** ⟨за-⟩ pickle.
со́лн|ечный [14; -чен, -чна] sun(-ny); solar; **~це** ('sɔn-) *n* [11] sun (*lie* in на П).
со́лод *m* [1], **~о́вый** [14] malt.
солове́й *m* [3; -вья́] nightingale.
соло́м|а *f* [5] straw; thatch; **~енный** [14] straw...; thatched; grass (*widow*[*er*]); **~инка** *f* [5; *g/pl.*: -нок] straw.
солони́на *f* [5] corned beef.
соло́нка *f* [5; *g/pl.*: -нок] saltcellar.
сол|ь *f* [8; *from g/pl. e.*] salt (*a. fig.*); F point; **~яно́й** [14] salt...; hydrochloric (*acid*).
сом *m* [1 *e.*] catfish, sheatfish.
сомкну́ть(ся) *s.* смыка́ть(ся).
сомн|ева́ться [1], ⟨усомни́ться⟩ [13] (в П) doubt; **~е́ние** *n* [12] doubt (about в П); question (in под Т); **~и́тельный** [14; -лен, -льна] doubtful; dubious.
сон *m* [1; сна] sleep; dream (in во П); **~ли́вый** [14 *sh.*] sleepy; **~́ный** [14] sleeping (*a.* ⚕); sleepy, drowsy; soporific; **~́я** F *m/f* [6; *g/pl.*: -ней] sleepyhead; '**2я** *f* [6] *dim. of* Со́фья.
сообра|жа́ть [1], ⟨~зи́ть⟩ [15 *e.*; -ажý, -ази́шь; -ажённый] consider, weigh, think (over); grasp, understand; **~же́ние** *n* [12] consideration; reason; grasp, understanding; **~зи́тельный** [14; -лен, -льна] sharp, quick-witted; **~зи́ть** *s.* ~жа́ть; **~́зный** [14; -зен, -зна] conformable (to с Т); *adv. a.* according (to); **~зова́ть** [7] (*im*)*pf.* (make) conform, adapt (to с Т), coördinate (with); **-ся** conform (to с Т).
сообща́ together, conjointly.
сообщ|а́ть [1], ⟨~и́ть⟩ [16 *e.*; -щý, -щи́шь; -щённый] communicate (*v/i.* **-ся** *impf.*), report; inform (p. of Д/о П); impart; **~е́ние** *n* [12] communication; report, statement, announcement, information; **~́ество** *n* [9] community; company; **~и́ть** *s.* ~а́ть; **~́ник** *m* [1], **~́ница** *f* [5] accomplice.
соору|жа́ть [1], ⟨~ди́ть⟩ [15 *e.*; -ужý, -уди́шь; -ужённый] build, construct, erect, raise; **~же́ние** *n* [12] construction, building, structure.
соотве́тств|енный [14 *sh.*] corresponding; *adv. a.* according(ly) (to Д), in accordance (with); **~ие** *n* [12] conformity. accordance; **~овать** [7] (Д) correspond, conform (to), agree, comply (with); **~ующий** [17] corresponding, respective; suitable.
соотéчественни|к *m* [1], **~ца** *f* [5] compatriot,fellow country(wo)man.
соотноше́ние *n* [12] correlation.
сопе́рни|к *m* [1] rival; **~чать** [1] compete, rival, vie; be a match (for с Т); **~чество** *n* [9] rivalry.
соп|е́ть [10 *e.*; сoплю́, сопи́шь] wheeze; **~́ли** P *pl.* [6; *gen.*: -ле́й, *etc. e.*] snot; **~ля́к** P *m* [1 *e.*] snot nose.
сопостав|ле́ние *n* [12] comparison; **~ля́ть** [28], ⟨~́вить⟩ [14] compare.
сопри|каса́ться [1], ⟨~косну́ться⟩ [20] (с Т) adjoin; (get in) touch (with); **~косновéние** *n* [12] contact, touch.
сопрово|ди́тельный [14] covering

(*letter*); **~ждáть** [1] **1.** accompany; escort; **2.** ⟨~дúть⟩ [15 *e.*; -ожý, -одúшь; -ождённый] provide (with T); **-ся** *impf.* be accompanied (by T); entail; **~ждéние** *n* [12] accompaniment; в ~ждéнии (P) accompanied (by).

сопротивл|éние *n* [12] resistance; **~я́ться** [28] (Д) resist, oppose.

сопряжённый [14; -жён, -женá] connected.

сопýтствовать [7] (Д) accompany.

сор *m* [1] rubbish, litter.

соразмéрно in proportion (to Д).

сорáтник *m* [1] brother-in-arms.

сорв|анéц F *m* [1; -нцá] madcap (fellow); **~áть(ся)** *s.* срывáть(ся); **~иголовá** F *m/f* [5; *ac/sg.*: сорвиголовý; *pl. s.* головá] daredevil.

соревновá|ние *n* [12] competition; contest; emulation; **~ться** [7] (с T) compete (with); emulate.

сор|úть [13], ⟨на-⟩ litter; make dirty; **∠ный** [14]: ∠ная травá *f* = **~ня́к** *m* [1 *e.*] weed.

сóрок [35] forty; **∠а** *f* [5] magpie.

сороко|вóй [14] fortieth; *cf.* пя́т(идеся́т)ый; **~нóжка** *f* [5; *g/pl.*: -жек] centipede.

сорóчка *f* [5; *g/pl.*: -чек] (under-) shirt.

сорт *m* [1; *pl.*: -тá, *etc. e.*] sort; quality; **~ировáть** [7], ⟨рас-⟩ (as-) sort; **~ирóвка** *f* [5] (as)sorting; **~ирóвочный** [14] switching.

сосáть [-сý, -сёшь; сóсанный] suck.

сосéд *m* [*sg.*: 1; *pl.*: 4], **~ка** *f* [5; *g/pl.*: -док] neighbo(u)r; **~ний** [15] neighbo(u)ring, adjoining; **~ский** [16] neighbo(u)r's; **~ство** *n* [9] neighbo(u)rhood.

сосúска *f* [5; *g/pl.*: -сок] sausage.

сóска *f* [5; *g/pl.*: -сок] (baby's) dummy.

соск|áкивать [1], ⟨~очúть⟩ [16] jump *or* spring (off, down); **~áльзывать** [1], ⟨~ользнýть⟩ [20] slide (down, off); slip (off); **~ýчиться** [16] *pf.* become bored; *s.* скучáть.

сосл|агáтельный [14] *gr.* subjunctive; **~áть(ся)** *s.* ссылáть(ся); **~óвие** *n* [12] estate, class; **~ужúвец** *m* [1; -вца] colleague.

соснá *f* [5; *pl. st.*: сóсны, сóсен, сóснам] pine.

сосóк *m* [1; -скá] nipple, teat.

сосредотóч|ение *n* [12] concentration; **~ивать** [1], ⟨~ить⟩ [16] concentrate (*v/i.* **-ся**); *p. pt. p. a.* intent.

состáв *m* [1] composition, structure; body; (ли́чный ~) staff; рядовóй ~ rank & file; strength (of в П); *thea.* cast; stock; facts *pl.*; solution, mixture; в ~е (P) *a.* consisting of; **~úтель** *m* [4] compiler, author; **~ить** *s.* ~ля́ть; **~лéние** *n* [12] composition; compilation; drawing up; **~ля́ть** [28], ⟨~ить⟩ [14] compose, make (up); put together, arrange; draw up, work out; compile; form, constitute; amount (*or* come) to; **~нóй** [14] composite, compound; component, constituent (*part*; ~нáя часть *f a.* ingredient).

состоя́|ние *n* [12] state, condition; status, station; position; fortune; быть в ~нии ... *a.* be able to ...; **~тельный** [14; -лен, -льна] well-to-do, well-off; solvent; valid, sound, well-founded; **~ть** [-ою, -оúшь] consist (of из P; in в П); be (*a.* T); occupy (*position* в П), work (with при П); **-ся** *pf.* take place; come about.

сострадáние *n* [12] compassion.

состязá|ние *n* [12] contest, competition; match; **~ться** [1] compete, vie, contend.

сосýд *m* [1] vessel.

сосýлька *f* [5; *g/pl.*: -лек] icicle.

сосуществовá|ние *n* [12] coexistence; **~ть** [7] coexist.

сотворéние *n* [12] creation.

сóтня *f* [6; *g/pl.*: -тен] a hundred.

сотрýдни|к *m* [1] collaborator; employee, member; *pl.* staff; contributor; colleague; **~чать** [1] collaborate, coöperate; **~чество** *n* [9] collaboration, coöperation.

сотрясéние *n* [12] concussion.

сóты *m/pl.* [1] honeycomb(s); **~й** [14] hundredth; *cf.* пя́тый; две цéлых и двáдцать пять ~х 2.25.

сóус *m* [1] sauce; gravy.

соучáст|ие *n* [12] complicity; **~ник** *m* [1] accomplice.

соученúк *m* [1 *e.*] schoolmate.

Сóфья *f* [6] Sophia.

сохá *f* [5; *pl. st.*] (wooden) plow, *Brt.* plough.

сóхнуть [21] **1.** ⟨вы́-⟩ dry; **2.** ⟨за-⟩ fade, wither; **3.** F *impf.* pine away.

сохран|éние *n* [12] preservation, conservation; charge (*give* into, *take* ... of на B); **~úть(ся)** *s.* ~я́ть (-ся); **∠ность** *f* [8] safety; integrity;

в ~ности *a.* safe; **~я́ть** [28], ⟨~и́ть⟩ [13] keep; preserve; retain; maintain; reserve (to o.s. за собо́й); (*God*) forbid!; **-ся** be preserved; keep (safe, *etc.*).
социа́л|-демокра́т *m* [1] Social Democrat; **~-демократи́ческий** [16] Social Democrat(ic); **~и́зм** *m* [1] socialism; **~и́ст** *m* [1] socialist; **~исти́ческий** [16] socialist(ic); **~ьный** [14] social.
соц|соревнование *n* [12] socialist competition (*Sov.*); **~стра́х** *m* [1] social insurance (*Sov.*).
соче́льник *m* [1] (Xmas) Eve.
сочета́|ние *n* [12] combination; union; **~ть** [1] combine (*v/i.* **-ся**); unite (in T).
сочин|е́ние *n* [12] composition; writing, work; thesis; *gr.* parataxis, coördination; **~и́тель** *m* [4] author; **~я́ть** [28], ⟨~и́ть⟩ [13] compose, write; invent; *gr.* coördinate.
соч|и́ться [16 *e.*; *3rd. p. only*] ooze (out); ~и́ться кро́вью bleed; **∠ный** [14; -чен, -чна́, -о] juicy; rich.
сочу́вств|енный [14 *sh.*] sympathetic, sympathizing; **~ие** *n* [12] sympathy (with, for к Д); **~овать** [7] (Д) sympathize, feel with; approve (of); **~ующий** *m* [17] sympathizer.
сою́з *m* [1] union; alliance; confederacy; league; *gr.* conjunction; Сове́тский ≗ Soviet Union; *cf.* СССР; **~ник** *m* [1] ally; **~ный** [14] allied; (of the) Union (*Sov.*).
со́я *f* [6] soy(bean).
спа|да́ть [1], ⟨~сть⟩ [25; *pt. st.*] fall (down); **∠ивать 1.** ⟨~я́ть⟩ [28] solder; **2.** F ⟨спои́ть⟩ [13] make drunk; **∠йка** *f* [5] solder(ing); **∠лзывать** *s.* сползать.
спа́льн|ый [14] sleeping; bed...; **~я** *f* [6; *g/pl.*: -лен] bedroom.
спа́ржа *f* [5] asparagus.
спас|а́тельный [14] life...; **~а́ть** [1], ⟨~ти́⟩ [24 -с-] save, rescue; redeem; **-ся**, ⟨-сь⟩ *a.* escape (*v/t.* от Р); **~е́ние** *n* [12] rescue; redemption.
спаси́бо (вам) thank you (very much большо́е ~), thanks (for за В, на П).
спаси́тель *m* [4] savio(u)r, rescuer; **~ный** [14] saving.
спас|ти́ *s.* ~а́ть; **~ть** *s.* спада́ть.
спать [сплю, спишь; спал, -а́, -о] sleep; (*a.* идти́, ложи́ться ~) go to bed; мне не спи́тся F I can't sleep.
спая́ть *s.* спа́ивать 1.
спека́ться [1] F *s.* запека́ться; ⊕ conglomerate.
спекта́кль *m* [4] performance.
спекул|и́ровать [7] speculate (with T); **~я́нт** *m* [1] speculator.
спе́лый [14; спел, -а́, -о] ripe.
сперва́ F (at) first.
спе́реди in (from) front (*as prp.*: P).
спёртый F [14 *sh.*] stuffy, close.
спеси́вый [14 *sh.*] haughty.
спеть [8], ⟨по-⟩ ripen; *s. a.* петь.
спех F *m* [1] haste, hurry.
специ|ализи́роваться [7] (*im*)*pf.* specialize (in в П, по Д) **~али́ст** *m* [1] specialist, expert (in по Д); **~а́льность** *f* [8] special(i)ty, line, profession (by по Д); **~а́льный** [14; -лен, -льна] special; express; **~фи́ческий** [16] specific.
спецоде́жда *f* [5] overalls *pl.*
спеш|и́ть [16 *e.*; -шу́, -ши́шь] hurry (up), hasten; *clock*: be fast (5 min. на 5 мину́т); **∠иться** [16] *pf.* dismount; **∠ка** F *f* [5] haste, hurry; **∠ный** [14; -шен, -шна] urgent, pressing; special, express.
спин|а́ *f* [5; *ac/sg.*: спи́ну; *pl. st.*] back; **∠ка** *f* [5; *g/pl.*: -нок] back (*of chair, etc.*); **~но́й** [14] spinal (cord мозг *m*); vertebral (column хребе́т *m*), back(*bone*).
спира́ль *f* [8], **~ный** [14] spiral.
спирт *m* [1; *a.* в -у́; *pl. e.*] spirit(s *pl.*), alcohol; **~но́й** [14] alcoholic, strong (*drink*).
спис|а́ть *s.* ∠ывать; **∠ок** *m* [1; -ска] list, register; copy; **∠ывать** [1], ⟨~а́ть⟩ [3] copy; write (off); plagiarize, crib; ⚓ pay off.
спи́х|ивать [1], *once* ⟨~ну́ть⟩ F [20] push (down, aside).
спи́ца *f* [5] spoke; knitting needle.
спи́чка *f* [5; *g/pl.*: -чек] match.
сплав *m* [1] alloy; float(ing); **~ля́ть** [28], ⟨∠ить⟩ [14] float; alloy.
спла́чивать [1], ⟨сплоти́ть⟩ [15 *e.*; -очу́, -оти́шь; -очённый] rally (*v/i.* **-ся**); fasten.
сплет|а́ть [1], ⟨сплести́⟩ [25 -т-] plait, braid; (inter)lace; F invent; **~е́ние** *n* [12] interlacement, texture; **∠ник** *m* [1], **∠ница** *f* [5] scandalmonger; **∠ничать** [1], ⟨на-⟩ gossip; **∠ня** *f* [6; *g/pl.*: -тен] gossip; *pl.* scandal.

сплоти́ть(ся) *s.* сплачивать(ся); **~хова́ть** F [7] *pf.* blunder; **~че́ние** *n* [12] rallying; **~шно́й** [14] solid, compact; sheer, complete; continuous; **~шь** throughout, entirely, everywhere; quite often.

сплю́щить [16] *pf.* flatten.

сподви́жник *s.* сора́тник.

спои́ть *s.* спа́ивать 2.

споко́й|ный [14; -о́ен, -о́йна] calm, quiet, tranquil; composed; **~но** F *s.* сме́ло F; **~ной** но́чи! good night!; бу́дьте **~ны**! don't worry!; **~ствие** *n* [12] calm(ness), tranquility; composure; peace, order.

сполз|а́ть [1], ⟨**~ти́**⟩ [24] climb *or* slip (down, off).

сполна́ ... wholly, whole ..., total ...

сполосну́ть [20] *pf.* rinse.

спор *m* [1] dispute, controversy, argument; wrangle, quarrel; **~у** нет no doubt; **~ить** [13], ⟨по-⟩ dispute, argue, debate; quarrel; F bet; *poet.* fight; **~иться** F [13] succeed, get along; **~ный** [14; -рен, -рна] disputable, questionable.

спорт *m* [1] sport; лы́жный **~** skiing; **~и́вный** [14] sporting, athletic; sport(s)...; **~сме́н** *m* [1] sportsman; **~сме́нка** *f* [5; *g/pl.*: -нок] sportswoman.

спо́соб *m* [1] method, means; manner, way (in T); directions *pl.* (for *use* P); **~ность** *f* [8] (cap)ability (for к Д), talent; faculty; capacity; power; quality; **~ный** [14; -бен, -бна] (к Д) able, talented, clever (at); capable (of; *a.* на В); **~ствовать** [7], ⟨по-⟩ (Д) promote, further, contribute to.

спот|ыка́ться [1], ⟨**~кну́ться**⟩ [20] stumble (over о В).

спохва́т|ываться [1], ⟨**~иться**⟩ [15] bethink o.s.

спра́ва on, to (*or* from) the right.

справедли́в|ость *f* [8] justice; truth; по **~ости** by rights; **~ый** [14 *sh.*] just, fair; true, right.

спра́в|ить(ся) *s.* **~ля́ть(ся)**; **~ка** *f* [5; *g/pl.*: -вок] inquiry (make наводи́ть); information; certificate; **~ля́ть** [28], ⟨**~ить**⟩ [14] F celebrate; make (*holiday*); **-ся** inquire (after, about о П); consult (*v/t.* в П); (с Т) manage, cope with; **~очник** *m* [1] reference book, vade mecum; directory; guide; **~очный** [14] (of) information, inquiry; reference...

спра́шива|ть [1], ⟨спроси́ть⟩ [15] ask (p. *a.* у P; for, s.th. *a.* P), inquire; demand; (с P) be taken to account; **-ся** *s.* проси́ться; **~ется** one may ask.

спрос *m* [1] demand (for на В); без **~а** *or* **~у** F without permission; **~и́ть(ся)** *s.* спра́шивать(ся).

спросо́нок F half asleep.

спроста́ F unintentionally, innocently.

спры́|гивать [1], *once* ⟨**~гнуть**⟩ [20] jump down (*or* off); **~скивать** [1], ⟨**~снуть**⟩ [20] sprinkle; F wet.

спря|га́ть [1], ⟨про-⟩ *gr.* (**-ся** *impf.* be) conjugate(d); **~же́ние** *n* [12] *gr.* conjugation.

спус|к *m* [1] lowering; descent; slope; launch(ing); drain(ing); *fig.* F quarter; **~ка́ть** [1], ⟨**~ти́ть**⟩ [15] lower, let down; launch; drain; unchain, set free; pull (*trigger*); slacken; F pardon; lose, gamble away; **-ся** go (*or* come) down(*stairs* по Д), descend; slip down, sink; **~тя́** (В) later, after.

спу́тни|к *m* [1], **~ца** *f* [5] fellow travel(l)er; (*life's*) companion; **~к** *ast.* satellite.

спя́чка *f* [5] hibernation; sleep.

ср. *abbr.*: сравни́ compare, cf.

сравн|е́ние *n* [12] comparison (in/with по Д/с Т); compare; simile; **~ивать** [1] **1.** ⟨**~и́ть**⟩ [13] compare (to, with с Т; *v/i.* **-ся**); **2.** ⟨**~я́ть**⟩ [28] level; equalize; **~и́тельный** [14] comparative; **~и́ть(ся)** *s.* **~ивать(ся)**; **~я́ть** *s.* **~ивать** 2.

сра|жа́ть [1], ⟨**~зи́ть**⟩ [15 *e.*; -ажу́, -ази́шь; -ажённый] smite; overwhelm; overtake; **-ся** fight, battle; F contend, play; **~же́ние** *n* [12] battle; **~зи́ть(ся)** *s.* **~жа́ть(ся)**.

сра́зу at once; at one stroke.

срам *m* [1] shame, disgrace; **~и́ть** [14 *e.*; -млю́, -ми́шь], ⟨о-⟩ [осрамлённый] disgrace, shame, compromise; **-ся** bring shame upon o.s.

сраст|а́ться [1], ⟨**~и́сь**⟩ [24 -ст-; сро́сся, сросла́сь] grow together, knit.

сред|а́ *f* **1.** [5; *ac/sg.*: сре́ду; *nom/pl. st.*] Wednesday (on: в В, *pl.*: по Д); **2.** [5; *ac/sg.*: -ду́; *pl. st.*] environment, surroundings *pl.*, sphere; medium; midst; **~и́** (P) among; in the middle (of), amid(st); **~изе́мный** [14], **~иземномо́рский** [16] Mediterranean; **~невеко́вый** [14]

medieval; **∠ний** [15] middle; medium...; central; middling; average... (on в П); ∡ mean; *gr.* neuter; secondary (*school*).
средото́чие *n* [12] center (*Brt.* -tre).
сре́дство *n* [9] means (within [beyond] one's [не] по Д *pl.*); remedy; ⚗ agent; *pl. a.* facilities.
срез|а́ть & **∠ывать** [1], ⟨∠ать⟩ [3] cut off; F cut short; fail (*v/i.* **-ся**).
сровня́ть *s.* сра́внивать 2.
сро́д|ный [14; -ден, -дна] related, cognate; **~ство́** *n* [9] affinity.
сро|к *m* [1] term (for/of Т/на В), date, deadline; time (in, on в В, к Д), period; **∠чный** [14; -чен, -чна́, -о] urgent, pressing; timed.
сруб|а́ть [1], ⟨~и́ть⟩ [14] cut down, fell; carpenter, build.
сры|в *m* [1] frustration; failure, breakdown; breaking up; **~ва́ть** [1] **1.** ⟨сорва́ть⟩ [-ву́, -вёшь; сорва́л, -á, -о; со́рванный] tear off; pluck, pick; F break up, disrupt, frustrate; vent; **-ся** (с Р) come off; break away (*or* loose); fall down; F dart off; escape; fail, go wrong; **2.** ⟨~ть⟩ [22] level, raze to the ground.
сса́ди|на *f* [5] graze, abrasion; **∠ть** [15] *pf.* graze; make alight; drop.
ссо́р|а *f* [5] quarrel; altercation; variance (at в П); **~иться** [13], ⟨по-⟩ quarrel, fall out.
СССР (Сою́з Сове́тских Социалисти́ческих Респу́блик) U.S.S.R. (Union of Soviet Socialist Republics).
ссу́д|а *f* [5] loan; **~и́ть** [15] *pf.* lend; **~ный** [14] loan...
ссыл|а́ть [1], ⟨сосла́ть⟩ [сошлю́, -лёшь; со́сланный] exile, banish; **-ся** (на В) refer to, cite; **∠ка** *f* [5; *g/pl.*: -лок] exile; deportation; reference (to на В); **∠ьный** [14] exiled (p.).
ссыпа́|ть [1], ⟨'~ть⟩ [2] pour, sack.
ст. *abbr.*: **1.** столе́тие; **2.** ста́нция; **3.** ста́рший.
стабил|из(и́р)ова́ть [7] (*im*)*pf.* stabilize; **∠ьный** [14; -лен, -льна] stable.
ста́вень *m* [4; -вня] shutter.
ста́в|ить [14], ⟨по-⟩ put, place, set, stand; (*clock, etc.*) set; put (*or* set) up; stake, (на В) back; *thea.* stage; ⚔ billet; make (*conditions, etc.*); drive; cite; impute (в В); bring (to p.'s *notice* В/в В); give; organize; value, esteem; F appoint, engage; **~ка** *f* [5; *g/pl.*: -вок] rate; wage, salary; stake; (head)quarters *pl.*; *fig.* hope; о́чная ~ка confrontation; **~ленник** *m* [1] protegé; **~ня** *f* [6; *g/pl.*: -вен] *s.* ~ень.
стадио́н *m* [1] stadium (in на П).
ста́дия *f* [7] stage.
ста́до *n* [9; *pl. e.*] herd; flock.
стаж *m* [1] length of service.
стака́н *m* [1] glass.
сталелите́йный [14] steel (*mill*).
ста́лкивать [1], ⟨столкну́ть⟩ [20] push (off, down, together); **-ся** (с Т) collide, run into; come across.
сталь *f* [8] steel; **~но́й** [14] steel...
стаме́ска *f* [5; *g/pl.*: -сок] chisel.
стан *m* [1] figure; camp; ⊕ mill.
станда́рт *m* [1] standard; **~ный** [14; -тен, -тна] standard...; prefabricated.
стани́ца *f* [5] Cossack village.
станови́ться [14], ⟨стать⟩ [ста́ну, -нешь] stand; (Т) become, grow, get; step, place o.s., get, stop; ~ в о́чередь line, *Brt.* queue up; *pf.* begin; will; feel (*better*); во что́ бы то ни ста́ло at all costs, at any cost.
стано́к *m* [1; -нка́] machine; lathe; press; bench; тка́цкий ~ loom.
станци|о́нный [14] station...; waiting; post(*master*); **'~я** *f* [7] station (at на П); *teleph.* office, exchange; 🚂 *a.* yard; узлова́я '~я junction.
ста́птывать [1], ⟨стопта́ть⟩ [3] tread down; wear out.
стара́|ние *n* [12] pains *pl.*, care(ful effort); endeavo(u)r, trouble; **~тельный** [14; -лен, -льна] assiduous, diligent; careful; **~ться** [1], ⟨по-⟩ endeavo(u)r, try (hard); strive (for о П).
стар|е́ть [21] **1.** ⟨по-⟩ grow old, age; **2.** ⟨у-⟩ grow obsolete; **∠ец** *m* [1; -рца] (old) monk; *a.* = **~и́к** *m* [1 *e.*] old man; **~ина́** *f* [5] olden time *or* days (of yore) (in в В); F old man; **~и́нный** [14] ancient, antique; old; longstanding; **∠ить** [13], ⟨со-⟩ make (**-ся** grow) old.
старо|мо́дный [14; -ден, -дна] old-fashioned, out-of-date; **'~ста** *m* [5] (*village*) elder; (*church*) warden; (*class*) monitor; **'~сть** *f* [8] old age (in one's на П лет).
стартова́ть [7] (*im*)*pf.* start.
стар|у́ха *f* [5] old woman; **∠ческий** [16] senile; **∠ший** [17] elder, older,

senior; eldest, oldest; higher, highest; fore(*man*); first (*lieutenant*); **~шина́** *m* [5] foreman; chairman, manager; ⚔ first sergeant (*or*, ⚓, mate); **~шинство́** *n* [9] seniority.

ста́р|ый [14; стар, -á, -o; *comp.*: ста́рше *or* -pée] old; ancient, antique; olden; **~ьё** *n* [10] second-hand articles *pl.*; junk, *Brt.* lumber.

ста́|скивать [1], ⟨~щи́ть⟩ [16] pull (off, down); take, bring.

стати́ст *m* [1], **~ка** *f* [5; *g/pl.*: -ток] *thea.* supernumerary; *film*: extra; **~ика** *f* [5] statistics; **~и́ческий** [16] statistical.

ста́т|ный [14; -тен, -тнá, -o] stately, portly; **~уя** [6; *g/pl.*: -уй] statue; **~ь**[1] *f* [8] build; trait; F need, seemly; с како́й ~и? F why (should I, *etc.*).

стать[2] *s.* станови́ться; **~ся** F (*impers.*) happen (to с T); (*may*)be.

статья́ *f* [6; *g/pl.*: -те́й] article; item, entry; F matter, business (another осо́бая).

стаха́новец *m* [1; -вца] Stakhanovite (*Sov.*).

стациона́рный [14] stationary.

ста́чка *f* [5; *g/pl.*: -чек] strike.

стащи́ть *s.* ста́скивать.

ста́я *f* [6; *g/pl.*: стай] flight, flock; shoal; pack, troop.

ста́ять [27] *pf.* thaw off, melt.

ствол *m* [1 *e.*] trunk; barrel.

ство́рчатый [14] folding (*doors*).

сте́бель *m* [4; -бля; *from g/pl. e.*] stalk, stem.

стёганый [14] quilted.

стега́ть [1] **1.** ⟨вы́-, про-⟩ quilt; **2.** *once* ⟨стегну́ть⟩ [20] whip.

сте|ка́ть [1], ⟨~чь⟩ [26] flow (down); **-ся** join; flock, gather.

стек|ло́ *n* [9; *pl.*: стёкла, стёкол, стёклам] glass; pane; (*lamp*) chimney; **~ля́нный** [14] glass...; glassy; **~о́льщик** *m* [1] glazier.

стел|и́ть(ся) F *s.* стлать(ся); **~ла́ж** *m* [1 *e.*] shelf; **ˊ~ька** *f* [5; *g/pl.*: -лек] inner sole; **ˊ~ьный** [14]: ˊ~ьная коро́ва cow with calf.

стен|á *f* [5; *ac/sg.*: сте́ну; *pl.*: сте́ны, стен, стена́м] wall; **~газе́та** *f* [5] (стенна́я газе́та) wall newspaper; **ˊ~ка** *f* [5; *g/pl.*: -нок] wall; **~но́й** [14] wall...

стеногра́|мма *f* [5] shorthand (verbatim) report *or* notes *pl.*; **~фи́ст** *m* [1], **~фи́стка** *f* [5; *g/pl.*: -ток] stenographer; **~фия** *f* [7] shorthand.

Степа́н *m* [1] Stephen.

степе́нный [14; -е́нен, -е́нна] sedate, staid, grave, dignified; mature.

сте́пень *f* [8; *from g/pl. e.*] degree (to до P), extent; ⚡ power.

степ|но́й [14] steppe...; **~ь** *f* [8; в -пи́; *from g/pl. e.*] steppe.

сте́рва P *contp. f* [5] damned wretch.

стере|оти́пный [14; -пен, -пна] stereotyped; **ˊ~ть** *s.* стира́ть.

стере́чь [26 г/ж: -егу́, -ежёшь; -ёг, -еглá] guard, watch (over).

сте́ржень *m* [4; -жня] core (*a. fig.*); pivot.

стерил|изова́ть [7] (*im*)*pf.* sterilize; **ˊ~ьный** [14; -лен, -льна] sterile.

стерпе́ть [10] *pf.* endure, bear.

стесн|е́ние *n* [12] constraint, restraint; **~и́тельный** [14; -лен, -льна] constraining, embarrassing; **~я́ть** [28], ⟨~и́ть⟩ [13] constrain, restrain; embarrass, hamper; cramp; trouble, press; **~я́ться,** ⟨по-⟩ feel (*or* be) shy, self-conscious *or* embarrassed; (P) be ashamed of; hesitate.

стеч|е́ние *n* [12] confluence; coincidence; **~ь(ся)** *s.* стека́ть(ся).

стиль *m* [4] style; (*Old, New*) Style.

стипе́ндия *f* [7] scholarship.

стир|а́льный [14] washing; **~а́ть** [1] **1.** ⟨стере́ть⟩ [12; сотру́, -трёшь; стёр(ла); стёрши & стере́в] wipe *or* rub off, out; erase, efface, blot out; clean; pulverize; **2.** ⟨вы́-⟩ wash, launder; **ˊ~ка** *f* [5] wash(ing), laundry; отда́ть в ˊ~ку send to the wash.

сти́с|кивать [1], ⟨~нуть⟩ [20] clench; grasp, press.

стих (*a.* ~и́ *pl.*) *m* [1 *e.*] verse; *pl. a.* poem(s); **~а́ть** [1], ⟨ˊ~нуть⟩ [21] abate; fall; cease; calm down, (become) quiet; **~и́йный** [14; -и́ен, -и́йна] elemental; spontaneous; natural; **~и́я** *f* [7] element(s); **ˊ~нуть** *s.* ~а́ть.

стихотворе́ние *n* [12] poem.

стлать & F **стели́ть** [стелю́, -сте́лешь], ⟨по-⟩ [по́стланный] spread, lay; make (*bed*); **-ся** *impf.* (be) spread; drift; ⚘ creep.

сто [35] hundred.

стог *m* [1; в сто́ге & в стогу́; *pl.*: -á, *etc. e.*] stack, rick.

сто́и|мость *f* [8] cost; value, worth (... Т/в В); **~ть** [13] cost; be worth; pay; take, require; (Д) need, if (*only*); matter; не ~т F = не́ за что.

стой! stop!, halt!; **ˊ~ка** *f* [5; *g/pl.*:

стóек] stand(ard); support; counter; **∠кий** [16; стóек, стойкá, -o; *comp.*: стóйче] firm, steadfast, steady; **∠кость** *f* [8] firmness; **∠ло** *n* [9] box (stall); **~мя́** upright.
сток *m* [1] flowing (off); drain.
Стокгóльм *m* [1] Stockholm.
стокрáтный [14] hundredfold.
стол *m* [1 *e.*] table (at за T); board, fare; meal; office, bureau; *hist.* throne.
столб *m* [1 *e.*] post, pole; column; pillar; **~енéть** [8], ⟨о-⟩ petrify; **~éц** *m* [1; -бцá], **∠ик** *m* [1] column; **~ня́к** *m* [1 *e.*] stupor; tetanus; **~овóй** [14]: ~овáя дорóга *f* highway.
столéтие *n* [12] century; centenary.
стóлик *m* [1] *dim. of* стол; F table.
столи́|ца *f* [5] capital; **~чный** [14] metropolitan.
столкн|овéние *n* [12] collision, clash; **~ýть(ся)** *s.* стáлкивать(ся).
столóв|ая *f* [14] dining room; restaurant; **~ый** [14] table(*spoon*); dinner (*service*).
столп *m* [1 *e.*] pillar; column.
столь so; **∠ко** [32] so much, so many; ∠ко же as much *or* many.
столя́р *m* [1 *e.*] joiner; cabinet-maker; **~ный** [14] joiner's (*shop, etc.*).
стон *m* [1], **~áть** [-нý, стóнешь; стонáя], ⟨про-⟩ groan, moan.
стоп! stop!; **~á** *f* **1.** [5 *e.*] foot; footstep (with T; in по Д); **2.** [5; *pl. st.*] foot (*verse*); pile; **∠ка** *f* [5; *g/pl.*: -пок] cup; roll, rouleau; **∠орить** [13], ⟨за-⟩ stop; **~тáть** *s.* стáптывать.
стóрож *m* [1; *pl.*: -á, *etc. e.*] guard, watchman; **~евóй** [14] watch...; on duty; sentry (*box*); observation (*post*); ⚓ patrol...; **~и́ть** [16 *e.*; -жý, -жи́шь] guard, watch (over).
сторон|á *f* [5; *ac/sg.*: стóрону; *pl.*: стóроны, сторóн, -нáм] side (on *a.* по Д; с P); direction; part (on c[o] P); place, region, country; party; distance (at в П; from с P); в ′~у aside, apart (*a.* joking шýтки); в ~é aloof, apart; нá ~у abroad; с однóй ~ы́ on the one hand; ... с вáшей ~ы́ *a.* ... of you; **~и́ться** [13; -оню́сь, -óнишься], ⟨по-⟩ make way, step aside; (P) avoid, shun; ~и́сь! look out!; **∠ник** *m* [1] adherent, follower, supporter; partisan.
стóчный [14] waste..., soil...

стоя́|лый [14] stale; **~нка** *f* [5; *g/pl.*: -нок] stop (at на П); stand, station, (fixed) quarters *pl.*; parking place *or* lot; ⚓ anchorage.
стоя́|ть [стою́, стои́шь; стóя] stand; be; stop; lodge, quarter; stand up (for за B), defend; insist (on на П); стóй(те)! stop!; F wait!; **~чий** [17] standing; stagnant; stand-up (*collar*); standard (*lamp*).
стр. *abbr.*: страни́ца page, p.
страдá|лец *m* [1; -льца] martyr; **~ние** *n* [12] suffering; **~тельный** [14] *gr.* passive; **~ть** [1], ⟨по-⟩ suffer (from от P, T; for за B); F be poor.
страж *m* [1] guard; **∠а** *f* [5] guard(s); watch; custody (in[to] под T [B]).
стран|á *f* [5; *pl. st.*] country; **~и́ца** *f* [5] page (*cf.* пя́тый); column (in на П); **∠ник** *m* [1] wanderer, travel(l)er; pilgrim; **∠ность** *f* [8] strangeness, oddity; **∠ный** [14; -áнен, -аннá, -o] strange, odd; **∠ств(ован)ие** *n* [12] wandering, travel; **∠ствовать** [7] wander, travel; ∠ствующий *a.* (*knight-*)errant.
страст|нóй (-sn-) [14] Holy; Good (*Friday*); **∠ный** (-sn-) [14; -тен, -тнá, -o] passionate, fervent; **~ь** *f* [8; *from g/pl. e.*] passion (for к Д); P awfully.
стратег|и́ческий [16] strategic(al); **∠ия** *f* [7] strategy.
стратосфéра *f* [5] stratosphere.
стрáус *m* [1] ostrich.
страх *m* [1] fear (for от, со P); risk, peril (at на B); F awfully; **~кáсса** *f* [5] insurance office; **~овáние** *n* [12] insurance (*fire* ... от P); **~овáть** [7], ⟨за-⟩ insure (against от P); **~óвка** *f* [5; *g/pl.*: -вок] insurance (rate); **~овóй** [14] insurance...
страш|и́ть [16 *e.*; -шý, -ши́шь], ⟨у-⟩ [-шённый] (**-ся** be) frighten (-ed; at P; fear, dread, be afraid of); **∠ный** [14; -шен, -шнá, -o] terrible, frightful, dreadful; Last (*Judg*[*e*]*ment*); F awful; мне ∠но I'm afraid, I fear.
стрекозá *f* [5; *pl. st.*: -óзы, -óз, -óзам] dragonfly.
стрел|á *f* [5; *pl. st.*] arrow(like T); ⚘ shaft; **∠ка** *f* [5; *g/pl.*: -лок] hand, pointer, indicator; needle; arrow (*drawing, etc.*); clock (*stocking*); tongue (*land*); 🚂 switch, *Brt.* point; **~кóвый** [14] shooting...; (of) rifles

pl.; **~óк** *m* [1; -лкá] marksman, shot; ⚔ rifleman; **∠очник** 🚂 *m* [1] switchman, *Brt.* pointsman; **~ьбá** *f* [5; *pl. st.*] shooting, fire; **~я́ть** [28], ⟨вы́стрелить⟩ [13] shoot, fire (at в В, по Д; *gun* из Р); F *impers.* feel acute pains *pl.*; **-ся** *impf.* (fight a) duel.

стрем|глáв headlong, headfirst; **~и́тельный** [14; -лен, -льна] impetuous, violent, rash; **~и́ться** [14 *e.*; -млю́сь, -ми́шься] (к Д) aspire (to, after), strive (for, after); rush; **~лéние** *n* [12] aspiration, striving, urge; tendency.

стрéмя *n* [13; *pl.*: -менá, -мя́н, -менáм] stirrup.

стриж *m* [1 *e.*] sand martin.

стри́|женый [14] bobbed, short-haired; shorn; trimmed; **~жка** *f* [5] haircut(ting); shearing; trimming; **~чь** [26 г/ж: -игу́, -ижёшь; *pt. st.*], ⟨по-, о(б)-⟩ cut; shear; clip, trim; **-ся** have one's hair cut.

строгáть [1], ⟨вы́-⟩ plane.

стрóг|ий [16; строг, -á, -о; *comp.*: стрóже] severe; strict; austere; stern; **~ость** *f* [8] severity, austerity, strictness.

строе|вóй [14] fighting, front(line); ~вóй лес *m* timber; **∠ние** *n* [12] construction, building; structure.

строи́тель *m* [4] builder, constructor; **~ный** [14] building...; **~ство** *n* [9] construction.

стрóить [13] **1.** ⟨по-⟩ build (up), construct; make, scheme; play *fig.* (из Р); **2.** ⟨вы́-⟩ ⚔ draw up, form; **-ся,** ⟨вы́-, по-⟩ be built; build a house; ⚔ fall in.

строй *m* **1.** [3; в строю́; *pl. e.*: строи́, строёв] order, array; line; **2.** [3] system, order, regime; ♪ tune; **∠ка** *f* [5; *g/pl.*: -óек] construction; **∠ность** *f* [8] harmony; slenderness; **∠ный** [14; -óен, -ойнá, -о] slender, slim; harmonious; symmetrical, well-shaped, well-disposed.

строкá *f* [5; *ac/sg.*: стрóку́; *pl.*: стрóки, строк, строкáм] line.

стропи́ло *n* [9] rafter.

стропти́вый [14 *sh.*] obstinate, refractory.

строфá *f* [5; *nom/pl. st.*] stanza.

строч|и́ть [16 & 16 *e.*; -очу́, -óчишь; -óченный & -очённый] stitch, sew; F scribble, write; crackle; **∠ка** *f* [5; *g/pl.*: -чек] line; seam.

стру́|жка *f* [5; *g/pl.*: -жек] shaving; **~и́ться** [13] stream, flow, run; purl; **~йка** *f* [5; *g/pl.*: -у́ек] *dim. of* ~я́.

структу́ра *f* [5] structure.

струн|á ♪ *f* [5; *pl. st.*], **∠ный** [14] string.

струч|кóвый *s.* бобóвый; **~óк** *m* [1; -чкá] pod, husk.

струя́ *f* [6; *pl. st.*: -у́и] stream (in Т); jet; current; flood.

стря́|пать F [1], ⟨со-⟩ cook; **~хивать** [1], ⟨~хну́ть⟩ [20] shake off.

студéн|т *m* [1], **~тка** *f* [5; *g/pl.*: -ток] student, undergraduate; **~ческий** [16] students'.

студёный F [14 *sh.*] (icy) cold.

сту́день *m* [4; -дня] jellied meat.

сту́дия *f* [7] studio, atelier.

стук *m* [1] knock; rattle, clatter, noise; **∠нуть** *s.* стучáть.

стул *m* [1; *pl.*: сту́лья, -льев] chair; seat; ⚕ stool.

сту́па *f* [5] mortar (*vessel*).

ступ|áть [1], ⟨~и́ть⟩ [14] step, tread, go; **~éнчатый** [14 *sh.*] (multi)graded; **~éнь** *f* **1.** [8; *pl.*: ступéни, ступéней] step; **2.** [8; *pl.*: ступéни, -нéй, *etc. e.*] stage, grade; **~éнька** *f* [5; *g/pl.*: -нек] step; rung; **~и́ть** *s.* ~áть; **∠ка** *f* [5; *g/pl.*: -пок] (small) mortar; **~ня́** *f* [6; *g/pl.*: -нéй] foot; sole.

сту|чáть [4 *e.*; -чу́, -чи́шь], ⟨по-⟩, *once* ⟨∠кнуть⟩ [20] knock (at *door* в В; *a.* **-ся**); rap, tap; throb; chatter; clatter, rattle; ~чáт there's a knock at the door; ∠кнуть F *s.* испóлниться.

стыд *m* [1 *e.*] shame; **~и́ть** [15 *e.*; -ыжу́, -ыди́шь], ⟨при-⟩ [пристыжённый] shame, make ashamed; **-ся,** ⟨по-⟩ be ashamed (of Р); **~ли́вый** [14 *sh.*] shy, bashful; **∠ный** F [14; -ден, -днá, -о] shameful; ∠но! (for) shame!; мне ∠но I am ashamed (for p. за В).

стык *m* [1] joint, juncture (at на П).

сты́(ну)ть [21], ⟨о-⟩ (become) cool.

сты́чка *f* [5; *g/pl.*: -чек] skirmish.

стя́|гивать [1], ⟨~ну́ть⟩ [19] draw *or* pull together (off, down); tie up; ⚔ concentrate; F pilfer; **~жáть** [1] gain, acquire; **~ну́ть** *s.* ~гивать.

суб|бóта *f* [5] Saturday (on: в В, *pl.*: по Д); **~си́дия** *f* [7] subsidy.

субтропи́ческий [16] subtropical.

субъéкт *m* [1] subject; F fellow; **~и́вный** [14; -вен, -вна] subjective.

суверен|ите́т *m* [1] sovereignty; **∠ный** [14; -е́нен, -е́нна] sovereign.
суг|ро́б *m* [1] snowdrift, bank; **~у́бый** [14 *sh.*] especial, exceptional.
суд *m* [1 *e.*] judg(e)ment (to на В); court (of justice); tribunal; trial (put on отда́ть под В; bring to преда́ть Д); justice; полево́й ~ court martial; **~а́к** *m* [1 *e.*] pike perch.
суда́р|ыня *f* [6] madam; **'~ь** *m* [4] sir.
суд|е́бный [14] judicial, legal; law-...; (of the) court; **~е́йский** [16] judicial; referee's; **~и́ть** [15; суждённый] **1.** ⟨по-⟩ judge *fig.* (of о П; by по Д); **2.** (*im*)*pf.* try, judge; destine; ∠я по (Д) judging by; **-ся** be at law (with с Т).
су́д|но *n* **1.** [9; *pl.*: суда́, -о́в] ⚓ ship, vessel; **2.** [9; *pl.*: су́дна, -ден] vessel; **~омо́йка** *f* [5; *g/pl.*: -о́ек] scullery *or* kitchen maid.
су́доро|га *f* [5] cramp, spasm; **~жный** [14; -жен, -жна] convulsive.
судо|строе́ние *n* [12] shipbuilding; **~строи́тельный** [14] shipbuilding...; ship(*yard*); **~хо́дный** [14; -ден, -дна] navigable; **~хо́дство** *n* [9] navigation.
судьба́ *f* [5; *pl.*: су́дьбы, су́деб, су́дьбам] fate.
судья́ *m* [6; *pl.*: су́дьи, суде́й, су́дьям] judge; arbitrator, referee, umpire.
суеве́р|ие *n* [12] superstition; **~ный** [14; -рен, -рна] superstitious.
сует|а́ *f* [5] vanity; fuss; **~и́ться** [15 *e.*; суечу́сь, суети́шься] fuss; **~ли́вый** [14 *sh.*] fussy.
суж|де́ние *n* [12] judg(e)ment; **~е́ние** *n* [12] narrowing; ⚕ constriction; **∠ивать** [1], ⟨су́зить⟩ [15] narrow (*v/i.* **-ся**; taper).
сук *m* [1 *e.*; на -у́; *pl.*: су́чья, -ьев & -и́, -о́в] bough, branch; knot; **∠а** *f* [5] bitch; **∠ин** [19] of a bitch.
сукно́ *n* [9; *pl. st.*: су́кна, су́кон, су́кнам] cloth.
суко́нный [14] cloth...
сули́ть [13], ⟨по-⟩ promise.
султа́н *m* [1] sultan; plume.
сумасбро́д *m* [1] madman; crank; **~ный** [14; -ден, -дна] crazy, cranky, foolish; **~ство** *n* [9] folly, madness.
сумасше́|дший [17] mad, insane; *su.* madman; lunatic (asylum дом *m*); **~ствие** *n* [12] madness, insanity.
сумато́ха *f* [5] turmoil, fuss.
сум|бу́р *m* [1] *s.* пу́таница; **∠ерки** *f/pl.* [5; *gen.*: -рек] dusk, twilight; **∠ка** *f* [5; *g/pl.*: -мок] (hand)bag; pouch; satchel; wallet; **∠ма** *f* [5] sum (for/of на В/в В), amount; **~ма́рный** [14; -рен. -рна] summary; **~ми́ровать** [7] (*im*)*pf.* sum up.
су́мочка *f* [5; *g/pl.*: -чек] handbag.
су́мра|к *m* [1] twilight, dusk; gloom; **~чный** [14; -чен, -чна] gloomy.
сунду́к *m* [1 *e.*] trunk, chest.
су́нуть(ся) *s.* сова́ть(ся).
суп *m* [1; *pl. e.*], **~ово́й** [14] soup.
супру́|г *m* [1] husband; **~га** *f* [5] wife; **~жеский** [16] matrimonial, conjugal; married; **~жество** *n* [9] matrimony, wedlock.
сургу́ч *m* [1 *e.*] sealing wax.
суро́в|ость *f* [8] severity; **~ый** [14 *sh.*] harsh, rough; severe, austere; stern; rigorous.
суррога́т *m* [1] substitute.
сурьма́ *f* [5] antimony.
суста́в *m* [1] joint.
су́тки *f/pl.* [5; *gen.*: -ток] 24 hours, day (and night); кру́глые ~ round the clock.
су́толока *f* [5] turmoil.
су́точный [14] day's, daily, 24 hours'; *pl. su.* daily allowance.
суту́лый [14 *sh.*] round-shouldered.
сут|ь *f* [8] essence, core, main point; по ∠и (де́ла) at bottom.
суфл|ёр *m* [1] prompter; **~и́ровать** [7] prompt (р. Д).
сух|а́рь *m* [4 *e.*] cracker, zwieback, *Brt.* biscuit; **~ожи́лие** *n* [12] sinew; **~о́й** [14; сух, -а́, -о; *comp.*: су́ше] dry; arid; lean; land...; *fig.* cool, cold; boring, dull; **~опу́тный** [14] land...; **∠ость** *f* [8] dryness, *etc.*, *s.* ~о́й; **~оща́вый** [14 *sh.*] lean, meager.
сучи́ть [16] twist; roll.
сучо́к *m* [1; -чка́] *dim. of* сук, *cf.*
су́ш|а *f* [5] (main)land; **~е́ние** *n* [12] drying; **~ёный** [14] dried; **~и́лка** *f* [5; *g/pl.*: -лок] drying apparatus; *a.* = **~и́льня** *f* [6; *g/pl.*: -лен] drying room; **~и́ть** [16] **1.** ⟨вы́-⟩ dry; air; **2.** ⟨ис-⟩ wear out, emaciate; **~ка** *f* [5; *g/pl.*: -шек] drying; ring-shaped cracknel.
суще́ств|енный [14 *sh.*] essential, substantial; **~и́тельное** *n* [14] noun, substantive (*a.* и́мя ~и́тельное); **~о́** *n* [9] creature, being; essence; по

~ý at bottom; to the point; **~ова́ние** *n* [12] existence, being; subsistence; **~ова́ть** [7] exist, be; live.

су́щ|ий [17] existing; F plain (*truth*), quite (*true* or *right*), sheer, downright; **~ность** *f* [8] essence, substance; в ~ности at bottom, properly.

суэ́цкий [16]: 2 кана́л Suez Canal.

сфе́ра *f* [5] sphere; field, realm.

с.-х. *abbr.*: сельскохозя́йственный.

схват|и́ть(ся) *s.* ∠ывать(ся); **∠ка** *f* [5; *g/pl.*: -ток] skirmish, fight, combat; scuffle; *pl. a.* (*childbirth*) labo(u)r; **∠ывать** [1], ⟨~и́ть⟩ [15] seize (by за В), grasp (*a. fig.*), grab; snatch; catch; **-ся** seize, lay hold of; F grapple.

схе́ма *f* [5] diagram, scheme (in на П); **~ти́ческий** [16] schematic.

сход|и́ть [15], ⟨сойти́⟩ [сойду́, -дёшь; сошёл, -шла́; с(о)ше́дший; *g. pt.*: сойдя́] go (*or* come) down, descend (from с Р); get off (out); come off (out); run off; leave; disappear; F pass (for за В); P do; pass off; ~и́ть *pf.* go (& get, fetch за Т); *cf.* ум; **-ся,** ⟨-сь⟩ meet; gather; become friends; agree (upon в П); harmonize (in Т); coincide; approximate; F click; **∠ка** *f* [5; *g/pl.*: -док] meeting (at на П); **∠ни** *f/pl.* [6; *gen.*: -ней] gangplank, gangway; **∠ный** [14; -ден, -дна́, -о] similar (to с Т), like; F reasonable; **∠ство** *n* [9] similarity (to с Т), likeness.

сцеди́ть [15] *pf.* draw off.

сце́н|а *f* [5] stage; scene (*a. fig.*); **~а́рий** *m* [3] scenario, script; **~и́ческий** [16] stage..., scenic.

сцеп|и́ть(ся) *s.* ~ля́ть(ся); **∠ка** *f* [5; *g/pl.*: -пок] coupling; **~ле́ние** *n* [12] *phys.* cohesion; ⊕ coupling; *fig.* concatenation; **~ля́ть** [28], ⟨~и́ть⟩ [14] link; ⊕ couple (*v/i.* **-ся**; concatenate; F grapple).

счаст|ли́вец *m* [1; -вца] lucky man; **~ли́вый** [14; сча́стли́в, -а, -о] happy; fortunate, lucky; ~ли́вого пути́ bon voyage!; ~ли́во F bye-bye, so long: ~ли́во отде́латься have a narrow escape; **∠ье** *n* [10] happiness; good luck; fortune; к, по ∠ью fortunately.

счесть(ся) *s.* счита́ть(ся).

счёт *m* [1; на -е & счету́; *pl.*: счета́, *etc. e.*] count, calculation; account (on в В; на В); bill; invoice; *sport* score; в коне́чном ~е ultimately; за ~ (Р) at the expense (of); на э́тот ~ in this respect, as for this; ска́зано на мой ~ aimed at me; быть на хоро́шем ~у́ (у Р) stand high (in p.'s) favo(u)r; у него́ ~у нет (Д) he has lots (of); **~ный** [14] calculating (*machine*, calculator); slide (*rule*).

счетово́д *m* [1] accountant.

счёт|чик *m* [1] meter; counter; **~ы** *pl.* [1] abacus *sg.*; accounts *fig.*

счисле́ние *n* [12] calculation.

счита́|ть [1], ⟨со-⟩ & ⟨счесть⟩ [25; сочту́, -тёшь; счёл, сочла́; сочтённый; *g. pt.*: сочтя́] count; (*pf.* счесть) (Т, за В) consider, regard (*a.* as), hold, think; ~я *a.* including; ′~нные *pl.* very few; **-ся** count; settle accounts; (Т) be considered (*or* reputed) to be, pass for; (с Т) consider, regard.

США (Соединённые Шта́ты Аме́рики) U.S.A. (United States of America).

сши|ба́ть [1], ⟨~би́ть⟩ [-бу́, -бёшь; *cf.* ушиби́ть] F *s.* сби(ва́)ть; **~ва́ть** [1], ⟨~ть⟩ [сошью́, -шьёшь; сшей(-те)!; сши́тый] sew (together).

съед|а́ть [1], ⟨съесть⟩ *s.* есть[1]; **~о́бный** [14; -бен, -бна] edible.

съез|д *m* [1] congress (at на П); **∠дить** [15] *pf.* go; (за Т) fetch; (к Д) visit; **~жа́ть** [1], ⟨съе́хать⟩ [съе́ду, -дешь] go, drive (*or* slide) down; move; **-ся** meet; gather.

съёмка *f* [5; *g/pl.*: -мок] survey; shooting.

съестно́й [14] food...

съе́хать(ся) *s.* съезжа́ть(ся).

сы́|воротка *f* [5; *g/pl.*: -ток] whey; serum; **~гра́ть** *s.* игра́ть.

сы́знова F anew, (once) again.

сын *m* [1; *pl.*: сыновья́, -ве́й, -вья́м; *fig. pl.*: сыны́] son; *fig. a.* child; **~о́вний** [15] filial; **~о́к** F *m* [1; -нка́] sonny.

сы́п|ать [2], ⟨по-⟩ strew, scatter; pour; F (Т, В) sputter, pelt, (*jokes*) crack, (*money*) squander; **-ся** pour; F spatter, hail, pelt; **~но́й** [14]: ~но́й тиф spotted fever; **~у́чий** [17 *sh.*] dry; quick(*sand*); **~ь** *f* [8] rash.

сыр *m* [1; *pl. e.*] cheese; как ~ в ма́сле (*live*) in clover; **~е́ть** [8], ⟨от-⟩ dampen; **~е́ц** *m* [1; -рца́]: шёлк-~е́ц raw silk; **∠ник** *m* [1] cheese cake; **∠ный** [14] cheese...; caseous; **~ова́тый** [14 *sh.*] dampish;

rare, *Brt.* underdone; **~óй** [14; сыр, -á, -o] damp; moist; raw; crude; unbaked; **~ость** *f* [8] dampness; moisture; **~ьё** *n* [10] *coll.* raw material.
сыск|áть F [3] *pf.* find; **-ся** be found; **~нóй** [14] detective.
сы́т|ный [14; сы́тен, -тнá, -o] substantial, rich; F fat; **~ый** [14; сыт, -á, -o] satisfied; fat.
сыч *m* [1 *e.*] horned owl.
сы́щик *m* [1] detective, policeman.
сюдá here, hither; this way.
сюжéт *m* [1] subject; plot.
сюрпри́з *m* [1] surprise.
сюртýк *m* [1 *e.*] frock coat.

Т

т. *abbr.*: **1.** товáрищ; **2.** том; **3.** тóнна; **4.** ты́сяча.
табá|к *m* [1 *e.*; *part. g.*: -ý] tobacco; **~кéрка** *f* [5; *g/pl.*: -рок] snuffbox; **~чный** [14] tobacco...
тáб|ель *m* [4] time sheet; **~лéтка** *f* [5; *g/pl.*: -ток] tablet; **~ли́ца** *f* [5] table, schedule, list; scale; *gr.* paradigm; **~ор** *m* [1] (*Gypsies'*) camp; ⚔ [party.]
табýн *m* [1 *e.*] herd, drove.
табурéтка *f* [5; *g/pl.*: -ток] stool.
таджи́к *m* [1], **~ский** [16] Tajik.
таз *m* [1; в -ý; *pl. e.*] basin; *anat.* pelvis.
таи́нств|енный [14 *sh.*] mysterious; secret(ive); **'~о** *n* [9] sacrament.
таи́ть [13] conceal; **-ся** hide.
тайгá *f* [5] taiga.
тай|кóм secretly; behind (one's) back (от P); **~на** *f* [5] secret; mystery; **~ни́к** *m* [1 *e.*] hiding (place); (inmost) recess; **~ный** [14] secret; stealthy; vague; privy.
так so, thus; like that; (~ же just) as; so much; just so; then; well; yes; one way ...; *s. a.* прáвда; F properly; не ~ wrong(ly); ~ и (*both*...) and; F downright; ~ как as, since; и ~ without that; **~же** also, too; ~же не neither, nor; а ~же as well as; **~и́** F all the same; indeed; **~ наз.** *abbr.*: ~ называ́емый so-called; alleged; **~овóй** [14; -кóв, -ковá] such; (a)like; same; был(á) ~óв(á) disappeared, vanished; **~óй** [16] such; so; ~óе *su.* such things; ~óй же the same; as ...; ~óй-то such-and-such; so-and-so; что (э́то) ~óе? F what's the matter?, what's on?; кто вы ~óй (~áя)? = ктó вы?
тáкса *f* [5] (fixed) rate.
такси́ *n* [*ind.*] taxi(cab).
такси́ровать [7] (*im*)*pf.* rate.
такт *m* [1] ♪ time, measure, bar; *fig.* tact; **~ика** *f* [5] tactics *pl.* & *sg.*; **~и́ческий** [16] tactical; **~и́чность** *f* [8] tactfulness; **~и́чный** [14; -чен, -чна] tactful.
талáнт *m* [1] talent, gift (for к Д); **~ливый** [14 *sh.*] talented, gifted.
тáлия *f* [7] waist.
талóн *m* [1] coupon.
тáлый [14] thawed; slushy.
там there; F then; ~ же in the same place; ibidem; ~ и сям F here and there.
тамóж|енный [14] custom(s)...; **~ня** *f* [6; *g/pl.*: -жен] custom house.
тáмошний [15] of that place, there.
тáн|ец *m* [1; -нца] dance (*go* dancing на В *pl.*); **~к** *m* [1] tank; **~ковый** [14] armo(u)red...; tank...
танц|евáльный [14] dancing...; **~евáть** [7], ⟨с-⟩ dance; **~óвщик** *m* [1], **~óвщица** *f* [5] (ballet) dancer; **~óр** *m* [1], **~óрка** *f* [5; *g/pl.*: -рок] dancer.
Тáня *f* [6] *dim. of* Татья́на.
тáпочка *f* [5; *g/pl.*: -чек] sport slipper.
тáра *f* [5] tare; packing.
таракáн *m* [1] cockroach.
тарáнить [13], ⟨про-⟩ ram.
тарахтéть F [11] rumble.
тарáщить [16], ⟨вы́-⟩: ~ глазá stare (at на В; with *surprise* от P).
тарéлка *f* [5; *g/pl.*: -лок] plate.
тари́ф *m* [1] tariff; **~ный** [14] tariff...; standard (*wages*).
таскáть [1] carry; drag, pull; F steal; P wear; **-ся** F roam; go; frequent; gad about.

тасова́ть [7], ⟨c-⟩ shuffle.
ТАСС (Телегра́фное Аге́нтство Сове́тского Сою́за) TASS (Telegraph Agency of the U.S.S.R.).
тата́р|ин *m* [1; *pl.*: -ры, -р, -рам], **~ка** *f* [5; *g/pl.*: -рок], **~ский** [16] Tartar.
Татья́на *f* [5] Tatyana.
тафта́ *f* [5] taffeta.
тача́ть [1], ⟨c-, вы́-⟩ seam, sew.
тащи́ть [16] **1.** ⟨по-⟩ drag, pull; carry, bring; **2.** F ⟨c-⟩ steal, pilfer; **~ся** F trudge, drag (o.s.) along.
та́ять [27], ⟨рас-⟩ thaw, melt; fade, die (away); languish, pine.
тварь *f* [8] creature; F wretch.
тверде́ть [8], ⟨за-, о-⟩ harden.
тверди́ть F [15 *e.*; -ржу́, -рди́шь] reiterate, repeat (over & over again); talk; practice; ⟨за-, вы́-⟩ learn.
твёрд|ость *f* [8] firmness; hardness; **~ый** [14; твёрд, тверда́, -o] hard; solid; firm (*a. fig.*); (stead)fast, steady; fixed (*a. prices*); sound, good; F sure; **~o** *a.* well, for sure.
тверды́ня *f* [6] stronghold.
тво|й *m*, **~я́** *f*, **~ё** *n*, **~и́** *pl.* [24] your; yours; *pl. su.* F your folks; *cf.* ваш.
твор|е́ние *n* [12] work; creature; **~е́ц** *m* [1; -рца́] creator; author; **~и́тельный** [14] *gr.* instrumental (*case*); **~и́ть** [13], ⟨co-⟩ create, do; perform; **-ся** F be (going) on; **~о́г** *m* [1 *e.*] curd(s).
тво́рче|ский [16] creative; **~ство** *n* [9] work(s), creation.
т. е. *abbr.*: то́ есть, *cf.*
теа́тр *m* [1] theater (*Brt.* -tre; at в П); house; stage; **~а́льный** [14; -лен, -льна] theatrical; theater...
тёзка *m/f* [5; *g/pl.*: -зок] namesake.
тексти́ль *m* [4] *coll.* textiles *pl.*; **~ный** [14] textile; cotton (*mill*).
теку́|чий [17 *sh.*] fluid; fluctuating; **~щий** [17] current; instant; present; miscellaneous.
телеви́|дение *n* [12] television (on по Д); **~зио́нный** [14] TV; **~зор** *m* [1] TV set.
теле́га *f* [5] cart, telega.
телегра́мма *f* [5] telegram, wire.
телегра́ф *m* [1] telegraph (office); wire (by по Д); **~и́ровать** [7] (*im*)*pf.* (Д) telegraph, wire, cable; **~ный** [14] telegraph(ic); telegram..., by wire.
теле́жка *f* [5; *g/pl.*: -жек] hand-cart.
телёнок *m* [2] calf.
телепереда́ча *f* [5] telecast.
телеско́п *m* [1] telescope.
теле́сный [14] corporal; corporeal; flesh-colo(u)red.
телефо́н *m* [1] telephone (by по Д); **~и́ровать** [7] (*im*)*pf.* (Д) telephone, F phone; **~и́ст** *m* [1], **~и́стка** *f* [5; *g/pl.*: -ток] operator; **~ный** [14] tele(phone)...; call (*box*).
тели́ться [13; те́лится], ⟨о-⟩ calve.
тёлка *f* [5; *g/pl.*: -лок] heifer.
те́ло *n* [9; *pl. e.*] body; *phys.* solid; иноро́дное ~ foreign matter; всем ~м all over; **~сложе́ние** *n* [12] build; constitution; **~храни́тель** *m* [4] bodyguard.
теля́|тина *f* [5], **~чий** [18] veal.
тем *s.* тот.
те́м(а́тик)а *f* [5] subject, theme(s).
тембр (tɛ-) *m* [1] timbre.
Те́мза *f* [5] Thames.
темн|е́ть [8] **1.** ⟨по-⟩ darken; **2.** ⟨c-⟩ grow *or* get dark; **3.** (*a.* **-ся**) appear *or* show dark; loom; **~и́ца** *f* [5] prison, dungeon.
тёмно... (*in compds.*) dark...
темнота́ *f* [5] darkness; obscurity.
тёмн|ый [14; тёмен, темна́] dark; *fig.* obscure; gloomy; shady, dubious; evil, malicious; ignorant, slow, backward.
темп (tɛ-) *m* [1] tempo; rate, pace.
темпера́мент *m* [1] temperament; spirits *pl.*; **~ный** [14; -тен, -тна] temperamental.
температу́ра *f* [5] temperature.
те́мя *n* [13] crown.
тенденци|о́зный (tɛndɛ-) [14; -зен, -зна] tendentious; **'~я** (tɛn'dɛ-) *f* [7] tendency.
те́ндер 🚂, ⚓ ('tɛndɛr) *m* [1] tender.
тени́стый [14 *sh.*] shady.
те́ннис ('tɛ-) *m* [1] tennis.
те́нор ♪ *m* [1; *pl.*: -pа́, *etc. e.*] tenor.
тень *f* [8; в тени́; *pl.*: те́ни, тене́й, *etc. e.*] shade; shadow.
теор|е́тик *m* [1] theorist; **~ети́ческий** [16] theoretical; **≀ия** *f* [7] theory; ≀ия позна́ния epistemology.
тепе́р|ешний [15] present, actual; **~ь** now, at present.
тепл|е́ть [8; *3rd p. only*], ⟨по-⟩ grow warm; **~и́ться** [13] burn; glimmer; **~и́ца** *f* [5], **~и́чный** [14] hothouse; **~о́ 1.** *n* [9] warmth; *phys.* heat; warm weather; **2.** *adv.*, *s.* тёплый; **~ово́й** [14] (of) heat, thermal; **~ота́** *f* [5] warmth; *phys.* heat; **~**-

оход *m* [1] motor ship; **~ушка** *f* [5; *g/pl.*: -шек] heatable boxcar.
тёплый [14; тёпел, тепла, -о & тёпло] warm (*a. fig.*); hot (*sun*); (мне) тепло it is (I am) warm.
терапия *f* [7] therapy.
тере|бить [14 *e.*; -блю, -бишь] pull; tousle; twitch; F pester; **'~м** *m* [1; *pl.*: -а, *etc. e.*] attic; (tower-)chamber; **~ть** [12] rub; grate; **-ся** F hang about.
терза|ние *n* [12] torment, agony; **~ть** [1] **1.** ⟨ис-⟩ torment, torture; **2.** ⟨рас-⟩ tear to pieces.
тёрка *f* [5; *g/pl.*: -рок] grater.
термин *m* [1] term; **~ология** *f* [7] terminology.
термо|метр *m* [1] thermometer; **'~с** ('tɛ-) *m* [1] vacuum *or* thermos bottle.
тернистый [14 *sh.*] thorny.
терп|еливый [14 *sh.*] patient; **~ение** *n* [12] patience; **~еть** [10], ⟨по-⟩ suffer, endure; tolerate, bear, stand; not press, permit of delay; (Д) не **-ся** *impf.* be impatient *or* eager; **~имость** *f* [8] tolerance (toward[s] к Д); **~имый** [14 *sh.*] tolerant; bearable.
терпкий [16; -пок, -пка, -о; *comp.*: терпче] tart.
терраса *f* [5] terrace.
террит|ориальный [14] territorial; **~ория** *f* [7] territory.
террор *m* [1] terror; **~изировать** & **~изовать** [7] *im(pf.)* terrorize.
тёртый F [14] cunning, sly.
терять [28], ⟨по-⟩ lose; waste; shed (*leaves*); give up (*hope*); **-ся** be lost; disappear, vanish; become embarrassed, be at a loss.
тесать [3], ⟨об-⟩ hew, cut.
тесн|ить [13], ⟨с-⟩ press; oppress; **-ся** crowd, throng; jostle; **~ота** *f* [5] narrowness; throng; **~ый** [14; тесен, тесна, -о] narrow; tight; close; intimate.
тест|о *n* [9] dough, paste; **~ь** *m* [4] father-in-law (*wife's father*).
тесьма *f* [5; *g/pl.*: -сём] tape.
тетер|ев *m* [1; *pl.*: -а, *etc. e.*] black grouse, blackcock; **~я** P *f* [6]: глухая **~я** deaf fellow; сонная **~я** sleepyhead.
тетива *f* [5] bowstring.
тётка *f* [5; *g/pl.*: -ток] aunt.
тетрад|ь *f* [8], **~ка** *f* [5; *g/pl.*: -док] exercise book, notebook, copybook.
тётя F *f* [6; *g/pl.*: -тей] aunt.
техн|ик *m* [1] technician; **~ика** *f* [5] technics; technique; equipment; F skill; **~икум** *m* [1] technical school; **~ический** [16] technical; **~ологический** [16] technological; **~ология** *f* [7] technology.
теч|ение *n* [12] current; stream (up- [down-] вверх [вниз] по Д); course (in в В; in/of *time* с Т/Р); *fig.* trend; movement; **~ь** [26] **1.** flow, run; stream; move; leak; **2.** *f* [8] leak (spring дать).
тешить [16], ⟨по-⟩ amuse; please; **-ся** amuse o. s.; take comfort; banter.
тёща *f* [5] mother-in-law (*wife's mother*).
тибетец *m* [1; -тца] Tibetan.
тигр *m* [1] tiger; **~ица** *f* [5] tigress.
тика|нье *n* [10], **~ть** [1] tick.
Тимофей *m* [3] Timothy.
тин|а *f* [5] ooze; **~истый** [14 *sh.*] oozy.
тип *m* [1] type; F character; **~ичный** [14; -чен, -чна] typical; **~ография** *f* [7] printing plant *or* office; **~ографский** [16] printing (*press*); printer's (ink краска *f*).
тир *m* [1] shooting gallery, rifle range.
тирада *f* [5] tirade.
тираж *m* [1 *e.*] circulation; drawing (*of a lottery*).
тиран *m* [1] tyrant; **~ить** [13] tyrannize; **~ия** *f* [7], **~ство** *n* [9] tyranny.
тире *n* [*ind.*] dash.
тис|кать [1], ⟨**~нуть**⟩ [20] squeeze, press; print; **~ки** *m/pl.* [1 *e.*] vice, grip; F fix; **~нёный** [14] (im-) printed.
титул *m* [1], **~ьный** [14] title.
тиф *m* [1] typhus.
ти|хий [16; тих, -а, -о; *comp.*: тише] quiet, still; calm; soft, gentle; slow; † dull, flat; *cap.* Pacific; **~хомолком** F on the quiet; **~ше**! silence!; **~шина** *f* [5] silence, stillness, calm (-ness); **~шь** *f* [8; в тиши] calm; silence.
т. к. *abbr.*: так как, *cf.* так.
тка|нь *f* [8] fabric, cloth; *biol.* tissue; **~ть** [тку, ткёшь; ткал, ткала, -о], ⟨со-⟩ [сотканный] weave; **~цкий** [16] weaver's; weaving; **~ч** *m* [1 *e.*], **~чиха** *f* [5] weaver.
ткнуть(ся) *s.* тыкать(ся).
тле|ние *n* [12] decay, putrefaction; smo(u)ldering; **~ть** [8], ⟨ис-⟩ (s)mo(u)lder, decay, rot, putrefy; glimmer.

то 1. [28] that; ~ же the same; к ~му́ (же) in addition (to that), moreover; add to this; ни ~ ни сё F neither fish nor flesh; ни с ~го́ ни с сего́ F all of a sudden, without any visible reason; до ~го́ so much; **2.** (*cj.*) then; ~ ... ~ now ... now; не ~ ... не ~ *or* ~ ли ... ~ ли either ... or, half ... half; не ~, чтобы not that; а не ~ (or) else; **3.** -~ just, exactly; although; oh ...
тов. *abbr.*: това́рищ.
това́р *m* [1] commodity, article (of trade); *pl.* goods, wares.
това́рищ *m* [1] comrade, friend; mate, companion (in *arms* по Д); colleague; assistant; ~ по шко́ле schoolmate; ~ по университе́ту fellow student; **~еский** [16] friendly; companionable; **~ество** *n* [9] comradeship, fellowship; partnership; association, company.
това́р|ный [14] ware(*house*); goods-...; 🚂 freight..., *Brt.* goods...; **~о-обме́н** *m* [1] barter; **~оборо́т** *m* [1] commodity circulation.
тогда́ then, at that time; ~ как whereas, while; **~шний** [15] of that (*or* the) time, then.
то́ есть that is (to say), i.e.
тожде́ств|енный [14 *sh.*] identical; **'~о** *n* [9] identity.
то́же also, too, as well; *cf.* та́кже.
ток *m* **1.** [1] current; **2.** [1; на -у́; *from g/pl. e.*] (threshing) floor.
тока́р|ный [14] turner's; turning (*lathe*); **'~ь** *m* [4] turner.
толк *m* [1; бе́з -у] sense; use; judg(e)ment; F talk, rumo(u)r; † doctrine; sect; знать ~ в (П) be a judge of; **~а́ть** [1], *once* ⟨~ну́ть⟩ [20] push, shove, thrust; *fig.* induce, prompt; F urge on, spur; **-ся** push (o. a.); F knock (at в В; about); **~ова́ть** [7] **1.** ⟨ис-⟩ interpret, expound, explain; comment; take (in ... part в ... сто́рону); **2.** ⟨по-⟩ F talk (to с Т); speak, tell, say; **~о́вый** [14] explanatory, commenting; F [*sh.*] sensible, smart, wise; **∠ом** = ~о́во; *a.* in earnest; **~отня́** F *f* [6] crush, crowd; **~у́чка** P *f* [5; *g/pl.*: -чек] second-hand market.
толо|кно́ *n* [9] oat flour; **∠чь** [26; -лку́, -лчёшь, -лку́т; -ло́к, -лкла́; -лчённый], ⟨рас-, ис-⟩ pound; **∠чься** P hang about.
толп|а́ *f* [5; *pl. st.*], **~и́ться** [14 *e.*; no *1st. & 2nd p. sg.*], ⟨с-⟩ crowd, throng; mob; swarm.
толст|е́ть [8], ⟨по-, рас-⟩ grow stout; **~око́жий** [17 *sh.*] thick-skinned; **∠ый** [14; толст, -а́, -о; *comp.*: то́лще] thick; large, big; stout, fat; **~я́к** F *m* [1 *e.*] fat man.
толч|ёный [14] pounded; **~ея́** F *f* [6] crush, crowd; **~о́к** *m* [1; -чка́] push; shock; jolt; *fig.* impulse.
толщин|а́ *f* [5] thickness; stoutness; ~о́й в (В), ... в ~у́ ... thick.
толь *m* [4] roofing felt.
то́лько only, but; как ~ as soon as; лишь (*or* едва́) ~ no sooner ... than; ~ бы if only; ~ что just (now); ~-~ F barely.
том *m* [1; *pl.*: -а́, *etc. e.*] volume.
том|и́тельный [14; -лен, -льна] painful, tormenting; oppressive; **~и́ть** [14 *e.*; томлю́, томи́шь, томлённый], ⟨ис-⟩ torment, plague, harass, pester; pinch, oppress; **-ся** pine (for T), languish (with; be tormented, *etc., s.* ~и́ть); **~ле́ние** *n* [12], **∠ность** *f* [8] languor; **∠ный** [14; -мен, -мна́, -о] languishing.
тон *m* [1; *pl.*: -а́, *etc. e.*] tone.
то́нк|ий [16; -нок, -нка́, -о; *comp.*: то́ньше] thin; slim, slender; small; fine; delicate, subtle; keen; light (*sleep*); high (*voice*); F cunning; **~ость** *f* [8] thinness, *etc. s.* ~ий; delicacy, subtlety; *pl.* details (go into вдава́ться в В; F split hairs).
то́нна *f* [5] ton; **∠ж** *m* [1] tonnage.
тону́ть [19] *v/i.* **1.** ⟨по-, за-⟩ sink; submerge; **2.** ⟨у-⟩ drown.
То́ня *f* [6] *dim. of* Антони́на.
то́п|ать [1], *once* ⟨~нуть⟩ [20] stamp; **~и́ть** [14] *v/t.* **1.** ⟨за-, по-⟩ sink; flood; **2.** ⟨за-, ис-, на-⟩ heat; light a fire; **3.** ⟨рас-⟩ melt; **4.** ⟨у-⟩ drown; **~ка** *f* [5; *g/pl.*: -пок] heating; furnace; **~кий** [16; -пок, -пка́, -о] boggy, marshy; **~лёный** [14] melted; molten; **~ливо** *n* [9] fuel; **~нуть** *s.* ~ать.
топогра́фия *f* [7] topography.
то́поль *m* [4; *pl.*: -ля́, *etc. e.*] poplar.
топо́р *m* [1 *e.*] ax(e); **~ный** [14; -рен, -рна] coarse.
то́пот *m* [1] stamp(ing), tramp(ing).
топта́ть [3], ⟨по-, за-⟩ trample, tread; ⟨вы́-⟩ press; ⟨с-⟩ wear out; **~ся** tramp(le); F hang about; mark time (на ме́сте).
топь *f* [8] marsh, mire, bog, fen.

торг *m* [1; на -ý; *pl.*: -и́, *etc. e.*] bargaining, chaffer; *pl.* auction (by с Р; at на П); **~áш** *contp. m* [1 *e.*] dealer; **~ова́ть** [8] trade, deal (in Т); sell; be open; **-ся,** ⟨с-⟩ (strike a) bargain (for о П); **~о́вец** *m* [1; -вца] dealer, trader, merchant; **~о́вка** *f* [5; *g/pl.*: -вок] market woman; **~о́вля** *f* [6] trade, commerce; traffic; business; **~о́вый** [14] trade..., trading, commercial, of commerce; ⚓ mercantile, merchant...; **~пре́д** *m* [1] Soviet trade representative; **~пре́дство** *n* [9] trade agency of the U.S.S.R.

торже́ств|енность *f* [8] solemnity; **~енный** [14 *sh.*] solemn; festive; triumphant; **~о́** *n* [9] triumph; festivity, celebration; **~ова́ть** [7], ⟨вос-⟩ triumph (over над Т); *impf.* celebrate.

то́рмо|з *m* **1.** [1; *pl.*: -á, *etc. e.*] brake; **2.** [1] *fig.* drag; **~зи́ть** [15 *e.*; -ожу́, -ози́шь; -ожённый], ⟨за-⟩ (put the) brake(s on); *fig.* hamper; *psych.* curb, restrain; **~ши́ть** F [16 *e.*; -шу́, -ши́шь] *s.* теребить.

то́рный [14] beaten (*road, a. fig.*).

тороп|и́ть [14], ⟨по-⟩ hasten, hurry up (*v/i.* **-ся**; *a.* be in a hurry); **~ли́вый** [14 *sh.*] hasty, hurried.

торпе́д|а *f* [5], **~и́ровать** [7] *(im)pf.* torpedo; **~ный** [14] torpedo...

торт *m* [1] pie; fancy cake.

торф *m* [1] peat; **~яно́й** [14] peat...

торча́ть [4 *e.*; -чу́,-чи́шь] stick out; F hang about.

тоск|á *f* [5] melancholy, anxiety, grief; yearning; boredom, ennui; **~á** по ро́дине homesickness; **~ли́вый** [14 *sh.*] melancholy; sad, dreary; **~ова́ть** [7] grieve, feel sad (*or* lonely); feel bored; yearn *or* long (for по П *or* Д); be homesick (по ро́дине).

тот *m*, та *f*, то *n*, те *pl.* [28] that, *pl.* those; the one; the other; не ~ wrong; (н)и тот (н)и друго́й both (neither); тот же (са́мый) the same; тем бо́лее the more so; тем лу́чше so much the better; тем са́мым thereby; *cf. a.* то.

то́тчас (же) immediately, at once.

точи́|льный [14] grinding; **~льщик** *m* [1] grinder; **~ть** [16] **1.** ⟨на-⟩ whet, grind; sharpen; **2.** ⟨вы́-⟩ turn; **3.** ⟨ис-⟩ eat (*or* gnaw) away; gnaw at; perforate; wear; weather.

то́чк|а *f* [5; *g/pl.*: -чек] point; dot; *typ., gr.* period, full stop; вы́сшая ~а zenith, climax (at на П); ~а с запято́й *gr.* semicolon; ~а! F enough!; *s. a.* точь.

то́чн|о *adv. of* ~ый; *a.* = сло́вно; indeed; так ~о! ⚔ yes, sir!; **~ость** *f* [8] accuracy, exactness, precision; в ~ости *s.* ~о; **~ый** [14; -чен, -чна́, -о] exact, precise, accurate; punctual; (of) precision.

точь: ~ в ~ F exactly.

тошн|и́ть [13]: меня́ ~и́т I feel sick; I loathe; **~отá** *f* [5] nausea; F loathing; **~́ый** [14; -шен, -шна́, -о] loathsome, nauseous; мне ~́о *s.* ~и́ть.

то́щий [17; тощ, -á, -е] lean, lank, gaunt; F empty; scanty, poor.

трава́ *f* [5; *pl. st.*] grass; herb; weed.

трав|и́ть [14] **1.** ⟨за-⟩ bait, chase, course; *fig.* attack; **2.** ⟨с-, вы́-⟩ corrode, stain; exterminate; **3.** ⚓ ⟨вы́-⟩ loosen; **~́ля** *f* [6; *g/pl.*: -лей] baiting; *fig.* defamation.

травян|и́стый [14 *sh.*], **~о́й** [14] grass(y).

траг|е́дия *f* [7] tragedy; **~́ик** *m* [1] tragedian; **~и́ческий** [16], **~и́чный** [14; -чен, -чна] tragic(al).

традицио́нный [14; -о́нен, -о́нна] traditional.

тракт *m* [1] highway; *anat.* tract; **~а́т** *m* [1] treatise; **~и́р** *m* [1] inn, tavern, *Brt.* public house, F pub; **~и́рщик** *m* [1] innkeeper; **~ова́ть** [7] treat; **~о́вка** *f* [5; *g/pl.*: -вок] treatment; **~ори́ст** *m* [1] tractor operator; **~́орный** [14] tractor...

тра́льщик *m* [1] trawler; ⚔ mine sweeper.

трамбова́ть [7], ⟨у-⟩ ram.

трамва́й *m* [3] streetcar, *Brt.* tramway, tram(car) (by Т, на П).

трампли́н *m* [1] springboard.

транзи́т *m* [1], **~ный** [14] transit.

транс|криби́ровать [7] *(im)pf.* transcribe; **~ли́ровать** [7] *(im)pf.* transmit; relay; **~ля́ция** *f* [7] transmission; **~пара́нт** *m* [1] transparency.

тра́нспорт *m* [1] transport(ation; *a.* system [of]); **~и́ровать** [7] *(im)pf.* transport, convey; **~ный** [14] (of) transport(ation).

трансформа́тор *m* [1] transformer.

транше́я *f* [6; *g/pl.*: -е́й] trench.

трап *m* [1] gangway; **~е́ция** *f* [7] trapeze; ⩘ trapezium.

тра́сса *f* [5] route, line.
тра́т|а *f* [5] expenditure; expense; waste; **~ить** [15], ⟨ис-, по-⟩ spend; waste; **~та** ✝ *f* [5] draft.
тра́ур *m* [1] mourning; **~ный** [14] mourning...; funeral...
трафаре́т *m* [1] cliché (*a. fig.*).
трах! crack!
тре́бова|ние *n* [12] demand (on по Д); requirement; claim; order; **~тельный** [14; -лен, -льна] exacting; particular; pretentious; **~ть** [7], ⟨по-⟩ (Р) demand; require; claim; cite, summon; call; **-ся** be required (*or* wanted); be necessary.
трево́|га *f* [5] alarm; warning, alert; anxiety; **~жить** [16] **1.** ⟨вс-, рас-⟩ alarm, disquiet; **2.** ⟨по-⟩ disturb, trouble; **-ся** be anxious; worry; **~жный** [14; -жен, -жна] restless, uneasy; alarm(ing), disturbing.
тре́зв|ость *f* [8] sobriety; **~ый** [14; трезв, -а́, -о] sober (*a. fig.*).
трель *f* [8] trill, shake; warble.
тре́нер *m* [1] trainer, coach.
тре́ние *n* [12] friction (*a. fig.*).
тренир|ова́ть [7], ⟨на-⟩ train, coach; *v/i.* **-ся**; **~о́вка** *f* [5] training.
трепа́ть [2] **1.** ⟨по-⟩ tousle; twitch; flutter; F tap (on по Д); wear out, fray; harass; prate; **2.** ⟨вы́-⟩ scutch.
тре́пет *m* [1] tremor; quiver; **~а́ть** [3], ⟨за-⟩ tremble (with от Р); quiver, shiver; flicker; palpitate; **~ный** [14; -тен, -тна] quivering; flickering.
треск *m* [1] crack, crash; **~а́** *f* [5] cod; **∠аться** [1], ⟨по-, тре́снуть⟩ [20] burst; crack, split; chap; **~отня́** *f* [6] crackle; rattle; chirp; gabble; **~у́чий** [17 *sh.*] hard, ringing (*frost*); *fig.* bombastic.
тре́снуть *s.* тре́скаться & треща́ть.
трест *m* [1] trust.
трет|е́йский [16] of arbitration; **∠ий** [18] third; **∠ьего дня** = позавчера́; *cf.* пя́тый; **~и́ровать** [7] (mal)treat; **~ь** *f* [8; *from g/pl. e.*] (one) third.
треуго́льн|ик *m* [1] triangle; **~ый** [14] triangular; three-cornered (*hat*).
тре́фы *f/pl.* [5] clubs (*cards*).
трёх|годи́чный [14] three years'; triennial; **~дне́вный** [14] three days'; **~колёсный** [14] three-wheeled; **~ле́тний** [15] three-years(-old)'; **~со́тый** [14] three hundredth; **~цве́тный** [14] three-colo(u)r; tricolor(ed); **~эта́жный** [14] three-storied (*Brt.* -reyed).
трещ|а́ть [4 *e.*; -щу́, -щи́шь] **1.** ⟨за-⟩ crack; **2.** ⟨про-⟩ crackle; rattle; chirp; F prattle; **3.** ⟨тре́снуть⟩ [20] burst; **∠ина** *f* [5] split (*a. fig.*), crack, cleft, crevice, fissure; chap; **~о́тка** *f* [5; *g/pl.*: -ток] rattle; F chatterbox.
три [34] three; *cf.* пять.
трибу́н|а *f* [5] tribune, platform; stand; **~а́л** *m* [1] tribunal.
тригономе́трия *f* [7] trigonometry.
тридца́|тый [14] thirtieth; *cf.* пятидеся́тый; **∠ть** [35 *e.*] thirty.
три́жды three times, thrice.
трико́ *n* [*ind.*] tights *pl.*; **~та́ж** *m* [1] knitted fabric; knitwear.
трило́гия *f* [7] trilogy.
трина́дца|тый [14] thirteenth; *cf.* пя́тый; **~ть** [35] thirteen; *cf.* пять.
три́ста [36] three hundred.
триу́мф *m* [1] triumph; **~а́льный** [14] triumphal; triumphant.
тро́га|тельный [14; -лен, -льна] touching, moving; **~ть** [1], *once* ⟨тро́нуть⟩ [20] touch (*a. fig.* = move); F pester; **~й!** go!; **-ся** start; set out (on a journey в путь); move; be touched.
тро́е [37] three (*cf.* дво́е); **~кра́тный** [14; -тен, -тна] repeated three times.
тро́иц|а *f* [5] Trinity; Whitsunday.
тро́й|ка *f* [5; *g/pl.*: тро́ек] three (*cf.* дво́йка); troika (*team of 3 horses abreast* [+ *vehicle*]); triumvirate; F (*mark* =) посре́дственно, *cf.*; **~но́й** [14] threefold, triple, treble; **~ня** *f* [6; *g/pl.*: тро́ен] triplets *pl.*
тролле́йбус *m* [1] trolley bus.
трон *m* [1] throne; **∠ный** [14] *Brt.* King's (Queen's) (*speech*).
тро́нуть(ся) *s.* тро́гать(ся).
троп|а́ *f* [5; *pl.*: тро́пы, троп, -па́м] path, track; **~и́нка** [5; *g/pl.*: -нок] (small) path.
тропи́ческий [16] tropic(al).
трос *m* [1] hawser, cable.
трост|ни́к *m* [1 *e.*] reed; cane; **~нико́вый** [14] reed...; cane...; **∠очка** *f* [5; *g/pl.*: -чек], **~ь** *f* [8; *from g/pl. e.*] cane, *Brt. a.* walking stick.
тротуа́р *m* [1] sidewalk, *Brt.* pavement, footpath, footway.
трофе́й *m* [3], **~ный** [14] trophy.
тро|ю́родный [14] second (cousin

брат *m*, сестра́ *f*); **~я́кий** [16 *sh.*] threefold, triple.

труб|а́ *f* [5; *pl. st.*] pipe, (*a. anat.*) tube; chimney; 🚂, ⚓ smokestack, funnel; (*fire*) engine; ♪ trumpet; **~а́ч** *m* [1 *e.*] trumpeter; **~и́ть** [14 *e.*; -блю́, -би́шь], ⟨про-⟩ blow (the в В); **~ка** *f* [5; *g/pl.*: -бок] tube; pipe (*to smoke*); *teleph.* receiver; roll; **~опрово́д** *m* [1] pipe line; **~очи́ст** *m* [1] chimney sweep; **~чатый** [14] tubular.

труд *m* [1 *e.*] labo(u)r, work; pains *pl.*, trouble; difficulty (with с Т; *a.* hard[ly]); *pl. a.* transactions; F service; **~и́ться** [15], ⟨по-⟩ work; toil, exert o.s.; trouble; **~ность** *f* [8] difficulty; **~ный** [14; -ден, -дна́, -о] difficult, hard; F heavy; **~ово́й** [14] labo(u)r...; working; workman's; earned; service...; **~олюби́вый** [14 *sh.*] industrious; **~оспосо́бный** [14; -бен, -бна] able-bodied, able to work; **~я́щийся** [17] working; *su.* worker.

тру́женик *m* [1] toiler, worker.

труни́ть [13] make fun (of над Т).

труп *m* [1] corpse, body.

тру́ппа *f* [5] company, troupe.

трус *m* [1] coward; **~ики** *m/pl.* [1] trunks, shorts; **~ить** [15], ⟨с-⟩ be afraid (of P); **~и́ха** F *f* [5] *f of* ~; **~ли́вый** [14 *sh.*] cowardly; **~ость** *f* [8] cowardice; **~ы́** *s.* ~ики.

трут *m* [1] tinder.

тру́тень *m* [4; -тня] drone.

трущо́ба *f* [5] slum, den, nest.

трюк *m* [1] trick, F stunt.

трюм ⚓ *m* [1] hold.

трюмо́ *n* [*ind.*] pier glass.

тряп|и́чник *m* [1] ragpicker; **~ка**; [5; *g/pl.*: -пок] rag; duster; patch; F milksop; **~ьё** *n* [10] rag(s).

тряси́на *f* [5] bog, fen, quagmire.

тря́с|ка *f* [5] jolting; **~кий** [16; -сок, -ска] shaky; jolty; **~ти́** [24 -с-], *once* ⟨тряхну́ть⟩ [20] shake (a p.'s Д *hand*; *head, etc.* Т; *a. fig.*); F (*impers.*) jolt; **~ти́сь** shake; shiver (with от [P).

тряхну́ть *s.* трясти́.

тсс! hush!

тт. *abbr.*: **1.** това́рищи; **2.** тома́.

туале́т *m* [1] toilet.

туберкулёз *m* [1] tuberculosis; **~ный** [14] tubercular; tuberculous (patient).

туго́|й [14; туг, -á, -о; *comp.*: ту́же] tight, taut; stiff; crammed; F stingy; slow, hard (*a.* of hearing на́ ухо); *adv. a.* hard put to it; hard up; hard, with difficulty.

туда́ there, thither; that way.

тужи́ть F [16] grieve; long for (о П).

тужу́рка *f* [5; *g/pl.*: -рок] jacket.

туз *m* [1 *e.*] ace; F boss.

тузе́м|ец *m* [1; -мца] native; **~ный** [14] native.

ту́ловище *n* [11] trunk.

тулу́п *m* [1] sheepskin coat.

тума́н *m* [1] fog, mist; haze; smog; **~ный** [14; -а́нен, -а́нна] foggy, misty; *fig.* hazy, vague.

ту́мб|а *f* [5] curbstone (*Brt.* kerb-); pedestal; **~очка** *f* [5; *g/pl.*: -чек] bedside table.

тунея́дец *m* [1; -дца] parasite.

Туни́с *m* [1] Tunisia; Tunis.

тунне́ль (-ˈnɛ-) *m* [4] tunnel.

туп|е́ть [8], ⟨(п)о-⟩ grow blunt; **~и́к** *m* [1 *e.*] blind alley, dead end, (*a. fig.*) impasse; nonplus, tight corner; ста́вить в ~и́к baffle; стать в ~и́к be at one's wit's end; **~о́й** [14; туп, -á, -о] blunt; ⩓ obtuse; *fig.* dull, stupid; apathetic; **~ость** *f* [8] bluntness; dullness; **~оу́мный** [14; -мен, -мна] stupid.

тур *m* [1] round; tour; *zo.* aurochs.

тура́ *f* [5] rook, castle (*chess*).

турби́на *f* [5] turbine.

туре́цкий [16] Turkish.

тури́|зм *m* [1] tourism; **~ст** *m* [1] [tourist.

туркме́н *m* [1] Turk(o)man; **~ский** [16] Turkmen(ian).

турне́ (-ˈnɛ) *n* [*ind.*] tour.

турни́к *m* [1 *e.*] horizontal bar.

турни́р *m* [1] tournament (in на П).

ту́р|ок *m* [1; -рка; *g/pl.*: ту́рок], **~ча́нка** *f* [5; *g/pl.*: -нок] Turk; **Ꙩция** *f* [7] Turkey.

ту́ск|лый [14; тускл, -á, -о] dim; dull; dead (*gold, etc.*); **~не́ть** [8], ⟨по-⟩ & **~нуть** [20] grow dim *or* dull.

тут F here; there; then; ~! present!; ~ же there & then, on the spot; ~ как ~ already there.

ту́тов|ый [14]: ~ое де́рево *n* mulberry.

ту́фля *f* [6; *g/pl.*: -фель] shoe; slip- [per.

ту́х|лый [14; тухл, -á, -о] bad (*egg*), rotten; **~нуть** [21] **1.** ⟨по-⟩ go *or* die out, expire; **2.** ⟨про-⟩ go bad.

ту́ч|а *f* [5] cloud; *dim.* **~ка** *f* [5; *g/pl.*: -чек]; **~ный** [14; -чен, -чна́,

-o] corpulent, obese, stout, fat; fertile (*soil*).
туш ♪ *m* [1] flourish.
ту́ша *f* [5] carcass.
туш|ёный [14] stewed; **~и́ть** [16] ⟨по-, F за-⟩ put out, extinguish; *impf*. stew; *fig*. subdue.
тушь *f* [8] Indian ink.
тща́тельн|ость *f* [8] care(fulness); **~ый** [14; -лен, -льна] careful.
тще|ду́шный [14; -шен, -шна] sickly; **~сла́вие** *n* [12] vanity; **~сла́вный** [14; -вен, -вна] vain (-glorious); **∠тный** [14; -тен, -тна] vain, futile; ∠тно in vain.
ты [21] you, † thou; быть на ~ (с Т) thou (p.), be familiar (with).
ты́кать [3], ⟨ткнуть⟩ [20] poke, jab, thrust (*v/i*. **-ся**); F (thee &) thou.
ты́ква *f* [5] pumpkin.
тыл *m* [1; в -у́; *pl*. *e*.] rear, base; глубо́кий ~ hinterland.
ты́сяч|а *f* [5] thousand; **~еле́тие** *n* [12] millenium; **~ный** [14] thousandth; of thousand(s).
тьма *f* [5] dark(ness); F lots of.
тьфу! F fie!, for shame!
тю́бик *m* [1] tube.
тюк *m* [1 *e*.] bale, pack.
тюле́нь *m* [4] seal; F lout.
тюль *m* [4] tulle.
тюльпа́н *m* [1] tulip.
тюр|е́мный [14] prison ...; **~е́мщик** *m* [1] jailer, *Brt*. gaoler, warder; **~ьма́** *f* [5; *pl*.: тю́рьмы, -рем, -рьмам] prison, jail, *Brt*. gaol.
тюфя́к *m* [1 *e*.] mattress.
тя́вкать F [1] yap, yelp.
тя́г|а *f* [5] draft, *Brt*. draught; traction; *fig*. bent (for к Д), desire (of); **~а́ться** F [1] (с Т) be a match (for), cope, vie (with); be at law (with); **~остный** [14; -тен, -тна] burdensome; painful; **~ость** *f* [8] burden (*be* ... to в В/Д); **~оте́ние** *n* [12] gravitation; *a*. = ∠а *fig*.; **~оте́ть** [8] gravitate (toward[s] к Д); weigh (upon над Т); **~оти́ть** [15 *e*.; -ощу́, -оти́шь] weigh upon, be a burden to; **-ся** feel the burden (of Т); **~у́чий** [17 *sh*.] viscous; ductile; drawling, lingering.
тя́ж|ба *f* [5] action, lawsuit; **~елове́с** *m* [1] heavyweight; **~елове́сный** [14; -сен -сна] heavy, ponderous; **~ёлый** [14; -жёл, -жела́] heavy; difficult, hard; laborious; serious (*wound*, *etc*.); (*a*. ⚖) severe, grave; grievous, sad, oppressive, painful; close (*air*); (Д) ~ело́ feel sad; **~есть** *f* [8] heaviness; weight; load; burden; gravity; seriousness; painfulness; **~кий** [16; тя́жек, тяжка́, -о] heavy (*fig*.), *etc*., *cf*. ~ёлый.
тян|у́ть [19] pull, draw; ⚓ tow; draw in (out = delay); protract; drawl (out); attract; gravitate; drive at; long; have a mind to; would like; waft; ∠ет there is a draft (*Brt*. draught) (of Т); F drag (on); steal; take (from с Р); **-ся** stretch (*a*. = extend); last; drag, draw on; reach out (for к Д).

У

у (Р) at, by, near; with; (at) ...'s; at p.'s place; у меня́ (был, -а́ ...) I have (had); my; (*borrow*, *learn*, *etc*.) from; of; off (*coast*); in; у себя́ in (at) one's home *or* room, office.
убав|ля́ть [28], ⟨∠ить⟩ [14] lower, reduce, diminish, decrease; *v/i*. **-ся**.
убе|га́ть [1], ⟨~жа́ть⟩ [4; -егу́, -жи́шь, -гу́т] run away; escape.
убе|ди́тельный [14; -лен, -льна] convincing; urgent (*request*); **~жда́ть** [1], ⟨~ди́ть⟩ [15 *e*.; *no 1st p. sg*.; -еди́шь; -еждённый] convince (of в П), persuade (*impf*. *a*. try to ...); **~жде́ние** *n* [12] persuasion; conviction.
убеж|а́ть *s*. убега́ть; **∠ище** *n* [11] shelter, refuge; asylum.
убер|ега́ть [1], ⟨~е́чь⟩ [26 г/ж] save, safeguard.
уби|ва́ть [1], ⟨∠ть⟩ [убью́, -ьёшь; уби́тый] kill; murder; beat (*card*); drive into despair; blight; F waste.
уби́й|ственный [14 *sh*.] killing; murderous; F deadly, terrible; **~ство** *n* [9] murder; покуше́ние на

~ство murderous assault; **~ца** *m/f* [5] murderer; assassin.
убира́|ть [1], ⟨убра́ть⟩ [уберу́, -рёшь; убра́л, -á, -o; у́бранный] take (*or* put, clear) away (in); gather, harvest; tidy up; decorate, adorn, trim; dress up; **-ся** F clear off, away; ~йся (вон)! get out of here!
убúть *s.* убива́ть.
убó|гий [16 *sh.*] needy, poor; wretched, miserable; scanty; crippled; **~жество** *n* [9] poverty.
убóй *m* [3] slaughter (for на В).
убóр *m* [1] attire; (*head*)gear; **~истый** [14 *sh.*] close: **~ка** *f* [5; *g/pl.*: -рок] harvest, gathering; tidying up; **~ная** *f* [14] lavatory, toilet, water closet; dressing room; **~очный** [14] harvest(ing); **~щица** *f* [5] charwoman.
убра́|нство *n* [9] attire; furniture; **~ть(ся)** *s.* убира́ть(ся).
убы|ва́ть [1], ⟨**´~ть**⟩ [убу́ду, убу́дешь; у́был, -á, -o] subside, fall; decrease; leave; fall out; **´~ль** *f* [8] decrease, fall; loss; **´~ток** *m* [1; -тка] loss, damage; disadvantage (*be* at в П); **´~точный** [14; -чен, -чна] unprofitable; **´~ть** *s.* **~**ва́ть.
уваж|а́емый [14] dear (*address*); **~а́ть** [1], **~е́ние** *n* [12] respect, esteem (*su.* for к Д); **~и́тельный** [14; -лен, -льна] valid.
уведом|ля́ть [28], ⟨´~ить⟩ [14] inform, notify, advise (of о П); **~ле́ние** *n* [12] notification, † advice.
увезти́ *s.* увози́ть.
увекове́чи|вать [1], ⟨~ть⟩ [16] immortalize.
увелич|е́ние *n* [12] increase; enlargement; **´~ивать** [1], ⟨´~ить⟩ [16] increase; enlarge; magnify; *v/i.* **-ся**; **~и́тельный** [14] *opt.* magnifying; *gr.* augmentative.
увенча́ться [1] *pf.* (Т) be crowned.
увер|е́ние *n* [12] assurance (of в П); **´~енность** *f* [8] firmness, assurance; certainty; confidence (in в П); **´~енный** [14 *sh.*] firm, steady; confident (of в П); positive, sure, certain; бу́дьте ´~ены I assure you, you may depend on it; **´~ить** *s.* ~я́ть.
увёрт|ка F *f* [5; *g/pl.*: -ток] subterfuge, dodge; **~ливый** [14 *sh.*] evasive.
увертю́ра *f* [5] overture.
увер|я́ть [28], ⟨´~ить⟩ [13] assure (of в П); make believe (sure **-ся**), persuade.
увесел|е́ние *n* [12] amusement; **~и́тельный** [14] pleasure...; **~я́ть** [28] amuse.
увести́ *s.* уводи́ть.
уве́ч|ить [16], ⟨из-⟩ mutilate; **~ный** [14] crippled; **~ье** *n* [10] mutilation.
увещ(ев)а́|ние *n* [12] admonition; **~ть** [1] admonish.
уви́л|ивать [1], ⟨~ьну́ть⟩ [20] shirk.
увлажн|я́ть [28], ⟨~и́ть⟩ [13] wet, dampen.
увле|ка́тельный [14; -лен, -льна] fascinating; **~ка́ть** [1], ⟨´~чь⟩ [26] carry (away; *a. fig.* = transport, captivate); **-ся** (Т) be carried away (by), be(come) enthusiastic (about); be(come) absorbed (in); take to; fall (*or* be) in love (with); **~че́ние** *n* [12] enthusiasm, passion (for Т).
увó|д *m* [1] ⚔ withdrawal; theft; **~ди́ть** [15], ⟨увести́⟩ [25] take, lead (away, off); steal; ⚔ withdraw; **~зи́ть** [15], ⟨увезти́⟩ [24] take, carry, drive (away, off); F steal, kidnap.
увóл|ить *s.* ~ьня́ть; **~ьне́ние** *n* [12] dismissal (from с Р); granting (of *leave* в В); **~ьня́ть** [28], ⟨~ить⟩ [13] dismiss (from с Р); give (leave of absence в о́тпуск); (от Р) dispense (with), spare.
увы́! alas!
увя|да́ние *n* [12] withering; **~да́ть** [1], ⟨´~нуть⟩ [20] wither, fade; **´~дший** [17] withered.
увяз|а́ть [1] **1.** ⟨´~нуть⟩ [21] stick, sink; **2.** *s.* ´~ывать(ся); **´~ка** *f* [5] coördination; **´~ывать** [1], ⟨~а́ть⟩ [3] tie up; coördinate (*v/i.* **-ся**).
уга́д|ывать [1], ⟨~а́ть⟩ [1] guess.
уга́р *m* [1] coal gas; poisoning by coalgas; *fig.* frenzy, intoxication; **~ный** [14] full of coal gas; charcoal...
угас|а́ть [1], ⟨´~нуть⟩ [21] die (*or* fade) out, away, expire, become extinct.
угле|кислота́ *f* [5] carbonic acid; **~ки́слый** [14] carbon(ic); chokedamp...; **~ко́п** *m* [1] *s.* шахтёр; **~ро́д** *m* [1] carbon.
угловóй [14] corner...; angle...
углуб|и́ть(ся) *s.* ~ля́ть(ся); **~ле́ние** *n* [12] deepening; hollow, cavity; absorption; extension; **~лённый** [14 *sh.*] profound; *a. p.pt.p. of* ~и́ть(ся); **~ля́ть** [28], ⟨~и́ть⟩ [14 *e.*; -блю́, -би́шь; -блённый] deepen (*v/i.* **-ся**); make (become) more

profound, extend; -ся *a.* go deep (into в В), be(come) absorbed (in).

угна́ть *s.* угоня́ть.

угнет|а́тель *m* [4] oppressor; **~а́ть** [1] oppress; depress; **~е́ние** *n* [12] oppression; (*a.* **~ённость** *f* [8]) depression; **~ённый** [14; -тён, -тена́] oppressed; depressed.

угов|а́ривать [1], ⟨~ори́ть⟩ [13] (В) (*impf.* try to) persuade; **-ся** arrange, agree; **~о́р** *m* [1] agreement, arrangement (by по Д); condition (on с Т); *pl.* persuasion(s); **~ори́ть(ся)** *s.* ~а́ривать(ся).

уго́д|а *f* [5]: в ~у (Д) for p.'s sake, to please s. o.; **~и́ть** *s.* угожда́ть; **~ливый** [14 *sh.*] complaisant; obliging; ingratiating, toadyish; **~ник** *m* [1] saint; **~но** please; как (что) вам ~но just as (whatever) you like; что вам ~но? what can I do for you?; не ~но ли вам ...? wouldn't you like ...; ско́лько (душе́) ~но *s.* вдо́воль & всласть.

уго|жда́ть [1], ⟨~ди́ть⟩ [15*e.*; -ожу́, -оди́шь] (Д, на В) please; *pf.* F get, come; (в В) hit.

у́гол *m* [1; угла́; в, на углу́] corner (at на П); ⩓ angle; nook; home; **~о́вный** [14] criminal.

уголо́к *m* [1; -лка́] nook, corner.

у́голь *m* [4; у́гля] coal; как на **~ях** F on tenterhooks; **~ный**[1] [14] coal-...; carbonic; **~ный**[2] F [14] corner...

угомони́ть(ся) [13] *pf.* calm (down).

угоня́ть [28], ⟨угна́ть⟩ [угоню́, уго́нишь; угна́л, -а́, -о; у́гнанный] drive (away, off); steal; **-ся** F catch up (with за Т).

угор|а́ть [1], ⟨~е́ть⟩ [9] be poisoned by coal gas; F go mad.

у́горь *m* [4 *e.*; угря́] eel; blackhead.

уго|ща́ть [1], ⟨~сти́ть⟩ [15 *e.*; -ощу́, -ости́шь; -ощённый] treat (with T), entertain; **~ще́ние** *n* [12] entertainment; food, drinks *pl.*

угро|жа́ть [1] threaten (p. with Д/Т); **~за** *f* [5] threat, menace.

угрызе́ни|е *n* [12]; ~я *pl.* со́вести remorse.

угрю́мый [14 *sh.*] morose, gloomy.

уда́в *m* [1] boa.

уда|ва́ться [5], ⟨~ться⟩ [уда́стся, -аду́тся; уда́лся, -ла́сь] succeed; мне ~ётся (~ло́сь) (+ *inf.*) I succeed (-ed) (in ...ing).

удал|е́ние *n* [12] removal; extraction; **~и́ть(ся)** *s.* **~я́ть(ся)**; **~о́й**, **~ый** [14; уда́л, -а́, -о] bold, daring; **'~ь** *f* [8], F **~ьство́** *n* [9] boldness, daring; **~я́ть** [28], ⟨~и́ть⟩ [13] remove; extract (*tooth*); **-ся** retire, withdraw; move away.

уда́р *m* [1] blow (*a. fig.*); (*a.* ⚕) stroke; ⚡, *fig.* shock; impact; slash; (*thunder*)clap; F form; **~е́ние** *n* [12] stress, accent; **~ить(ся)** *s.* ~я́ть(ся); **~ник** *m* [1] shock worker, Stakhanovite (*Sov.*); **~ный** [14] shock...; impact...; foremost; **~я́ть** [28], ⟨~ить⟩ [13] strike (on по Д), hit; knock; beat, sound; punch (кулако́м); butt (голово́й); kick (ного́й); set about, start (...ing в В *pl.*); attack (*v/t.* на В; with в В *pl.*); go (to *head* в В); F set in; stir; **-ся** strike *or* knock (with/against Т/о В); hit (в В); F fall into; throw o.s., plunge.

уда́ться *s.* удава́ться.

уда́ч|а *f* [5] (good) luck; **~ник** F *m* [1] lucky man; **~ный** [14; -чен, -чна] successful; good.

удв|а́ивать [1], ⟨~о́ить⟩ [13] double (*v/i.* **-ся**).

уде́л *m* [1] lot, destiny; appanage; **~и́ть** *s.* ~я́ть; **~ьный** [14] specific (*gravity, a. fig.*); **~я́ть** [28], ⟨~и́ть⟩ [13] devote; spare; allot.

уде́рж|ивать [1], ⟨~а́ть⟩ [4] withhold, restrain; keep, retain; suppress; deduct; **-ся** hold (on; to за В; *a.* out); refrain (from от Р).

удешев|ля́ть [28], ⟨~и́ть⟩ [14 *e.*; -влю́, -ви́шь; -влённый] cheapen.

удив|и́тельный [14; -лен, -льна] wonderful, marvel(l)ous; miraculous; amazing, strange; (не) ~и́тельно it is a (no) wonder; **~и́ть(ся)** *s.* ~ля́ть(ся); **~ле́ние** *n* [12] astonishment, surprise; **~ля́ть** [28], ⟨~и́ть⟩ [14 *e.*; -влю́, -ви́шь; -влённый] (**-ся** be) astonish(ed at Д), surprise(d, wonder).

удила́ *n/pl.* [9; -и́л, -ила́м] bit.

удира́ть F [1], ⟨удра́ть⟩ [удеру́, -рёшь; удра́л, -а́, -о] run away.

уди́ть [15] angle (for *v/t.*), fish (ры́бу).

удлин|е́ние *n* [12] lengthening; **~я́ть** [28], ⟨~и́ть⟩ [13] lengthen.

удо́б|ный [14; -бен, -бна] convenient; comfortable; **~о...** easily ...; **~овари́мый** [14 *sh.*] digestible; **~ре́ние** *n* [12] manure, fertilizer; fertilization; **~ря́ть** [28], ⟨~рить⟩ [13] fertilize, manure, dung; **~ство**

n [9] convenience; comfort; *pl.* facilities.

удовлетвор|éние *n* [12] satisfaction; **~и́тельный** [14; -лен, -льна] satisfactory; *adv. a.* D (*mark*); **~я́ть** [28], ⟨~и́ть⟩ [13] satisfy; grant; (Д) meet; **-ся** content o.s. (with Т).

удо|вóльствие *n* [12] pleasure; **~рожáть** [1], ⟨~рожи́ть⟩ [16] raise the price of.

удост|áивать [1], ⟨~óить⟩ [13] (**-ся** be) hono(u)r(ed), (*a.* ✝) favo(u)r(ed) (with Р, Т); bestow, confer (on); award; deign (to look at р. взгля́да, -ом В); **~оверéние** *n* [12] certificate, certification; (*identity*) card; corroboration (in в В); **~оверя́ть** [28], ⟨~овéрить⟩ [13] certify, attest; prove (*one's identity*); convince (of в П; o.s. **-ся**; *a.* make sure); **~óить(ся)** *s.* ~áивать(ся).

удосу́житься F [16] find time.

у́дочк|а *f* [5; *g/pl.*: -чек] fishing tackle; *fig.* trap; заки́нуть ~у F *fig.* drop a hint.

удрáть *s.* удирáть.

удружи́ть [16 *e.*; -жу́, -жи́шь] F *s.* услужи́ть.

удруч|áть [1], ⟨~и́ть⟩ [16 *e.*; -чу́, -чи́шь; -чённый] deject, depress.

удуш|éние *n* [12] suffocation; poisoning; **∠ливый** [14 *sh.*] stifling, suffocating; oppressive (*heat*); poison (*gas*); **∠ье** *n* [10] asthma.

уедин|éние *n* [12] solitude; **~ённый** [14 *sh.*] retired, secluded, lonely, solitary; **~я́ться** [28], ⟨~и́ться⟩ [13] retire, seclude o.s.

уéзд † *m* [1], **~ный** [14] district.

уезжáть [1], ⟨уéхать⟩ [уéду, -дешь] (в В) leave (for), go (away; to).

уж 1. *m* [1 *e.*] grass snake; **2.** = ужé; F indeed, well; *do, be* (+ *vb.*).

у́жас *m* [1] horror; terror, fright; F = ∠ный, ∠но; **~áть** [1], ⟨~нýть⟩ [20] horrify; **-ся** be horrified *or* terrified (at Р, Д); **~áющий** [17] horrifying; **∠ный** [14; -сен, -сна] terrible, horrible, dreadful; F awful.

ужé already; as early as; ~ не not ... any more; (вóт) ~ for (*time*).

ужéние *n* [12] angling, fishing.

ужи|вáться [1], ⟨∠ться⟩ [-иву́сь, -вёшься; -и́лся, -илáсь] get accustomed (to в П); live in harmony (with с Т); **∠вчивый** [14 *sh.*] sociable, accomodating; **∠мка** *f* [5; *g/pl.*: -мок] grimace; gesture.

у́жин *m* [1] supper (at за Т; for на В, к Д); **~ать** [1], ⟨по-⟩ have supper.

ужи́ться *s.* уживáться.

узакон|éние *n* [12] legalization; statute; **∠ивать** [1] & **~я́ть** [28], ⟨∠ить⟩ [13] legalize.

узбéк *m* [1], **~ский** [16] Uzbek.

узд|á *f* [5; *pl. st.*], **~éчка** *f* [5; *g/pl.*: -чек] bridle.

у́зел *m* [1; узлá] knot; 🚂 junction; center, *Brt.* centre; *anat.* ganglion; bundle; **~óк** *m* [1; -лкá] knot; packet.

у́зк|ий [16; у́зок, узкá, -о; *comp.*: у́же] narrow (*a. fig.*); tight; ~ое мéсто *n* bottleneck; weak point; **~околéйный** [14] narrow-gauge.

узлов|áтый [14 *sh.*] knotty; **~óй** [14] knot(ty); central, chief; 🚂 *s.* у́зел.

узна|вáть [5], ⟨∠ть⟩ [1] recognize (by по Д); learn (from: p. от Р; th. из Р), find out, (get to) know, hear; позвóльте ∠ть tell me, please.

у́зник *m* [1] prisoner.

узóр *m* [1] pattern, design; с ~ами = **~чатый** [14 *sh.*] figured; pattern.

у́зость *f* [8] narrow(-minded)ness.

у́зы *f/pl.* [5] bonds, ties.

у́йма F *f* [5] a great lot.

уйти́ *s.* уходи́ть.

укáз *m* [1] decree, edict, ukase; **~áние** *n* [12] instruction (by по Д), direction; indication (of Р, на В); **~áтель** *m* [4] index; indicator; guide; **~áтельный** [14] indicatory; fore(*finger*), index; *gr.* demonstrative; **~áть** *s.* ∠ывать; **~ка** *f* [5] pointer; F order (by по Д); **~ывать** [1], ⟨~áть⟩ [3] point out; point (to на В); show; indicate.

укáч|ивать, ⟨~áть⟩ [1] rock to sleep, lull; *impers.* make (sea)sick.

уклáд *m* [1] mode, way (*of life*); form; **~ка** *f* [5] packing; laying; **~ывать** [1], ⟨уложи́ть⟩ [16] put (to bed); lay; pack (up F **-ся**); place; cover; -ся *a.* find room; F manage.

уклóн *m* [1] slope, incline; slant (*a. fig.* = bias, bent, tendency); *pol.* deviation; **~éние** *n* [12] swerve, deviation; evasion; **~и́ться** *s.* ~я́ться; **~чивый** [14 *sh.*] evasive; **~я́ться** [28], ⟨~и́ться⟩ [13; -оню́сь, -óнишься] deviate; evade (*v/t.* от Р); swerve; digress.

уклю́чина *f* [5] oarlock (*Brt.* row-).
уко́л *m* [1] prick; ⚕ injection.
укомплекто́в|ывать [1], ⟨~а́ть⟩ [7] complete, fill; supply (fully; with T).
уко́р *m* [1] reproach; **~а́чивать** [1], ⟨~оти́ть⟩ [15 *e.*; -очу́, -оти́шь; -о́ченный] shorten; **~еня́ть** [28], ⟨~ени́ть⟩ [13] implant; **-ся** take root; **~и́зна** *f* [5] *s.* ~; **~и́зненный** [14] reproachful; **~и́ть** *s.* ~я́ть; **~оти́ть** *s.* ~а́чивать; **~я́ть** [28], ⟨~и́ть⟩ [13] reproach, blame (of в П, за В).
укра́дкой furtively.
Украи́н|а *f* [5] Ukraine (in на П); **♀ец** *m* [1; -нца], **♀ка** *f* [5; *g/pl.:* -нок], **♀ский** [16] Ukrainian.
укра|ша́ть [1], ⟨~́сить⟩ [15] adorn; (**-ся** be) decorate(d); trim; embellish; **~ше́ние** *n* [12] adornment; decoration; ornament; embellishment.
укреп|и́ть(ся) *s.* ~ля́ть(ся); **~ле́ние** *n* [12] strengthening; consolidation; ⚔ fortification; **~ля́ть** [28], ⟨~и́ть⟩ [14 *e.*; -плю́, -пи́шь; -плённый] strengthen; fasten; consolidate; ⚔ fortify; ~ля́ющий *a.* ⚕ restorative; **-ся** strengthen, become stronger; ⚔ entrench.
укро́|мный [14; -мен, -мна] secluded; **~п** *m* [1] fennel.
укро|ти́тель *m* [4], **~ти́тельница** *f* [5] tamer; **~ща́ть** [1], ⟨~ти́ть⟩ [15 *e.*; -ощу́, -оти́шь; -ощённый] tame; break (*horse*); subdue, restrain; **~ще́ние** *n* [12] taming; subdual.
укрупн|я́ть [28], ⟨~и́ть⟩ [13] enlarge, extend; centralize.
укры|ва́тель *m* [4] receiver; **~ва́ть** [1], ⟨~́ть⟩ [22] cover; shelter; conceal, harbo(u)r; **-ся** cover o.s.; hide; take shelter *or* cover; **~́тие** *n* [12] cover, shelter.
у́ксус *m* [1] vinegar.
уку́с *m* [1] bite; **~и́ть** *s.* куса́ть.
уку́т|ывать, ⟨~ать⟩ [1] wrap up.
ул. *abbr.*: у́лица.
ула́|вливать [1], ⟨улови́ть⟩ [14] catch, seize; grasp; **~живать** [1], ⟨~дить⟩ [15] settle, arrange; reconcile.
у́лей *m* [3; у́лья] beehive.
улет|а́ть [1], ⟨~е́ть⟩ [11] fly (away).
улету́чи|ваться [1], ⟨~ться⟩ [16] volatilize; F disappear, vanish.
уле́чься [26 г/ж: уля́гусь, уля́жешься, уля́гутся] *pf.* lie down, go (to bed); settle; calm down, abate.
ули́ка *f* [5] corpus delicti, proof.
ули́тка *f* [5; *g/pl.:* -ток] snail; *anat.* cochlea.
у́лиц|а *f* [5] street (in, on на П); на ~е *a.* outside, outdoors.
улич|а́ть [1], ⟨~и́ть⟩ [16 *e.*; -чу́, -чи́шь; -чённый] (в П) detect, catch (in the act [of]); convict (of); give (a p. *the lie*).
у́личный [14] street...
уло́в *m* [1] catch; **~и́мый** [14 *sh.*] perceptible; **~и́ть** *s.* ула́вливать; **~ка** *f* [5; *g/pl.*: -вок] trick, ruse.
уложи́ть(ся) *s.* укла́дывать(ся).
улуч|а́ть F [1], ⟨~и́ть⟩ [16 *e.*; -чу́, -чи́шь; -чённый] find.
улучш|а́ть [1], ⟨~́ить⟩ [16] improve; *v/i.* **-ся**; **~е́ние** *n* [12] improvement; **~́ить(ся)** *s.* ~а́ть(ся).
улыб|а́ться [1], ⟨~ну́ться⟩ [20], **~́ка** *f* [5; *g/pl.:* -бок] smile (at Д).
ультракоро́ткий [16] very-high-frequency (*radio*).
ум *m* [1 *e.*] intellect; mind; sense(s); head (off не в П); без ~а́ mad (about от P); за́дним ~о́м кре́пок *be* wise after the event; быть на ~е́ (у Р) have in mind; не его́ ~а́ де́ло beyond his reach; сойти́ (F спя́тить) с ~а́ go mad; сходи́ть с ~а́ F *a.* be mad (about по П); (у Р) ~ за ра́зум захо́дит F *be* crazy; (у Р) ~ коро́ток F *be* dull *or* dense.
умал|е́ние *n* [12] belittling; **~и́ть** (**-ся**) *s.* ~я́ть(ся); **~ишённый** [14] *s.* сумасше́дший; **~́чивать** [1], ⟨умолча́ть⟩ [4 *e.*; -чу́, -чи́шь] (о П) pass (th.) over in silence; **~я́ть** [28], ⟨~и́ть⟩ [13] belittle, derogate, disparage; curtail; **-ся** decrease, lessen.
уме́|лый [14] skil(l)ful, skilled; **~ние** *n* [12] skill, faculty, knowhow.
уменьш|а́ть [1], ⟨~́ить⟩ [16 & 16 *e.*; -е́ньшу́, -е́ньши́шь; -е́ньшенный & -шённый] reduce, diminish, decrease (*v/i.* **-ся**); **~е́ние** *n* [12] decrease, reduction; **~и́тельный** [14] diminutive; **~́ить(ся)** *s.* ~а́ть (-ся).
уме́ренн|ость *f* [8] moderation, moderateness; **~ый** [14 *sh.*] moderate, (*a. geogr.* [*no sh.*]) temperate.
умер|е́ть *s.* умира́ть; **~́ить** *s.* ~я́ть; **~тви́ть** *s.* ~щвля́ть; **~́ший** [17] dead; **~щвля́ть** [28], ⟨~тви́ть⟩

[14 *e.*; -рщвлю́, -ртви́шь; -рщвлённый] kill, destroy; mortify; **~я́ть** [28], ⟨**∠ить**⟩ [13] moderate.

уме|сти́ть(ся) *s.* ~ща́ть(ся); **∠стный** (-ˈmesn-) [14; -тен, -тна] appropriate; **∠ть** [8], ⟨с-⟩ can; know how; **~ща́ть** [1], ⟨~сти́ть⟩ [15 *e.*; -ещу́, -ести́шь; -ещённый] get (into в В); **-ся** find room; sit down.

умил|е́ние *n* [12] deep emotion, affection; **~ённый** [14] affected; affectionate; **~я́ть** [28], ⟨~и́ть⟩ [13] (**-ся** be) move(d), touch(ed).

умира́ть [1], ⟨умере́ть⟩ [12; *pt.*: у́мер, умерла́, -о; уме́рший] die (of, from от, с Р).

умн|е́ть [8], ⟨по-⟩ grow wiser; **∠ик** F *m* [1], **∠ица** *m/f* [5] clever (*or* good) boy, girl, (wo)man; **∠ичать** F [1] *s.* мудри́ть.

умнож|а́ть [1], ⟨∠ить⟩ [16] multiply (by на В); *v/i.* **-ся**; **~е́ние** *n* [12] multiplication.

у́м|ный [14; умён, умна́, у́мно́] clever, smart, wise; **~озаключе́ние** *n* [12] conclusion; **~озри́тельный** [14; -лен, -льна] speculative.

умол|и́ть *s.* ~я́ть; **ʹ~к:** без ʹ~ку incessantly; **~ка́ть** [1], ⟨∠кнуть⟩ [21] stop, become silent; subside; **~ча́ть** *s.* ума́лчивать; **~я́ть** [28], ⟨~и́ть⟩ [13; -олю́, -о́лишь] implore (*v/t.*), beseech, entreat (for о П).

умопо|меша́тельство *n* [9], **~мраче́ние** *n* [12] (mental) derangement.

умо́р|а F *f* [5], **~и́тельный** F [14; -лен, -льна] side-splitting, awfully funny; **~и́ть** F [13] *pf.* kill; exhaust, fatigue (*a.* with laughing со́ смеху).

у́мственный [14] intellectual, mental; brain (*work*[*er*]).

умудр|я́ть [28], ⟨~и́ть⟩ [13] make wise; **-ся** F contrive, manage.

умыва́|льная *f* [14] washroom; **~льник** *m* [1] wash(ing) stand; washbowl, *Brt.* wash-basin; **~ние** *n* [12] washing; wash; **~ть** [1], ⟨умы́ть⟩ [22] (**-ся**) wash (*a.* o.s.).

у́мы|сел *m* [1; -сла] design, intent(ion); с ~слом (без ~ла) (un-) intentionally; **∠ть(ся)** *s.* ~ва́ть(ся); **∠шленный** [14] deliberate; intentional.

унаво́живать [1] *s.* наво́зить.

унести́(сь) *s.* уноси́ть(ся).

универ|ма́г *m* [1] (~са́льный магази́н) department store, *Brt.* stores *pl.*; **~са́льный** [14; -лен, -льна] universal; *cf. a.* универма́г; **~сите́т** *m* [1] university (at, in в П).

уни|жа́ть [1], ⟨∠зить⟩ [15] humble, humiliate, abase; **~же́ние** *n* [12] humiliation; **~жённый** [14 *sh.*] humble; **~зи́тельный** [14; -лен, -льна] humiliating; **∠зить** *s.* ~жа́ть.

унима́ть [1], ⟨уня́ть⟩ [уйму́, уймёшь; уня́л, -а́, -о; -я́тый (-я́т, -а́, -о)] appease, soothe; still (*pain*); stanch (*blood*); **-ся** calm *or* quiet down; subside.

уничижи́тельный [14] *ling.* pejorative.

уничт|ожа́ть [1], ⟨~о́жить⟩ [16] annihilate; destroy; abolish, annul; **~оже́ние** *n* [12] annihilation; **~о́жить** *s.* ~ожа́ть.

уноси́ть [15], ⟨унести́⟩ [24 -с-] carry, take (away, off); **-ся**, ⟨-сь⟩ speed away.

у́нтер-офице́р *m* [1] corporal.

уны|ва́ть [1] despond; **∠лый** [14 *sh.*] sad, dejected; **∠ние** *n* [12] despondency; ennui.

уня́ть(ся) *s.* унима́ть(ся).

упа́до|к *m* [1; -дка] decay, decadence; ~к ду́ха dejection; ~к сил collapse; **~чный** [14; -чен, -чна] decadent; depressive.

упаков|а́ть *s.* ∠ывать; **∠ка** *f* [5; *g/pl.*: -вок] packing; wrappings *pl.*; **∠щик** *m* [1] packer; **∠ывать** [1], ⟨~а́ть⟩ [7] pack (up).

упа́сть *s.* па́дать.

упира́ть [1], ⟨упере́ть⟩ [12] prop, stay (against в В); rest (*a.*, F, *eyes* on в В); P steal; **-ся** lean, prop (s.th. Т; against в В); F rest (on в В); insist on; be obstinate.

упи́танный [14 *sh.*] well-fed, fat.

упла́|та *f* [5] payment (in в В); **~чивать** [1], ⟨~ти́ть⟩ [15] pay; meet (*bill*).

уплотн|я́ть [28], ⟨~и́ть⟩ [13] condense, compact; fill up (with work).

уплы|ва́ть [1], ⟨∠ть⟩ [23] swim *or* sail (away, off); pass (away), vanish.

упова́ть [1] (на В) trust (in), hope (for).

упод|обля́ть [28], ⟨~о́бить⟩ [14] liken; assimilate (*v/i.* **-ся**).

упо|е́ние *n* [12] rapture, ecstasy;

~ённый [14; -ён, -ена́] enraptured; **~и́тельный** [14; -лен, -льна] rapturous, delightful; intoxicating.

уползти́ [24] *pf.* creep away.

уполномо́ч|енный *m* [14] plenipotentiary; **~ивать** [1], ⟨~ить⟩ [16] authorize, empower (to на В).

упомина́|ние *n* [12] mention (of о П); **~ть** [1], ⟨упомяну́ть⟩ [19] mention (*v/t.* В, о П).

упо́р *m* [1] rest; support, prop; 🚂 buffer stop; ⊕ stop, catch; де́лать ~ lay stress *or* emphasis (on на В); в ~ point-blank, straightforward (*a. look* at на В); **~ный** [14; -рен, -рна] pertinacious, persistent, persevering; stubborn, obstinate; **~ство** *n* [9] persistence, perseverance; obstinacy; **~ствовать** [7] persevere, persist (in в П).

употреб|и́тельный [14; -лен, -льна] common, customary; current; **~и́ть** *s.* ~ля́ть; **~ле́ние** *n* [12] use; usage; **~ля́ть** [28], ⟨~и́ть⟩ [14 *e.*; -блю́, -би́шь; -блённый] (*impf.* **-ся** be) use(d), employ(ed); take (*medicine*); make (*efforts*); ~и́ть во зло abuse.

управ|до́м *m* [1] (управля́ющий до́мом) house manager; **~иться** *s.* ~ля́ться; **~ле́ние** *n* [12] administration (of Р; Т), management; direction; board; ⊕ control; *gr.* government; **~ля́ть** [28] (Т) manage, operate; rule; govern (*a. gr.*); drive; ⚓ steer; ⊕ control; guide; ♪ conduct; **-ся**, ⟨~иться⟩ F [14] (с Т) manage; finish; **~ля́ющий** *m* [17] manager; steward.

упражн|е́ние *n* [12] exercise; practice; **~я́ть** [28] exercise (*v/i.*, *v/refl.* **-ся**; в П: practise s.th.).

упраздн|е́ние *n* [12] abolition; **~я́ть** [28], ⟨~и́ть⟩ [13] abolish.

упра́шивать [1], ⟨упроси́ть⟩ [15] (*impf.* try to) persuade.

упрёк *m* [1] reproach, blame.

упрек|а́ть [1], ⟨~ну́ть⟩ [20] reproach, blame (with в П).

упро|си́ть *s.* упра́шивать; **~сти́ть** *s.* ~ща́ть; **~чение** *n* [12] consolidation; **~чивать** [1], ⟨~чить⟩ [16] consolidate (*v/i.* **-ся**), stabilize; **~ща́ть** [1], ⟨~сти́ть⟩ [15 *e.*; -ощу́, -ости́шь; -ощённый] simplify; **~ще́ние** *n* [12] simplification.

упру́г|ий [16 *sh.*] elastic, resilient; **~ость** *f* [8] elasticity.

у́пряжь *f* [8] harness.

упря́м|иться [14] be obstinate; persist; **~ство** *n* [9] obstinacy, stubbornness; **~ый** [14 *sh.*] obstinate, stubborn.

упря́т|ывать [1], ⟨~ать⟩ [3] hide.

упу|ска́ть [1], ⟨~сти́ть⟩ [15] let go; let escape; miss; *cf.* вид); **~ще́ние** *n* [12] neglect, ommission.

ура́! hurrah!

уравн|е́ние *n* [12] equation; **~ивать** [1] **1.** ⟨уровня́ть⟩ [28] level; **2.** ⟨~я́ть⟩ [28] equalize, level *fig.*; **~и́тельный** [14] level(l)ing; **~ове́шивать** [1], ⟨~ове́сить⟩ [15] balance; *p.pt.p. a.* well-balanced, composed, calm; **~я́ть** *s.* ~ивать 2.

урага́н *m* [1] hurricane.

Ура́л *m* [1], **♀ьский** [16] Ural.

ура́н *m* [1], **~овый** [14] uranium.

урегули́рование *n* [12] settlement; regulation; *vb. cf.* регули́ровать.

урез|а́ть *&* **~ывать** F [1], ⟨~ать⟩ [3] cut (down), curtail; **~о́нить** F [13] *pf.* bring to reason.

у́рна *f* [5] urn; (*voting*) box.

у́ров|ень *m* [4; -вня] level (at, on на П; в В); standard; gauge; rate; **~ня́ть** *s.* ура́внивать 1.

уро́д *m* [1] monster; F ugly creature; **~и́ться** [15 *e.*; -и́тся; -ождённый] *pf.* grow, be born; F be like (р. в В); **~ливый** [14 *sh.*] deformed; ugly; abnormal; **~овать** [7], ⟨из-⟩ deform, disfigure; mutilate; spoil; **~ство** *n* [9] deformity; ugliness; abnormity.

урож|а́й *m* [3] harvest, (abundant) crop; **~а́йность** *f* [8] yield (heavy высо́кая), productivity; **~а́йный** [14] fruitful; **~дённая** [14] nee; **~е́нец** *m* [1; -нца], **~е́нка** *f* [5; *g/pl.*: -нок] native.

уро́|к *m* [1] lesson (in на П); task; **~н** *m* [1] loss(es); injury; **~ни́ть** *s.* роня́ть; **~чный** [14] set, fixed.

Уругва́й *m* [4] Uruguay.

урча́ть [4 *e.*; -чу́, -чи́шь] (g)rumble; murmur.

уры́вками F by fits (& starts).

ус *m* [1; *pl. e.*] (*mst pl.*) m(o)ustache; кито́вый ~ whalebone.

уса|ди́ть *s.* ~живать; **~дьба** *f* [5; *g/pl.*: -деб] farm (land); manor; **~живать** [1], ⟨~ди́ть⟩ [15] seat; set; plant (with Т); **-ся**, ⟨усе́сть-

ся⟩ [25; уся́дусь, -дешься; уся́дься, -дьтесь!; усе́лся, -лась] sit down, take a seat; settle down.
уса́тый [14] with a m(o)ustache.
усв|а́ивать [1], ⟨~о́ить⟩ [13] adopt; acquire, assimilate; master, learn; **~о́ение** *n* [12] adoption; acquirement, assimilation; mastering, learning.
усе́|ивать [1], ⟨~ять⟩ [27] stud.
усе́рд|ие *n* [12] zeal, eagerness (for к Д); assiduity; **~ный** [14; -ден, -дна] eager, zealous; assiduous.
усе́сться *s.* уса́живаться.
усе́ять *s.* усе́ивать.
усид|е́ть [11] *pf.* remain seated, sit still, (can) sit; hold out; **´~чивый** [14 *sh.*] assiduous, persevering.
у́сик *m* [1] *dim. of* ус; *zo.* feeler.
усил|е́ние *n* [12] strengthening, reinforcement; intensification; amplification; **´~енный** [14] intens(iv)e; substantial; pressing; **´~ивать** [1], ⟨´~ить⟩ [13] strengthen, reinforce; intensify; (*sound*) amplify; aggravate; **-ся** increase; **´~ие** *n* [12] effort, strain, exertion; **~и́тель** *m* [4] amplifier (*radio*); **´~ить(ся)** *s.* ´~ивать(ся).
ускака́ть [3] *pf.* leap *or* gallop [(away).
ускольз|а́ть [1], ⟨~ну́ть⟩ [20] slip (off, away), escape (from от Р).
ускор|е́ние *n* [12] acceleration; **~я́ть** [28], ⟨´~ить⟩ [13] speed up, accelerate; *v/i.* **-ся**.
усла́|вливаться F *s.* усло́вливаться; **~жда́ть** [1], ⟨~ди́ть⟩ [15 *e.*; -ажу́, -ади́шь; -аждённый] sweeten, soften; delight, **~ть** *s.* усыла́ть.
усло́в|ие *n* [12] condition (on с Т, при П; under на П), term; stipulation; proviso; agreement, contract; **~иться** *s.* ~ливаться; **~ленный** [14 *sh.*] agreed upon, fixed; **~ливаться** [1], ⟨~иться⟩ [14] arrange, fix, agree (upon о П); **~ность** *f* [8] convention; **~ный** [14; -вен, -вна] conditional; conventional; relative; ⚖ probational; ~ный знак secret sign, *pl. a.* legend.
усложн|я́ть [28], ⟨~и́ть⟩ [13] (**-ся** become) complicate(d).
услу́|га *f* [5] service (at к Д *pl.*), favo(u)r; **~живать** [1], ⟨~жи́ть⟩ [16] do (p. Д) a service *or* favo(u)r; **~жливый** [14 *sh.*] obliging.
усм|а́тривать [1], ⟨~отре́ть⟩ [9; -отрю́, -о́тришь; -о́тренный] see (after за Т); **~еха́ться** [1], ⟨~ехну́ться⟩ [20], **~е́шка** *f* [5; *g/pl.:* -шек] smile, grin; **~ире́ние** *n* [12] suppression; **~иря́ть** [28], ⟨~ири́ть⟩ [13] pacify; suppress; **~отре́ние** *n* [12] discretion (at по Д; to на В), judg(e)ment; **~отре́ть** *s.* ~а́тривать
усну́ть [20] *pf.* fall asleep; sleep.
усоверше́нствован|ие *n* [12] improvement, perfection; **~ный** [14] improved, perfected.
усомни́ться *s.* сомнева́ться.
усо́пший [17] deceased.
успе|ва́емость *f* [8] progress; **~ва́ть** [1], ⟨´~ть⟩ [8] have (*or* find) time, manage, succeed; arrive, be in time (for к Д, на В); catch (*train* на В); *impf.* get on, make progress, learn; не ´~л(а) (+ *inf.*), как no sooner + *pt.* than; **~ва́ющий** [17] advanced; **´~х** *m* [1] success; result; *pl. a.* progress; **´~шный** [14; -шен, -шна] successful; ´~шно *a.* with success.
успок|а́ивать [1], ⟨~о́ить⟩ [13] calm, soothe; reassure; satisfy; **-ся** calm down; subside; become quiet; content o.s. (with на П); **~о́ение** *n* [12] peace; calm; **~ои́тельный** [14; -лен, -льна] soothing, reassuring; **~о́ить(ся)** *s.* ~а́ивать(ся).
УССР (Украи́нская Сове́тская Социалисти́ческая Респу́блика) Ukrainian Soviet Socialist Republic.
уста́ † *n/pl.* [9] mouth, lips *pl.*
уста́в *m* [1] statute(s); regulations *pl.*; charter (*a. UNO*).
уста|ва́ть [5], ⟨´~ть⟩ [-а́ну, -а́нешь] get tired; **~вля́ть** [28], ⟨´~вить⟩ [14] place; cover (with Т), fill; fix (*eyes* on на В); **-ся** stare (at, на *or* в В); **´~лость** *f* [8] weariness, fatigue; **´~лый** [14] tired, weary; **~на́вливать** [1], ⟨~нови́ть⟩ [14] set *or* put up; mount; arrange; fix; establish; find out, ascertain; adjust (to на В); **-ся** be established; form; set in; **~но́вка** *f* [5; *g/pl.:* -вок] mounting, installation; ⊕ plant; *fig.* orientation (toward[s] на В); **~новле́ние** *n* [12] establishment; **~ре́лый** [14] obsolete, out-of-date; **´~ть** *s.* ~ва́ть.

устила́ть [1], ⟨устла́ть⟩ [-телю́, -те́лешь; у́стланный] cover, lay out (with T).
у́стный [14] oral, verbal.
усто́|и *m/pl.* [3] foundations; **~йчивость** *f* [8] stability; **~йчивый** [14 *sh.*] stable; **~я́ть** [-ою́, -ои́шь] keep one's balance; hold one's ground; resist (*v/t.* про́тив Р, пе́ред Т).
устр|а́ивать [1], ⟨~о́ить⟩ [13] arrange; organize, set up; furnish; construct; make (*scene, etc.*); provide (*job* на В, place in в В); F suit; **-ся** be settled; settle; get a job (*a.* на В); **~ане́ние** *n* [12] removal; elimination; **~аня́ть** [28], ⟨~ани́ть⟩ [13] remove; eliminate; **~аша́ть** (**-ся**) [1] *s.* страши́ть(ся); **~емля́ть** [28], ⟨~еми́ть⟩ [14 *e.*; -млю́, -ми́шь; -млённый] (на В) direct (to, at), fix (on); **-ся** rush; be directed; **~́ица** *f* [5] oyster; **~о́ить** (**-ся**) *s.* ~а́ивать(ся); **~о́йство** *n* [9] arrangement; establishment; equipment; installation; organization; system; mechanism.
усту́п *m* [1] ledge; projection; step; terrace; **~а́ть** [1], ⟨~и́ть⟩ [14] cede, let (p. Д) have; yield; be inferior to (Д); sell; abate (*v*/t. с Р, в П); ~а́ть доро́гу (Д) let p. pass, give way; **~и́тельный** [14] *gr.* concessive; **~ка** *f* [5; *g/pl.*: -пок] concession; cession; † abatement, reduction; **~чивый** [14 *sh.*] compliant, pliant.
усты|жа́ть [1], ⟨~ди́ть⟩ [15 *e.*; -ыжу́, -ыди́шь; -ыжённый] (**-ся** be) ashame(d; of P).
у́стье *n* [10; *g/pl.*: -ьев] mouth (at в П).
усугуб|ля́ть [28], ⟨~́ить⟩ [14 & 14 *e.*; -гу́блю, -гу́би́шь; -гу́бленный & -гублённый] increase, redouble.
усы́ *s.* ус; **~ла́ть** [1], ⟨усла́ть⟩ [ушлю́, ушлёшь; у́сланный] send (away); **~новля́ть** [28], ⟨~нови́ть⟩ [14 *e.*; -влю́, -ви́шь; -влённый] adopt; **~па́ть** [1], ⟨~пать⟩ [2] (be)strew (with T); **~пи́тельный** [14; -лен, -льна] soporific; drowsy; **~пля́ть** [28], ⟨~пи́ть⟩ [14 *e.*; -плю́, -пи́шь; -плённый] lull (to sleep); ⚕ narcotize.
ута́|ивать [1], ⟨~и́ть⟩ [13] conceal, hide; embezzle; **~йка** F: без ~йки frankly; **~птывать** [1], ⟨утопта́ть⟩ [3] tread *or* trample (down); **~скивать** [1], ⟨~щи́ть⟩ [16] carry, drag *or* take (off, away); F pilfer.
у́тварь *f* [8] implements, utensils *pl.*
утвер|ди́тельный [14; -лен, -льна] affirmative (in the -но); **~жда́ть** [1], ⟨~ди́ть⟩ [15 *e.*; -ржу́, -рди́шь; -рждённый] confirm; consolidate (*v/i.* **-ся**); *impf.* affirm, assert, maintain; **~жде́ние** *n* [12] confirmation; affirmation, assertion; consolidation.
уте|ка́ть [1], ⟨~́чь⟩ [26] flow (away); F escape; **~ре́ть** *s.* утира́ть; **~рпе́ть** [10] *pf.*: не ~рпе́л, что́бы не (+ *inf. pf.*) could not help ...ing.
утёс *m* [1] cliff, rock.
уте́|чка *f* [5] leakage, escape; **~чь** *s.* ~ка́ть; **~ша́ть** [1], ⟨~шить⟩ [16] console, comfort; **-ся** *a.* take comfort (in T); **~ше́ние** *n* [12] comfort, consolation; **~ши́тельный** [14; -лен, -льна] comforting, consolatory.
ути́|ль *m* [4], **~льсырьё** *n* [10] scrap(s); **~ра́ть** [1], ⟨утере́ть⟩ [12] wipe; **~ха́ть** [1], ⟨~хнуть⟩ [21] subside, abate; cease; calm down.
у́тка *f* [5; *g/pl.*: у́ток] duck; canard.
уткну́ть(ся) F [20] *pf.* thrust; hide; put; be(come) engrossed.
утол|и́ть *s.* ~я́ть; **~ща́ть** [1], ⟨~сти́ть⟩ [15 *e.*; -лщу́, -лсти́шь; -лщённый] thicken; **~ще́ние** *n* [12] thickening; **~я́ть** [28], ⟨~и́ть⟩ [13] quench; appease; allay, still.
утом|и́тельный [14; -лен, -льна] wearisome, tiresome; **~и́ть(ся)** *s.* ~ля́ть(ся); **~ле́ние** *n* [12] fatigue, exhaustion; **~лённый** [14; -лён, -ена́] tired, weary; **~ля́ть** [28], ⟨~и́ть⟩ [14 *e.*; -млю́, -ми́шь; -млённый] tire, weary (*v/i.* **-ся**; *a.* get tired).
утонч|а́ть [1], ⟨~и́ть⟩ [16 *e.*; -чу́, -чи́шь; -чённый] thin; *fig.* refine; (*v/i.* **-ся**).
утоп|а́ть [1] **1.** ⟨утону́ть⟩ *s.* тону́ть 2.; **2.** overflow (with в П); wallow, revel; **~́ленник** *m* [1] drowned man; **~́ленница** *f* [5] drowned woman; **~та́ть** *s.* ута́птывать.

уточн|éние *n* [12] specification; **~я́ть** [28], ⟨~и́ть⟩ [13] specify.
утрá|ивать [1], ⟨утрóить [13] treble; *v/i.* **-ся**; **~мбовáть** [7] *pf.* ram; stamp; **~та** *f* [5] loss; **~чивать** [1], ⟨~тить⟩ [15] lose.
у́тренн|ий [15] morning; **~ик** *m* [1] matinee; morning frost.
у́тр|о *n* [9; с, до -á; к -у́] morning (in the ~ом; по ~áм);... ~á *a.* ... a.m. (*cf.* день); **~óба** *f* [5] womb; **~óить** (**-ся**) *s.* ~áивать(ся); **'~уждáть** [1], ⟨~уди́ть⟩ [15 *e.*; -ужу́, -уди́шь; -уждённый] trouble, bother.
утю|г *m* [1 *e.*] (flat)iron; **~жить** [16], ⟨вы́-, от-⟩ iron; stroke.
ухá *f* [5] fish soup; **~б** *m* [1] hole; **~бистый** [14 *sh.*] bumpy.
ухáживать [1] (за Т) nurse, look after; (pay) court (to), woo.
у́харский F [16] dashing.
у́хать [1], *once* ⟨у́хнуть⟩ [20] boom.
ухвáт|ывать [1], ⟨~и́ть⟩ [15] (за В) seize, grasp; **-ся** snatch; cling to.
ухи|три́ться [28], ⟨~три́ться⟩ [13] contrive, manage; **~щрéние** *n* [12], **~щря́ться** [28] shift.
ухмыл|я́ться F [28], ⟨~ьну́ться⟩ [20] grin, smile (contentedly).
у́хнуть *s.* у́хать.
у́хо *n* [9; *pl.*: у́ши, ушéй, *etc. e.*] ear (in нá В); пó уши over head and ears; пропускáть ми́мо ушéй turn a deaf ear (to В); держáть ~ вострó *s.* насторóже.
ухóд *m* [1] departure; (за Т) care, tendance; nursing; **~и́ть** [15], ⟨уйти́⟩ [уйду́, уйдёшь; ушёл, ушлá; ушéдший; *g.pt.*: уйдя́] leave (*v/t.* из, от Р), depart (from), go (away); pass; escape; evade; resign; retire; be lost; fail; take; sink; plunge; F be spent (for на В).
ухудш|áть [1], ⟨~ить⟩ [16] deteriorate (*v/i.* **-ся**); **~éние** *n* [12] deterioration; change for the worse.
уцелéть [8] *pf.* escape; be spared.
уцепи́ться [14] F *s.* ухвати́ться.
учáст|вовать [7] participate, take part (in в П); **~вующий** [17] *s.* ~ник; **~ие** *n* [12] (в П) participation (in); interest (in), sympathy (with); **~и́ть(ся)** *s.* учащáть(ся); **~ливый** [14 *sh.*] sympathizing, sympathetic; **~ник** *m* [1], **~ница** *f* [5] participant, participator; competitor (*sports*); member; **~ок** *m* [1; -тка] (p)lot; section; region; district; site; *fig.* field, branch; † (police) station; **'~ь** *f* [8] fate, lot.
уча|щáть [1], ⟨~сти́ть⟩ [15 *e.*; -ащу́, -асти́шь; -ащённый] make (**-ся** become) more frequent; speed up.
уч|áщийся *m* [17] schoolboy, pupil, student; **~ёба** *f* [5] studies *pl.*, study; training; drill; **~éбник** *m* [1] textbook; **~éбный** [14] school...; educational; text(*book*), exercise...; training; ⚔ drill...; ~éбный план *m* curriculum.
учéн|ие *n* [12] learning; instruction apprenticeship; ⚔ drill; teaching, doctrine; **~и́к** *m* [1 *e.*] schoolboy (**~и́ца** *f* [5] schoolgirl), pupil; student; apprentice; disciple; **~и́ческий** [16] pupils', students'.
учён|ость *f* [8] learning; **~ый** [14 *sh.*] learned; *su.* scholar, scientist.
уч|éсть *s.* учи́тывать; **~ёт** *m* [1] calculation; registration; inventory; discount; list(s); *fig.* consideration, regard; вести́ ~ёт keep books *pl.*; взять на ~ёт register.
учи́лище *n* [11] school (at в П).
учиня́ть [28] *s.* чини́ть 2.
учи́тель *m* [4; *pl.*: -ля́, *etc. e.*; *fig.* *st.*], **~ница** *f* [5] teacher, instructor; **~ский** [16] (of) teachers(').
учи́тывать [1], ⟨учéсть⟩ [25; учту́, -тёшь; учёл, учлá; *g. pt.*: учтя́; учтённый] take into account, consider; calculate; register; † take stock; discount.
учи́ть [16] **1.** ⟨на-, об-, вы́-⟩ teach (p. s.th. В/Д), instruct; ⚔ drill; train; (*a.* **-ся** Д); **2.** ⟨вы́-⟩ learn, study.
учреди́тель *m* [4] founder; **~ный** [14] constituent.
учре|ждáть [1], ⟨~ди́ть⟩ [15 *e.*; -ежу́, -еди́шь; -еждённый] found, constitute; establish, introduce: **~ждéние** *n* [12] foundation, constitution; institution; institute, office (at в П).
учти́вый [14 *sh.*] polite; obliging.
ушáт *m* [1] tub, bucket.
уши́б *m* [1] bruise; injury; **~áть** [1], ⟨~и́ть⟩ [-бу́, -бёшь; -и́б(ла); уши́бленный] hurt, bruise (o.s. **-ся**).
ушкó *n* [9; *pl.*: -ки́, -кóв] eye.
ушнóй [14] ear...
ущéлье *n* [10] gorge, ravine.
ущем|ля́ть [28], ⟨~и́ть⟩ [14 *e.*; -млю́, -ми́шь; -млённый] pinch, jam; *fig.* restrain; F wound, impair.
ущéрб *m* [1] damage; wane.

ущи́пнуть [20] *s.* щипа́ть.
Уэ́льс *m* [1] Wales.
уют *m* [1] coziness; **~ный** [14; -тен, -тна] snug, cozy, comfortable.
уязв|и́мый [14 *sh.*] vulnerable; **~ля́ть** [28], ⟨~и́ть⟩ [14 *e.*; -влю, -ви́шь; -влённый] wound, sting; *fig.* hurt.
уясн|я́ть [28], ⟨~и́ть⟩ [13] comprehend; make clear, clear up.

Ф

фабзавко́м *m* [1] *s.* завко́м.
фа́бри|ка *f* [5] factory (in на П); mill; **~ка́нт** *m* [1] manufacturer; **~ка́т** *m* [1] product; **⁓чный** [14] factory (*a.* worker); trade(*mark*).
фа́була *f* [5] plot.
фа́з|а *f* [5], **~ис** *m* [1] phase.
фаза́н *m* [1] pheasant.
фа́кел *m* [1] torch.
факт *m* [1] fact; ~ тот the matter is; **~и́ческий** [16] (f)actual, real; *adv.* *a.* in fact; **~у́ра** *f* [5] invoice.
факульте́т *m* [1] faculty (in на П).
фаль|сифици́ровать [7] (*im*)*pf.* falsify, forge; adulterate; **~ши́вить** [14], ⟨с-⟩ sing out of tune, play falsely; F cheat, be false; **~ши́вка** F *f* [5; *g*/*pl.*: -вок] forgery; **~ши́вый** [14 *sh.*] false; forged, counterfeit; base (*coin*); **~шь** *f* [8] falseness; hypocrisy; deceit(fulness).
фами́л|ия *f* [7] surname, family name; как ва́ша ~ия? what is your name?; **~ья́рный** [14; -рен, -рна] familiar.
фанати́|зм *m* [1] fanaticism; **~ческий** [16], **~чный** [14; -чен, -чна] fanatical.
фане́ра *f* [5] plywood; veneer.
фанта|зёр *m* [1] visionary; **~зи́ровать** [7] indulge in fancies, dream; ⟨с-⟩ invent; **⁓зия** *f* [7] imagination; fancy; invention, fib; ♪ fantasia; F whim, freak; **~сти́ческий** [16], **~сти́чный** [14; -чен, -чна] fantastic.
фа́р|а *f* [5] headlight; **~ва́тер** *m* [1] waterway, fairway; *fig.* track; **~маце́вт** *m* [1] pharmac(eut)ist; **~тук** *m* [1] apron; **~фо́р** *m* [1], **~фо́ровый** [14] china, porcelain; **~ш** *m* [1] stuffing; forcemeat; **~широва́ть** [7] stuff.
фасо́|ль *f* [8] string (*Brt.* runner) bean(s); **~н** *m* [1] cut, style.
фат *m* [1] dandy, fop, dude.
фата́льный [14; -лен, -льна] fatal.
фаши́|зм *m* [1] fascism; **~ст** *m* [1] fascist; **~стский** [16] fascist...
фая́нс *m* [1], **~овый** [14] faïence.
февра́ль *m* [4 *e.*] February.
федера́|льный [14] federal; **~ти́вный** [14] federative, federal.
Фёдор *m* [1] Theodore; *dim.* **Фе́дя** [*m* [6].]
феери́ческий [16] fairylike.
фейерве́рк *m* [1] firework.
фельд|ма́ршал *m* [1] field marshal; **~фе́бель** *m* [4] sergeant; **⁓шер** *m* [1] medical assistant.
фельето́н *m* [1] feuilleton.
фено́мен *m* [1] phenomenon.
феода́льный [14] feudal.
ферзь *m* [4 *e.*] queen (*chess*).
фе́рм|а *f* [5] farm; **~ер** *m* [1] farmer.
фестива́ль *m* [4] festival.
фетр *m* [1] felt; **⁓овый** [14] felt...
фехтова́|льщик *m* [1] fencer; **~ние** *n* [12] fencing; **~ть** [7] fence.
фиа́лка *f* [5; *g*/*pl.*: -лок] violet.
фи́бра *f* [5] fiber, *Brt.* fibre.
фи́г|а *f* [5], **~овый** [14] fig.
фигу́р|а *f* [5] figure; (*chess*)man; **~а́льный** [14; -лен, -льна] figurative; **~и́ровать** [7] figure, appear; **~ный** [14] figured; trick..., stunt...
фи́зи|к *m* [1] physicist; **~ка** *f* [5] physics; **~оло́гия** *f* [7] physiology; **~оно́мия** *f* [7] physiognomy; **⁓ческий** [16] physical; manual.
физкульту́р|а *f* [5] physical culture; gymnastics; **~ник** *m* [1], **~ница** *f* [5] sports(wo)man, gymnast.
фик|са́ж *m* [1] fixative; **~си́ровать** [7], ⟨за-⟩ fix; **~ти́вный** [14; -вен, -вна] fictitious.

фила|нтро́п *m* [1] philanthropist; **~рмони́ческий** [16] philharmonic.
филе́ *n* [*ind.*] tenderloin, fillet.
филиа́л *m* [1] branch (office); **~ьный** [14] branch...
фи́лин *m* [1] eagle owl.
Филиппи́ны *f/pl.* [5] Philippines.
фило́л|ог *m* [1] philologist; **~оги́ческий** [16] philological; **~о́гия** *f* [7] philology.
фило́с|оф *m* [1] philosopher; **~о́фия** *f* [7] philosophy; **~о́фский** [16] philosophical; **~о́фствовать** [7] philosophize.
фильм *m* [1] film (*vb.*: снима́ть ~).
фильтр *m* [1], **~ова́ть** [7] filter.
фимиа́м *m* [1] incense.
фина́л *m* [1] final; ♪ finale.
финанс|и́ровать [7] (*im*)*pf.* finance; **~овый** [14] financial; **~ы** *m/pl.* [1] finance(s).
фи́ник *m* [1] date; **~овый** [14] date...
фин|ля́ндец *m* [1; -дца], **~н** *m* [1], **~(ля́нд)ка** *f* [5; *g/pl.*: -н(ля́нд)ок] Finn; **Ꝯля́ндия** *f* [7] Finland; **~(ля́нд)ский** [16] Finnish.
фиоле́товый [14] violet.
фи́рма *f* [5] firm.
фити́ль *m* [4 *e.*] wick; match.
флаг *m* [1] flag, colo(u)rs *pl.*; banner.
фланг *m* [1], **~овый** [14] flank.
Фла́ндрия *f* [7] Flanders.
флане́л|евый [14], **~ь** *f* [8] flannel.
флегма *f* [5] phlegm; **~ти́чный** [14; -чен, -чна] phlegmatic(al).
флейта *f* [5] flute.
фли́|гель ⚠ *m* [4; *pl.*: -ля́, *etc. e.*] wing; **~рт** *m* [1] flirtation; **~ртова́ть** [7] flirt.
флот *m* [1] fleet; marine; navy; (*air*) force; **~ский** [16] naval; *su.* F sailor.
флю́|гер *m* [1] weathercock, weather vane; **~с** *m* [1] gumboil.
фля́|га, **~жка** *f* [5; *g/pl.*: -жек] flask; canteen, *Brt.* water bottle.
фойе́ *n* [*ind.*] *thea.* lobby, foyer.
фокстро́т *m* [1] fox trot.
фо́кус *m* [1] hocus-pocus, (juggler's) trick, sleight of hand; F trick; freak, whim; **~ник** *m* [1] juggler, conjurer; **~ничать** F [1] trick.
фо́льга *f* [5] foil.
фолькло́р *m* [1], **~ный** [14] folklore.
Фо|ма́ *m* [5] Thomas; **Ꝯн** *m* [1] background (against на П).
фона́р|ик *m* [1] flashlight, *Brt.* (electric) torch; **~ь** *m* [4 *e.*] lantern; (street)lamp; (head)light; F*s.* синя́к.
фонд *m* [1] fund.
фоне́т|ика *f* [5] phonetics; **~и́ческий** [16] phonetic(al).
фонта́н *m* [1] fountain.
форе́ль *f* [8] trout.
фо́рм|а *f* [5] form, shape; model; ⊕ mo(u)ld; ⚔ uniform; dress (*sports*); **~а́льность** *f* [8] formality; **~а́льный** [14; -лен, -льна] formal; **~а́т** *m* [1] size; form; **~енный** [14] formal; F downright; ~енная оде́жда *f* uniform; **~ирова́ть** [7], ⟨с-⟩ (**-ся** be) form(ed); **~ова́ть** [7], ⟨с-, от-⟩ mo(u)ld, model; **~ули́ровать** [7] (*im*)*pf.* & ⟨с-⟩ formulate; **~ули́ровка** *f* [5; *g/pl.*: -вок] formulation; **~уля́р** *m* [1] form.
форпо́ст *m* [1] advanced post.
форси́ровать [7] (*im*)*pf.* force.
фо́|рточка *f* [5; *g/pl.*: -чек] window leaf; **~сфор** *m* [1] phosphorus.
фото|аппара́т *m* [1] camera; **~граф** *m* [1] photographer; **~графи́ровать** [7], ⟨с-⟩ photograph; **~графи́ческий** [16] photographic; *cf.* ~аппара́т; **~гра́фия** *f* [7] photograph; photography; photographer's.
фра́за *f* [5] phrase; empty talk.
фрак *m* [1] dress coat.
фра́кция *f* [7] faction.
франки́ровать [7] (*im*)*pf.* stamp.
франт *m* [1] dandy, fop; **~и́ть** F [15 *e.*; -нчу́, -нти́шь] overdress; **~овско́й** [16] dandyish, dudish.
Фра́нц|ия *f* [7] France; **Ꝯу́женка** *f* [5; *g/pl.*: -нок] Frenchwoman; **Ꝯу́з** *m* [1] Frenchman; **Ꝯу́зский** [16] French.
фрахт *m* [1], **~ова́ть** [7] freight.
ФРГ *cf.* Герма́ния.
фре́зер *m* [1] milling cutter.
френч *m* [1] (army-type) jacket.
фре́ска *f* [5] fresco.
фронт *m* [1] front; **~ово́й** [14] front...
фрукт *m* [1] (*mst pl.*) fruit; **~о́вый** [14] fruit...; ~о́вый сад *m* orchard.
фу! fie!, ugh!
фуга́сный [14] demolition (*bomb*).
фунда́мент *m* [1] foundation; basis; **~а́льный** [14; -лен, -льна] fundamental.
функциони́ровать [7] function.
фунт *m* [1] pound (= *409.5 g*).
фур|а́ж *m* [1 *e.*] fodder; **~а́жка** *f* [5; *g/pl.*: -жек] (service) cap; **~го́н** *m* [1] van; **~ия** *f* [7] fury; **~о́р** *m* [1] furor; **~у́нкул** *m* [1] furuncle, boil.

футбо́л *m* [1] soccer, *Brt. a.* association football; **~и́ст** *m* [1] soccer player; **~ьный** [14] soccer..., football...

футля́р *m* [1] case; sheath; box.

фуфа́йка *f* [5; *g/pl.*: -áек] jersey.

фы́рк|ать [1], ⟨~нуть⟩ [20] snort.

Х

ха́ки [*ind.*] khaki.

хала́т *m* [1] dressing gown, bathrobe; smock; **~ный** F [14; -тен, -тна] careless, negligent; sluggish.

халту́ра F *f* [5] botch, bungle.

хам F *m* [1] cad, boor, churl.

хандр|а́ *f* [5] melancholy, blues *pl.*; **~и́ть** [13] be in the dumps.

ханж|а́ F *m/f* [5; *g/pl.*: -жéй] hypocrite; **~ество́** *n* [9] hypocrisy, bigotry.

хао́|с *m* [1] chaos; **~ти́ческий** [16], **~ти́чный** [14; -чен, -чна] chaotic.

хара́ктер *m* [1] character, nature; temper, disposition; principles *pl.*; **~изова́ть** [7] (*im*)*pf.* & ⟨о-⟩ characterize, mark; **~и́стика** *f* [5] character(istic); characterization; **~ный** [14; -рен, -рна] characteristic (of для Р).

ха́рк|ать F [1], ⟨~нуть⟩ [20] spit.

харч|е́вня *f* [6; *g/pl.*: -вен] tavern; **~и́** P *m/pl.* [1 *e.*] food, grub; board.

ха́ря P *f* [6] mug, phiz.

ха́та *f* [5] (peasant's) hut.

хвал|а́ *f* [5] praise; **~е́бный** [14; -бен, -бна] laudatory; **~ли́ть** [13; хвалю́, хва́лишь] praise; **-ся** boast (of T).

хва́ст|аться &, F, **~ать** [1], ⟨по-⟩ boast, brag (of T); **~ли́вый** [14 *sh.*] boastful; **~овство́** *n* [9] boasting; **~у́н** *m* [1 *e.*] boaster, braggart.

хват|а́ть [1] **1.** ⟨(с)хвати́ть⟩ [15] (за В) snatch (at); grasp, seize (by); *a.*, F, (**-ся** за В; lay hold of); **2.** ⟨~и́ть⟩ (*impers.*) (P) suffice, be sufficient; (р. Д, у Р) have enough; last (*v/t.* на В); (э́того мне) **~ит** (that's) enough (for me); F hit, knock, strike; drink, eat; take; go.

хво́йный [14] coniferous.

хвора́ть F [1] be sick *or* ill.

хво́рост *m* [1] brushwood.

хвост *m* [1 *e.*] tail; brush (*fox*); F train; line, *Brt.* queue; в ~е́ (*lag*) behind; поджа́ть ~ F come down a peg (or two).

хво́я *f* [6] (pine) needle(s *or* branches *pl.*).

хи́жина *f* [5] hut, cabin.

хи́лый [14; хил, -á, -o] sickly.

хи́ми|к *m* [1] (*Brt.* analytical) chemist; **~ческий** [16] chemical; indelible *or* copying-ink (*pencil*); **~я** *f* [7] chemistry.

хини́н *m* [1] quinine.

хире́ть [8] weaken, grow sickly.

хиру́рг *m* [1] surgeon; **~и́ческий** [16] surgical; **~и́я** *f* [7] surgery.

хитр|е́ц *m* [1 *e.*] cunning fellow, dodger; **~и́ть** [13], ⟨с-⟩ dodge; fox; quibble; *cf.* мудри́ть; **~ость** *f* [8] craft(iness), cunning; artifice, ruse, trick; stratagem; **~ый** [14; -тёр, -трá, хи́тро] cunning, crafty, sly, artful; ingenious.

хихи́кать [1] chuckle, giggle, titter.

хище́ние *n* [12] embezzlement.

хи́щн|ик *m* [1] beast (*or* bird) of prey; **~ый** [14; -щен, -щна] rapacious, predatory; of prey.

хладнокро́в|ие *n* [12] composure; **~ный** [14; -вен, -вна] cool(-headed), calm.

хлам *m* [1] trash, stuff, lumber.

хлеб *m* **1.** [1] bread; loaf; **2.** [1; *pl.*: -бá, *etc. e.*] grain, *Brt.* corn; livelihood; *pl.* cereals; **~а́ть** [1], *once* ⟨~ну́ть⟩ [20] drink, sip; P eat; **~ный** [14] grain..., corn..., cereal; bread...; baker's; F profitable; **~опека́рня** *f* [6; *g/pl.*: -рен] bakery; **~осо́льный** [14; -лен, -льна] hospitable; **~осо́льство** *n* [9], F **~-со́ль** *f* [1/8] hospitality.

хлев *m* [1; в -е & -у́; *pl.*: -á, *etc. e.*] shed; cote; sty.

хлест|а́ть [3], *once* ⟨~ну́ть⟩ [20] lash, whip, beat; splash; gush, spurt; pour.

хли́пать F [1] sob.

хлоп! crack!, plop!; *cf. a.* **~ать** [1],

⟨по-⟩, *once* ⟨˷нуть⟩ [20] slap; clap; bang, slam (*v/t.* T); crack; pop (*cork*); detonate; resound; blink.

хлóпок *m* [1; -пка] cotton.

хлопот|áть [3], ⟨по-⟩ (о П) strive (for), endeavo(u)r; exert o. s. (on behalf of о П, за В); apply (for); *impf.* bustle (about); **˷ли́вый** [14 *sh.*] troublesome; busy, fussy; **'˷ы** *f/pl.* [5; *gen.*: -пóт] trouble(s), cares; business, commissions.

хлопýшка *f* [5; *g/pl.*: -шек] fly flap; cracker.

хлопчатобумáжный [14] cotton...

хлóпья *n/pl.* [10; *gen.*: -ьев] flakes.

хлор *m* [1] chlorine; **˷истый** [14] ... chloride; **˷ный** [14] chloric; **˷офóрм** *m* [1], **˷оформи́ровать** [7] (*im*)*pf.* chloroform.

хлы́нуть [20] *pf.* gush (forth); rush; (begin to) pour in torrents.

хлыст *m* [1 *e.*] horsewhip; switch.

хлю́пать F [1] squelch.

хмел|ь *m* [4] hop; intoxication; во ˷ю drunk; **˷ьнóй** F [14; -лён, -льнá] intoxicated; intoxicating.

хмýр|ить [13], ⟨на-⟩ knit (*the brow*); **-ся** frown, scowl; be(come) overcast; **˷ый** [14; хмур, -á, -о] gloomy, sullen; cloudy.

хны́кать F [3] whine, snivel.

хóбот *m* [1] *zo.* trunk.

ход *m* [1; в (на) -ý & -е; *pl.*: хóды́] motion; speed (at на П), pace; course; passage; walk; ⊕ *a.* action, movement; stroke (*piston*); entrance; access; lead (*cards*); move (*chess, etc.*); turn; vogue, currency; в ˷ý *a.* = ˷кий; на ˷ý *a.* while walking, *etc.*; F in progress; пусти́ть в ˷ start, set going *or* on foot, circulate; все ˷ы и вы́ходы the ins and outs.

ходáтай *m* [3] intercessor, advocate; **˷ство** *n* [9] intercession; petition; **˷ствовать** [7], ⟨по-⟩ intercede (with/for у Р/за В); petition (for о П).

ход|и́ть [15] go (to в, на В); walk; sail; run, ply; move; visit, attend (*v/t.* в, на В; р. к Д); circulate; (в П) wear; (за Т) look after, take care of, nurse; tend; (на В) hunt; lead (*cards*); F be current; ease o. s.; **˷кий** [16; хóдок, -дкá, -о; *comp.*: хóдче] marketable, sal(e)able; current; F quick, easygoing; ˷кая кни́га *f* best seller; **˷ýльный** [14; -лен, -льна] stilted; **˷ьбá** *f* [5] walking; walk; **˷я́чий** [17] current; trivial; F walking. circulation.

хождéние *n* [12] going, walking;

хозя́|ин *m* [1; *pl.*: хозя́ева, хозя́ев] master, owner; boss, principal; landlord; host; innkeeper; manager; farmer; ˷ева = ˷ин & ˷йка; **˷йка** *f* [5; *g/pl.*: -я́ек] mistress; landlady; hostess; housewife; **˷йничать** [1] keep house; manage (at will); make o. s. at home; **˷йственный** [14 *sh.*] economic(al); thrifty; **˷йство** *n* [9] economy; household; farm.

хоккéй *m* [3] hockey.

холéра *f* [5] cholera.

хóлить [13] groom, care for, fondle.

хóл|ка *f* [5; *g/pl.*: -лок] withers; **˷м** *m* [1 *e.*] hill; **˷ми́стый** [14 *sh.*] hilly.

хóлод *m* [1] cold (in на П); chill (*a. fig.*); *pl.* [-á, *etc. e.*] cold (weather) (in в В); **˷éть** [8], ⟨по-⟩ grow cold, chill; **˷éц** *m* [1; -дцá] = стýдень; **˷и́льник** *m* [1] refrigerator; **˷ность** *f* [8] coldness; **˷ный** [14; хóлоден, -днá, -о] cold (*a. fig.*); *geogr.* & *fig.* frigid; (мне) ˷но it is (I am) cold.

холóп *m* [1] bondman; F toady.

холост|óй [14; хóлост] single, unmarried; bachelor('s); blank (*cartridge*); ⊕ idle (*motion*); **˷я́к** *m* [1 *e.*] bachelor.

холст *m* [1 *e.*] linen; canvas.

холýй P *m* [3] cad; toady.

хомýт *m* [1 *e.*] (horse) collar.

хомя́к *m* [1 *e.*] hamster.

хор *m* [1] chorus; choir.

хорвáт *m* [1], **˷ка** *f* [5; *g/pl.*: -ток] Croat; **˷ский** [16] Croatian.

хорёк *m* [1; -рькá] polecat, fitch.

хоровóд *m* [1] round dance.

хорони́ть [13; -оню́, -óнишь], ⟨по-⟩ bury.

хорóш|енький [16] pretty; **˷éнько** F properly; **˷éть** [8], ⟨по-⟩ grow prettier; **˷ий** [17; хорóш, -á; *comp.*: лýчше] good; fine, nice; (*a.* собóй) pretty, good-looking, handsome; **˷ó** well; *mark*: good, B (*cf.* четвёрка); all right!, O.K.!, good!; мне ˷ó I am well off; ˷ó вам (+ *inf.*) it is very well for you to ...

хотé|ть [хочý, хóчешь, хóчет, хоти́м, хоти́те, хотя́т], ⟨за-⟩ (Р) want, wish; я ˷л(а) бы I would (*Brt.* should) like; я хочý, чтóбы вы +

pt. I want you to ...; хочешь не хочешь willy-nilly; **-ся** (*impers.*): мне хочется I'd like; *a.* = ~ть.
хоть (*a.* ~ бы) at least; even (if *or* though); if only; ~ ... ~ whether ... whether, (either ...) or; if you please; so much, *etc.*, that; any ...; I wish I could (*or* you'd); ~ бы и так even if it be so; ~ убей for the life of me; *s. a.* хотя.
хотя́ although, though (*a.* ~ и); ~ бы even though; if; *s. a.* хоть.
хохо́л *m* [1; хохла́] tuft; crest; forelock; *contp.* Ukrainian (*man*).
хо́хот *m* [1] (loud) laughter, roar; **~а́ть** [3], ⟨за-⟩ roar (with laughter).
храбр|е́ц *m* [1 *e.*] brave; **~ость** *f* [8] valo(u)r, bravery; **~ый** [14; храбр, -á, -о] brave, valient.
храм *m* [1] *eccl.* temple.
хран|е́ние *n* [12] keeping; storage; ка́мера ~е́ния ручно́го багажа́ 🚂 cloakroom, *Brt.* left-luggage office; **~и́лище** *n* [11] storehouse; archives *pl.*; **~и́тель** *m* [4] keeper, guardian; custodian; **~и́ть** [13], ⟨со-⟩ keep; store; preserve; observe; guard.
храп *m* [1], **~е́ть** [10 *e.*; -плю́, -пи́шь] snore; snort.
хребе́т *m* [1; -бта́] *anat.* spine; range.
хрен *m* [1] horseradish.
хрип *m* [1], **~е́ние** *n* [12] rattle; **~е́ть** [10 *e.*; -плю́, -пи́шь] rattle; be hoarse; F speak hoarsely; **~лый** [14; хрипл, -á, -о] hoarse, husky; **~нуть** [21], ⟨о-⟩ become hoarse; **~ота́** *f* [5] hoarseness; husky voice.
христ|иани́н *m* [1; *pl.*: -а́не, -а́н], **~иа́нка** *f* [5; *g*/*pl.*: -нок], **~иа́нский** [16] Christian; **~иа́нство** *n* [9] Christianity; **2о́в** [19] Christ's; **2о́с** *m* [Христа́] Christ.
хром *m* [1] chromium; chrome.
хром|а́ть [1] limp; be lame; **~о́й** [14; хром, -á, -о] lame; **~ота́** *f* [5] lameness.
хро́н|ика *f* [5] chronicle; current events; newsreel; **~и́ческий** [16] chronic(al); **~ологи́ческий** [16] chronological; **~оло́гия** *f* [7] chronology.
хру́|пкий [16; -пок, -пка́, -о; *comp.*: хру́пче] brittle, fragile; frail, infirm; **~ста́ль** *m* [4 *e.*] crystal; **~ста́льный** [14] crystal...; **~сте́ть** [11] crunch; **~щ** *m* [1 *e.*] cockchafer.
хрю́к|ать [1], *once* ⟨~нуть⟩ [20] grunt.
хрящ *m* [1 *e.*] cartilage.
худе́ть [8], ⟨по-⟩ grow thin.
ху́до *n* [9] evil; *s. a.* худо́й.
худо́ж|ественный [14 *sh.*] artistic; art(s)...; of art; belles(-*lettres*); applied (*arts*); **~ество** *n* [9] (applied) art; **~ник** *m* [1] artist; painter.
худ|о́й [14; худ, -á, -о; *comp.*: худе́е] thin, lean, scrawny (*a.* **~оща́вый** [14 *sh.*]); [*comp.*: ху́же] bad, evil; **~ший** [16] worse, worst; *cf.* лу́чший.
ху́же worse; *cf.* лу́чше & тот.
хулига́н *m* [1] rowdy, hooligan.
ху́тор *m* [1] farm(stead); hamlet.

Ц

ца́п|ать F [1], *once* ⟨~нуть⟩ [20] snatch.
ца́пля *f* [6; *g*/*pl.*: -пель] heron.
цара́п|ать [1], ⟨(п)о-⟩, *once* ⟨~нуть⟩ [20], **~ина** *f* [5] scratch.
цар|е́вич *m* [1] czarevitch; prince; **~е́вна** *f* [5; *g*/*pl.*: -вен] princess; **~и́ть** [13] reign; prevail; **~и́ца** *f* [5] czarina; empress; *fig.* queen; **~ский** [16] of the czar(s), czarist; imperial; **~ство** *n* [9] empire; kingdom (*a. fig.*); rule; *a.* = **~ствование** *n* [12] reign (in в B); **~ствовать** [7] reign, rule; prevail; **~ь** *m* [4 *e.*] czar, (Russian) emperor; king.
цвести́ [25 -т-] bloom, blossom.
цвет *m* [1] **1.** [*pl.*: -á, *etc. e.*] colo(u)r; ~ лица́ complexion; защи́тного ~а khaki; **2.** [*only pl.*: -ы́, *etc. e.*] flowers; **3.** [*no pl.*; в -у́; *fig.* в(о) цвете́] blossom, bloom; *fig. a.* prime; **~е́ние** *n* [12] flowering; **~и́стый** [14 *sh.*] florid; **~ни́к** *m* [1 *e.*] flower bed; **~но́й** [14] colo(u)red; variegated; nonferrous (*metals*); technicolor (*film*); ~на́я капу́ста *f* cauli-

flower; **~óк** *m* [1; -ткá; *pl. usu.* = ~ 2] flower (*a. fig.*); **~óчник** *m* [1] florist; **~óчница** *f* [5] florist, *Brt.* flower girl; **~óчный** [14] flower...; **~ýщий** [17 *sh.*] flowering; flourishing; prime (*of life*).

цеди́ть [15] **1.** ⟨про-⟩ strain, pass, filter; F murmur, utter (between one's teeth); **2.** ⟨вы́-⟩ draw (off).

Цейло́н *m* [1] Ceylon.

цейхга́уз (cɛj'xa-) *m* [1] arsenal.

целе́|бный [14; -бен, -бна] curative, medicinal; **~во́й** [14] special, for a specified purpose, purposeful; principal; **~сообра́зный** [14; -зен, -зна] expedient; **~устремлённый** [14 *sh.*] purposeful.

цели|ко́м entirely, wholly; **~на́** *f* [5] virgin soil; **∠тельный** [14; -лен, -льна] salutary, curative; **'~ть(-ся)** [13], ⟨при-⟩ aim (at в В).

целлюло́за *f* [5] cellulose.

целова́ть(ся) [7], ⟨по-⟩ kiss.

це́л|ое *n* [14] whole (on the в П; ⚒ in the lump); **~ому́дренный** [14 *sh.*] chaste; **~ому́дрие** *n* [12] chastity; **~ость** *f* [8] integrity; в ~ости intact; **~ый** [14; цел, -á, -о] whole; entire; safe, sound; intact; ~ое число́ *n* integer; *cf.* деся́тый & со́тый.

цель *f* [8] aim, end, goal, object; target; purpose (for с Т, в П *pl.*); име́ть ∠ю aim at; **∠ность** *f* [8] integrity; **∠ный** [14; це́лен, -льна́, -о] entire, whole; righteous; [*no sh.*] rich (*milk*).

цеме́нт *m* [1], **~и́ровать** [7] cement.

цен|á *f* [5; *ac/sg.*: це́ну; *pl. st.*] price (of Р, на В, Д; at/of по Д/в В), cost (at Т); value (of *or* one's Д); ~ы́ нет (Д) be invaluable; любо́й ~о́й at any price; **~зу́ра** *f* [5] censorship.

цен|и́тель *m* [4] judge, connoisseur; **~и́ть** [13; ценю́, це́нишь], ⟨о-⟩ value, estimate, appreciate; **∠ность** *f* [8] value; *pl.* valuables; **∠ный** [14; -е́нен, -е́нна] valuable; money (*letter*); ∠ные бума́ги *pl.* securities.

це́нтнер *m* [1] centner (= *100 kg*).

центр *m* [1] center, *Brt.* centre; **~ализова́ть** [7] (*im*)*pf.* centralize; **~а́льный** [14] central; *cf.* ЦИК & ЦК; **~обе́жный** [14] centrifugal.

цеп *m* [1 *e.*] flail.

цеп|ене́ть [8], ⟨о-⟩ grow numb, stiffen; be transfixed; **∠кий** [16; -пок, -пкá, -о] clinging; tenacious; **~ля́ться** [28] cling (to за В); **~но́й** [14] chain(ed); **~о́чка** *f* [5; *g/pl.*: -чек] chain; **~ь** *f* [8; в, на -и́; *from g/pl. e.*] chain (*a. fig.*); ⚔ line; ⚡ circuit.

церемо́н|иться [13], ⟨по-⟩ stand on ceremony, be ceremonious; **~ия** *f* [7] ceremony; **~ный** [14] ceremonious.

церко́в|ный [14] church...; **'~ь** *f* [8; -кви; *instr/sg.*: -ковью; *pl.*: -кви, -ве́й, -ва́м] church.

цех *m* [1] shop, section; † guild.

цивилиз|ова́ть [7] (*im*)*pf.* civilize; **~о́ванный** [14] civilized.

ЦИК (Центра́льный Исполни́тельный Комите́т) Central Executive Committee (*Sov.*); *cf.* ЦК.

цикл *m* [1] cycle; course, set; **~о́н** *m* [1] cyclone.

цико́рий *m* [3] chicory.

цили́ндр *m* [1] cylinder; top (*or* high) hat; **~и́ческий** [16] cylindrical.

цинга́ *f* [5] scurvy.

цини́|зм *m* [1] cynicism; **'~к** *m* [1] cynic; **~чный** [14; -чен, -чна] cynical.

цинк *m* [1] zinc; **∠овый** [14] zinc ...

цино́вка *f* [5; *g/pl.*: -вок] mat.

цирк *m* [1], **~ово́й** [14] circus.

циркул|и́ровать [7] circulate; **'~ь** *m* [4] (оди́н a pair of) compasses *pl.*; **~я́р** *m* [1] circular.

цисте́рна *f* [5] cistern, tank.

цитаде́ль (-'dɛ-) *f* [8] citadel; stronghold.

цита́та *f* [5] quotation.

цити́ровать [7], ⟨про-⟩ quote.

циф|ербла́т *m* [1] dial, face (*watch, etc.*); **∠ра** *f* [5] figure.

ЦК (Центра́льный Комите́т) Central Committee (*Sov.*); *cf.* ЦИК.

цо́коль *m* [4] ⚠ socle; ⊕ socket.

цыга́н *m* [1; *nom/pl.*: -е & -ы; *gen.*: цыга́н], **~ка** *f* [5; *g/pl.*: -нок], **~ский** [16] Gypsy, *Brt.* Gipsy.

цыплёнок *m* [2] chicken.

цы́почк|и: на ~ах (*or* ~и) on tiptoe.

Ч

ч. *abbr.*: **1.** час; **2.** часть.
чад *m* [1; в -ý] smoke, fume(s); *fig.* daze; frenzy; **~и́ть** [15 *e.*; чажý, чади́шь], ⟨на-⟩ smoke.
ча́до † *&* *iron. n* [9] child.
чаевы́е *pl.* [14] tip.
чай[1] *m* [3; *part. g.*: -ю; в -е *&* -ю́; *pl. e.*: чаи́, чаёв] tea; tea party; дать на ~ tip; **~**[2] P perhaps, I suppose.
ча́йка *f* [5; *g/pl.*: ча́ек] (sea) gull, mew.
ча́йн|ик *m* [1] teapot; teakettle; **~ый** [14] tea(*spoon*, *etc.*).
чалма́ *f* [5] turban.
чан *m* [1; *pl. e.*] tub, vat.
ча́р|ка *f* [5; *g/pl.*: -рок] (*wine-etc.*) glass; **~ова́ть** [20] charm; **~оде́й** *m* [3] magician.
час *m* [1; в -е *&* -ý; *after* 2, 3, 4: -á; *pl. e.*] hour (by the по ~áм; for *pl.* ~áми); (one) o'clock (at в В); time, moment (at в В); an hour's ...; второ́й ~ (it is) past one; в пя́том ~ý between four & five; (*cf.* пять *&* пя́тый); ~ óт ~у *or* с ∠у на ~ hourly; на ~áх (*stand*) sentinel; **~о́вня** *f* [6; *g/pl.*: -вен] chapel; **~ово́й** [14] hour's; by the hour; watch..., clock-...; *su.* sentry, sentinel; ~ово́й ма́стер *m* = **~овщи́к** [1 *e.*] watchmaker.
част|и́ца *f* [5] particle; **~и́чный** [14; -чен, -чна] partial; **∠ное** *n* [14] quotient; **∠ность** *f* [8] particular; **∠ный** [14] private; particular; individual; **~око́л** *m* [1] palisade; **~ота́** *f* [5; *pl. st.*: -óты] frequency; **~у́шка** *f* [5; *g/pl.*: -шек] couplet; **∠ый** [14; част, -á, -о; *comp.*: ча́ще] frequent (*adv. a.* often); thick(-set), dense; close; quick, rapid; **~ь** *f* [8; *from g/pl. e.*] part (in Т; *pl. a.* по Д); share; piece; department, section (in *a.* по Д), F line, branch; ⚔ unit; † police station; бо́льшей ∠ью, по бо́льшей ∠и for the most part, mostly.
час|ы́ *m/pl.* [1] watch; clock; (*sun*)dial; на мои́х ~áх by my watch.
ча́х|лый [14 *sh.*] sickly; stunted; **~нуть** [21], ⟨за-⟩ wither, shrivel; grow stunted; **~о́тка** *f* [5] consumption; **~о́точный** [14; -чен, -чна] consumptive.
ча́ша *f* [5] cup, chalice; bowl.
ча́шка *f* [5; *g/pl.*: -шек] cup; pan; cap; надколе́нная ~ kneecap.
ча́ща *f* [5] thicket.
ча́ще more (~ всегó most) often.
чая́|ние *n* [12] expectation (contrary to па́че *or* сверх Р), hope, dream.
чва́н|иться F [13], **~ство** *n* [9] brag, blow, swagger.
чей *m*, чья *f*, чьё *n*, чьи *pl.* [26] whose; ~ э́то дом? whose house is this?
чек *m* [1] check, *Brt.* cheque; **~а́нить** [13], ⟨вы́-⟩ mint, coin; chase; **~а́нка** *f* [5; *g/pl.*: -нок] minting, coinage; chase; **~и́ст** *m* [1] member of ЧК, *cf.*; **∠овый** [14] check...
чёлн *m* [1 *e.*; челнá] boat; canoe.
челно́к *m* [1 *e.*] *dim. of* чёлн; *a.* shuttle.
чело́ † *n* [9; *pl. st.*] forehead, brow.
челове́|к *m* [1; *pl.*: лю́ди, *cf.*; 5, 6, *etc.* -éк] man, human being; person, individual; one; † servant; waiter; ру́сский ~к Russian; **~колю́бие** *n* [12] philanthropy; **~ческий** [16] human(e); **~чество** *n* [9] mankind, humanity; **~чный** [14; -чен, -чна] humane.
че́люсть *f* [8] jaw; (full) denture.
че́лядь *f* [8] servants *pl.*
чем than; F instead of; ~ ..., тем ... the ... the ...; **~ода́н** *m* [1] suitcase.
чемпио́н *m* [1] champion; **~а́т** *m* [1] championship.
чепе́ц *m* [1; -пцá] cap.
чепуха́ F *f* [5] nonsense; trifle.
че́пчик *m* [1] cap.
че́рв|и *f/pl.* [4; *from gen. e.*] *&* **~ы** *f/pl.* [5] hearts (*cards*).
черви́вый [14 *sh.*] worm-eaten.
черво́нец *m* [1; -нца] 10 rubles.
черв|ь *m* [4 *e.*; *nom/pl. st.*: че́рви, черве́й], **~я́к** *m* [1 *e.*] worm.
черда́к *m* [1 *e.*] garret, attic, loft.
черёд F *m* [1 *e.*] turn; course.
чередова́|ние *n* [12] alternation; **~ть(ся)** [7] alternate.
че́рез (В) through; across, over;

time: in, after; *go*: via; with (the help of); because of; ~ день *a.* every other day.

черёмуха *f* [5] bird cherry.

че́реп *m* [1; *pl.*: -á, *etc. e.*] skull.

черепá|ха *f* [5] tortoise; turtle; tortoise shell; **~ховый** [14] tortoise(-shell)...; **~ший** [18] tortoise's, snail's (pace шаг *m*; at T).

череп|и́ца *f* [5] tile (*of roof*); **~и́чный** [14] tiled; **~óк** *m* [1; -пкá] fragment, piece.

чере|счу́р too, too much; **∠шня** *f* [6; *g/pl.*: -шен] (sweet) cherry.

черкну́ть F [20] *pf.*: ~ пáру (*or* нéсколько) слов drop a line.

черн|е́ть [8], ⟨по-⟩ blacken, grow black; *impf.* (*a.* **-ся**) show black; **~е́ц** *m* [1 *e.*] monk; **~и́ка** *f* [5] bilberry, -ries *pl.*; **~и́ла** *n/pl.* [9] ink; **~и́льница** *f* [5] inkwell (*Brt.* inkpot), inkstand; **~и́льный** [14] ink...; **~и́ть** [13] **1.** ⟨на-⟩ blacken; **2.** ⟨о-⟩ blacken (*fig.*), denigrate, slander.

черно|ви́к *m* [1 *e.*] rough copy; draft; **~вóй** [14] draft...; rough; waste (*book*); **~волóсый** [14 *sh.*] black-haired; **~глáзый** [14 *sh.*] black-eyed; **~гóрец** *m* [1; -рца] Montenegrin; **~зём** *m* [1] chernozem, black earth; **~кóжий** [17 *sh.*] Negro; **~мáзый** [14 *sh.*] swarthy; **~мóрский** [16] Black Sea ...; **~рабóчий** *m* [17] unskilled worker; **~сли́в** *m* [1] prune(s); **~тá** *f* [5] blackness.

чёрн|ый [14; чёрен, чернá] black (*a. fig.*); brown (*bread*); ferrous (*metals*); rough (*work*); back(*stairs, etc.*); leafy (*wood*); на ~ый день for a rainy day; ~ым по бéлому in black & white.

чернь *f* [8] mob, rabble.

че́рп|ать [1], ⟨~нýть⟩ [20] scoop, draw; gather (from из P, в П).

черст|ве́ть [8], ⟨за-, по-⟩ grow stale; harden; **∠вый** ('tʃɔ-) [14; чёрств, -á, -o] stale, hard; callous.

чёрт *m* [1; *pl.* 4: чéрти, -тéй, *etc. e.*] devil; F the deuce (go: *a.* ступáй, убирáйся; take: возьми́, побери́, [по]дери́; *a.* confound, blast, damn it!); к ~у, на кой ~ F *a.* the deuce; ни чертá F nothing at all; never mind!

черт|á *f* [5] line; trait, feature (*a.* ~ы лицá); precincts *pl.* (within в П); term.

чертёж *m* [1 *e.*] (mechanical) drawing, draft (*Brt.* draught), design; **~ник** *m* [1] draftsman, *Brt.* draughtsman; **~ный** [14] drawing (*board, etc.*).

черт|и́ть [15], ⟨на-⟩ draw, design; **~óвский** [16] devilish.

чёрточка *f* [5; *g/pl.*: -чек] hyphen.

черчéние *n* [12] drawing.

чесáть [3] **1.** ⟨по-⟩ scratch; **2.** ⟨при-⟩ F comb; **3.** *impf.* hackle, card; **-ся** *a.*, F, itch (my у меня́).

чеснóк *m* [1 *e.*] garlic.

чесóтка *f* [5] itch.

чéст|вование *n* [12] celebration; **~вовать** [7] celebrate, hono(u)r; **~ность** *f* [8] honesty; **~ный** [14; чéстен, -тнá, -o] honest, of hono(u)r; fair; **~олюби́вый** [14 *sh.*] ambitious; **~олюбие** *n* [12] ambition; **~ь** *f* [8] hono(u)r (in в B); credit; по ~и F honestly; ~ь ~ью F properly, well.

четá *f* [5] couple, pair; F match.

четвéр|г *m* [1 *e.*] Thursday (on: в В, *pl.*: по Д); **~éньки** F *f/pl.* [5] all fours (on на В, П); **~ка** (-'vɔr-) *f* [5; *g/pl.*: -рок] four (*cf.* трóйка); F (*mark*) = хорошó, *cf.*; **'~o** [37] four (*cf.* двóе); **~онóгий** [16] four-footed; **~тый** (-'vɔr-) [14] fourth; *cf.* пя́тый; **'~ть** *f* [8; *from g/pl. e.*] (one) fourth; quarter (to без P; past one вторóго).

чёткий [16; чёток, четкá, -o] distinct, clear; legible; exact, accurate.

чётный [14] even.

четы́ре [34] four; *cf.* пять; **~жды** four times; **~ста** [36] four hundred.

четырёх|лéтний [15] four-years(-old)'; **~мéстный** [14] four-seated; **~сóтый** [14] four hundredth; **~угóльник** *m* [1] quadrangle; **~угóльный** [14] quadrangular; **~этáжный** [14] four-storied (*Brt.* -storeyed).

четы́рнадца|тый [14] fourteenth; *cf.* пя́тый; **~ть** [35] fourteen; *cf.* пять.

чех *m* [1] Czech.

чехардá *f* [5] leapfrog.

чехóл *m* [1; -хлá] case, cover.

Чехословá|кия *f* [7] Czechoslovakia; **♀цкий** [16] Czechoslovak.

чечеви́ца *f* [5] lentil(s).

чéш|ка *f* [5; *g/pl.*: -шек] Czech (woman); **~ский** [16] Czech(ic).
чешуя́ *f* [6] scales *pl.*
чи́бис *m* [1] lapwing.
чиж *m* [1 *e.*], F **∠ик** *m* [1] siskin.
Чи|ка́го *n* [*ind.*] Chicago; **∠ли** *n* [*ind.*] Chile; **♀ли́ец** *m* [1; -и́йца] Chilean.
чин *m* [1; *pl. e.*] rank, grade; station; order, ceremony; official; **~и́ть 1.** [13; чиню́, чи́нишь] a) ⟨по-⟩ mend, repair; b) ⟨о-⟩ sharpen, point; **2.** [13], ⟨у-⟩ raise, cause; administer; **∠ный** [14; чи́нен, чинна́, чи́нно] proper; sedate; **~о́вник** *m* [1] official; bureaucrat.
чири́к|ать [1], ⟨~нуть⟩ [20] chirp.
чи́рк|ать [1], ⟨~нуть⟩ [20] strike.
чи́сл|енность *f* [8] number; ⚔ strength (of/of T/в B); **~енный** [14] numerical; **~и́тель** Ⱥ *m* [4] numerator; **~и́тельное** *n* [14] *gr.* numeral (*a.* и́мя ~и́тельное); **~иться** [13] be on the ... list (в П *or* по Д/Р); **~о́** *n* [9; *pl. st.*: чи́сла, чи́сел, чи́слам] number; date; day (in в П; on Р); кото́рое (како́е) сего́дня ~о́? what date is today? (*cf.* пя́тый); в ~е́ (Р), в том ~е́ including.
чи́стильщик *m* [1] (*boot*)black.
чи́ст|ить [15] **1.** ⟨по-, вы́-⟩ clean(se); brush; polish; **2.** ⟨о-⟩ peel; *pol.* purge; **~ка** *f* [5; *g/pl.*: -ток] clean(s)ing; polish(ing); *pol.* purge; **~окро́вный** [14; -вен, -вна] thoroughbred; *fig.* genuine; **~оплóтный** [14; -тен, -тна] cleanly; *fig.* clean; **~осерде́чный** [14; -чен, -чна] open-hearted, frank, sincere; **~ота́** *f* [5] clean(li)ness; purity; **~ый** [14; чист, -á, -o; *comp.*: чи́ще] clean; pure; neat, cleanly; clear; net; blank (*sheet*); fine, faultless; genuine; sheer; plain (*truth*); mere (*chance*); hard (*cash*); free, open (*field*).
чита́|льный [14]: ~льный зал *m*, **~льня** *f* [6; *g/pl.*: -лен] reading room; **~тель** *m* [4] reader; **~ть** [1], ⟨про-⟩ & ⟨проче́сть⟩ F [25; -чту́, -чтёшь; -чёл, -чла́; -чтённый] read, recite; give (*lecture* on о П), deliver, lecture; teach; ~ть по склада́м spell.
чи́тка *f* [5; *g/pl.*: -ток] reading.
чих|а́ть [1], *once* ⟨~ну́ть⟩ [20] sneeze.
ЧК (Чрезвыча́йная коми́ссия ...) Cheka (*predecessor, 1917—22, of the* ГПУ, *cf.*).
член *m* [1] member; limb; *gr.* article; part; **~ора́здельный** [14; -лен, -льна] articulate; **∠ский** [16] member(ship)...; **∠ство** *n* [9] membership.
чмо́к|ать F [1], *once* ⟨~нуть⟩ [20] smack.
чо́к|аться [1], *once* ⟨~нуться⟩ [20] touch (glasses T) (with с T).
чо́|порный [14; -рен, -рна] prim, prudish; **~рт** *s.* чёрт.
чрев|а́тый [14 *sh.*] pregnant (*a. fig.*); **∠о** *n* [9] womb.
чрез *s.* че́рез; **~вычáйный** [14; -а́ен, -а́йна] extraordinary; extreme; special; **~ме́рный** [14; -рен, -рна] excessive.
чте́|ние *n* [12] reading; recital; **~ц** *m* [1*e.*] reader.
чтить *s.* почита́ть[1].
что [23] **1.** *pron.* what (*a.* ~ за); that, which; how; (*a.* а ~?) why (so?); (*a.* а ~) what about; what's the matter; F а ~? well?; how (*or* as) much, how many; во́т ~ the following; listen; that's it; ~ до меня́ as for me; ~ вы (ты)! you don't say!, what next!; не́ за ~ (you are) welcome, *Brt.* don't mention it; ни за ∠ not for the world; ну ~ же? what of that?; (уж) на ~ F however; с чего́? F why?, wherefore?; ~ и говори́ть F sure; *cf.* ни; F *s.* ∠-нибудь, ∠-то; **2.** *cj.* that; like, as if; ~ (ни) ..., то ... every ... (a) ...
что́б(ы) (in order) that *or* to (*a.* с тем, ~); ~ не lest, for fear that; вме́сто того́ ~ + *inf.* instead of ...ing; скажи́ ему́, ~ он + *pt.* tell him to *inf.*
что́|-либо, ~-нибудь, ~-то [23] something; anything; ~-то *a.* F somewhat; somehow, for some reason or other.
чу́вств|енный [14 *sh.*] sensuous; sensual; material; **~и́тельность** *f* [8] sensibility; **~и́тельный** [14; -лен, -льна] sensitive; sentimental; sensible (*a.* = considerable, great, strong); biting (*cold*); grievous (*loss*); **~о** *n* [9] sense; feeling; sensation; F love; без ~ unconscious, senseless; **~овать** [7], ⟨по-⟩ feel (*a.* себя́ [T s. th.]); **-ся** be felt.
чугу́н *m* [1 *e.*] cast iron; **~ный** [14] cast-iron; **~олите́йный** [14]: ~олите́йный заво́д *m* iron foundry.
чуд|а́к *m* [1 *e.*] crank, character;

~áчество *n* [9] eccentricity; **~éсный** [14; -сен, -сна] wonderful, marvel(l)ous; miraculous; **~и́ть** [15 *e.*] F *s.* дури́ть; **∠иться** [15] F = мере́щиться; **~но́й** F [14; -дён, -дна́] queer, odd, strange; funny; **∠ный** [14; -ден, -дна] wonderful, marvel(l)ous; **∠о** *n* [9; *pl.*: чудеса́, -éс, -еса́м] miracle, marvel; wonder; *a.* = ∠но; **~о́вище** *n* [11] monster; **~о́вищный** [14; -щен, -щна] monstrous; **~отво́рец** *m* [1; -рца] wonderworker.

чуж|би́на *f* [5] foreign country (in на П; *a.* abroad); **~да́ться** [1] (Р) shun, avoid; **∠дый** [14; чужд, -á, -o] foreign; strange, alien; free (from Р); **~езéмец** *m* [1; -мца] foreigner; **~о́й** [14] someone else's, alien; strange, foreign; *su. a.* stranger, outsider.

чул|а́н *m* [1] closet; pantry; **~о́к** *m* [1; -лка́; *g/pl.*: -ло́к] stocking.

чума́ *f* [5] plague, pestilence.

чума́зый F [14 *sh.*] dirty.

чурба́н *m* [1] block; blockhead.

чу́тк|ий [16; -ток, -тка́, -o; *comp.*: чу́тче] sensitive (to на В), keen; light (*sleep*); vigilant, watchful; wary; quick (of hearing); responsive; sympathetic; **~ость** *f* [8] keenness; delicacy (of feeling).

чу́точку F a bit.

чуть hardly, scarcely; a little; ~ не nearly, almost; ~ ли не F seem (-ingly); ~ что F on the least occasion; ~-~ *s.* ~; **~ё** *n* [10] instinct (for на В); scent, flair.

чу́чело *n* [9] stuffed animal *or* bird; scarecrow; ~ горо́ховое F dolt.

чушь F *f* [8] bosh, baloney.

чу́ять [27], ⟨по-⟩ scent, feel.

Ш

шаба́ш F **1.** *m* [1] (knocking-)off-time; **2.** *int.* enough!, no more!; **~ить** F [16], ⟨по-⟩ knock off.

шабло́н *m* [1] stencil, pattern, cliché; **~ный** [14] trite, hackneyed.

шаг *m* [1; *after 2, 3, 4*: -á; в -ý; *pl. e.*] step (by step ~ за T) (*a. fig.*); pace (at T); stride; démarche; ни ∠у (да́льше) no step further; на ка́ждом ~ý everywhere, on end; **~а́ть** [1], *once* ⟨~ну́ть⟩ [20] step, stride; march; walk; advance; (чéрез) cross; *pf. a.* take a step; далеко́ ~ну́ть *fig.* make great progress; **∠ом** at a slow pace, slowly.

ша́йба *f* [5] disk.

ша́йка *f* [5; *g/pl.*: ша́ек] gang.

шака́л *m* [1] jackal.

шала́ш *m* [1] hut; tent.

шал|и́ть [13] be naughty, frolic, romp; fool (about), play (pranks); be up to mischief; buck; **~и́шь!** P fiddlesticks!, on no account!; **~ли́вый** [14 *sh.*] frolicsome, playful; **~опа́й** F *m* [3] good-for-nothing; **∠ость** *f* [8] prank; **~у́н** *m* [1 *e.*] naughty boy; **~у́нья** *f* [6; *g/pl.*: -ний] tomboy, madcap.

шаль *f* [8] shawl.

шально́й [14] mad, crazy; stray...

ша́мкать [1] mumble.

шампа́нское *n* [16] champagne.

шампу́нь *m* [4] shampoo.

шанс *m* [1] chance, prospect (of на В).

шанта́ж *m* [1], **~и́ровать** [7] blackmail.

ша́пка *f* [5; *g/pl.*: -пок] cap; heading.

шар *m* [1; *after 2, 3, 4*: -á; *pl. e.*] sphere; ball; возду́шный ~ balloon; земно́й ~ globe.

шара́х|аться F [1], ⟨~нуться⟩ [20] rush (aside), recoil; shy; plop.

шарж *m* [1] cartoon, caricature.

ша́рик *m* [1] *dim. of* шар; corpuscle; **~овый** [14] ball (point *pen*); **~оподши́пник** *m* [1] ball bearing.

ша́рить [13], ⟨по-⟩ rummage.

ша́р|кать [1], *once* ⟨~кнуть⟩ [20] scrape; bow; **~ма́нка** *f* [5; *g/pl.*: -нок] hand organ.

шарни́р *m* [1] hinge, joint.

шаро|ва́ры *f/pl.* [5] baggy trousers; **~ви́дный** [14; -ден, -дна] **~обра́зный** [14; -зен, -зна] spherical, globular.

шарф *m* [1] scarf, neckerchief.
шасси́ *n* [*ind.*] chassis; ✈ undercarriage.
шат|а́ть [1], *once* ⟨(по)шатну́ть⟩ [20] (**-ся** be[come]) shake(n); rock; -ся *a.* stagger, reel, totter; F lounge *or* loaf, gad about.
шатёр *m* [1; -тра́] tent.
ша́т|кий [16; -ток, -тка] shaky, rickety, tottering; *fig.* unsteady, fickle; **~ну́ть(ся)** *s.* ~а́ть(ся).
ша́|фер *m* [1; *pl.*: -á, *etc. e.*] best man; **~х** *m* [1] shah; check (*chess*).
шахмат|и́ст *m* [1] chess player; **′~ный** [14] chess...; **′~ы** *f/pl.* [5] chess (*play v/t.* в B).
ша́хт|а *f* [5] mine, pit; **~ёр** *m* [1] miner, pitman; **~ёрский** [16] miner's.
ша́шка *f* [5; *g/pl.*: -шек] saber, *Brt.* sabre; checker, draughtsman; *pl.* checkers, *Brt.* draughts.
швед *m* [1], **∠ка** *f* [5; *g/pl.*: -док] Swede; **∠ский** [16] Swedish.
шве́йный [14] sewing (*machine*).
швейца́р *m* [1] doorman, doorkeeper, porter; **~ец** *m* [1; -рца], **~ка** *f* [5; *g/pl.*: -рок] Swiss; **♀ия** *f* [7] Switzerland; **~ский** [16] Swiss; doorman's, porter's.
Шве́ция *f* [7] Sweden.
швея́ *f* [6] seamstress.
швыр|я́ть [28], *once* ⟨~ну́ть⟩ [20] hurl, fling (*a.* T); squander.
шеве|ли́ть [13; -елю́, -е́ли́шь], ⟨по-⟩, *once* ⟨(по)~льну́ть⟩ [20] stir, move (*v/i.* **-ся**); turn (*hay*).
шеде́вр (-ˈdɛvr) *m* [1] masterpiece.
ше́йка *f* [5; *g/pl.*: ше́ек] neck.
ше́лест *m* [1], **~е́ть** [11] rustle.
шёлк *m* [1; *g/sg. a.* -у; в шелку́; *pl.*: шелка́, *etc. e.*] silk.
шелкови́|стый [14 *sh.*] silky; **~ца** *f* [5] mulberry (tree); **~чный** [14]: ~чный червь *m* silkworm.
шёлковый [14] silk(en).
шел|охну́ться [20] *pf.* stir; **~уха́** *f* [5], **~уши́ть** [16 *e.*; -шу́, -ши́шь] peel, husk.
ше́льма F *f* [5] rascal, rogue.
шепеля́в|ить [14] lisp; **~ый** [14 *sh.*] lisping.
шёпот *m* [1] whisper (in a T).
шеп|та́ть [3], ⟨про-⟩, *once* ⟨~ну́ть⟩ [20] whisper (*v/i. a.* **-ся**).
шере́нга *f* [5] file, rank.
шерохова́тый [14 *sh.*] rough.
шерст|ь *f* [8; *from g/pl. e.*] wool; coat; fleece; **~яно́й** [14] wool([l]en).
шерша́вый [14 *sh.*] rough; shaggy.
шест *m* [1 *e.*] pole.
ше́ств|ие *n* [12] procession; **~овать** [7] step, stride, go, walk.
шест|ёрка [5; *g/pl.*: -рок] six (*cf.* тро́йка); **~ерня́** ⊕ *f* [6; *g/pl.*: -рён] pinion; cogwheel; **∠еро** [37] six (*cf.* дво́е); **~идеся́тый** [14] sixtieth; *cf.* пя́т(идеся́т)ый; **~име́сячный** [14] six-months(-old)'; **~исо́тый** [14] six hundredth; **~иуго́льник** *m* [1] hexagon; **~на́дцатый** [14] sixteenth; *cf.* пя́тый; **~на́дцать** [35] sixteen; *cf.* пять; **~о́й** [14] sixth; *cf.* пя́тый; **~ь** [35 *e.*] six; *cf.* пять; **~ьдеся́т** [35] sixty; **~ьсо́т** [36] six hundred; **∠ью** six times.
шеф *m* [1] chief, head, F boss; patron, sponsor; **∠ство** *n* [9] patronage, sponsorship.
ше́я *f* [6; *g/pl.*: шей] neck; back.
ши́|бко P swiftly; very; **~ворот**: взять за ~ворот collar.
шик|а́рный [14; -рен, -рна] chic, smart; **∠ать** F [1], *once* ⟨∠нуть⟩ [20] hiss.
ши́ло *n* [1; *pl.*: -лья, -льев] awl.
ши́на *f* [5] tire, *Brt.* tyre; ⚕ splint.
шине́ль *f* [8] greatcoat, overcoat.
шинкова́ть [7] chop, shred.
шип *m* [1 *e.*] thorn; (dowel) pin.
шипе́|ние *n* [12] hiss(ing); **~ть** [10], ⟨про-⟩ hiss; spit; whiz.
шипо́вник *m* [1] dogrose.
шип|у́чий [17 *sh.*] sparkling, fizzy; **~я́щий** [17] sibilant.
шири|на́ *f* [5] width, breadth; ~но́й в (B) *or* ... в ~ну́ ... wide; **′~ть** [13], (**-ся**) widen, spread.
ши́рма *f* [5] (*mst pl.*) screen.
широ́к|ий [16; широ́к, -ока́, -о́ко́; *comp.*: ши́ре] broad; wide; vast; (at) large; great; mass...; large-scale; *phon.* open; на ~ую но́гу in grand style; **~овеща́тельный** [14] broadcasting; [-лен, -льна] promising; **~оплéчий** [17 *sh.*] broad-shouldered.
шир|ота́ *f* [5; *pl. st.*: -о́ты] breadth; *geogr.* latitude; **~потре́б** F *m* [1] consumers' goods; **~ь** *f* [8] breadth, width; open (space).
шить [шью, шьёшь; шей(те)!; ши́тый], ⟨с-⟩ [сошью́, -ьёшь; сши́тый] sew (*pf. a.* together); embroider; have made; **~ё** *n* [10] sewing; embroidery.

шифр *m* [1] cipher, code; pressmark; **~ова́ть** [7], ⟨за-⟩ cipher, code.
шиш F *m* [1 *e.*] fig; **∠ка** *f* [5; *g/pl.*: -шек] bump, lump; ⚘ cone; knot; F bigwig.
шка|ла́ *f* [5; *pl. st.*] scale; **~ту́лка** *f* [5; *g/pl.*: -лок] casket; **~ф** *m* [1; ʟ -ý; *pl. e.*] cupboard; wardrobe; (*book*)case; несгора́емый ~ф safe.
шквал *m* [1] squall, gust.
шкив ⊕ *m* [1] pulley.
шко́л|а *f* [5] school (*go* to в В; *be* at, in в П); вы́сшая ~а academy; university; **~ьник** *m* [1] schoolboy; **~ьница** *f* [5] schoolgirl; **~ьный** [14] school...
шку́р|а *f* [5] skin (*a.* **~ка** *f* [5; *g/pl.*: -рок]), hide; **~ник** F *m* [1] self-seeker.
шлагба́ум *m* [1] barrier, turnpike.
шлак *m* [1] slag, scoria; cinder.
шланг *m* [1] hose.
шлем *m* [1] helmet.
шлёп F crack!; **~ать** [1], *once* ⟨~нуть⟩ [20] slap; shuffle; plump (*v/i.* F **-ся**; plop).
шлифова́ть [7], ⟨от-⟩ grind; polish.
шлю|з *m* [1] sluice, lock; **∠пка** *f* [5; *g/pl.*: -пок] boat; launch.
шля́п|а *f* [5] hat; F milksop; **~ка** *f* [5; *g/pl.*: -пок] *dim. of* ~a; (*lady's*) hat; head (*nail*); **~очник** *m* [1] hatter; **~ный** [14] hat...; hatter's; milliner's.
шля́ться P [1] *s.* шата́ться.
шмель *m* [4 *e.*] bumblebee.
шмыг quick!; **∠ать** F [1], *once* ⟨~нýть⟩ [20] whisk, scurry, slip.
шни́цель *m* [4] cutlet.
шнур *m* [1 *e.*] cord; **~ова́ть** [7], ⟨за-⟩ lace (*or* tie) up; **~о́к** *m* [1; -рка́] shoestring, (shoe) lace.
шныря́ть F [28] poke about.
шов *m* [1; шва] seam; ⊕ *a.* joint.
шокола́д *m* [1] chocolate.
шо́мпол *m* [1; *pl.*: -á, *etc. e.*] ramrod.
шо́пот *m* [1] *s.* шёпот.
шо́рник *m* [1] saddler.
шо́рох *m* [1] rustle.
шоссе́ (-ˈsɛ) *n* [*ind.*] high road.
шотла́нд|ец *m* [1; -дца] Scotchman, *pl.* the Scotch; **~ка** *f* [5; *g/pl.*: -док] Scotchwoman; **Ωия** *f* [7] Scotland; **~ский** [16] Scotch, Scottish.
шофёр *m* [1] driver, chauffeur.
шпа́га *f* [5] sword.
шпага́т *m* [1] packthread, string.
шпа́л|а 🚂 *f* [5] cross tie, *Brt.* sleeper; **~е́ра** *f* [5] trellis; lane.
шпа|рга́лка F *f* [5; *g/pl.*: -лок] pony, *Brt.* crib; **~т** *m* [1] *min.* spar.
шпигова́ть [7], ⟨на-⟩ lard.
шпик *m* [1] slab bacon, fat; F sleuth.
шпи́|лька *f* [5; *g/pl.*: -лек] hairpin; hat pin; tack; *fig.* taunt, twit (*vb.*: пусти́ть В); **~на́т** *m* [1] spinach.
шпио́н *m* [1], **~ка** *f* [5; *g/pl.*: -нок] spy; **~а́ж** *m* [1] espionage; **~ить** [13] spy.
шпиц *m* [1] Pomeranian (*dog*).
шпо́р|а *f* [5], **~ить** [13] spur.
шприц *m* [1] syringe, squirt.
шпрот *m* [1] sprat, brisling.
шпу́лька *f* [5; *g/pl.*: -лек] spool, bobbin.
шрам *m* [1] scar.
шрифт *m* [1] type, print.
штаб ⚔ *m* [1] staff; headquarters.
шта́бель *m* [4; *pl.*: -ля́, *etc. e.*] pile.
штабно́й ⚔ [14] staff...
штамп *m* [1], **~ова́ть** [7], ⟨от-⟩ stamp.
шта́нга *f* [5] ⊕ pole; *sport*: weight.
штаны́ F *m/pl.* [1 *e.*] pants, trousers.
штат *m* [1] state; staff; *cf.* США; **~и́в** *m* [1] support; *phot.* tripod; **∠ный** [14] (on the) staff; **∠ский** [16] civil; civilian; plain (*clothes*).
штемпел|ева́ть (ʃtɛ-) [6], **ʹ~ь** *m* [4; *pl.*: -ля́, *etc. e.*] stamp; postmark.
ште́псель (ˈʃtɛ-) *m* [4; *pl.*: -ля́, *etc. e.*] plug; jack.
шти|ль *m* [4] calm; **~фт** *m* [1 *e.*] pin.
што́п|ать [1], ⟨за-⟩ darn; **~ка** *f* [5] darning.
што́пор *m* [1] corkscrew; ✈ spin.
што́|ра *f* [5] blind; curtain; **~рм** *m* [1] storm; **~ф** *m* [1] quart, bottle; damask.
штраф *m* [1] fine, penalty, mulct; **~но́й** [14] fine...; penalty...; convict...; **~ова́ть** [7], ⟨о-⟩ fine.
штрейкбре́хер *m* [1] strikebreaker.
штрих *m* [1 *e.*] stroke; trait; touch; **~ова́ть** [7], ⟨за-⟩ hatch; shade.
штуди́ровать [7], ⟨про-⟩ study.
шту́ка *f* [5] piece; F thing; fish; trick; story; business; point.
штукату́р|ить [13], ⟨о-⟩, **~ка** *f* [5] plaster.
штурва́л *m* [1] steering wheel.
штурм *m* [1] storm, onslaught; **∠ан**

m [1] navigator; **~ова́ть** [7] storm, assail; **~ови́к** *m* [1 *e.*] battleplane.
шту́чный [14] (by the) piece.
штык *m* [1 *e.*] bayonet.
шу́ба *f* [5] fur (coat).
шу́лер *m* [1; *pl.*: -á, *etc. e.*] sharper.
шум *m* [1] noise; din; rush; bustle; buzz; F hubbub, row, ado; ~ и гам hullabaloo; наде́лать ~у cause a sensation; **~е́ть** [10 *e.*; шумлю́, шуми́шь] make a noise; rustle; rush; roar; bustle; buzz; **~и́ха** F *f* [5] sensation, clamo(u)r; **~ли́вый** [14 *sh.*] clamorous; **~ный** [14; -мен, -мна́, -о] noisy, loud; sensational; **~ово́й** [14] noise...; jazz...; **~о́к** *m* [1; -мка́]: под ~о́к F on the sly.
Шу́ра *m/f* [5] *dim. of* Алекса́ндр(а).
шу́р|ин *m* [1] brother-in-law (*wife's brother*); **~ша́ть** [4 *e.*; -шу́, -ши́шь], ⟨за-⟩ rustle.
шу́стрый F [14; -тёр, -тра́, -о] nimble.
шут *m* [1 *e.*] fool, jester, clown, buffoon; F deuce; **~и́ть** [15], ⟨по-⟩ joke, jest; make fun (of над T); **~ка** *f* [5; *g/pl.*: -ток] joke, jest (in в B); fun (for ра́ди P); trick (*play:* on с T); F trifle (it's no ~ка ли); кро́ме ~ок joking apart; are you in earnest?; не на ~ку serious(ly); (Д) не до ~ок be in no laughing mood; **~ли́вый** F [14 *sh.*] jocose, playful; **~ни́к** *m* [1 *e.*] joker, wag; **~очный** [14] jocose, sportive, comic; laughing (*matter*); **~я́** jokingly (не in earnest).
шушу́кать(ся) F [1] whisper.
шху́на *f* [5] schooner.
ш-ш hush!

Щ

щаве́ль *m* [4 *e.*] ⚘ sorrel.
щади́ть [15 *e.*; щажу́, щади́шь], ⟨по-⟩ [-щажённый], spare.
щё́бень *m* [4; -бня] road metal.
щебета́ть [3] chirp, twitter.
щего́л *m* [1; -гла́] goldfinch; **~ева́тый** [14 *sh.*] stylish, smart; **'~ь** ('ʃtʃɔ-) *m* [4] dandy, fop; **~ьско́й** [16] foppish; **~я́ть** [28] flaunt, parade.
ще́др|ость *f* [8] liberality; **~ый** [14; щедр, -á, -о] liberal, generous.
щека́ *f* [5; *ac/sg.*: щёку; *pl.*: щёки, щёк, щека́м, *etc. e.*] cheek.
щеко́лда *f* [5] latch.
щекот|а́ть [3], ⟨по-⟩, **~ка** *f* [5] tickle; **~ли́вый** [14 *sh.*] ticklish.
щёлк|ать [1], *once* ⟨~нуть⟩ [20] **1.** *v/i.* click (*one's tongue* T), snap (*one's fingers* T), crack (*whip* T); chatter (*one's teeth* T); warble, sing (*birds*); **2.** *v/t.* fillip (on по Д); crack (*nuts*).
щёло|к *m* [1] lye; **~чь** *f* [8; *from g/pl. e.*] alkali; **~чно́й** [14] alkaline.
щелчо́к *m* [1; -чка́] fillip; crack.
щель *f* [8; *from g/pl. e.*] chink, crack, crevice; slit; голосова́я ~ glottis.
щеми́ть [14 *e.*; *3rd p. only, a. impers.*] press; *fig.* oppress.
щено́к *m* [1; -нка́; *pl.*: -нки́ & (2) -ня́та] puppy, whelp.
щеп|ети́льный [14; -лен, -льна] scrupulous, punctilious, squeamish, fancy...; **~ка** *f* [5; *g/pl.*: -пок] chip; *fig.* lath.
щепо́тка *f* [5; *g/pl.*: -ток] pinch.
щети́н|а *f* [5] bristle(s); **~истый** [14 *sh.*] bristly; **~иться** [13], ⟨о-⟩ bristle up.
щётка *f* [5; *g/pl.*: -ток] brush.
щи *f/pl.* [5; *gen.*: щей] cabbage soup.
щи́колотка *f* [5; *g/pl.*: -ток] ankle.
щип|а́ть [2], *once* ⟨(у)~ну́ть⟩ [20] pinch, tweak (*v/t.* за B), (*a. cold*) nip; bite; twitch; pluck; browse; **~цы́** *m/pl.* [1 *e.*] tongs, pliers, pincers, nippers; ⚕ forceps; (nut)crackers; **~чики** *m/pl.* [1] tweezers.
щит *m* [1 *e.*] shield; buckler; screen, guard, protection; (snow)shed; (⚡ switch)board; sluice gate; (tortoise) shell.

щитови́дный [14] thyroid (*gland*).
щу́ка *f* [5] pike (*fish*).
щу́п|альце *n* [11; *g/pl.*: -лец] feeler, tentacle; **~ать** [1], ⟨по-⟩ feel; touch; *fig.* sound; **~лый** F [14; щупл, -á -o] puny.
щу́рить [13] screw up (one's eyes **-ся**).

Э

эвакуи́ровать [7] (*im*)*pf.* evacuate.
эволюцио́нный [14] evolution(ary).
эгои́|зм *m* [1] ego(t)ism, selfishness; **~ст** *m* [1], **~стка** *f* [5; *g/pl.*: -ток] egoist; **~сти́ческий** [16], **~сти́чный** [14; -чен, -чна] selfish.
Эдинбу́рг *m* [1] Edinburgh.
эй! halloo!, hullo!, hey!
эквивале́нт *m* [1], **~ный** [14; -тен, -тна] equivalent.
экза́м|ен *m* [1] examination (in ... на П; ... in по Д); **~ена́тор** *m* [1] examiner; **~енова́ть** [7], ⟨про-⟩ examine; **-ся** be examined (by у Р), have one's examination (with); *p. pr. p.* examinee.
экземпля́р *m* [1] copy; specimen.
экзоти́ческий [16] exotic.
э́кий F [16; *sh.*: *no m*, -a] what (a).
экип|а́ж *m* [1] carriage; ⚓, ✈ crew; **~ирова́ть** [7] (*im*)*pf.* fit out, equip.
эконо́м|ика *f* [5] economy; economics; **~ить** [14], ⟨с-⟩ save; economize; **~и́ческий** [16] economic; **~ия** *f* [7] economy; saving (of P, в П); **~ный** [14; -мен, -мна] economical, thrifty.
экра́н *m* [1] screen.
экскава́тор *m* [1] dredge(r *Brt.*).
экскурс|а́нт *m* [1] excursionist; **~ия** *f* [7] excursion, outing, trip; **~ово́д** *m* [1] guide.
экспеди́|тор *m* [1] forwarding agent(s); **~цио́нный** [14] forwarding...; expedition...; **~ция** *f* [7] dispatch (office); forwarding agency; expedition.
экспер|имента́льный [14] experimental; **~т** *m* [1] expert (in по Д); **~ти́за** *f* [5] examination; (expert) opinion.
эксплуа|та́тор *m* [1] exploiter; **~та́ция** *f* [7] exploitation; ⊕ operation; **~ти́ровать** [7] exploit; sweat; ⊕ operate, run.
экспон|а́т *m* [1] exhibit; **~и́ровать** [7] (*im*)*pf.* exhibit; *phot.* expose.
э́кспорт *m* [1], **~и́ровать** [7] (*im*)*pf.* export; **~ный** [14] export...
экс|про́мт *m* [1] impromptu; **~про́мтом** *a.* extempore; **~та́з** *m* [1] ecstasy; **~тра́кт** *m* [1] extract; **~тренный** [14 *sh.*] special; extra; urgent; **~центри́чный** [14; -чен, -чна] eccentric.
эласти́чн|ость *f* [8] elasticity; **~ый** [14; -чен, -чна] elastic.
элега́нтн|ость *f* [8] elegance; **~ый** [14; -тен, -тна] elegant, stylish.
эле́ктр|ик *m* [1] electrician; **~ифици́ровать** [7] (*im*)*pf.* electrify; **~и́ческий** [16] electric(al); **~и́чество** *n* [9] electricity; **~ово́з** *m* [1] electric locomotive; **~о́д** *m* [1] electrode; **~омонтёр** *s.* **~ик**; **~о́н** *m* [1] electron; **~оста́нция** *f* [7] power station; **~оте́хник** *m* [1] electrical engineer; **~оте́хника** *f* [5] electrical engineering.
элеме́нт *m* [1] element; **~а́рный** [14; -рен, -рна] elementary.
эма́л|евый [14], **~ирова́ть** [7], **~ь** *f* [8] enamel.
эмбле́ма *f* [5] emblem.
эмигр|а́нт *m* [1], **~а́нтка** *f* [5; *g/pl.*: -ток], **~а́нтский** [16] emigrant; emigre; **~и́ровать** [7] (*im*)*pf.* emigrate.
эмоциона́льный [14; -лен, -льна] emotional.
эмпири́зм *m* [1] empiricism.
энерг|и́чный [14; -чен, -чна] energetic; drastic; **~ия** *f* [7] energy.
энтузиа́зм *m* [1] enthusiasm.
энциклопе́д|ия *f* [7] (*a.* **~и́ческий** слова́рь *m*) encyclop(a)edia.
эпи|гра́мма *f* [5] epigram; **~деми́ческий** [16], **~де́мия** *f* [7] epidemic; **~зо́д** *m* [1] episode; **~ле́псия** *f* [7] epilepsy; **~ло́г** *m* [1] epilogue; **~тет** *m* [1] epithet.

э́по|с *m* [1] epic (poem), epos; **∠ха** *f* [5] epoch, era, period (in в B).
эроти́ческий [16] erotic.
эска́др|а *f* [5] ⚓ spuadron; **~и́лья** *f* [6; *g/pl.*: -лий] ✈ squadron;
эс|кала́тор *m* [1] escalator; **~ки́з** *m* [1] sketch; **~кимо́с** *m* [1] Eskimo; **~корти́ровать** [7] escort; **~ми́нец** *m* [1; -нца] ⚓ destroyer; **~се́нция** *f* [7] essence; **~тафе́та** *f* [5] relay race; **~тети́ческий** [16] aesthetic.
эсто́н|ец *m* [1; -нца], **~ка** *f* [5; *g/pl.*: -нок], **~ский** [16] Estonian.
эстра́да *f* [5] platform; *s.* варьете́.
эта́ж *m* [1 *e.*] floor, stor(e)y; дом в три ~а́ three-storied (*Brt.* -reyed) house; **~е́рка** *f* [5; *g/pl.*: -рок] whatnot; bookshelf.
э́так(ий) F *s.* так(о́й).
эта́п *m* [1] stage; base; transport(s).
э́тика *f* [5] ethics (*a. pl.*).
этике́тка *f* [5; *g/pl.*: -ток] label.
этимоло́гия *f* [7] etymology.
этногра́фия *f* [7] ethnography.
э́т|от *m*, ~а *f*, ~о *n*, ~и *pl.* [27] this, *pl.* these; *su.* this one; that; it; there (*-in, etc.*); ~о *a.* well, then, as a matter of fact.
этю́д *m* [1] study, étude; sketch.
эф|е́с *m* [1] (*sword*) hilt; **~и́р** *m* [1] ether; **~и́рный** [14; -рен, -рна] ethereal.
эффект|и́вность *f* [8] efficacy; **~и́вный** [14; -вен, -вна] efficacious; **∠ный** [14; -тен, -тна] effective.
эх ah!
эшафо́т *m* [1] scaffold.
эшело́н *m* [1] echelon; troop train.

Ю

юбил|е́й *m* [3] jubilee; **~е́йный** [14] jubilee...; **~я́р** *m* [1] p. celebrating his jubilee.
ю́бка *f* [5; *g/pl.*: ю́бок] skirt.
ювели́р *m* [1] jeweller('s **~ный** [14]).
юг *m* [1] south; е́хать на ~ travel south; *cf.* восто́к; **~о-восто́к** *m* [1] southeast; **~о-восто́чный** [14] southeast ...; **~о-за́пад** *m* [1] southwest; **~о-за́падный** [14] southwest ...; **Ƨосла́вия** *f* [7] Yugoslavia.
югу́рт *m* [1] yogurt.
Ю́жно-Африка́нский Сою́з *m* [16/1] Union of South Africa.
ю́жный [14] south(ern); southerly.
юла́ *f* [5] humming top; F fidgety p.
ю́мор *m* [1] humo(u)r; **~исти́ческий** [16] humorous; comic.
ю́нга *m* [5] cabin boy.
ю́ность *f* [8] youth (*age*).
ю́нош|а *m* [5; *g/pl.*: -шей] youth (*young man*); **~ество** *n* [9] youth.
ю́ный [14; юн, -á, -о] young, youthful.
юри|ди́ческий [16] juridical; of law; **~ско́нсульт** *m* [1] legal adviser.
Ю́рий *m* [3] George.
юри́ст *m* [1] lawyer; F law student.
ю́рк|ий [16; ю́рок, юрка́, -о] nimble, quick; **~ну́ть** [20] *pf.* vanish (quickly).
юр|о́дивый [14] fool(ish) „in Christ"; **∠та** *f* [5] nomad's tent.
юсти́ция *f* [7] justice.
юти́ться [15 *e.*; ючу́сь, юти́шься] nestle; be cooped.
юфть *f* [8] Russia leather.

Я

я [20] I; э́то я it's me.
я́бед|а F *f* [5] slander, talebearing; **~ник** *m* [1] slanderer, informer; **~ничать** [1] slander (*v/t.* на B).

я́бло|ко *n* [9; *pl.*: -ки, -к] apple; (*eye*)ball; **~ня** *f* [6] apple tree.
яв|и́ть(ся) *s.* ~ля́ть(ся); **⁓ка** *f* [5] appearance; presence, attendance; submission, presentation; place of secret meeting; **~ле́ние** *n* [12] phenomenon; occurrence, event; *thea.* scene; appearance, apparition; **~ля́ть** [28], ⟨~и́ть⟩ [14] present, submit; do; show; **-ся** appear, turn up; come; (T) be; **⁓ный** [14; я́вен, я́вна] open; obvious, evident; avowed; **⁓ствовать** [7] follow.
ягнёнок *m* [2] lamb.
я́год|а *f* [5], **~ный** [14] berry.
я́годица *f* [5] buttock.
яд *m* [1] poison; *fig. a.* venom.
я́дерный [14] nuclear.
ядови́тый [14 *sh.*] poisonous; venomous.
ядр|ёный F [14 *sh.*] strong, stalwart, solid; pithy; fresh; **~о́** *n* [9; *pl. st.*; *g/pl.*: я́дер] kernel; *phys.*, ⚘ nucleus; cannon ball; *fig.* core, pith.
я́зв|а *f* [5] ulcer; plague; wound; **~и́тельный** [14; -лен, -льна] venomous; caustic.
язы́к *m* [1 *e.*] tongue; language (in на П); speech; на ру́сском ~е́ *speak* (*text*, *etc.* in) Russian; держа́ть ~ за зуба́ми hold one's tongue; **~ове́д** *m* [1] linguist; **~ово́й** [14] language...; **~о́вый** [14] tongue...; **~озна́ние** *n* [12] linguistics.
язы́ч|еский [16] pagan; **~ество** *n* [9] paganism; **~ник** *m* [1] pagan.
язычо́к *m* [1; -чка́] uvula; tongue.
яи́чн|ица (-ʃn-) *f* [5] (scrambled *or* fried) eggs *pl.*; **~ый** [14] egg...
яйцо́ *n* [9; *pl.*: я́йца, яи́ц, я́йцам] egg.
я́кобы allegedly; as it were.
'**Я́ков** *m* [1] Jakob.
я́кор|ь *m* [4; *pl.*: -ря́, *etc. e.*] anchor (at на П); стоя́ть на ~е anchor.
я́лик *m* [1] jolly boat.
я́м|а *f* [5] hole, pit; F dungeon; **~(оч)ка** *f* [5; *g/pl.*: я́мо(че)к] dimple.
ямщи́к *m* [1 *e.*] coachman, driver.
янва́рь *m* [4 *e.*] January.
янта́рь *m* [4 *e.*] amber.
япо́н|ец *m* [1; -нца], **~ка** *f* [5; *g/pl.*: -нок], **~ский** [16] Japanese; **2ия** *f* [7] Japan.
я́ркий [16; я́рок, ярка́, -о; *comp.*: я́рче] bright; glaring; vivid, rich (*colo[u]r*); blazing; *fig.* striking, outstanding.
яр|лы́к *m* [1 *e.*] label; **⁓марка** *f* [5; *g/pl.*: -рок] fair (at на П).
ярмо́ *n* [9; *pl.*: я́рма, *etc. st.*] yoke.
ярово́й [14] summer, spring (*crops*).
я́рост|ный [14; -тен, -тна] furious, fierce; **~ь** *f* [8] fury, rage.
я́рус *m* [1] circle (*thea.*); layer.
я́рый [14 *sh.*] fierce, violent; ardent.
я́сень *m* [4] ash (*tree*).
я́сли *m/pl.* [4; *gen.*: я́слей] crib, manger; day nursery, *Brt.* crèche.
ясн|ови́дец *m* [1; -дца] clairvoyant; **⁓ость** *f* [8] clarity; **⁓ый** [14; я́сен, ясна́, -о] clear; bright; fine; limpid; distinct; evident; plain (*answer*).
я́стреб *m* [1; *pl.*: -ба́ & -бы] hawk.
я́хта *f* [5] yacht.
яче́|йка *f* [5; *g/pl.*: -е́ек], **~я́** *f* [6; *g/pl.*: яче́й] cell; mesh.
ячме́нь *m* [4 *e.*] barley; ⚕ sty.
'**Я́ш(к)а** *m* [5] *dim.* of 'Я́ков.
я́щерица *f* [5] lizard.
я́щик *m* [1] box, case, chest; drawer; откла́дывать в до́лгий ~ shelve; *cf.* для.

PART TWO

ENGLISH-RUSSIAN VOCABULARY

ENGLISH-RUSSIAN VOCABULARY

A

a [ei, ə] неопределённый артикль; как пра́вило, не перево́дится; ~ tab‚e стол; 10 roubles a dozen де́сять рубле́й дю́жина.

A1 [ei'wʌn] **1.** F первокла́ссный; **2.** прекра́сно.

aback [ə'bæk] *adv.* наза́д.

abandon [ə'bændən] отка́зываться [-за́ться] от (Р); оставля́ть [-а́вить], покида́ть [-и́нуть]; **~ed** поки́нутый; распу́тный; **~ment** [-mənt] оставле́ние.

abase [ə'beis] унижа́ть [уни́зить]; **~ment** [-mənt] униже́ние.

abash [ə'bæʃ] смуща́ть [смути́ть]; **~ment** [-mənt] смуще́ние.

abate [ə'beit] *v/t.* уменьша́ть [-е́ньши́ть]; *v/i.* утиха́ть [ути́хнуть] (о бу́ре и т. п.); **~ment** [-mənt] уменьше́ние; ски́дка.

abattoir ['æbətwa:] скотобо́йня.

abb|ess ['æbis] настоя́тельница монастыря́; **~ey** ['æbi] монасты́рь *m*; **~ot** ['æbət] абба́т, настоя́тель *m*.

abbreviat|e [ə'bri:vieit] сокраща́ть [-рати́ть]; **~ion** [əbri:vi'eiʃən] сокраще́ние.

abdicat|e ['æbdikeit] отрека́ться от престо́ла; отка́зываться [-за́ться] от (Р); **~ion** [æbdi'keiʃən] отрече́ние от престо́ла.

abdomen [æb'doumen] живо́т; брюшна́я по́лость *f*.

abduct [æb'dʌkt] похища́ть [-и́тить] (же́нщину).

aberration [æbə'reiʃən] заблужде́ние; *ast.* аберра́ция.

abet [ə'bet] *v/t.* подстрека́ть [-кну́ть]; [по]соде́йствовать (дурно́му); **~tor** [-ə] подстрека́тель (-ница *f*) *m*.

abeyance [ə'beiəns] состоя́ние неизве́стности; in ~ без владе́льца; вре́менно отменённый (зако́н).

abhor [əb'hɔ:] ненави́деть; **~rence** [əb'hɔrəns] отвраще́ние; **~rent** [-ənt] ☐ отврати́тельный.

abide [ə'baid] [*irr.*] *v/i.* пребыва́ть; ~ by твёрдо держа́ться (Р); *v/t.* not ~ не терпе́ть.

ability [ə'biliti] спосо́бность *f*.

abject ['æbdʒekt] ☐ презре́нный, жа́лкий.

abjure [əb'dʒuə] отрека́ться [-е́чься] от (Р).

able ['eibl] ☐ спосо́бный; be ~ мочь, быть в состоя́нии; **~-bodied** ['bɔdid] здоро́вый; го́дный.

abnegat|e ['æbnigeit] отка́зывать [-за́ть] себе́ в (П); отрица́ть; **~ion** [æbni'geiʃən] отрица́ние; (само-) отрече́ние.

abnormal [æb'nɔ:məl] ☐ ненорма́льный.

aboard [ə'bɔ:d] ⚓ на кора́бль, на кораблé.

abode [ə'boud] **1.** *pt.* от abide; **2.** местопребыва́ние; жили́ще.

aboli|sh [ə'bɔliʃ] отменя́ть [-ни́ть]; упраздня́ть [-ни́ть]; **~tion** [æbo'liʃən] отме́на.

abomina|ble [ə'bɔminəbl] ☐ отврати́тельный; **~te** [-neit] *v/t.* пита́ть отвраще́ние к (Д); **~tion** [əbɔmi'neiʃən] отвраще́ние.

aboriginal [æbə'ridʒənəl] **1.** тузе́мный; **2.** тузе́мец.

abortion [ə'bɔ:ʃən] вы́кидыш, або́рт.

abound [ə'baund] изоби́ловать (in Т).

about [ə'baut] **1.** *prp.* вокру́г (Р); о́коло (Р); о (П), об (П), обо (П), насчёт (Р); у (Р); про (В); I had no money ~ me у меня́ не́ было с собо́й де́нег; **2.** *adv.* вокру́г, везде́; приблизи́тельно; be ~ to do собира́ться де́лать.

above [ə'bʌv] **1.** *prp.* над (Т); вы́ше (Р); свы́ше (Р); ~ all гла́вным о́бразом; **2.** *adv.* наверху́, наве́рх; вы́ше; **3.** *adj.* вышеска́занный.

abreast [ə'brest] в ряд.

abridg|e [ə'bridʒ] сокраща́ть [-рати́ть]; **~(e)ment** [-mənt] сокраще́ние.

abroad [ə'brɔ:d] за грани́цей, за грани́цу; there is a report ~ хо́дит слух.

abrogate ['æbrogeit] *v/t.* отменя́ть [-ни́ть]; аннули́ровать (*im*)*pf*.

abrupt [ə'brʌpt] ☐ обры́вистый; внеза́пный; ре́зкий.

abscond [əb'skɔnd] *v/i.* скры́(ва́)ться.
absence ['æbsns] отсу́тствие; отлу́чка; ~ of mind рассе́янность *f.*
absent 1. ['æbsnt] □ отсу́тствующий; **2.** [æb'sent] ~ o. s. отлуча́ться [-чи́ться]; **~-minded** □ рассе́янный.
absolut|e ['æbsəlu:t] □ абсолю́тный; беспримéрный; **~ion** [æbsə'lu:ʃən] отпуще́ние грехо́в.
absolve [əb'zɔlv] проща́ть [прости́ть]; освобожда́ть [-боди́ть] (from от P).
absorb [əb'sɔ:b] впи́тывать [впита́ть]; абсорби́ровать *(im)pf.*
absorption [əb'sɔ:pʃən] вса́сывание, впи́тывание; *fig.* погружённость *f* (в ду́мы).
abstain [əbs'tein] возде́рживаться [-жа́ться] (from от P).
abstemious [əbs'ti:miəs] □ возде́ржанный, уме́ренный.
abstention [æbs'tenʃən] воздержа́ние.
abstinen|ce ['æbstinəns] уме́ренность *f*; тре́звость *f*; **~t** [-nənt] □ уме́ренный, возде́ржанный; непью́щий.
abstract 1. ['æbstrækt] □ отвлечённый, абстра́ктный; **2.** конспе́кт; извлече́ние; *gr.* отвлечённое и́мя существи́тельное **3.** [æbs'trækt] отвлека́ть [-е́чь]; резюми́ровать *(im)pf.*; **~ed** [-id] □ отвлечённый; **~ion** [-kʃən] абстра́кция.
abstruse [æbs'tru:s] □ *fig.* непоня́тный, тёмный.
abundan|ce [ə'bʌndəns] избы́ток, изоби́лие; **~t** [-dənt] □ оби́льный, бога́тый.
abus|e 1. [ə'bju:s] злоупотребле́ние; оскорбле́ние; брань *f*; **2.** [ə'bju:z] злоупотребля́ть [-би́ть] (T); [вы́]руга́ть; **~ive** [ə'bju:siv] □ оскорби́тельный.
abut [ə'bʌt] грани́чить (upon с T).
abyss [ə'bis] бе́здна.
academic|(al □) [ækə'demik(əl)] академи́ческий; **~ian** [əkædə'miʃən] акаде́мик.
accede [æk'si:d]: ~ to вступа́ть [-пи́ть] в (B).
accelerat|e [æk'seləreit] ускоря́ть [-о́рить]; **~or** [æk'seləreitə] ускори́тель *m.*
accent 1. ['æksənt] ударе́ние; произноше́ние, акце́нт; **2.** [æk'sent] *v/t.* де́лать и́ли ста́вить ударе́ние на (П); **~uate** [æk'sentjueit] де́лать и́ли ста́вить ударе́ние на (П); *fig.* подчёркивать [-черкну́ть].
accept [ək'sept] принима́ть [-ня́ть]; соглаша́ться [-гласи́ться] с (T); **~able** [ək'septəbl] □ прие́млемый; прия́тный; **~ance** [ək'septəns] приём, приня́тие; ✝ акце́пт.
access ['ækses] до́ступ; прохо́д; ⚕ при́ступ; easy of ~ досту́пный; **~ary** [æk'sesəri] соуча́стник (-ица); **~ible** [æk'sesəbl] □ досту́пный, достижи́мый; **~ion** [æk'seʃən] вступле́ние (to в B); до́ступ (to к Д); ~ to the throne вступле́ние на престо́л.
accessory [æk'sesəri] □ **1.** доба́вочный, второстепе́нный; **2.** *pl.* принадле́жности *f/pl.*
accident ['æksidənt] случа́йность *f*; катастро́фа, ава́рия; **~al** [æksi'dentl] □ случа́йный.
acclaim [ə'kleim] шу́мно приве́тствовать (B); аплоди́ровать (Д).
acclamation [æklə'meiʃən] шу́мное одобре́ние.
acclimatize [ə'klaimətaiz] акклиматизи́ровать(ся) *(im)pf.*
acclivity [ə'kliviti] подъём (доро́ги).
accommodat|e [ə'kɔmədeit] приспособля́ть [-посо́бить]; дава́ть жильё (Д); **~ion** [əkɔmə'deiʃən] прию́т; помеще́ние.
accompan|iment [ə'kʌmpənimənt] аккомпанеме́нт; сопровожде́ние; **~y** [-pəni] *v/t.* аккомпани́ровать (Д); сопровожда́ть [-води́ть].
accomplice [ə'kɔmplis] соуча́стник (-ица).
accomplish [-pliʃ] выполня́ть [вы́полнить]; достига́ть [-и́гнуть] (P); **~ment** [-mənt] выполне́ние; достиже́ние; **~s** *pl.* образо́ванность *f.*
accord [ə'kɔ:d] **1.** соглаше́ние; гармо́ния; with one ~ единоду́шно; **2.** *v/i.* согласо́вываться [-сова́ться] (с T); гармони́ровать (с T); *v/t.* предоставля́ть [-ста́вить]; **~ance** [-əns] согла́сие; **~ant** [-ənt] □ согла́сный (с T); **~ing** [-iŋ]: ~ to согла́сно (Д); **~ingly** [-iŋli] *adv.* соотве́тственно; таки́м о́бразом.
accost [ə'kɔst] загова́ривать [-вори́ть] с (T).
account [ə'kaunt] **1.** счёт; отчёт;

of no ~ незначи́тельный; on no ~ ни в ко́ем слу́чае; on ~ of из-за (Р); take into ~, take ~ of принима́ть во внима́ние; turn to ~ испо́льзовать (*im*)*pf*.; call to ~ призыва́ть к отве́ту; make ~ of придава́ть значе́ние (Д); **2.** *v/i*. ~ for отвеча́ть [-е́тить] за (В); объясня́ть [-ни́ть]; be much ~ed of име́ть хоро́шую репута́цию; *v/t*. счита́ть [счесть] (В/Т); **~able** [ə'kauntəbl] ☐ объясни́мый; **~ant** [-ənt] счетово́д; (chartered, *Am*. certified public ~ прися́жный) бухга́лтер; **~ing** [-iŋ] отчётность *f*; учёт.

accredit [ə'kredit] аккредитова́ть (*im*)*pf*.; припи́сывать [-са́ть].

accrue [ə'kru:] накопля́ться [-пи́ться]; происходи́ть [произойти́] (from из Р).

accumulat|e [ə'kju:mjuleit] нака́пливать(ся) [-копи́ть(ся)]; скопля́ть(ся) [-пи́ть(ся)]; **~ion** [əkju:mju'leiʃən] накопле́ние; скопле́ние.

accura|cy ['ækjurəsi] то́чность *f*; тща́тельность *f*; **~te** [-rit] ☐ то́чный; тща́тельный.

accurs|ed [ə'kə:sid], **~t** [-st] прокля́тый.

accus|ation [ækju'zeiʃən] обвине́ние; **~e** [ə'kju:z] *v/t*. обвиня́ть [-ни́ть]; **~er** [-ə] обвини́тель(ница *f*) *m*.

accustom [ə'kʌstəm] приуча́ть [-чи́ть] (to к Д); get ~ed привыка́ть [-вы́кнуть] [to к Д); **~ed** [-d] привы́чный; приу́ченный.

ace [eis] туз; *fig*. первокла́ссный лётчик.

acerbity [ə'sə:biti] те́рпкость *f*.

acet|ic [ə'si:tik] у́ксусный; **~ify** [ə'setifai] окисля́ть(ся) [-ли́ть(ся)].

ache [eik] **1.** боль *f*; **2.** *v/i*. боле́ть (о ча́сти те́ла).

achieve [ə'tʃi:v] достига́ть [-и́гнуть] (Р); **~ment** [-mənt] достиже́ние.

acid ['æsid] ки́слый; е́дкий; **~ity** [ə'siditi] кислота́; е́дкость *f*.

acknowledg|e [ək'nɔlidʒ] *v/t*. подтвержда́ть [-ерди́ть]; призна́(ва́)ть; **~(e)ment** [-mənt] призна́ние; распи́ска.

acme ['ækmi] вы́сшая то́чка (Р); кри́зис.

acorn ['eikɔ:n] ⚘ жёлудь *m*.

acoustics [ə'kaustiks] аку́стика.

acquaint [ə'kweint] *v/t*. [по]знако́мить; be ~ed with быть знако́мым с (Т); **~ance** [-əns] знако́мство; знако́мый.

acquiesce [ækwi'es] мо́лча и́ли неохо́тно соглаша́ться (in на В); **~ment** [-mənt] молчали́вое и́ли неохо́тное согла́сие.

acquire [ə'kwaiə] *v/t*. приобрета́ть [-ести́]; достига́ть [-и́гнуть] (Р); **~ment** [-mənt] приобрете́ние.

acquisition [ækwi'ziʃən] приобрете́ние.

acquit [ə'kwit] *v/t*. опра́вдывать [-да́ть]; ~ of освобожда́ть [-боди́ть] от (Р); выполня́ть [вы́полнить] (обя́занности); ~ o. s. well хорошо́ справля́ться с рабо́той; **~tal** [-l] оправда́ние; **~tance** упла́та (до́лга и т. п.).

acre ['eikə] акр (0,4 га).

acrid ['ækrid] о́стрый, е́дкий.

across [ə'krɔs] **1.** *adv*. попере́к; на ту сто́рону; кресто́м; **2.** *prp*. сквозь (В), че́рез (В).

act [ækt] **1.** *v/i*. де́йствовать; поступа́ть [-пи́ть]; *v/t*. *thea*. игра́ть [сыгра́ть] **2.** де́ло; постановле́ние; акт; **~ing** [-iŋ] **1.** исполня́ющий обя́занности; **2.** де́йствия *n/pl*.; *thea*. игра́.

action ['ækʃən] посту́пок; де́йствие (*a. thea*.); де́ятельность *f*; ⚔ бой; иск; take ~ принима́ть ме́ры.

activ|e ['æktiv] ☐ акти́вный; энерги́чный; де́ятельный; **~ity** [æk'tiviti] де́ятельность *f*; акти́вность *f*; эне́ргия.

act|or ['æktə] актёр; **~ress** [-tris] актри́са.

actual ['æktjuəl] ☐ действи́тельный.

actuate ['æktjueit] приводи́ть в де́йствие.

acute [ə'kju:t] ☐ о́стрый; проница́тельный.

adamant ['ædəmənt] *fig*. несокруши́мый.

adapt [ə'dæpt] приспособля́ть [-посо́бить] (to, for к Д); **~ation** [ædæp'teiʃən] приспособле́ние; переде́лка; аранжиро́вка.

add [æd] *v/t*. прибавля́ть [-а́вить]; 𝔄 скла́дывать [сложи́ть]; *v/i*. увели́чи(ва)ть (to В).

addict ['ædikt] наркома́н; **~ed** [ə'diktid] скло́нный (to к Д).

addition [ə'diʃən] 𝔄 сложе́ние; прибавле́ние; in ~ кро́ме того́, к

тому́ же; in ~ to вдоба́вок к (Д); **~al** [-l] □ доба́вочный, дополни́тельный.
address [ə'dres] *v/t.* **1.** адресова́ть *(im)pf.*; обраща́ться [обрати́ться] к (Д); **2.** а́дрес; обраще́ние; речь *f*; **~ee** [ædre'si] адреса́т.
adept ['ædept] аде́пт.
adequa|cy ['ædikwəsi] соразме́рность *f*; **~te** [-kwit] □ доста́точный; адеква́тный.
adhere [əd'hiə] прилипа́ть [-ли́пнуть] (to к Д); *fig.* приде́рживаться (to Р); **~nce** [-rəns] приве́рженность *f*; **~nt** [-rənt] приве́рженец (-нка).
adhesive [əd'hi:siv] □ ли́пкий, кле́йкий; ~ plaster, ~ tape ли́пкий пла́стырь *m*.
adjacent [ə'dʒeisənt] □ сме́жный (to с Т), сосе́дний.
adjoin [ə'dʒɔin] примыка́ть [-мкну́ть] к (Д); грани́чить с (Т).
adjourn [ə'dʒə:n] *v/t.* откла́дывать [отложи́ть]; отсро́чи(ва)ть; *parl.* де́лать переры́в; **~ment** [-mənt] отсро́чка; переры́в.
adjudge [ə'dʒʌdʒ] вынеси́ть пригово́р (Д).
administ|er [əd'ministə] управля́ть (Т); ~ justice отправля́ть правосу́дие; **~ration** [ədminis'treiʃən] администра́ция; **~rative** [əd'ministrətiv] администрати́вный; исполни́тельный; **~rator** [əd'ministreitə] администра́тор.
admir|able ['ædmərəbl] □ превосхо́дный; восхити́тельный; **~ation** [ædmi'reiʃən] восхище́ние; **~e** [əd'maiə] восхища́ться [-ити́ться] (Т); [по]любова́ться (Т *or* на В).
admiss|ible [əd'misəbl] □ допусти́мый, прие́млемый; **~ion** [əd'miʃən] вход; допуще́ние; призна́ние.
admit [əd'mit] *v/t.* допуска́ть [-сти́ть]; **~tance** [-əns] до́ступ, вход.
admixture [əd'mikstʃə] при́месь *f*.
admon|ish [əd'mɔniʃ] увещ(ев)а́ть *impf.*; предостерега́ть [-ре́чь] (of от Р); **~ition** [ædmo'niʃən] увеща́ние; предостереже́ние.
ado [ə'du:] суета́; хло́поты *f/pl*.
adolescen|ce [ædo'lesns] ю́ность *f*; **~nt** [-snt] ю́ный, ю́ношеский.
adopt [ə'dɔpt] *v/t.* усыновля́ть [-ви́ть]; усва́ивать [усво́ить]; **~ion** [ə'dɔpʃən] усыновле́ние; усва́ивание. [**~e** [ə'dɔ:] *v/t.* обожа́ть.]
ador|ation [ædo'reiʃən] обожа́ние;}
adorn [ə'dɔ:n] украша́ть [укра́сить]; **~ment** [-mənt] украше́ние.
adroit [ə'drɔit] □ ло́вкий; нахо́дчивый.
adult ['ædʌlt] взро́слый, соверше́ннолетний.
adulter|ate [ə'dʌltəreit] фальсифици́ровать *(im)pf.*; **~er** [ə'dʌltərə] наруша́ющий супру́жескую ве́рность; **~ess** [-ris] наруша́ющая супру́жескую ве́рность; **~y** [-ri] наруше́ние супру́жеской ве́рности.
advance [əd'vɑ:ns] **1.** *v/i.* подвига́ться вперёд; ⚔ наступа́ть [-пи́ть]; продвига́тся [-и́нуться]; де́лать успе́хи; *v/t.* продвига́ть [-и́нуть]; выдвига́ть [вы́двинуть]; плати́ть ава́нсом; **2.** ⚔ наступле́ние; успе́х (в уче́нии); прогре́сс; **~d** [-t] передово́й; **~ment** [-mənt] успе́х; продвиже́ние.
advantage [əd'vɑ:ntidʒ] преиму́щество; вы́года; take ~ of [вос-]по́льзоваться (Т); **~ous** [ædvən'teidʒəs] □ вы́годный.
adventur|e [əd'ventʃə] приключе́ние; **~er** [-rə] иска́тель приключе́ний; авантюри́ст; **~ous** [-rəs] □ предприи́мчивый; авантю́рный.
advers|ary ['ædvəsəri] проти́вник (-ица); сопе́рник (-ица); **~e** ['ædvə:s] □ вражде́бный; **~ity** [əd'və:siti] бе́дствие, несча́стье.
advertis|e ['ædvətaiz] реклами́ровать *(im)pf.*; объявля́ть [-ви́ть]; **~ement** [əd'və:tismənt] объявле́ние; рекла́ма; **~ing** ['ædvətaiziŋ] рекла́мный.
advice [əd'vais] сове́т.
advis|able □ [əd'vaizəbl] жела́тельный; **~e** [əd'vaiz] *v/t.* [по]сове́товать (Д); *v/i.* [по]сове́товаться (with с Т; on, about о П); **~er** [-ə] сове́тник (-ица), сове́тчик (-ица).
advocate **1.** ['ædvəkit] защи́тник (-ица); сторо́нник (-ица); адвока́т; **2.** [-keit] отста́ивать [отстоя́ть].
aerial ['ɛəriəl] **1.** □ возду́шный; **2.** анте́нна; outdoor ~ нару́жная анте́нна.
aero... ['ɛərou] аэро...; **~drome** ['ɛərədroum] аэродро́м; **~naut** [-nɔ:t] аэрона́вт; **~nautics** [-'nɔ:-

tiks] аэрона́втика; **~plane** [-plein] самолёт, аэропла́н; **~stat** [-stæt] аэроста́т.

aesthetic [iːsˈθetik] эстети́чный; **~s** [-s] эсте́тика.

afar [əˈfɑː] *adv.* вдалеке́, вдали́; from ~ издалека́.

affable [ˈæfəbl] приве́тливый.

affair [əˈfɛə] де́ло.

affect [əˈfekt] *v/t.* [по]де́йствовать на (В); заде́(ва́)ть; ⚕ поража́ть [-рази́ть]; **~ation** [æfekˈteiʃən] жема́нство; **~ed** [əˈfektid] □ жема́нный; **~ion** [əˈfekʃən] привя́занность *f*; заболева́ние; **~ionate** □ не́жный.

affidavit [æfiˈdeivit] пи́сьменное показа́ние под прися́гой.

affiliate [əˈfilieit] *v/t.* присоедини́ть [-ни́ть] (как филиа́л).

affinity [əˈfiniti] сродство́.

affirm [əˈfəːm] утвержда́ть [-рди́ть]; **~ation** [æfəːˈmeiʃən] утвержде́ние; **~ative** [əˈfəːmətiv] □ утверди́тельный.

affix [əˈfiks] прикрепля́ть [-пи́ть] (to к Д).

afflict [əˈflikt] *v/t.* огорча́ть [-чи́ть]; be ~ed страда́ть (with от Р); **~ion** [əˈflikʃən] го́ре; боле́знь *f*.

affluen|ce [ˈæfluens] изоби́лие, бога́тство; **~t** [-ənt] **1.** □ оби́льный, бога́тый; **2.** прито́к.

afford [əˈfɔːd] позволя́ть [-во́лить] себе́; I can ~ it я могу́ себе́ э́то позво́лить; предоставля́ть [-а́вить].

affront [əˈfrʌnt] **1.** оскорбля́ть [-би́ть]; **2.** оскорбле́ние.

afield [əˈfiːld] *adv.* вдалеке́; в по́ле; на войне́.

afloat [əˈflout] ⚓ на воде́; в мо́ре; в ходу́.

afraid [əˈfreid] испу́ганный; be ~ of боя́ться (Р).

afresh [əˈfreʃ] *adv.* сно́ва, сы́знова.

African [ˈæfrikən] **1.** африка́нец (-нка); **2.** африка́нский.

after [ˈɑːftə] **1.** *adv.* пото́м, по́сле, зате́м; позади́; **2.** *prp.* за (Т), позади́ (Р); че́рез (В); по́сле (Р); **3.** *cj.* с тех пор, как; по́сле того́, как; **4.** *adj.* после́дующий; **~crop** второ́й урожа́й; **~math** [-mæθ] ота́ва; *fig.* после́дствия *n/pl.*; **~noon** [-ˈnuːn] вре́мя по́сле полу́дня; **~-taste** (остаю́щийся) при́вкус; **~-thought** мысль, прише́дшая по́здно; **~wards** [-wədz] *adv.* пото́м.

again [əˈgein *Am.* əˈgen] *adv.* сно́ва, опя́ть; ~ and ~, time and ~ то и де́ло; as much ~ ещё сто́лько же.

against [əˈgeinst] *prp.* про́тив (Р); о, об (В); на (В); as ~ про́тив (Р); ~ the wall у стены́; к стене́.

age [eidʒ] во́зраст; года́ *m/pl.*; эпо́ха; of ~ совершенноле́тний; under ~ несовершенноле́тний; **~d** [ˈeidʒid] ста́рый, постаре́вший; ~ twenty двадцати́ лет.

agency [ˈeidʒənsi] де́йствие; аге́нтство.

agent [ˈeidʒənt] фа́ктор; аге́нт; дове́ренное лицо́.

agglomerate [əˈglɔməreit] *v/t.* со-б(и)ра́ть; *v/i.* скопля́ться [-пи́ться].

agglutinate [əˈgluːtineit] скле́и(ва)ть.

aggrandize [ˈægrəndaiz) увели́чи(ва)ть; возвели́чи(ва)ть.

aggravate [ˈægrəveit] усугубля́ть [-би́ть]; ухудша́ть [уху́дшить]; раздража́ть [-жи́ть].

aggregate **1.** [ˈægrigeit] собира́ть (-ся) в одно́ це́лое; **2.** □ [-git] совоку́пный; **3.** [-git] совоку́пность *f*; агрега́т.

aggress|ion [əˈgreʃən] нападе́ние; агре́ссия; **~or** [əˈgresə] агре́ссор.

aghast [əˈgɑːst] ошеломлённый, поражённый у́жасом.

agil|e [ˈædʒail] □ прово́рный, живо́й; **~ity** [əˈdʒiliti] прово́рство, жи́вость *f*.

agitat|e [ˈædʒiteit] *v/t.* [вз]волнова́ть, возбужда́ть [-уди́ть]; *v/i.* агити́ровать (for за В); **~ion** [ædʒiˈteiʃən] волне́ние; агита́ция.

agnail [ˈægneil] ⚕ заусе́ница.

ago [əˈgou]: a year ~ год тому́ наза́д.

agonize [ˈægəneiz] быть в аго́нии; си́льно му́чить(ся).

agony [ˈægəni] аго́ния; боль *f*.

agree [əˈgriː] *v/i.* соглаша́ться [-ласи́ться] (to с Т, на В); ~ [up]on усла́вливаться [усло́виться] о (П); **~able** [-əbl] согла́сный (to с Т, на В); прия́тный; **~ment** [-mənt] согла́сие; соглаше́ние, догово́р.

agricultur|al [ægriˈkʌltʃərəl] сельскохозя́йственный; **~e** [ˈægrikʌltʃə] се́льское хозя́йство; земледе́лие; агроно́мия; **~ist** [ægriˈkʌltʃərist] агроно́м; земледе́лец.

ague ['eigju:] лихора́дочный озно́б.
ahead [ə'hed] вперёд, впереди́; straight ~ пря́мо, вперёд.
aid [eid] **1.** по́мощь *f*; помо́щник (-ица); **2.** помога́ть [помо́чь] (Д).
ail [eil]: what ~s him? что его́ беспоко́ит?; **~ing** ['eiliŋ] больно́й, нездоро́вый; **~ment** ['eilmənt] нездоро́вье.
aim [eim] **1.** *v/i.* прице́ли(ва)ться (at в В); *fig.* ~ at име́ть в виду́; *v/t.* направля́ть [-ра́вить] (at на В); **2.** цель *f*, наме́рение; **~less** [eimlis] □ бесце́льный.
air¹ [ɛə] **1.** во́здух; by ~ самолётом; возду́шной по́чтой; *Am.* be on the ~ рабо́тать (о радиоста́нции); *Am.* put on the ~ передава́ть по ра́дио; *Am.* be off the ~ не рабо́тать (о радиоста́нции); **2.** прове́три(ва)ть.
air² [~] *mst pl.* аффекта́ция, ва́жничанье; give o.s. ~s ва́жничать.
air³ [~] ♪ мело́дия; пе́сня; а́рия.
air|-base авиаба́за; **~-brake** возду́шный то́рмоз; **~conditioned** с кондициони́рованным во́здухом; **~craft** самолёт; **~field** аэродро́м; **~force** вое́нно-возду́шный флот; **~-jacket** надувно́й спаса́тельный нагру́дник; **~-lift** «возду́шный мост», возду́шная перево́зка; **~-liner** ре́йсовый самолёт; **~-mail** возду́шная по́чта; **~man** лётчик, авиа́тор; **~plane** *Am.* самолёт; **~-port** аэропо́рт; **~-raid** возду́шный налёт; ~ precautions *pl.* противовозду́шная оборо́на; **~-route** возду́шная тра́сса; **~shelter** бомбоубе́жище; **~ship** дирижа́бль *m*; **~-tight** гермети́ческий; **~-tube** ка́мера ши́ны; *anat.* трахе́я; **~way** возду́шная тра́сса.
airy ['ɛəri] □ возду́шный; легкомы́сленный.
aisle [ail] ⛪ приде́л (хра́ма); прохо́д.
ajar [ə'dʒɑ:] приотво́ренный.
akin [ə'kin] ро́дственный, бли́зкий (to Д).
alarm [ə'lɑ:m] **1.** трево́га; страх; **2.** [вс]трево́жить], [вз]волнова́ть; **~-clock** буди́льник.
albuminous [æl'bju:minəs] содержа́щий бело́к; альбуми́нный.
alcohol ['ælkəhɔl] алкого́ль *m*; спирт; **~ic** [ælkə'hɔlik] **1.** алкого́льный; **2.** алкого́лик; **~ism** ['ælkəhɔlizm] алкоголи́зм.
alcove ['ælkouv] алько́в, ни́ша.
ale [eil] пи́во, эль *m*.
alert [ə'lə:t] **1.** □ живо́й, прово́рный; **2.** (возду́шная) трево́га; on the ~ настороже́.
alien ['eiliən] **1.** иностра́нный; чу́ждый; **2.** иностра́нец, чужестра́нец; **~able** [-əbl] отчужда́емый; **~ate** [-eit] отчужда́ть [-уди́ть]; **~ist** ['eiliənist] психиа́тр.
alight [ə'lait] **1.** сходи́ть [сойти́] (с Р); приземля́ться [-ли́ться]; **2.** *adj. predic.* зажжённый, в огне́; освещённый.
align [ə'lain] выра́внивать(ся) [вы́ровнять(ся)].
alike [ə'laik] **1.** *adj. pred.* одина́ковый; похо́жий; **2.** *adv.* то́чно так же; подо́бно.
aliment ['ælimənt] пита́ние; **~ary** [æli'mentəri] пищево́й; пита́тельный; ~ canal пищево́д.
alimony ['æliməni] алиме́нты *m/pl*.
alive [e'laiv] живо́й, бо́дрый; чу́ткий (to к Д); киша́щий (with Т); be ~ to я́сно понима́ть.
all [ɔ:l] **1.** *adj.* весь *m*, вся *f*, всё *n*, все *pl*; вся́кий; всевозмо́жный; for ~ that несмотря́ на то; **2.** всё, все; at ~ вообще́; not at ~ во́все не; for ~ (that) I care мне безразли́чно; for ~ I know поско́льку я зна́ю; **3.** *adv.* вполне́, всеце́ло, соверше́нно; ~ at once сра́зу; ~ the better тем лу́чше; ~ but почти́; ~ right хорошо́, ла́дно.
allay [ə'lei] успока́ивать [-ко́ить].
alleg|ation [æle'geiʃən] заявле́ние; голосло́вное утвержде́ние; **~e** [ə'ledʒ] ссыла́ться [сосла́ться] на (В); утвержда́ть (без основа́ния).
allegiance [ə'li:dʒəns] ве́рность *f*, пре́данность *f*.
alleviate [ə'li:vieit] облегча́ть [-чи́ть].
alley ['æli] алле́я; переу́лок.
alliance [ə'laiəns] сою́з.
allocat|e ['ælokeit] размеща́ть [-мести́ть]; распределя́ть [-ли́ть]; **~ion** [ælo'keiʃən] распределе́ние.
allot [ə'lɔt] *v/t.* распределя́ть [-ли́ть]; разда́(ва́)ть.
allow [ə'lau] позволя́ть [-о́лить]; допуска́ть [-сти́ть]; *Am.* утвержда́ть; **~able** [-əbl] □ позволи́тельный; **~ance** [-əns] (материа́льное) содержа́ние; ски́дка; разре-

шéние; make ~ for принимáть во внимáние.

alloy [əˈlɔi] **1.** при́месь *f*; сплав; **2.** сплавля́ть [-áвить].

all-round всесторóнний.

allude [əˈluːd] ссылáться [сослáться] (to на В); намекáть [-кнýть] (to на В).

allure [əˈljuə] завлекáть [-éчь]; **~ment** [-mənt] обольщéние.

allusion [əˈluʒən] намёк; ссы́лка.

ally 1. [əˈlai] соединя́ть [-ни́ть] (to, with с Т); **2.** [ˈælɑi] сою́зник.

almanac [ˈɔːlmənæk] календáрь *m*, альманáх.

almighty [ɔːlˈmaiti] всемогýщий.

almond [ˈɑːmənd] **1.** миндáль *m*; миндáлина (*a.* ⚕); **2.** миндáльный.

almost [ˈɔːlmoust] почти́, едвá не.

alms [ɑːmz] *sg. a. pl.* ми́лостыня; **~-house** богадéльня.

aloft [əˈlɔft] наверхý, навéрх.

alone [ˈloun] оди́н *m*, однá *f*, однó *n*, одни́ *pl.*; одинóкий (-кая); let (или leave) ~ остáвить в покóе; let ~ ... не говоря́ ужé о ... (П).

along [əˈlɔŋ] **1.** *adv.* вперёд; all ~ всё врéмя; ~ with вмéсте с (Т); F get ~ with you! убирáйтесь!; **2.** *prp.* вдоль (Р), по (Д); **~side** [-said] бок-ó-бок, ря́дом.

aloof [əˈluːf] пóодаль, в сторонé; stand ~ держáться в сторонé.

aloud [əˈlaud] грóмко, вслух.

alp [ælp] гóрное пáстбище; ♀s ˈАльпы *f/pl.*

already [ɔːlˈredi] ужé.

also [ˈɔːlsou] тáкже, тóже.

alter [ˈɔːltə] изменя́ть(ся) [-ни́ть(-ся)]; **~ation** [ɔːltəˈreiʃən] перемéна, изменéние, передéлка (to Р).

alternat|e 1. [ˈɔːltəːneit] чередовáть(ся); **2.** □ [ɔːlˈtəːnit] перемéнный; ⚡ alternating current перемéнный ток; **~ion** [ɔːltəːˈneiʃən] чередовáние; **~ive** [ɔːlˈtəːnətiv] **1.** □ взаимоисключáющий, альтернати́вный; перемéнно дéйствующий; **2.** альтернати́ва; вы́бор, возмóжность *f*.

although [ɔːlˈðou] хотя́.

altitude [ˈæltitjuːd] высотá; возвы́шенность *f*.

altogether [ɔːltəˈgeðə] вполнé, всецéло; в óбщем.

alumin(i)um [æljuˈminjəm] алюми́ний.

always [ˈɔːlwəz] всегдá.

am [æm; в предложéнии: əm] [*irr.*] *1. pers. sg. prs.* от be.

amalgamate [əˈmælgəmeit] амальгами́ровать (*im*)*pf*.

amass [əˈmæs] соб(и)рáть; накопля́ть [-пи́ть].

amateur [ˈæmətəː, -tjuə] люби́тель(ница *f*) *m*; дилетáнт(ка).

amaz|e [əˈmeiz] изумля́ть [-ми́ть], поражáть [порази́ть]; **~ement** [-mənt] изумлéние; **~ing** [əˈmeiziŋ] удиви́тельный, изуми́тельный.

ambassador [æmˈbæsədə] посóл; послáнец.

amber [ˈæmbə] янтáрь *m*.

ambigu|ity [æmbiˈgjuiti] двусмы́сленность *f*; **~ous** [-ˈbigjuəs] □ двусмы́сленный; сомни́тельный.

ambitio|n [æmˈbiʃən] честолю́бие; **~us** [-ʃəs] □ честолюби́вый.

amble [ˈæmbl] **1.** и́ноходь *f*; **2.** идти́ и́ноходью.

ambulance [ˈæmbjuləns] карéта [скóрой пóмощи.]

ambuscade [æmbəsˈkeid], **ambush** [ˈæmbuʃ] засáда.

ameliorate [əˈmiːliəreit] улучшáть(ся) [улýчшить(ся)].

amend [əˈmend] исправля́ть(ся) [-áвить(ся)]; *parl.* вноси́ть попрáвки в (В); **~ment** [-mənt] исправлéние; *parl.* попрáвка (к резолю́ции, законопроéкту); **~s** [əˈmendz] компенсáция.

amenity [əˈmiːniti] прия́тность *f*.

American [əˈmerikən] **1.** америкáнец (-нка); **2.** америкáнский; **~ism** [-izm] американи́зм; **~ize** [-aiz] американизи́ровать (*im*)*pf*.

amiable [ˈeimjəbl] □ дружелю́бный; добродýшный.

amicable [ˈæmikəbl] □ дрýжеский, дрýжественный.

amid(st) [əˈmid(st)] среди́ (Р), посреди́ (Р), мéжду (Т *sometimes* Р).

amiss [əˈmis] *adv.* плóхо, непрáвильно; некстáти; несвоеврéменно; take ~ обижáться [оби́деться].

amity [ˈæmiti] дрýжба.

ammonia [əˈmounjə] ⚗ аммиáк.

ammunition [æmjuˈniʃən] боеприпáсы *m/pl.*

amnesty [ˈæmnesti] **1.** амни́стия; **2.** амнисти́ровать (*im*)*pf*.

among(st) [əˈmʌŋ(st)] среди́ (Р), мéжду (Т *sometimes* Р).

amorous [ˈæmərəs] □ влюблённый (of в В); влю́бчивый.

amount [ə'maunt] **1.** ~ to равня́ться (Д); **2.** су́мма; коли́чество.
ample ['æmpl] □ доста́точный, оби́льный; просто́рный.
ampli|fication [æmplifi'keiʃən] расшире́ние; увеличе́ние; усиле́ние; **~fier** ['æmplifaiə] *phys.* усили́тель *m*; **~fy** ['æmplifai] уси́ли(ва)ть; распространя́ть(ся) [-ни́ть(ся)]; **~tude** [-tju:d] широта́, разма́х (мы́сли); *phys., astr.* амплиту́да.
amputate ['æmpjuteit] ампути́ровать *(im)pf.*, отнима́ть [-ня́ть].
amuse [ə'mju:z] забавля́ть, позаба́вить *pf.*, развлека́ть [-е́чь]; **~ment** [-mənt] развлече́ние, заба́ва.
an [æn, ən] неопределённый член.
an(a)esthetic [æni:s'θetik] нарко́тик.
analog|ous [ə'næləgəs] □ аналоги́чный, схо́дный; **~y** [ə'nælədʒi] анало́гия, схо́дство.
analys|e ['ænəlaiz] анализи́ровать *(im)pf., pf. a.* [про-]; **~is** [ə'næləsis] ана́лиз.
anarchy ['ænəki] ана́рхия.
anatom|ize [ə'nætəmaiz] анатоми́ровать *(im)pf.*; [про]анализи́ровать *(im)pf.*; **~y** анато́мия.
ancest|or ['ænsistə] пре́док; **~ral** [æn'sestrəl] насле́дственный, родово́й; **~ress** ['ænsistris] прароди́тельница; **~ry** ['ænsistri] происхожде́ние; пре́дки *m/pl.*
anchor ['æŋkə] **1.** я́корь *m*; at ~ на я́коре; **2.** ста́вить (стать) на я́корь.
anchovy [æn'tʃouvi] анчо́ус.
ancient ['einʃənt] **1.** дре́вний; анти́чный; **2.** the ~s *pl. hist.* дре́вние наро́ды *m/pl.*
and [ænd, ənd, F ən] и; а.
anew [ə'nju:] *adv.* сно́ва, сы́знова; по-но́вому.
angel ['eindʒəl] а́нгел; **~ic(al** □) [æn'dʒelik(əl)] а́нгельский.
anger ['æŋgə] **1.** гнев; **2.** [рас]серди́ть.
angle ['æŋgl] **1.** у́гол; то́чка зре́ния; **2.** уди́ть (for В); уди́ть ры́бу; *fig.* заки́дывать у́дочку.
Anglican ['æŋglikən] **1.** член англика́нской це́ркви; **2.** англика́нский.
Anglo-Saxon ['æŋglou'sæksn] **1.** англоса́кс; **2.** англосаксо́нский.
angry ['æŋgri] серди́тый (with на В).
anguish ['æŋgwiʃ] му́ка.
angular ['æŋgjulə] углово́й, уго́льный; *fig.* углова́тый; нело́вкий.
animal ['æniməl] **1.** живо́тное; **2.** живо́тный; ско́тский.
animat|e ['ænimeit] оживля́ть [-ви́ть]; воодушевля́ть [-ви́ть]; **~ion** [æni'meiʃən] жи́вость *f*; оживле́ние.
animosity [æni'mɔsiti] вражде́бность *f.*
ankle ['æŋkl] лоды́жка.
annals ['ænlz] *pl.* ле́топись *f.*
annex **1.** [ə'neks] аннекси́ровать *(im)pf.*; присоединя́ть [-ни́ть]; **2.** ['æneks] пристро́йка; приложе́ние; **~ation** [ænek'seiʃən] анне́ксия.
annihilate [ə'naiəleit] уничтожа́ть [-о́жить], истребля́ть [-би́ть].
anniversary [æni'və:səri] годовщи́на.
annotat|e ['ænouteit] анноти́ровать *(im)pf.*; снабжа́ть примеча́ниями; **~ion** [ænou'teiʃən] примеча́ние.
announce [ə'nauns] объявля́ть [-ви́ть]; дава́ть знать; заявля́ть [-ви́ть]; **~ment** [-mənt] объявле́ние; **~r** [-ə] *radio* ди́ктор.
annoy [ə'nɔi] надоеда́ть [-е́сть] (Д); досажда́ть [досади́ть] (Д); **~ance** [-əns] доса́да; раздраже́ние; неприя́тность *f.*
annual ['ænjuəl] **1.** □ ежего́дный; годово́й; **2.** ежего́дник; одноле́тнее расте́ние.
annuity [ə'njuiti] годова́я ре́нта.
annul [ə'nʌl] аннули́ровать *(im)pf.*; отменя́ть [-ни́ть]; **~ment** [-mənt] аннули́рование.
anoint [ə'nɔint] нама́з(ыв)ать; *eccl.* пома́з(ыв)ать.
anomalous [ə'nɔmələs] □ анома́льный, непра́вильный.
anonymous [ə'nɔniməs] □ анони́мный.
another [ə'nʌðə] друго́й; ещё оди́н.
answer ['ɑ:nsə] **1.** *v/t.* отвеча́ть [-е́тить] (Д); удовлетворя́ть [-ри́ть]; ~ the bell *or* door открыва́ть дверь на звоно́к; *v/i.* отвеча́ть [-е́тить] (to a p. Д, to a question на вопро́с); ~ for отвеча́ть [-е́тить] за (В); **2.** отве́т (to на В); **~able** ['ɑ:nsərəbl] □ отве́тственный.

ant [ænt] муравéй.
antagonis|m [æn'tægənizm] антагонизм, враждá; **~t** [-ist] антагонист, противник.
antecedent [ænti'si:dənt] **1.** □ предшéствующий, предыдущий (to Д); **2.** ~s *pl.* прóшлое (человéка).
anterior [æn'tiriə] предшéствующий (to Д); перéдний.
ante-room ['æntirum] перéдняя.
anthem ['ænθəm] гимн.
anti... [ænti...] противо..., анти...; **~-aircraft** [ænti'ɛəkra:ft] противовоздýшный; ~ alarm воздýшная тревóга; ~ defence противовоздýшная оборóна (ПВО).
antic ['æntik] **1.** □ шутовскóй; **2.** гротéск; ~s *pl.* ужимки *f/pl.*; шáлости *f/pl.*
anticipat|e [æn'tisipeit] предвкушáть [-усить]; предчýвствовать; предупреждáть [-редить]; **~ion** [æntisi'peiʃən] ожидáние; предчýвствие; in ~ заранее.
antidote ['æntidout] противоядие.
antipathy [æn'tipəθi] антипáтия.
antiqua|ry ['æntikwəri] антиквáр; **~ted** [-kweitid] устарéлый; старомóдный.
antiqu|e [æn'ti:k] **1.** □ антйчный; старинный; **2.** античное произведéние искýсства; антиквáрная вещь *f*; **~ity** [æn'tikwiti] дрéвность *f*; старинá; антйчность *f*.
antlers ['æntləz] *pl.* олéньи рогá *m/pl.*
anvil ['ænvil] наковáльня.
anxiety [æŋ'zaiəti] беспокóйство; стрáстное желáние; опасéние.
anxious ['æŋkʃəs] □ озабóченный; беспокóящийся (about, for о П).
any ['əni] **1.** *pron.* какóй-нибудь; всякий, любóй; not ~ никакóй; **2.** *adv.* скóлько-нибудь; нéсколько; **~body, ~one** ктó-нибудь; всякий; **~how** кáк-нибудь; так или иначе, во всякoм слýчае; **~thing** чтó-нибудь; ~ but далéко не ..., совсéм не ...; **~where** гдé-нибудь, кудá-нибудь.
apart [ə'pɑ:t] отдéльно; пóрознь; ~ from крóме (Р); **~ment** [-mənt] кóмната (меблирóванная); ~s *pl.* квартира; *Am.* ~ house многоквартирный дом.
ape [eip] **1.** обезьяна; **2.** подражáть (Д), [с]обезьянничать.
aperient [ə'piəriənt] слабительное срéдство.
aperture ['æpətjuə] отвéрстие; проём.
apiculture ['eipikʌltʃə] пчеловóдство.
apiece [ə'pi:s] за штýку; за кáждого, с человéка.
apish ['eipiʃ] □ обезьяний; глýпый.
apolog|etic [əpɔlə'dʒetik] (~ally) извинительный; извиняющийся; защитительный; **~ize** [ə'pɔlədʒaiz] извиняться [-ниться] (for за В; to пéред Т); **~y** [-dʒi] извинéние.
apoplexy ['æpopleksi] удáр, парали́ч.
apostate [ə'pɔstit] отступник.
apostle [ə'pɔsl] апóстол.
apostroph|e [ə'pɔstrefi] апострóфа; апострóф; **~ize** [-faiz] обращáться [обратиться] к (Д).
appal [ə'pɔ:l] [ис]пугáть; устрашáть [-шить].
apparatus [æpə'reitəs] прибóр; аппаратýра, аппарáт.
apparel [ə'pærəl] одéжда, плáтье.
appar|ent [ə'pærənt] □ очевидный, несомнéнный; **~ition** [æpə'riʃən] появлéние; призрак.
appeal [ə'pi:l] **1.** апеллировать (*im*)*pf.*; подавáть жáлобу; обращáться [обратиться] (to к Д); привлекáть [-éчь] (to В); **2.** воззвáние, призыв; апелляция; привлекáтельность *f*; **~ing** [-iŋ] трóгательный; привлекáтельный.
appear [ə'piə] появляться [-виться]; покáзываться [-зáться]; выступáть [выступить] (на концéрте и т. п.); **~ance** [ə'piərəns] появлéние; внéшний вид, нарýжность *f*; ~s *pl.* прилйчия *n/pl.*
appease [ə'pi:z] умиротворять [-рить]; успокáивать [-кóить].
appellant [ə'pelənt] апеллянт.
append [ə'pend] прилагáть [-ложить] (к Д), прибавлять [-áвить] (к Д); **~age** [-idʒ] придáток; **~ix** [ə'pendiks] приложéние.
appertain [æpə'tein] принадлежáть; относиться (to к Д).
appetite ['æpitait] аппетит (for на В); *fig.* влечéние, склóнность *f* (for к Д).
appetizing ['æpitaiziŋ] аппетитный.

applaud [ə'plɔ:d] *v/t.* аплоди́ровать (Д); одобря́ть [одо́брить].
applause [ə'plɔ:z] аплодисме́нты *m/pl.*; одобре́ние.
apple [æpl] я́блоко; **~sauce** я́блочный мусс; *sl.* лесть *f*; ерунда́.
appliance [ə'plaiəns] приспособле́ние, прибо́р.
applica|ble ['æplikəbl] примени́мый, подходя́щий (to к Д); **~nt** [-kənt] проси́тель(ница *f*) *m*; кандида́т (for на В); **~tion** [æpli'keiʃən] примене́ние; заявле́ние; про́сьба (for о П).
apply [ə'plai] *v/t.* прилага́ть [-ложи́ть] (to к Д); применя́ть [-ни́ть] (to к Д); ~ o. s. to занима́ться [заня́ться] (Т); *v/i.* обраща́ться [обрати́ться] (for за Т; to к Д); относи́ться.
appoint [ə'pɔint] назнача́ть [-на́чить]; определя́ть [-ли́ть]; снаряжа́ть [-яди́ть]; well ~ed хорошо́ обору́дованный; **~ment** [-mənt] назначе́ние; свида́ние; ~s *pl.* обору́дование; обстано́вка.
apportion [ə'pɔ:ʃən] [по]дели́ть, разделя́ть [-ли́ть]; **~ment** [-mənt] пропорциона́льное распределе́ние.
apprais|al [ə'preizəl] оце́нка; **~e** [ə'preiz] оце́нивать [-ни́ть], расце́нивать [-ни́ть].
apprecia|ble [ə'pri:ʃəbl] □ заме́тный, ощути́мый; **~te** [-ieit] *v/t.* оце́нивать [-ни́ть]; [о]цени́ть; понима́ть [-ня́ть]; *v/i.* повыша́ться в це́нности; **~tion** [əpri:ʃi'eiʃən] оце́нка; понима́ние.
apprehen|d [æpri'hend] предчу́вствовать; боя́ться; заде́рживать [-жа́ть], аресто́вывать [-ова́ть]; **~sion** [-'henʃən] опасе́ние, предчу́вствие; аре́ст; **~sive** [-'hensiv] □ озабо́ченный; поня́тливый.
apprentice [ə'prentis] **1.** подмасте́рье, учени́к; **2.** отдава́ть в уче́ние; **~ship** [-ʃip] уче́ние, учени́чество.
approach [ə'proutʃ] **1.** приближа́ться [-бли́зиться] к (Д); обраща́ться [обрати́ться] к (Д); **2.** приближе́ние; по́дступ; *fig.* подхо́д.
approbation [æpro'beiʃən] одобре́ние; са́нкция.
appropriat|e 1. [ə'prouprieit] присва́ивать [-сво́ить]; *parl.* предназнача́ть [-зна́чить]; **2.** [-it] □ подходя́щий; соотве́тствующий; **~ion** [əproupri'eiʃən] присвое́ние; *parl.* ассигнова́ние.
approv|al [ə'pru:vəl] одобре́ние; утвержде́ние; **~e** [ə'pru:v] одобря́ть [одо́брить]; утвержда́ть [-рди́ть]; санкциони́ровать (*im*)*pf*.
approximate 1. [ə'prɔksimeit] приближа́ть(ся) [-бли́зить(ся)] к (Д); **2.** [-mit] □ приблизи́тельный.
apricot ['eiprikɔt] абрико́с.
April ['eiprəl] апре́ль *m*.
apron ['eiprən] пере́дник, фа́ртук
apt [æpt] □ подходя́щий; спосо́бный; ~ to скло́нный к (Д); **~itude** ['æptitju:d], **~ness** [-nis] спосо́бность *f*; скло́нность *f* (for, to к Д); уме́стность *f*.
aquatic [ə'kwætik] **1.** водяно́й; во́дный; **2.** ~s *pl.* во́дный спорт.
aque|duct ['ækwidʌkt] акведу́к; **~ous** ['eikwiəs] водяни́стый.
Arab ['ærəb] ара́б(ка); **~ic** ['ærəbik] **1.** ара́бский язы́к; **2.** ара́бский.
arable ['ærəbl] па́хотный.
arbit|er ['ɑbitə] арби́тр, трете́йский судья́ *m*; *fig.* верши́тель су́деб; **~rariness** ['ɑ:bitrərinis] произво́л; **~rary** [-trəri] □ произво́льный; **~rate** ['ɑ:bitreit] реша́ть трете́йским судо́м; **~ration** [ɑ:bi'treiʃən] трете́йское реше́ние; **~rator** ['ɑ:bitreitə] ⚖ арби́тр, трете́йский судья́ *m*.
arbo(u)r ['ɑ:bə] бесе́дка.
arc [ɑ:k] *ast.*, A, ⚡ дуга́; **~ade** [ɑ:'keid] пасса́ж; сво́дчатая галере́я.
arch[1] [ɑ:tʃ] **1.** а́рка; свод; дуга́; **2.** придава́ть фо́рму а́рки; изгиба́ть(ся) дуго́й.
arch[2] [~] **1.** хи́трый, лука́вый; **2.** *pref.* архи… (выраже́ние превосхо́дной сте́пени).
archaic [ɑ:'keiik] (~ally) устаре́лый.
archbishop ['ɑ:tʃbiʃəp] архиепи́скоп.
archery ['ɑ:tʃəri] стрельба́ из лу́ка.
architect ['ɑ:kitekt] архите́ктор; **~onic** [-'ɔnik] (~ally) архитекту́рный, конструкти́вный; **~ure** ['ɑ:kitektʃə] архитекту́ра.

archway [ˈɑːtʃwei] сво́дчатый прохо́д.
arc-lamp [ˈɑːklæmp] ⚡ дугова́я ла́мпа.
arctic [ˈɑːktik] поля́рный, аркти́ческий.
arden|cy [ˈɑːdənsi] жар, пыл; рве́ние; **~t** [ˈɑːdənt] □ *mst fig.* горя́чий, пы́лкий; ре́вностный.
ardo(u)r [ˈɑːdə] рве́ние; пыл.
arduous [ˈɑːdjuəs] □ тру́дный.
are [ɑː; в предложе́нии: ɑ] *s.* be.
area [ˈɛəriə] пло́щадь *f*; о́бласть *f*, райо́н.
Argentine [ˈɑːdʒəntain] **1.** аргенти́нский; **2.** аргенти́нец (-и́нка).
argue [ˈɑːgjuː] *v/t.* обсужда́ть [-уди́ть]; дока́зывать [-за́ть]; ~ a p. into убежда́ть [убеди́ть] в (П); *v/i.* [по]спо́рить (с Т).
argument [ˈɑːgjumənt] до́вод, аргуме́нт; спор; **~ation** [ɑːgjumenˈteiʃən] аргумента́ция.
arid [ˈærid] сухо́й (*a. fig.*), безво́дный.
arise [əˈraiz] [*irr.*] *fig.* возника́ть [-ни́кнуть] (from из Р); восст(ава́)ть; **~n** [əˈrizn] *p. pt.* от arise.
aristocra|cy [ærisˈtɔkrəsi] аристокра́тия; **~t** [ˈæristəkræt] аристокра́т; **~tic(al** □) [æristəˈkrætik, -ikəl] аристократи́ческий.
arithmetic [əˈriθmətik] арифме́тика.
ark [ɑːk] ковче́г.
arm¹ [ɑːm] рука́; рука́в (реки́).
arm² [~] **1.** ору́жие; род во́йск; **2.** вооружа́ть(ся) [-жи́ть(ся)].
arma|ment [ˈɑːməmənt] вооруже́ние; **~ture** [ˈɑːmətjuə] броня́; ⊕ армату́ра.
armchair кре́сло.
armistice [ˈɑːmistis] переми́рие.
armo(u)r [ˈɑːmə] **1.** доспе́хи *m/pl.*; броня́, па́нцирная обши́вка; **2.** покрыва́ть броне́й; **~y** [-ri] арсена́л.
armpit [ɑːmpit] подмы́шка.
army [ˈɑːmi] а́рмия; *fig.* мно́жество.
arose [əˈrouz] *pt.* от *arise.*
around [əˈraund] **1.** *adv.* всю́ду, круго́м; **2.** *prp.* вокру́г (Р).
arouse [əˈrauz] [раз]буди́ть; возбужда́ть [-уди́ть]; вызыва́ть [вы́звать].
arraign [əˈrein] привлека́ть к суду́; *fig.* находи́ть недоста́тки в (П).
arrange [əˈreindʒ] приводи́ть в поря́док; устра́ивать [-ро́ить]; классифици́ровать (*im*)*pf.*; усла́вливаться [усло́виться]; ♪ аранжи́ровать (*im*)*pf.*; **~ment** [-mənt] устро́йство; расположе́ние; соглаше́ние; мероприя́тие; ♪ аранжиро́вка.
array [əˈrei] **1.** боево́й поря́док; *fig.* мно́жество, це́лый ряд; **2.** оде́(ва́)ть; украша́ть [укра́сить]; выстра́ивать в ряд.
arrear [əˈriə] *mst. pl.* задо́лженность *f*, недо́имка.
arrest [əˈrest] **1.** аре́ст, задержа́ние; **2.** аресто́вывать [-ова́ть], заде́рживать [-жа́ть].
arriv|al [əˈraivəl] прибы́тие, прие́зд; **~s** *pl.* прибы́вшие *pl.*; **~e** [əˈraiv] прибы́(ва́)ть; приезжа́ть [-е́хать] (at в, на В).
arroga|nce [ˈærəgəns] надме́нность *f*, высокоме́рие; **~nt** □ надме́нный, высокоме́рный; **~te** [-geit] де́рзко тре́бовать (Р).
arrow [ˈærou] стрела́.
arsenal [ˈɑːsinl] арсена́л.
arsenic [ˈɑːsnik] мышья́к.
arson [ˈɑːsn] ⚖ поджо́г.
art [ɑːt] иску́сство; *fig.* хи́трость *f*.
arter|ial [ɑˈtiəriəl]: ~ road магистра́ль *f*; **~y** [ˈɑːtəri] арте́рия; гла́вная доро́га.
artful [ˈɑːtful] ло́вкий; хи́трый.
article [ˈɑːtikl] статья́; пара́граф; *gr.* арти́кль *m*, член; ~d to о́тданный (в уче́ние) к (Д).
articulat|e **1.** [ɑːˈtikjuleit] отчётливо, я́сно произноси́ть; **2.** [-lit] отчётливый; членоразде́льный; коле́нчатый; **~ion** [ɑːtikjuˈleiʃən] артикуля́ция; членоразде́льное произноше́ние; *anat.* сочлене́ние.
artific|e [ˈɑːtifis] ло́вкость *f*; изобрете́ние, вы́думка; **~ial** [ɑːtiˈfiʃəl] □ иску́сственный.
artillery [ɑːˈtiləri] артилле́рия; **~man** [-mən] артиллери́ст.
artisan [ɑːtiˈzæn] реме́сленник.
artist [ˈɑːtist] худо́жник (-ица); актёр, актри́са; **~e** [ɑːˈtist] эстра́дный (-ная) арти́ст(ка); **~ic(al** □) [ɑːˈtistik, -tikəl] артисти́ческий, худо́жественный.
as [æz] *cj. a. adv.* когда́; в то вре́мя как; та́к как; хотя́; ~ it were ка́к бы; ~ well та́к же; в тако́й же

мépe; such ~ такóй как; как например; ~ well ~ и ... и ...; *prp.* ~ for, ~ to что касáется (Р); ~ from с (Р).

ascend [əˈsend] поднимáться [-ня́ться]; всходи́ть [взойти́] на (В); восходи́ть (to к Д); ✈ наб(и)рáть высотý.

ascension [əˈsenʃən] восхождéние; ♀ (Day) вознесéние.

ascent [əˈsent] подъём; крутизнá.

ascertain [æsəˈtein] удостоверя́ться [-вéриться] в (П).

ascribe [əˈskraib] приписывать [-сáть] (Д/В).

aseptic [eiˈseptik] ⚕ стери́льный.

ash¹ [æʃ] ⚘ я́сень *m*; mountain ~ ряби́на.

ash² [~], *mst pl.* **~es** [æʃiz] золá, пéпел.

ashamed [əˈʃeimd] пристыжённый.

ash-can *Am.* ведрó для мýсора.

ashen [æʃn] пéпельный (цвет).

ashore [əˈʃɔː] нá берег, на берегý; run ~, be driven ~ наскочи́ть на мель.

ash-tray пéпельница.

ashy [ˈæʃi] пéпельный; блéдный.

Asiatic [eiʃiˈætik] **1.** азиáтский; **2.** азиáт(ка).

aside [əˈsaid] в стóрону, в стороне́; отдéльно.

ask [ɑːsk] *v/t.* [по]проси́ть (a th. of, from a p. чтó-нибудь у когó-нибудь); ~ that проси́ть, чтóбы ...; спрáшивать [спроси́ть]; ~ (a p.) a question задавáть вопрóс (Д); *v/i.* ~ for [по]проси́ть (В *or* Р *or* о П).

askance [əsˈkæns], **askew** [əsˈkjuː] и́скоса, кóсо; кри́во.

asleep [əˈsliːp] спя́щий; be ~ спать.

aslope [əˈsloup] *adv.* покáто; на склóне, на скáте.

asparagus [əsˈpærəgəs] ⚘ спáржа.

aspect [ˈæspekt] вид (*a. gr.*); аспéкт; сторонá.

asperity [æsˈperiti] стрóгость *f*; [суровость *f*.]

asphalt [ˈæsfælt] **1.** асфáльт; **2.** покрывáть асфáльтом.

aspir|ant [əsˈpaiərənt] кандидáт; **~ate** [ˈæspəreit] произноси́ть с придыхáнием; **~ation** [æspəˈreiʃən] стремлéние; *phon.* придыхáние; **~e** [əsˈpaiə] стреми́ться (to, after, at к Д); домогáться (Р).

ass [æs] осёл.

assail [əˈseil] нападáть [-пáсть] на (В), атаковáть (В) (*im*)*pf*.; *fig.* энерги́чно брáться за (дéло); **~ant** [-ənt] проти́вник; нападáющий.

assassin [əˈsæsin] уби́йца *m/f*; **~ate** [-ineit] уби́(вá)ть; **~ation** [əsæsiˈneiʃən] уби́йство.

assault [əˈsɔːlt] **1.** нападéние, атáка; ⚖ словéсное оскорблéние; физи́ческое наси́лие; **2.** нападáть [напáсть], набрáсываться [-рóситься] на (В).

assay [əˈsei] **1.** испытáние, опрóбование (метáллов); **2.** [ис]прóбовать, испы́тывать [испытáть].

assembl|age [əˈsemblidʒ] собрáние; скоплéние; сбор; ⊕ монтáж, сбóрка; **~e** [əˈsembl] соз(ы)вáть; ⊕ [с]монти́ровать; **~y** [-i] собрáние; ассамблéя; ⊕ сбóрка частéй.

assent [əˈsent] **1.** соглáсие; **2.** соглашáться [-ласи́ться] (to на В; с Т).

assert [əˈsəːt] утверждáть [-рди́ть]; **~ion** [əˈsəːʃən] утверждéние.

assess [əˈses] облагáть налóгом; оцéнивать имýщество (Р); **~able** [-əbl] ☐ подлежáщий обложéнию; **~ment** [-mənt] обложéние; оцéнка.

asset [ˈæset] цéнное кáчество; ☦ статья́ дохóда; **~s** *pl.* ☦ акти́в.

assiduous [əˈsidjuəs] ☐ прилéжный.

assign [əˈsain] определя́ть [-ли́ть]; назначáть [-нáчить]; ассигнóвывать, ассигновáть (*im*)*pf*; поручáть [-чи́ть]; **~ment** [əˈsainmənt] назначéние; ⚖ передáча; задáние.

assimilat|e [əˈsimileit] ассимили́ровать(ся) (*im*)*pf*.; осваивать [освóить]; приравнивать [-ня́ть]; **~ion** [əsimiˈleiʃen] уподоблéние; ассимиля́ция; усвоéние.

assist [əˈsist] помогáть [-мóчь] (Д), [по]содéйствовать (*im*)*pf*. (Д); **~ance** [-əns] пóмощь *f*; **~ant** [-ənt] ассистéнт(ка); помóщник (-ица).

associa|te **1.** [əˈsouʃieit] общáться (with с Т); ассоции́ровать(ся) (*im*)*pf*.; присоединя́ть(ся) [-ни́ть(-ся)] (with к Д); **2.** [-ʃiit] a) свя́занный; объединённый; b) товáрищ, коллéга; соучáстник; **~tion** [əsousiˈeiʃen] ассоциáция; соединéние; óбщество.

assort [əˈsɔːt] [рас]сортировáть;

подбира́ть [подобра́ть]; снабжа́ть ассортиме́нтом; **~ment** [-mənt] сортиро́вка.

assum|e [əˈsjuːm] принима́ть [-ня́ть] (на себя́); предполага́ть [-ложи́ть]; **~ption** [əˈsʌmpʃən] предположе́ние; присвое́ние; *eccl.* ♀ успе́ние.

assur|ance [əˈʃuərəns] увере́ние; уве́ренность *f*; страхо́вка; **~e** [əˈʃuə] уверя́ть [уве́рить]; обеспе́чи(ва)ть; [за]страхова́ть; **~edly** [-ridli] *adv.* коне́чно, несомне́нно.

astir [əsˈtəː] в движе́нии; на нога́х

astonish [əsˈtɔniʃ] удивля́ть [-ви́ть], изумля́ть [-ми́ть]; be **~ed** удивля́ться [-ви́ться] (at Д); **~ing** [-iʃiŋ] □ удиви́телный, изуми́тельный; **~ment** [əsˈtɔniʃmənt] удивле́ние, изумле́ние.

astound [əsˈtaund] поража́ть [порази́ть].

astray [əsˈtrei]: go ~ заблуди́ться, сби́ться с пути́.

astride [əsˈtraid] верхо́м (of на П).

astringent [əsˈtrindʒənt] □ ⚕ вя́жущий (о сре́дстве).

astro|logy [əsˈtrɔlədʒi] астроло́гия; **~nomer** [əsˈtrɔnəmə] астроно́м; **~nomy** [əsˈtrɔnəmi] астроно́мия.

astute [əsˈtjuːt] □ хи́трый; проница́тельный; **~ness** [-nis] хи́трость *f*; проница́тельность *f*.

asunder [əˈsʌndə] по́рознь, отде́льно; в куски́, на ча́сти.

asylum [əˈsailəm] прию́т; убе́жище.

at [æt] *prp.* в (П, В); у (Р); при (П); на (П, В); о́коло (Р); за (Т); ~ school в шко́ле; ~ the age of в во́зрасте (Р).

ate [et, eit] *pt.* от eat.

atheism [ˈeiθiizm] атеи́зм.

athlet|e [ˈæθliːt] атле́т; **~ic(al** □) [æθˈletik(əl)] атлети́ческий; **~ics** *pl.* [æθˈletiks] атле́тика.

Atlantic [ətˈlæntik] **1.** атланти́ческий; **2.** (*a.* ~ Ocean) Атланти́ческий океа́н.

atmospher|e [ˈætməsfiə] атмосфе́ра; **~ic(al** □) [ætməsˈferik(əl)] атмосфе́рный, атмосфери́ческий

atom [ˈætəm] 🕮 а́том; ~ (*a.* **~ic**) bomb а́томная бо́мба; **~ic** [əˈtɔmik] а́томный; ~ pile а́томный реа́ктор; ~ smashing расщепле́ние а́тома; **~izer** [ˈætəmaizə] распыли́тель *m*.

atone [əˈtoun]: ~ for загла́живать [-ла́дить], искупа́ть [-пи́ть]; **~ment** [-mənt] искупле́ние.

atroci|ous [əˈtrouʃəs] □ зве́рский, ужа́сный; **~ty** [əˈtrɔsiti] зве́рство.

attach [əˈtætʃ] *v/t. com.* прикрепля́ть [-пи́ть]; прикомандиро́вывать [-рова́ть] (к Д); прид(ав)а́ть; ⚖ налага́ть аре́ст на (В); аресто́вывать [-ова́ть]; ~ o. s. to привя́зываться [-за́ться] к (Д); **~ment** [-mənt] привя́занность *f*; прикрепле́ние; наложе́ние аре́ста.

attack [əˈtæk] **1.** ата́ка, наступле́ние; припа́док; **2.** *v/t.* атакова́ть (*im*)*pf.*; напада́ть [напа́сть] на (В); набра́сываться [-ро́ситься] на (В); ⚕ поража́ть [порази́ть] (о боле́зни).

attain [əˈtein] *v/t.* достига́ть [-и́гнуть] (Р), доби́(ва́)ться (Р); **~ment** [-mənt] приобрете́ние; достиже́ние; **~s** *pl.* зна́ния *n/pl.*; на́выки *m/pl.*

attempt [əˈtempt] **1.** попы́тка; покуше́ние; **2.** [по]пыта́ться; покуша́ться [-уси́ться] на (В).

attend [əˈtend] обслу́живать [-жи́ть]; посеща́ть [-ети́ть]; ⚕ ходи́ть, уха́живать за (Т); прислу́живать (to Д); прису́тствовать (at на П); быть внима́тельным; **~ance** [əˈtendəns] прису́тствие (at на П); обслу́живание; пу́блика; посеща́емость *f*; ⚕ ухо́д (за Т); **~ant** [-ənt] **1.** сопровожда́ющий (on В); прису́тствующий (at на П); **2.** посети́тель(ница *f*) *m*; спу́тник (-ица); ⚕ санита́р; служи́тель *m*.

attent|ion [əˈtenʃən] внима́ние; **~ive** [-tiv] □ внима́тельный.

attest [əˈtest] [за]свиде́тельствовать; удостоверя́ть [-ве́рить]; *part.* ⚔ приводи́ть к прися́ге.

attic [ˈætik] черда́к; манса́рда.

attire [əˈtaiə] **1.** наря́д; **2.** оде́(ва́)ть, наряжа́ть [-яди́ть].

attitude [ˈætitjuːd] отноше́ние; пози́ция; по́за, оса́нка; *fig.* то́чка зре́ния.

attorney [əˈtəːni] пове́ренный; power of ~ полномо́чие; ♀ General *Am.* мини́стр юсти́ции.

attract [əˈtrækt] *v/t.* привлека́ть [-вле́чь] (*a. fig.*); притя́гивать [-яну́ть]; *fig.* прельща́ть [-льсти́ть]; **~ion** [əˈtrækʃən] притяже́-

ние, тяготе́ние; *fig.* привлека́тельность *f*; *thea.* аттракцио́н; **~ive** [-tiv] привлека́тельный; зама́нчивый; **~iveness** [-tivnis] привлека́тельность *f*.

attribute 1. [ə'tribju:t] припи́сывать [-са́ть] (Д/В); относи́ть [отнести́] (к Д); **2.** ['ætribju:t] сво́йство, при́знак; *gr.* определе́ние.

attune [ə'tju:n] приводи́ть в созву́чие.

auction ['ɔ:kʃən] **1.** аукцио́н, торги́ *m/pl.*; sell by ~, put up for ~ продава́ть с аукцио́на; **2.** продава́ть с аукцио́на (*mst* ~ off); **~eer** [ɔ:kʃə'niə] аукциони́ст.

audaci|ous [ɔ:'deiʃəs] □ сме́лый; де́рзкий; *b. s.* на́глый; **~ty** [ɔ:'dæsiti] сме́лость *f*; де́рзость *f*; *b.s.* на́глость *f*.

audible ['ɔ:debl] □ вня́тный, слы́шный.

audience ['ɔ:djəns] слу́шатели *m/pl.*, зри́тели *m/pl.*, пу́блика; аудие́нция (of, with у Р).

audit ['ɔ:dit] **1.** прове́рка, реви́зия (бухга́лтерских книг); **2.** проверя́ть [-е́рить] (отчётность); **~or** ['ɔ:ditə] слу́шатель *m*; ревизо́р, (фина́нсовый) контролёр.

auger ['ɔ:gə] ⊕ сверло́, бура́в.

augment [ɔ:g'ment] увели́чи(ва)ть; **~ation** [ɔ:gmen'teiʃən] увеличе́ние, приро́ст, прираще́ние.

augur ['ɔ:gə] **1.** авгу́р, прорица́тель *m*; **2.** предска́зывать [-за́ть] (well хоро́шее, ill плохо́е); **~y** предзнаменова́ние.

August ['ɔ:gəst] а́вгуст.

aunt [ɑ:nt] тётя, тётка.

auspic|e ['ɔ:spis] до́брое предзнаменова́ние; ~s *pl.* покрови́тельство; **~ious** [ɔ:s'piʃəs] □ благоприя́тный.

auster|e [ɔ:s'tiə] □ стро́гий, суро́вый; **~ity** [ɔ:s'teriti] стро́гость *f*, суро́вость *f*.

Australian [ɔ:s'treiljən] **1.** австрали́ец (-и́йка); **2.** австрали́йский.

Austrian ['ɔ:striən] **1.** австри́ец (-и́йка); **2.** австри́йский.

authentic [ɔ:'θentik] (~ally) по́длинный, достове́рный.

author ['ɔ:θə] а́втор; **~itative** [ɔ:'θɔriteitiv] □ авторите́тный; **~ity** [ɔ:'θɔriti] авторите́т; полномо́чие; власть *f* (over над Т); on the ~ of на основа́нии (Р); по утвержде́нию (Р); **~ize** ['ɔ:θəraiz] уполномо́чи(ва)ть; санкциони́ровать (*im*)*pf.*

autocar ['ɔ:təkɑ:] автомоби́ль *m*.

autocra|cy [ɔ:'tɔkrəsi] самодержа́вие, автокра́тия; **~tic(al** □) [ɔ:tə'krætik(əl)] самодержа́вный; деспоти́ческий.

autogyro ['ɔ:tou'dʒaiərou] ✈ автожи́р.

autograph ['ɔ:təgrɑ:f] авто́граф.

automat|ic [ɔ:tə'mætik] (~ally) автомати́ческий; ~ machine автома́т; **~on** [ɔ:'tɔmətən] автома́т.

automobile ['ɔtəməbi:l] *part. Am.* автомоби́ль *m*.

autonomy [ɔ:'tɔnəmi] автоно́мия, самоуправле́ние.

autumn ['ɔ:təm] о́сень *f*; **~al** [ɔ:'tʌmnəl] осе́нний.

auxiliary [ɔ:g'ziljəri] вспомога́тельный; доба́вочный.

avail [ə'veil] **1.** помога́ть [помо́чь] (Д); ~ o. s. of [вос]по́льзоваться (Т); **2.** по́льза, вы́года; of no ~ бесполе́зный; **~able** [ə'veiləbl] □ досту́пный; нали́чный.

avalanche ['ævəlɑ:nʃ] лави́на.

avaric|e ['ævəris] ску́пость *f*; жа́дность *f*; **~ious** [ævə'riʃəs] □ скупо́й; жа́дный.

aveng|e [ə'vendʒ] [ото]мсти́ть (Д за В); **~er** [-ə] мсти́тель(ница *f*) *m*.

avenue ['ævinju:] алле́я; *Am.* широ́кая у́лица, проспе́кт; *fig.* путь *m*.

aver [ə'və:] утвержда́ть.

average ['ævəridʒ] **1.** сре́днее число́; at an ~ в сре́днем; **2.** сре́дний; **3.** выводи́ть сре́днее число́.

avers|e [ə'və:s] □ нерасполо́женный (to, from к Д); неохо́тный; **~ion** отвраще́ние, антипа́тия.

avert [ə'və:t] отвраща́ть [-рати́ть].

aviat|ion [eivi'eiʃən] авиа́ция; **~or** ['eivietə] лётчик, авиа́тор.

avoid [ə'vɔid] избега́ть [-ежа́ть] (Р); **~ance** [-əns] избежа́ние.

avow [ə'vau] призн(ав)а́ть; ~ oneself призн(ав)а́ться; **~al** [-əl] призна́ние.

await [ə'weit] ожида́ть (Р).

awake [ə'weik] **1.** бо́дрствующий; be ~ to я́сно понима́ть; **2.** [*irr.*] *v/t.* (*mst* **~n** [ə'weikən]) [раз]буди́ть; пробужда́ть [-уди́ть] (созна́ние, интере́с) (к Д); *v/i.* просыпа́ться [просну́ться]; ~ to a th. осозн(ав)а́ть (В).

aware [ə'wɛə]: be ~ of знать (В *or* о П), созн(ав)áть (В); become ~ of отдавáть себé отчёт в (П).
away [ə'wei] прочь; далекó.
awe [ɔ:] **1.** благоговéние, трéпет (of пéред Т); **2.** внушáть благоговéние, страх (Д).
awful [ɔ:ful] □ внушáющий благоговéние; стрáшный; F ужáсный; чрезвычáйный.
awhile [ə'wail] на нéкоторое врéмя, ненадóлго.
awkward ['ɔ:kwəd] неуклю́жий, нелóвкий; неудóбный.
awl [ɔ:l] ши́ло.
awning ['ɔ:niŋ] навéс, тент.
awoke [ə'wouk] *pt.* и *p. pt.* от awake.
awry [ə'rai] кóсо, нáбок; *fig.* непрáвильно.
ax(**e**) [æks] топóр, колу́н.
axis ['æksis], *pl.* axes [-si:z] ось *f.*
axle ['æksl] ⊕ ось *f*; ~-tree колёсный вал.
ay(**e**) [ai] да; *parl.* утверди́тельный гóлос (при голосовáнии).
azure ['æʒə] **1.** лазу́рь *f*; **2.** лазу́рный.

B

babble ['bæbl] **1.** лéпет; болтовня́; **2.** [по]болтáть; [за]лепетáть.
baboon [bə'bu:n] *zo.* бабуи́н.
baby ['beibi] **1.** младéнец, ребёнок, дитя́ *n*; **2.** небольшóй, мáлый; **~hood** ['beibihud] младéнчество.
bachelor ['bætʃələ] холостя́к; *univ.* бакалáвр.
back [bæk] **1.** спинá; спи́нка (сту́ла, плáтья и т. п.); изнáнка (матéрии); *football* защи́тник; **2.** *adj.* зáдний; обрáтный; отдалённый; **3.** *adv.* назáд, обрáтно; тому́ назáд; **4.** *v/t.* поддéрживать [-жáть]; подкрепля́ть [-епи́ть]; [по]пя́тить; держáть пари́ на (В), [по]стáвить на (лóшадь); ☤ индосси́ровать; *v/i.* отступáть [-пи́ть]; [по]пя́титься; **~bone** позвонóчник, спиннóй хребéт; *fig.* опóра; **~er** ['bækə] ☤ индоссáнт; **~ground** зáдний план, фон; **~ing** поддéржка; ☤ индоссамéнт; **~side** зáдняя, ты́льная сторонá; зад; **~slide** [*irr.* (slide)] отпадáть [отпáсть] (от вéры); **~stairs** чёрная лéстница; **~stroke** плáвание на спинé; **~-talk** *Am.* дéрзкий отвéт; **~ward** ['bækwəd] **1.** *adj.* обрáтный; *fig.* отстáлый; **2.** *adv.* (*a.* **~wards** [-z]) назáд; зáдом; наоборóт; обрáтно; **~water** зáводь *f*; **~wheel** зáднее колесó.
bacon ['beikən] бекóн, копчёная груди́нка.
bacteri|ologist [bæktiəri'ɔlədʒist] бактериóлог; **~um** [bæk'tiəriəm], *pl.* **~a** [-riə] бактéрия.
bad [bæd] □ плохóй, дурнóй, сквéрный; he is ~ly off егó делá плóхи́; ~ly wounded тяжелорáненый; F want ~ly óчень хотéть.
bade [beid, bæd] *pt.* от bid.
badge [bædʒ] значóк.
badger ['bædʒə] **1.** *zo.* барсу́к; **2.** [за]трави́ть; изводи́ть [извести́].
badness ['bædnis] негóдность *f*; врéдность *f.*
baffle ['bæfl] расстрáивать [-рóить]; сбивáть с тóлку.
bag [bæg] **1.** мешóк; су́мка; **2.** класть в мешóк; *hunt.* уби́(вá)ть.
baggage ['bægidʒ] багáж; **~-check** *Am.* багáжная квитáнция.
bagpipe ['bægpaip] волы́нка.
bail [beil] **1.** поручи́тельство; admit to ~ ⚖ выпускáть на пору́ки; **2.** ~ out ⚖ брать на пору́ки.
bailiff ['beilif] судéбный при́став; управля́ющий (имéнием).
bait [beit] **1.** примáнка, нажи́вка; *fig.* искушéние; **2.** примáнивать [-ни́ть]; *hunt.* трави́ть собáками; *fig.* преслéдовать насмéшками, изводи́ть [-вести́].
bak|e [beik] [ис]пéчь(ся); обжигáть [обжéчь] (кирпичи́); **~er** ['beikə] пéкарь *m*, бу́лочник; **~ery**

[-ri] пека́рня; **~ing-powder** пека́рный порошо́к.
balance ['bæləns] **1.** весы́ *m/pl.*; равнове́сие; противове́с; баланси́р; ✝ бала́нс; са́льдо *n indecl.*; *sl.* оста́ток; ~ of power полити́ческое равнове́сие; ~ of trade акти́вный бала́нс; **2.** [с]баланси́ровать (В); сохраня́ть равнове́сие; ✝ подводи́ть бала́нс; взве́шивать [-е́сить] (в уме́); быть в равнове́сии.
balcony ['bælkəni] балко́н.
bald [bɔ:ld] лы́сый, плеши́вый; *fig.* просто́й; бесцве́тный (стиль).
bale [beil] ✝ ки́па, тюк.
balk [bɔ:k] **1.** межа́; брус; ба́лка; **2.** *v/t.* [вос]препя́тствовать (Д), [по]меша́ть (Д); [за]арта́читься (*a. fig.*).
ball[1] [bɔ:l] **1.** мяч; шар; клубо́к (ше́рсти); keep the ~ rolling подде́рживать разгово́р; **2.** собира́ть(ся) в клубо́к; сви́(ва́)ть(ся).
ball[2] [~] бал, танцева́льный ве́чер.
ballad ['bæləd] балла́да.
ballast ['bæləst] **1.** щёбень *m*; 🚂, ⚓ балла́ст; **2.** грузи́ть балла́стом.
ball-bearing(s *pl.*) шарикоподши́пник.
ballet ['bælei] бале́т.
balloon [bə'lu:n] возду́шный шар, аэроста́т; **~ist** [-ist] аэрона́вт, пило́т аэроста́та.
ballot ['bælət] **1.** баллотиро́вка, голосова́ние; **2.** [про]голосова́ть; **~-box** избира́тельная у́рна.
ball-point (*a.* ~ **pen**) ша́риковая ру́чка.
ball-room ба́льный зал.
balm [bɑ:m] бальза́м; *fig.* утеше́ние.
balmy [bɑ:mi] □ арома́тный.
baloney [bə'louni] *Am. sl.* вздор.
balsam ['bɔ:lsəm] бальза́м; ⚘ бальзами́н.
balustrade ['bæləstreid] балюстра́да.
bamboo [bæm'bu:] бамбу́к.
bamboozle F [-zl] наду́(ва́)ть, обма́нывать [-ну́ть].
ban [bæn] **1.** запреще́ние, запре́т; **2.** налага́ть запреще́ние на (В).
banana [bə'nɑ:nə] бана́н.
band [bænd] **1.** ле́нта, тесьма́; о́бод; ба́нда; отря́д; ♪ орке́стр; **2.** свя́зывать [-за́ть]; ~ o. s. объединя́ться [-ни́ться].
bandage ['bændidʒ] **1.** бинт, банда́ж; **2.** [за]бинтова́ть, перевя́зывать [-за́ть].
bandbox ['bændbɔks] карто́нка (для шляп).
bandit ['bændit] банди́т.
band-master ['bændmɑ:stə] капельме́йстер.
bandy ['bændi] обме́ниваться [-ня́ться] (слова́ми, мячо́м и т. п.).
bane [bein] *fig.* отра́ва.
bang [bæŋ] **1.** уда́р, стук; **2.** ударя́ть(ся) [уда́рить(ся)]; сту́кать(ся) [-кнуть(ся)].
banish ['bæniʃ] изгоня́ть [изгна́ть]; высыла́ть [вы́слать]; **~ment** [-mənt] изгна́ние.
banisters ['bænistəz] *pl.* пери́ла *n/pl.*
bank [bæŋk] **1.** бе́рег; на́сыпь *f*; банк; ~ of issue эмиссио́нный банк; **2.** *v/t.* окружа́ть ва́лом; запру́живать [-уди́ть]; ✝ класть (де́ньги) в банк; *v/i.* быть банки́ром; ✈ де́лать вира́ж, накреня́ться [-ни́ться]; ~ on полага́ться [-ложи́ться] на (В); **~er** ['bæŋkə] банки́р; **~ing** ['bæŋkiŋ] ба́нковое де́ло; **~rupt** ['bæŋkrʌpt] **1.** банкро́т; **2.** обанкро́тившийся; **3.** де́лать банкро́том; **~ruptcy** ['bæŋkrʌptsi] банкро́тство.
banner ['bænə] зна́мя *n*, стяг.
banns [bænz] *pl.* оглаше́ние (вступа́ющих в брак).
banquet ['bæŋkwit] **1.** банке́т, пир; **2.** дава́ть банке́т; пирова́ть.
banter ['bæntə] подшу́чивать [-у-ти́ть], поддра́знивать [-ни́ть].
baptism [bæp'tizm] креще́ние.
baptize [bæp'taiz] [о]крести́ть.
bar [bɑ:] **1.** брусо́к; засо́в; о́тмель *f*; бар; сто́йка; ♪ такт; *fig.* прегра́да, препя́тствие; ⚖ адвокату́ра; **2.** запира́ть на засо́в; преграждá́ть [-ради́ть]; исключа́ть [-чи́ть].
barb [bɑ:b] колю́чка; зубе́ц; **~ed** wire колю́чая про́волока.
barbar|ian [bɑ:'bɛəriən] **1.** ва́рвар; **2.** ва́рварский; **~ous** ['bɑ:bərəs] □ ди́кий; гру́бый, жесто́кий.
barbecue ['bɑ:bikju:] **1.** целико́м жа́рить (ту́шу); **2.** целико́м зажа́ренная ту́ша.
barber ['bɑ:bə] парикма́хер.
bare [bɛə] **1.** го́лый, обнажённый; пусто́й; **2.** обнажа́ть [-жи́ть], откры́(ва́)ть; **~faced** ['bɛəfeist] □ бессты́дный; **~-foot** босико́м; **~-footed** бо́сой; **~-headed** с не-

покры́той голово́й; ~ly [ˈbɛəli] едва́.
bargain [ˈbɑ:gin] **1.** сде́лка, вы́годная поку́пка; **2.** [по]торгова́ться (о П, с Т).
barge [bɑ:dʒ] ба́ржа; **~man** [ˈbɑ:dʒmən] ло́дочник с ба́ржи.
bark¹ [bɑ:k] **1.** кора́; **2.** сдира́ть кору́ с (Р).
bark² [~] **1.** лай; **2.** [за]ла́ять.
bar-keeper буфе́тчик.
barley [ˈbɑ:li] ячме́нь *m*.
barn [bɑ:n] амба́р.
baron [ˈbærən] баро́н; **~ess** [-is] барonéсса.
barrack(s *pl.*) [ˈbærək(s)] бара́к; каза́рма.
barrage [ˈbærɑ:ʒ] загражде́ние; ⚔ загради́тельный ого́нь *m*.
barrel [ˈbærəl] **1.** бо́чка, бочо́нок; ствол (ружья́); ⊕ цили́ндр; бараба́н; вал; **2.** разлива́ть по бо́чкам.
barren [ˈbærən] □ неплодоро́дный, беспло́дный.
barricade [bæriˈkeid] **1.** баррика́да; **2.** [за]баррикади́ровать.
barrier [ˈbæriə] барье́р, заста́ва; препя́тствие, поме́ха.
barrister [ˈbæristə] адвока́т.
barrow [ˈbærou] та́чка.
barter [ˈbɑ:tə] **1.** товарообме́н, менова́я торго́вля; **2.** [по]меня́ть, обме́нивать [-ня́ть] (for на В).
base¹ [beis] □ по́длый, ни́зкий.
base² [~] **1.** осно́ва, ба́зис, фунда́мент; ⚗ основа́ние; **2.** осно́вывать [-ова́ть] (В на П), бази́ровать.
base|-ball *Am.* бейсбо́л; **~less** [ˈbeislis] без основа́ний; **~ment** [-mənt] подва́л, подва́льный эта́ж.
baseness [ˈbeisnis] ни́зость *f*.
bashful [ˈbæʃful] □ засте́нчивый, ро́бкий.
basic [ˈbeisik] (~ally) основно́й; ⚗ осно́вный.
basin [beisn] таз, ми́ска; бассе́йн.
bas|is [ˈbeisis], *pl.* **~es** [-i:z] основа́ние, исхо́дный пункт; ⚔, ⚓ ба́за.
bask [bɑ:sk] гре́ться (на со́лнце).
basket [ˈbɑ:skit] корзи́на; **~-ball** баскетбо́л.
bass [beis] ♪ **1.** бас; **2.** басо́вый.
basso [ˈbæsou] ♪ бас.
bastard [ˈbæstəd] **1.** □ внебра́чный; подде́льный; ло́маный (о языке́); **2.** внебра́чный ребёнок.
baste¹ [beist] полива́ть жарко́е со́ком (во вре́мя жа́рения).
baste² [~] намётывать [намета́ть].
bat¹ [bæt] летучая мышь *f*.
bat² [~] **1.** бита́ (в крике́те); **2.** бить, ударя́ть в мяч.
bath [bɑ:θ] **1.** ва́нна; купа́льня; **2.** [вы́-, по]мы́ть, [вы́]купа́ть.
bathe [beið] [вы́]купа́ться.
bathing [ˈbeiðiŋ] купа́ние; **~-hut** каби́на; **~-suit** купа́льный костю́м.
bath|-room ва́нная ко́мната; **~-sheet** купа́льная простыня́; **~-towel** купа́льное полоте́нце.
batiste [bæˈti:st] ✝ бати́ст.
baton [ˈbætən] жезл; дирижёрская па́лочка; полице́йская дуби́нка.
battalion [bəˈtæljən] батальо́н.
batter [ˈbætə] **1.** взби́тое те́сто; **2.** си́льно бить, [по]колоти́ть, [от-]дуба́сить; ~ down и́ли in взла́мывать [взлома́ть]; **~y** [-ri] батаре́я; assault and ~ оскорбле́ние де́йствием.
battle [ˈbætl] **1.** би́тва, сраже́ние (of под Т); **2.** сража́ться [срази́ться]; боро́ться; **~-ax**(**e**) *hist.* боево́й топо́р; *Am. fig.* бой-ба́ба.
battle|-field по́ле би́твы; **~-plane** ⚔ штурмови́к; **~-ship** ⚔ лине́йный кора́бль *m*.
bawdy [ˈbɔ:di] непристо́йный.
bawl [bɔ:l] крича́ть [кри́кнуть], [за]ора́ть; ~ out выкри́кивать [вы́крикнуть].
bay¹ [bei] **1.** гнедо́й; **2.** гнеда́я ло́шадь *f*.
bay² [~] зали́в, бу́хта.
bay³ [~] ла́вровое де́рево.
bay⁴ [~] **1.** лай; **2.** [за]ла́ять; bring to ~ *fig.* припере́ть к стене́; загоня́ть [загна́ть] (зве́ря).
bayonet [ˈbeiənit] ⚔ **1.** штык; **2.** коло́ть штыко́м.
bay-window [ˈbeiˈwindou] ⌂ э́ркер; *Am.* брюшко́.
baza(a)r [bəˈzɑ:] база́р.
be [bi:, bi] [*irr.*]: a) быть, быва́ть; жить; находи́ться; пожива́ть, чу́вствовать себя́; there is, are есть; ~ about соб(и)ра́ться (+ *inf.*); ~ at s. th. быть за́нятым (Т); ~ off отправля́ться [-а́виться]; ~ on быть в де́йствии; b) *v/aux.* (для образова́ния дли́тельной фо́рмы): ~ reading чита́ть; c) *v/aux.* (для образова́ния пасси́ва): ~ read чита́ться, быть чи́танным (чита́емым).
beach [bi:tʃ] **1.** пляж, взмо́рье; **2.** ⚓ вы́тащить на бе́рег; посади́ть на мель.

beacon ['bi:kən] сигна́льный ого́нь *m*; ба́кен; буй.
bead [bi:d] бу́сина, би́серина; ка́пля; ~s *pl. a.* чётки *f/pl.;* бу́сы *f/pl.;* би́сер.
beak [bi:k] клюв; но́сик (сосу́да).
beam [bi:m] **1.** ба́лка, брус; луч; **2.** сия́ть; излуча́ть [-чи́ть].
bean [bi:n] боб.
bear[1] [bɛə] медве́дь *m* (-ве́дица *f*); ✝ *sl.* спекуля́нт, игра́ющий на пониже́ние.
bear[2] [~] [*irr.*] *v/t.* носи́ть [нести́]; [вы́]терпе́ть, выде́рживать [вы́держать]; рожда́ть [роди́ть]; ~ down преодоле́(ва́)ть; ~ out подтвержда́ть [-рди́ть]; ~ o. s. держа́ться, вести́ себя́; ~ up подде́рживать [-жа́ть]; ~ (up)on каса́ться [косну́ться] (Р); име́ть отноше́ние к (Д); bring to ~ употребля́ть [-би́ть].
beard [biəd] **1.** борода́; зубе́ц; ⚘ ость *f* (ко́лоса); **2.** *v/t.* сме́ло выступа́ть про́тив (Р).
bearer ['bɛərə] носи́льщик; пода́тель(ница *f*) *m*, предъяви́тель (-ница *f*) *m*.
bearing ['bɛəriŋ] ноше́ние; терпе́ние; мане́ра держа́ть себя́; деторожде́ние.
beast [bi:st] зверь *m*; ското́ина; ~**ly** [-li] гру́бый, ужа́сный.
beat [bi:t] **1.** [*irr.*] *v/t.* [по]би́ть; ударя́ть [уда́рить]; [по]колоти́ть; ~ a retreat отступа́ть [-пи́ть]; ~ up изби́(ва́)ть; взби(ва́)ть; ~ about the bush подходи́ть к де́лу издалека́; *v/i.* бить; би́ться; [по]стуча́ться; **2.** уда́р; бой; бие́ние; ритм; ~**en** [bi:tn] **1.** *p. pt.* от beat; **2.** би́тый, побеждённый; проторённый (путь).
beatitude [bi'ætitju:d] блаже́нство.
beau [bou] щёголь *m*; кавале́р.
beautiful ['bju:tiful] □ прекра́сный, краси́вый.
beautify ['bju:tifai] украша́ть [укра́сить].
beauty ['bju:ti] красота́; краса́вица.
beaver ['bi:və] бобр.
became [bi'keim *pt.* от become.
because [bi'kɔz] потому́ что, та́к как; ~ of из-за (Р).
beckon ['bekən] [по]мани́ть.
becom|e [bi'kʌm] [*irr.* (come)] *v/i.* [с]де́латься; станови́ться [стать]; *v/t.* быть к лицу́, идти́ (об оде́жде) (Д); подоба́ть (Д); ~**ing** [-iŋ] □ к лицу́ (оде́жда).
bed bed] **1.** посте́ль *f*; крова́ть *f*; ⸙ гря́дка, клу́мба; **2.** класть и́ли ложи́ться в посте́ль; выса́живать [вы́садить] (цветы́).
bed-clothes *pl.* посте́льное бельё.
bedding ['bediŋ] посте́льные принадле́жности *f/pl.*
bedevil [bi'devl] [ис]терза́ть, [из-]му́чить; околдо́вывать [-дова́ть].
bed|rid(den) прико́ванный к посте́ли (боле́знью); ~**room** спа́льня; ~**spread** покрыва́ло (на крова́ть); ~**stead** крова́ть *f*; ~**time** вре́мя ложи́ться спать.
bee [bi:] пчела́; have a ~ in one's bonnet F быть с причу́дой.
beech [bi:tʃ] ⚘ бук, бу́ковое де́рево; ~**nut** бу́ковый оре́шек.
beef [bi:f] говя́дина; ~**-tea** кре́пкий бульо́н; ~**y** [bi:fi] му́скулистый; мяси́стый.
bee|hive у́лей; ~**-line** пряма́я ли́ния.
been [bi:n, bin] *p. pt.* от be.
beer [biə] пи́во; small ~ сла́бое пи́во.
beet [bit] ⚘ свёкла.
beetle [bi:tl] жук.
befall [bi'fɔ:l] [*irr.* (fall)] *v/t.* постига́ть [-и́гнуть, -и́чь] (о судьбе́) (В); *v/i.* случа́ться [-чи́ться].
befit [bi'fit] прили́чествовать (Д) подходи́ть [подойти́] (Д).
before [bi'fɔ:] **1.** *adv.* впереди́, вперёд; ра́ньше; long ~ задо́лго; **2.** *cj.* пре́жде чем; скоре́е чем; **3.** *prp.* пе́ред (Т); впереди́ (Р); до (Р); ~**hand** зара́нее, заблаговре́менно.
befriend [bi'frend] относи́ться по-дру́жески к (Д).
beg [beg] *v/t.* [по]проси́ть (Р); умоля́ть [-ли́ть] (for о П); выпра́шивать [вы́просить] (of у Р); *v/i.* ни́щенствовать.
began [bi'gæn] *pt.* от begin.
beget [bi'get] [*irr.* (get)] рожда́ть [роди́ть], производи́ть [-вести́].
beggar ['begə] **1.** ни́щий, ни́щенка; **2.** разоря́ть [-ри́ть], доводи́ть до нищеты́; *fig.* превосходи́ть [-взойти́]; it ~s all description не поддаётся описа́нию.
begin [bi'gin] [*irr.*] нач(ин)а́ть (with с Р); ~**ner** [-ə] начина́ющий, нови́чо́к; ~**ning** [-iŋ] нача́ло.

begot(ten) [biˈgɔt(n)] *pt.* от beget.
begrudge [biˈgrʌdʒ] [по]зави́довать (Д в П).
beguile [biˈgail] обма́нывать [-ну́ть]; [с]корота́ть (вре́мя).
begun [biˈgʌn] *pt.* от begin.
behalf [biˈhɑ:f] : on *or* in ~ of для (Р), ра́ди (Р); от и́мени (Р).
behav|e [biˈheiv] вести́ себя́; поступа́ть [-пи́ть]; **~iour** [-jə] поведе́ние.
behead [biˈhed] обезгла́вливать [-гла́вить].
behind [biˈhaind] **1.** *adv.* по́сле; позади́, сза́ди; **2.** *prp.* за (Т); позади́ (Р), сза́ди (Р); по́сле (Р).
behold [biˈhould] [*irr.* (hold)] **1.** замеча́ть [-е́тить], [у]ви́деть; **2.** смотри́!, вот!
behoof [biˈhu:f]: to (for, on) (the) ~ of в по́льзу (Р), за (В).
being [ˈbi:iŋ] бытие́, существова́ние.
belated [biˈleitid] запозда́лый.
belch [beltʃ] **1.** отры́жка; столб (огня́, ды́ма); **2.** рыга́ть [рыгну́ть]; изверга́ть [-е́ргнуть].
belfry [ˈbelfri] колоко́льня.
Belgian [ˈbeldʒən] **1.** бельги́ец (-и́йка); **2.** бельги́йский.
belief [biˈli:f] ве́ра (in в В); убежде́ние.
believable [biˈli:vəbl] правдопо-[до́бный.
believe [biˈli:v] [по]ве́рить (in в В); **~r** [-ə] ве́рующий.
belittle [biˈlitl] *fig.* умаля́ть [-ли́ть]; принижа́ть [-ни́зить].
bell [bel] ко́локол; звоно́к.
belle [bel] краса́вица.
belles-lettres [ˈbeˈletr] *pl.* худо́жественная литерату́ра, беллетри́стика.
belligerent [biˈlidʒərənt] **1.** вою́ющая сторона́; **2.** вою́ющий.
bellow [ˈbelou] **1.** мыча́ние; рёв (бу́ри); **2.** [за]мыча́ть; [за]реве́ть, [за]бушева́ть; **~s** [-z] *pl.* кузне́чные мехи́ *m/pl.*
belly [ˈbeli] **1.** живо́т, брю́хо; **2.** наду́(ва́)ть(ся).
belong [biˈlɔŋ] принадлежа́ть (Д); относи́ться (к Д); **~ings** [-iŋz] *pl.* принадле́жности *f/pl.*; пожи́тки *m/pl.*
beloved [biˈlʌvid, *pred.* biˈlʌvd] возлю́бленный, люби́мый.
below [biˈlou] **1.** *adv.* внизу́; ни́же; **2.** *prp.* ни́же (Р); под (В, Т).
belt [belt] **1.** по́яс; зо́на; ⊕ приводно́й реме́нь *m*; ⚔ портупе́я; **2.** подпоя́с(ыв)ать; поро́ть ремнём.
bemoan [biˈmoun] опла́к(ив)ать.
bench [bentʃ] скамья́; ⊕ верста́к.
bend [bend] **1.** сгиб; изги́б (доро́ги); излу́чина (реки́); ⚓ у́зел, шпанго́ут; **2.** [*irr.*] сгиба́ть(ся) [согну́ть(ся)]; направля́ть [-ра́вить]; покоря́ть [-ри́ть].
beneath [biˈni:θ] *s.* below.
benediction [beniˈdikʃən] благослове́ние.
benefact|ion [-ˈfækʃən] благодея́ние; **~or** [ˈbenifæktə] благоде́тель *m.*
beneficence [biˈnefisns] благотвори́тельность *f*; **~nt** □ благоде́тельный.
beneficial [beniˈfiʃə] □ благотво́рный, поле́зный.
benefit [ˈbenifit] **1.** вы́года, по́льза; посо́бие; *thea.* бенефи́с; **2.** приноси́ть по́льзу; извлека́ть по́льзу.
benevolen|ce [biˈnevələns] благожела́тельность *f*; **~t** [-ənt] □ благожела́тельный.
benign [biˈnain] □ до́брый, ми́лостивый; ⚕ доброка́чественный.
bent [bent] **1.** *pt.* и *p. pt.* от bend; ~ on поме́шанный на (П); **2.** скло́нность *f.*
benz|ene [benˈzi:n] ⚗ бензо́л; **~ine** [~] бензи́н.
bequeath [biˈkwi:ð] завеща́ть (*im*)*pf*.
bequest [biˈkwest] насле́дство.
bereave [biˈri:v] [*irr.*] лиша́ть [-ши́ть] (Р); отнима́ть [-ня́ть].
berry [ˈberi] я́года.
berth [bə:θ] ⚓ яко́рная стоя́нка; ко́йка; *fig.* (вы́годная) до́лжность *f.*
beseech [biˈsi:tʃ] [*irr.*] умоля́ть [-ли́ть], упра́шивать [упроси́ть] (+ *inf.*).
beset [biˈset] [*irr.* (set)] окружа́ть [-жи́ть]; осажда́ть [осади́ть].
beside [biˈsaid] *prp.* ря́дом с (Т), о́коло (Р), близ (Р); ми́мо (Р); ~ o. s. вне себя́ (with от Р); ~ the question некста́ти, не по существу́; **~s** [-z] **1.** *adv.* кро́ме того́, сверх того́; **2.** *prp.* кро́ме (Р).
besiege [biˈsi:dʒ] осажда́ть [осади́ть].
besmear [biˈsmiə] [за]па́чкать, [за]мара́ть.

besom [ˈbiːzəm] метлá, вéник.
besought [biˈsɔːt] *pt.* от beseech.
bespatter [biˈspætə] забры́згивать)ать.
bespeak [biˈspiːk] [*irr.* (speak)] закáзывать [-зáть]; **bespoke tailor** портнóй, рабóтающий по закáзу.
best [best] **1.** *adj.* лу́чший; ~ man шáфер; **2.** *adv.* лу́чше всегó, всех; **3.** сáмое лу́чшее; to the ~ of ... нáсколько ...; по мéре ...; make the ~ of испóльзовать наилу́чшим óбразом; at ~ в лу́чшем слу́чае.
bestial [ˈbestjəl] □ скóтский, живóтный.
bestow [biˈstou] даровáть ([up]on Д/В *or* В/Т), награждáть [-радить].
bet [bet] **1.** пари́ *n indecl.*; **2.** [*irr.*] держáть пари́; би́ться об заклáд.
betake [biˈteik] [*irr.* (take)]: ~ o. s. to отправля́ться [-áвиться] в (В); *fig* прибегáть [-éгнуть] к (Д).
bethink [biˈθiŋk] [*irr.* (think)]: ~ o. s. вспоминáть [вспóмнить]; ду́мать (of о П); ~ o. s. to *inf.* заду́м(ыв)ать.
betray [biˈtrei] предá(вá)ть; вы́да(вá)ть; **~er** [-ə] предáтель(ница *f*) *m*.
betrothal [biˈtrouðəl] помóлвка, обручéние.
better [ˈbetə] **1.** *adj.* лу́чший; he is ~ ему́ лу́чше; **2.** преиму́щество; **~s** *pl.* ли́ца стоя́щие вы́ше; get the ~ of взять верх над (Т); **3.** *adv.* лу́чше; бóльше; so much the ~ тем лу́чше; you had ~ go вам бы лу́чше пойти́; **4.** *v/t.* улучшáть [улу́чшить]; поправля́ть [-áвить]; *v/i.* поправля́ться [-áвиться]; **~ment** [-mənt] улучшéние.
between [biˈtwiːn] **1.** *adv.* мéжду ни́ми; **2.** *prp.* мéжду (Т).
beverage [ˈbevəridʒ] напи́ток.
bevy [ˈbevi] стáя (птиц); стáдо; гру́ппа, толпá (дéвушек).
bewail [biˈweil] скорбéть о (П), оплáк(ив)ать.
beware [biˈwɛə] оберегáться [-рéчься] (Р).
bewilder [biˈwildə] смущáть [смути́ть]; стáвить в тупи́к; сбивáть с тóлку; **~ment** [-mənt] смущéние, замешáтельство; пу́таница.
bewitch [biˈwitʃ] околдóвывать [-довáть]; очарóвывать [-ровáть].
beyond [biˈjɔnd] **1.** *adv.* вдали́, на расстоя́нии; **2.** *prp.* за (В, Т); вне (Р); сверх (Р); по ту стóрону (Р).
bias [ˈbɑiəs] предубеждéние (прóтив Р); склон, уклóн; **2.** склоня́ть [-ни́ть]; **3.** кóсо.
bib [bib] дéтский нагру́дник.
Bible [baibl] би́блия.
biblical [ˈbiblikəl] □ библéйский.
bicarbonate [baiˈkɑːbənit] ⚗: ~ of soda двууглеки́слый нáтрий.
bicker [ˈbikə] пререкáться (с Т).
bicycle [ˈbaisikl] **1.** велосипéд; **2.** éздить на велосипéде.
bid [bid] **1.** [*irr.*] прикáзывать [-зáть]; предлагáть [-ложи́ть] (цéну); ~ fair [по]сули́ть, [по]обещáть; ~ farewell [по]прощáться [прости́ться]; **2.** предложéние (цены́), зая́вка (на торгáх); *Am.* F приглашéние; **~den** [bidn] *p. pt.* от bid.
bide [baid] : ~ one's time ожидáть благоприя́тного слу́чая.
biennial [baiˈenjəl] двухлéтний.
bier [biə] похорóнные дрóги *f/pl.*
big [big] большóй, кру́пный; взрóслый; F *fig.* вáжный, вáжничающий; F *fig.* ~ shot вáжная «ши́шка»; talk ~ [по]хвáстаться.
bigamy [ˈbigəmi] бигáмия, двоебрáчие.
bigot [ˈbigət] слепóй привéрженец; **~ry** [-ri] слепáя привéрженность *f*.
bigwig [ˈbigwig] F вáжная «ши́шка».
bike [baik] F велосипéд.
bile [bail] жёлчь *f*; *fig.* раздражи́тельность *f*.
bilious [ˈbiljəs] □ жёлчный.
bill[1] [bil] клюв; носóк я́коря.
bill[2] [~] **1.** законопроéкт, билль *m*; счёт; афи́ша; ☿ вéксель *m*; ~ of fare меню́; ~ of lading коносамéнт; ~ of sale ⚖ закладнáя; **2.** объявля́ть [-ви́ть] (афи́шей).
billfold бумáжник.
billiards [ˈbiljədz] *pl.* бильярд.
billion [ˈbiljən] биллиóн; *Am.* миллиáрд.
billow [ˈbilou] большáя волнá; **2.** вздымáться (вóлнами), [вз]волновáться (о мóре); **~y** [ˈbiloui] вздымáющийся (о вóлнах).
bin [bin] зáкром; ларь *m;* му́сорное ведрó.
bind [baind] [*irr.*] **1.** *v/t.* [с]вязáть; свя́зывать [-зáть]; обя́зывать [-зáть]; переплетáть [-плести́]; **2.**

v/i. затверде́(ва́)ть; **~er** ['baində] переплётчик; **~ing** [-iŋ] **1.** переплёт; **2.** связу́ющий.

binocular [bai'nɔkjulə] бино́кль *m.*

biography [bai'ɔgrəfi] биогра́фия.

biology [bai'ɔlədʒi] биоло́гия.

birch [bə:tʃ] **1.** ⚘ (или **~-tree**) берёза, берёзовое де́рево; ро́зга; **2.** сечь ро́згой.

bird [bə:d] пти́ца; **~'s-eye** ['bə:dzai]: ~ view вид с пти́чьего полёта.

birth [bə:θ] рожде́ние; происхожде́ние; bring to ~ порожда́ть [-роди́ть]; **~day** день рожде́ния; **~-place** ме́сто рожде́ния.

biscuit ['biskit] пече́нье.

bishop ['biʃəp] епи́скоп; *chess* слон; **~ric** [-rik] епа́рхия.

bison ['baisn] *zo.* бизо́н, зубр.

bit [bit] **1.** кусо́чек, части́ца; немно́го; удила́ *n/pl.*; боро́дка (ключа́); **2.** *pt.* от ~e.

bitch [bitʃ] су́ка.

bite [bait] **1.** уку́с; клёв (ры́бы); кусо́к; острота́; **2.** [*irr.*] куса́ть [укуси́ть]; клева́ть [клю́нуть] (о ры́бе); жечь (о пе́рце); щипа́ть (о моро́зе); ⊕ брать [взять]; *fig.* [съ]язви́ть.

bitten ['bitn] *pt.* от bite.

bitter ['bitə] ☐ го́рький; ре́зкий; *fig.* го́рький, мучи́тельный; **~s** *pl.* [-z] го́рький лека́рственный напи́ток.

blab [blæb] F разба́лтывать [-болта́ть].

black [blæk] **1.** ☐ чёрный; тёмный, мра́чный; **2.** [по]черни́ть; *fig.* [о]позо́рить; ~ out затемня́ть [-ни́ть]; **3.** чернота́; чёрный цвет; черноко́жий (негр); **~berry** ежеви́ка; **~bird** чёрный дрозд; **~board** кла́ссная доска́; **~en** ['blækn] *v/t.* [на]черни́ть; *fig.* [о]черни́ть; *v/i.* [по]черне́ть; **~-guard** ['blægɑ:d] **1.** негодя́й, подле́ц; **2.** ☐ по́длый; **~head** ⚕ угри́ *m/pl.*; **~ing** [blækiŋ] ва́кса; **~ish** ['blækiʃ] ☐ чернова́тый; **~leg** моше́нник; штрейкбре́хер; **~-letter** *typ.* стари́нный готи́ческий шрифт; **~mail 1.** вымога́тельство, шанта́ж; **2.** вымога́ть де́ньги у (Р); **~ness** [-nis] чернота́; **~out** затемне́ние; **~smith** кузне́ц.

bladder ['blædə] *anat.* пузы́рь *m.*

blade [bleid] ло́пасть *f; anat.* лопа́тка; ле́звие; клино́к; ⚘ лист; сте́бель *m*, были́нка.

blame [bleim] **1.** упрёк; вина́; порица́ние; **2.** порица́ть; обвиня́ть [-ни́ть]; be to ~ for быть винова́тым в (П); **~ful** ['bleimful] заслу́живающий порица́ния; **~less** ['bleimlis] ☐ безупре́чный.

blanch [blɑ:ntʃ] [вы́]бели́ть; [вы́-] чи́стить (мета́лл); ~ over обеля́ть [-ли́ть], опра́вдывать [-да́ть].

bland [blænd] ☐ ве́жливый; мя́гкий.

blank [blæŋk] **1.** ☐ пусто́й; бессодержа́тельный; невырази́тельный; ✝ незапо́лненный; ~ cartridge ⚔ холосто́й патро́н; **2.** бланк; пробе́л; пустота́ (душе́вная).

blanket [blæŋkit] **1.** шерстяно́е одея́ло; **2.** покрыва́ть одея́лом.

blare [blɛə] [за]труби́ть.

blasphem|e [blæs'fi:m] богоху́льствовать; поноси́ть (against В); **~y** ['blæsfimi] богоху́льство.

blast [blɑ:st] **1.** си́льный поры́в ве́тра; звук (духово́го инструме́нта); взрывна́я волна́; подрывно́й заря́д; ⚘ головня́; ⊕ дутьё; *fig.* па́губное влия́ние; **2.** взрыва́ть [взорва́ть]; проклина́ть [-кля́сть]; **~-furnace** ⊕ до́мна, до́менная печь *f.*

blaze [bleiz] **1.** я́ркое пла́мя *n*; вспы́шка (огня́, стра́сти); **2.** *v/i.* горе́ть; пыла́ть; сверка́ть [-кну́ть]; *v/t.* разглаша́ть [-гласи́ть]; **~r** ['bleizə] спорти́вная ку́ртка.

blazon ['bleizn] герб.

bleach [bli:tʃ] [вы́]бели́ть.

bleak [bli:k] ☐ го́лый, пусты́нный; суро́вый (по кли́мату).

blear [bliə] **1.** затума́ненный, нея́сный; **2.** затума́ни(ва)ть; **~-eyed** ['bliəraid] с затума́ненными глаза́ми.

bleat [bli:t] **1.** бле́яние; **2.** [за-] бле́ять.

bleb [bleb] волды́рь *m*; пузырёк во́здуха (в воде́).

bled [bled] *pt.* и *p. pt.* от bleed.

bleed [bli:d] [*irr.*] **1.** *v/i.* кровоточи́ть; истека́ть кро́вью; **2.** *v/t.* пуска́ть кровь (Д); **~ing** ['bli:diŋ] кровотече́ние; кровопуска́ние.

blemish ['blemiʃ] **1.** недос[…] пятно́; позо́р; **2.** [за][…] [ис]по́ртить; [о]позо́рить.

blench [blentʃ] отступа́ть […] (пе́ред Т).

blend [blend] **1.** сме́шивать(с[…]

[-ша́ть(ся)]; разбавля́ть [-ба́вить]; сочета́ть(ся) *(im)pf.*; **2.** сме́шивание; смесь *f.*
bless [bles] благословля́ть [-ви́ть]; осчастли́вливать [-тли́вить]; **~ed** (*pt.* blest; *adj.* ˈblesid) □ счастли́вый, блаже́нный; **~ing** [ˈblesiŋ] благослове́ние.
blew [blu:] *pt.* от blow²,³.
blight [blait] **1.** ⚘ ми́лдью *n indecl.* (и други́е боле́зни расте́ний); *fig.* ги́бель *f*; **2.** приноси́ть вред (расте́ниям); разби́(ва́)ть (наде́жды и т. п.).
blind [blaind] □ **1.** слепо́й (*fig.* ~ to к Д); нечёткий, нея́сный; ~ alley тупи́к; **~ly** *fig.* науга́д, наобу́м; **2.** што́ра; марки́за; жалюзи́ *n indecl.*; **3.** ослепля́ть [-пи́ть]; **~-fold** [ˈblaindfould] завя́зывать глаза́ (Д).
blink [bliŋk] **1.** мерца́ние; морга́ние; миг; **2.** *v/i.* мига́ть [мигну́ть]; морга́ть [-гну́ть]; прищу́ри(ва)ться; *v/t.* закрыва́ть глаза́ на (В).
bliss [blis] блаже́нство.
blister [ˈblistə] **1.** волды́рь *m*; **2.** покрыва́ться пузыря́ми.
blizzard [ˈblizəd] бура́н, си́льная мете́ль *f.*
bloat [blout] распуха́ть [-пу́хнуть]; разду́(ва́)ться; **~er** [ˈbloutə] копчёная сельдь *f.*
block [blɔk] **1.** коло́да, чурба́н; пла́ха; глы́ба; кварта́л (го́рода); **2.** ~ in набра́сывать вчерне́; (*mst* ~ up) блоки́ровать *(im)pf.*
blockade [blɔˈkeid] **1.** блока́да; **2.** блоки́ровать *(im)pf.*
blockhead [ˈblɔkhed] болва́н.
blond [blɔnd] **1.** белоку́рый; **~e** блонди́нка.
blood [blʌd] кровь *f*; in cold ~ хладнокро́вно; **~-horse** чистокро́вная ло́шадь *f*; **~shed** кровопроли́тие; **~shot** нали́тый кро́вью (о глаза́х); **~thirsty** кровожа́дный; **~-vessel** кровено́сный сосу́д; **~y** [ˈblʌdi] □ окрова́вленный; крова́вый.
bloom [blu:m] **1.** цвето́к; цвете́ние; расцве́т (*a. fig.*); **2.** цвести́, быть в цвету́.
blossom [ˈblɔsəm] **1.** цвето́к (фрукто́вого де́рева); расцве́т; **2.** цвести́, расцвета́ть [-ести́].
blot [blɔt] **1.** пятно́, кля́кса; *fig.* пятно́; **2.** [за]па́чкать; промока́ть [-кну́ть]; вычёркивать [вы́черкнуть].
blotch [blɔtʃ] прыщ; пятно́; кля́кса.
blotter [ˈblɔtə] пресс-папье́ *n indecl.*
blotting-paper промока́тельная бума́га.
blouse [blauz] блу́за; блу́зка.
blow¹ [blou] уда́р.
blow² [~] [*irr.*] **1.** цвести́; **2.** цвете́ние.
blow³ [~] [*irr.*] **1.** [по]ду́ть; ве́ять; [за]пыхте́ть; игра́ть на (духово́м инструме́нте); ~ up взрыва́ть (-ся) [взорва́ть(ся)]; разду́(ва́)ть (ого́нь); гна́ть (ту́чи); ~ one's nose [вы́]сморка́ться; **2.** дунове́ние; **~er** [ˈblouə] труба́ч; **~n** [-n] *p. pt.* от blow²,³; **~-out** *mot.* разры́в ши́ны; **~-pipe** пая́льная тру́бка.
bludgeon [ˈblʌdʒən] дуби́на.
blue [blu:] **1.** □ голубо́й; лазу́рный; си́ний; F уны́лый, пода́вленный; **2.** си́няя кра́ска; си́ний цвет; голуба́я кра́ска; си́нька; **~s** *pl.* меланхо́лия, хандра́; **3.** окра́шивать в си́ний, голубо́й цвет; [по]сини́ть (бельё).
bluff [blʌf] **1.** □ ре́зкий; грубова́тый; обры́вистый; **2.** обма́н, блеф; **3.** запу́гивать [-га́ть]; обма́нывать [-ну́ть].
bluish [ˈblu:iʃ] синева́тый, голубова́тый.
blunder [ˈblʌndə] **1.** гру́бая оши́бка; **2.** де́лать гру́бую оши́бку.
blunt [blʌnt] **1.** □ тупо́й; ре́зкий; **2.** притупля́ть [-пи́ть].
blur [blə:] **1.** нея́сное очерта́ние; кля́кса, пятно́; **2.** *v/t.* [за]мара́ть, [за]па́чкать, [за]пятна́ть (*a. fig.*); *fig.* затемня́ть [-ни́ть] (созна́ние).
blush [blʌʃ] **1.** кра́ска стыда́; **2.** [по]красне́ть.
bluster [ˈblʌstə] **1.** хвастовство́, самохва́льство; пусты́е угро́зы *f/pl.*; **2.** грози́ться; [по]хва́статься.
boar [bɔ:] бо́ров; *hunt.* каба́н.
board [bɔ:d] **1.** доска́; стол (пита́ние); ⚓ борт; сце́на, подмо́стки *m/pl.*; правле́ние; ♀ of Trade министе́рство торго́вли; *Am.* торго́вая пала́та; **2.** *v/t.* наст(и)ла́ть (пол); ⚓ брать на аборда́ж; *v/i.* столова́ться; сади́ться [сесть] на (по́езд, кора́бль); **~er** [ˌbɔ:də] пансионе́р(ка); **~ing-house** меблиро́ванные ко́мнаты со столо́м.
boast [boust] **1.** хвастовство́; **2.** (of,

about) горди́ться (T); [по]хва́статься (T); **~ful** ['boustful] □ хвастли́вый.
boat [bout] ло́дка; су́дно; **~ing** ['boutiŋ] ката́ние на ло́дке.
bob [bɔb] **1.** ги́ря (ма́ятника); рыво́к; ко́ротко подстри́женные во́лосы *m/pl.*; **2.** *v/t.* стри́чь ко́ротко; *v/i.* подпры́гивать [-гнуть].
bobbin ['bɔbin] кату́шка; шпу́лька.
bode [boud] предвеща́ть [-ести́ть], предска́зывать [-за́ть].
bodice ['bɔdis] лиф, ли́фчик.
bodily ['bɔdili] теле́сный.
body ['bɔdi] те́ло; труп; *mot.* ку́зов; ⚔ войскова́я часть *f.*
bog [bɔg] **1.** боло́то, тряси́на; **2.** be ~ed увяза́ть [увя́знуть] (в тряси́не).
boggle ['bɔgl] [ис]пуга́ться (at P); неуме́ло рабо́тать.
bogus ['bougəs] подде́льный.
boil [bɔil] **1.** кипе́ние; фуру́нкул, нары́в; **2.** [с]вари́ть(ся); [вс]кипяти́ть(ся); кипе́ть; **~er** ['bɔilə] котёл; куб, бак (для кипяче́ния).
boisterous ['bɔistərəs] □ бу́рный, шу́мный.
bold [bould] □ сме́лый; самоуве́ренный; на́глый; *typ.* жи́рный, отчётливый (шрифт); **~ness** ['bouldnis] сме́лость *f*; на́глость *f.*
bolster ['boulstə] **1.** (дива́нный) ва́лик; поду́шка; **2.** подде́рживать [-жа́ть].
bolt [boult] **1.** болт; засо́в, задви́жка; мо́лния; **2.** *v/t.* запира́ть на засо́в; *v/i.* нести́сь стрело́й; убега́ть [убежа́ть]; понести́ *pf.* (о лошадя́х).
bomb [bɔm] **1.** бо́мба; **2.** бомби́ть.
bombard [bɔm'bɑ:d] бомбардирова́ть.
bombastic [bɔm'bæstik] напы́щенный.
bomb-proof непробива́емый бо́мбами.
bond [bɔnd] *pl.*: ~s у́зы *f/pl.*; око́вы *f/pl.*; ☨ долгово́е обяза́тельство; **~age** ['bɔndidʒ] ра́бство; зави́симость *f*; **~(s)man** ['bɔnd(z)mən] раб.
bone [boun] **1.** кость *f*; ~ of contention я́блоко раздо́ра; make no ~s about F не церемо́ниться с (T); **2.** вынима́ть, выреза́ть ко́сти.
bonfire ['bɔnfaiə] костёр.
bonnet ['bɔnit] че́пчик; ка́пор; шля́пка; *mot.* капо́т.
bonus ['bounəs] ☨ пре́мия; тантье́ма.
bony ['bouni] костля́вый; кости́стый.
booby ['bu:bi] болва́н, дура́к.
book [buk] **1.** кни́га; **2.** заноси́ть в кни́гу; регистри́ровать (*im*)*pf.*, *pf. a.* [за-]; зака́зывать и́ли брать (биле́т в теа́тр, на по́езд и т. п.); приглаша́ть [-ласи́ть] (арти́стов); **~-case** кни́жный шкаф; **~ing-clerk** ['bukiŋklɑ:k] касси́р; **~ing-office** биле́тная ка́сса; **~-keeping** счетово́дство; **~let** ['buklit] брошю́ра; **~seller** книгопрода́вец; букини́ст.
boom[1] [bu:m] **1.** ☨ бум; **2.** производи́ть сенса́цию, шум вокруг (P).
boom[2] [~] **1.** гул; гуде́ние; **2.** [за-] гуде́ть; [за]жужжа́ть.
boon[1] [bu:n] благодея́ние.
boon[2] [~] благотво́рный; прия́тный.
boor [buə] гру́бый, невоспи́танный челове́к; **~ish** ['buəriʃ] □ гру́бый, невоспи́танный.
boost [bu:st] поднима́ть [-ня́ть] (торго́влю).
boot[1] [bu:t]: to ~ в прида́чу, вдоба́вок *adv.*
boot[2] [~] сапо́г.
booth [bu:ð] пала́тка; кио́ск.
bootlegger ['bu:tlegə] *Am.* торго́вец контраба́ндными напи́тками.
booty ['bu:ti] добы́ча; награ́бленное добро́.
border ['bɔ:də] **1.** грани́ца; край; кайма́ (на ска́терти и т. п.); **2.** грани́чить (upon с T); окаймля́ть [-ми́ть].
bore[1] [bɔ:] **1.** вы́сверленное отве́рстие; кали́бр; *fig.* ску́чный челове́к; **2.** [про]сверли́ть; [про-] бура́вить; надоеда́ть [-е́сть] (Д).
bore[2] [~] **1.** *pt.* от bear[2].
born [bɔ:n] рождённый; прирождённый; **~e** [~] *p. pt.* от bear[2].
borough ['bʌrə] небольшо́й го́род; municipal ~ го́род, име́ющий самоуправле́ние.
borrow ['bɔrou] занима́ть [-ня́ть] (from, of у P).
bosom ['buzəm] грудь *f*; па́зуха; *fig.* ло́но; не́дра *n/pl.*
boss F [bɔs] **1.** хозя́ин; предпринима́тель(ница *f*) *m*; *pol. Am.* руководи́тель полити́ческой па́ртии; **2.** распоряжа́ться [-яди́ться] (T),

быть хозя́ином (Р); **~y** *Am.* ['bɔsi] лю́бящий распоряжа́ться.
botany ['bɔtəni] бота́ника.
botch [bɔtʃ] **1.** гру́бая запла́та; плоха́я почи́нка; **2.** де́лать гру́бые запла́ты на (П); пло́хо чини́ть.
both [bouθ] о́ба, о́бе; и тот и друго́й; ~ ... and ... как ... так и ...; и ... и ...
bother ['bɔðə] F **1.** беспоко́йство; oh ~! кака́я доса́да!; **2.** надоеда́ть [-е́сть] (Д); [по]беспоко́ить.
bottle [bɔtl] **1.** буты́лка; **2.** разлива́ть по буты́лкам.
bottom ['bɔtəm] **1.** дно, дни́ще; ни́жняя часть *f*; грунт, по́чва; F зад; *fig.* осно́ва, суть *f*; at the ~ внизу́; *fig.* в су́щности; на дне (о́бщества); **2.** са́мый ни́жний.
bough [bau] ве́тка, ветвь *f*.
bought [bɔ:t] *pt.* и *p. pt.* от buy.
boulder ['bouldə] валу́н.
bounce [bauns] **1.** прыжо́к, скачо́к; **2.** подпры́гивать [-гнуть]; отска́кивать [отскочи́ть] (о мяче́); F преувеличе́ние.
bound[1] [baund] **1.** преде́л; ограниче́ние; **2.** ограни́чи(ва)ть; сде́рживать [-жа́ть].
bound[2] [~] ⚔ гото́вый к отправле́нию, напра́вляющийся (for в В).
bound[3] [~] **1.** прыжо́к, скачо́к; **2.** пры́гать [-гнуть], [по]скака́ть; отска́кивать [отскочи́ть].
bound[4] [~] **1.** *pt.* и *p. pt.* от bind; **2.** свя́занный; обя́занный; переплетённый.
boundary ['baundəri] грани́ца.
boundless [-lis] ☐ безграни́чный.
bounteous ['bauntiəs] ☐, **bountiful** ['bauntiful] ☐ ще́дрый (челове́к); оби́льный.
bounty ['baunti] ще́дрость *f*; ✝ прави́тельственная пре́мия.
bouquet ['bukei] буке́т; арома́т (вина́).
bout [baut] черёд; раз; ⚕ припа́док; *sport*: схва́тка.
bow[1] [bau] **1.** покло́н; ⚓ нос; **2.** *v/i.* [со]гну́ться; кла́няться [поклони́ться]; подчиня́ться [-ни́ться] (Д); *v/t.* [со]гну́ть.
bow[2] [bou] **1.** лук; дуга́; бант; ♪ смычо́к; rain~ ра́дуга; **2.** ♪ владе́ть смычко́м.
bowels ['bauəlz] *pl.* кишки́ *f/pl.*; вну́тренности *f/pl.*; не́дра *n/pl.* (земли́); *fig.* сострада́ние.
bower ['bauə] бесе́дка.
bowl[1] [boul] ку́бок, ча́ша; ва́за.
bowl[2] [~] **1.** шар; **2.** *v/t.* [по]кати́ть; *v/i.* игра́ть в шары́; ~ along кати́ться бы́стро.
box[1] [bɔks] **1.** коро́бка; я́щик; сунду́к; ⊕ бу́кса; вту́лка; ⚘ букс; *thea.* ло́жа; **2.** вкла́дывать в я́щик.
box[2] [~] **1.** *sport* бокс; ~ on the ear пощёчина.
box|-keeper капельди́нер; **~-office** театра́льная ка́сса.
boy [bɔi] ма́льчик; молодо́й челове́к; **~hood** ['bɔihud] о́трочество; **~ish** ['bɔiiʃ] ☐ мальчи́шеский, о́троческий.
brace [breis] **1.** ⊕ связь *f*; ско́бка; па́ра (о ди́чи); **~s** *pl.* подтя́жки *f/pl.*; **2.** свя́зывать [-за́ть]; подпира́ть [-пере́ть]; ~ up подба́дривать [-бодри́ть].
bracelet ['breislit] брасле́т.
bracket ['brækit] **1.** Δ кронште́йн, консо́ль *f*; га́зовый рожо́к; *typ.* ско́бка; **2.** заключа́ть в ско́бки; *fig.* ста́вить на одну́ до́ску с (Т).
brag [bræg] **1.** [по]хва́статься; **2.** хвастовство́.
braggart ['brægət] **1.** хвасту́н; **2.** ☐ хвастли́вый.
braid [breid] **1.** коса́ (воло́с); тесьма́; галу́н; **2.** заплета́ть [-ести́]; обшива́ть тесьмо́й.
brain [brein] **1.** мозг; голова́; (*fig. mst* ~s) рассу́док, ум; у́мственные спосо́бности *f/pl.*; **2.** размозжи́ть го́лову (Д).
brake [breik] **1.** ⊕ то́рмоз; **2.** [за-]тормози́ть.
bramble ['bræmbl] ⚘ ежеви́ка.
bran [bræn] о́труби *f/pl.*
branch [brɑ:ntʃ] **1.** ветвь *f*, ве́тка, сук (*pl.*: су́чья); о́трасль *f* (нау́ки); филиа́л; **2.** разветвля́ть(ся) [-етви́ть(ся)]; расширя́ться [-ши́рить-ся].
brand [brænd] **1.** вы́жженное клеймо́, тавро́; ⊕ фабри́чное клеймо́; сорт; **2.** выжига́ть клеймо́; *fig.* [за]клейми́ть, [о]позо́рить.
brandish ['brændiʃ] разма́хивать [-хну́ть] (Т).
bran(d)new ['brænd'nju:] F соверше́нно но́вый, «с иго́лочки».
brandy ['brændi] конья́к.
brass [brɑ:s] лату́нь *f*, жёлтая медь *f*; F бессты́дство; ~ band духово́й орке́стр.

brassiere ['bræsiɛə] бюстга́льтер.
brave [breiv] **1.** хра́брый, сме́лый; **2.** брави́ровать; хра́бро встреча́ть (опа́сность и т. п.); **~ry** ['breivəri] хра́брость *f*, сме́лость *f*.
brawl [brɔ:l] **1.** шу́мная ссо́ра, у́личный сканда́л; **2.** [по]ссо́риться (с Т).
brawny ['brɔ:ni] си́льный; му́скулистый.
bray[1] [brei] **1.** крик осла́; **2.** [за-] крича́ть (об осле́).
bray[2] [~] [ис]толо́чь.
brazen ['breizn] □ ме́дный, бро́нзовый; бессты́дный, на́глый (*a.* **~-faced**).
Brazilian [brə'ziljən] **1.** брази́льский; **2.** брази́лец, бразилья́нка.
breach [bri:tʃ] **1.** проло́м; *fig.* разры́в (отноше́ний); наруше́ние; ⚔ брешь *f*; **2.** пробива́ть брешь в (П).
bread [bred] хлеб.
breadth [bredθ] ширина́; широта́ (кругозо́ра); широ́кий разма́х.
break [breik] **1.** переры́в; па́уза; рассве́т; тре́щина; F a bad ~ неуда́ча; **2.** [*irr.*] *v/t.* [с]лома́ть; разби́(ва́)ть; разруша́ть [-ру́шить]; прер(ы)ва́ть; взла́мывать [взлома́ть]; ~ up разла́мывать [-лома́ть]; разби́(ва́)ть; *v/i.* пор(ы)ва́ть (с Т); [по]лома́ться, разби́(ва́)ться; ~ away отделя́ться [-ли́ться] (от Р); ~ down потерпе́ть ава́рию, неуда́чу; **~able** ['breikəbl] ло́мкий, хру́пкий; **~age** ['breikidʒ] поло́мка; **~-down** разва́л, расстро́йство; *mot.* ава́рия; **~fast** ['breikfəst] **1.** за́втрак; **2.** [по]за́втракать; **~-up** распа́д, разва́л; **~water** мол; волноре́з.
breast [brest] грудь *f*; make a clean ~ of a th. чистосерде́чно сознава́ться в чём-либо; **~-stroke** брасс.
breath [breθ] дыха́ние; вздох; **~e** [bri:ð] *v/i.* дыша́ть [дохну́ть]; перевести́ дух; **~less** ['breθlis] □ запыха́вшийся; безве́тренный.
bred [bred] **1.** вско́рмленный; воспи́танный; **2.** *pt.* и *p. pt.* от breed.
breeches ['bretʃiz] *pl.* бри́джи *pl.*, штаны́ *m/pl.*
breed [bri:d] **1.** поро́да; **2.** [*irr.*] *v/t.* выводи́ть [вы́вести]; разводи́ть [-вести́]; выси́живать [вы́сидеть]; вска́рмливать [вскорми́ть]; *v/i.* размножа́ться [-о́житься]; [вы́]расти́; **~er** ['bri:də] производи́тель *m*; скотово́д; **~ing** [-diŋ] разведе́ние (живо́тных); хоро́шие мане́ры *f/pl.*; воспита́ние.
breez|e [bri:z] лёгкий ветеро́к, бриз; **~y** ['bri:zi] све́жий, живо́й, весёлый.
brethren ['breðrin] собра́тья *m/pl.*, бра́тия.
brevity ['breviti] кра́ткость *f*.
brew [bru:] *v/t.* [с]вари́ть (пи́во); зава́ривать [-ри́ть] (чай); приготовля́ть [-то́вить]; *fig.* затева́ть [зате́ять]; **~ery** ['bruəri] пивова́ренный заво́д.
brib|e [braib] **1.** взя́тка; по́дкуп; **2.** подкупа́ть [-пи́ть]; дава́ть взя́тку (Д); **~ery** ['braibəri] взя́точничество.
brick [brik] **1.** кирпи́ч; *fig.* сла́вный па́рень *m*; **2.** класть кирпичи́; облицо́вывать кирпича́ми; **~layer** ка́менщик.
bridal ['braidl] □ сва́дебный; ~ procession сва́дебная проце́ссия.
bride [braid] неве́ста; новобра́чная; **~groom** жени́х; новобра́чный; **~smaid** подру́жка неве́сты.
bridge [bridʒ] **1.** мост; **2.** соединя́ть мосто́м; наводи́ть мост че́рез (В); *fig.* преодоле́(ва́)ть (препя́тствия).
bridle ['braidl] **1.** узда́; по́вод; **2.** *v/t.* взну́здывать [-да́ть]; *v/i.* [за]арта́читься; задира́ть нос (*a.* ~ up); **~-path** верхова́я тропа́.
brief [bri:f] **1.** □ коро́ткий, кра́ткий, сжа́тый; **2.** ⚖ резюме́ де́ла для защи́тника; hold a ~ for принима́ть на себя́ веде́ние де́ла (Р); **~-case** портфе́ль *m*.
brigade [bri'geid] ⚔ брига́да.
bright [brait] □ я́ркий; све́тлый, я́сный; **~en** ['braitn] *v/t.* [на]полирова́ть; придава́ть блеск (Д); *v/i.* проясня́ться [-ни́ться]; **~ness** [-nis] я́ркость *f*; блеск.
brillian|ce, ~cy ['briljəns, -si] я́ркость *f*; блеск; великоле́пие; **~t** [-jənt] **1.** □ блестя́щий (*a. fig.*); сверка́ющий; **2.** бриллиа́нт.
brim [brim] **1.** край; поля́ *n/pl.* (шля́пы); **2.** наполня́ть(ся) до краёв.
brine [brain] рассо́л; морска́я вода́.
bring [briŋ] [*irr.*] приноси́ть [-нести́]; доставля́ть [-а́вить]; привози́ть [-везти́]; приводи́ть [-вести́]; ~ about осуществля́ть

[-вить]; ~ down снижать [снизить] (цены); ~ forth производить [-вести]; ~ home to давать понять (Д); ~ round приводить [-вести] в себя (после обморока); ~ up воспитывать [-тать].
brink [briŋk] край (обрыва); (крутой) берег.
brisk [brisk] □ живой, оживлённый.
bristl|e ['brisl] **1.** щетина; **2.** [о]щетиниться; [рас]сердиться; ~ with изобиловать (Т); **~ed** [-d], **~y** [-i] щетинистый, колючий.
British ['britiʃ] британский; the ~ англичане *m/pl.*
brittle ['britl] хрупкий, ломкий.
broach [broutʃ] поч(ин)ать; поднимать [-нять] (вопрос); нач(ин)ать (разговор).
broad [brɔ:d] □ широкий; обширный; грубоватый; **~cast 1.** разбрасывать [-росать] (семена); распространять [-нить]; передавать по радио, вещать; **2.** радиопередача; радиовещание; **~cloth** тонкое сукно; бумажная ткань *f.*
brocade [bro'keid] парча.
broil [brɔil] **1.** жареное мясо; **2.** жарить(ся) на огне; F жариться на солнце.
broke [brouk] *pt.* от break.
broken ['broukən] **1.** *p. pt.* от break; **2.** разбитый, расколотый; ~ health надломленное здоровье.
broker ['broukə] маклер.
bronc(h)o ['brɔŋkou] *Am.* полудикая лошадь *f.*
bronze [brɔnz] **1.** бронза; **2.** бронзовый; **3.** бронзировать *(im)pf.*; загорать на солнце.
brooch [broutʃ] брошка.
brood [bru:d] **1.** выводок; стая; **2.** сидеть на яйцах; *fig.* грустно размышлять.
brook [bruk] ручей.
broom [bru:m, brum] метла, веник; **~stick** метловище.
broth [brɔ:θ, brɔθ] бульон.
brothel ['brɔθl] публичный дом.
brother [brʌðə] брат; собрат; **~hood** [-hud] братство; **~-in-law** [-rinlɔ] шурин; зять *m*; деверь *m*; свояк; **~ly** [-li] братский.
brought [brɔ:t] *pt.* и *pt.* от bring.
brow [brau] бровь *f*; выступ (скалы); **~beat** ['braubi:t] [*irr.* (beat)] запугивать [-гать].
brown [braun] **1.** коричневый цвет; **2.** коричневый; смуглый; загорелый; **3.** загорать [-реть].
browse [brauz] **1.** ощипывать, объедать листья; *fig.* читать беспорядочно; **2.** молодые побеги *m/pl.*
bruise [bru:z] **1.** синяк, кровоподтёк; **2.** ушибать [-бить]; подставлять синяки.
brunt [brʌnt] главный удар; вся тяжесть *f.*
brush [brʌʃ] **1.** щётка; кисть *f*; чистка щёткой; *Am.* ~wood; заросль *f*; **2.** *v/t.* чистить щёткой; причёсывать щёткой (волосы); ~ up приводить в порядок; *fig.* освежать в памяти; *v/i.* ~ by прошмыгивать [-гнуть]; ~ against a p. слегка задеть кого-либо (проходя мимо); **~wood** [brʌʃwud] хворост, валежник.
brusque [brusk] □ грубый; резкий.
brut|al ['bru:tl] □ грубый; жестокий; **~ality** [bru:'tæliti] грубость *f*; жестокость *f*; **~e** [bru:t] **1.** жестокий; бессознательный; **2.** животное; F скотина (ругательство).
bubble ['bʌbl] **1.** пузырь *m*; **2.** пузыриться; кипеть; бить ключом.
buccaneer [bʌkə'niə] пират.
buck [bʌk] **1.** *zo.* самец (олень, заяц и др.); **2.** становиться на дыбы; брыкаться [-кнуться]; ~ up F встряхнуться *pf.*; оживляться, [-виться].
bucket ['bʌkit] ведро; бадья.
buckle ['bʌkl] **1.** пряжка; **2.** *v/t.* застёгивать [-тегнуть] (пряжкой); *v/i.* ⊕ сгибаться [согнуться] (от давления); ~ to *fig.* подтягиваться [-тянуться]; приниматься энергично за дело.
buckshot ['bʌkʃɔt] *hunt.* крупная дробь *f.*
bud [bʌd] **1.** почка, бутон; *fig.* зародыш; **2.** *v/i.* ⚘ давать почки; пускать ростки; *fig.* разви(ва)ться.
budge ['bʌdʒ] шевелить(ся) [-льнуть(ся)]; сдвигать с места.
budget ['bʌdʒit] бюджет; финансовая смета; draft ~ проект государственного бюджета.
buff [bʌf] **1.** буйволовая кожа; **2.** тёмно-жёлтый.
buffalo ['bʌfəlou] *zo.* буйвол.

buffer ['bʌfə] 🚂 бу́фер; амортиза́тор, де́мпфер.
buffet[1] ['bʌfit] **1.** уда́р (руко́й), толчо́к; **2.** наноси́ть уда́р (Д).
buffet[2] **1.** [~] буфе́т; **2.** ['bufei] буфе́тная сто́йка.
buffoon [bʌ'fu:n] шут, фигля́р.
bug [bʌg] клоп; *Am.* насеко́мое.
bugle ['bju:gl] рожо́к, горн.
build [bild] **1.** [*irr.*] [по]стро́ить; сооружа́ть [-руди́ть]; [с]вить (гнездо́); ~ on полага́ться [положи́ться] на (В); **2.** констру́кция; стиль *m*; телосложе́ние; **~er** ['bildə] строи́тель *m*; подря́дчик; пло́тник; **~ing** [-iŋ] зда́ние; постро́йка; строи́тельство.
built [bilt] *pt.* и *p. pt.* от build.
bulb [bʌlb] ⚘ лу́ковица; ла́мпочка.
bulge [bʌldʒ] **1.** вы́пуклость *f*; **2.** выпя́чиваться [вы́пятиться], выдава́ться [вы́даться].
bulk [bʌlk] объём; ⚓ вмести́мость *f*; in ~ в нава́лку; in the ~ в це́лом; **~y** [bʌlki] громо́здкий.
bull[1] [bul] бык; † *sl.* спекуля́нт, игра́ющий на повыше́ние; *Am. sl.* неле́пость *f*; противоре́чие.
bull[2] [~] па́пская бу́лла.
bulldog ['buldɔg] бульдо́г.
bullet ['bulit] пу́ля; ядро́.
bulletin ['bulitin] бюллете́нь *m*.
bullion ['buljən] сли́ток зо́лота и́ли серебра́.
bully ['buli] **1.** задира *m*, забия́ка *m*; **2.** задира́ть; запу́гивать [-га́ть]; **3.** *Am.* F первокла́ссный, велико́лепный; хвастли́вый.
bulwark ['bulwək] ⚔ вал; *mst fig.* оплот, защи́та.
bum [bam] *Am.* F **1.** за́д(ница); ло́дырь *m*, безде́льник, лентя́й; **2.** ло́дырничать.
bumble-bee ['bʌmblbi] шмель *m*.
bump [bʌmp] **1.** столкнове́ние; глухо́й уда́р; ши́шка; *fig.* спосо́бность *f* (of к Д); **2.** ударя́ть(ся) [уда́рить(ся)].
bumper ['bʌmpə] **1.** бока́л, по́лный до краёв; ~ crop F *sl.* небыва́лый урожа́й; **2.** *Am. mot.* амортиза́тор.
bun [bʌn] бу́лочка (с изю́мом).
bunch [bʌntʃ] **1.** свя́зка; пучо́к; па́чка; **2.** свя́зывать в пучо́к.
bundle ['bʌndl] **1.** у́зел; вяза́нка; **2.** *v/t.* собира́ть вме́сте (ве́щи); свя́зывать в у́зел (*a.* ~ up).
bungalow ['bʌŋgəlou] одноэта́жная да́ча, бу́нгало *n indecl.*
bungle ['bʌŋgl] **1.** (плоха́я) небре́жная рабо́та; оши́бка; пу́таница; **2.** неуме́ло, небре́жно рабо́тать; по́ртить рабо́ту.
bunk[1] [bʌŋk] *Am.* вздор.
bunk[2] [~] ложи́ться спать.
bunny ['bʌni] кро́лик.
buoy [bɔi] ⚓ **1.** ба́кен, буй; **2.** ста́вить ба́кены; подде́рживать на пове́рхности; (*mst* ~ up) *fig.* подде́рживать [-жа́ть]; **~ant** ['bɔiənt] □ плаву́чий; жизнера́достный; бо́дрый.
burden ['bə:dn] **1.** но́ша; тя́жесть *f*; бре́мя *n*; груз; **2.** нагружа́ть [-рузи́ть]; обременя́ть [-ни́ть]; **~some** [-səm] обремени́тельный.
bureau [bjuə'rou, 'bjuərou] конто́рка; конто́ра; бюро́ *n indecl.*; отде́л; **~cracy** [bjuə'rɔkrəsi] бюрокра́тия.
burglar ['bə:glə] вор-взло́мщик; **~y** [-ri] кра́жа со взло́мом.
burial ['beriəl] по́хороны *f/pl.*
burlesque [bə:'lesk] **1.** коми́чный; **2.** карикату́ра, паро́дия; **3.** пароди́ровать (*im*)*pf.*
burly ['bə:li] доро́дный.
burn [bə:n] **1.** ожо́г; клеймо́; **2.** [*irr.*] *v/i.* горе́ть; подгора́ть [-ре́ть] (о пи́ще); жечь; *v/t.* [с]жечь; сжига́ть [сжечь]; **~er** ['bə:nə] горе́лка.
burnish ['bə:niʃ] **1.** полиро́вка; блеск (мета́лла); **2.** [от]полирова́ть (мета́лл); блесте́ть.
burnt [bə:nt] *pt.* и *p. pt.* от burn.
burrow ['bʌrou] **1.** нора́; **2.** рыть нору́; [по]ры́ться в (кни́гах и т. п.).
burst [bə:st] **1.** разры́в (снаря́да); взрыв *a. fig.*; вспы́шка (гне́ва, пла́мени); **2.** [*irr.*] *v/i.* взрыва́ться [взорва́ться] (о котле́, бо́мбе); прор(ы)ва́ться (о плоти́не); ло́паться [ло́пнуть] (with от Р); ~ forth и́ли out вспы́хивать [-хнуть] (о вражде́, войне́); ~ into tears залива́ться слеза́ми; *v/t.* взрыва́ть [взорва́ть]; разруша́ть [-ру́шить].
bury ['beri] [по]хорони́ть; зары́(ва́)ть.
bus [bʌs] F авто́бус.
bush ['buʃ] куст, куста́рник.
bushel ['buʃl] бу́шель *m* (ме́ра ёмкости сыпу́чих тел в 'Англии [= 36,3 л] и в США [=35,2 л]).

bushy ['buʃi] густой.
business ['biznis] дело, занятие; профессия; ✝ фирма; торговое предприятие; ~ of the day повестка дня; ~ (*or* professional) discretion служебная обязанность хранить молчание; have no ~ to *inf.* не иметь права (+ *inf.*); **~-like** [-laik] деловой; практичный.
bust [bʌst] бюст; женская грудь *f.*
bustle ['bʌsl] **1.** суматоха; суета; **2.** *v/i.* [по]торопиться, [за]суетиться; *v/t.* [по]торопить.
busy ['bizi] **1.** □ деятельный; занятой (at T); занятый; *Am. teleph.* занятая (линия); **2.** (*mst* ~ o. s.) заниматься [заняться] (with T).
but [bʌt] **1.** *cj.* но, а; однако; тем не менее; если бы не (*a.* ~ that) **2.** *prp.* кроме (P), за исключением (P); the last ~ one предпоследний; ~ for без (P); **3.** *adv.* только, лишь; ~ just только что; ~ now лишь теперь; all ~ едва не ...; nothing ~ ничего кроме, только; I cannot ~ *inf.* не могу не (+ *inf.*).
butcher ['butʃə] **1.** мясник; *fig.* убийца *m*; **2.** бить (скот); уби(ва)ть; **~y** [-ri] скотобойня; резня.
butler ['bʌtlə] дворецкий.
butt [bʌt] **1.** удар; приклад (ружья); (*a.* ~ end) толстый конец; **~s** *pl.* стрельбище, полигон; *fig.* посмешище; **2.** ударять головой; бодать(ся) [боднуть]; натыкаться [наткнуться].
butter ['bʌtə] **1.** масло; **2.** намазывать маслом; **~cup** ⚘ лютик; **~fly** бабочка; **~y** ['bʌtəri] **1.** кладовая; **2.** масляный.
buttocks ['bʌtəks] *pl.* ягодицы *f/pl.*
button ['bʌtn] **1.** пуговица; кнопка; бутон (цветка); **2.** застёгивать [-тегнуть] (на пуговицу).
buttress ['bʌtris] **1.** подпора, устой; бык (моста); *fig.* опора, поддержка; **2.** поддерживать [-жать]; служить опорой (Д).
buxom ['bʌksəm] здоровый; миловидный.
buy [bai] [*irr.*] *v/t.* покупать [купить] (from у P); **~er** ['baiə] покупатель(ница *f*) *m.*
buzz [bʌz] **1.** жужжание; гул; **2.** *v/i.* [за]жужжать; [за]гудеть.
buzzard ['bʌzəd] сарыч.
by [bai] **1.** *prp.* у (P), при (П), около (P); вдоль (P); ~ the dozen дюжинами; ~ o. s. один *m*, одна *f*; ~ land сухим путём; ~ rail по железной дороге; day ~ day изо дня в день; **2.** *adv.* близко, рядом; мимо; ~ and ~ вскоре; ~ the ~ между прочим; ~ and large *Am.* вообще говоря; **~-election** ['baii'lekʃən] дополнительные выборы *m/pl.*; **~-gone** прошлый; **~-law** постановление местной власти; **~-path** обход, обходная дорога; **~-product** побочный продукт; **~-stander** свидетель(ница *f*) *m*; зритель(ница *f*) *m*; **~-street** глухая улица; переулок; **~-way** малопроезжая дорога; **~-word** поговорка.

C

cab [kæb] экипаж; такси *n indecl.*; 🚂 будка (на паровозе).
cabbage ['kæbidʒ] капуста.
cabin ['kæbin] **1.** хижина; будка; ⚓ каюта; **2.** помещать в тесную комнату и т. п.
cabinet ['kæbinit] кабинет; горка; ящик; ♀ Council совет министров; **~-maker** столяр.
cable ['keibl] **1.** кабель *m*; канат; **2.** *tel.* телеграфировать (*im*)*pf.*; **~gram** [-græm] телеграмма.
cabman ['kæbmən] извозчик.
cacao [kə'kɑːou] какаовое дерево; какао *n indecl.*
cackle ['kækl] **1.** кудахтанье; гоготанье; **2.** [за]кудахтать; [за]гоготать.
cad [kæd] F невоспитанный, грубый человек.
cadaverous [kə'dævərəs] □ исхудалый как труп; трупный.
cadence ['keidəns] ♪ каденция; модуляция.

cadet [kə'det] кадéт.
café ['kæfei] кафé *n indecl.*, кафé-ресторáн.
cafeteria [kæfi'tiəriə] кафетéрий, кафé-закýсочная.
cage [keidʒ] **1.** клéтка; лифт; ⚒ склеть *f* (в шáхтах); **2.** сажáть в клéтку.
cajole [kə'dʒoul] [по]льстить (Д).
cake [keik] **1.** торт; кекс; пирóжное; **2.** спекáться [спéчься].
calami|tous [kə'læmitəs] □ пáгубный; бéдственный; **~ty** [-ti] бéдствие.
calcify ['kælsifai] превращáться в и́звесть.
calculat|e ['kælkjuleit] *v/t.* вычисля́ть [вы́числить]; подсчи́тывать [-итáть]; [с]калькули́ровать; *v/i.* рассчи́тывать (on на В); **~ion** [kælkju'leiʃən] вычислéние; калькуля́ция; расчёт.
caldron ['kɔ:ldrən] котёл.
calendar ['kælində] **1.** календáрь *m*; реéстр; **2.** составля́ть и́ндекс (Р); [за]регистри́ровать.
calf¹ [kɑ:f], *pl.* calves [kɑ:vz] телёнок (*pl.*: телята); (или **~-skin**) теля́чья кóжа, опóек.
calf² [~], *pl.* calves [~] икрá (ноги́).
calibre ['kælibə] кали́бр.
calico ['kælikou] ✝ коленкóр; *Am.* си́тец.
call [kɔ:l] **1.** зов, óклик; *teleph.* вы́зов; *fig.* предложéние (мéста, кáфедры и т. п.); призы́в; сигнáл; трéбование; спрос (for на В); визи́т, посещéние; on ~ по трéбованию; **2.** *v/t.* [по]звáть; соз(ы)вáть; вызывáть [вы́звать]; [раз]буди́ть; приз(ы)вáть; ~ in трéбовать назáд (долг); ~ over дéлать перекли́чку (Р); ~ up призывáть на воéнную слýжбу; *teleph.* вызывáть [вы́звать]; *v/i.* кричáть [кри́кнуть]; *teleph.* [по]звони́ть; заходи́ть [зайти́] (at в В; on a p. к Д); ~ for [по-]трéбовáть; [по]звáть на (В); ~ for a p. заходи́ть [зайти́] за (Т); ~ in F забегáть [-ежáть] (к Д); ~ on навещáть [-ести́ть] (В); взывáть [воззвáть] к (Д) (for о П); приз(ы)вáть (to do *etc.* сдéлать и т. д.); **~-box** ['kɔ:lbɔks] телефóнная бýдка; **~er** ['kɔ:lə] гóсть(я *f*) *m*.
calling ['kɔ:liŋ] призвáние; профéссия.
call-office ['kɔ:lɔfis] телефóнная стáнция.
callous ['kæləs] □ огрубéлый, мозóлистый; *fig.* бессердéчный.
calm [kɑ:m] **1.** □ спокóйный; безвéтренный; **2.** тишинá; штиль *m*; спокóйствие; **3.** ~ down успокáивать(ся) [-кóить(ся)].
calori|c [kə'lɔrik] **1.** *phys.* теплотá **2.** теплóвóй; **~e** ['kæləri] *phys.* калóрия.
calumn|iate [kə'lʌmnieit] [о]клеветáть; **~iation** [kəlʌmni'eiʃən], **~y** ['kæləmni] клеветá.
calve [kɑ:v] [о]тели́ться; **~s** *pl.* от calf.
cambric ['keimbrik] ✝ бати́ст.
came [keim] *pt.* от come.
camera ['kæmərə] фотографи́ческий аппарáт; in ~ ⚖ в кабинéте судьи́.
camomile ['kæməmail] ⚘ ромáшка.
camouflage ['kæmu:flɑ:ʃ] ⚔ маскирóвка; **2.** [за]маскировáть(ся).
camp [kæmp] **1.** лáгерь *m*; ~ bed похóдная кровáть *f*; **2.** располагáться лáгерем; ~ out ночевáть на откры́том вóздухе.
campaign [kæm'pein] **1.** ⚔ похóд; кампáния; **2** учáствовать в похóде; проводи́ть кампáнию.
camphor ['kæmfə] камфарá.
can¹ [kæn] [*irr.*] могý и т. д.; *inf.*: be able = [с]мочь, быть в состоя́нии; [с]умéть.
can² [~] **1.** бидóн; бáнка; **2.** *Am.* консерви́ровать (*im*)*pf.*, *pf. a.* [за-].
canal [kə'næl] канáл.
canard [kə'nɑ:] «ýтка», лóжный слух.
canary [kə'nɛəri] канарéйка.
cancel ['kænsəl] вычёркивать [вы́черкнуть]; аннули́ровать (*im*)*pf.*; погашáть [погаси́ть] (мáрки); ♈ (*a.* ~ out) сокращáть [-рати́ть].
cancer ['kænsə] *ast.* созвéздие Рáка; ⚕ рак; **~ous** [-rəs] рáковый.
candid ['kændid] □ и́скренний, прямóй.
candidate ['kændidit] кандидáт(ка) (for на В).
candied ['kændid] засáхаренный.
candle ['kændl] свечá; **~stick** [-stik] подсвéчник.
cando(u)r ['kændə] и́скренность *f*.
candy ['kændi] **1.** леденéц; *Am.* конфéты *f/pl.*, слáсти *f/pl.*; **2.** *v/t.* засáхари(ва)ть.
cane [kein] **1.** ⚘ камы́ш; тростни́к; трость *f*; **2.** бить пáлкой.

canker ['kæŋkə] ⚕ гангренóзный стоматúт; ⚘ рак.
canned [kænd] *Am.* консервúрованный (продýкт).
cannibal ['kænibəl] каннибáл.
cannon ['kænən] пýшка; орýдие.
cannot ['kænɔt] не в состоянии, *s.* can.
canoe [kə'nu:] челнóк; байдáрка.
canon ['kænən] ♪ канóн; прáвило; критéрий.
canopy ['kænəpi] пóлог; *fig.* небéсный свод; ⚠ навéс.
cant[1] [kænt] **1.** косяк, наклóн; **2.** скáшивать [скосúть]; наклонять [-нúть].
cant[2] [~] **1.** плаксúвый тон; ханжествó; **2.** говорúть на распéв; ханжúть.
can't [kɑ:nt] F не в состоянии.
canteen [kæn'ti:n] ⚔ лáвка; столóвая; похóдная кýхня.
canton **1.** ['kæntɔn] кантóн; **2.** [kən'tu:n] ⚔ расквартирóвывать [-овáть] (войскá).
canvas ['kænvəs] холст; канвá; *paint.* картúна.
canvass [~] **1.** обсуждéние; **2.** *v/t.* обсуждáть [-удúть]; *v/i.* собирáть голосá; искáть закáзов.
caoutchouc ['kautʃuk] каучýк.
cap [kæp] **1.** кéпка, фурáжка, шáпка; ⊕ колпачóк, голóвка; шляпка (грибá); пистóн; set one's ~ at a p. заúгрывать с кéм-либо (о жéнщине); **2.** присуждáть учёную стéпень (Д); *fig.* довершáть [-шúть]; F перещеголять.
capab|ility [keipə'biliti] спосóбность *f*; **~le** ['keipəbl] □ спосóбный (of на В), одарённый.
capaci|ous [kə'peiʃəs] □ простóрный; объёмистый; **~ty** [kə'pæsiti] объём, вместúтельность *f*; спосóбность *f* ; in the ~ of в кáчестве (Р).
cape[1] [keip] плащ; пелерúна.
cape[2] [~] мыс.
caper ['keipə] скачóк; шáлость *f*, прокáза; cut ~s дурáчиться.
capital ['kæpitl] **1.** □ основнóй, капитáльный; (*crime*) уголóвный; (*sentence, punishment*) смéртный; **2.** столúца; капитáл; (úли ~ letter) прописнáя бýква; **~ism** ['kæpitəlizm] капиталúзм; **~ize** [kə'pitəlaiz] капитализúровать (*im*)*pf*.
capitulate [kə'pitjuleit] сд(ав)áться (to Д).
capric|e [kə'pri:s] каприз, причýда; **~ious** [kə'priʃəs] □ капризный.
capsize [kæp'saiz] *v/i.* ⚓ опрокúдываться [-кúнуться]; *v/t.* опрокúдывать [-кúнуть] (лóдку и т.п.).
capsule ['kæpsju:l] кáпсюль *m*; ⚕ кáпсула.
captain ['kæptin] ⚔ капитáн; руководúтель(ница *f*) *m*; ⚓ капитáн, командúр.
caption ['kæpʃən] *part. Am.* заголóвок (статьú, главы́); (кинó) нáдпись на экрáне.
captious ['kæpʃəs] □ придúрчивый.
captiv|ate ['kæptiveit] пленять [-нúть]; очарóвывать [-овáть]; **~e** ['kæptiv] **1.** плéнник; плéнный; **2.** взятый в плен; **~ity** [kæp'tiviti] плен.
capture ['kæptʃə] **1.** захвáтывать сúлой; брать в плен; **2.** поúмка; захвáт; добы́ча; ⚓ приз.
car [kɑ:] вагóн; автомобúль *m*.
caramel ['kærəmel] карамéль *f*.
caravan [kærə'væn] караван; дом-автоприцéп.
caraway ['kærəwei] ⚘ тмин.
carbine ['kɑ:bain] карабúн.
carbohydrate ['kɑ:bou'haidreit] ⚗ углевóд.
carbon ['kɑ:bən] ⚗ углерóд; (úли ~ paper) копúрка.
carburet(t)or ['kɑ:bjuretə] *mot.* карбюрáтор.
carcas|e, *mst* **~s** ['kɑ:kəs] труп; тýша.
card ['kɑ:d] кáрта; кáрточка; **~board** [kɑ:dbɔ:d] картóн.
cardigan ['kɑ:digən] шерстянóй джéмпер.
cardinal ['kɑ:dinl] **1.** □ глáвный, основнóй; кардинáльный; ~ number колúчественное числúтельное; **2.** кардинáл.
card-index ['kɑ:dindeks] картотéка.
card-sharp(er) [kɑ:dʃɑ:pə] шýлер.
care [kɛə] **1.** забóта; попечéние; вниманиe; ~ of (*abbr.* c/o) по áдресу (Р); take ~ of [с]беречь (В); [по-]смотрéть за (Т); with ~! осторóжно!; **2.** имéть желáние, [за-]хотéть (to: + *inf.*); ~ for: a) [по]забóтиться о (П); b) любúть (В); питáть интерéс к (Д); F I don't ~! мне всё равнó!; well ~d-for вы́холенный; хорошó обеспéченный.
career [kə'riə] **1.** карьéр; *fig.* карьéра, успéх; **2.** бы́стро продвигáться.

carefree [ˈkɛəfri:] беззабо́тный.
careful [ˈkɛəful] □ забо́тливый (for о П); аккура́тный; внима́тельный (к Д); **~ness** [-nis] забо́тливость *f*.
careless [-lis] □ легкомы́сленный; небре́жный; **~ness** [-nis] небре́жность *f*.
caress [kəˈres] **1.** ла́ска; **2.** ласка́ть; [по]гла́дить.
caretaker [ˈkɛəteikə] дво́рник; сто́рож.
carfare [ˈka:fɛə] *Am.* проездны́е (де́ньги).
cargo [ˈka:gou] ⚓ груз.
caricature [ˈkærikəˈtjuə] **1.** карикату́ра; **2.** изобража́ть в карикату́рном ви́де.
carn|al [ˈka:nl] □ чу́вственный, пло́тский; **~ation** [ka:ˈneiʃən] ⚘ гвозди́ка.
carnival [ˈka:nivəl] карнава́л.
carnivorous [ka:ˈnivərəs] плотоя́дный.
carol [ˈkærəl] **1.** рожде́ственский гимн; **2.** воспе́(ва́)ть, сла́вить.
carous|e [kəˈrauz] **1.** *a.* **~al** [-əl] пиру́шка, попо́йка; **2.** пирова́ть.
carp¹ [ka:p] *zo.* карп.
carp² [~] прид(и)ра́ться (at к Д).
carpent|er [ˈka:pintə] пло́тник; **~ry** [-tri] пло́тничное де́ло.
carpet [ka:pit] **1.** ковёр; **2.** устила́ть ковро́м.
carriage [ˈkæridʒ] экипа́ж; перево́зка; тра́нспорт; **~-drive** подъе́зд; **~ free, ~ paid** пересы́лка беспла́тно.
carrier [ˈkæriə] посы́льный; носи́льщик; ⚔ транспортёр.
carrot [ˈkærət] морко́вь *f*.
carry [ˈkæri] **1.** *v/t.* носи́ть, [по-] нести́; вози́ть, [по]везти́; ~ o. s. держа́ться, вести́ себя́; be carried быть при́нятым; ✝ ~ forward и́ли over переноси́ть на другу́ю страни́цу; ~ on продолжа́ть [-до́лжить]; вести́ (де́ло, борьбу́ и т. п.); ~ out и́ли through доводи́ть до конца́; выполня́ть [вы́полнить]; *v/i.* доноси́ться [донести́сь]; ⚔ долета́ть [долете́ть] (о снаря́де); **2.** ⚔ дальнобо́йность *f*; да́льность полёта (снаря́да).
cart [ka:t] **1.** теле́га, пово́зка; **2.** везти́ в теле́ге; **~age** [ˈka:tidʒ] перево́зка, сто́имость перево́зки.
carter [ˈka:tə] во́зчик.
cartilage [ˈka:tilidʒ] хрящ.
carton [ˈka:tən] карто́н.
cartoon [ka:ˈtu:n] карикату́ра; ⊕ карто́н.
cartridge [ˈka:tridʒ] патро́н; заря́д.
carve [ka:v] ре́зать (по де́реву); [вы́]гравирова́ть; наре́за́ть [наре́зать] (мя́со); **~r** [ˈka:və] ре́зчик (по де́реву); гравёр; нож для разде́лки мя́са.
carving [ˈka:viŋ] резьба́ (по де́реву).
case¹ [keis] **1.** я́щик; футля́р; су́мка; витри́на; *typ.* набо́рная ка́сса; **2.** класть в я́щик.
case² [~] слу́чай; положе́ние; обстоя́тельство; ⚖ суде́бное де́ло.
case-harden [ˈkeisha:dn] ⊕ цементи́ровать (сталь) *(im)pf.*; *fig.* де́лать нечувстви́тельным.
casement [ˈkeismənt] ство́рный око́нный переплёт.
cash [kæʃ] **1.** де́ньги; нали́чные де́ньги *f/pl.*; ~ **down, for ~** за нали́чный расчёт; ~ **on delivery** нало́женным платежо́м; ~ **register** ка́ссовый аппара́т; **2.** получа́ть де́ньги по (Д); **~-book** ка́ссовая кни́га; **~-ier** [kæˈʃiə] касси́р(ша).
casing [ˈkeisiŋ] опра́ва; ра́ма; обши́вка, оби́вка.
cask [ka:sk] бо́чка, бочо́нок.
casket [ˈka:skit] шкату́лка; *Am.* гроб.
casserole [ˈkæsəroul] кастрю́ля.
cassock [ˈkæsək] ря́са, сута́на.
cast [ka:st] **1.** бросо́к, мета́ние; ги́псовый сле́пок; ⚓ броса́ние (я́коря); *thea.* распределе́ние роле́й; соста́в исполни́телей; **2.** [*irr.*] *v/t.* броса́ть [бро́сить]; кида́ть [ки́нуть]; мета́ть [-тну́ть]; ⊕ отли́(ва́)ть (мета́ллы); *thea.* распределя́ть [-ли́ть] (ро́ли); ~ **iron** чугу́н; ~ **lots** броса́ть жре́бий; **be ~ down** быть в уны́нии; *v/i.* ~ **about for** обду́м(ыв)ать (В).
castaway [ˈka:stəwei] **1.** па́рия, отве́рженец; ⚓ потерпе́вший кораблекруше́ние; **2.** отве́рженный.
caste [ka:st] ка́ста.
castigate [ˈkæstigeit] нака́зывать [-за́ть]; *fig.* жесто́ко критикова́ть.
cast-iron чугу́нный.
castle [ˈka:sl] за́мок; *chess* ладья́.
castor¹ [ˈka:stə]: ~ **oil** касто́ровое ма́сло.
castor² [~] колёсико (на но́жке ме́бели).

castrate [kæsˈtreit] кастри́ровать (*im*)*pf*.
casual [ˈkæʒjuəl] □ случа́йный; небре́жный; **~ty** [-ti] несча́стный слу́чай; *pl.* ⚔ поте́ри (на войне́) [*f*/*pl*.]
cat [kæt] ко́шка.
catalog, *Brt.* **~ue** [ˈkætəlɔg] **1.** катало́г; прейскура́нт; **2.** каталогизи́ровать (*im*)*pf*., вноси́ть в катало́г.
cataract [ˈkætərækt] водопа́д; ⚕ катара́кта.
catarrh [kəˈtɑː] ката́р.
catastrophe [kəˈtæstrəfi] катастро́фа.
catch [kætʃ] **1.** по́имка; захва́т; уло́в; добы́ча; лову́шка; ⊕ задви́жка; шпингале́т; **2.** [*irr*.] *v*/*t*. лови́ть [пойма́ть]; схва́тывать [схвати́ть]; заража́ться [зарази́ться] (Т); поспе́(ва́)ть к (по́езду и т. п.); ~ cold простужа́ться [-уди́ться]; ~ a p.'s eye улавливать взгляд (Р); ~ up догоня́ть [догна́ть]; F поднима́ть [-ня́ть]; **3.** *v*/*i*. зацепля́ться [-пи́ться]; F ~ on станови́ться мо́дным; ~ up with догоня́ть [догна́ть] (В); **~er** [ˈkætʃə] лове́ц; **~ing** [ˈkætʃiŋ] *fig.* зарази́тельный (смех); привлека́тельный; ⚕ зарази́тельный; **~word** мо́дное слове́чко; загла́вное сло́во.
catechism [ˈkætikizm] катехи́зис.
categor|ical [kætiˈgɔrikəl] □ категори́ческий; реши́тельный; **~y** [ˈkætigəri] катего́рия, разря́д.
cater [ˈkeitə]: ~ for поставля́ть прови́зию (Д); *fig.* [по]забо́титься о (П).
caterpillar *zo.* [ˈkætəpilə] гу́сеница.
catgut [ˈkætgʌt] кише́чная струна́.
cathedral [kəˈθiːdrəl] собо́р.
Catholic [ˈkæθəlik] **1.** като́лик; **2.** католи́ческий.
cattle [kætl] кру́пный рога́тый скот; **~-breeding** скотово́дство; **~-plague** чума́.
caught [kɔːt] *pt.* и *pt.* от catch.
cauldron [ˈkɔːldrən] котёл.
cauliflower [ˈkɔliflauə] ⚘ цветна́я капу́ста.
caulk [kɔːk] ⚓ [про]конопа́тить.
caus|al [ˈkɔːzəl] □ причи́нный; **~e** [kɔːz] **1.** причи́на, основа́ние; по́вод; ⚖ де́ло, проце́сс; **2.** причиня́ть [-ни́ть]; вызыва́ть [вы́звать]; **~eless** [ˈkɔːzlis] □ беспричи́нный, необосно́ванный.
caution [ˈkɔːʃən] **1.** (пред)осторо́жность *f*; предостереже́ние; ~ money зало́г; **2.** предостерега́ть [-ре́чь] (against от Р).
cautious [ˈkɔːʃəs] □ осторо́жный; предусмотри́тельный; **~ness** [-nis] осторо́жность *f*; предусмотри́тельность *f*.
cavalry [ˈkævəlri] ⚔ ко́нница.
cave [ˈkeiv] **1.** пеще́ра; **2.** ~ in: *v*/*i*. оседа́ть [осе́сть], опуска́ться [-сти́ться].
cavil [ˈkævil] **1.** приди́рка; **2.** прид(и)ра́ться (at, about к Д, за В).
cavity [ˈkæviti] впа́дина; по́лость *f*.
caw [kɔː] **1.** ка́рканье; **2.** [за]ка́ркать.
cease [siːs] *v*/*i*. перест(ав)а́ть; *v*/*t*. прекраща́ть [-крати́ть]; приостана́вливать [-нови́ть]; **~less** [ˈsiːslis] □ непреры́вный, непреста́нный.
cede [siːd] уступа́ть [-пи́ть] (В).
ceiling [ˈsiːliŋ] потоло́к; *attr.* максима́льный; ~ price преде́льная цена́.
celebrat|e [ˈselibreit] [от]пра́здновать; **~ed** [-id] знамени́тый; **~ion** [seliˈbreiʃən] торжества́ *n*/*pl*.; пра́зднование.
celebrity [siˈlebriti] знамени́тость *f*.
celerity [-riti] быстрота́.
celery [ˈseləri] ⚘ сельдере́й.
celestial [siˈlestjəl] □ небе́сный.
celibacy [ˈselibəsi] целиба́т; обе́т безбра́чия.
cell [sel] яче́йка; тюре́мная ка́мера; ке́лья; ⚡ элеме́нт. [по́греб.]
cellar [ˈselə] подва́л; ви́нный
cement [siˈment] **1.** цеме́нт; **2.** цементи́ровать (*im*)*pf*.
cemetery [ˈsemitri] кла́дбище.
censor [ˈsensə) **1.** це́нзор; **2.** подверга́ть цензу́ре; **~ious** [senˈsɔːriəs] □ стро́гий, критику́ющий; **~ship** [ˈsensəʃip] цензу́ра.
censure [senʃə] **1.** осужде́ние, порица́ние; **2.** осужда́ть [осуди́ть], порица́ть.
census [ˈsensəs] пе́репись *f*.
cent [sent] со́тня *f*; *Am.* цент (0,01 до́ллара); per ~ проце́нт.
centennial [senˈtenjəl] столе́тний; происходя́щий раз в сто лет.
center *s.* centre.
centi|grade [ˈsentigreid] стогра́дусный; **~metre** [-miːtə] сантиме́тр; **~pede** [-piːd] *zo.* сороконо́жка.

central ['sentrəl] □ центра́льный; гла́вный; ~ office центра́льная конто́ра; ~ station гла́вный вокза́л; **~ize** [-laiz] централизова́ть (*im*)*pf*.
centre ['sentə] **1.** центр; средото́чие; **2.** [с]концентри́ровать(ся); сосредото́чи(ва)ть(ся).
century ['sentʃəri] столе́тие, век.
cereal ['siəriəl] хле́бный злак; *Am.* ка́ша.
ceremon|ial [seri'mounjəl] □ форма́льный; церемониа́льный; **~ious** [-njəs] церемо́нный; жема́нный; **~y** ['seriməni] церемо́ния.
certain ['sə:tn] □ определённый; уве́ренный; не́кий; не́который; **~ty** [-ti] уве́ренность *f*; определённость *f*.
certi|ficate 1. [sə'tifikit] свиде́тельство; сертифика́т; ~ of birth свиде́тельство о рожде́нии, ме́трика; **2.** [-keit] вы́дать пи́сьменное удостовере́ние (Д); **~fication** [sə:tifi'keiʃən] удостовере́ние; **~fy** ['sə:tifai] удостоверя́ть [-е́рить]; **~tude** [-tju:d] уве́ренность *f*.
cessation [se'seiʃən] прекраще́ние.
cession ['seʃən] усту́пка, переда́ча.
cesspool ['sespu:l] выгребна́я я́ма; сто́чный коло́дец.
chafe [tʃeif] *v/t.* натира́ть [натере́ть]; нагре́(ва́)ть; *v/i.* раздража́ться [-жи́ться], не́рвничать.
chaff [tʃɑ:f] **1.** мяки́на; отбро́сы *m/pl.*; F подшу́чивание, поддра́знивание; **2.** ме́лко наре́зать (соло́му и т. п.); F подшу́чивать [-шути́ть] над (Т), поддра́знивать [-зни́ть].
chagrin ['ʃægrin] **1.** доса́да, огорче́ние; **2.** досажда́ть [досади́ть] (Д); огорча́ть [-чи́ть].
chain [tʃein] **1.** цепь *f*; ~s *pl. fig.* око́вы *f/pl.*; у́зы *f/pl.*; **2.** ско́вывать [скова́ть]; держа́ть в цепя́х; *fig.* прико́вывать [-ова́ть].
chair [tʃɛə] стул; ка́федра; председа́тельское ме́сто; be in the ~ председа́тельствовать; **~man** ['tʃɛəmən] председа́тель *m*.
chalk [tʃɔ:k] **1.** мел; **2.** писа́ть, рисова́ть ме́лом; (*mst* ~ up) запи́сывать [-иса́ть] (долг) ~ out набра́сывать [-броса́ть]; намеча́ть [-е́тить].
challenge ['tʃælindʒ] **1.** вы́зов; ⚔ о́клик (часово́го); *part.* ⚖ отво́д (прися́жных); **2.** вызыва́ть [вы́звать]; оспа́ривать [оспо́рить]; [по]тре́бовать (внима́ния).
chamber ['tʃeimbə] ко́мната; пала́та; ~s *pl.* конто́ра адвока́та; ка́мера судьи́; **~maid** го́рничная.
chamois ['ʃæmwɑ:] **1.** се́рна; ['ʃæmi] за́мша; **2.** жёлто-кори́чневый.
champion ['tʃæmpjən] **1.** чемпио́н (-ка); победи́тель(ница) *f*) *m*; защи́тник (-ница); **2.** защища́ть [-ити́ть]; боро́ться за (В).
chance [tʃɑ:ns] **1.** случа́йность *f*; риск (в игре́); уда́ча; удо́бный слу́чай; шанс (of на В); by ~ случа́йно; take a ~ рискова́ть [-кну́ть]; **2.** случа́йный; **3.** *v/i.* случа́ться [-чи́ться]; ~ upon случа́йно найти́ *pf.*; *v/t.* F про́бовать науда́чу.
chancellor ['tʃɑ:nsələ] ка́нцлер.
chandelier [ʃændi'liə] лю́стра.
chandler ['tʃɑ:ndlə] ла́вочник.
change ['tʃeindʒ] **1.** переме́на, измене́ние; сме́на (белья́); ме́лочь *f*, сда́ча (о де́ньгах); **2.** *v/t.* [по-] меня́ть; изменя́ть [-ни́ть], переменя́ть [-ни́ть]; обме́нивать [-ня́ть]; разме́нивать [-ня́ть] (де́ньги); *v/i.* [по]меня́ться; изменя́ться [-ни́ться]; переменя́ться [-ни́ться]; переоде́(ва́)ться; обме́ниваться [-ня́ться]; 🚂 переса́живаться [-се́сть]; **~able** ['tʃeindʒəbl] □ непостоя́нный, переме́нчивый; **~less** [-lis] □ неизме́нный, постоя́нный.
channel ['tʃænl] ру́сло; фарва́тер; проли́в; *fig.* путь *m*; исто́чник.
chant [tʃɑ:nt] **1.** песнь *f*; песнопе́ние; **2.** петь моното́нно; *fig.* вос- [пе́(ва́)ть.]
chaos ['keiɔs] хао́с.
chap¹ [tʃæp] **1.** щель *f*; тре́щина; **2.** [по]тре́скаться.
chap² [~] F ма́лый, па́рень *m*.
chapel ['tʃæpəl] часо́вня; капе́лла.
chaplain ['tʃæplin] свяще́нник.
chapter ['tʃæptə] глава́.
char [tʃɑ:] обжига́ть [обже́чь]; обу́гли(ва)ть(ся).
character ['kæriktə] хара́ктер; ли́чность *f*; *thea.* де́йствующее лицо́; бу́ква; **~istic** [kæriktə'ristik] **1.** (~ally) характе́рный; типи́чный (of для Р); **2.** характе́рная осо́бенность *f*; **~ize** ['kæriktəraiz] характеризова́ть (*im*)*pf.*; изобража́ть [-рази́ть].
charcoal ['tʃɑ:koul] древе́сный у́голь *m*.

charge [tʃɑːdʒ] **1.** заря́д; нагру́зка; поруче́ние; цена́; обвине́ние; ата́ка; *fig.* попече́ние, забо́та; ~s *pl.* ✝ расхо́ды *m/pl.*; издержки *f/pl.*; be in ~ of заве́довать (T); **2.** *v/t.* заряжа́ть [-яди́ть]; нагружа́ть [-узи́ть]; поруча́ть [-чи́ть] (Д); обвиня́ть [-ни́ть] (with в П); назнача́ть [-на́чить] (це́ну) (to на В); *Am.* утвержда́ть [-рди́ть].
charitable [ˈtʃæritəbl] □ благотвори́тельный; милосе́рдный.
charity [ˈtʃæriti] милосе́рдие; благотвори́тельность *f.*
charlatan [ˈʃɑːlətən] шарлата́н.
charm [tʃɑːm] **1.** амуле́т; *fig.* ча́ры *f/pl.*; обая́ние, очарова́ние; **2.** заколдо́вывать [-дова́ть]; *fig.* очаро́вывать [-ова́ть]; **~ing** [ˈtʃɑːmiŋ] □ очарова́тельный, обая́тельный.
chart [tʃɑːt] **1.** ⚓ морска́я ка́рта; **2.** наноси́ть на ка́рту; черти́ть ка́рту.
charter [ˈtʃɑːtə] **1.** ха́ртия; пра́во; привиле́гия; **2.** дарова́ть привиле́гию (Д); ⚓ [за]фрахтова́ть (су́дно).
charwoman [ˈtʃɑːwumən] подёнщица.
chary [ˈtʃɛəri] □ осторо́жный; скупо́й (на слова́ и т. п.).
chase [tʃeis] **1.** пого́ня *f*; охо́та; **2.** охо́титься за (T); пресле́довать; прогоня́ть [-гна́ть].
chasm [kæzm] бе́здна, про́пасть *f.*
chaste [tʃeist] □ целому́дренный.
chastity [ˈtʃæstiti] целому́дрие; де́вственность *f.*
chat [tʃæt] **1.** бесе́да; **2.** [по]болта́ть, [по]бесе́довать.
chattels [ˈtʃætlz] *pl.* (*mst* goods and ~) иму́щество, ве́щи *f/pl.*
chatter [tʃætə] **1.** болтовня́ *f*; щебета́ние) **2.** [по]болта́ть; **~er** [-rə] болту́н(ья).
chatty [ˈtʃæti] болтли́вый.
chauffeur [ˈʃoufə] води́тель *m*, шофёр.
cheap [tʃiːp] □ дешёвый; *fig.* плохо́й; **~en** [ˈtʃiːpən] [по]дешеве́ть; снижа́ть це́ну (В); *fig.* унижа́ть [уни́зить].
cheat [tʃiːt] **1.** обма́нщик, плут; обма́н; **2.** обма́нывать [-ну́ть].
check [tʃek] **1.** *chess* шах; препя́тствие; остано́вка; контро́ль *m* (on над T), прове́рка (on P); *Am.* бага́жная квита́нция; *Am.* ✝ чек; клётчатая ткань *f*; **2.** проверя́ть [-ве́рить]; [про]контроли́ровать; остана́вливать [-нови́ть]; препя́тствовать; **~er** [ˈtʃekə] контролёр; ~s *pl. Am.* ша́шки *f/pl.*; **~ing-room** *Am.* ка́мера хране́ния (багажа́); **~mate 1.** шах и мат; **2.** де́лать мат; **~-up** *Am.* стро́гая прове́рка.
cheek [tʃiːk] щека́ (*pl.*: щёки); F на́глость *f*, де́рзость *f.*
cheer [tʃiə] **1.** весе́лье; одобри́тельные во́згласы *m/pl.*; **2.** *v/t.* ободря́ть [-ри́ть]; поощря́ть [-ри́ть]; приве́тствовать гро́мкими во́згласами; *v/i.* ликова́ть; **~ful** [ˈtʃiəful] □ бо́дрый, весёлый; **~less** [-lis] □ уны́лый, мра́чный; **~y** [-ri] □ живо́й, весёлый, ра́достный.
cheese [tʃiːz] сыр.
chemical [ˈkemikəl] **1.** □ хими́ческий; **2.** ~s [-s] *pl.* хими́ческие препара́ты *m/pl.*, химика́лии *f/pl.*
chemist [ˈkemist] хи́мик; апте́карь *m*; **~ry** [ˈkemistri] хи́мия.
cheque [tʃek] ✝ ба́нковый чек.
chequer [ˈtʃekə] **1.** *mst* ~s *pl.* клётчатый узо́р; **2.** графи́ть в клётку.
cherish [ˈtʃeriʃ] леле́ять (наде́жду); храни́ть (в па́мяти); не́жно любить.
cherry [ˈtʃeri] ви́шня.
chess [tʃes] ша́хматы *f/pl.*; **~board** ша́хматная доска́; **~man** ша́хматная фигу́ра.
chest [tʃest] я́щик, сунду́к; грудна́я клётка; ~ of drawers комо́д.
chestnut [ˈtʃesnʌt] **1.** кашта́н; F изби́тый анекдо́т; **2.** кашта́новый; гнедо́й (о ло́шади).
chevy [ˈtʃevi] *Brit.* F **1.** охо́та; пого́ня; **2.** гна́ться за (T); уд(и)ра́ть.
chew [tʃuː] жева́ть; размышля́ть; **~ing-gum** [ˈtʃuːiŋgʌm] жева́тельная рези́нка.
chicane [ʃiˈkein] **1.** приди́рка; **2.** прид(и)ра́ться к (Д).
chick [tʃik], **~en** [ˈtʃikin] цыплёнок; птене́ц; **~en-pox** ⚕ ве́тряная о́спа.
chief [tʃiːf] **1.** □ гла́вный; руководя́щий; ~ clerk нача́льник отде́ла; **2.** глава́, руководи́тель (-ница *f*) *m*; ...-in-~ гла́вный ...; **~tain** [ˈtʃiːftən] вождь *m* (кла́на); атама́н.
chilblain [ˈtʃilblein] отморо́женное ме́сто.
child [tʃaild] ребёнок, дитя́ *n* (*pl.*: де́ти); from a ~ с де́тства; with ~

бере́менная; **~birth** ро́ды *m/pl.*; **~hood** [-hud] де́тство; **~ish** ['tʃaildiʃ] □ де́тский; **~like** [-laik] как ребёнок; неви́нный; **~ren** ['tʃildrən] *pl.* от child.

chill [tʃil] **1.** хо́лод; хо́лодность *f*; ⚕ просту́да; **2.** холо́дный; расхола́живающий; **3.** *v/t.* охлажда́ть [-лади́ть]; [о]студи́ть; *v/i.* охлажда́ться [-лади́ться]; **~y** ['tʃili] зя́бкий; холо́дный.

chime [tʃaim] **1.** звон колоколо́в; бой часо́в; *fig.* гармони́чное сочета́ние; **2.** [по]звони́ть (о колокола́х); [про]би́ть (о часа́х); *fig.* соотве́тствовать; гармони́ровать.

chimney ['tʃimni] дымова́я труба́; ла́мповое стекло́.

chin [tʃin] подборо́док.

china ['tʃainə] фарфо́р.

Chinese ['tʃai'ni:z] **1.** кита́ец (-ая́нка); **2.** кита́йский.

chink [tʃiŋk] щель *f*, сква́жина.

chip [tʃip] **1.** ще́пка, лучи́на; стру́жка; оско́лок (стекла́); **2.** *v/t.* отбива́ть края́ (посу́ды и т. п.); *v/i.* отла́мываться [отлома́ться].

chirp [tʃə:p] **1.** чири́канье; щебета́ние; **2.** чири́кать [-кнуть]; [за-] щебета́ть.

chisel ['tʃizl] **1.** долото́, стаме́ска; **2.** [из]ва́ять; *sl.* наду́(ва́)ть, обма́нывать [-ну́ть].

chit-chat ['tʃit-tʃæt] болтовня́.

chivalr|ous ['ʃivəlrəs] □ ры́царский; **~y** [-ri] ры́царство.

chlor|ine ['klɔ:ri:n] ⚗ хлор; **~oform** ['klɔrəfɔ:m] **1.** хлорофо́рм; **2.** хлороформи́ровать *(im)pf.*

chocolate ['tʃɔkəlit] шокола́д.

choice [tʃɔis] **1.** вы́бор; отбо́р; альтернати́ва; **2.** □ отбо́рный.

choir ['kwaiə] хор.

choke [tʃouk] **1.** *v/t.* [за]души́ть; засоря́ть [-ри́ть]; ⚡ дроссели́ровать; (*mst* ~ down) глота́ть с трудо́м; дави́ться (with от P); задыха́ться [-дохну́ться]; **2.** припа́док уду́шья; ⊕ засло́нка.

choose [tʃu:z] [*irr.*] выбира́ть [вы́брать]; предпочита́ть [-че́сть]; ~ to *inf.* хоте́ть (+ *inf.*).

chop [tʃɔp] **1.** отбивна́я котле́та; ~s *pl.* че́люсть *f*; **2.** *v/t.* ⊕ стёсывать [стеса́ть]; долби́ть; [на]руби́ть; [на]кроши́ть; *v/i.* колеба́ться; меня́ться, перемени́ться *pf.* (о ве́тре); **~per** ['tʃɔpə] коса́рь (нож) *m*; лесору́б; колу́н; **~py** ['tʃɔpi] неспоко́йный (о мо́ре).

choral ['kɔrəl] □ хорово́й; **~(e)** [kɔ'rɑ:l] ♪ хора́л.

chord [kɔ:d] струна́; ♪ акко́рд; созву́чие.

chore [tʃɔ:] *Am.* подённая рабо́та; рути́нная дома́шняя рабо́та.

chorus ['kɔ:rəs] **1.** хор; му́зыка для хо́ра; **2.** петь хо́ром.

chose [tʃouz] *pt.* от choose; **~n** (~n) **1.** *p. pt.* от choose; **2.** и́збранный.

Christ [kraist] Христо́с.

christen ['krisn] [о]крести́ть; **~ing** [-iŋ] крести́ны *f/pl.*; креще́ние.

Christian ['kristjən] **1.** христиа́нский; ~ name и́мя (в отли́чие от фами́лии); **2.** христиани́н (-а́нка); **~ity** [kristi'æniti] христиа́нство.

Christmas ['krisməs] рождество́.

chromium ['kroumiəm] ⚗ хром; **~-plated** покры́тый хро́мом.

chronic ['krɔnik] (~ally) хрони́ческий; ⚕ застаре́лый; P отврати́тельный; **~le** [~l] **1.** хро́ника, ле́топись *f*; **2.** вести́ хро́нику (P).

chronolog|ical [krɔnə'lɔdʒikəl] □ хронологи́ческий; **~y** [krə'nɔlədʒi] хроноло́гия.

chubby ['tʃʌbi] F по́лный, то́лстый.

chuck¹ [tʃʌk] **1.** куда́хтанье; цыплёнок; my ~! голу́бчик !; **2.** [за-] куда́хтать.

chuck² [~] **1.** броса́ть [бро́сить]; F швыря́ть [-рну́ть]; **2.** F увольне́ние.

chuckle ['tʃʌkl] посме́иваться.

chum [tʃʌm] F **1.** това́рищ; закады́чный друг; **2.** быть в дру́жбе.

chump [tʃʌmp] коло́да, чурба́н; F «башка́».

chunk [tʃʌŋk] F ломо́ть *m*; болва́н.

church [tʃə:rʃ] це́рковь *f*; ~ service богослуже́ние; **~yard** кла́дбище.

churl [tʃə:l] гру́бый челове́к; **~ish** ['tʃə:liʃ] □ скупо́й; гру́бый.

churn [tʃə:n] **1.** маслобо́йка; **2.** сбива́ть ма́сло; *fig.* взба́лтывать [взболта́ть]; вспе́ни(ва)ть.

cider ['saidə] сидр.

cigar [si'gɑ:] сига́ра.

cigarette [sigə'ret] папиро́са, сигаре́та; **~-case** портсига́р.

cigar-holder мундшту́к.

cinch [sintʃ] *Am. sl.* не́что надёжное, ве́рное.

cincture ['siŋktʃə] по́яс; опоя́сывание.

cinder ['sində] шлак; ока́лина; ~s

pl. зола́; **~-path** *sport*: гаре́вая доро́жка.

cinema ['sinimə] кинемато́граф, кино́ *n indecl.*

cinnamon ['sinəmən] кори́ца.

cipher ['saifə] **1.** шифр; ци́фра; нуль *m or* ноль *m*; **2.** зашифро́вывать [-ова́ть]; вычисля́ть [вы́числить]; высчи́тывать [вы́считать].

circle ['sə:kl] **1.** круг; окру́жность *f*; орби́та; кружо́к; сфе́ра; *thea.* я́рус; **2.** враща́ться вокру́г (P); соверша́ть круги́, кружи́ть(ся).

circuit ['sə:kit] кругооборо́т; объе́зд; о́круг (суде́бный); ⚡ цепь *f*, ко́нтур; ⚡ short ~ коро́ткое замыка́ние; ✈ кругово́й полёт.

circular ['sə:kjulə] **1.** ☐ кру́глый, кругово́й; ~ letter циркуля́р, циркуля́рное письмо́; ~ note ✝ ба́нковый аккредити́в; **2.** циркуля́р; проспе́кт.

circulat|e ['sə:kjuleit] *v/i.* распространя́ться [-ни́ться]; име́ть кругово́е движе́ние; циркули́ровать; **~ing** [-iŋ]: ~ library библиоте́ка с вы́дачей книг на́ дом; **~ion** [sə:kju'leiʃən] кровообраще́ние; циркуля́ция; тира́ж (газе́т и т. п.); *fig.* распростране́ние (слу́хов и т. п.).

circum... ['sə:kəm] *pref.* (в сло́жных слова́х) вокру́г, круго́м; **~ference** [sə'kʌmfərəns] окру́жность *f*; перифери́я; **~jacent** [sə:kəm'dʒeisnt] окружа́ющий; **~locution** [-lə'kju:ʃən] многоречи́вость *f*; **~navigate** [-'nævigeit] соверша́ть пла́вание вокру́г (P); **~scribe** ['sə:kəmskraib] ⩓ опи́сывать [описа́ть] (круг); *fig.* ограни́чи(ва)ть (права́ и т. п.); **~spect** [-spekt] ☐ осмотри́тельный, осторо́жный; **~stance** ['sə:kəmstəns] обстоя́тельство; **~stantial** [sə:kəm'stænʃəl] ☐ обстоя́тельный, подро́бный; **~vent** [-'vent] обходи́ть [обойти́] (зако́н и т. п.).

cistern ['sistən] бак; водоём; цисте́рна.

cit|ation [sai'teiʃən] цита́та, ссы́лка; цити́рование; **~e** [sait] ссыла́ться [сосла́ться] на (B).

citizen ['sitizn] граждани́н (-да́нка); **~ship** [-ʃip] гражда́нство.

citron ['sitrən] цитро́н.

city ['siti] го́род; *attr.* городско́й; **2.** the ♀ делово́й кварта́л в Ло́ндоне; ♀ article биржево́й бюллете́нь *m*; статья́ в газе́те по фина́нсовым и комме́рческим вопро́сам.

civic ['sivik] гражда́нский; **~s** [-s] *pl.* ⚖ гражда́нские дела́ *n/pl.*; осно́вы гражда́нственности.

civil ['sivil] ☐ гражда́нский; шта́тский; ве́жливый; ⚖ гражда́нский (противополо́жный уголо́вному); ~ servant чино́вник; ~ service госуда́рственная слу́жба; **~ian** [si'viljən] ⚔ шта́тский; **~ity** [si'viliti] ве́жливость *f*; **~ization** [sivilai'zeiʃən] цивилиза́ция; **~ize** ['sivilaiz] цивилизова́ть (*im*)*pf.*

clad [klæd] *pt.* и *p. pt.* от clothe.

claim [kleim] **1.** предъявля́ть прете́нзию на (B); [по]тре́бовать; заявля́ть права́; утвержда́ть [-рди́ть]; заявля́ть права́ на (B); **2.** тре́бование; иск; прете́нзия; ~ to be выдава́ть себя́ за (B); **~ant** ['kleimənt] претенде́нт; ⚖ исте́ц.

clairvoyant [klɛə'vɔiənt] ясновидец.

clamber ['klæmbə] [вс]кара́бкаться.

clammy ['klæmi] ☐ кле́йкий, ли́пкий; холо́дный и вла́жный.

clamo(u)r ['klæmə] **1.** шум, кри́ки *m/pl.*; проте́сты *m/pl.* (шу́мные); **2.** шу́мно тре́бовать (P).

clamp [klæmp] ⊕ скоба́; скре́па; зажи́м; **2.** скрепля́ть [-пи́ть]; заж(им)а́ть; смыка́ть [сомкну́ть].

clandestine [klæn'destin] ☐ та́йный.

clang [klæŋ] **1.** лязг, звон (ору́жия, колоколо́в, мо́лота); **2.** ля́згать [-гнуть].

clank [klæŋk] **1.** звон, лязг (цепе́й, желе́за и т. п.), бряца́ние; **2.** бряца́ть, [за]греме́ть.

clap [klæp] **1.** хлопо́к; хло́панье; уда́р (гро́ма); **2.** хло́пать (в ладо́ши); **~trap** пого́ня за эффе́ктом.

clarify ['klærifai] *v/t.* очища́ть [очи́стить]; де́лать прозра́чным; *fig.* выясня́ть [вы́яснить]; *v/i.* де́латься прозра́чным, я́сным.

clarity ['klæriti] я́сность *f*.

clash [klæʃ] **1.** столкнове́ние; противоре́чие; конфли́кт; **2.** ста́лкиваться [столкну́ться]; расходи́ться [разойти́сь] (о взгля́дах).

clasp [klɑ:sp] **1.** пря́жка, застёжка; *fig.* объя́тия *n/pl.*; **2.** *v/t.* застёгивать [застегну́ть]; сж(им)а́ть; *fig.*

заключáть в объя́тия; *v/i.* обви́(вá)ться (о растéнии).

class [klɑ:s] **1.** класс (шкóлы); общéственный класс; **2.** классифици́ровать *(im)pf.*

classic ['klæsik] **1.** клáссик; **2.** ~(al □) [~, -ikəl] класси́ческий.

classi|fication [klæsifi'keiʃən] классификáция; **~fy** [klæ'sifai] классифици́ровать *(im)pf.*

clatter ['klætə] **1.** звон (посýды); грóхот (маши́н); болтовня́; тóпот; **2.** [за]греме́ть; [за]тóпать; *fig.* [по]болтáть.

clause [klɔ:z] пункт; статья́; кláузула (в договóре).

claw [klɔ:] **1.** кóготь *m*; клешня́ (рáка); **2.** разрывáть, терзáть когтя́ми.

clay [klei] гли́на; *fig.* прах.

clean [kli:n] **1.** *adj.* □ чи́стый; опря́тный; чистоплóтный; **2.** *adv.* нáчисто; совершéнно, пóлностью; **3.** [вы́]чи́стить; прочищáть [-чи́стить]; счищáть [счи́стить]; ~ up уб(и)рáть; приводи́ть в поря́док; **~ing** ['kli:niŋ] чи́стка; убóрка; очи́стка; **~liness** ['klenlinis] чистоплóтность *f*; **~ly** **1.** *adv.* ['kli:nli] чи́сто; целомýдренно; **2.** *adj.* ['klenli] чистоплóтный; **~se** [klenz] очищáть [очи́стить]; дезинфици́ровать *(im)pf.*

clear [kliə] **1.** □ я́сный, свéтлый; прозрáчный; *fig.* свобóдный (from, of от P); ☤ чи́стый (вес, дохóд и т. п.); **2.** *v/t.* очищáть [очи́стить] (from, of от P); расчищáть [-и́стить]; распрод(ав)áть (товáр); ⚖ оправдывать [-дáть] (обвиня́емого); *v/i.* (*a.* ~ up) рассéиваться [-éяться] (о тумáне); проясня́ться [-ни́ться]; **~ance** ['kliərəns] очи́стка; устранéние препя́тствий; очи́стка от тамóженных пóшлин; расчи́стка (под пáшню); **~ing** ['kliəriŋ] прояснéние; прóсека; кли́ринг (мéжду бáнками); ♀ House расчётная палáта.

cleave¹ [kli:v] [*irr.*] раскáлывать (-ся) [-колóть(ся)]; рассекáть [-éчь] (вóлны, вóздух).

cleave² [~] *fig.* оставáться вéрным (to Д).

cleaver ['kli:və] большóй нож мясникá.

clef [klef] ♪ ключ.

cleft [kleft] **1.** рассéлина; **2.** раскóлотый.

clemen|cy ['klemənsi] милосéрдие; снисходи́тельность *f*; **~t** ['klemənt] □ милосéрдный, ми́лостивый.

clench [klentʃ] заж(им)áть; сж(им)áть (кулаки́); сти́скивать [сти́снуть] (зýбы); *s.* clinch.

clergy ['klə:dʒi] духовéнство; **~man** [-mən] свящéнник.

clerical ['klerikəl] **1.** □ клерикáльный; канцеля́рский; **2.** клерикáл.

clerk [klə:k] чинóвник; контóрский слýжащий; *Am.* прикáзчик.

clever ['klevə] □ ýмный; дарови́тый, одарённый; лóвкий.

clew [klu:] **1.** клубóк; **2.** смáтывать в клубóк.

click [klik] **1.** щёлканье; ⊕ защёлка, собáчка; **2.** щёлкать [-кнуть] (замкóм); прищёлкивать [-кнуть] (языкóм); *Am.* имéть успéх.

client ['klaiənt] клиéнт(ка); постоя́нный (-ная) покупáтель(ница *f*) *m*; **~èle** [kli:ɑn'teil] клиентýра.

cliff [klif] утёс, скалá.

climate ['klaimit] кли́мат.

climax ['klaimæks] **1.** кульминациóнный пункт; **2.** достигáть кульминациóнного пýнкта.

climb [klaim] [*irr.*] влез(á)ть на (В); поднимáться [-ня́ться] (нá гору); **~er** ['klaimə] альпини́ст; *fig.* честолю́бец; ❀ вью́щееся растéние.

clinch [klintʃ] **1.** ⊕ зажи́м; скобá; **2.** *v/t.* заклёпывать [-лепáть]; ~ a bargain заключáть сдéлку; *s.* clench.

cling [kliŋ] [*irr.*] (to) [при]льнýть к (Д); ~ together держáться вмéсте.

clinic ['klinik] **1.** кли́ника; **2.** = ~al [-ikəl] клини́ческий.

clink [kliŋk] **1.** звон (метáлла, стеклá); **2.** [за]звенéть; [за]звучáть.

clip¹ [klip] **1.** стри́жка; **2.** обрезáть [обрéзать]; [о]стри́чь.

clip² [~] скрéпка.

clipp|er ['klipə]: (a pair of) ~s *pl.* нóжницы *f/pl.*; секáтор; ⚓ кли́ппер (пáрусное сýдно); (flying ~) самолёт граждáнской авиáции; **~ings** [-iŋz] *pl.* газéтные вы́резки *f/pl.*; обрéзки *m/pl.*

cloak [klouk] **1.** плащ; мáнтия; покрóв; *fig.* предлóг; **2.** покры́(вá)ть (плащóм и т. п.); *fig.* прикры́(вá)ть; **~-room** раздевáльня; 🚂 кáмера хранéния.

clock [klɔk] часы́ *m/pl.* (стенны́е, настóльные, бáшенные).

clod [klɔd] ком (гря́зи); ду́рень *m*, о́лух.
clog [klɔg] **1.** препя́тствие; пу́ты *f/pl.*; деревя́нный башма́к; **2.** [вос]препя́тствовать (Д); засоря́ть(ся) [-ри́ть(ся)].
cloister [ˈklɔistə] монасты́рь *m*; кры́тая арка́да.
close 1. [klous] □ закры́тый; бли́зкий; те́сный; ду́шный, спёртый (во́здух); скупо́й; ~ by *adv.* ря́дом, побли́зости; ~ to о́коло (Р); ~ fight, ~ quarters *pl.* рукопа́шный бой; *hunt.* ~ season, ~ time запре́тное вре́мя охо́ты; **2.** a) [klouz] коне́ц; заключе́ние; b) [klous] огоро́женное ме́сто; **3.** [klouz] *v/t.* закры́(ва́)ть; зака́нчивать [-ко́нчить]; конча́ть [ко́нчить]; заключа́ть [-чи́ть] (речь); *v/i.* закры́(ва́)ться; конча́ться [ко́нчиться]; ~ in приближа́ться [-ли́зиться]; наступа́ть [-пи́ть]; ~ on (*prp.*) замыка́ться вокру́г (Р); **~ness** [ˈklousnis] бли́зость *f*; ску́пость *f*.
closet [ˈklɔzit] **1.** чула́н; убо́рная; стенно́й шкаф; **2.** be ~ed with совеща́ться наедине́ с (Т).
closure [ˈklouʒə] закры́тие; *parl.* прекраще́ние пре́ний.
clot [klɔt] **1.** сгу́сток (кро́ви); комо́к; **2.** сгуща́ться [сгусти́ться], свёртываться [сверну́ться].
cloth [klɔːθ, klɔθ], *pl.* ~s [klɔːðz, klɔθs] ска́терть *f*; ткань *f*; сукно́; F the ~ духове́нство; ~ binding тка́невый переплёт.
clothe [klouð] [*a. irr.*] оде́(ва́)ть; *fig.* облека́ть [-е́чь].
clothes [klouðz] *pl.* оде́жда, пла́тье; бельё; **~-basket** бельева́я корзи́на; **~-line** верёвка для су́шки белья́; **~-peg** зажи́мка для разве́шенного белья́.
clothier [ˈklouðiə] фабрика́нт суко́н.
clothing [ˈklouðiŋ] оде́жда, пла́тье.
cloud [klaud] **1.** о́блако, ту́ча; **2.** покрыва́ть(ся) ту́чами, облака́ми; омрача́ть(ся) [-чи́ть(ся)]; **~-burst** ли́вень *m*; **~less** [ˈklaudlis] □ безо́блачный; **~y** [-i] □ о́блачный; му́тный (о жи́дкости); тума́нный (о мы́сли).
clove[1] [klouv] гвозди́ка (пря́ность).
clove[2] [~] *pt.* от cleave; **~n** [ˈklouvn] *p. pt.* от cleave.
clover [ˈklouvə] ⚘ кле́вер.
clown [klaun] кло́ун.
cloy [klɔi] пресыща́ть [-сы́тить].
club [klʌb] **1.** клуб; дуби́на; *Am.* па́лка полице́йского; ~s *pl.* тре́фы *f/pl.* (ка́рточная масть); **2.** *v/t.* [по]би́ть (па́лкой и т.п.); *v/i.* собира́ться вме́сте; устра́ивать скла́дчину.
clue [kluː] ключ к разга́дке; путево́дная нить *f*.
clump [klʌmp] **1.** комо́к; гру́ппа (дере́вьев); **2.** тяжело́ ступа́ть.
clumsy [ˈklʌmzi] □ неуклю́жий; нело́вкий; беста́ктный.
clung [klʌŋ] *pt.* и *p. pt.* от cling.
cluster [ˈklʌstə] **1.** кисть *f*; пучо́к; гроздь *f*; **2.** расти́ гро́здьями, пучка́ми.
clutch [klʌtʃ] **1.** сжа́тие; захва́т; ⊕ зажи́м; защёлка; му́фта сцепле́ния; **2.** схва́тывать [-ти́ть]; заж(им)а́ть.
clutter [ˈklʌtə] **1.** сумато́ха; хао́с; **2.** приводи́ть в беспоря́док.
coach [koutʃ] **1.** экипа́ж; тре́нер; инстру́ктор; 🚃 пассажи́рский ваго́н; **2.** е́хать в каре́те; [на]тренирова́ть;ната́скивать к экза́мену; **~man** ку́чер.
coagulate [kouˈægjuleit] сгуща́ться [сгусти́ться].
coal [koul] **1.** у́голь *m* (ка́менный); **2.** ⚓ грузи́ть(ся) у́глем.
coalesce [kouəˈles] сраста́ться [срасти́сь].
coalition [kouəˈliʃən] коали́ция; сою́з.
coal-pit у́гольная ша́хта, копь *f*.
coarse [kɔːs] □ гру́бый; кру́пный; неотёсанный.
coast [koust] **1.** морско́й бе́рег, побере́жье; **2.** плыть вдоль побере́жья; **~er** [ˈkoustə] ⚓ кабота́жное су́дно.
coat [kout] **1.** пиджа́к; пальто́ *n indecl.*; мех, шерсть *f* (у живо́тных); слой; ~ of arms ге́рбовый щит; **2.** покры́(ва́)ть (кра́ской, пы́лью и т. п.); облицо́вывать [-цева́ть]; **~-hanger** ве́шалка; **~ing** [ˈkoutiŋ] слой (кра́ски и т. п.).
coax [kouks] угова́ривать [уговори́ть].
cob [kɔb] ком; *Am.* поча́ток кукуру́зы.
cobbler [ˈkɔblə] сапо́жник; *fig.* халту́рщик, плохо́й ма́стер.
cobweb [ˈkɔbweb] паути́на.

cock [kɔk] **1.** пету́х; кран; флю́гер; куро́к; **2.** (*a.* ~ up) насторáживать [-рожи́ть] (ýши).
cockade [kɔ'keid] кокáрда.
cockatoo [kɔkə'tu:] какаду́ *m indecl.*
cockboat ['kɔkbout] ⚓ судовáя шлю́пка.
cockchafer ['kɔktʃeifə] мáйский жук.
cock-eyed ['kɔkaid] *sl.* косоглáзый; косóй; *Am.* пья́ный.
cockpit ['kɔkpit] мéсто петуши́ных боёв; ⚓ кýбрик; ✈ каби́на.
cockroach ['kɔkroutʃ] *zo.* таракáн.
cock|sure F самоувéренный; **~tail** коктéйль *m*; *fig.* вы́скочка; **~y** ['kɔki] □ F нахáльный; дéрзкий.
coco ['koukou] кокóсовая пáльма.
cocoa ['koukou] какáо (порошóк, напи́ток) *n indecl.*
coco-nut ['koukənʌt] кокóсовый opéx.
cocoon [kə'ku:n] кóкон.
cod [kɔd] трескá.
coddle ['kɔdl] изнéжи(ва)ть; [из-] баловáть.
code [koud] **1.** кóдекс; *telegr.* код; **2.** коди́ровать (*im*)*pf.*
codger ['kɔdʒə] F чудáк.
cod-liver: ~ oil ры́бий жир.
coerc|e [kou'ə:s] принуждáть [-нýдить]; **~ion** [-ʃən] принуждéние.
coeval [kou'i:vəl] □ совремéнный.
coexist ['kouig'zist] сосуществовáть (с T).
coffee ['kɔfi] кóфе *m indecl.*; **~-pot** кофéйник; **~-room** столóвая в гости́нице; **~-set** кофéйный серви́з.
coffer ['kɔfə] металли́ческий сун- [дýк.]
coffin ['kɔfin] гроб.
cogent ['koudʒənt] □ неоспори́мый; убеди́тельный.
cogitate ['kɔdʒiteit] *v/i.* размышля́ть; *v/t.* обдýм(ыв)ать.
cognate ['kɔgneit] рóдственный; схóдный.
cognition [kɔg'niʃən] знáние; познáние.
coheir ['kou'ɛə] сонаслéдник.
coheren|ce [kou'hiərəns] связь *f*; свя́зность *f*; согласóванность *f*; **~t** [-rənt] □ свя́зный; согласóванный.
cohesi|on [kou'hi:ʒən] связь *f*; сплочённость *f*; **~ve** [-siv] связýющий; спосóбный к сцеплéнию.
coiff|eur [kwɑ:'fə:] парикмáхер; **~ure** [-'fjuə] причёска.
coil [kɔil] **1.** кольцó (верёвки, змей и т. п.); ⚡ катýшка; ⊕ змееви́к; **2.** (*a.* ~ up) свёртываться кольцóм (спирáлью).
coin [kɔin] **1.** монéта; **2.** [вы́]чекáнить (монéты); вы́би(вá)ть (медáли); **~age** ['kɔinidʒ] чекáнка (монéт).
coincide [kouin'said] совпадáть [-пáсть]; **~nce** [kou'insidəns] совпадéние; *fig.* случáйное стечéние обстоя́тельств.
coke [kouk] **1.** кокс; **2.** коксовáть.
cold [kould] **1.** □ холóдный; непривéтливый; **2.** хóлод; простýда; **~ness** ['kouldnis] хóлодность *f*; равнодýшие.
colic ['kɔlik] ⚕ кóлики *f/pl.*
collaborat|e [kə'læbəreit] сотрýдничать; **~ion** [kəlæbə'reiʃən] сотрýдничество; in ~ в сотрýдничестве (с T).
collapse [kə'læps] **1.** обвáл; разрушéние; упáдок сил; **2.** обрýши(ва)ться; обвáливаться [-ли́ться]; си́льно слабéть.
collar ['kɔlə] **1.** воротни́к; ошéйник; хомýт; ⊕ втýлка; óбруч; шáйба; **2.** схвати́ть за вóрот; *sl.* завладé(вá)ть (T); захвáтывать [-ти́ть] (си́лой).
collate [kɔ'leit] сличáть [-чи́ть]; сопоставля́ть [-стáвить].
collateral [kɔ'lætərəl] **1.** □ побóчный; кóсвенный; **2.** родствó по боковóй ли́нии.
colleague ['kɔli:g] коллéга *f/m*, сослужи́вец (-вица).
collect 1. ['kɔlekt] *eccl.* крáткая моли́тва; **2.** [kə'lekt] *v/t.* соб(и-)рáть; коллекциони́ровать; заходи́ть [зайти́] за (T); *v/i.* соб(и)рáться; овладевáть собóй; **~ed** [kə'lektid] □ *fig.* хладнокрóвный; спокóйный; **~ion** [kə'lekʃən] коллéкция; собрáние; **~ive** [-tiv] □ коллекти́вный; совокýпный; **~or** [-tə] коллекционéр; сбóрщик.
college ['kɔlidʒ] коллéдж; срéдняя шкóла.
collide [kə'laid] стáлкиваться [столкнýться].
collie ['kɔli] кóлли *m/f indecl.* (шотлáндская овчáрка).
collier [kɔliə] шахтёр; ⚓ ýгольщик (сýдно); **~y** [kɔ'ljəri] каменноýгольный рудни́к.

collision ['kəliʒən] столкновéние.
colloquial [kə'loukwiəl] □ разговóрный.
colloquy ['kɔləkwi] разговóр, собесéдование.
colon ['koulən] *typ.* двоетóчие.
colonel ['kə:nl] ⚔ полкóвник.
coloni|al [kə'lounjəl] **1.** колониáльный; **2.** жúтель(ница *f*) *m* колóний; **~ze** ['kɔlənaiz] колонизúровать (*im*)*pf.*; заселя́ть [-лúть].
colony ['kɔləni] колóния.
colo(u)r ['kʌlə] **1.** цвет; крáска; румя́нец (на лицé); *fig.* колорúт; **~s** *pl.* знáмя *n*; **2.** *v/t.* [по]крáсить; окрáшивать [окрáсить]; *fig.* прикрáшивать [-крáсить]; *v/i.* [по-]краснéть; [за]рдéться (о лицé, плодé и т. п.); **~ed** [-d] окрáшенный; цветнóй; **~ful** [-ful] я́ркий; **~ing** [-riŋ] окрáска, раскрáска; *fig.* прикрáшивание; **~less** [-lis] □ бесцвéтный.
colt [koult] жеребёнок (*pl.* жеребя́та); *fig.* новичóк.
column ['kɔləm] ⚠, ⚔ колóнна; столб; *typ.* столбéц.
comb [koum] **1.** грéбень *m*, гребёнка; сóты *m/pl.*; ⊕ бёрдо, чесáлка; **2.** *v/t.* расчёсывать [-чесáть]; чесáть (*a.* ⊕); трепáть (лён и т. п.).
combat ['kɔmbət, 'kʌm-] **1.** бой, сражéние; **2.** сражáться [сразúться]; **~ant** [-ənt] боéц.
combin|ation [kɔmbi'neiʃən] соединéние; сочетáние; *mst* **~s** *pl.* комбинáция (бельё); **~e** [kəm'bain] объединя́ть(ся) [-нúть(ся)]; сочетáть(ся) (*im*)*pf.*
combusti|ble [kəm'bʌstəbl] **1.** горю́чий, воспламеня́емый; **2.** **~s** *pl.* тóпливо; *mot.* горю́чее; **~on** [-tʃən] горéние, сгорáние.
come [kʌm] [*irr.*] приходúть [прийтú]; приезжáть [приéхать]; to **~** бýдущий; **~** about случáться [-чúться], происходúть [произойтú]; **~** across a p. встречáться [-рéтиться] с (Т), натáлкиваться [натолкнýться] на (В); **~** at доб(и)рáться до (Р); **~** by дост(ав)áть (случáйно); **~** off отдéл(ыв)аться; сходúть [сойтú]; **~** round приходúть в себя́; F заходúть [зайтú] (к Д); *fig.* идтú на устýпки; **~** to доходúть [дойтú] до (Р); ⚓ остановúть сýдно; равня́ться (Д), стóить (В *or* Р); **~** up to соотвéтствовать (Д).
comedian [kə'mi:diən] актёр-кóмик; áвтор комéдии.
comedy ['kɔmidi] комéдия.
comeliness ['kʌmlinis] миловúдность *f*.
comfort ['kʌmfət] **1.** комфóрт, удóбство; *fig.* утешéние; поддéржка; **2.** утешáть [утéшить]; успокáивать [-кóить]; **~able** [-əbl] □ удóбный, комфортáбельный; *Am.* F достáточный; **~er** [-ə] утешúтель *m*; *Am.* стёганое одея́ло; **~less** [-lis] □ неую́тный.
comic(al □) ['kɔmik(əl)] комúческий, смешнóй; юмористúческий.
coming ['kʌmiŋ] **1.** приéзд, прибы́тие; **2.** бýдущий; ожидáемый.
command [kə'mɑ:nd] **1.** комáнда, прикáз; комáндование; have at **~** имéть в своём распоряжéнии; **2.** прикáзывать [-зáть] (Д); владéть (Т); ⚔ комáндовать; **~er** [kə'mɑ:ndə] ⚔ командúр; ⚓ капитáн; **2er-in-Chief** [-rin'tʃi:f] главнокомáндующий; **~ment** [-mənt] прикáз; *eccl.* зáповедь *f*.
commemora|te [kə'meməreit] [от]прáздновать (годовщúну); отмечáть [отмéтить] (собы́тие); **~tion** [kəmemə'reʃən] прáзднование (годовщúны).
commence [kə'mens] нач(ин)áть (-ся); **~ment** [-mənt] начáло.
commend [kə'mend] рекомендовáть (*im*)*pf.*
comment ['kɔment] **1.** толковáние; комментáрий; **2.** (upon) комментúровать (*im*)*pf.*; объясня́ть [-нúть]; **~ary** ['kɔməntəri] комментáрий; **~ator** ['kɔmenteitə] комментáтор.
commerc|e ['kɔməs, -ə:s] торгóвля; общéние; **~ial** [kə'mə:ʃəl] □ торгóвый, коммéрческий.
commiseration [kəmizə'reiʃən] сочýвствие, соболéзнование.
commissary ['kɔmisəri] комиссáр; уполномóченный; ⚔ интендáнт.
commission [kə'miʃən] **1.** комúссия; полномóчие; поручéние; ⚔ патéнт на офицéрский чин; **2.** назначáть на дóлжность; уполномóчи(ва)ть; ⚓ готóвить (корáбль) к плáванию; **~er** [kə'miʃənə] уполномóченный; комиссáр.

commit [kə'mit] поруча́ть [-чи́ть], вверя́ть [вве́рить]; преда́(ва́)ть (огню́, земле́, суду́ и т.п.); соверша́ть [-ши́ть] (преступле́ние); ~ (o. s.) [с]компромети́ровать (себя́); обя́зывать(ся) [-за́ть(ся)]; ~ (to prison) заключа́ть [-чи́ть] (в тюрьму́); **~ment** [-mənt], **~tal** [-l] переда́ча; обяза́тельство; **~tee** [-i] коми́ссия; комите́т.

commodity [kə'mɔditi] това́р, предме́т потребле́ния.

common ['kɔmən] **1.** □ о́бщий; просто́й; гру́бый; обыкнове́нный; зауря́дный; ♀ Council муниципа́льный сове́т; ~ law обы́чное пра́во; ~ sense здра́вый смысл; in ~ совме́стно, сообща́; **2.** общинная земля́; вы́гон; **~place 1.** бана́льность *f*; **2.** бана́льный, F изби́тый; **~s** [-z] *pl.* о́бщий стол; (*mst* House of) ♀ пала́та общин; **~wealth** [-welθ] содру́жество; федера́ция; the British ♀ of Nations Брита́нское Содру́жество На́ций.

commotion [kə'mouʃən] волне́ние; смяте́ние.

communal ['kɔmjunl] □ коммуна́льный; общи́нный; коллекти́вный.

communicat|e [kə'mju:nikeit] *v/t.* сообща́ть [-щи́ть]; перед(ав)а́ть; *v/i.* сообща́ться; **~ion** [kəmju:ni'keiʃən] сообще́ние; коммуника́ция; связь *f*; **~ive** [kə'mju:nikeitiv] □ общи́тельный, разгово́рчивый.

communion [kə'mju:njən] обще́ние; *eccl.* прича́стие.

communis|m ['kɔmjunizm] коммуни́зм; **~t 1.** коммуни́ст(ка); **2.** коммунисти́ческий.

community [kə'mju:niti] о́бщи́на; о́бщество.

commutation [kɔmju'teiʃən] заме́на; ⚖ смягче́ние наказа́ния; ⚡ коммута́ция; переключе́ние.

compact 1. ['kɔmpækt] догово́р; **2.** [kəm'pækt] *adj.* компа́ктный; пло́тный; сжа́тый (о сти́ле); **3.** *v/t.* сж(им)а́ть; уплотня́ть [-ни́ть].

companion [kəm'pænjən] това́рищ; спу́тник; собесе́дник; **~ship** [-ʃip] компа́ния; това́рищеские отноше́ния *n/pl.*

company ['kʌmpəni] о́бщество; компа́ния, това́рищество; го́сти *pl.*; ⚓ экипа́ж (су́дна); *thea.* тру́ппа; have ~ име́ть госте́й; keep ~ with подде́рживать знако́мство с (Т).

compar|able ['kɔmpərəbl] □ сравни́мый; **~ative** [kəm'pærətiv] □ сравни́тельный; **~e** [kəm'pɛə] **1.** beyond ~, without ~, past ~ вне вся́кого сравне́ния; **2.** *v/t.* сра́внивать [-ни́ть], слича́ть [-чи́ть], (to с Т); уподобля́ть [-до́бить] (В/Д); *v/i.* сра́вниваться [-ни́ться]; **~ison** [kəm'pærisn] сравне́ние.

compartment [kəm'pɑ:tmənt] отделе́ние; перегоро́дка; 🚃 купе́ *n indecl.*

compass ['kʌmpəs] **1.** ко́мпас; объём; окру́жность *f*; ♪ диапазо́н; (a pair of) ~es *pl.* ци́ркуль *m*; **2.** достига́ть [дости́гнуть] (Р); замышля́ть [-ы́слить] (дурно́е).

compassion [kəm'pæʃən] сострада́ние, жа́лость *f*; **~ate** [-it] □ сострада́тельный, жа́лостливый.

compatible [kəm'pætəbl] □ совмести́мый.

compatriot [-triət] соотече́ственник (-ица).

compel [kəm'pel] заставля́ть [-а́вить]; принужда́ть [-ну́дить].

compensat|e ['kɔmpenseit] *v/t.* вознагражда́ть [-ради́ть]; возмеща́ть [-ести́ть] (убы́тки); **~ion** [kɔmpen'seiʃən] вознагражде́ние; компенса́ция.

compete [kəm'pi:t] состяза́ться; конкури́ровать (with с Т, for ра́ди Р).

competen|ce, ~cy ['kɔmpitəns, -i] спосо́бность *f*; компете́нтность *f*; **~t** [-tənt] □ компете́нтный.

competit|ion [kɔmpi'tiʃən] состяза́ние; соревнова́ние; † конкуре́нция; **~or** [kəm'petitə] конкуре́нт(ка); сопе́рник (-ица).

compile [kəm'pail] [с]компили́ровать; составля́ть [-а́вить] (from из Р).

complacen|ce, ~cy [kəm'pleisns, -snsi] самодово́льство.

complain [kəm'plein] [по]жа́ловаться (of на В); подава́ть жа́лобу; **~t** жа́лоба; ⚕ боле́знь *f*; **~ant** [-ənt] исте́ц.

complement ['kɔmplimənt] **1.** дополне́ние; компле́кт; **2.** дополня́ть [допо́лнить]; [у]комплектова́ть.

complet|e [kəm'pli:t] **1.** □ по́лный; зако́нченный; **2.** зака́нчивать [зако́нчить]; дополня́ть [-о́лнить]; **~ion** [-ʃən] оконча́ние.

complex [ˈkɔmpleks] **1.** □ сло́жный; ко́мплексный, составно́й; *fig.* сло́жный, запу́танный; **2.** ко́мплекс; **~ion** [kəmˈplekʃən] цвет лица́; **~ity** [-siti] сло́жность *f.*
compliance [kəmˈplaiəns] согла́сие; in ~ with в соотве́тствии с (Т).
complicate [ˈkɔmplikeit] усложня́ть(ся) [-ни́ть(ся)].
compliment 1. [ˈkɔmplimənt] комплиме́нт; приве́т; **2.** [-ˈment] *v/t.* говори́ть комплиме́нты (Д); поздравля́ть [-а́вить] (on с Т).
comply [kəmˈplai] соглаша́ться [-ласи́ться] (with с Т); подчиня́ться [-ни́ться] (with Д).
component [kəmˈpounənt] **1.** компоне́нт; составна́я часть *f*; **2.** составно́й.
compos|e [kəmˈpouz] составля́ть [-а́вить]; сочиня́ть [-ни́ть]; писа́ть му́зыку; успока́иваться [-ко́иться]; *typ.* наб(и)ра́ть; **~ed** [-d] □ споко́йный, сде́ржанный; **~er** [-ə] компози́тор; **~ition** [kɔmpəˈziʃən] компози́ция; соста́в; сочине́ние; ✝ полюбо́вная сде́лка; **~ure** [kəmˈpouʒə] самооблада́ние.
compound 1. [ˈkɔmpaund] соста́в, соедине́ние; **2.** составно́й; сло́жный; ~ interest сло́жные проце́нты *m/pl.*; **3.** [kəmˈpaund] *v/t.* сме́шивать [-ша́ть]; соединя́ть [-ни́ть]; ула́живать [ула́дить]; *v/i.* приходи́ть к компроми́ссу.
comprehend [kɔmpriˈhend] постига́ть [пости́гнуть]; обхва́тывать [обхвати́ть].
comprehen|sible [kɔmpriˈhensəbl] □ поня́тный, постижи́мый; **~sion** [-ʃən] понима́ние; поня́тливость *f*; **~sive** [-siv] □ объе́млющий; исче́рпывающий.
compress [kəmˈpres] сж(им)а́ть; сда́вливать [сдави́ть]; ~ed air сжа́тый во́здух; **~ion** [kəmˈpreʃən] *phys.* сжа́тие; ⊕ компре́ссия; наби́вка; прокла́дка.
comprise [kəmˈpraiz] содержа́ть; заключа́ть в себе́.
compromise [ˈkɔmprəmaiz] **1.** компроми́сс; **2.** *v/t.* [с]компромети́ровать; подверга́ть ри́ску; *v/i.* пойти́ на компроми́сс.
compuls|ion [kəmˈpʌlʃən] принужде́ние; **~ory** [-səri] принуди́тельный; обяза́тельный.
comput|ation [kɔmpjuˈteiʃən] вычисле́ние; вы́кладка; расчёт; **~e** [kəmˈpjuːt] вычисля́ть [вы́числить]; де́лать вы́кладки.
comrade [ˈkɔmrid] това́рищ.
con [kɔn] = contra про́тив.
conceal [kənˈsiːl] скры(ва́)ть; утаи́вать [-и́ть], ума́лчивать [умолча́ть].
concede [kənˈsiːd] уступа́ть [-пи́ть]; [допуска́ть [-сти́ть].
conceit [kənˈsiːt] самомне́ние; тщесла́вие; **~ed** [-id] □ самодово́льный; тщесла́вный.
conceiv|able [kənˈsiːvəbl] мы́слимый; постижи́мый; **~e** [kənˈsiːv] *v/i.* представля́ть себе́; *v/t.* постига́ть [пости́гнуть]; понима́ть [-ня́ть]; заду́м(ыв)ать.
concentrate [ˈkɔnsentreit] сосредото́чи(ва)ть(ся).
conception [kənˈsepʃən] поня́тие; конце́пция; за́мысел; *biol.* зача́тие; оплодотворе́ние.
concern [kənˈsəːn] **1.** де́ло; уча́стие; интере́с; забо́та; ✝ предприя́тие; **2.** каса́ться [косну́ться] (Р); име́ть отноше́ние к (Д); ~ o. s. about, for [за]интересова́ться, занима́ться [заня́ться] (Т); **~ed** [-d] □ заинтересо́ванный; име́ющий отноше́ние; озабо́ченный; **~ing** [-iŋ] *prp.* относи́тельно (Р), каса́тельно (Р).
concert 1. [ˈkɔnsət] конце́рт; согла́сие, соглаше́ние; **2.** [kənˈsəːt] сгова́риваться [сговори́ться]; ~ed согласо́ванный.
concession [kənˈseʃən] усту́пка; [конце́ссия.
conciliat|e [kənˈsilieit] примиря́ть [-ри́ть]; **~or** [-ə] посре́дник.
concise [kənˈsais] □ сжа́тый, кра́ткий; **~ness** [-nis] сжа́тость *f*, кра́ткость *f.*
conclude [kənˈkluːd] заключа́ть [-чи́ть]; зака́нчивать [зако́нчить]; to be ~d оконча́ние сле́дует.
conclusi|on [kənˈkluːʒən] оконча́ние; заключе́ние; вы́вод; **~ve** [-siv] □ заключи́тельный; реша́ющий; убеди́тельный.
concoct [kənˈkɔkt] [со]стря́пать (*a. fig.*); *fig.* приду́м(ыв)ать; **~ion** [kənˈkɔkʃən] стряпня́; *fig.* небыли́ца.
concord [ˈkɔŋkɔːd] согла́сие; соглаше́ние; догово́р, конве́нция; ♪ гармо́ния; **~ant** [kənˈkɔːdənt] □ согла́сный; согласу́ющийся; ♪ гармони́чный.

concrete [ˈkɔnkriːt] **1.** □ конкре́тный; **2.** бето́н; **3.** [за]бетони́ровать; [kənˈkriːt] сгуща́ть(ся) [сгусти́ть(ся)]; [за]тверде́ть.
concur [kənˈkəː] соглаша́ться [-ласи́ться]; совпада́ть [-па́сть]; [по]соде́йствовать; **~rence** [kənˈkʌrəns] совпаде́ние; согла́сие.
condemn [kənˈdem] осужда́ть [осуди́ть]; пригова́ривать [-вори́ть] (к Д); [за]бракова́ть; **~ation** [ˈkɔndemˈneiʃən] осужде́ние.
condens|ation [ˈkɔndenˈˈseiʃən] конденса́ция, уплотне́ние, сгуще́ние; **~e** [kənˈdens] сгуща́ть(ся); ⊕ конденси́ровать (*im*)*pf.*; *fig.* сокраща́ть [-рати́ть].
condescen|d [kɔndiˈsend] снисходи́ть [снизойти́]; удоста́ивать [-сто́ить]; **~sion** [-ˈsenʃən] снисхожде́ние; снисходи́тельность *f.*
condiment [ˈkɔndimənt] припра́ва.
condition [kənˈdiʃən] **1.** усло́вие; состоя́ние; **~s** *pl.* обстоя́тельства *n/pl.*; усло́вия *n/pl.*; **2.** ста́вить усло́вия; обусло́вливать [-о́вить]; **~al** [-l] □ усло́вный.
condol|e [kənˈdoul] соболе́зновать (with Д); **~ence** [-əns] соболе́знование.
conduc|e [kənˈdjuːs] спосо́бствовать (to Д); **~ive** [-iv] спосо́бствующий.
conduct **1.** [ˈkɔndəkt] поведе́ние; **2.** [kənˈdʌkt] вести́ себя́; руководи́ть (де́лом); ♪ дирижи́ровать; **~ion** [-kʃən] ⊕ проводи́мость *f*; **~or** [kəndʌktə] конду́ктор (трамва́я и т. п.); *Am.* 🚂 вагоновожа́тый; ♪ дирижёр.
conduit [ˈkɔndjuit, ˈkɔndit] трубопрово́д.
cone [koun] ко́нус; ♀ ши́шка.
confabulation [kənfæbjuˈleiʃən] болтовня́.
confection [kənˈfekʃən] сла́сти *f/pl.*; **~er** [-ə] конди́тер; **~ery** [-əri] конди́терская; конди́терские изде́лия *n/pl.*
confedera|cy [kənˈfedərəsi] конфедера́ция; сою́з; **~te** **1.** [-rit] федерати́вный, сою́зный; **2.** [-rit] член конфедера́ции, сою́зник; **3.** [-reit] объединя́ться в сою́з; **~tion** [kənfedəˈreiʃən] конфедера́ция; сою́з.
confer [kənˈfəː] *v/t.* дарова́ть; присужда́ть [-уди́ть]; *v/i.* совеща́ться; **~ence** [ˈkɔnfərəns] конфере́нция; съезд; совеща́ние.
confess [kənˈfes] призн(ав)а́ться, созн(ав)а́ться в (П); испове́д(ов)ать(ся); **~ion** [-ʃən] призна́ние; и́споведь *f*; вероисповеда́ние; **~ional** [-ʃənl] исповеда́льня *f*; **~or** [-sə] испове́дник.
confide [kənˈfaid] доверя́ть (in Д); вверя́ть [вве́рить]; полага́ться [положи́ться] (in на В); **~nce** [ˈkɔnfidəns] дове́рие; уве́ренность *f*; **~nt** [ˈkɔnfidənt] □ уве́ренный; **~ntial** [kɔnfiˈdenʃəl] □ конфиденциа́льный; секре́тный.
confine [kənˈfain] ограни́чи(ва)ть; заключа́ть [-чи́ть] (в тюрьму́); be **~d** рожа́ть [роди́ть] (of В); **~ment** [-mənt] ограниче́ние; заключе́ние; ро́ды *m/pl.*
confirm [kənˈfəːm] подтвержда́ть [-рди́ть]; подде́рживать [-жа́ть]; **~ation** [kɔnfəˈmeiʃən] подтвержде́ние; *eccl.* конфирма́ция.
confiscat|e [ˈkɔnfiskeit] конфискова́ть (*im*)*pf.*; **~ion** [kɔnfisˈkeiʃən] конфиска́ция.
conflagration [kɔnfləˈgreiʃən] сожже́ние; бушу́ющий пожа́р.
conflict **1.** [ˈkɔnflikt] конфли́кт; столкнове́ние; **2.** [kənˈflikt] быть в конфли́кте.
conflu|ence [ˈkɔnfluəns] слия́ние (рек); стече́ние наро́да; **~ent** [-fluənt] **1.** слива́ющийся; **2.** прито́к (реки́).
conform [kənˈfɔːm] согласо́вываться [-сова́ться] (to с Т); подчиня́ться [-ни́ться] (to Д); **~able** [-əbl] □ (to) соотве́тствующий (Д); подчиня́ющийся (Д); **~ity** [-iti] соотве́тствие; подчине́ние.
confound [kənˈfaund] [с]пу́тать; поража́ть [порази́ть], приводи́ть в смуще́ние.
confront [kənˈfrʌnt] стоя́ть лицо́м к лицу́ с (Т); слича́ть [-чи́ть] (with с Т).
confus|e [kənˈfjuːz] сме́шивать [-ша́ть]; смуща́ть [-ути́ть]; **~ion** [kənˈfjuːʒən] смуще́ние; беспоря́док.
confut|ation [kɔnfjuːteiʃən] опроверже́ние; **~e** [kənˈfjuːt] опроверга́ть [-ве́ргнуть].
congeal [kənˈdʒiːl] засты́(ва́)ть.
congenial [kənˈdʒiːniəl] □ бли́зкий по ду́ху; благоприя́тный.

congestion [kən'dʒestʃən] перегру́женность *f*; перенаселённость *f*.
conglomeration [kən'glɔmə''reiʃən]накопле́ние, скопле́ние.
congratulat|e [kən'grætjuleit] поздравля́ть [-а́вить] (on с Т); **~ion** [kəngrætju'leiʃən] поздравле́ние.
congregat|e ['kɔŋgrigeit] соб(и)ра́ть(ся); **~ion** [kɔŋgri'geiʃən] собра́ние; *eccl.* прихожа́не *m/pl.*.
congress ['kɔŋgres] конгре́сс; съезд.
congruous ['kɔŋgruəs] □ соотве́тствующий; гармони́рующий (to с Т).
conifer ['kounifə] хво́йное де́рево.
conjecture [kən'dʒektʃə] **1.** дога́дка, предположе́ние; **2.** предполага́ть [-ложи́ть].
conjoin [kən'dʒɔin] соединя́ть(ся) [-ни́ть(ся)]; сочета́ть(ся) (*im*)*pf.*; **~t** [-t] о́бщий; объединённый.
conjugal ['kɔndʒugəl] □ супру́жеский, бра́чный.
conjunction [kən'dʒʌŋkʃən] соедине́ние, связь *f*.
conjur|e 1. ['kʌndʒə] *v/t.* вызыва́ть [вы́звать], заклина́ть [-ля́сть] (ду́хов); изгоня́ть ду́хов; **~ up** *fig.* вызыва́ть в воображе́нии; *v/i.* занима́ться ма́гией; пока́зывать фо́кусы; **2.** [kən'dʒuə] умоля́ть [-ли́ть], заклина́ть; **~er, ~or** [-rə] волше́бник; фо́кусник.
connect [kə'nekt] соединя́ть(ся) [-ни́ть(ся)]; свя́зывать(ся) [-за́ть (-ся)]; ⚡ соединя́ть [-ни́ть]; **~ed** [-id] □ свя́занный; свя́зный (о ре́чи); be **~** with име́ть свя́зи (с Т); **~ion** *s.* connexion.
connexion [kə'nekʃən] связь *f*; соедине́ние; родство́.
connive [kə'naiv]: **~** at потво́рствовать (Д), смотре́ть сквозь па́льцы на (В).
connoisseur [kɔni'sə:] знато́к.
connubial [kə'nju:biəl] □ бра́чный.
conquer ['kɔŋkə] завоёвывать [-оева́ть]; побежда́ть [победи́ть]; **~able** [-rəbl] победи́мый; **~or** [-rə] победи́тель(ница *f*) *m*; завоева́тель(ница *f*) *m*.
conquest ['kɔŋkwest] завоева́ние; побе́да.
conscience ['kɔnʃəns] со́весть *f*.
conscientious [kɔnʃi'enʃəs] □ добросо́вестный; **~ness** [-nis] добросо́вестность *f*.
conscious ['kɔnʃəs] □ созна́тельный; созна́ющий; **~ness** [-nis] созна́ние; созна́тельность *f*.
conscript ['kɔnskript] ⚔ призывни́к; **~ion** [kən'skripʃən] ⚔ во́инская пови́нность *f*.
consecrat|e ['kɔnsikreit] освяща́ть [-яти́ть]; посвяща́ть [-яти́ть]; **~ion** [kɔnsi'kreiʃən] освяще́ние; посвяще́ние.
consecutive [kən'sekjutiv] □ после́довательный.
consent [kən'sent] **1.** согла́сие; **2.** соглаша́ться [-ласи́ться].
consequen|ce ['kɔnsikwəns] (по-)сле́дствие; вы́вод, заключе́ние; **~t** [-kwənt] **1.** после́довательный; **2.** (по)сле́дствие; **~tial** [kɔnsi'kwenʃəl] □ логи́чески вытека́ющий; ва́жный; **~tly** ['kɔnsikwəntli] сле́довательно; поэ́тому.
conserv|ation [kɔnsə'veiʃən] сохране́ние; **~ative** [kən'sə:vətiv] **1.** □ консервати́вный; охрани́тельный; **2.** *pol.* консерва́тор; **~atory** [-tri] оранжере́я; ♪ консервато́рия; **~e** [kən'sə:v] сохраня́ть [-ни́ть].
consider [kən'sidə] *v/t.* обсужда́ть [-уди́ть]; обду́м(ыв)ать; полага́ть, счита́ть; счита́ться с (Т); *v/i.* соображáть [-рази́ть]; **~able** [-rəbl] □ значи́тельный; ва́жный; большо́й; **~ate** [-rit] □ внима́тельный (к Д); **~ation** [kənsidə'reiʃən] обсужде́ние; соображе́ние; внима́ние; on no **~** ни под каки́м ви́дом; **~ing** [kən'sidəriŋ] *prp.* учи́тывая (В), принима́я во внима́ние (В).
consign [kən'sain] перед(ав)а́ть; поруча́ть [-чи́ть]; † посыла́ть (груз) на консигна́цию; **~ment** [-ment] па́ртия това́ров; коносаме́нт.
consist [kən'sist] состоя́ть (of из Р); заключа́ться (in в П); **~ence, ~ency** [-əns, -ənsi] логи́чность *f*; пло́тность *f*; **~ent** [-ənt] □ пло́тный; после́довательный; согласу́ющийся (with с Т).
consol|ation [kɔnsə'leiʃən] утеше́ние; **~e** [kən'soul] утеша́ть [уте́шить].
consolidate [kən'sɔlideit] подтвержда́ть [-рди́ть]; объединя́ть (-ся) [-ни́ть(ся)]; консолиди́ровать (за́ймы) (*im*)*pf.*
consonan|ce ['kɔnsənəns] созву́-

чие; согла́сие; ~t [-nənt] □ согла́сный (*a.* noun); совмести́мый.
consort ['kɔnsɔ:t] супру́г(а).
conspicuous [kən'spikjuəs] □ заме́тный, броса́ющийся в глаза́.
conspir|acy [kən'spirəsi] за́говор; **~ator** [-tə] загово́рщик (-ица); **~e** [kən'spaiə] устра́ивать за́говор; сгова́риваться [-вори́ться].
constab|le ['kʌnstəbl] консте́бль *m*, полице́йский; **~ulary** [kən'stæbjuləri] поли́ция.
constan|cy ['kɔnstənsi] постоя́нство; ве́рность *f*; **~t** ['kɔnstənt] □ постоя́нный; ве́рный.
consternation [kɔnstə'neiʃən] оцепене́ние (от стра́ха).
constipation [kɔnsti'peiʃən] ⚕ запо́р.
constituen|cy [kən'stitjuənsi] избира́тельный о́круг; избира́тели *m/pl.*; **~t** [-ənt] суще́ственный; учреди́тельный; **2.** избира́тель *m*; составна́я часть *f*.
constitut|e ['kɔnstitju:t] составля́ть [-а́вить]; осно́вывать [-нова́ть]; **~ion** [kɔnsti'tju:ʃn] конститу́ция; учрежде́ние; телосложе́ние; соста́в; **~ional** [-l] □ конституцио́нный; органи́ческий.
constrain [kən'strein] принужда́ть [-ну́дить]; сде́рживать [-жа́ть]; **~t** [-t] принужде́ние; принуждённость *f*.
constrict [kən'strikt] стя́гивать [стяну́ть]; сж(им)а́ть; **~ion** [kən'strikʃən] сжа́тие; стя́гивание.
construct [kən'strʌkt] [по]стро́ить; сооружа́ть [-уди́ть]; *fig.* созд(ав)а́ть; **~ion** [-kʃən] строи́тельство, стро́йка; строе́ние; **~ive** [-tiv] конструкти́вный; строи́тельный; тво́рческий; **~or** [-tə] строи́тель *m*.
construe [kən'stru:] истолко́вывать [-кова́ть]; *gr.* де́лать синтакси́ческий разбо́р.
consul ['kɔnsəl] ко́нсул; ~ general генера́льный ко́нсул; **~ate** ['kɔnsjulit] ко́нсульство.
consult [kən'sʌlt] *v/t.* спра́шивать сове́та у (Р); *v/i.* [по]сове́товаться, совеща́ться; **~ation** [kɔnsəl'teiʃən] консульта́ция; конси́лиум (враче́й); **~ative** [kən'sʌltətiv] совеща́тельный.
consum|e [kən'sju:m] *v/t.* потребля́ть [-би́ть]; [из]расхо́довать; **~er** [-ə] потреби́тель *m*.
consummate **1.** [kən'sʌmit] □ соверше́нный, зако́нченный; **2.** ['kɔnsʌmeit] доводи́ть до конца́; заверша́ть [-ши́ть].
consumpti|on [kən'sʌmpʃən] потребле́ние, расхо́д; ⚕ туберкулёз лёгких; **~ve** [-tiv] □ туберкулёзный, чахо́точный.
contact ['kɔntækt] конта́кт; соприкоснове́ние.
contagi|on [kən'teidʒən] ⚕ зара́за, инфе́кция; **~ous** [-dʒəs] □ зарази́тельный, инфекцио́нный.
contain [kən'tein] содержа́ть (в себе́), вмеща́ть [-ести́ть]; ~ o. s. сде́рживаться [-жа́ться]; **~er** [-ə] вмести́лище; конте́йнер.
contaminate [kən'tæmineit] загрязня́ть [-ни́ть]; *fig.* заража́ть [зарази́ть]; оскверня́ть [-ни́ть].
contemplat|e ['kɔntempleit] созерца́ть; обду́м(ыв)ать; **~ion** [kɔntem'pleiʃən] созерца́ние; размышле́ние; **~ive** [kən'templətiv] □ созерца́тельный.
contempora|neous [kəntempə'reinjəs] □ совреме́нный; одновреме́нный; **~ry** [kən'tempərəri] **1.** совреме́нный; одновре́ме́нный; **2.** совреме́нник (-ица).
contempt [kən'tempt] презре́ние (for к Д); **~ible** [-əbl] □ презре́нный; **~uous** [-juəs] □ презри́тельный.
contend [kən'tend] *v/i.* боро́ться; сопе́рничать; *v/t.* утвержда́ть.
content [kən'tent] **1.** дово́льный; **2.** удовлетворя́ть [-ри́ть]; **3.** дово́льство; **4.** ['kɔntent] содержа́ние; объём; **~ed** [kən'tentid] □ дово́льный, удовлетворённый.
contention [kən'tenʃən] спор, ссо́ра.
contentment [kən'tentmənt] дово́льство.
contest **1.** ['kɔntest] соревнова́ние; **2.** [kən'test] оспа́ривать [оспо́рить]; доби́(ва́)ться (ме́ста); отста́ивать [отстоя́ть] (террито́рию).
context ['kɔntekst] конте́кст.
contiguous [kən'tiguəs] □ смéжный, соприкаса́ющийся (to с Т).
continent ['kɔntinənt] **1.** □ сде́ржанный; целому́дренный; **2.** мате́рик, контине́нт.
contingen|cy [kən'tindʒənsi] случа́йность *f*; непредви́денное обстоя́тельство; **~t** [-dʒənt] **1.** □ случа́йный, непредви́денный; **2.** ⚔, ✝ континге́нт.

continu|al [kənˈtinjuəl] □ беспреры́вный, беспреста́нный; **~ance** [-juəns] продолжи́тельность *f*; **~ation** [kəntinjuˈeiʃən] продолже́ние; **~e** [kənˈtinjuː] *v/t.* продолжа́ть [-до́лжить]; to be ~d продолже́ние сле́дует; *v/i.* продолжа́ться [-до́лжиться]; простира́ться; **~ity** [kɔntinˈjuiti] непреры́вность *f*; **~ous** [kənˈtinjuəs] □ непреры́вный; сплошно́й.

contort [kənˈtɔːt] искажа́ть [искази́ть] **~ion** [kənˈtɔːʃən] искаже́ние; искривле́ние.

contour [ˈkɔntuə] ко́нтур, очерта́ние.

contraband [ˈkɔntrəbænd] контраба́нда.

contract 1. [kənˈtrækt] *v/t.* сокраща́ть [-рати́ть]; сж(им)а́ть; заключа́ть [-чи́ть] (сде́лку, дру́жбу); заводи́ть [-вести́] (знако́мство); вступа́ть [-пи́ть] в (брак); *v/i.* сокраща́ться [-рати́ться]; сж(им)а́ть (-ся); **2.** [ˈkɔntrækt] контра́кт, догово́р; **~ion** [kənˈtrækʃən] сжа́тие; сокраще́ние; **~or** [-tə] подря́дчик.

contradict [kɔntrəˈdikt] противоре́чить (Д); **~ion** [kɔntrəˈdikʃən] противоре́чие; **~ory** [-təri] □ противоречи́вый.

contrar|iety [kɔntrəˈraiəti] разногла́сие, противоре́чие; **~y** [ˈkɔntrəri] **1.** противополо́жный; ~ to *prp.* вопреки́ (Д), про́тив (Р); **2.** обра́тное; on the ~ наоборо́т.

contrast 1. [ˈkɔntræst] противополо́жность *f*, контра́ст; **2.** [kənˈtræst] сопоставля́ть [-а́вить], противополага́ть [-ложи́ть]; составля́ть контра́ст.

contribut|e [kənˈtribjuːt] соде́йствовать, спосо́бствовать; [по]же́ртвовать; сотру́дничать (to в П); **~ion** [kɔntriˈbjuːʃən] вклад; взнос; статья́; сотру́дничество; **~or** [kənˈtribjutə] сотру́дник (-ица); **~ory** [-təri] соде́йствующий; сотру́дничающий.

contrit|e [ˈkɔntrait] □ сокруша́ющийся, ка́ющийся; **~ion** [kənˈtriʃən] раска́яние.

contriv|ance [kənˈtraivəns] вы́думка; изобрете́ние; **~e** [kənˈtraiv] *v/t.* приду́м(ыв)ать; изобрета́ть [-ести́]; затева́ть [-е́ять]; *v/i.* ухитря́ться [-ри́ться]; умудря́ться [-ри́ться]; **~er** [-ə] изобрета́тель (ница *f*) *m*.

control [kənˈtroul] **1.** руково́дство; надзо́р; контро́ль *m*; **2.** управля́ть (Т); [про]контроли́ровать, регули́ровать (*im*)*pf.*; сде́рживать [-жа́ть] (чу́вства, слёзы); **~ler** [-ə] контролёр, инспе́ктор.

controver|sial [kɔntrəˈvəːʃəl] □ спо́рный; **~sy** [ˈkɔntrəvəːsi] спор, диску́ссия, поле́мика; **~t** [ˈkɔntrəvəːt] оспа́ривать [оспо́рить].

contumacious [kɔntjuˈmeiʃəs] □ упо́рный; непоко́рный; ⚖ неподчиня́ющийся распоряже́нию суда́.

contumely [ˈkɔntjum(i)li] оскорбле́ние; де́рзость *f*; бесче́стье.

convalesce [kɔnvəˈles] выздора́вливать [вы́здороветь]; **~nce** [-ns] выздоровле́ние; **~nt** [-nt] □ выздора́вливающий.

convene [kənˈviːn] соз(ы)ва́ть; соб(и)ра́ть(ся); ⚖ вызыва́ть [вы́звать] (в суд).

convenien|ce [kənˈviːnjəns] удо́бство; at your earliest как мо́жно скоре́е; **~t** [-jənt] □ удо́бный.

convent [ˈkɔnvənt] монасты́рь *m*; **~ion** [kənˈvenʃən] собра́ние; съезд; соглаше́ние; обы́чай.

converge [kənˈvəːdʒ] сходи́ться [сойти́сь]; своди́ть в одну́ то́чку.

convers|ant [ˈkɔnvəsnt] све́дущий; **~ation** [kɔnvəˈseiʃn] разгово́р, бесе́да; **~ational** [-l] разгово́рный; **~e** [kənˈvəːs] разгова́ривать, бесе́довать; **~ion** [kənˈvəːʃən] превраще́ние; измене́ние; ⊕ перерабо́тка, превра́щение; ⚡ трансформи́рование; *eccl.* обраще́ние в другу́ю ве́ру; † конве́рсия.

convert 1. [ˈkɔnvəːt] новообращённый; **2.** [kənˈvəːt] превраща́ть [-ати́ть]; ⊕ перераба́тывать [-бо́тать]; ⚡ трансформи́ровать (*im*)*pf.*; *eccl.* обраща́ть [-рати́ть] (в другу́ю ве́ру); † конверти́ровать (*im*)*pf.*; **~er** [-ə] ⚡ конве́ртер; **~ible** [-əbl] □ изменя́емый; обрати́мый; † подлежа́щий конве́рсии.

convey [kənˈvei] перевози́ть [-везти́], переправля́ть [-пра́вить]; перед(ав)а́ть; **~ance** [-əns] перево́зка; доста́вка; **~or** [-ə] ⊕ (или ~ belt) конве́йер; транспортёр.

convict 1. [ˈkɔnvikt] осуждённый; ка́торжник; **2.** [kənˈvikt] признава́ть вино́вным; изоблича́ть

[-чи́ть]; **~ion** [kən'vikʃən] ⚖ осужде́ние; убежде́ние.
convince [kən'vins] убежда́ть [убеди́ть] (of в П).
convocation [kɔnvo'keiʃən] созы́в; собра́ние.
convoke [kən'vouk] соз(ы)ва́ть.
convoy 1. ['kɔnvɔi] конво́й; сопровожде́ние; 2. [kən'vɔi] сопровожда́ть; конвои́ровать.
convuls|ion [kən'vʌlʃən] колеба́ние (по́чвы); су́дорога; **~ive** [-siv] □ су́дорожный.
coo [ku:] воркова́ть.
cook [kuk] 1. куха́рка, по́вар; 2. [со]стря́пать, [при]гото́вить; **~ery** ['kukəri] кулина́рия; стряпня́; **~ie, ~y** ['kuki] *Am.* пече́нье.
cool [ku:l] 1. прохла́дный; *fig.* хладнокро́вный; невозмути́мый; *b. s.* де́рзкий, наха́льный; 2. прохла́да; хладнокро́вие; 3. охлажда́ть(ся) [охлади́ть(ся)]; осты́(ва́)ть.
coolness ['ku:lnis] холодо́к; прохла́да; хладнокро́вие.
coop [ku:p] 1. куря́тник; 2. ~ up или in держа́ть взаперти́.
cooper ['ku:pə] бо́нда́рь *m.*
co-operat|e [kou'ɔpəreit] сотру́дничать; **~ion** [kouɔpə'reiʃən] коопера́ция; сотру́дничество; **~ive** [kou'ɔpərətiv] совме́стный, объединённый; ~ society кооперати́вное о́бщество; **~or** [-eitə] сотру́дник; коопера́тор.
co-ordinat|e 1. [kou'ɔ:dnit] □ неподчинённый; ра́вный; 2. [-neit] координи́ровать (*im*)*pf.*; согласо́вывать [-ова́ть]; **~ion** [kou'ɔ:di''neiʃən] координа́ция.
cope [koup]: ~ with справля́ться [-а́виться] с (Т).
copious ['koupjəs] □ оби́льный; **~ness** [-nis] оби́лие.
copper ['kɔpə] 1. медь *f*; ме́дная моне́та; 2. ме́дный; **~y** [-ri] цве́та ме́ди.
coppice, copse ['kɔpis, kɔps] ро́ща.
copy ['kɔpi] 1. ко́пия; ру́копись *f*; экземпля́р; 2. переписывать [-са́ть]; снима́ть ко́пию с (Р); **~-book** тетра́дь *f*; **~ing** ['kɔpiiŋ] перепи́сывание; **~ist** ['kɔpiist] перепи́счик; подража́тель *m*; **~-right** [-rait] а́вторское пра́во.
coral ['kɔrəl] кора́лл.
cord [kɔ:d] 1. верёвка, шнуро́к; *anat.* свя́зка; 2. свя́зывать [-за́ть]; **~ed** ['kɔ:did] ру́бчатый (о мате́рии).
cordial ['kɔ:diəl] 1. □ серде́чный, и́скренний; 2. стимули́рующее (серде́чное) сре́дство; **~ity** [kɔ:di'æliti] серде́чность *f*, раду́шие.
cordon ['kɔ:dən] 1. кордо́н; 2. ~ off отгора́живать [-роди́ть].
corduroy ['kɔ:dərɔi, -dju] ру́бчатый плис, вельве́т; **~s** *pl.* плисо́вые (*or* вельве́товые) штаны́ *m/pl.*
core [kɔ:] 1. сердцеви́на; вну́тренность *f*; ядро́; *fig.* суть *f*; 2. выре́зывать сердцеви́ну из (Р).
cork [kɔ:k] 1. про́бка; 2. затыка́ть про́бкой; **~-jacket** спаса́тельный жиле́т; **~-screw** што́пор.
corn [kɔ:n] зерно́; хлеба́ *m/pl.*; *Am.* кукуру́за, майс; ⚕ мозо́ль *f*.
corner ['kɔ:nə] 1. у́гол; 2. † ску́пка това́ра; 3. *fig.* загна́ть в тупи́к; припере́ть к стене́; † скупа́ть това́р.
cornet ['kɔ:nit] ♪ корне́т, корне́т-а-пистóн.
cornice ['kɔ:nis] ⚠ карни́з.
coron|ation [kɔrə'neiʃən] корона́ция; **~et** ['kɔrənit] коро́на, диаде́ма.
corpor|al ['kɔ:pərəl] 1. □ теле́сный; 2. ⚔ капра́л; **~ation** [kɔ:pə'reiʃən] корпора́ция; муниципалите́т; *Am.* акционе́рное о́бщество.
corpse [kɔ:ps] труп.
corpulen|ce, ~cy ['kɔ:pjuləns] доро́дность *f*, ту́чность *f*; **~t** [-lənt] доро́дный, ту́чный.
corral *Am.* [kɔ'rɑ:l] 1. заго́н (для скота́); 2. загоня́ть [загна́ть].
correct [kə'rekt] 1. □ пра́вильный, ве́рный, то́чный; 2. *v/t.* исправля́ть [-а́вить], [про]корректи́ровать; **~ion** [kə'rekʃən] исправле́ние, попра́вка; house of ~ исправи́тельный дом.
correlate ['kɔrileit] устана́вливать соотноше́ние.
correspond [kɔris'pɔnd] соотве́тствовать (with, to Д); согласо́выва́ться [-сова́ться] (с Т); перепи́сываться (с Т); **~ence** [-əns] соотве́тствие, соотноше́ние; перепи́ска; **~ent** [-ənt] 1. □ соотве́тствующий; 2. корреспонде́нт(ка).
corridor ['kɔridɔ:] коридо́р; ~ train по́езд, состоя́щий из ваго́нов, соединённых та́мбурами.

corroborate [kə'rɔbəreit] поддéрживать [-жáть]; подтверждáть [-рдúть].
corro|de [kə'roud] разъедáть [-éсть]; [за]ржавéть; **~sion** [kə'rouʒən] коррóзия; ржáвчина; окислéние; **~sive** [-siv] **1.** □ éдкий; **2.** éдкое веществó.
corrugate ['kɔrugeit] смóрщи(ва)ть(ся); ⊕ дéлать рифлёным, волнúстым; ~d iron рифлёное желéзо.
corrupt [kə'rʌpt] **1.** □ испóрченный; искажённый; развращённый; **2.** *v/t.* искажáть [-зúть]; развращáть [-ратúть]; подкупáть [-пúть]; *v/i.* [ис]пóртиться; искажáться [-зúться]; **~ible** [kə'rʌptəbl] □ подкупнóй; **~ion** [-ʃən] пóрча; искажéние; продáжность *f*.
corsage [kɔ:'sɑ:ʒ] корсáж.
corset ['kɔ:sit] корсéт.
co-signatory ['kou'signətəri] **1.** лицó, подписáвшее соглашéние совмéстно с другúми; **2.** подпúсывающий соглашéние совмéстно с другúми.
cosmetic [kɔz'metik] **1.** косметúческий; **2.** космéтика.
cosmopolit|an [kɔzmo'pɔlitən] космополитúческий; **~e** [kɔz'mɔpəlait] **1.** космополúт(ка); **2.** космополитúческий.
cost [kɔst] **1.** ценá, стóимость *f*; first или prime ~ фабрúчная себестóимость *f*; **2.** [*irr.*] стóить.
costl|iness ['kɔstlinis] дороговúзна; **~y** [-li] дорогóй, цéнный.
costume ['kɔstju:m] (национáльный или маскарáдный) костюм.
cosy ['kouzi] **1.** □ уютный; **2.** стёганный чехóл (для чáйника).
cot [kɔt] дéтская кровáть *f*; ⚓ кóйка.
cottage ['kɔtidʒ] коттéдж; избá; *Am.* лéтняя дáча; ~ piano небольшóе пианúно *n indecl.*
cotton ['kɔtn] **1.** хлóпок; хлопчáтая бумáга; ✝ сúтец; нúтка; **2.** хлопчатобумáжный; ~ wool вáта; **3.** F сдружúться (to с Т) *pf.*
couch [kautʃ] **1.** кушéтка; лóговище; **2.** *v/t.* излагáть [изложúть]; [с]формулúровать; *v/i.* лежáть, притаúться *pf.* (о зверях).
cough [kɔ:f, kɔf] **1.** кáшель *m*; **2.** кáшлять [кашлянýть].
could [kud] *pt.* от can.
council ['kaunsl] совéт; **~(l)or** [-silə] член совéта; совéтник.
counsel ['kaunsəl] **1.** обсуждéние, совещáние; ⚖ адвокáт; ~ for the prosecution обвинúтель *m*; **2.** давáть совéт (Д); **~(l)or** [-ə] совéтник; *Am.* адвокáт.
count[1] [kaunt] **1.** счёт, подсчёт; итóг; ⚖ статья в обвинúтельном áкте; **2.** *v/t.* [со]считáть; подсчúтывать [-итáть]; зачислять [-úслить]; *v/i.* считáться; имéть значéние.
count[2] [~] граф (не англúйский).
countenance ['kauntinəns] **1.** лицó; самообладáние; поддéржка; **2.** поддéрживать [-жáть], поощрять [-рúть].
counter[1] ['kauntə] прилáвок; стóйка; таксóметр; счётчик; фúшка.
counter[2] [~] **1.** противополóжный (to Д); встрéчный; **2.** *adv.* обрáтно; напрóтив; **3.** [вос]протúвиться (Д); (в бóксе) наносúть встрéчный удáр.
counteract [kauntə'rækt] противодéйствовать (Д); нейтрализовáть (*im*)*pf.*
counterbalance **1.** ['kauntəbæləns] противовéс; **2.** [kauntə'bæləns] уравновéшивать [-вéсить]; служúть противовéсом (Д).
counter-espionage ['kauntər'espiə'nɑ:ʒ] контрразвéдка.
counterfeit ['kauntəfit] **1.** поддéльный, подлóжный; **2.** поддéлка; **3.** поддéл(ыв)ать; обмáнывать [-нýть].
countermand **1.** ['kauntə'mɑ:nd] контрприкáз; **2.** [kauntə'mɑ:nd] отменять [-нúть] (закáз, прикáз); отзывáть [отозвáть] (лицó, вóинскую часть).
counter-move ['kauntəmu:v] *fig.* отвéтная мéра.
counterpane [-pein] покрывáло; стёганое одеяло.
counterpart [-pɑ:t] кóпия; двойнúк; **~s** лица или вéщи, взаимно дополняющие друг дрýга.
counterpoise [-pɔiz] **1.** противовéс; равновéсие; **2.** держáть равновéсие; (*a. fig.*) уравновéшивать [-éсить].
countersign [-sain] **1.** контрасигнóвка; ⚔ парóль *m*; **2.** скреплять [-пúть] (пóдписью).

countervail [-veil] противостоя́ть (Д); уравнове́шивать [-е́сить].
countess [ˈkauntis] графи́ня.
counting-house [ˈkauntiŋhaus] конто́ра.
countless [ˈkauntlis] бесчи́сленный, несчётный.
country [ˈkʌntri] **1.** страна́; ме́стность *f*; дере́вня; **2.** дереве́нский; **~man** [-mən] крестья́нин; земля́к; **~side** [-ˈsaid] се́льская ме́стность *f*; сёльское населе́ние.
county [ˈkaunti] гра́фство; *Am.* о́круг.
coup [ku:] уда́чный ход (уда́р и т. п.).
couple [kʌpl] **1.** па́ра; сво́ра; **2.** соединя́ть [-ни́ть]; ассоции́ровать (*im*)*pf*.; ⊕ сцепля́ть [-пи́ть]; **~r** [-ə] *radio* устро́йство свя́зи.
coupling [ˈkʌpliŋ] совокупле́ние; ⊕ му́фта; сцепле́ние; *radio* связь *f*.
coupon [ˈku:pɔn] купо́н, тало́н.
courage [ˈkʌridʒ] му́жество, сме́лость *f*, хра́брость *f*, отва́га; **~ous** [kəˈreidʒəs] □ му́жественный, сме́лый, хра́брый.
courier [ˈkuriə] курье́р, наро́чный.
course [ˈkɔ:s] **1.** направле́ние, курс; ход; тече́ние; блю́до (за обе́дом); of ~ коне́чно; **2.** *v/t.* гна́ться за (Т); охо́титься (с го́нчими) на (В) *or* за (Т); *v/i.* бе́гать, [по]бежа́ть.
court [kɔ:t] **1.** двор (*a. fig.*); суд; pay (one's) ~ уха́живать (to за Т); **2.** уха́живать за (Т); иска́ть расположе́ния (Р); **~eous** [ˈkə:tiəs] □ ве́жливый, учти́вый; **~esy** [ˈkə:tisi] учти́вость *f*, ве́жливость *f*; **~ier** [ˈkɔ:tjə] придво́рный; **~ly** [-ly] ве́жливый; **~-martial** ⚔ **1.** вое́нный трибуна́л; **2.** суди́ть вое́нным судо́м; **~ship** [-ʃip] уха́живание; **~yard** двор.
cousin [ˈkʌzn] двою́родный брат, двою́родная сестра́.
cove [kouv] (ма́ленькая) бу́хта; *fig.* убе́жище.
covenant [ˈkʌvinənt] **1.** ⚖ догово́р; заве́т; **2.** соглаша́ться [-ласи́ться].
cover [ˈkʌvə] **1.** кры́шка; обёртка; покрыва́ло; переплёт; конве́рт; ⚔ укры́тие; *fig.* покро́в; ⊕ кожу́х; *mot.* покры́шка; **2.** покры́(ва́)ть (*a.* ☨); прикры́(ва́)ть; скры(ва́)ть; **~ing** [-riŋ] (по)кры́шка; обши́вка; облицо́вка.
covert [ˈkʌvət] **1.** □ прикры́тый, та́йный; **2.** убе́жище для ди́чи.
covet [ˈkʌvit] жа́ждать (Р); **~ous** [-əs] □ жа́дный, а́лчный; скупо́й.
cow¹ [kau] коро́ва.
cow² [~] запу́гивать [-га́ть]; терроризова́ть (*im*)*pf*.
coward [ˈkauəd] **1.** □ трусли́вый; малоду́шный, ро́бкий; **2.** трус (-и́ха); **~ice** [-is] тру́сость *f*; малоду́шие; **~ly** [-li] трусли́вый.
cowboy [ˈkaubɔi] пасту́х; *Am.* ковбо́й.
cower [ˈkauə] съёжи(ва)ться.
cowl [kaul] капюшо́н.
coxcomb [ˈkɔkskoum] ✿ пету́ший гребешо́к; фат.
coxswain [ˈkɔkswein, *mst* ˈkɔksn] рулево́й.
coy [kɔi] □ засте́нчивый, скро́мный.
crab [kræb] *zo.* краб; ⊕ лебёдка, во́рот; F ворчли́вый челове́к.
crab-louse [ˈkræblaus] площи́ца.
crack [ˈkræk] **1.** треск; тре́щина; щель *f*; рассе́лина; F уда́р; *Am.* саркасти́ческое замеча́ние; *Am.* at ~ of day на заре́; **2.** F первокла́ссный; **3.** *v/t.* раска́лывать [-коло́ть], коло́ть; ~ a joke отпусти́ть шу́тку; *v/i.* производи́ть треск, шум; тре́скаться [тре́снуть], раска́лываться [-коло́ться]; лома́ться (о го́лосе); **~ed** [krækt] тре́снувший; F вы́живший из ума́; **~er** [ˈkrækə] хлопу́шка-конфе́та; *Am.* то́нкое сухо́е пече́нье; **~le** [ˈkrækl] потре́скивание; треск.
cradle [ˈkreidl] **1.** колыбе́ль *f*; *fig.* нача́ло; младе́нчество; **2.** убаю́к(ив)ать.
craft [krɑ:ft] ло́вкость; сноро́вка; ремесло́; су́дно (*pl.* суда́); **~sman** [ˈkrɑ:ftsmən] ма́стер; реме́сленник; **~y** [ˈkrɑ:fti] □ ло́вкий, иску́сный; хи́трый.
crag [kræg] скала́, утёс.
cram [kræm] впи́хивать [-хну́ть]; переполня́ть [-о́лнить]; [на]пи́чкать; F [за]зубри́ть.
cramp [kræmp] **1.** су́дорога, спа́змы *f/pl.*; ⊕ зажи́м, скоба́; **2.** вызыва́ть су́дорогу у (Р); стесня́ть [-ни́ть] (разви́тие); су́живать [су́зить] (по́ле де́йствия).
cranberry [ˈkrænbəri] клю́ква.
crane [krein] **1.** жура́вль *m*; ⊕ подъёмный кран; **2.** поднима́ть кра́ном; вытя́гивать ше́ю.

crank [kræŋk] **1.** рукоя́тка; прихо́дура; челове́к с причу́дами; **2.** заводи́ть рукоя́тью (автомоби́ль и т. п.); **~-shaft** ⊕ коле́нчатый вал; **~y** [kræŋki] неспра́вный (механи́зм); капри́зный; эксцентри́чный.

cranny ['kræni] щель *f*, тре́щина.

crape [kreip] креп; тра́ур.

crash [kræʃ] **1.** гро́хот, треск; ✈ ава́рия; 🚂 круше́ние; ⚕ крах; **2.** па́дать, ру́шиться с тре́ском; разби́(ва́)ть(ся); ✈ потерпе́ть ава́рию.

crater ['kreitə] кра́тер; ⚔ воро́нка.

crave [kreiv] *v/t.* настоя́тельно проси́ть; *v/i.* стра́стно жела́ть, жа́ждать (for P).

crawfish ['krɔ:fiʃ] речно́й рак.

crawl [krɔ:l] **1.** по́лзание; *fig.* пресмыка́тельство; **2.** пресмыка́ться; по́лзать, [по]ползти́.

crayfish ['kreifiʃ] речно́й рак.

crayon ['kreiən] цветно́й каранда́ш; пасте́ль *f* (каранда́ш); пасте́льный рису́нок.

craz|e [kreiz] **1.** ма́ния; F мо́да, пова́льное увлече́ние; be the ~ быть в мо́де; **2.** своди́ть с ума́; сходи́ть с ума́; **~y** ['kreizi] □ поме́шанный; ша́ткий.

creak [kri:k] **1.** скрип; **2.** [за]скрипе́ть.

cream [kri:m] **1.** сли́вки *f/pl.*; крем; са́мое лу́чшее; **2.** снима́ть сли́вки с (Р); **~ery** ['kri:məri] маслобо́йня; моло́чная; **~y** ['kri:mi] □ сли́вочный; кре́мовый.

crease [kri:s] **1.** скла́дка; сгиб; **2.** [с]мя́ть(ся); загиба́ть [загну́ть].

creat|e [kri'eit] [со]твори́ть; созд(ав)а́ть; **~ion** [-ʃən] созда́ние, (со)творе́ние; **~ive** [-tiv] тво́рческий; **~or** [-tə] созда́тель *m*, творе́ц; **~ure** ['kri:tʃə] созда́ние; существо́; тварь *f*.

creden|ce ['kri:dəns] ве́ра, дове́рие; **~tials** [kri:'denʃəlz] *pl.* вери́тельные гра́моты *f/pl.*, докуме́нты *m/pl.*

credible ['kredəbl] □ заслу́живающий дове́рие; вероя́тный.

credit ['kredit] **1.** дове́рие; хоро́шая репута́ция; ⚕ креди́т; **2.** ве́рить, доверя́ть (Д); ⚕ кредитова́ть (*im*)*pf.*; ~ a p. with a th. припи́сывать кому́-либо что́-либо; **~able** ['kreditəbl] □ похва́льный; **~or** [-tə] кредито́р.

credulous ['kredjuləs] □ легкове́рный, дове́рчивый.

creed [kri:d] вероуче́ние; кре́до [*indecl. n.*]

creek [kri:k] бу́хта; зали́в; рука́в реки́; *Am.* прито́к; руче́й.

creep [kri:p] [*irr.*] по́лзать, [по-] ползти́; ви́ться (о расте́ниях); кра́сться; *fig.* ~ in вкра́дываться [вкра́сться]; **~er** ['kri:pə] вью́щееся расте́ние.

crept [krept] *pt.* и *p. pt.* от creep.

crescent ['kresnt] **1.** расту́щий; ['kreznt] серпови́дный; **2.** полуме́сяц.

crest [krest] гребешо́к (петуха́); хохоло́к (пти́цы); гре́бень *m* (волны́, горы́, шле́ма); **~-fallen** ['krestfɔ:lən] упа́вший ду́хом; уны́лый.

crevasse [kri'væs] рассе́лина (в леднике́); *Am.* проры́в плоти́ны.

crevice ['krevis] щель *f*, расще́лина, тре́щина.

crew[1] [kru:] брига́да, арте́ль рабо́чих; ⚓ судова́я кома́нда.

crew[2] [~] *pt.* от crow.

crib [krib] **1.** я́сли *m/pl.*, корму́шка; де́тская крова́тка; *school*: шпарга́лка; **2.** помеща́ть в те́сное помеще́ние; F спи́сывать тайко́м.

cricket ['krikit] *zo.* сверчо́к; кри́кет (игра́); F not ~ не по пра́вилам, нече́стно.

crime [kraim] преступле́ние.

crimina|l ['kriminəl] **1.** престу́пник; **2.** престу́пный; кримина́льный, уголо́вный; **~lity** [krimi'næliti] престу́пность *f*; вино́вность *f*.

crimp [krimp] гофрирова́ть (*im*)*pf*.

crimson ['krimzn] **1.** багро́вый, мали́новый **2.** [по]красне́ть.

cringe [krindʒ] раболе́пствовать.

crinkle ['kriŋkl] **1.** скла́дка; морщи́на; **2.** [с]мо́рщиться; зави́(ва́)ться; [по]мя́ться.

cripple ['kripl] **1.** кале́ка *m/f*, инвали́д; **2.** [ис]кале́чить, [из]уро́довать; *fig.* парализова́ть (*im*)*pf*.

crisp [krisp] **1.** кудря́вый; хрустя́щий; све́жий (о во́здухе); **2.** зави́(ва́)ть(ся); хрусте́ть [хру́стнуть]; покрыва́ться ря́бью (о реке́ и т. п.).

criss-cross ['kriskrɔs] **1.** *adv.* крест-на́крест; вкось; **2.** перекре́щивать [-крести́ть].

criteri|on [krai'tiəriən], *pl.* **~a** [-riə] крите́рий, мери́ло.

criti|c ['kritik] критик; **~cal** ['kritikəl] □ критический; разборчивый; **~cism** [-sizm], **~que** ['kriti:k] критика; рецензия; **~cize** [k'ritisaiz] [рас]критиковать; осуждать [осудить].
croak [krouk] [за]каркать; [за-] квакать.
crochet ['krouʃei] **1.** вязание (крючком); **2.** вязать (крючком).
crock [krɔk] глиняный кувшин; **~ery** ['krɔkəri] посуда.
crone [kroun] F старуха; старая карга.
crony ['krouni] F закадычный [друг.
crook [kruk] **1.** посох; крюк; поворот; загиб; *sl.* обманщик, плут; **2.** сгибать(ся) [согнуть(ся)]; искривлять(ся) [-вить(ся)]; **~ed** ['krukid] изогнутый; кривой; нечестный.
croon [kru:n] **1.** монотонное пение; **2.** напевать.
crop [krɔp] **1.** урожай; хлеба на корню; кнутовище; зоб; **2.** засевать [засеять]; собирать урожай; подстригать [-ричь]; ~ up (внезапно) появляться [-виться].
cross [krɔs, krɔ:s] **1.** крест; распятие; **2.** □ поперечный; сердитый; **3.** *v/t.* [о]крестить; скрещивать [-естить] (руки и т. п.); переходить [перейти], переезжать [переехать]; *fig.* противодействовать (Д); противоречить (Д); ~ o. s. [пере]креститься; *v/i.* ⚘ разминуться *pf.*; **~-bar** поперечина; **~-breed** помесь *f*; гибрид; **~-examination** перекрёстный допрос; **~-eyed** косой, косоглазый; **~ing** ['krɔsiŋ] перекрёсток; переправа; переезд, переход; **~-road** поперечная дорога; **~s** *pl.* или *sg.* перекрёсток; **~-section** поперечное сечение; **~wise** крестообразно; крестом.
crotchet ['krɔtʃit] крючок; причуда; ♪ четвертная нота.
crouch [krautʃ] раболепствовать; притаиться *pf.*
crow [krou] **1.** ворона; пение петуха; радостный крик (младенца); **2.** [*irr.*] [про]петь (о петухе); ликовать; **~-bar** лом, вага.
crowd [kraud] **1.** толпа; множество, масса; толкотня, давка; F компания; **2.** собираться толпой, толпиться; набиваться битком.
crown [kraun] **1.** венец, корона; *fig.* завершение; крона (дерева); макушка (головы); коронка (зуба); **2.** [у]венчать; короновать (*im*)*pf.*; *fig.* завершать [-шить]; поставить коронку (на зуб).
cruci|al ['kru:ʃiəl] □ критический; решающий; **~ble** [-sibl] тигель *m*; **~fixion** [kru:si'fikʃən] распятие; **~fy** ['kru:sifai] распинать [-пять].
crude [kru:d] □ сырой; необработанный; незрелый; грубый.
cruel ['kru:əl] □ жестокий; *fig.* мучительный; **~ty** [-ti] жестокость *f*.
cruet-stand ['kruitstænd] судок.
cruise [kru:z] ⚓ **1.** морское путешествие; **2.** крейсировать; совершать рейсы; **~r** ['kru:zə] ⚓ крейсер.
crumb [krʌm] **1.** крошка; **2.** (= **~le** ['krʌmbl]) [рас-, ис]крошить(ся).
crumple ['krʌmpl] [с]мять(ся); [с]комкать(ся).
crunch [krʌntʃ] разжёвывать [-жевать]; хрустеть [хрустнуть].
crusade [kru:'seid] крестовый поход; кампания; **~r** [-ə] крестоносец.
crush [krʌʃ] **1.** давка; толкотня; **2.** *v/t.* [раз]давить; выжимать [выжать]; уничтожать [-ожить].
crust [krʌst] **1.** корка; кора; **2.** покрывать(ся) коркой, корой; **~y** ['krʌsti] □ покрытый коркой, корой.
crutch [krʌtʃ] костыль *m*.
cry [krai] **1.** крик; вопль *m*; плач; **2.** [за]плакать; восклицать [-икнуть]; кричать [крикнуть]; ~ for [по]требовать (Р).
crypt [kript] склеп; **~ic** ['kriptik] таинственный; сокровенный.
crystal ['kristl] хрусталь *m*; кристалл; *Am.* стекло для часов; **~line** [-təlain] хрустальный; **~lize** [-təlaiz] кристаллизовать(ся) (*im*)*pf*.
cub [kʌb] **1.** детёныш (зверя); *Am.* новичок; **2.** [о]щениться.
cub|e [kju:b] ⅍ **1.** куб; ~ root кубический корень *m*; **2.** возводить в куб; **~ic**(**al** □) ['kju:bik, -ikəl] кубический.
cuckoo ['kuku:] кукушка.
cucumber ['kju:kəmbə] огурец.
cud [kʌd] жвачка; chew the ~ жевать жвачку.
cuddle ['kʌdl] *v/t.* прижимать к

себе́; *v/i.* приж(им)а́ться (друг к дру́гу). [ба́сить дуби́ной.

cudgel ['kʌdʒəl] **1.** дуби́на; **2.** ду-

cue [kju:] (билья́рдный) кий; намёк; *thea.* ре́плика.

cuff [kʌf] **1.** манже́та, обшла́г; **2.** [по]би́ть (руко́й), [по]колоти́ть.

culminate ['kʌlmineit] достига́ть вы́сшей то́чки (и́ли сте́пени).

culpable ['kʌlpəbl] □ вино́вный; престу́пный. [но́вный.

culprit ['kʌlprit] престу́пник; ви-

cultivat|e ['kʌltiveit] обраба́тывать [-бо́тать]; возде́л(ыв)ать; культиви́ровать; **~ion** [kʌlti'veiʃən] возде́лывание (земли́); разведе́ние, культу́ра (расте́ний); **~or** ['kʌltiveitə] культива́тор (⚒ ору́дие); земледе́лец.

cultural ['kʌltʃərəl] □ культу́рный.

culture ['kʌltʃə] культу́ра; разведе́ние, возде́лывание; **~d** [-d] культу́рный; культиви́рованный.

cumber ['kʌmbə] затрудня́ть [-ни́ть]; стесня́ть [-ни́ть]; **~some** [-səm], **cumbrous** ['kʌmbrəs] громо́здкий; обремени́тельный.

cumulative ['kju:mjulətiv] □ совоку́пный; кумуляти́вный; нако́пленный.

cunning ['kʌniŋ] **1.** ло́вкий; хи́трый; кова́рный; *Am.* изя́щный; преле́стный; **2.** ло́вкость *f*; хи́трость *f*; кова́рство.

cup [kʌp] ча́шка; ча́ша; ку́бок; **~board** ['kʌbəd] шкаф.

cupidity [kju'piditi] а́лчность *f*, жа́дность *f*, ска́редность *f*.

cupola ['kju:pələ] ку́пол.

cur [kə:] дворня́жка (соба́ка).

curate ['kjuərit] помо́щник прихо́дского свяще́нника.

curb [kə:b] **1.** мундшту́чная узде́чка; узда́ (*a. fig.*); (*a.* ~-stone) обо́чина тротуа́ра; **2.** обу́здывать [-да́ть] (*a. fig.*).

curd [kə:d] **1.** творо́г; **2.** (*mst* **~le,** [kə:dl]) свёртываться [сверну́ться] (о молоке́, кро́ви).

cure [kjuə] **1.** лече́ние; сре́дство; **2.** [вы́]лечи́ть, исцеля́ть [-ли́ть]; заготовля́ть [-то́вить], консерви́ровать (*im*)*pf*.

curio ['kjuəriou] ре́дкая антиква́рная вещь *f*; **~sity** [kjuəri'ɔsiti] любопы́тство; ре́дкость *f*; **~us** ['kjuəriəs] □ любопы́тный; пытли́вый; стра́нный.

curl [kə:l] **1.** ло́кон; завито́к; спира́ль *f*; **2.** ви́ться; клуби́ться; **~y** ['kə:li] кудря́вый; курча́вый; выю́щийся.

currant ['kʌrənt] сморо́дина; (*a.* dried ~) кори́нка.

curren|cy ['kʌrənsi] ✝ де́ньги *f/pl.*, валю́та; де́нежное обраще́ние; **~t** [-ənt] **1.** □ теку́щий; ходя́чий; ✝ находя́щийся в обраще́нии; **2.** пото́к; тече́ние; ⚡ ток.

curse [kə:s] **1.** прокля́тие; руга́тельство; бич, бе́дствие; **2.** проклина́ть [-кля́сть]; руга́ться; **~d** ['kə:sid] □ прокля́тый.

curt [kə:t] □ кра́ткий.

curtail [kə:'teil] укора́чивать [-роти́ть]; уре́з(ыв)ать; *fig.* сокраща́ть [сократи́ть].

curtain ['kə:tn] **1.** занаве́ска; за́навес; **2.** занаве́шивать [-ве́сить].

curts(e)y ['kə:tsi] **1.**ревера́нс; покло́н; **2.** де́лать ревера́нс (to Д).

curv|ature ['kə:vətʃə] искривле́ние; **~e** [kə:v] **1.** ⚘ крива́я; изги́б; кривизна́; **2.** [со]гну́ть; изгиба́ть (-ся) [изо́гну́ть(ся)].

cushion ['kuʃin] **1.** поду́шка; борт (билья́рдного стола́); **2.** подкла́дывать поду́шку под (В).

custody ['kʌstədi] опе́ка, попече́ние; заточе́ние.

custom ['kʌstəm] обы́чай; привы́чка; клиенту́ра; **~s** *pl.* тамо́женные по́шлины *f/pl.*; **~ary** [-əri] □ обы́чный; **~er** [-ə] постоя́нный (-ная) покупа́тель(ница *f*) *m*; клие́нт(ка); **~-house** тамо́жня; **~-made** *Am.* изгото́вленный на зака́з.

cut [kʌt] **1.** разре́з, поре́з; зару́бка, засе́чка; отре́з (мате́рии); покро́й (пла́тья); (*mst* short-~) сокращённый путь *m*; **2.** [*irr.*] *v/t.* ре́зать; разреза́ть [-ре́зать]; [по]стри́чь; [от]шлифова́ть; [с]коси́ть (траву́); проре́з(ыв)аться (о зуба́х); ~ short прер(ы)ва́ть; ~ down сокраща́ть [-рати́ть] (расхо́ды); ~ out выреза́ть [вы́резать]; [с]крои́ть; выключа́ть [вы́ключить]; *fig.* вытесня́ть [вы́теснить]; be ~ out for быть сло́вно со́зданным для (Р); *v/i.* ре́зать; ~ in вме́шиваться [-ша́ться].

cute [kju:t] □ F хи́трый; *Am.* ми́лый, привлека́тельный. [*n/pl.*

cutlery ['kʌtləri] ножевы́е изде́лия

cutlet ['kʌtlit] котле́та.

cut|-out ⚡ автомати́ческий выключа́тель *m*, предохрани́тель *m*; **~ter** [ˈkʌtə] ре́зчик (по де́реву); закро́йщик; ⊕ ре́жущий инструме́нт; ⚓ ка́тер; **~-throat** головоре́з; уби́йца *m*; **~ting** [ˈkʌtiŋ] **1.** □ о́стрый, ре́зкий; язви́тельный; **2.** ре́зание; закро́йка; ⊕ фрезерова́ние; гране́ние; ⚘ побе́г, черено́к; **~s** *pl.* обре́зки *m/pl.*; (газе́тные) вы́резки *f/pl.*; ⊕ стру́жки *f/pl.*

cycl|e [ˈsaikl] **1.** цикл; круг; велосипе́д; ⊕ кругово́й проце́сс; **2.** е́здить на велосипе́де; **~ist** [-ist] велосипеди́ст(ка).

cyclone [ˈsaikloun] цикло́н.

cylinder [ˈsilində] цили́ндр (*geom.*); ⊕ бараба́н; ва́лик.

cymbal [ˈsimbəl] ♪ таре́лки *f/pl.*

cynic [ˈsinik] **1.** (*a.* ~al □, -ikəl) цини́чный; **2.** ци́ник.

cypress [ˈsaipris] ⚘ кипари́с.

Czech [tʃək] **1.** чех, че́шка; **2.** че́шский.

Czecho-Slovak [ˈtʃekouˈslouvæk] **1.** жи́тель(ница) Чехослова́кии; **2.** чехослова́цкий.

D

dab [dæb] **1.** шлепо́к; мазо́к; пятно́ (кра́ски); **2.** слегка́ тро́гать (В); де́лать лёгкие мазки́ на (П).

dabble [ˈdæbl] плеска́ть(ся); бара́хтаться (в воде́ и т. п.); халту́рить, занима́ться че́м-либо пове́рхностно.

dad [dæd] F, **~dy** [ˈdædi] F па́па.

daffodil [ˈdæfədil] жёлтый нарци́сс.

dagger [ˈdægə] кинжа́л; be at ~s drawn быть на ножа́х (с Т).

daily [ˈdeili] **1.** *adv.* ежедне́вно; **2.** ежедне́вный; **3.** ежедне́вная газе́та.

dainty [ˈdeinti] **1.** □ ла́комый; изя́щный; изы́сканный; **2.** ла́комство, деликате́с.

dairy [ˈdɛəri] моло́чная; масло- [де́льня.

daisy [ˈdeizi] маргари́тка.

dale [deil] доли́на, дол.

dall|iance [ˈdæliəns] несерьёзное заня́тие; флирт; **~y** [ˈdæli] зря теря́ть вре́мя; флиртова́ть.

dam [dæm] **1.** ма́тка (живо́тных); да́мба, плоти́на; **2.** запру́живать [-уди́ть].

damage [ˈdæmidʒ] **1.** вред; повреждéние; убы́ток; ~s *pl.* ⚖ убы́тки *m/pl.*; компенса́ция за убы́тки; **2.** поврежда́ть [-еди́ть], [ис]по́ртить.

damask [ˈdæməsk] камка́.

damn [dæm] **1.** проклина́ть [-ля́сть]; осужда́ть [осуди́ть]; руга́ться; **2.** прокля́тие; руга́тельство; **~ation** [dæmˈneiʃən] прокля́тие; осужде́ние.

damp [dæmp] **1.** сы́рость *f*, вла́жность *f*; **2.** вла́жный, за́тхлый; **3.** *a.* **~en** [ˈdæmpən] [на]мочи́ть; [от-]сыре́ть; *fig.* обескура́жи(ва)ть.

danc|e [dɑːns] **1.** та́нец; бал; **2.** танцева́ть; **~er** [ˈdɑːnsə] танцо́р, танцо́вщик (-ица); **~ing** [-iŋ] та́нцы *m/pl.*; пля́ска; *attr.* танцева́льный.

dandelion [ˈdændilaiən] ⚘ одува́н- [чик.

dandle [ˈdændl] [по]кача́ть (на рука́х).

dandruff [ˈdændrəf] пе́рхоть *f*.

dandy [ˈdændi] **1.** щёголь *m*; *sl.* первокла́ссная вещь *f*; **2.** *Am. sl.* первокла́ссный.

Dane [dein] датча́нин (-ча́нка).

danger [ˈdeindʒə] опа́сность *f*; **~ous** [ˈdeindʒrəs] □ опа́сный.

dangle [ˈdæŋgl] висе́ть, свиса́ть [сви́снуть]; болта́ть (Т).

Danish [ˈdeiniʃ] да́тский.

dapple [ˈdæpl] испещря́ть [-ри́ть]; **~d** [-d] испещрённый, пёстрый; **~-grey** се́рый в я́блоках (конь).

dar|e [dɛə] *v/i.* [по]сме́ть; отва́жи(ва)ться; *v/t.* вызыва́ть [вы́звать]; **~e-devil** смельча́к, сорвиголова́ *m*; **~ing** [dɛəriŋ] **1.** □ сме́лый, отва́жный; де́рзкий; **2.** сме́лость *f*, отва́жность *f*.

dark [dɑːk] **1.** тёмный; сму́глый;

та́йный; мра́чный; ~ horse „тёмная лоша́дка"; ~ lantern потайно́й фона́рь *m*; **2.** темнота́, тьма; неве́дение; **~en** [ˈdɑːkən] затемня́ть(ся) [-ни́ть(ся)]; **~ness** [ˈdɑːknis] темнота́, тьма; **~y** [ˈdɑːki] F черноко́жий, чёрный (о не́гре).

darling [ˈdɑːliŋ] **1.** люби́мец (-мица); ба́ловень *m*; **2.** люби́мый.

darn [dɑːn] [за]што́пать.

dart [dɑːt] **1.** стрела́; дро́тик; прыжо́к; **2.** *v/t.* мета́ть [метну́ть] (стре́лы, взгля́ды и т. п.); *v/i. fig.* мча́ться стрело́й.

dash [dæʃ] **1.** поры́в; уда́р; взмах; плеск (воды́); *fig.* при́месь *f*, чу́точка; набро́сок; штрих; тире́ *n indecl.* **2.** *v/t.* броса́ть [бро́сить]; разби́(ва́)ть; разбавля́ть [-а́вить]; *v/i.* ри́нуться; броса́ться [бро́ситься]; **~-board** *mot.*, ✈ прибо́рная доска́; **~ing** [ˈdæʃiŋ] □ лихо́й.

data [ˈdeitə] *pl.*, *Am. a. sg.* да́нные *n/pl.*; но́вости *f/pl.*; фа́кты *m/pl.*

date [deit] **1.** да́та, число́; F свида́ние; out of ~ устаре́лый; up to ~ нове́йший; совреме́нный; **2.** дати́ровать *(im)pf.*; *Am.* F усло́вливаться [-о́виться] с (T) (о встре́че); име́ть свида́ние.

daub [dɔːb] [по]ма́зать; [на]малева́ть.

daughter [ˈdɔːtə] дочь *f*; **~-in-law** [-rinlɔː] неве́стка, сноха́.

daunt [dɔːnt] устраша́ть [-ши́ть], запу́гивать [-га́ть]; **~less** [ˈdɔːntlis] неустраши́мый, бесстра́шный.

dawdle [ˈdɔːdl] F безде́льничать.

dawn [dɔːn] **1.** рассве́т, у́тренняя заря́; *fig.* зача́тки *m/pl.*; про́блески *m/pl.*; **2.** света́ть.

day [dei] день *m*; (*mst* ~s *pl.*) жизнь *f*; ~ off выходно́й день *m*; the other ~ на дня́х; неда́вно; **~break** рассве́т; **~-labo(u)rer** подёнщик (-ица); **~-star** у́треняя звезда́.

daze [deiz] ошеломля́ть [-ми́ть]; ослепля́ть [-пи́ть].

dazzle [ˈdæzl] ослепля́ть [-пи́ть]; ⚓ маскирова́ть окра́ской.

dead [ded] **1.** мёртвый; увя́дший (о цвета́х); онеме́вший (о па́льцах); неподви́жный; безразли́чный; ~ bargain дешёвка; ~ letter письмо́, недоста́вленное по а́дресу; a ~ shot стрело́к, не даю́щий про́маха; ~ wall глуха́я стена́; **2.** *adv.* по́лно, соверше́нно; ~ against реши́тельно про́тив; **3.** the ~ поко́йники *m/pl.*; **~en** [dedn] лиша́ть (-ся) си́лы; заглуша́ть [-ши́ть]; **~-lock** *fig.* мёртвая то́чка; засто́й; **~ly** [-li] смерте́льный; смертоно́сный.

deaf [def] □ глухо́й; **~en** [defn] оглуша́ть [-ши́ть].

deal [diːl] **1.** коли́чество; соглаше́ние; обхожде́ние; F сде́лка; a good ~ весьма́ мно́го; a great ~ о́чень мно́го; **2.** [*irr.*] *v/t.* разд(ав)а́ть; распределя́ть [-ли́ть]; *v/i.* торгова́ть; ~ with обходи́ться [обойти́сь] *or* поступа́ть [-пи́ть] с (T); име́ть де́ло с (T); **~er** [ˈdiːlə] торго́вец; **~ing** [ˈdiːliŋ] (*mst* ~s *pl.*) торго́вые дела́ *n/pl.*; **~t** [delt] *pt.* и *p. pt.* от ~.

dean [diːn] настоя́тель собо́ра; дека́н (факульте́та).

dear [diə] **1.** □ дорого́й, ми́лый; **2.** прекра́сный челове́к; **3.** F o(h) ~!, ~ me! го́споди!

death [deθ] смерть *f*; **~-bed** сме́ртное ло́же; **~-duty** нало́г на насле́дство; **~less** [ˈdeθlis] бессме́ртный; **~ly** [-li] смерте́льный; **~-rate** проце́нт сме́ртности; **~-warrant** сме́ртный пригово́р.

debar [diˈbɑː] исключа́ть [-чи́ть]; лиша́ть пра́ва.

debase [diˈbeis] унижа́ть [уни́зить]; понижа́ть ка́чество (P).

debat|able [diˈbeitəbl] □ спо́рный, дискуссио́нный; **~e** [diˈbeit] **1.** диску́ссия; пре́ния *n/pl.*, деба́ты *m/pl.*; **2.** обсужда́ть [-уди́ть]; [по-] спо́рить; обду́м(ыв)ать.

debauch [diˈbɔtʃ] **1.** распу́тство; попо́йка; **2.** развраща́ть [-рати́ть]; обольща́ть [-льсти́ть].

debilitate [diˈbiliteit] ослабля́ть [-а́бить]; расслабля́ть [-а́бить].

debit [ˈdebit] ✝ **1.** де́бет; **2.** дебетова́ть *(im)pf.*, вноси́ть в де́бет.

debris [ˈdebriː] разва́лины *f/pl.*; обло́мки *m/pl.*

debt [det] долг; **~or** [ˈdətə] должни́к (-и́ца).

decade [ˈdekəd] дека́да; десятиле́тие.

decadence [ˈdekədəns] упа́док; декаде́нтство.

decamp [diˈkæmp] снима́ться с ла́геря; уд(и)ра́ть; **~ment** [-mənt] выступле́ние из ла́геря; бы́стрый ухо́д.

decant [di'kænt] [про]фильтровáть; сцéживать [сцеди́ть]; **~er** [-ə] графи́н.
decapitate [di'kæpiteit] обезглáвливать [-лáвить].
decay [di'kei] **1.** гниéние; разложéние; **2.** [с]гнить; разлагáться [-ложи́ться].
decease [di'si:s] *part.* ⚖ **1.** смерть *f*, кончи́на; **2.** умирáть [умерéть], скончáться *pf.*
deceit [di'si:t] обмáн; **~ful** [-ful] □ обмáнчивый.
deceiv|e [di'si:v] обмáнывать [-нýть]; **~er** [-ə] обмáнщик (-ица).
December [di'sembə] декáбрь *m.*
decen|cy ['di:snsi] прили́чие; благопристóйность *f*; **~t** [-t] □ прили́чный; слáвный.
deception [di'sepʃən] обмáн; ложь *f.*
decide [di'said] решáть(ся) [реши́ть(ся)]; принимáть решéние; **~d** [-id] □ реши́тельный; определённый; бесспóрный.
decimal ['desiməl] **1.** десяти́чный; **2.** десяти́чная дробь *f.*
decipher [di'saifə] расшифрóвывать [-овáть]; разбирáть [разобрáть].
decisi|on [di'siʒən] решéние; реши́тельность *f*; ⚖ приговóр; **~ve** [di'saisiv] решáющий.
deck [dek] **1.** ⚓ пáлуба; *Am.* колóда (карт); **2.** украшáть [укрáсить]; уб(и)рáть (цветáми и т. п.); **~-chair** складнóй стул.
declaim [di'kleim] произноси́ть [-нести́] (речь); [про]деклами́ровáть.
declar|able [di'klɛərəbl] подлежáщий декларáции; **~ation** [deklə'reiʃən] заявлéние; декларáция (*a.* ✝); **~e** [di'klɛə] объявля́ть [-ви́ть]; заявля́ть [-ви́ть]; вы́скáзываться [вы́сказаться] (for за В, against прóтив Р); предъявля́ть [-ви́ть] (вéщи в тамóжне).
declin|ation [dekli'neiʃən] отклонéние; наклóн; **~e** [di'klain] **1.** склон, уклóн; падéние; упáдок (сил); снижéние (цен); ухудшéние (здорóвья); закáт (жи́зни); **2.** *v/t.* отклоня́ть [-ни́ть] (предложéние); *gr.* [про]склоня́ть; *v/i.* приходи́ть в упáдок; ухудшáться [ухýдшиться] (о здорóвье и т. п.).
declivity [di'kliviti] покáтость *f*; отлóгий спуск.
decode [di:'koud] *tel.* расшифрóвывать [-ровáть].
decompose [di:kəm'pouz] разлагáть(ся) [-ложи́ть(ся)]; [с]гнить.
decontrol ['di:kən'troul] освобождáть от контрóля (торгóвлю и т. п.).
decorat|e ['dekəreit] украшáть [укрáсить]; награждáть знáком отли́чия; **~ion** [dekə'reiʃən] украшéние; óрден, знак отли́чия; **~ive** ['dekərətiv] декорати́вный.
decor|ous ['dekərəs] □ пристóйный; **~um** [di'kɔ:rəm] этикéт.
decoy [di'kɔi] **1.** примáнка, манóк; **2.** примáнивать [-ни́ть]; завлекáть [-éчь].
decrease 1. ['di:kri:s] уменьшéние, убывáние, понижéние; **2.** [di:'kri:s] уменьшáть(ся) [умéньши́ть(-ся)], убы́(вá)ть.
decree [di'kri:] **1.** укáз, декрéт, прикáз; ⚖ постановлéние **2.** издавáть декрéт.
decrepit [di'krepit] дря́хлый; вéт-хий.
dedicat|e ['dedikeit] посвящáть [-яти́ть]; **~ion** [dedi'keiʃən] посвящéние.
deduce [di'dju:s] выводи́ть [вы́вести] (заключéние, фóрмулу и т. п.).
deduct [di'dʌkt] вычитáть [вы́честь]; **~ion** [di'dʌkʃən] вы́чет; вы́вод, заключéние; ✝ ски́дка.
deed [di:d] **1.** дéйствие; постýпок; пóдвиг; ⚖ докумéнт; **2.** *Am.* передавáть по áкту.
deem [di:m] *v/t.* считáть [счесть]; *v/i.* полагáть; [по]дýмать (of о П).
deep [di:p] **1.** □ глубóкий; хи́трый; густóй (о крáске); **2.** бéздна; *poet.* мóре, океáн; **~en** ['di:pən] углубля́ть(ся) [-би́ть(ся)]; сгущáть(ся) [сгусти́ть(ся)] (о крáсках, теня́х); **~ness** [-nis] глубинá.
deer [diə] *coll.* крáсный зверь *m*; олéнь *m*; лань *f.*
deface [di'feis] искажáть [исказúть]; стирáть [стерéть].
defam|ation [defə'meiʃən] диффамáция; клеветá; **~e** [di'feim] поноси́ть; [о]клеветáть.
default [di'fɔ:lt] **1.** невыполнéние обязáтельств; неявка в суд; in ~ of за неимéнием (Р); **2.** не выполня́ть обязáтельств; прекращáть платежи́; не явля́ться по вы́зову судá.

defeat [di'fi:t] **1.** поражéние; расстрóйство (плáнов); **2.** ⚔ побеждáть [-едúть]; расстрáивать [-рóить] (плáны).
defect [di'fekt] недостáток; неисправность *f*, дефéкт; изъя́н; **~ive** [-tiv] □ недостáточный; дефéктный, повреждённый.
defence, *Am.* **defense** [di'fens] оборóна, защúта; **~less** [-lis] беззащúтный.
defend [di'fend] оборонять(ся), [-нúть(ся)], защищáть(ся) [-итúть(ся)]; ⚖ защищáть на судé; **~ant** [-ənt] ⚖ подсудúмый; **~er** [-ə] защúтник.
defensive [di'fensiv] **1.** оборóна; **2.** оборóнный, оборонúтельный.
defer [di'fə] отклáдывать [отложúть]; отсрóчи(ва)ть; *Am.* ⚔ давáть отсрóчку от прúзыва.
defian|ce [di'faiəns] вы́зов; неповиновéние; пренебрежéние; **~t** [-ənt] □ вызывáющий.
deficien|cy [di'fiʃənsi] недостáток; дефицúт; **~t** [-ənt] недостáточный; несовершéнный.
deficit ['defisit] недочёт, дефицúт.
defile [di'fail] [про]дефилúровать.
defin|e [di'fain] определя́ть [-лúть]; давáть характерúстику (Р); устанáвливать значéние (Р); **~ite** ['definit] □ определённый; тóчный; **~ition** [defi'niʃən] определéние; **~itive** [di'finitiv] □ определúтельный.
deflect [di'flekt] отклоня́ть(ся) [-нúть(ся)].
deform [di'fɔ:m] [из]урóдовать; искажáть [исказúть] (мысль); **~ed** изурóдованный; изкажённый (о мы́сли); **~ity** [di'fɔmiti] урóдство.
defraud [di'frɔ:d] обмáнывать [-нýть]; вымáнивать [вы́манить] (of B).
defray [di'frei] оплáчивать [оплатúть].
deft [deft] □ лóвкий, искýсный.
defy [di'fai] вызывáть [вы́звать] (на спор, борьбý); пренебрегáть [-бréчь] (Т).
degenerate **1.** [di'dʒenəreit] вырождáться [вы́родиться]; **2.** [-rit] □ вырождáющийся.
degrad|ation [degrə'deiʃən] понижéние, деградáция; **~e** [di'greid] *v/t.* понижáть [понúзить]; разжáловать *pf.*; унижáть [унúзить].
degree [di'gri:] грáдус; ступéнь *f*; ýровень *m*; стéпень *f*; звáние; by **~s** *adv.* постепéнно; in no **~** *adv.* ничýть, нискóлько.
deify ['di:ifai] боготворúть.
deign [dein] соизволя́ть [-óлить]; удостáивать [-стóить].
deity ['di:iti] божествó.
deject [di'dʒekt] удручáть [-чúть]; угнетáть [-естú]; **~ed** [-id] □ удручённый; угнетённый; **~ion** [di'dʒekʃən] уны́ние.
delay [di'lei] **1.** задéржка; отсрóчка; замедлéние; **2.** *v/t.* задéрживать [-жáть]; отклáдывать [отложúть]; мéдлить с (Т); *v/i.* мéдлить, мéшкать.
delega|te **1.** ['deligit] делегáт, представúтель(ница *f*) *m*; **2.** [-geit] делегúровать *(im)pf.*, поручáть [-чúть]; **~tion** [deli'geiʃən] делегáция, депутáция.
deliberat|e **1.** [di'libəreit] *v/t.* обдýм(ыв)ать; взвéшивать [-éсить]; обсуждáть [обсудúть]; *v/i.* совещáться; **2.** [-rit] □ преднамéренный, умы́шленный; **~ion** [dilibə'reiʃən] размышлéние; обсуждéние; осмотрúтельность *f*.
delica|cy ['delikəsi] деликáтность *f*; лáкомство; утончённость *f*; нéжность *f*; чувствúтельность *f*; **~te** [-kit] □ деликáтный; хрýпкий; изя́щный; искýсный (о рабóте); чувствúтельный; щепетúльный; **~tessen** *Am.* [delikə'tesn] гастрономúческий магазúн.
delicious [di'liʃəs] восхитúтельный; óчень вкýсный.
delight [di'lait] **1.** удовóльствие; востóрг; наслаждéние; **2.** восхищáть [-итúть]; доставля́ть наслаждéние (Д); наслаждáться (in T); **~** to *inf.* имéть удовóльствие (+*inf.*); **~ful** [-ful] □ очаровáтельный; восхитúтельный.
delineate [di'linieit] обрисóвывать [-овáть]; описывать [-сáть].
delinquent [di'liŋkwənt] **1.** правонарушúтель(ница *f*) *m*; престýпник (-ица); **2.** престýпный.
deliri|ous [di'liriəs] находя́щийся в бредý, вне себя́, в исступлéнии; **~um** [-əm] бред; исступлéние.
deliver [di'livə] освобождáть [-бодúть]; доставля́ть [-áвить]; разносúть [-нестú] (газéты и т. п.); произносúть [-нестú] (речь); сдá(вá)ть (закáз); наносúть [нанестú]

(уда́р); be ~ed ⚕ разреши́ться от бре́мени, роди́ть; **~ance** [-rəns] освобожде́ние; **~er** [-rə] освободи́тель *m*; поставщи́к; **~y** [-ri] ⚕ ро́ды *m/pl.*; 📯 разно́ска; ☿ доста́вка.

dell [del] ле́си́стая доли́на.

delude [di'lu:d] вводи́ть в заблужде́ние; обма́нывать [-ну́ть].

deluge ['delju:dʒ] **1.** наводне́ние; пото́п; **2.** затопля́ть [-пи́ть]; наводня́ть [-ни́ть] *(a. fig.)*.

delus|ion [di'lu:ʒən] заблужде́ние; иллю́зия; **~ive** [-siv] □ обма́нчивый; иллюзо́рный.

demand [di'mɑ:nd] **1.** тре́бование (*a.* ⚖); запро́с; потре́бность *f*; ☿ спрос (на това́р); **2.** [по]тре́бовать (Р).

demean [di'mi:n] вести́ себя́; ~ o.s. роня́ть своё досто́инство; **~o(u)r** [-ə] поведе́ние.

demented [di'mentid] сумасше́дший.

demilitarize [di:'militəraiz] демилитаризова́ть *(im)pf.*

demobilize [di:'moubilaiz] демобилизова́ть *(im)pf.*

democra|cy [di'mɔkrəsi] демокра́тия; **~tic(al** □) [demɔ'krætik(əl)] демократи́ческий.

demolish [di'mɔliʃ] разруша́ть [-ру́шить]; сноси́ть [снести́].

demon ['di:mən] де́мон, дья́вол.

demonstrat|e ['demənstreit] [про-] демонстри́ровать; дока́зывать [-за́ть]; **~ion** [deməns'treiʃən] демонстра́ция; демонстри́рование; доказа́тельство; **~ive** [di'mɔnstrətiv] □ убеди́тельный; демонстрати́вный; экспанси́вный; *gr.* указа́тельный.

demote [di:'mout] снижа́ть в до́лжности.

demur [di'mə:] **1.** [по]колеба́ться; возража́ть [-рази́ть]; **2.** колеба́ние; возраже́ние.

demure [di'mjuə] □ серьёзный; чо́порный.

den [den] ло́говище; берло́га; *sl.* прито́н.

denial [di'naiəl] отрица́ние; опроверже́ние; отка́з.

denominat|e [di'nɔmineit] наз(ы)ва́ть; дава́ть и́мя (Д); **~ion** [dinɔmi'neiʃn] наименова́ние; се́кта.

denote [di'nout] означа́ть [-на́чить], обознача́ть [-на́чить].

denounce [di'nauns] обвиня́ть [-ни́ть]; поноси́ть; денонси́ровать (догово́р) *(im)pf.*

dens|e [dens] □ густо́й; пло́тный; *fig.* глу́пый, тупо́й; **~ity** ['densiti] густота́; пло́тность *f*.

dent [dent] **1.** вы́боина, вда́вленное ме́сто; **2.** вда́вливать [вдави́ть].

dentist ['dentist] зубно́й врач.

denunciat|ion [dinʌnsi'eiʃən] доно́с; обличе́ние, обвине́ние; **~or** [di'nʌnsieitə] обвини́тель *m*; доно́счик (-ица).

deny [di'nai] отрица́ть; отка́зываться [-за́ться] от (Р); отка́зывать [-за́ть] в (П).

depart [di'pɑ:t] *v/i.* уходи́ть [уйти́], уезжа́ть [уе́хать]; отбы́(ва́)ть, отправля́ться [-а́виться]; отступа́ть [-пи́ть] (from от Р); **~ment** [-mənt] ве́домство; департа́мент; о́трасль *f* (нау́ки); отде́л, отделе́ние; о́бласть *f*; *Am.* министе́рство; State ♀ министе́рство иностра́нных дел; ~ store универма́г; **~ure** [di'pɑ:tʃə] отхо́д, отбы́тие, отъезд; ухо́д; отправле́ние; отклоне́ние.

depend [di'pend]: ~ (up)on зави́сеть от (Р); F it ~s смотря́ по обстоя́тельствам; **~able** [-əbl] надёжный; **~ant** [-ənt] подчинённый; иждиве́нец; **~ence** [-əns] зави́симость *f*; дове́рие; **~ency** [-ənsi] зави́симость *f*; коло́ния; **~ent** [-ənt] □ (on) зави́сящий (от Р); подчинённый (*a. gr.*).

depict [di'pikt] изобража́ть [-рази́ть]; *fig.* опи́сывать [-са́ть].

deplete [di'pli:t] опорожня́ть [-ни́ть]; *fig.* истоща́ть [-щи́ть].

deplor|able [di'plɔ:rəbl] □ плаче́вный; заслу́живающий сожале́ния; **~e** [di'plɔ:] опла́к(ив)ать; сожале́ть о (П).

deport [di'pɔ:t] высыла́ть [вы́слать]; ссыла́ть [сосла́ть]; ~ o. s. вести́ себя́; **~ment** [-mənt] мане́ры *f/pl.*, уме́ние держа́ть себя́.

depose [di'pouz] смеща́ть [смести́ть]; сверга́ть [све́ргнуть] (с престо́ла); ⚖ дать показа́ния под прися́гой.

deposit [di'pɔzit] **1.** отложе́ние; за́лежь *f*; ☿ вклад (в банк); депози́т; зало́г; **2.** класть [положи́ть]; депони́ровать *(im)pf.*; дава́ть оса́док; **~ion** [depə'ziʃən] сверже́ние (с престóла); показáние под присягой; осáдок; **~or** [diˈpɔzitə] вкладчик (-ица).

depot 1. [ˈdepou] 🚂 депó *n indecl.*; склад; сарáй; **2.** [ˈdi:po] *Am.* 🚂 стáнция.

deprave [diˈpreiv] развращáть [-ратить].

depreciate [diˈpri:ʃieit] обесцéни(ва)ть; недооцéнивать [-и́ть].

depress [diˈpres] угнетáть [-ести́]; подавлять [-ви́ть]; унижáть [-и́зить]; **~ed** [-t] *fig.* уны́лый; **~ion** [diˈpreʃən] снижéние; впáдина; тоскá; ⚕ депрéссия.

deprive [diˈpraiv] лишáть [лиши́ть] (of P).

depth [depθ] глубинá.

deput|ation [depjuˈteiʃən] депутáция, делегáция; **~e** [diˈpju:t] делеги́ровать (*im*)*pf.*; **~y** [ˈdepjuti] делегáт(ка); депутáт(ка); замести́тель(ница *f*) *m.*

derail [diˈreil] 🚂 *v/i.* сходи́ть с рéльсов; *v/t.* устрóить крушéние (пóезда).

derange [diˈreindʒ] расстрáивать [-рóить] (мы́сли, плáны); приводи́ть в беспорядок.

derelict [ˈderilikt] поки́нутый (корáбль, дом), (за)брóшенный; **~ion** [deriˈlikʃən] забрóшенность *f.*

deri|de [diˈraid] осмéивать [-еять], высмéивать [вы́смеять]; **~sion** [diˈriʒən] высмéивание; **~sive** [diˈraisiv] □ насмéшливый.

deriv|ation [deriˈveiʃən] истóчник; происхождéние; **~e** [diˈraiv] происходи́ть [-изойти́]; извлекáть [-влéчь] (пóльзу) (from от P); устанáвливать происхождéние (P).

derogat|e [ˈderogeit] умалять [-ли́ть] (from B); **~ion** [deroˈgeiʃən] умалéние.

derrick [ˈderik] ⊕ дéррик-кран; ⚒ бурóвая вы́шка; ⚓ подъёмная стрелá.

descend [diˈsend] спускáться [спусти́ться]; сходи́ть [сойти́]; ✈ снижáться [сни́зиться]; ~ (up)on обру́ши(ва)ться на (B); происходи́ть [-изойти́] (*from* из P); **~ant** [-ənt] потóмок.

descent [diˈsent] спуск; снижéние; склон; скат; происхождéние.

describe [disˈkraib] опи́сывать [-сáть].

description [disˈkripʃən] описáние; изображéние.

desert 1. [ˈdezət] a) пусты́нный; забрóшенный; b) пусты́ня; **2.** [diˈzə:t] a) *v/t.* бросáть [брóсить]; покидáть [-ки́нуть]; *v/i.* дезерти́ровать (*im*)*pf.*; b) заслу́га; **~er** [-ə] дезерти́р; **~ion** [-ʃən] дезерти́рство; оставлéние.

deserv|e [diˈzə:v] заслу́живать [-жи́ть]; имéть заслу́ги (of пéред T); **~ing** [-iŋ] заслу́живающий; достóйный (of P).

design [diˈzain] **1.** зáмысел; проéкт; план; рису́нок; узóр; намéрение; **2.** предназначáть [-знáчить]; заду́м(ыв)ать; составлять план (P); [на]рисовáть.

designat|e [ˈdezigneit] определять [-ли́ть]; обозначáть [-знáчить]; предназначáть [-знáчить]; **~ion** [dezigˈneiʃən] указáние; назначéние.

designer [diˈzainə] констру́ктор; чертёжник; *fig.* интригáн.

desir|able [diˈzaiərəbl] □ желáтельный; **~e** [diˈzaiə] **1.** желáние; трéбование; **2.** [по]желáть (P); [по]трéбовать (P); **~ous** [-rəs] □ желáющий, жáждущий (of P).

desist [diˈzist] откáзываться [-зáться] (from от P).

desk [desk] контóрка; пи́сьменный стол.

desolat|e 1. [ˈdesoleit] опустошáть [-ши́ть]; разорять [-ри́ть]; **2.** [-lit] □ опустошённый; несчáстный; одинóкий; **~ion** [desoˈleiʃən] опустошéние; одинóчество.

despair [disˈpɛə] **1.** отчáяние; безнадёжность *f*; **2.** отчáиваться [-чáяться]; терять надéжду (of на B); **~ing** [-riŋ] □ отчáивающийся.

despatch *s.* dispatch.

desperat|e [ˈdespərit] □ отчáянный; безнадёжный; отъявленный; *adv.* отчáянно; стрáшно; **~ion** [despəˈreiʃən] отчáяние; безрассу́дство.

despise [disˈpaiz] презирáть.

despite [disˈpait] **1.** злóба; in ~ of вопреки́ (Д); несмотря на (B); нáзлó (Д); **2.** *prp.* (*a.* ~ of) несмотря на (B).

despoil [disˈpɔil] [о]грáбить; лишáть [лиши́ть] (of P).

despond [disˈpɔnd] унывáть; терять надéжду; пáдать ду́хом; **~ency** [-ənsi] уны́ние; упáдок ду́ха; **~ent** [-ənt] □ подáвленный; уны́лый.

dessert [di:ˈzə:t] десéрт.
destin|ation [destiˈneiʃən] назначéние; мéсто назначéния, цель *f* (путешéствия); **~e** [ˈdestin] предназначáть [-знáчить]; предопределя́ть [-ли́ть]; **~y** [-tini] судьбá; удéл.
destitute [ˈdestitju:t] □ нуждáющийся; лишённый (of P).
destroy [disˈtrɔi] уничтожáть [-óжить]; истребля́ть [-би́ть]; разрушáть [-ýшить].
destruct|ion [disˈtrʌkʃən] разрушéние; уничтожéние; разорéние; **~ive** [-tiv] □ разруши́тельный; пáгубный; врéдный.
detach [diˈtætʃ] отделя́ть [-ли́ть]; отвя́зывать [-зáть]; разъединя́ть [-ни́ть]; ⚔, ⚓ отряжáть [-яди́ть], пос(ы)лáть; **~ed** [-t] отдéльный; беспристрáстный; **~ment** [-mənt] разъединéние; ⚔ командировáние; ⚔ отря́д.
detail 1. [ˈdi:teil] подрóбность *f*, детáль *f*; ⚔ наря́д, комáнда; in ~ в подрóбностях, подрóбно; **2.** [diˈteil] входи́ть в подрóбности; ⚔ откомандирóвывать [-ровáть].
detain [diˈtein] задéрживать [-жáть]; содержáть под стрáжей.
detect [diˈtekt] обнарýжи(ва)ть; ⚡ детекти́ровать; **~ion** [diˈtekʃən] обнарýжение; ⚡ детекти́рование; **~ive** [-tiv] **1.** сы́щик, агéнт сыскнóй поли́ции; **2.** сыскнóй, детекти́вный.
detention [diˈtənʃən] задержáние, содержáние под арéстом.
deter [diˈtə:] отпýгивать [-гнýть] (from от P).
deteriorat|e [diˈtiəriəreit] ухудшáть(ся) [ухýдшить(ся)]; [ис]пóртить(ся); **~ion** [ditiəriəˈreiʃən] ухудшéние; пóрча.
determin|ation [ditə:miˈneiʃən] определéние; установлéние (грани́ц); калькуля́ция (цен); реши́тельность *f*; **~e** [diˈtə:min] *v/t.* устанáвливать [-нови́ть]; определя́ть [-ли́ть]; решáть [реши́ть]; *v/i.* решáться [реши́ться]; **~ed** [-d] реши́тельный; твёрдый (харáктер).
detest [diˈtest] ненави́деть; питáть отвращéние к (Д); **~able** [-əbl] □ отврати́тельный; **~ation** [ditesˈteiʃən] отвращéние.
dethrone [diˈθroun] свергáть с [престóла.
detonate [ˈdi:touneit] детони́ровать; взрывáть(ся) [взорвáть(ся)].
detour [diˈtuə] **1.** окóльный путь *m*; *Am.* объéзд; make a ~ дéлать крюк.
detract [diˈtrækt] умаля́ть [-ли́ть], уменьшáть [умéньшить]; **~ion** [diˈtrækʃən] умалéние (достóинства); клеветá.
detriment [ˈdetrimənt] ущéрб, вред.
devaluate [di:ˈvæljueit] обесцéни[(ва)ть.
devastat|e [ˈdevəsteit] опустошáть [-ши́ть]; разоря́ть [-ри́ть]; **~ion** [devəsˈteiʃən] опустошéние.
develop [diˈveləp] разви́(вá)ть(ся); излагáть [изложи́ть] (проблéму); *phot.* проявля́ть [-ви́ть]; *Am.* обнарýжи(ва)ть; **~ment** [-mənt] разви́тие; эволю́ция; рост; расширéние; собы́тие.
deviat|e [ˈdi:vieit] отклоня́ться [-ни́ться]; уклоня́ться [-ни́ться]; **~ion** [di:viˈeiʃən] отклонéние; девиáция (кóмпаса); *pol.* уклóн.
device [diˈvais] приспособлéние, изобретéние; деви́з, эмблéма; leave a p. to his own ~s предоставля́ть человéка самомý себé.
devil [devl] **1.** дья́вол, чёрт, бес; **2.** *v/i.* исполня́ть черновýю рабóту для какóго-либо литерáтора; **~ish** [-iʃ] □ дья́вольский; áдский; **~(t)ry** чёрная мáгия; чертовщи́на.
devious [ˈdi:viəs] □ блуждáющий.
devise [diˈvaiz] **1.** ⚖ завещáние; **2.** придýм(ыв)ать; изобретáть [-рести́]; ⚖ завещáть (*im*)*pf*.
devoid [diˈvɔid] (of) лишённый (P).
devot|e [diˈvout] посвящáть [-яти́ть] (В/Д); отд(ав)áть; **~ed** [-id] □ прéданный; привя́занный; **~ion** [diˈvouʃən] прéданность *f*, привя́занность *f*; ~s *pl.* религиóзные обря́ды *m/pl.*, моли́твы *f/pl.*
devour [diˈvauə] пож(и)рáть.
devout [diˈvaut] □ благоговéйный; нáбожный, благочести́вый.
dew [dju:] **1.** росá; *poet.* свéжесть *f*; **2.** орошáть [ороси́ть]; **~y** покры́тый росóй; влáжный.
dexter|ity [deksˈteriti] провóрство; лóвкость *f*; **~ous** [ˈdekstərəs] □ лóвкий; провóрный.
diabolic(al □) [daiəˈbɔlik(əl)] дья́вольский; *fig.* жестóкий; злой.
diagram [ˈdaiəgræm] диагрáмма; схéма.

dial [ˈdaiəl] **1.** циферблáт; сóлнечные часы́ *m/pl.*; *teleph.* диск; **2.** *teleph.* набирáть нóмер.
dialect [ˈdaiəlekt] диалéкт, нарéчие.
dialogue [ˈdaiəlɔg] диалóг; разговóр.
diameter [daiˈæmitə] диáметр.
diamond [ˈdaiəmənd] алмáз; бриллиáнт; ромб; **~s** *pl. cards*: бýбны *f/pl.*
diaper [ˈdaiəpə] пелёнка.
diaphragm [ˈdaiəfræm] диафрáгма *a. opt.*; *teleph.* мембрáна.
diary [ˈdaiəri] дневни́к.
dice [dais] **1.** (*pl.* от die²) кóсти *f/pl.*; **2.** игрáть в кóсти; **~-box** стакáнчик для игрáльных костéй.
dicker [ˈdikə] *Am.* торговáться по мелочáм.
dictat|e 1. [ˈdikteit] предписáние; велéние; *pol.* диктáт; **2.** [dikˈteit] [про]диктовáть (*a. fig.*); предпи́сывать [-сáть]; **~ion** [dikˈteiʃən] диктóвка, диктáнт; предписáние; **~orship** [dikˈteitəʃip] диктатýра.
diction [ˈdikʃən] ди́кция; **~ary** [-ri] словáрь *m.*
did [did] *pt.* от do.
die¹ [dai] умирáть [умерéть]; скончáться *pf.*; F томи́ться желáнием; **~ away, ~ down** замирáть [-мерéть] (о звýке); затихáть [-и́хнуть] (о вéтре); увядáть [-я́нуть]; угасáть [угáснуть].
die² [~] (*pl.* dice) игрáльная кость *f*; (*pl.* dies [daiz]) ⊕ штамп; чекáн; lower ~ мáтрица.
diet [ˈdaiət] **1.** пи́ща, стол; диéта; **2.** *v/t.* держáть на диéте; *v/i.* быть на диéте.
differ [ˈdifə] различáться, отличáться; не соглашáться [-ласи́ться], расходи́ться [разойти́сь] (*from* с T, in в П); **~ence** [ˈdifrəns] рáзница; различие; разноглáсие; ℵ рáзность *f*; **~ent** [-t] □ рáзный; другóй, не такóй (from как), инóй; **~entiate** [difəˈrenʃieit] различáть (-ся) [-чи́ть(ся)], отличáть(ся) [-чи́ть(ся)].
difficult [ˈdifikəlt] □ трýдный; трéбовательный; **~y** трýдность *f*; затруднéние.
diffiden|ce [ˈdifidəns] неувéренность *f*; застéнчивость *f*; **~t** [-dənt] □ неувéренный; застéнчивый.
diffus|e 1. [diˈfju:z] *fig.* распространя́ть [-ни́ть]; разглашáть [-ласи́ть]; **2.** [diˈfju:s] □ распространённый; рассéянный (о свéте); **~ion** [diˈfju:ʒən] распространéние; рассéивание.
dig [dig] **1.** [*irr.*] копáться; [вы́]копáть; ры́ться; [вы́]рыть; **2.** F толчóк, тычóк.
digest 1. [diˈdʒest] перевáривать [-ри́ть] (пи́щу); усвáивать [усвóить]; *v/i.* перевáриваться [-ри́ться]; усвáиваться [усвóиться]; **2.** [ˈdaidʒest] óчерк, резюмé *n indecl.*; ⚖ свóд закóнов; **~ible** [diˈdʒestəbl] удобовари́мый; *fig.* легкó усвáиваемый; **~ion** [-tʃən] пищеварéние.
dignif|ied [ˈdignifaid] достóйный; вели́чественный; **~y** [-fai] возводи́ть в сан; *fig.* облагорáживать [-рóдить].
dignit|ary [ˈdignitəri] санóвник; **~y** [-ti] достóинство; сан.
digress [daiˈgres] отступáть [-пи́ть]; отклоня́ться [-ни́ться] (от тéмы).
dike [daik] **1.** дáмба; плоти́на; гать *f*; **2.** окáпывать рвом; защищáть дáмбой; осушáть канáвами.
dilapidate [diˈlæpideit] приходи́ть в упáдок; приводи́ть в упáдок.
dilat|e [daiˈleit] расширя́ть(ся) [-ши́рить(ся)]; **~ory** [ˈdilətəri] □ мéдленный; запоздáлый.
diligen|ce [ˈdilidʒəns] прилежáние, усéрдие; **~t** □ прилéжный, усéрдный.
dilute [daiˈlju:t] разбавля́ть [-бáвить]; разводи́ть [-вести́].
dim [dim] **1.** □ тýсклый, неясный (свет); слáбый (о зрéнии); смýтный (о воспоминáниях); **2.** [по-] тускнéть; [за]тумáнить(ся).
dime [daim] *Am.* монéта в 10 цéнтов (= 0,1 дóллара).
dimin|ish [diˈminiʃ] уменьшáть(ся) [умéньши́ть(ся)]; убы́(вá)ть; **~ution** [dimiˈnju:ʃən] уменьшéние; убавлéние; **~utive** [diˈminjutiv] □ миниатю́рный.
dimple [ˈdimpl] я́мочка (на щекé).
din [din] шум; грóхот.
dine [dain] [по]обéдать; угощáть обéдом; **~r** [ˈdainə] обéдающий; 🚃 (*part. Am.*) вагóн-ресторáн.
dingle [ˈdiŋgl] глубóкая лощи́на.
dingy [ˈdindʒi] □ гря́зный; тýсклый.
dining|-car 🚃 вагóн-ресторáн; **~-room** столóвая.
dinner [ˈdinə] обéд; **~-party** гóсти на звáном обéде.
dint [dint]: by ~ of посрéдством (P).

dip [dip] **1.** *v/t.* погружа́ть [-у-зи́ть]; окуна́ть [-ну́ть]; обма́кивать [-кну́ть]; *v/i.* погружа́ться [-у-зи́ться], окуна́ться [-ну́ться]; салютова́ть (фла́гом) (*im*)*pf.*; спуска́ться [-сти́ться]; **2.** погруже́ние; отко́с; F карма́нник.

diploma [di'ploumə] дипло́м; свиде́тельство; **~cy** [-si] диплома́тия; **~t** *s.* **~**tist; **tic(al** □) [diplo'mætik, -ikəl] дипломати́ческий; **~tist** [di-'ploumətist] диплома́т.

dipper ['dipə] ковш; черпа́к.

dire ['daiə] ужа́сный.

direct [di'rekt] **1.** □ прямо́й; непосре́дственный; диаметра́льный; я́сный; откры́тый; ~ current ↯ постоя́нный ток; ~ train беспереса́дочный по́езд; **2.** *adv.* = **~**ly: непосре́дственно; пря́мо, неме́дленно; **3.** руководи́ть (Т); управля́ть (Т); направля́ть [-а́вить]; ука́зывать доро́гу (Д); **~ion** [di-'rekʃən] руково́дство; указа́ние; инстру́кция; направле́ние; **~ion-finder** радиопеленга́тор; **~ive** [di'rektiv] директи́вный; направля́ющий; **~ly** [-li] **1.** *adv.* пря́мо, непосре́дственно; неме́дленно; **2.** *cj.* как то́лько.

director [di'rektə] руководи́тель *m*, дире́ктор; *films* режиссёр; board of **~**s наблюда́тельный сове́т; **~ate** [-rit] дире́кция; правле́ние; дире́кторство; **~y** [-ri] а́дресная (и́ли телефо́нная) кни́га.

dirge [də:dʒ] погреба́льная песнь *f*.

dirigible ['diridʒəbl] дирижа́бль *m*.

dirt [də:t] грязь *f*; нечисто́ты *f*/*pl.*; **~-cheap** F дешёвле па́реной ре́пы; **~y** ['də:ti] **1.** □ гря́зный; неприли́чный, скабрёзный; нена́стный (о пого́де); **2.** загрязня́ть [-ни́ть].

disability [disə'biliti] неспосо́бность *f*, бесси́лие.

disable [dis'eibl] де́лать неприго́дным; [ис]кале́чить; **~d** [-d] искале́ченный; ~ veteran инвали́д войны́.

disadvantage [disəd'vɑ:ntidʒ] невы́года; уще́рб; неудо́бство.

disagree [disə'gri:] расходи́ться во взгля́дах; противоре́чить друг дру́гу; быть вре́дным (with для Р); **~able** [-əbl] □ неприя́тный; **~ment** [-mənt] разла́д, разногла́сие.

disappear [disə'piə] исчеза́ть [-е́знуть]; скры́(ва́)ться; **~ance** [-rəns] исчезнове́ние.

disappoint [disə'pɔint] разочаро́вывать [-рова́ть]; обма́нывать [-ну́ть]; **~ment** разочарова́ние.

disapprov|al [disə'pru:vəl] неодобре́ние; **~e** ['disəpru:v] не одобря́ть [одо́брить] (Р); неодобри́тельно относи́ться (of к Д).

disarm [dis'ɑ:m] *v/t.* обезору́жи(ва)ть; разоружа́ть [-жи́ть]; *v/i.* разоружа́ться [-жи́ться]; **~-ament** [dis'ɑ:məmənt] разоруже́ние.

disarrange ['dise'reindʒ] расстра́ивать [-ро́ить]; приводи́ть в беспоря́док.

disast|er [di'zɑ:stə] бе́дствие; катастро́фа; **~rous** [-rəs] □ бе́дственный; катастрофи́ческий.

disband [dis'bænd] распуска́ть [-усти́ть].

disbelieve [disbi'li:v] не [по]ве́рить; не доверя́ть (Д).

disburse [dis'bə:s] распла́чиваться [-лати́ться].

disc [disk] *s.* disk.

discard [dis'kɑ:d] отбра́сывать [-ро́сить] (за нена́добностью); отверга́ть [-е́ргнуть].

discern [di'sə:n] различа́ть [-чи́ть]; распозн(ав)а́ть; разгляде́ть *pf.*; отлича́ть [-чи́ть]; **~ing** [-iŋ] □ проница́тельный; **~ment** [-mənt] распознава́ние; проница́тельность *f*.

discharge [dis'tʃɑ:dʒ] **1.** *v/t.* разгружа́ть [-узи́ть]; освобожда́ть [-боди́ть]; увольня́ть [уво́лить]; упла́чивать [уплати́ть] (долги́); выполня́ть [вы́полнить] (обяза́тельства); *v/i.* разряжа́ться [-яди́ться]; гнои́ться; **2.** разгру́зка; вы́стрел; освобожде́ние; увольне́ние; разря́д; выполне́ние.

disciple [di'saibl] учени́к (-и́ца); после́дователь(ница *f*) *m*.

discipline ['disiplin] **1.** дисципли́на, поря́док; **2.** дисциплини́ровать (*im*)*pf*.

disclose [dis'klouz] обнару́жи(ва)ть; разоблача́ть [-чи́ть]; раскры́(ва́)ть.

discolo(u)r [dis'kʌlə] обесцве́чивать(ся) [-е́тить(ся)].

discomfort [dis'kʌmfət] **1.** неудо́бство; беспоко́йство; **2.** причиня́ть неудо́бство (Д).

discompose [diskəm'pouz] расстра́ивать [-ро́ить]; [вз]волнова́ть, [вс]трево́жить.
disconcert [diskən'sə:t] смуща́ть [смути́ть]; приводи́ть в замеша́тельство.
disconnect [diskə'nekt] разъединя́ть [-ни́ть] (*a.* ⚡); разобща́ть [-щи́ть]; расцепля́ть [-пи́ть]; **~ed** [-id] □ бессвя́зный; отры́вистый.
disconsolate [dis'kɔnsəlit] □ неуте́шный.
discontent ['diskən'tent] недово́льство; неудовлетворённость *f*; **~ed** [-id] □ недово́льный; неудовлетворённый.
discontinue ['diskən'tinju:] пре-р(ы)ва́ть; прекраща́ть [-рати́ть].
discord ['diskɔ:d], **~ance** [dis'kɔ:dəns] разногла́сие; разла́д; ♪ диссона́нс.
discount 1. ['diskaunt] ✝ диско́нт, учёт векселе́й; ски́дка; **2.** [dis'kaunt] ✝ дисконти́ровать (*im*)*pf*., учи́тывать [уче́сть] (векселя́); де́лать ски́дку.
discourage [dis'kʌridʒ] обескура́жи(ва)ть; отбива́ть охо́ту (Д; from к Д); **~ment** [-mənt] обескура́женность *f*, упа́док ду́ха.
discourse [dis'kɔ:s] **1.** рассужде́ние; речь *f*; бесе́да, разгово́р; **2.** ора́торствовать; вести́ бесе́ду.
discourte|ous [dis'kə:tiəs] □ неве́жливый, неучти́вый; **~sy** [-tisi] неве́жливость *f*, неучти́вость *f*.
discover [dis'kʌvə] де́лать откры́тие (Р); обнару́жи(ва)ть, раскры́(ва́)ть; **~y** [-ri] откры́тие.
discredit [dis'kredit] **1.** дескредита́ция; **2.** дискредити́ровать (*im*)*pf*.; [о]позо́рить.
discreet [dis'kri:t] □ осторо́жный; не болтли́вый.
discrepancy [dis'krepənsi] разногла́сие; ра́зница; несхо́дство.
discretion [dis'kreʃən] благоразу́мие; осторо́жность *f*; усмотре́ние.
discriminat|e [dis'krimineit] выделя́ть [вы́делить]; относи́ться по-ра́зному; уме́ть распознава́ть, различа́ть; ~ against ста́вить в неблагоприя́тные усло́вия (В); **~ing** [-iŋ] □ уме́ющий различа́ть, распознава́ть; **~ion** [-'neiʃən] проница́тельность *f*; дискримина́ция.
discuss [dis'kʌs] обсужда́ть [-у-ди́ть], дискути́ровать; **~ion** [-ʃən] обсужде́ние, диску́ссия; пре́ния *n/pl*.
disdain [dis'dein] **1.** презира́ть [-зре́ть]; счита́ть ни́же своего́ досто́инства; **2.** презре́ние; пренебреже́ние.
disease [di'zi:z] боле́знь *f*; **~d** [-d] [больно́й.]
disembark ['disim'bɑ:k] сходи́ть на́ бе́рег (с су́дна); выгружа́ть [вы́грузить] (това́ры).
disengage ['disin'geidʒ] высвобожда́ть(ся) [вы́свободить(ся)]; разобща́ть [-щи́ть]; ⊕ разъединя́ть [-ни́ть].
disentangle ['disin'tæŋgl] распу́т(ыв)ать(ся); *fig*. выпу́тываться [вы́путать(ся)] (из затрудне́ний).
disfavo(u)r ['dis'feivə] **1.** неми́лость *f*; **2.** не одобря́ть [одо́брить].
disfigure [dis'figə] обезобра́живать [-ра́зить]; искажа́ть [искази́ть].
disgorge [dis'gɔ:dʒ] изверга́ть [-е́ргнуть] (ла́ву); изрыга́ть [-гну́ть] (пи́щу).
disgrace [dís'greis] **1.** неми́лость *f*; позо́р, бесче́стие; **2.** [о]позо́рить; подве́ргнуть неми́лости; **~ful** [-ful] □ посты́дный, позо́рный.
disguise [dis'gaiz] **1.** маскиро́вка; переодева́ние; ма́ска; **2.** [за]маскирова́ть(ся); переоде́(ва́)ть(ся); скры(ва́)ть.
disgust [dis'gʌst] **1.** отвраще́ние; **2.** внуша́ть отвраще́ние (Д); **~ing** [-iŋ] □ отврати́тельный.
dish [diʃ] **1.** блю́до, таре́лка, ми́ска; **~s** *pl*. посу́да; блю́до, ку́шанье; **2.** класть на блю́до; (*mst* ~ up) подава́ть на стол.
dishearten [dis'hɑ:tn] приводи́ть в уны́ние.
dishevel(l)ed [di'ʃevəld] растрёпанный, взъеро́шенный.
dishonest [dis'ɔnist] □ нече́стный; недобросо́вестный; **~y** [-i] недобросо́вестность *f*; обма́н.
dishono(u)r [dis'ɔnə] **1.** бесче́стие, позо́р; **2.** [о]бесче́стить, [о]позо́рить; **~able** [-rəbl] □ бесче́стный; ни́зкий.
disillusion [disi'lu:ʒən] **1.** разочарова́ние; **2.** (*a.* **~ize** [-aiz]) разруша́ть иллю́зии (Р); открыва́ть пра́вду (Д).
disinclined ['disin'klaind] нерасполо́женный.
disinfect ['disin'fekt] дезинфици́-

ровать *(im)pf.*; **~ant** [-ənt] дезинфицирующее сре́дство.
disintegrate [dis'intigreit] распада́ться [-па́сться]; разруша́ться [-у́шиться].
disinterested [dis'intristid] □ бескоры́стный; беспристра́стный.
disk [disk] диск.
dislike [dis'laik] **1.** не люби́ть; пита́ть отвраще́ние к (Д); **2.** нелюбо́вь *f* (for к Д); антипа́тия.
dislocate ['dislokeit] выви́хивать [вы́вихнуть]; наруша́ть [нару́шить]; расстра́ивать [-ро́ить].
dislodge [dis'lɔdʒ] смеща́ть [смести́ть]; изгоня́ть [изогна́ть].
disloyal [dis'lɔiəl] □ нелоя́льный; вероло́мный,
dismal ['dizməl] □ мра́чный; уны́лый; гнету́щий.
dismantl|e [dis'mæntl] ⚓ расснащивать [-насти́ть]; ⊕ демонти́ровать *(im)pf.*; **~ing** [-iŋ] демонта́ж.
dismay [dis'mei] **1.** уны́ние; страх; **2.** *v/t.* приводи́ть в уны́ние.
dismiss [dis'mis] *v/t.* отпуска́ть [-сти́ть]; увольня́ть [уво́лить]; освобожда́ть [-боди́ть]; ⚖ прекраща́ть [-рати́ть] (де́ло); отклоня́ть [-ни́ть] (иск); **~al** [-əl] ро́спуск; увольне́ние; освобожде́ние; ⚖ отклоне́ние.
dismount ['dis'maunt] *v/t.* разнима́ть [-ня́ть]; ⊕ разбира́ть [разобра́ть]; *v/i.* слеза́ть с ло́шади, спе́ши(ва)ться.
disobedien|ce [diso'bi:dʒəns] непослуша́ние, неповинове́ние; **~t** [-t] □ непослу́шный, непоко́рный.
disobey ['diso'bei] ослу́шаться *pf.* (Р), не повинова́ться *(im)pf.* (Д).
disorder [dis'ɔ:də] **1.** беспоря́док; ⚕ расстро́йство; **~s** *pl.* ма́ссовые волне́ния *n/pl.*; **2.** приводи́ть в беспоря́док; расстра́ивать [-ро́ить] (здоро́вье); **~ly** [-li] беспоря́дочный; беспоко́йный; распу́щенный.
disorganize [dis'ɔ:gənaiz] дезорганизова́ть *(im)pf.*, расстра́ивать [-ро́ить].
disown [dis'oun] не призн(ав)а́ть; отка́зываться [-за́ться] от (Р).
dispassionate [dis'pæʃnit] □ беспристра́стный; бесстра́стный.
dispatch [dis'pætʃ] **1.** отпра́вка; отправле́ние; депе́ша; донесе́ние; by ~ с курье́ром **2.** пос(ы)ла́ть; отправля́ть [-а́вить].
dispel [dis'pel] рассе́ивать [-се́ять]; разгоня́ть [разогна́ть].
dispensa|ry [dis'pensəri] апте́ка; амбулато́рия; **~tion** [dispen'seiʃən] разда́ча; разделе́ние; веле́ние (судьбы́); освобожде́ние.
dispense [dis'pens] *v/t.* освобожда́ть [-боди́ть]; приготовля́ть и распределя́ть (лека́рства); отправля́ть [-а́вить] (правосу́дие).
disperse [dis'pə:s] разгоня́ть [разогна́ть]; рассе́ивать(ся) [-е́ять (-ся)]; распространя́ть [-ни́ть].
dispirit [dis'pirit] удруча́ть [-чи́ть]; приводи́ть в уны́ние.
displace [dis'pleis] смеща́ть [смести́ть]; переставля́ть [-а́вить]; перекла́дывать [переложи́ть]; вытесня́ть [вы́теснить].
display [dis'plei] **1.** выставля́ть [вы́ставить] (в витри́не); проявля́ть [-ви́ть]; выставля́ть напока́з; **2.** вы́ставка; проявле́ние.
displeas|e [dis'pli:z] не [по]нравиться (Д); быть не по вку́су (Д); **~ed** [-d] □ недово́льный; **~ure** [dis'pleʒə] недово́льство.
dispos|al [dis'pouzəl] расположе́ние; распоряже́ние; употребле́ние; удале́ние (нечисто́т и т. п.); **~e** [dis'pouz] *v/t.* располага́ть [-ложи́ть] (В); склоня́ть [-ни́ть]; *v/i.* ~ of распоряжа́ться [-яди́ться] (Т); отде́л(ыв)аться от (Р); **~ed** [-d] □ располо́женный; настро́енный; **~ition** [dispə'ziʃən] расположе́ние; распоряже́ние; предрасположе́ние (к Д), скло́нность (к Д).
disproof ['dis'pru:f] опроверже́ние.
disproportionate [disprə'pɔ:ʃənit] □ непропорциона́льный, несоразме́рный.
disprove ['dis'pru:v] опроверга́ть [-ве́ргнуть].
dispute [dis'pju:t] **1.** оспа́ривать [оспо́рить]; препира́ться; [по]спо́рить; **2.** ди́спут; деба́ты *m/pl.*; поле́мика.
disqualify [dis'kwɔlifai] дисквалифици́ровать *(im)pf.*; лиша́ть пра́ва.
disregard ['disri'gɑ:d] **1.** пренебреже́ние; игнори́рование; **2.** игнори́ровать *(im)pf.*; пренебрега́ть [-бре́чь] (Т).

disreput|able [dis'repjutəbl] □ дискредити́рующий; по́льзующийся дурно́й репута́цией; **~e** ['disri'pju:t] дурна́я сла́ва.
disrespect ['disris'pekt] неуваже́ние, непочти́тельность *f*; **~ful** [-ful] □ непочти́тельный.
dissatis|faction ['dissætis'fækʃən] недово́льство; **~factory** [-təri] неудовлетвори́тельный; **~fy** ['dis'sætisfai] не удовлетворя́ть [-ри́ть].
dissect [di'sekt] рассека́ть [-е́чь]; вскры(ва́)ть (труп).
dissemble [di'sembl] *v/t.* скры(ва́)ть; *v/i.* притворя́ться [-ри́ться], лицеме́рить.
dissen|sion [di'senʃən] разногла́сие; ра́спря, разла́д; **~t** [-t] **1.** несогла́сие; **2.** расходи́ться во взгля́дах, мне́ниях.
dissimilar ['di'similə] □ непохо́жий, несхо́дный, разноро́дный.
dissimulation [disimju'leiʃən] симуля́ция; притво́рство, обма́н, лицеме́рие.
dissipat|e ['disipeit] рассе́ивать [-е́ять]; расточа́ть [-чи́ть], растра́чивать [-тра́тить]; **~ion** [disi'peiʃən] рассе́яние; расточе́ние; беспу́тный о́браз жи́зни.
dissoluble [di'sɔljubl] ⚗ раствори́мый; расторжи́мый (о бра́ке, догово́ре).
dissolut|e ['disəlu:t] □ распу́щенный; беспу́тный; **~ion** [disə'lu:ʃən] расторже́ние (бра́ка, догово́ра); ро́спуск (парла́мента).
dissolve [di'zɔlv] *v/t.* распуска́ть [-усти́ть] (парла́мент и т. п.); расторга́ть [-о́ргнуть]; аннули́ровать (*im*)*pf.*; *v/i.* растворя́ться [-ри́ться]; разлага́ться [-ложи́ться].
dissonant ['disonənt] ♪ нестро́йный, диссони́рующий.
dissuade [di'sweid] отгова́ривать [-вори́ть] (from от P).
distan|ce ['distəns] **1.** расстоя́ние; даль *f*; промежу́ток, пери́од (вре́мени); at a ~ на изве́стном расстоя́нии; **2.** оставля́ть далеко́ позади́ себя́; размеща́ть на ра́вном расстоя́нии; **~t** [-t] □ да́льний, далёкий; отдалённый; сде́ржанный, холо́дный.
distaste ['dis'teist] отвраще́ние; **~ful** [-ful] □ проти́вный, неприя́тный (на вкус, вид; to Д).
distemper [dis'tempə] нездоро́вье; соба́чья чума́.
distend [dis'tend] наду́(ва́)ть(ся).
distil [dis'til] сочи́ться, ка́пать; гнать (спирт и т. п.); ⚗ перегоня́ть [-гна́ть], дистилли́ровать (*im*)*pf.*; **~lery** [-əri] виноку́ренный заво́д.
distinct [dis'tiŋkt] □ осо́бый, индивидуа́льный; отчётливый; определённый; **~ion** [dis'tiŋkʃən] различе́ние; отли́чие; отличи́тельная осо́бенность *f*; знак отли́чия; **~ive** [-tiv] □ отличи́тельный, характе́рный.
distinguish [dis'tiŋgwiʃ] различа́ть [-чи́ть]; разгля́дывать [-де́ть]; выделя́ть [вы́делить]; **~ed** [-t] выдаю́щийся, изве́стный.
distort [-'tɔ:t] искажа́ть [искази́ть]; искривля́ть [-ви́ть]; извраща́ть [-рати́ть].
distract [dis'trækt] отвлека́ть [отвле́чь], рассе́ивать [-е́ять]; **~ion** [dis'trækʃən] развлече́ние; отвлече́ние (внима́ния).
distress [dis'tres] **1.** го́ре; бе́дствие; страда́ние; нужда́, нищета́; **2.** причиня́ть го́ре, страда́ние (Д); **~ed** [-t] нужда́ющийся; страда́ющий.
distribut|e [dis'tribju:t] распределя́ть [-ли́ть]; разд(ав)а́ть; распространя́ть [-ни́ть]; **~ion** [distri'bju:ʃən] распределе́ние; разда́ча; распростране́ние.
district ['distrikt] райо́н; о́круг; о́бласть *f*.
distrust [dis'trʌst] **1.** недове́рие; подозре́ние; **2.** не доверя́ть (Д); **~ful** [-ful] □ недове́рчивый; подозри́тельный; ~ (of o. s.) неуве́ренный в себе́.
disturb [dis'tə:b] [по]беспоко́ить; [по]меша́ть (Д); наруша́ть [-у́шить]; **~ance** [-əns] наруше́ние; трево́га, волне́ние.
disunite ['disju:'nait] разделя́ть [-ли́ть]; разъединя́ть(ся) [-ни́ть(-ся)].
disuse ['dis'ju:z] изъя́ть из употребле́ния.
ditch [ditʃ] кана́ва, ров.
ditto ['ditou] то же; сто́лько же.
dive [daiv] **1.** ныря́ть [нырну́ть]; погружа́ться [-узи́ться]; броса́ться в во́ду; ✈ пики́ровать (*im*)*pf.*; **2.** ныря́ние; погруже́ние; пики́рование; *Am.* прито́н; **~r**

['daivə] водола́з; ныря́льщик (-ица).

diverge [dai'və:dʒ] расходи́ться [разойти́сь]; отклоня́ться [-ни́ться], уклоня́ться [-ни́ться]; **~nce** [-əns] расхожде́ние; отклоне́ние, уклоне́ние; **~nt** [-ənt] □ расходя́щийся; отклоня́ющийся.

divers|e [dai'və:s] □ разли́чный, разнообра́зный; ино́й; **~ion** [dai'və:ʃən] развлече́ние; **~ity** [-siti] разнообра́зие; разли́чие.

divert [dai'və:t] отводи́ть в сто́рону (доро́гу и т. п.); отвлека́ть [-е́чь] (внима́ние); развлека́ть [-е́чь].

divest [dai'vest] разде́(ва́)ть; *fig.* лиша́ть [-ши́ть] (of P).

divid|e [di'vaid] *v/t.* [раз]дели́ть; разделя́ть [-ли́ть]; *v/i.* [раз]дели́ться; разделя́ться [-ли́ться]; 𝔄 дели́ться без оста́тка; **~end** ['dividend] дивиде́нд; 𝔄 дели́мое.

divine [di'vain] **1.** □ боже́ственный; ~ service богослуже́ние; **2.** уга́дывать [-да́ть].

diving ['daiviŋ] ныря́ние; *sport* прыжки́ в во́ду.

divinity [di'viniti] богосло́вие; божество́; боже́ственность *f*.

divis|ible [di'vizəbl] □ дели́мый; **~ion** [di'viʒən] деле́ние; разделе́ние; перегоро́дка; ⚔ диви́зия; 𝔄 деле́ние без оста́тка.

divorce [di'vɔ:s] **1.** разво́д; разры́в; **2.** расторга́ть брак (P); разводи́ться [-вести́сь] с (T).

divulge [dai'vʌldʒ] разглаша́ть [-ласи́ть] (та́йну).

dizz|iness ['dizinis] головокруже́ние; **~y** ['dizi] □ чу́вствующий головокруже́ние; головокружи́тельный.

do [du:] [*irr.*] (*s. a.* done) **1.** *v/t.* [с]де́лать; выполня́ть [вы́полнить]; устра́ивать [-ро́ить]; приготовля́ть [-то́вить]; ~ London осма́тривать Ло́ндон; have done reading ко́нчить чита́ть; F ~ in обма́нывать [-ну́ть]; уби́(ва́)ть; ~ into переводи́ть [-вести́]; ~ over переде́л(ыв)ать; покры́(ва́)ть; обма́з(ыв)ать; ~ up завора́чивать [заверну́ть]; приводи́ть в поря́док; уб(и)ра́ть; **2.** *v/i.* [с]де́лать; поступа́ть [-пи́ть], де́йствовать; ~ so as to ... устра́ивать так, что́бы ...; that will ~ доста́точно, дово́льно; сойдёт; how ~ you ~? здра́вствуй(те)!; как вы пожива́ете?; ~ well успева́ть; хорошо́ вести́ де́ло; ~ away with уничтожа́ть [-о́жить]; I could ~ with ... мне мог бы пригоди́ться (И); ~ without обходи́ться [обойти́сь] без (P); ~ be quick поспеши́те!, скоре́й!; ~ you like London? — I do вам нра́вится Ло́ндон? — Да.

docil|e ['dousail] послу́шный; поня́тливый; **~ity** [dou'siliti] послуша́ние; поня́тливость *f*.

dock[1] [dɔk] обруба́ть [-уби́ть] (хвост); ко́ротко стричь (во́лосы); *fig.* сокраща́ть [сократи́ть].

dock[2] [~] **1.** ⚓ док; ⚖ скамья́ подсуди́мых; **2.** ⚓ ста́вить су́дно в док; входи́ть в док.

dockyard ['dɔkjɑ:d] верфь *f*.

doctor ['dɔktə] **1.** врач; до́ктор (учёная сте́пень); **2.** F лечи́ть.

doctrine ['dɔktrin] уче́ние, доктри́на.

document **1.** ['dɔkjumənt] докуме́нт; свиде́тельство; **2.** [-'mənt] подтвержда́ть докуме́нтами.

dodge [dɔdʒ] **1.** увёртка, уло́вка, хи́трость *f*; **2.** увиливать [-льну́ть]; [с]хитри́ть; избега́ть [-ежа́ть] (P).

doe [dou] са́мка (оле́ня, за́йца, кры́сы, кро́лика).

dog [dɔg] **1.** соба́ка, пёс; **2.** ходи́ть по пята́м (P); высле́живать [вы́следить].

dogged ['dɔgid] □ упря́мый, упо́рный, насто́йчивый.

dogma ['dɔgmə] до́гма; до́гмат; **~tic(al** □) [dɔg'mætik, -ikəl] догмати́ческий; **~tism** ['dɔgmətizm] догмати́зм.

dog's-ear F заги́б (за́гнутый у́гол страни́цы).

dog-tired ['dɔg'taiəd] уста́лый как соба́ка.

doings ['du:iŋz] де́йствия *n/pl.*, посту́пки *m/pl.*

dole [doul] **1.** *Brt.* посо́бие (безрабо́тным); **2.** выдава́ть ску́по.

doleful ['doulful] □ ско́рбный, печа́льный.

doll [dɔl] ку́кла.

dollar ['dɔlə] до́ллар.

dolly ['dɔli] ку́колка.

dolt [doult] ду́рень *m*, болва́н.

domain [do'mein] владе́ние; име́ние; террито́рия; *fig.* о́бласть *f*, сфе́ра.

dome [doum] ку́пол; свод.

domestic [do'mestik] **1.** (**~al**) дома́шний; семе́йный; домосе́дливый; **2.** дома́шняя рабо́тница; слуга́ *m*; **~ate** [-tikeit] привя́зывать к семе́йной жи́зни; прируча́ть [-чи́ть] (живо́тное).

domicile [ˈdɔmisail] постоя́нное местожи́тельство; **~d** [-d] осе́длый; прожива́ющий.

domin|ant [ˈdɔminənt] госпо́дствующий, преоблада́ющий; **~ate** [-neit] госпо́дствовать, преоблада́ть; **~ation** [dɔ́miˈneiʃən] госпо́дство, преоблада́ние; **~eer** [dɔmiˈniə] де́йствовать деспоти́чески; влады́чествовать; **~eering** [-riŋ] □ деспоти́ческий, вла́стный.

dominion [dəˈminjən] доминио́н; владе́ние.

don [dɔn] наде́(ва́)ть.

donat|e [douˈneit] *Am.* [по]же́ртвовать; **~ion** [-ʃən] поже́ртвование.

done [dʌn] **1.** *p. pt.* от do; **2.** *adj.* гото́вый; уста́лый; обма́нутый; well ~ хорошо́ пригото́вленный; прожа́ренный.

donkey [ˈdɔŋki] осёл.

donor [ˈdounɔ:] же́ртвователь(ница *f*) *m*; ⚕ до́нор.

doom [du:m] **1.** рок, судьба́; **2.** осужда́ть [осуди́ть]; обрека́ть [-е́чь] (to на В).

door [dɔ:] дверь *f*; next ~ ря́дом; (with)in ~s внутри́, в до́ме; **~-handle** ру́чка две́ри; **~-keeper,** *Am.* **~man** швейца́р, привра́тник; **~way** вход; пролёт две́ри.

dope [doup] **1.** нарко́тик; F дурма́н; **2.** дава́ть нарко́тики (Д).

dormant [ˈdɔ:mənt] *mst fig.* безде́йствующий, спя́щий.

dormer(-window) [ˈdɔ:mə(ˈwindou)] слухово́е окно́.

dormitory [ˈdɔ:mitəri] дортуа́р, о́бщая спа́льня; *Am.* общежи́тие.

dose [dous] **1.** до́за, приём; **2.** дози́ровать *(im)pf.*; дава́ть до́зами.

dot [dɔt] **1.** то́чка; кро́шечная вещь *f*; **2.** ста́вить то́чки над (Т); отмеча́ть пункти́ром.

dot|e [dout]: ~ (up)on люби́ть до безу́мия; **~ing** [doutiŋ] безу́мно лю́бящий.

double [ˈdʌbl] □ двойно́й; двоя́кий; двули́чный; **2.** двойни́к; двойно́е коли́чество; па́рная игра́; *thea.* дублёр; **3.** *v/t.* удва́ивать [удво́ить]; скла́дывать вдво́е; ~d up скрю́чившийся; *v/i.* удва́иваться [удво́иться]; **~-breasted** двубо́ртный (пиджа́к); **~-dealing** двуру́шничество; **~-edged** обоюдоо́стрый; **~ entry** ✝ двойна́я бухгалте́рия.

doubt [daut] **1.** *v/t.* сомнева́ться [усомни́ться] в (П); не доверя́ть (Д); подозрева́ть; *v/i.* име́ть сомне́ния; **2.** сомне́ние; no ~ без сомне́ния; **~ful** [ˈdautful] □ сомни́тельный; **~fulness** [-nis] сомни́тельность *f*; **~less** [ˈdautlis] несомне́нно; вероя́тно.

douche [du:ʃ] **1.** душ; облива́ние; **2.** принима́ть душ; облива́ть(ся) водо́й.

dough [dou] те́сто; **~nut** [ˈdounʌt] [по́нчик.]

dove [dʌv] го́лубь *m*; *fig.* голу́бчик (-бушка).

dowel [ˈdauəl] ⊕ дю́бель *m*, штифт.

down¹ [daun] пух; холм; безле́сная возвы́шенность *f*.

down² [~] **1.** *adv.* вниз, внизу́; ~ to вплоть до (Р); F be ~ upon напада́ть [напа́сть] на (В); **2.** *prp.* вниз по (Д); вдоль по (Д); ~ the river вниз по реке́; **3.** *adj.* напра́вленный вниз; ~ platform перро́н для поездо́в, иду́щих из столи́цы (и́ли большо́го го́рода); **4.** *v/t.* опуска́ть [опусти́ть]; сби(ва́)ть (самолёт); одоле́(ва́)ть; **~cast** [ˈdaunkɑ:st] удручённый; **~fall** паде́ние; **~-hearted** па́вший ду́хом; **~hill** вниз; по́д гору; **~pour** ли́вень *m*; **~right 1.** *adv.* соверше́нно; пря́мо; **2.** *adj.* прямо́й; открове́нный, че́стный; **~stairs** [ˈdaunˈstɛəz] вниз, внизу́; **~stream** вниз по тече́нию; **~town** *part. Am.* в делову́ю часть го́рода, в делово́й ча́сти го́рода; **~ward**(s) [-wəd(z)] вниз, книзу.

downy [ˈdauni] пуши́стый, мя́гкий как пух; *sl.* хи́трый.

dowry [ˈdauəri] прида́ное.

doze [douz] **1.** дремо́та; **2.** дрема́ть, «клева́ть но́сом».

dozen [ˈdʌzn] дю́жина.

drab [dræb] желтова́то-се́рый; однообра́зный.

draft [drɑ:ft] **1.** = draught; чек; су́мма, полу́ченная по че́ку; ⚔ пополне́ние, подкрепле́ние; **2.** набра́сывать [-роса́ть].

drag [dræg] **1.** обу́за, бре́мя *n*; дра́га; борона́; **2.** *v/t.* [по]тяну́ть, [по]волочи́ть; чи́стить дно (реки́

и т. п.); *v/i.* [по]волочи́ться; ~ on тяну́ться (о вре́мени). [стрекоза́.
dragon ['drægən] драко́н; **~-fly**
drain [drein] **1.** дрена́ж; канализа́ция; водосто́к; **2.** *v/t.* дрени́ровать (*im*)*pf.*; истоща́ть [-щи́ть]; осуша́ть [-ши́ть]; **~age** ['dreinidʒ] дрена́ж; сток; канализа́ция.
drake [dreik] се́лезень *m.*
drama|tic [drə'mætik] (~ally) драмати́ческий; драмати́чный; **~tist** ['dræmətist] драмату́рг; **~tize** [-taiz] драматизи́ровать (*im*)*pf.*
drank [dræŋk] *pt.* от drink.
drape [dreip] [за]драпирова́ть; располага́ть скла́дками; **~ry** ['dreipəri] драпиро́вка; тка́ни *f/pl.*
drastic ['dræstik] (~ally) реши́тельный, круто́й (о ме́рах).
draught [drɑːft] тя́га; сквозня́к; глото́к; черно́вик, набро́сок; ⚓ водоизмеще́ние; **~s** *pl.* ша́шки *f/pl.*; *s.* draft; ~ beer пи́во в бо́чке; **~-horse** ломова́я ло́шадь *f*; **~sman** [-smən] чертёжник.
draw [drɔː] **1.** [*irr.*] [на]рисова́ть; [по]тяну́ть; [по]тащи́ть; вырыва́ть [вы́рвать]; че́рпать (во́ду); привлека́ть [-е́чь] (внима́ние); выводи́ть [вы́вести] (заключе́ние); конча́ть (игру́) вничью́; ~ near приближа́ться [-ли́зиться]; ~ out вытя́гивать [вы́тянуть]; ~ up составля́ть [-ави́ть] (докуме́нт) [остана́вливаться [-нови́ться]; ~ (up)on ☤ вы́ставить ве́ксель на (В); **2.** тя́га; жеребьёвка; F гвоздь *m* (сезо́на, ве́чера и т. п.); **~back** ['drɔːbæk] поме́ха; недоста́ток; ☤ возвра́тная по́шлина; **~er 1.** ['drɔːə] чертёжник; ☤ трасса́нт; **2.** [drɔː] выдвижно́й я́щик; (a pair of) **~s** *pl.* кальсо́ны *f/pl.*
drawing ['drɔːiŋ] рису́нок; рисова́ние; чертёж; черче́ние; **~-board** чертёжная доска́; **~-room** гости́ная.
drawn [drɔːn] *p. pt.* от draw.
dread [dred] **1.** боя́ться, страши́ться (Р); **2.** страх, боя́знь *f*; **~ful** ['dredful] □ ужа́сный, стра́шный.
dream [driːm] **1.** сон, сновиде́ние; мечта́; грёза; **2.** [*a. irr.*] ви́деть во сне; мечта́ть; гре́зить; вообража́ть [-рази́ть]; **~er** ['driːmə] мечта́тель(ница *f*) *m*, фантазёр(ка); **~y** [-i] □ мечта́тельный.
dreary ['driəri] □ тоскли́вый; ску́чный.
dredge [dredʒ] **1.** землечерпа́лка, дра́га, экскава́тор; **2.** драги́ровать (*im*)*pf.*; углубля́ть фарва́тер.
dregs [dregz] *pl.* оса́док; небольшо́й оста́ток; подо́нки *m/pl.*
drench [drentʃ] **1.** промока́ние (под дождём); **2.** прома́чивать наскво́зь.
dress [dres] **1.** оде́жда, пла́тье; одея́ние; *thea.* ~ rehearsal генера́льная репети́ция; **2.** оде́(ва́)ть (-ся); украша́ть(ся) [укра́сить(ся)]; де́лать причёску; ⚔ равня́ться [вы́ровняться]; выра́внивать [вы́ровнять]; ⚕ перевя́зывать [-за́ть]; **~-circle** *thea.* бельэта́ж; **~er** ['dresə] ку́хонный шкаф; *Am.* туале́тный сто́лик.
dressing ['dresiŋ] перевя́зочный материа́л; перевя́зка; *cook.* припра́ва; ~ down вы́говор, головомо́йка; **~-gown** хала́т; **~table** туале́тный сто́лик.
dress|maker портни́ха; **~-parade** вы́ставка мод.
drew ['druː] *pt.* от draw. [слю́ни.
dribble ['dribl] ка́пать; пуска́ть
dried [draid] сухо́й; вы́сохший.
drift [drift] **1.** дрейф; сугро́б (сне́га); нано́с (песка́); *fig.* стремле́ние; тенде́нция; **2.** *v/t.* относи́ть [отнести́]; наноси́ть [нанести́]; мести́ (сне́г, о ве́тре); *v/i.* дрейфова́ть (*im*)*pf.*; скопля́ться ку́чами (о ли́стьях и т. п.); *fig.* безде́йствовать, быть пасси́вным, не сопротивля́ться.
drill [dril] **1.** сверло́; бура́в; коловоро́т; физи́ческое упражне́ние; ⸙ борозда́; ⚔ строево́е обуче́ние; **2.** [на]тренирова́ть; ⚔ проводи́ть строево́е обуче́ние.
drink [driŋk] **1.** питьё; напи́ток; **2.** [*irr.*] [вы́]пить; пья́нствовать.
drip [drip] **1.** ка́пание; **2.** ка́пать.
drive [draiv] **1.** ката́нье, езда́; подъездна́я алле́я (к до́му); ⚔ уда́р, ата́ка; ⊕ переда́ча, приво́д; *fig.* эне́ргия; си́ла; **2.** [*irr.*] *v/t.* [по]гна́ть; вби(ва́)ть (гвоздь и т. п.); вози́ть, [по]везти́ (в автомоби́ле, экипа́же и т. п.); пра́вить (лошадьми́ и т. п.); управля́ть (маши́ной); *v./i.* е́здить, [по]е́хать; ката́ться; [по]нести́сь; ~ at [на]ме́тить на (В).

drivel ['drivl] **1.** распускáть слю́ни; нести́ вздор; **2.** бессмы́слица, чепухá.
driven ['drivn] *p. pt.* от drive.
driver ['draivə] погóнщик (скотá); *mot.* шофёр, води́тель *m*; 🚂 маши́нист; ⊕ ведýщее колесó.
drizzle ['drizl] **1.** мéлкий дождь *m*, и́зморось *f*; **2.** мороси́ть.
drone [droun] **1.** *zo.* трýтень *m*; *fig.* бездéльник, лентя́й; **2.** [за-] жужжáть; [за]гудéть.
droop [dru:p] *v/t.* склоня́ть [-ни́ть] (гóлову); *v/i.* свисáть [сви́снуть], поникáть [-и́кнуть]; увядáть [увя́нуть] (о цветáх).
drop [drɔp] **1.** кáпля; леденéц; падéние, понижéние; *thea.* зáнавес; **2.** *v/t.* роня́ть [урони́ть]; бросáть [брóсить] (привы́чку); ~ a p. a line черкнýть комý-либо словéчко; *v/i.* кáпать [кáпнуть]; спадáть [спасть]; пáдать [упáсть]; понижáться [-и́зиться]; ~ in заходи́ть [зайти́], загля́дывать [загляну́ть].
drought [draut] зáсуха.
drove [drouv] **1.** гурт, стáдо; **2.** *pt.* [от drive.]
drown [draun] *v/t.* затопля́ть [-пи́ть]; *fig.* заглушáть [-ши́ть] (звук); *v/i.* [у]тонýть = be ~ed; ~ o. s. [у]топи́ться.
drows|e [drauz] [за]дремáть; **~y** ['drausi] сóнный.
drudge [drʌdʒ] исполня́ть скýчную, тяжёлую рабóту, «тянýть ля́мку».
drug [drʌg] **1.** лекáрство, медикамéнт; наркóтик; **2.** употребля́ть наркóтики; давáть наркóтики (Д); **~gist** ['drʌgist] аптéкарь *m*.
drum [drʌm] **1.** барабáн; барабáнный бой; *anat.* барабáнная перепóнка; **2.** бить в барабáн, барабáнить.
drunk [drʌŋk] **1.** *p. pt.* от drink; **2.** пья́ный; get ~ напивáться пья́ным; **~ard** ['drʌŋkəd] пья́ница *m/f*; **~en** ['drʌŋkən] пья́ный.
dry [drai] **1.** □ сухóй, вы́сохший; F жáждущий; F антиалкогóльный; ~ goods *pl. Am.* мануфактýра; галантерéя; **2.** [вы́]суши́ть; [вы́]сóхнуть; ~ up высýшивать [вы́сушить]; высыхáть [вы́сохнуть], пересыхáть [-сóхнуть] (о рекé и т. п.); **~-clean** чи́стить хими́чески; **~-nurse** ня́ня.
dual ['dju:əl] □ двóйственный; двойнóй.
dubious ['dju:biəs] □ сомни́тельный, подозри́тельный.
duchess ['dʌtʃis] герцоги́ня.
duck [dʌk] **1.** ýтка; наклонéние головы́; ныря́ние; F дýшка; **2.** ныря́ть [нырнýть]; окунáться [-нýться]; увёртываться [увернýться].
duckling ['dʌkliŋ] утёнок.
dudgeon ['dʌdʒən] оби́да.
due [dju:] **1.** дóлжный, надлежáщий; обя́занный; ожидáемый; in ~ time в своё врéмя; it is his ~ емý э́то полагáется; **2.** *adv.* ⚓ тóчно, пря́мо (о стрéлке кóмпаса); **3.** дóлжное; то, что причитáется; *mst* ~s *pl.* сбóры *m/pl.*, налóги *m/pl.*; пóшлины *f/pl.*; члéнский взнос.
duel ['dju:əl] **1.** дуэ́ль *f*; **2.** дрáться на дуэ́ли.
dug [dʌg] *pt.* и *p. pt.* от dig.
duke [dju:k] гéрцог; **~dom** ['dju:kdəm] гéрцогство.
dull [dʌl] **1.** □ тупóй (*a. fig.*); скýчный; ✝ вя́лый; пáсмурный (день); **2.** притупля́ть(ся) [-пи́ть (-ся)]; *fig.* дéлать(ся) тупы́м, скýчным; **~ness** ['dʌlnis] скýка; вя́лость *f*; тýпость *f*.
duly ['dju:li] дóлжным óбразом.
dumb [dʌm] □ немóй; глýпый.
dummy ['dʌmi] манекéн, кýкла; ⚔ макéт; *fig.* фикти́вное лицó.
dump [dʌmp] **1.** свáлка; ⚔ полевóй склад; **2.** сбрáсывать [сбрóсить]; навáливать [-ли́ть]; свáливать [-ли́ть] (мýсор); ~s *pl.* плохóе настроéние; **~ing** ✝ дéмпинг.
dun [dʌn] настóйчиво трéбовать уплáты дóлга.
dunce [dʌns] тупи́ца *m/f*.
dune [dʒu:n] дю́на.
dung [dʌŋ] **1.** навóз; **2.** унавáживать [унавóзить].
dungeon ['dʌndʒən] подзéмная [тюрьмá.]
duplic|ate 1. ['dju:plikit] a) двойнóй; запаснóй; b) дубликáт, кóпия; **2.** [-keit] снимáть, дéлать кóпию с (Р); удвáивать [удвóить]; **~ity** [dju:'plisiti] двули́чность *f*.
dura|ble ['djuərəbl] □ прóчный; долговрéменный; **~tion** [djuə'reiʃən] продолжи́тельность *f*.
duress(e) [djuə'res] принуждéние.
during ['djuəriŋ] *prp.* в течéние (Р), во врéмя (Р).

dusk [dʌsk] сумерки; **~y** ['dʌski] □ сумеречный; смуглый.
dust [dʌst] **1.** пыль *f*; **2.** [за-, на-] пылить; вытирать пыль; **~-bin** мусорный ящик; **~er** ['dʌstə] пыльная тряпка; **~y** ['dʌsti] □ пыльный.
Dutch [dʌtʃ] **1.** голландец (-дка); **2.** голландский; the ~ голландцы *pl.*
duty ['dju:ti] долг, обязанность *f*; дежурство; пошлина; off ~ свободный от дежурства; **~-free** *adv.* беспошлинно.
dwarf [dwɔ:f] **1.** карлик; **2.** мешать росту, останавливать развитие (P).
dwell [dwel] [*irr.*] жить, пребывать; ~ (up)on задерживаться [-жаться] на (П); **~ing** ['dweliŋ] жилище, дом.
dwelt [dwelt] *pt.* и *p. pt.* от dwell.
dwindle ['dwindl] уменьшаться [уменьшиться], сокращаться [-ратиться].
dye [dai] **1.** краска; окраска; *fig.* of deepest ~ настоящий; **2.** [по-] красить, окрашивать [окрасить].
dying ['daiiŋ] (*s.* die[1]) **1.** □ умирающий; предсмертный; **2.** умирание.
dynam|ic [dai'næmik] динамический; активный; энергичный; **~ics** [-iks] *mst sg.* динамика; **~ite** ['dainəmait] **1.** динамит; **2.** взрывать динамитом.

E

each [i:tʃ] каждый; ~ other друг друга.
eager [i:gə] □ стремящийся; усердный; энергичный; **~ness** [-nis] пыл, рвение.
eagle [i:gl] орёл, орлица.
ear [iə] ухо (*pl.*: уши); **~-drum** барабанная перепонка.
earl [ə:l] граф ((английский).
early ['ə:li] **1.** ранний; преждевременный; **2.** *adv.* рано; заблаговремменно; as ~ as уже.
ear-mark ['iəma:k] отмечать [-етить].
earn [ə:n] зарабатывать [-ботать]; заслуживать [-жить].
earnest ['ə:nist] **1.** □ серьёзный; убеждённый; искренний; **2.** серьёзность *f*.
earnings ['ə:niŋz] заработок.
ear|piece раковина телефонной трубки; **~-shot** пределы слышимости.
earth [ə:θ] **1.** земля, земной шар; земля, почва; **2.** *v/t.* зары(ва)ть; закапывать [закопать]; ⚡ заземлять [-лить]; **~en** ['ə:θən] земляной; **~enware** [-wɛə] глиняная посуда; **~ing** ['ə:θiŋ] ⚡ заземление; **~ly** ['ə:θli] земной; *fig.* суетный; **~quake** [-kweik] землетрясение; **~worm** земляной червь *m.*
ease [i:z] **1.** покой; лёгкость *f*; непринуждённость *f*; at ~ свободно, удобно; **2.** облегчать [-чить]; успокаивать [-коить].
easel ['i:zl] мольберт.
easiness ['i:zinis] *s.* ease 1.
east [i:st] **1.** восток; **2.** восточный; **3.** *adv.* на восток; к востоку (of от P).
Easter ['i:stə] пасха.
easter|ly ['i:stəli], **~n** ['i:stən] восточный.
eastward(s) ['i:stwəd(z)] на восток.
easy [i:zi] лёгкий; спокойный; непринуждённый; take it ~! не торопи(те)сь!; спокойнее!; **~-chair** кресло; **~-going** *fig.* добродушный; беззаботный.
eat [i:t] **1.** [*irr.*] [съ]есть; разъедать [-есть] **2.** [et] *pt.* от eat 1; **~ables** ['i:təblz] *pl.* съестное; **~en** ['i:tn] *p. pt.* от eat 1.
eaves [i:vz] *pl.* карниз; стреха; **~drop** подслуш(ив)ать.
ebb [eb] **1.** (*a.* **~-tide**) отлив; *fig.* перемена к худшему; **2.** отли(ва)ть, убы(ва)ть (о воде); *fig.* ослабе(ва)ть.

ebony [ˈebəni] чёрное дерево.
ebullition [ebəˈliʃən] кипение; вскипание.
eccentric [ikˈsentrik] 1. эксцентричный; ⚙ эксцентрический; 2. чудак.
ecclesiastic [ikli:ziˈæstik] 1. ⚒, *mst* **~al** □ [-tikəl] духовный, церковный; 2. духовное лицо.
echo [ˈekou] 1. эхо; *fig.* отголосок; 2. отдаваться как эхо.
eclipse [iˈklips] 1. затмение; 2. затмевать [-мить]; заслонять [-нить].
econom|ic(al □) [i:kəˈnɔmik(əl)] экономический; экономный, бережливый; **~ics** [-iks] *pl.* экономика; народное хозяйство; **~ist** [i:ˈkɔnəmist] экономист; **~ize** [-maiz] [с]экономить; **~y** [-mi] хозяйство; экономия; бережливость *f*; political ~ политическая экономия.
ecsta|sy [ˈekstəsi] экстаз; **~tic** [eksˈtætik] (~ally) исступлённый.
eddy [ˈedi] 1. водоворот; 2. крутиться в водовороте.
edge [edʒ] 1. край; лезвие, остриё; кряж, хребет (гор); кромка (материи); обрез (книги); be on ~ быть как на иголках; 2. обрезать края; окаймлять [-мить]; натачивать [наточить]; **~ways, ~wise** [-weiz, -waiz] краем, боком.
edging [ˈedʒiŋ] край, кайма, бордюр.
edible [ˈedibl] съедобный.
edifice [ˈedifis] здание.
edit [ˈedit] изд(ав)ать; [от]редактировать; **~ion** [iˈdiʃən] издание; **~or** [ˈeditə] издатель *m*; редактор; **~orial** [ediˈtɔ:riəl] 1. редакторский; редакционный; 2. передовая статья; **~orship** [ˈeditəʃip] редакторство.
educat|e [ˈedju:keit] давать образование (Д); воспитывать [-тать]; **~ion** [edju'keiʃən] образование; воспитание; Board of ♀ министерство просвещения; **~ional** [-ʃnl] □ педагогический; учебный; **~or** [ˈedjukeitə] педагог.
eel [i:l] угорь *m*.
efface [iˈfeis] стирать [стереть]; вычёркивать [вычеркнуть]; *fig.* ~ o. s. стушёвываться [-шеваться].
effect [iˈfekt] 1. следствие; результат; ⊕ производительность *f*; действие; ~s *pl.* имущество; пожитки *m/pl.*; take ~, be of ~ вступать в силу; in ~ в действительности; to the ~ следующего содержания; 2. производить [-вести]; выполнять [выполнить]; совершать [-шить]; **~ive** [-iv] □ эффективный, действительный; имеющий силу; ⊕ полезный; ~ date дата вступления в силу (Р); **~ual** [juəl] □ действительный; ⚖ имеющий силу.
effeminate [iˈfeminit] □ женоподобный.
effervesce [efəˈves] [вс]пениться; играть (о вине).
effete [eˈfi:t] истощённый; бесплодный.
efficacy [ˈefikəsi] действительность *f*, сила.
efficien|cy [iˈfiʃənsi] эффективность *f*; умелость *f*; **~t** [-ənt] □ умелый, квалифицированный; эффективный.
efflorescence [əflɔ:ˈresns] расцвет.
effluence [ˈefluəns] истечение; эманация.
effort [ˈefət] усилие; достижение.
effrontery [eˈfrʌntəri] бесстыдство.
effulgent [eˈfʌldʒənt] □ лучезарный.
effus|ion [iˈfju:ʒən] излияние; **~ive** [iˈfju:siv] □ экспансивный; несдержанный.
egg[1] [eg] подстрекать [-кнуть] (*mst* ~ *on*).
egg[2] [~] яйцо; buttered, scrambled ~s *pl.* яичница-болтунья; fried ~s *pl.* яичница-глазунья.
egotism [ˈegoutizm] эготизм; самомнение.
egress [ˈi:gres] выход; исток, истечение.
Egyptian [iˈdʒipʃən] 1. египтянин (-янка); 2. египетский.
eight [eit] 1. восемь; 2. восьмёрка; **~een** [ˈeiˈti:n] восемнадцать; **~eenth** [-θ] восемнадцатый; **~h** [eitθ] 1. восьмой; 2. восьмая часть *f*; **~ieth** [ˈeitiiθ] восьмидесятый; **~y** [ˈeiti] восемьдесят.
either [ˈaiðə] 1. *pron.* один из двух; тот или другой; и тот и другой, оба; 2. *cj.* ~ ... or ... или ... или ...; либо ... либо ...; not (...) ~ также не.
ejaculate [iˈdʒækjuleit] восклицать [-ликнуть]; извергать [-ергнуть].

eject [i'dʒekt] изгоня́ть [изгна́ть]; выселя́ть [вы́селить]; изверга́ть [-е́ргнуть]; выпуска́ть [вы́пустить] (дым).
eke [i:k]: ~ out восполня́ть [-по́лнить]; ~ out one's existence перебива́ться кое-ка́к.
elaborat|e 1. [i'læbərit] □ сло́жный; тща́тельно вы́работанный; 2. [-reit] разраба́тывать [-бо́тать]; разви́(ва́)ть; **~eness** [-ritnis], **~ion** [ilæbə'reiʃən] разрабо́тка; разви́тие; уточне́ние.
elapse [i'læps] проходи́ть [пройти́], пролета́ть [-лете́ть] (о вре́мени).
elastic [i'læstik] 1. [~ally] эласти́чный; упру́гий; 2. рези́нка (шнур); **~ity** [elæs'tisiti] эласти́чность *f*.
elate [i'leit] 1. □ лику́ющий; 2. поднима́ть настрое́ние (P).
elbow ['elbou] 1. ло́коть *m*; ⊕ коле́но; уго́льник; at one's ~ под руко́й, ря́дом; 2. толка́ть локтя́ми; ~ out выта́лкивать [вы́толкнуть].
elder ['eldə] 1. ста́рший; 2. ⚘ бузина́; **~ly** ['eldəli] пожило́й.
eldest ['eldist] (са́мый) ста́рший.
elect [i'lekt] 1. изб(и)ра́ть; выбира́ть [вы́брать]; назнача́ть [-на́чить]; 2. и́збранный; **~ion** [i'lekʃən] вы́боры *m/pl.*; **~or** [-tə] избира́тель *m*; **~oral** [-tərəl] избира́тельный; **~orate** [-tərit] континге́нт избира́телей.
electri|c [i'lektrik] электри́ческий; ~ circuit электри́ческая цепь *f*; **~cal** [-trikəl] □ электри́ческий; ~ engineering электроте́хника; **~cian** [ilek'triʃən] электромонтёр.
electri|city [ilek'trisiti] электри́чество; **~fy** [i'lektrifai], **~ze** [i'lektraiz] электрифици́ровать (*im*)*pf.*; [на-] электризова́ть.
electro|cute [i'lektrəkju:t] казни́ть на электри́ческом сту́ле.
electron [i'lektrɔn] электро́н; ~-ray tube опти́ческий индика́тор настро́йки, «маги́ческий глаз».
electro|plate гальванизи́ровать (*im*)*pf.*; **~type** гальванопла́стика.
elegan|ce ['eligəns] элега́нтность *f*, изя́щество; **~t** ['eligənt] □ элега́нтный, изя́щный.
element ['elimənt] элеме́нт; стихи́я; ~s *pl.* осно́вы *f/pl.*; **~al** [eli'mentl] □ основно́й; стихи́йный; **~ary** [-təri] □ элемента́рный; elementaries *pl.* осно́вы *f/pl.* (како́й-либо нау́ки).
elephant ['elifənt] слон.
elevat|e ['eliveit] поднима́ть [-ня́ть], повыша́ть [-вы́сить]; *fig.* возвыша́ть [-вы́сить]; **~ion** [eli'veiʃən] возвыше́ние, возвы́шенность *f*; высота́ (над у́ровнем мо́ря); **~or** ['eliveitə] ⊕ элева́тор, грузоподъёмник; *Am.* лифт; ✈ руль высоты́.
eleven [i'levn] оди́ннадцать; **~th** [-θ] 1. оди́ннадцатый; 2. оди́ннадцатая часть *f*.
elf [elf] эльф; прока́зник.
elicit [i'lisit] извлека́ть [-е́чь]; вызыва́ть [вы́звать].
eligible ['elidʒəbl] □ могу́щий быть и́збранным; подходя́щий.
eliminat|e [i'limineit] устраня́ть [-ни́ть]; уничтожа́ть [-то́жить]; **~ion** [ilimi'neiʃən] выключе́ние; уничтоже́ние.
elk [elk] *zo.* лось *m*.
elm [elm] ⚘ вяз.
elocution [elə'kju:ʃən] ора́торское иску́сство.
elope [i'loup] [у]бежа́ть (с возлю́бленным).
eloquen|ce ['elokwəns] красноре́чие; **~t** [-t] □ красноречи́вый.
else [els] ещё; кро́ме; и́наче; ино́й, друго́й; or ~ а то; и́ли же; **~where** ['els'wɛə] где́-нибудь в друго́м ме́сте.
elucidat|e [i'lu:sideit] разъясня́ть [-ни́ть]; **~ion** [ilu:si'deiʃən] разъясне́ние.
elude [i'lu:d] избега́ть [-ежа́ть] (P), уклоня́ться [-ни́ться] от (P).
elus|ive [i'lu:siv] неулови́мый; **~ory** [-səri] ускольза́ющий.
emaciate [i'meiʃieit] истоща́ть [-щи́ть], изнуря́ть [-ри́ть].
emanat|e ['eməneit] истека́ть [-е́чь]; происходи́ть [произойти́] (from от P); **~ion** [emə'neiʃən] эмана́ция; испуска́ние; *fig.* излуче́ние.
emancipat|e [i'mænsipeit] освободи́ть от ограниче́ний; **~ion** [imænsi'peiʃən] освобожде́ние.
embalm [im'bɑ:m] [на]бальзами́ровать.
embankment [im'bæŋkmənt] да́мба, на́сыпь *f*; на́бережная.
embargo [em'bɑ:gou] эмба́рго *n indecl.*; запреще́ние.

embark [imˈbɑːk] [по]грузи́ть(ся); сади́ться [сесть] (на кора́бль); *fig.* ~ in, (up)on нач(ин)а́ть (В).
embarras [imˈbærəs] затрудня́ть [-ни́ть]; смуща́ть [смути́ть]; стесня́ть [-ни́ть]; **~ing** [-iŋ] □ затрудни́тельный; неудо́бный; стесни́тельный; **~ment** [-mənt] затрудне́ние; смуще́ние; замеша́тельство.
embassy [ˈembəsi] посо́льство.
embellish [imˈbeliʃ] украша́ть [укра́сить].
embers [ˈembəz] *pl.* после́дние тле́ющие уголькѝ *m/pl.*
embezzle [imˈbezl] растра́чивать [-а́тить] (чужи́е де́ньги); **~ment** [-mənt] растра́та.
embitter [imˈbitə] озлобля́ть [озло́бить].
emblem [ˈembləm] эмбле́ма, си́мвол.
embody [imˈbɔdi] воплоща́ть [-лоти́ть]; олицетворя́ть [-ри́ть]; включа́ть [-чи́ть] (в соста́в).
embosom [imˈbuzəm] обнима́ть [обня́ть]; ~ed with окружённый (Т).
emboss [imˈbɔs] выбива́ть вы́пуклый рису́нок на (П), [от-, вы́]чека́нить; лепи́ть релье́ф.
embrace [imˈbreis] **1.** объя́тие; **2.** обнима́ть(ся) [-ня́ть(ся)]; принима́ть [-ня́ть] (ве́ру и т. п.); обхва́тывать [обхвати́ть].
embroider [imˈbrɔidə] вы́ши(ва́)ть; **~y** [-ri] вышива́ние; вы́шивка.
embroil [imˈbrɔil] запу́т(ыв)ать (дела́); впу́т(ыв)ать (в неприя́тности).
emerald [ˈemərəld] изумру́д.
emerge [iˈmɑːdʒ] появля́ться [-ви́ться]; всплы(ва́)ть; **~ncy** [-ənsi] непредви́денный слу́чай; *attr.* запасно́й, вспомога́тельный; ~ call *teleph.* сро́чный вы́зов по телефо́ну; **~nt** [-ənt] непредви́денный; сро́чный.
emigra|nt [ˈemigrənt] **1.** эмигра́нт, переселе́нец; **2.** эмигри́рующий, переселе́нческий; **~te** [-greit] эмигри́ровать (*im*)*pf.*, переселя́ться [-ли́ться]; **~tion** [emiˈgreiʃən] эмигра́ция, переселе́ние.
eminen|ce [ˈeminəns] высота́; высо́кое положе́ние; **⁀ce** высокопреосвяще́нство; **~t** [-ənt] □ *fig.* выдаю́щийся, замеча́тельный; *adv.* замеча́тельно.
emit [iˈmit] изд(ав)а́ть, испуска́ть [-усти́ть] (за́пах, звук, крик); выделя́ть [вы́делить].
emoti|on [iˈmouʃən] душе́вное волне́ние, возбужде́ние; эмо́ция; **~onal** [-l] □ взволно́ванный; волну́ющий (о му́зыке и т. п.).
emperor [ˈempərə] импера́тор.
empha|sis [ˈemfəsis] вырази́тельность *f*; ударе́ние, акце́нт; **~size** [-saiz] подчёркивать [-черкну́ть]; **~tic** [imˈfætik] (~ally) вырази́тельный; подчёркнутый; насто́йчивый.
empire [ˈempaiə] импе́рия.
employ [imˈplɔi] **1.** употребля́ть [-би́ть], применя́ть [-ни́ть], испо́льзовать (*im*)*pf.*; дава́ть рабо́ту (Д); **2.** in the ~ of на рабо́те у (Р), рабо́тающий у (Р); **~ee** [emplɔiˈiː] слу́жащий (-щая), рабо́тник (-ица); **~er** [imˈplɔiə] нанима́тель (-ница *f*) *m*, работода́тель(ница *f*) *m*; ☤ зака́зчик (-ица); **~ment** [-mənt] примене́ние; рабо́та, заня́тие; ⁀ Exchange би́ржа труда́.
empower [imˈpauə] уполномо́чи(ва)ть.
empress [ˈempris] императри́ца.
empt|iness [ˈemptinis] пустота́; **~y** [-ti] **1.** □ пусто́й, поро́жний; F голо́дный; **2.** опорожня́ть(ся) [-ни́ть ся)]; [о]пусте́ть.
emul|ate [ˈemjuleit] соревнова́ться с (Т); **~ation** [emjuˈleiʃən] соревнова́ние.
enable [iˈneibl] дава́ть возмо́жность и́ли пра́во (Д).
enact [iˈnækt] предпи́сывать [-са́ть]; поставновля́ть [-ви́ть]; *thea.* игра́ть роль; ста́вить на сце́не.
enamel [iˈnæml] **1.** эма́ль *f*; **2.** эмалирова́ть (*im*)*pf.*; покрыва́ть эма́лью.
enamo(u)red [iˈnæməd]: ~ of влюблённый в (В).
encamp [inˈkæmp] ⚔ располага́ться ла́герем.
enchain [inˈtʃein] зако́вывать [-ова́ть]; прико́вывать [-ова́ть].
enchant [inˈtʃɑːnt] очаро́вывать [-ова́ть]; **~ment** [-ment] очарова́ние; **~ress** [-ris] чароде́йка.
encircle [inˈsəːkl] окружа́ть [-жи́ть].
enclos|e [inˈklouz] заключа́ть [-чи́ть]; огора́живать [-роди́ть];

прилага́ть [-ложи́ть]; **~ure** [-ʒə] огоро́женное ме́сто; вложе́ние, приложе́ние.
encompass [inˈkʌmpəs] окружа́ть [-жи́ть].
encore [ɔŋˈkɔ:] *thea.* **1.** бис!; **2.** крича́ть «бис»; вызыва́ть [вы́звать].
encounter [inˈkauntə] **1.** встре́ча; столкнове́ние; **2.** встреча́ть(ся) [-е́тить(ся)]; ната́лкиваться [натолкну́ться] на (тру́дности и т. п.).
encourage [inˈkʌridʒ] ободря́ть [-ри́ть]; поощря́ть [-ри́ть]; **~ment** [-mənt] ободре́ние; поощре́ние.
encroach [inˈkroutʃ]: ~ (up)on вторга́ться [вто́ргнуться] в (В); **~ment** [-mənt] вторже́ние.
encumb|er [inˈkʌmbə] обременя́ть [-ни́ть]; загроможда́ть [-мозди́ть]; затрудня́ть [-ни́ть]; [вос]препя́тствовать (Д); **~rance** [-brəns] бре́мя *n*; обу́за; *fig.* препя́тствие.
encyclop(a)edia [ensaikloˈpi:diə] энциклопе́дия.
end [end] **1.** коне́ц, оконча́ние; цель *f*; результа́т; no ~ of безме́рно, бесконе́чно мно́го (Р); in the ~ в конце́ концо́в; on ~ стоймя́; ды́бом; беспреры́вно, подря́д; **2.** конча́ть(ся) [ко́нчить(ся)].
endanger [inˈdeindʒə] подверга́ть опа́сности.
endear [inˈdiə] внуша́ть любо́вь, заставля́ть полюби́ть; **~ment** [-mənt] ла́ска, выраже́ние не́жности.
endeavo(u)r [inˈdevə] **1.** [по]пыта́ться, прилага́ть уси́лия, [по-] стара́ться; **2.** попы́тка, стара́ние.
end|ing [ˈendiŋ] оконча́ние; **~less** [ˈendlis] □ бесконе́чный.
endorse [inˈdɔ:s] † индосси́ровать (*im*)*pf.*; одобря́ть [одо́брить]; **~ment** [inˈdɔ:smənt] † индосса-ме́нт.
endow [inˈdau] одаря́ть [-ри́ть] (умо́м и т. п.); наделя́ть [-ли́ть]; **~ment** [-mənt] наде́л.
endue [inˈdju:] облека́ть [-е́чь].
endur|ance [inˈdjuərəns] выно́сливость *f*; про́чность *f*; **~e** [inˈdjuə] выноси́ть [вы́нести], терпе́ть.
enema [ˈenimə] кли́зма.
enemy [ˈenimi] враг; неприя́тель *m*; проти́вник.
energ|etic [enəˈdʒetik] (~ally) энерги́чный; **~y** [ˈenədʒi] эне́ргия.
enervate [ˈenə:veit] обесси́ли(ва)ть, ослабля́ть [-а́бить].
enfold [inˈfould] обнима́ть [обня́ть], обхва́тывать [обхвати́ть].
enforce [inˈfɔ:s] навя́зывать [-за́ть] (upon Д); наста́ивать [настоя́ть] на (П); добива́ться (Р) си́лой; уси́ли(ва)ть; **~ment** [-mənt] принужде́ние.
engage [inˈgeidʒ] *v/t.* нанима́ть [наня́ть]; зака́зывать [-за́ть]; занима́ть [заня́ть]; привлека́ть [-е́чь]; завладе́(ва́)ть; *fig.* привя́зывать [-за́ть]; вовлека́ть [-е́чь]; ⚔ вводи́ть в бой; be ~d быть за́нятым; быть помо́лвленным; *v/i.* обя́зываться [-за́ться]; занима́ться [заня́ться] (in Т); ⚔ вступа́ть в бой; **~ment** [-mənt] обяза́тельство; свида́ние; приглаше́ние; помо́лвка; ⚔ бой.
engaging [-iŋ] □ очарова́тельный.
engender [inˈdʒendə] *fig.* порожда́ть [породи́ть].
engine [ˈendʒin] маши́на; ⊕ мото́р; 🚂 парово́з; **~-driver** машини́ст.
engineer [endʒiˈniə] **1.** инжене́р; меха́ник; машини́ст; **2.** сооружа́ть [-ди́ть]; [за]проекти́ровать; **~ing** [-riŋ] те́хника.
English [ˈiŋgliʃ] **1.** англи́йский; **2.** англи́йский язы́к; the ~ англича́не*pl.*; **~man** [-mən] англича́нин; **~woman** [-ˈwumən] англича́нка.
engrav|e [inˈgreiv] [вы́]гравирова́ть; *fig.* запечатле́(ва́)ть (в па́мяти); **~er** [-ə] граве́р; **~ing** [-iŋ] гравирова́ние; гравю́ра.
engross [inˈgrous] поглоща́ть [-лоти́ть] (внима́ние).
engulf [inˈgʌlf] *fig.* поглоща́ть [-лоти́ть] (о пучи́не).
enhance [inˈhɑ:ns] повыша́ть [повы́сить]; уси́ли(ва)ть.
enigma [iˈnigmə] зага́дка; **~tic(al** □) [enigˈmætik, -ikəl] зага́дочный.
enjoin [inˈdʒɔin] втолко́вывать [-кова́ть] (Д).
enjoy [inˈdʒɔi] наслажда́ться [наслади́ться] (Т); ~ o. s. забавля́ться [заба́виться]; **~able** [-əbl] прия́тный; **~ment** [-mənt] наслажде́ние, удово́льствие.
enlarge [inˈlɑ:dʒ] увели́чи(ва)ть (-ся); распространя́ться (on о П); **~ment** [-mənt] расшире́ние; увеличе́ние.
enlighten [inˈlaitn] *fig.* озаря́ть

[-рить]; просвещать [-етить]; **~ment** просвещение; просвещённость *f*.
enlist [in'list] *v/t.* ⚔ вербовать на военную службу; **~ed man** ⚔ рядовой.
enliven [in'laivn] оживлять [-вить].
enmity ['enmiti] вражда, неприязнь *f*.
ennoble [i'noubl] облагораживать [[-родить].
enorm|ity [i'nɔ:miti] чудовищность *f*; **~ous** [-əs] □ огромный, громадный; чудовищный.
enough [i'nʌf] достаточно, довольно.
enquire [in'kwaiə] *s.* inquire.
enrage [in'reidʒ] [вз]бесить, приводить в ярость.
enrapture [in'ræptʃə] восхищать [-итить], очаровывать [-овать].
enrich [in'ritʃ] обогащать [-гатить].
enrol(l) [in'roul] *v/t.* [за]регистрировать; ⚔ [за]вербовать; *v/i.* поступать на военную службу; **~ment** [-mənt] регистрация; вербовка.
ensign ['ensain] значок, эмблема; знамя, флаг; *Am.* ⚓ младший лейтенант.
enslave [in'sleiv] порабощать [-ботить]; **~ment** [-mənt] порабощение.
ensnare [in'snɛə] заманивать [-нить].
ensue [in'sju:] [по]следовать; получаться в результате.
entail [in'teil] влечь за собой, вызывать [вызвать] (что-либо).
entangle [in'tæŋgl] запут(ыв)ать; **~ment** [-mənt] ⚔ (проволочное) заграждение.
enter ['entə] *v/t.* вступать [-пить] в (В); поступать [-пить] в (В); † вносить [внести] (в книгу); входить [войти] в (В); проникать [-никнуть] в (В); *v/i.* входить [войти], вступать [-пить]; **~ (up)on** ⚖ вступать во владение (Т).
enterpris|e ['entəpraiz] предприятие; предприимчивость *f*; **~ing** [-iŋ] □ предприимчивый.
entertain [entə'tein] угощать [угостить]; развлекать [-лечь], занимать [занять]; **~ment** [-mənt] развлечение; приём (гостей).
enthrone [in'θroun] возводить на престол.
enthusias|m [in'θju:ziæzm] восторг; энтузиазм; **~t** [-æst] энтузиаст(ка); **~tic** [inθju:zi'æstik] (**~ally**) восторженный; полный энтузиазма.
entic|e [in'tais] заманивать [-нить]; соблазнять [-нить]; **~ement** [-mənt] соблазн, приманка.
entire [in'taiə] □ целый, цельный; сплошной; **~ly** [-li] всецело; совершенно; **~ty** [-ti] полнота, цельность *f*; общая сумма.
entitle [in'taitl] озаглавливать [-лавить]; давать право (Д).
entity ['entiti] бытие; сущность *f*.
entrails ['entreilz] *pl.* внутренности *f/pl.*; недра *n/pl.* (земли).
entrance ['entrəns] вход, въезд; выход (актёра на сцену); доступ.
entrap [in'træp] поймать в ловушку; запут(ыв)ать.
entreat [in'tri:t] умолять; **~y** [-i] мольба, просьба.
entrench [in'trentʃ] ⚔ окружать [окопами.
entrust [in'trʌst] поручать [-чить], вверять [вверить].
entry ['entri] вход, вступление, въезд; *thea.* выход (на сцену); ⚖ вступление во владение; *sport*: заявка.
enumerate [i'nju:məreit] перечислять [-ислить].
enunciate [i'nʌnsieit] хорошо произносить; [с]формулировать.
envelop [in'veləp] закут(ыв)ать; заворачивать [завернуть]; ⚔ окружать [-жить]; **~e** ['enviloup] конверт; оболочка.
envi|able ['enviəbl] □ завидный; **~ous** □ завистливый.
environ [in'vaiərən] окружать [-жить]; **~ment** [-mənt] окружающая обстановка; **~s** ['envirənz] *pl.* окрестности *f/pl.*
envoy ['envɔi] посланник.
envy ['envi] **1.** зависть *f*; **2.** [по]завидовать (Д).
epic ['epik] **1.** эпическая поэма; **2.** эпический.
epicure ['epikjuə] эпикуреец.
epidemic [epi'demik] 🕮 **1.** (~ally) эпидемический; **2.** эпидемия.
epilogue ['epilɔg] эпилог.
episcopa|cy [i'piskəpəsi] епископальная система церковного управления; **~l** [-pəl] епископский.
epist|le [i'pisl] послание; **~olary** [-tələri] эпистолярный.

epitaph ['epitɑ:f] эпитáфия.
epitome [i'pitəmi] конспéкт, óчерк.
epoch ['i:pɔk] эпóха.
equable ['ekwəbl] □ равномéрный, рóвный; *fig.* уравновéшенный.
equal ['i:kwəl] **1.** □ рáвный; одинáковый; ~ to *fig.* спосóбный на (В); **2.** равня́ться (Д); **~ity** [i'kwɔliti] рáвенство; **~ization** [i:kwəlai'zeiʃən] урáвнивание; **~ize** [-aiz] урáвнивать [-ня́ть].
equat|ion [i'kweiʃən] & уравнéние; **~or** [-tə] эквáтор.
equestrian [i'kwestriən] **1.** кóнный; **2.** всáдник.
equilibrium [i:kwi'libriəm] равновéсие.
equip [i'kwip] снаряжáть [-яди́ть]; снабжáть [-бди́ть]; **~ment** [-mənt] снаряжéние; обмундировáние; оборýдование.
equipoise ['ekwipɔiz] равновéсие; противовéс. [*f.*]
equity ['ekwiti] беспристрáстность
equivalent [i'kwivələnt] **1.** эквивалéнт (to Д); **2.** равноцéнный; равнознáчащий.
equivoca|l [i'kwivəkəl] □ двусмы́сленный; сомни́тельный; **~te** [i'kwivəkeit] говори́ть двусмы́сленно.
era ['iərə] э́ра; эпóха.
eradicate [i'rædikeit] искореня́ть [-ни́ть].
eras|e [i'reiz] стирáть [стерéть]; подчищáть [-и́стить]; **~er** [-ə] рези́нка; **~ure** [i'reiʒə] подчи́стка; стёртое рези́нкой.
ere [ɛə] **1.** *cj.* прéжде чем, скорéе чем; **2.** *prp.* до (Р); пéред (Т).
erect [i'rekt] **1.** □ прямóй; пóднятый; **2.** сооружáть [-уди́ть], воздвигáть [-и́гнуть]; **~ion** [i'rekʃən] сооружéние, строéние.
eremite ['erimait] отшéльник.
ermine ['ə:min] *zo.* горностáй.
erosion [i'rouʒən] эрóзия; разъедáние.
erotic [i'rɔtik] эроти́ческий.
err [ə:] ошибáться [-би́ться], заблуждáться.
errand ['erənd] поручéние; **~boy** мáльчик на посы́лках.
errant ['erənt] □ стрáнствующий; блуждáющий (о мы́слях).
errat|ic [i'rætik] (~ally) неустóйчивый; **~um** [i'reitəm], *pl.* **~a** [-tə] опечáтка, опи́ска.

erroneous [i'rounjəs] □ оши́бочный.
error ['erə] оши́бка, заблуждéние; ~s excepted исключáя оши́бки.
erudit|e ['erudait] □ учёный; **~ion** [eru'diʃən] эруди́ция, учёность *f.*
eruption [i'rʌpʃən] извержéние; ⚕ высыпáние (сы́пи, прыщéй).
escalator ['eskəleitə] эскалáтор.
escap|ade [eskə'peid] смéлая продéлка; побéг (из тюрьмы́); **~e** [is'keip] **1.** *v/i.* бежáть (из тюрьмы́) (*im*)*pf.*; спасáться [спасти́сь]; *v/t.* избегáть [-ежáть] (опáсности и т. п.); ускользáть [-зну́ть] от (Р); **2.** бéгство; спасéние.
escort **1.** ['eskɔ:t] эскóрт, конвóй; **2.** [is'kɔ:t] конвои́ровать, сопровождáть.
escutcheon [is'kʌtʃən] щит гербá.
especial [is'peʃəl] осóбенный; специáльный; **~ly** [-i] осóбенно.
espionage [espiə'nɑ:ʒ] шпионáж.
essay **1.** ['esei] óчерк; попы́тка; сочинéние; **2.** [e'sei] подвергáть испытáнию; [по]пытáться.
essen|ce ['esns] сýщность *f*; существó; эссéнция; **~tial** [i'senʃəl] **1.** □ существéнный (to для Р), вáжный; **2.** сýщность *f.*
establish [is'tæbliʃ] устанáвливать [-нови́ть]; учреждáть [-еди́ть], оснóвывать [-овáть]; ~ o. s. поселя́ться [-ли́ться], устрáиваться [-рóиться] (в П); 2ed Church госудáрственная цéрковь *f*; **~ment** [-mənt] учреждéние, заведéние; хозя́йство.
estate [es'teit] *pol.* сослóвие; имýщество; имéние; real ~ недви́жимость *f.*
esteem [is'ti:m] **1.** уважéние; **2.** уважáть.
estimable ['estiməbl] достóйный уважéния.
estimat|e **1.** [-meit] оцéнивать [-ни́ть]; **2.** [-mit] смéта, калькуля́ция; оцéнка; **~ion** [esti'meiʃən] оцéнка; мнéние.
estrange [is'treindʒ] отчуждáть [-уди́ть].
etch [etʃ] гравировáть травлéнием.
etern|al [i'tə:nəl] □ вéчный; неизмéнный; **~ity** [-niti] вéчность *f.*
ether ['i:θə] эфи́р; **~eal** [i'θiəriəl] □ эфи́рный; воздýшный.
ethic|al ['eθikəl] □ эти́чный, эти́ческий; **~s** ['eθiks] э́тика.

etiquette [eti'ket] этикéт.
etymology [eti'mɔlədʒi] этимолóгия.
eucharist ['ju:kərist] евхари́стия.
European [juərə'piən] **1.** европéец [-пéйка]; **2.** европéйский.
evacuate [i'vækjueit] эвакуи́ровать (*im*)*pf*.
evade [i'veid] избегáть [-ежáть] (P); ускользáть [-знýть] от (P); обходи́ть [обойти́] (закóн и т. п.).
evaluate [i'væljueit] оцéнивать [-ни́ть]; выражáть в чи́слах.
evangelic, ~al □ [ivæn'dʒelik, -ikəl] евангели́ческий; евáнгельский.
evaporat|e [i'væpəreit] испаря́ть (-ся) [-ри́ть(ся)]; **~ion** [ivæpə'reiʃən] испарéние.
evasi|on [i'veiʒən] уклонéние, увёртка; **~ve** [-siv] □ уклóнчивый (of от P).
eve [i:v] канýн; on the ~ of наканýне (P).
even ['i:vən] **1.** *adj.* □ рóвный, глáдкий; рáвный, одинáковый; монотóнный; беспристрáстный; чётный (о числé); **2.** *adv.* рóвно; как раз; дáже; not ~ дáже не; ~ though, ~ if хотя́ бы, дáже éсли; **3.** вырáвнивать [вы́ровнять]; сглáживать [сглáдить]; **~-handed** ['hændid] беспристрáстный.
evening ['i:vniŋ] вéчер; вечери́нка; ~ dress вечéрний туалéт, фрак.
evenness ['i:vənnis] рóвность *f*; глáдкость; равномéрность *f*.
evensong вечéрня.
event [i'vent] собы́тие, происшéствие; *fig.* исхóд; нóмер (в прогрáмме); at all ~s во вся́ком слýчае; in the ~ of в слýчае (P); **~ful** [-ful] пóлный собы́тий.
eventual [i'ventjuəl] □ возмóжный; конéчный; **~ly** в концé концóв; со врéменем.
ever ['evə] всегдá; когдá-нибудь, когдá-либо; ~ so óчень; как бы ни; as soon as ~ I can как тóлько я смогý; for ~ навсегдá; yours ~ ваш ... (в концé письмá); **~green** вечнозелёный; **~lasting** [evə'lɑ:stiŋ] □ прóчный; постоя́нный; **~more** ['evəmɔ:] навéки, навсегдá.
every ['evri] кáждый; ~ now and then врéмя от врéмени; ~ other day чéрез день; **~body** все *pl.*; кáждый, вся́кий; **~day** ежеднéвный; **~one** кáждый, вся́кий; все *pl.*; **~thing** всё; **~where** вездé, всю́ду.
evict [i'vikt] выселя́ть [вы́селить]; оттягáть по судý.
eviden|ce ['evidəns] **1.** очеви́дность *f*; доказáтельство; ⚖ ули́ка, свидéтельское показáние; in ~ в доказáтельство; **2.** служи́ть доказáтельством; **~t** [-t] □ очеви́дный.
evil ['i:vl] **1.** □ злой; пáгубный; дурнóй, плохóй; the ♀ One дья́вол; **2.** зло; бéдствие.
evince [i'vins] проявля́ть [-ви́ть].
evoke [i'vouk] вызывáть [вы́звать] (воспоминáния и т. п.).
evolution [i:və'lu:ʃən] эволю́ция; разви́тие; передвижéние.
evolve [i'vɔlv] разви́(вá)ться; эволюциони́ровать (*im*)*pf*.
ewe [ju:] овцá.
exact [ig'zækt] **1.** □ тóчный, аккурáтный; **2.** [по]трéбовать (P); взы́скивать [-кáть]; **~ing** [-iŋ] трéбовательный, взыскáтельный; **~itude** [-titju:d], **~ness** [-nis] тóчность *f*.
exaggerate [ig'zædʒəreit] преувели́чи(ва)ть.
exalt [ig'zɔ:lt] возвышáть [-ы́сить]; превозноси́ть [-нести́]; **~ation** [egzɔ:l'teiʃən] возвышéние; востóрг.
examin|ation [igzæmi'neiʃən] осмóтр; исслéдование; освидéтельствование; эксперти́за; экзáмен; **~e** [ig'zæmin] осмáтривать [-мотрéть]; исслéдовать (*im*)*pf.*; [про-] экзаменовáть.
example [ig'zɑ:mpl] примéр; образéц; for ~ напримéр.
exasperate [ig'zɑ:spəreit] доводи́ть до бéлого калéния; уси́ли(ва)ть.
excavate ['ekskəveit] выкáпывать [вы́копать].
exceed [ik'si:d] превышáть [-вы́сить]; переходи́ть грани́цы (P); **~ing** [-iŋ] □ огрóмный; чрезвычáйный.
excel [ik'sel] *v/t.* превосходи́ть [-взойти́] (in, at T); *v/i.* выделя́ться [вы́делиться]; **~lence** ['eksələns] превосхóдство; **~lency** [-i] превосходи́тельство; **~lent** ['eksələnt] □ превосхóдный.
except [ik'sept] **1.** исключáть [-чи́ть]; **2.** *prp.* исключáя (P);

кро́ме (P); ~ for за исключе́нием (P); **~ing** [-iŋ] *prp.* за исключе́нием (P); **~ion** [ik'sepʃən] исключе́ние; take ~ to возража́ть [-рази́ть] про́тив (P); **~ional** [~l] исключи́тельный; **~ionally** [-əli] исключи́тельно.

excess [ik'ses] избы́ток, изли́шек; эксце́сс; ~ fare допла́та, припла́та; ~ luggage бага́ж вы́ше но́рмы; **~ive** [-iv] □ чрезме́рный.

exchange [iks'tʃeindʒ] **1.** обме́ниваться [-ня́ться] (T); обме́нивать [-ня́ть], *by mistake*: [-ни́ть] (for на B); [по]меня́ться (T); **2.** обме́н; разме́н; (*a.* ♀) би́ржа; foreign ~(s *pl.*) иностра́нная валю́та; ~ office меня́льная конто́ра.

exchequer [iks'tʃekə] казначе́йство; казна́; Chancellor of the ♀ мини́стр фина́нсов Великобрита́нии.

excit|able [ik'saitəbl] возбуди́мый; **~e** [ik'sait] возбужда́ть [-уди́ть], [вз]волнова́ть; **~ement** [-mənt] возбужде́ние, волне́ние.

exclaim [iks'kleim] восклица́ть [-и́кнуть].

exclamation [eksklə'meiʃən] восклица́ние.

exclude [iks'klu:d] исключа́ть [-чи́ть].

exclusi|on [iks'klu:ʒən] исключе́ние; **~ve** [-siv] □ исключи́тельный; еди́нственный; ~ of за исключе́нием (P).

excommunicat|e [ekskə'mju:nikeit] отлуча́ть от це́ркви; **~ion** [ekskəmju:ni'keiʃən] отлуче́ние от це́ркви.

excrement ['ekskrimənt] экскреме́нты *m/pl.*, испражне́ния *n/pl.*

excrete [eks'kri:t] выделя́ть [вы́делить], изверга́ть [-е́ргнуть].

excruciate [iks'kru:ʃieit] [из-, за-] му́чить; терза́ть.

exculpate ['ekskʌlpeit] опра́вдывать [-да́ть].

excursion [iks'kə:ʃən] экску́рсия.

excursive [eks'kə:siv] □ отклоня́ющийся (от те́мы).

excus|able [iks'kju:zəbl] □ извини́тельный, прости́тельный; **~e** **1.** [iks'kju:z] извиня́ть [-ни́ть], проща́ть [прости́ть]; **2.** [iks'kju:s] извине́ние; оправда́ние; отгово́рка.

execra|ble ['eksikrəbl] □ отврати́тельный; **~te** ['eksikreit] пита́ть отвраще́ние к (Д); проклина́ть [-кля́сть].

execut|e ['eksikju:t] исполня́ть [-о́лнить]; выполня́ть [вы́полнить]; казни́ть (*im*)*pf.*; **~ion** [eksi'kju:ʃən] исполне́ние; выполне́ние; казнь *f*; **~ioner** [-ə] пала́ч; **~ive** [ig'zekjutiv] **1.** □ исполни́тельный; администрати́вный; ~ committee исполни́тельный комите́т; **2.** исполни́тельная власть *f*; ✝ администра́тор; **~or** [-tə] душеприка́зчик.

exemplary [ig'zempləri] образцо́вый, приме́рный.

exemplify [ig'zemplifai] поясня́ть приме́ром; служи́ть приме́ром (P).

exempt [ig'zempt] **1.** освобожда́ть [-боди́ть] (от вое́нный слу́жбы и т. п.); **2.** освобождённый, свобо́дный (of от P).

exercise ['eksəsaiz] **1.** упражне́ние; трениро́вка; моцио́н; take ~ де́лать моцио́н; **2.** упражня́ть(ся); разви́(ва́)ть; [на]тренирова́ть(ся); ⚔ обуча́ть(ся) [-чи́ть(ся)].

exert [ig'zə:t] напряга́ть [-ря́чь] (си́лы); ока́зывать [-за́ть] (влия́ние и т. п.); ~ o. s. [по]стара́ться; **~ion** [ig'zə:ʃən] напряже́ние и т. д.

exhale [eks'heil] выдыха́ть [вы́дохнуть]; испаря́ть(ся) [-ри́ть(ся)].

exhaust [ig'zɔ:st] **1.** изнуря́ть [-ри́ть], истоща́ть [-щи́ть]; **2.** ⊕ выхлопна́я труба́; вы́хлоп, вы́пуск; **~ion** [-ʃən] истоще́ние, изнуре́ние; **~ive** [-iv] □ истоща́ющий; исче́рпывающий.

exhibit [ig'zibit] **1.** пока́зывать [-за́ть], проявля́ть [-ви́ть]; выставля́ть [вы́ставить]; **2.** экспона́т; ⚖ веще́ственное доказа́тельство; **~ion** [eksi'biʃən] проявле́ние, пока́з; вы́ставка; **~or** [ig'zibitə] экспоне́нт.

exhilarate [ig'ziləreit] оживля́ть [-ви́ть]; развеселя́ть [-ли́ть].

exhort [ig'zɔ:t] увеща́ть, увещева́ть.

exigen|ce, ~cy ['eksidʒəns(i)] о́страя необходи́мость *f*, кра́йность *f*.

exile ['eksail] **1.** изгна́ние, ссы́лка; изгна́нник; **2.** изгоня́ть [изгна́ть], ссыла́ть [сосла́ть].

exist [ig'zist] существова́ть, жить; **~ence** [-əns] существова́ние, жизнь *f*; in ~ = **~ent** [-ənt] существующий.

exit [ˈeksit] вы́ход; *fig.* смерть *f*; *thea.* ухо́д со сце́ны.

exodus [ˈeksədəs] ма́ссовый отъе́зд; исхо́д евре́ев из Еги́пта.

exonerate [igˈzɔnəreit] *fig.* реабили́тировать (*im*)*pf.*; снять бре́мя (вины́ и т. п.) с (P).

exorbitant [igˈzɔ:bitənt] □ непоме́рный, чрезме́рный.

exorci|se, ~ze [ˈeksɔ:saiz] изгоня́ть [изгна́ть] (ду́хов, нечи́стую си́лу); освобожда́ть [-боди́ть] (of от P).

exotic [egˈzɔtik] экзоти́ческий.

expan|d [iksˈpænd] расширя́ть(ся) [-и́рить(ся)], увели́чи(ва)ть(ся); разви́(ва́)ть(ся); **~se** [iksˈpæns], **~sion** [-ʃən] простра́нство; протяже́ние; экспа́нсия; расшире́ние; **~sive** [-siv] □ спосо́бный расширя́ться; обши́рный; *fig.* экспанси́вный.

expatriate [eksˈpætrieit] изгоня́ть [из оте́чества.

expect [iksˈpekt] ожида́ть (P); рассчи́тывать, наде́яться; F полага́ть, [по]ду́мать; **~ant** [-ənt] 1. ~ ожида́ющий; ~ mother бере́менная же́нщина; 2. кандида́т; **~ation** [ekspekˈteiʃən] ожида́ние; расчёт; наде́жда.

expectorate [eksˈpektəreit] отха́ркивать [-кнуть]; плева́ть [плю́нуть].

expedi|ent [iksˈpi:diənt] 1. подходя́щий, целесообра́зный, соотве́тствующий (обстоя́тельствам); 2. подру́чное сре́дство; уло́вка; **~tion** [ekspiˈdiʃən] экспеди́ция; быстрота́; поспе́шность *f*.

expel [iksˈpel] изгоня́ть [изгна́ть] (из P), исключа́ть [-чи́ть] (из P).

expen|d [iksˈpend] [ис]тра́тить; [из]расхо́довать; **~diture** [-itʃə] расхо́д, тра́та; **~se** [iksˈpens] расхо́д, тра́та; ~s *pl.* расхо́ды *m/pl.*; **~sive** [-siv] □ дорого́й, до́рого сто́ящий.

experience [iksˈpiərəns] 1. о́пыт (жи́зненный); пережива́ние; 2. испы́тывать [испыта́ть]; пережи́(ва́)ть; **~d** [-t] о́пытный.

experiment 1. [iksˈperimənt] о́пыт, экспериме́нт; 2. [-ˈment] производи́ть о́пыты; **~al** [eksperiˈmentl] □ эксперимента́льный, осно́ванный на о́пыте; про́бный.

expert [ˈekspə:t] 1. □ [*pred.* eksˈpə:t] о́пытный, иску́сный; 2. экспе́рт, знато́к, специали́ст.

expir|ation [ekspaiˈreiʃən] выдыха́ние; оконча́ние, истече́ние (сро́ка); **~e** [iksˈpaiə] выдыха́ть [вы́дохнуть]; умира́ть [умере́ть]; † конча́ться [ко́нчиться], истека́ть [-е́чь] (о сро́ке).

explain [iksˈplein] объясня́ть [-ни́ть]; опра́вдывать [-да́ть] (поведе́ние).

explanat|ion [eksplәˈneiʃən] объясне́ние; толкова́ние; **~ory** [iksˈplænətəri] □ объясни́тельный.

explicable [ˈeksplikəbl] объясни́мый.

explicit [iksˈplisit] □ я́сный, недвусмы́сленный.

explode [iksˈploud] взрыва́ть(ся) [взорва́ть(ся)]; подрыва́ть [подорва́ть]; разража́ться [-рази́ться] (with T).

exploit 1. [ˈeksplɔit] по́двиг; 2. [iksˈplɔit] эксплуати́ровать; ⚒ разраба́тывать [-бо́тать]; **~ation** [eksplɔiˈteiʃən] эксплуата́ция; ⚒ разрабо́тка.

explor|ation [eksplɔ:ˈreiʃən] иссле́дование; **~e** [iksˈplɔ:] иссле́довать (*im*)*pf.*; разве́д(ыв)ать **~er** [-rə] иссле́дователь(ница *f*) *m*.

explosi|on [iksˈplouʒən] взрыв; вспы́шка (гне́ва); **~ve** [-siv] 1. □ взры́вчатый; *fig.* вспы́льчивый; 2. взры́вчатое вещество́.

exponent [eksˈpounənt] объясни́тель *m*; представи́тель *m*; образе́ц; ⩚ показа́тель сте́пени.

export 1. [ˈekspɔ:t] э́кспорт, вы́воз; 2. [eksˈpɔ:t] экспорти́ровать (*im*)*pf.*, вывози́ть [вы́везти] (това́ры); **~ation** [ekspɔ:ˈteiʃən] вы́воз.

expos|e [iksˈpouz] подверга́ть [-е́ргнуть] (опа́сности и т. п.); броса́ть на произво́л судьбы́; выставля́ть [вы́ставить]; разоблача́ть [-чи́ть]; *phot.* экспони́ровать (*im*)*pf.*; **~ition** [ekspoˈziʃən] вы́ставка; изложе́ние

exposure [iksˈpouʒə] подверга́ние; выставле́ние; разоблаче́ние; *phot.* экспози́ция, вы́держка.

expound [iksˈpaund] излага́ть [изложи́ть]; разъясня́ть [-ни́ть].

express [iksˈpres] 1. □ определённый, то́чно вы́раженный; специа́льный; сро́чный; ~ company *Am.* тра́нспортная конто́ра; 2.

курьéр, нарóчный; (*a.* ~ train) экспрéсс, курьéрский пóезд; **3.** *adv.* спéшно; с нарóчным; **4.** выражáть [вы́разить]; **~ion** [iks'preʃən] выражéние; вырази́тельность *f*; **~ive** [iks'presiv] □ вырази́тельный; выражáющий.

expropriate [eks'prouprieit] экспроприи́ровать (*im*)*pf.*; лишáть сóбственности.

expulsion [iks'pʌlʃən] изгнáние; исключéние (из шкóлы и т. п.).

exquisite ['ekskwizit] **1.** □ изы́сканный, утончённый; прелéстный; **2.** фат, щёголь *m*.

extant [eks'tænt] сохрани́вшийся.

extempor|aneous [ekstempə'reinjəs] □, **~ary** [iks'tempərəri] неподготóвленный; **~e** [-pəri] *adv.* экспрóмтом.

extend [iks'tend] *v/t.* протя́гивать [-тянýть]; распространя́ть [-ни́ть] (влия́ние); продлевáть [-ли́ть] (срок); ⚔ рассыпáть в цепь; *v/i.* простирáться [простерéться].

extensi|on [iks'tenʃən] вытя́гивание; расширéние; распространéние; протяжéние; продлéние; University ♀ популя́рные лéкции, организýемые университéтом; **~ve** [-siv] □ обши́рный, прострáнный.

extent [iks'tent] протяжéние; размéр, стéпень *f*, мéра; to the ~ of в размéре (P); to some ~ до извéстной стéпени.

extenuate [eks'tenjueit] уменьшáть [умéньши́ть] (винý); старáться найти́ извинéние; ослабля́ть [-áбить].

exterior [eks'tiəriə] **1.** □ внéшний, нарýжный; **2.** внéшность *f*, нарýжность *f*.

exterminate [eks'tə:mineit] искореня́ть [-ни́ть], истребля́ть [-би́ть].

external [eks'tə:nl] **1.** □ нарýжный, внéшний; **2.** ~s *pl.* внéшность *f*, нарýжность *f*; *fig.* внéшние обстоя́тельства.

extinct [iks'tiŋkt] угáсший; вы́мерший; потýхший.

extinguish [iks'tiŋgwiʃ] [по]гаси́ть; [по]туши́ть; погашáть [погаси́ть] (долг).

extirpate ['ekstə:peit] искореня́ть [-ни́ть], истребля́ть [-би́ть]. [сти́].}

extol [iks'tɔl] превозноси́ть [-не-}

extort [iks'tɔ:t] вымогáть (дéньги); выпы́тывать [вы́пытать] (тáйну); **~ion** [iks'tɔ:ʃən] вымогáтельство.

extra ['ekstrə] **1.** добáвочный, дополни́телный; э́кстренный; **2.** *adv.* осóбо; осóбенно; дополни́тельно; **3.** приплáта; *Am.* э́кстренный вы́пуск газéты; ~s *pl.* побóчные расхóды (дохóды).

extract **1.** ['ekstrækt] экстрáкт; вы́держка, извлечéние; **2.** [iks'trækt] удаля́ть [-ли́ть]; извлекáть [-éчь]; вырывáть [вы́рвать]; **~ion** [-kʃən] извлечéние; происхождéние (человéка).

extraordinary [iks'trɔ:dnri] необычáйный; удиви́тельный, стрáнный.

extravagan|ce [iks'trævigəns] расточи́тельность *f*; нелéпость *f*; изли́шество; **~t** [-gənt] □ расточи́тельный; сумасбрóдный, нелéпый.

extrem|e [iks'tri:m] **1.** □ крáйний; послéдний; чрезвычáйный; **2.** крáйность *f*; **~ity** [iks'tremiti] оконéчность *f*; крáйность *f*; крáйняя нуждá; крáйняя мéра; **~ities** [-z] *pl.* конéчности *f/pl.*

extricate ['ekstrikeit] выводи́ть [вы́вести] (из затрудни́тельного положéния).

exuberan|ce [ig'zju:bərəns] изоби́лие, избы́ток; **~t** [-t] оби́льный; пы́шный; цвети́стый, многослóвный.

exult [ig'zʌlt] ликовáть; торжествовáть.

eye [ai] **1.** глаз, óко; взгляд; ушкó; with an ~ to с цéлью (+ *inf.*); **2.** смотрéть на (B), при́стально разгля́дывать; **~ball** глазнóе я́блоко; **~brow** бровь *f*; **...~d** [aid] ...глáзый; **~-glass** ли́нза; (a pair of) ~es *pl.* очки́ *n/pl.*; лорнéт; **~lash** ресни́ца; **~lid** вéко; **~sight** зрéние.

F

fable ['feibl] басня.

fabric ['fæbrik] сооружéние; структýра; вы́делка; фабрикáт; ткань *f*, матéрия; **~ate** ['fæbrikeit] (*mst fig.*) выдýмывать [вы́думать]; выдéлывать [вы́делать].

fabulous ['fæbjuləs] □ баснослóвный; неправдоподóбный.

face [feis] **1.** лицó, физионóмия; гримáса; лицевáя сторонá (ткáни); фасáд; on the ~ of it с пéрвого взгля́да; **2.** *v/t.* встречáть смéло; смотрéть в лицó (Д); стоя́ть лицóм к (Д); выходи́ть на (В) (об окнé); ⚠ облицóвывать [-цевáть]; [на-, от]полировáть; *v/i.* ~ about ⚔ поворáчиваться кругóм.

facetious [fə'si:ʃəs] □ шутли́вый.

facil|e ['fæsail] лёгкий; свобóдный (о рéчи и т. п.); **~itate** [fə'siliteit] облегчáть [-чи́ть]; **~ity** [fə'siliti] лёгкость *f*; спосóбность *f*; плáвность *f* (рéчи); облегчéние.

facing ['feisiŋ] ⊕ облицóвка; ~s *pl.* отдéлка мунди́ра.

fact [fækt] факт; дéло; явлéние; и́стина; действи́тельность *f*.

faction ['fækʃən] фрáкция; кли́ка.

factitious [fæk'tiʃəs] □ искýсственный.

factor ['fæktə] фáктор; агéнт; ⚕ комиссионéр; **~y** [-ri] фáбрика, завóд.

faculty ['fækəlti] спосóбность *f*; *fig.* дар; *univ.* факультéт.

fad [fæd] F конёк; при́хоть *f*, причýда.

fade [feid] увядáть [увя́нуть]; постепéнно исчезáть.

fag [fæg] *v/i.* потруди́ться; корпéть (над Т); *v/t.* утомля́ть [-ми́ть].

fail [feil] **1.** *v/i.* ослабé(вá)ть; недост(ав)áть; потерпéть неудáчу; провáливаться [-ли́ться] (на экзáмене); he ~ed to do емý не удалóсь сдéлать (Р); забы(вá)ть; *v/t.* изменя́ть [-ни́ть] (Д), покидáть [-и́нуть]; **2.** *su.*: without ~ навернякá; непремéнно; **~ing** ['feiliŋ] недостáток; слáбость *f*; **~ure** [feiljə] неудáча, неуспéх; провáл (на экзáмене); банкрóтство; неудáчник (-ица).

faint [feint] **1.** □ слáбый; рóбкий (гóлос); тýсклый; **2.** [о]слабéть; потеря́ть сознáние (with от Р); **3.** óбморок, потéря сознáния; **~hearted** ['feint'hɑ:tid] малодýшный.

fair¹ [fɛə] **1.** *adj* прекрáсный, краси́вый; благоприя́тный; белокýрый; я́сный; попýтный; справедли́вый; **2.** *adv.* чéстно; любéзно; пря́мо, я́сно; ~ copy чистови́к; ~ play игрá по прáвилам.

fair² [~] я́рмарка.

fair|ly ['fɛəli] справедли́во; довóльно; снóсно; **~ness** ['fɛənis] справедли́вость *f*; красотá (*s.* fair¹); **~way** ⚓ фарвáтер.

fairy ['fɛəri] фéя; **~land** скáзочная странá; **~-tale** скáзка.

faith [feiθ] довéрие, вéра; вéра (рели́гия); **~ful** ['feiθful] □ вéрный, прéданный; правди́вый; yours ~ly уважáющий Вас; **~less** ['feiθlis] □ веролóмный; невéрующий.

fake [feik] *sl.* **1.** поддéлка, фальши́вка; **2.** поддéл(ыв)ать.

falcon ['fɔ:lkən] сóкол.

fall [fɔ:l] **1.** падéние; упáдок; обры́в, склон; напóр; *Am.* óсень *f*; (*mst* ~s *pl.*) водопáд; **2.** [*irr.*] пáдать [упáсть]; спадáть [спасть]; убы́(вá)ть (о водé); обвáливаться [-ли́ться] (о землé); ~ back отступáть [-пи́ть]; ~ ill или sick заболé(вá)ть; ~ out [по]ссóриться; ~ short of не оправдáть (ожидáний); не достигáть [-и́чь] *a.* [-и́гнуть] (цéли); ~ short не хватáть [-ти́ть], кончáться [кóнчиться]; ~ to принимáться [-ня́ться] за (В).

fallacious [fə'leiʃəs] □ оши́бочный, лóжный.

fallacy ['fæləsi] заблуждéние, оши́бка.

fallen ['fɔ:lən] *p. pt.* от fall.

falling ['fɔ:liŋ] падéние; понижéние; **~-sickness** эпилéпсия; **~-star** метеóр, пáдающая звездá.

fallow ['fælou] *adj.* вспáханный под пáр.

false [fɔ:ls] □ лóжный, оши́бочный; фальши́вый; веролóмный; искýственный (о зубáх); **~hood** ['fɔ:lshud], **~ness** [-nis] ложь *f*; фальши́вость *f*; оши́бочность *f*.

falsi|fication [fɔ:lsifi'keiʃən] поддéлка; **~fy** ['fɔ:lsifai] поддéл(ыв)ать; **~ty** [-ti] лóжность *f*, оши́бочность *f*; веролóмство.

falter [ˈfɔ:ltə] спотыка́ться [-т-кну́ться]; запина́ться [запну́ться]; *fig.* колеба́ться.

fame [feim] сла́ва; молва́; **~d** [feimd] изве́стный, знамени́тый.

familiar [fəˈmiljə] **1.** □ бли́зкий, хорошо́ знако́мый; обы́чный; **2.** бли́зкий друг; **~ity** [fəmiliˈæriti] бли́зость *f*; фамилья́рность *f*; осведомлённость *f*; **~ize** [fəˈmiljəraiz] ознакомля́ть [-ко́мить].

family [ˈfæmili] семья́, семе́йство; in the ~ way в интере́сном положе́нии (бере́менна); ~ tree родосло́вное де́рево.

fami|ne [ˈfæmin] го́лод; голода́ние; **~sh** голода́ть; мори́ть го́лодом.

famous [ˈfeiməs] □ знамени́тый.

fan [fæn] **1.** ве́ер; вентиля́тор; *sport* боле́льщик (-ица); покло́нник (-ица); **2.** обма́хивать [-хну́ть].

fanatic [fəˈnætik] **1.** (*a.* **~al** □ [-ikəl]) фанати́ческий; **2.** фана́тик (-ти́чка).

fanciful [ˈfænsiful] □ прихотли́вый, капри́зный, прихо́тливый.

fancy [ˈfænsi] **1.** фанта́зия, воображе́ние; при́хоть *f*; пристра́стие; скло́нность *f*; **2.** прихотли́вый; фантасти́ческий; орнамента́льный; ~ ball костюмиро́ванный бал; ~ goods *pl.* мо́дные това́ры *m/pl.*; **3.** вообража́ть [-рази́ть]; представля́ть [-а́вить] себе́; [по-]люби́ть; [за]хоте́ть; just ~! предста́вьте себе́!

fang [fæŋ] клык; ядови́тый зуб (змей).

fantas|tic [fænˈtæstik] (**~ally**) причу́дливый, фантасти́чный; **~y** [ˈfæntəsi] фанта́зия, воображе́ние.

far [fɑ:] *adj.* да́льний, далёкий, отдалённый; *adv.* далеко́; гора́здо; as ~ as до (Р); in so ~ as поско́льку; ~ **away** далеко́.

fare [fɛə] **1.** проездны́е де́ньги *f/pl.*; пассажи́р; съестны́е припа́сы *m/pl.*; **2.** быть, пожива́ть; пита́ться; **~well** [ˈfɛəˈwel] **1.** проща́й(те)!; **2.** проща́ние.

far-fetched [ˈfɑ:ˈfetʃt] *fig.* притя́нутый за́ волосы.

farm [fɑ:m] **1.** фе́рма; **2.** обраба́тывать зе́млю; **~er** [ˈfɑ:mə] крестья́нин, фе́рмер; **~house** жило́й дом на фе́рме; **~ing 1.** заня́тие се́льским хозя́йством; **2.** сельскохозя́йственный; **~stead** [ˈfɑ:msted] уса́дьба.

far-off [ˈfɑ:rɔf] далёкий.

farthe|r [ˈfɑ:ðə] **1.** *adv.* да́льше; **2.** *adj.* отдалённый; **~st** [-ðist] **1.** *adj.* са́мый далёкий, са́мый да́льний; **2.** *adv.* да́льше всего́.

fascinat|e [ˈfæsineit] очаро́вывать [-ова́ть], пленя́ть [-ни́ть]; **~ion** [fæsiˈneiʃən] очарова́ние, обая́ние.

fashion [ˈfæʃn] **1.** мо́да; стиль *m*; фасо́н, покро́й; о́браз, мане́ра; in (out of) ~ (не)мо́дный; **2.** придава́ть фо́рму, вид (Д into Р); **~able** [ˈfæʃnəbl] □ мо́дный, фешене́бельный.

fast[1] [fɑ:st] про́чный, кре́пкий, твёрдый; бы́стрый; легкомы́сленный.

fast[2] [~] **1.** *eccl.* пост; **2.** пости́ться.

fasten [ˈfɑ:sn] *v/t.* прикрепля́ть [-пи́ть]; привя́зывать [-за́ть]; сви́нчивать [-нти́ть]; застёгивать [-тегну́ть]; *v/i.* запира́ться [запере́ться]; застёгивать(ся) [-тегну́ть (-ся)]; ~ upon *fig.* ухвати́ться за (В); **~er** [-ə] запо́р, задви́жка; застёжка.

fastidious [fæsˈtidiəs] □ привере́дливый.

fat [fæt] **1.** □ жи́рный; са́льный; ту́чный; **2.** жир; са́ло; **3.** отка́рмливать [откорми́ть]; [раз-]жире́ть.

fatal [ˈfeitl] □ роково́й, фата́льный, неизбе́жный; смерте́льный; **~ity** [fəˈtæliti] обречённость *f*; фата́льность *f*; несча́стье; смерть *f* (от несча́стного слу́чая).

fate [feit] рок, судьба́.

father [ˈfɑ:ðə] оте́ц; **~hood** [-hud] отцо́вство; **~-in-law** [ˈfɑ:ðərinlɔ:] свёкор; тесть *m*; **~less** [-lis] оста́вшийся без отца́; **~ly** [-li] оте́ческий.

fathom [ˈfæðəm] **1.** ⚓ морска́я са́жень *f* (= 6 фу́там = 182 сантиме́трам); **2.** ⚓ измеря́ть глубину́ (Р); *fig.* вника́ть [вни́кнуть] в (В), понима́ть [поня́ть]; **~less** [-lis] неизмери́мый; бездо́нный.

fatigue [fəˈti:g] **1.** утомле́ние, уста́лость *f*; **2.** утомля́ть [-ми́ть], изнуря́ть [-ри́ть].

fat|ness [ˈfætnis] жи́рность *f*; **~ten** [ˈfætn] отка́рмливать [откорми́ть] (на убо́й); [раз]жире́ть.

fatuous [ˈfætjuəs] □ глу́пый, пусто́й.

faucet [ˈfɔːsit] *Am.* (водопрово́дный) кран.

fault [fɔːlt] недоста́ток, дефе́кт; просту́пок, вина́; find ~ with прид(и)ра́ться к (Д); be at ~ потеря́ть след; **~-finder** приди́ра *m/f*; **~less** [ˈfɔːltlis] □ безупре́чный; **~y** [ˈfɔːlti] □ име́ющий недоста́ток, дефе́ктный.

favo(u)r [ˈfeivə] **1.** благоскло́нность *f*, расположе́ние; одобре́ние; одолже́ние; your ~ ✝ Ва́ше письмо́; **2.** благоволи́ть к (Д); ока́зывать внима́ние (Д); покрови́тельствовать (Д); **~able** [-rəbl] □ благоприя́тный, удо́бный; **~ite** [ˈfeivərit] **1.** люби́мец (-мица); фавори́т(ка); **2.** люби́мый.

fawn [fɔːn] **1.** молодо́й оле́нь *m*; кори́чневый цвет; **2.** подли́зываться [-за́ться] (upon к Д).

fear [fiə] **1.** страх, боя́знь *f*; опасе́ние; **2.** боя́ться (Р); **~ful** [ˈfiəful] □ стра́шный, ужа́сный; **~less** [ˈfiəlis] □ бесстра́шный, неустраши́мый.

feasible [ˈfiːzəbl] возмо́жный, вероя́тный; выполни́мый.

feast [fiːst] **1.** пир, пра́зднество, банке́т; **2.** *v/t.* угоща́ть [угости́ть]; че́ствовать; *v/i.* пирова́ть.

feat [fiːt] по́двиг; трюк.

feather [ˈfeðə] **1.** перо́; опере́ние; show the white ~ *F* прояви́ть тру́сость; in high ~ в отли́чном настрое́нии; **2.** украша́ть пе́рьями; **~-brained, ~-headed** пусто́й, ве́треный, глу́пый; **~ed** [ˈfeðəd] перна́тый; **~y** [-ri] оперённый; пуши́стый.

feature [ˈfiːtʃə] **1.** осо́бенность *f*, сво́йство; *Am.* газе́тная статья́; ~s *pl.* черты́ лица́; **2.** изобража́ть [-рази́ть]; пока́зывать [-за́ть] (на экра́не); выводи́ть в гла́вной ро́ли.

February [ˈfebruəri] февра́ль *m*.

fecund [ˈfekənd] плодоро́дный.

fed [fed] *pt.* и *p. pt.* от feed; I am ~ up with ... мне надое́л (-ла, -ло).

federa|l [ˈfedərəl] федера́льный; сою́зный; **~tion** [fedəˈreiʃən] федера́ция.

fee [fiː] **1.** гонора́р; взнос; пла́та; чаевы́е *pl.* **2.** [за]плати́ть.

feeble [ˈfiːbl] □ сла́бый, хи́лый.

feed [fiːd] **1.** пита́ние, кормле́ние; пи́ща; ⊕ пода́ча (материа́ла); **2.** [*irr.*] *v/t.* пита́ть, [по]корми́ть; ⊕ снабжа́ть [-бди́ть] (материа́лом); *v/i.* пита́ться, корми́ться; пасти́сь; **~ing-bottle** де́тский рожо́к.

feel [fiːl] **1.** [*irr.*] [по]чу́вствовать (себя́); испы́тывать [-та́ть]; ощуща́ть [ощути́ть], осяза́ть; ~ like doing быть скло́нным сде́лать; **2.** ощуще́ние, осяза́ние; чутьё; **~er** [ˈfiːlə] щу́пальце; **~ing** [ˈfiːliŋ] **1.** □ чувстви́тельный; прочу́вствованный; **2.** чу́вство.

feet [fiːt] *pl.* от foot 1.

feign [fein] притворя́ться [-ри́ться], симули́ровать (*im*)*pf*.

feint [feint] притво́рство; манёвр.

felicit|ate [fiˈlisiteit] поздравля́ть [-а́вить]; **~ous** [-təs] □ уда́чный; счастли́вый.

fell [fel] **1.** *pt.* от fall; **2.** [с]руби́ть.

felloe [ˈfelou] о́бод (колеса́).

fellow [~] това́рищ, собра́т; челове́к; the ~ of a glove па́рная перча́тка; **~-countryman** сооте́чественник; **~ship** [-ʃip] това́рищество.

felly [ˈfeli] о́бод (колеса́).

felon [ˈfelən] ⚖ уголо́вный престу́пник; **~y** [ˈfeləni] уголо́вное преступле́ние.

felt[1] [felt] *pt.* и *p. pt.* от feel.

felt[2] [~] **1.** во́йлок, фетр; **2.** сбива́ть (*or* сбива́ться в) во́йлок.

female [ˈfiːmeil] **1.** же́нский; **2.** же́нщина.

feminine [ˈfeminin] □ же́нский; же́нственный.

fen [fen] боло́то, топь *f*.

fence [fens] **1.** забо́р, и́згородь *f*, огра́да; sit on the ~ колеба́ться ме́жду двумя́ мне́ниями; занима́ть выжида́тельную пози́цию; **2.** *v/t.* огора́живать [-роди́ть]; защища́ть [-ити́ть]; *v/i.* фехтова́ть; укрыва́ть кра́деное.

fencing [ˈfensiŋ] **1.** и́згородь *f*, забо́р, огра́да; фехтова́ние; **2.** *attr.* фехтова́льный.

fender [ˈfendə] ками́нная решётка; *mot. Am.* крыло́.

ferment **1.** [ˈfəːment] заква́ска, ферме́нт; ⚗ броже́ние; *fig.* возбужде́ние, волне́ние; **2.** [fəˈment] вызыва́ть броже́ние; броди́ть; *fig.* волнова́ться; **~ation** [fəːmenˈteiʃən] броже́ние, фермента́ция.

fern [fəːn] ✿ па́поротник.

feroci|ous [fəˈrouʃəs] □ жесто́кий, свире́пый; **~ty** [fəˈrɔsiti] жесто́кость *f*, свире́пость *f*.

ferret ['ferit] **1.** *zo.* хорёк; **2.** [по-]ры́ться, [по]ша́рить; ~ out вы́искивать [вы́искать]; разве́д(ы-в)ать.

ferry ['feri] **1.** перево́з, перепра́ва; паро́м; **2.** перевози́ть [-везти́]; **~man** перево́зчик.

fertil|e ['fə:tail] □ плодоро́дный; изоби́льный; изоби́лующий (T); **~ity** [fə:'tiliti] плодоро́дие; изоби́лие; **~ize** ['fə:tilaiz] удобря́ть [удо́брить]; оплодотворя́ть [-ри́ть]; **~izer** удобре́ние.

ferven|cy ['fə:vənsi] рве́ние, пыл; **~t** [-t] □ горя́чий, пы́лкий.

fervour ['fə:və] жар, пыл.

festal ['festl] □ пра́здничный.

fester [-tə] гнои́ться.

festiv|al ['festəvəl] пра́зднество; фестива́ль *m*; **~e** ['festiv] □ пра́здничный; **~ity** [fes'tiviti] пра́зднество; весе́лье.

fetch [fetʃ] сходи́ть, съе́здить за (T); приноси́ть [-нести́]; **~ing** F □ привлека́тельный.

fetid ['fetid] □ злово́нный, воню́чий.

fetter ['fetə] **1.** *mst* ~s *pl.* пу́ты *f/pl.*; кандалы́ *m/pl.*; *fig.* око́вы *f/pl.*, у́зы *f/pl.*; **2.** зако́вывать [-ова́ть].

feud [fju:d] вражда́; феода́льное поме́стье; **~al** ['fju:dəl] □ феода́льный; **~alism** [-delizm] феодали́зм.

fever ['fi:və] лихора́дка, жар; **~ish** [-riʃ] □ лихора́дочный.

few [fju:] немно́гие; немно́го, ма́ло (P); a ~ не́сколько (P).

fiancé(e) [fi'ɑ:ŋsei] жени́х (неве́ста).

fib [fib] **1.** вы́думка, непра́вда; **2.** прив(и)ра́ть.

fibr|e ['faibə] фи́бра, волокно́, нить *f*; **~ous** ['faibrəs] □ волокни́стый.

fickle ['fikl] непостоя́нный; **~ness** [-nis] непостоя́нство.

fiction ['fikʃən] вы́мысел, вы́думка; беллетри́стика; **~al** [-l] □ вы́мышленный; беллетристи́ческий.

fictitious [fik'tiʃəs] □ вы́мышленный; фикти́вный.

fiddle ['fidl] F **1.** скри́пка; **2.** игра́ть на скри́пке; **~stick** смычо́к.

fidelity [fi'deliti] ве́рность *f*, пре́данность *f*; то́чность *f*.

fidget ['fidʒit] F **1.** беспоко́йное состоя́ние; **2.** ёрзать, быть в волне́нии; приводи́ть в беспоко́йство; **~y** суетли́вый, беспоко́йный, не́рвный.

field [fi:ld] по́ле; луг; простра́нство; hold the ~ уде́рживать пози́ции; **~-glass** полево́й бино́кль *m*; **~-officer** штаб-офице́р; **~ of vision** по́ле зре́ния; **~-sports** *pl.* спорт на откры́том во́здухе.

fiend [fi:nd] дья́вол; злой дух; **~ish** ['fi:ndiʃ] □ дья́вольский; жесто́кий, злой.

fierce [fiəs] □ свире́пый, лю́тый; си́льный; **~ness** ['fiəsnis] свире́пость *f*, лю́тость *f*.

fif|teen ['fif'ti:n] пятна́дцать; **~teenth** [-θ] пятна́дцатый; **~th** [fifθ] **1.** пя́тый; **2.** пя́тая часть *f*; **~tieth** ['fiftiiθ] пятидеся́тый; **~ty** ['fifti] пятьдеся́т.

fig [fig] **1.** ви́нная я́года, инжи́р, смо́ква; **2.** F состоя́ние.

fight [fait] **1.** сраже́ние, бой; дра́ка; спор; борьба́; show ~ быть гото́вым к борьбе́; **2.** [*irr.*] *v/t.* боро́ться про́тив (P); отста́ивать [отстоя́ть]; *v/i.* сража́ться [срази́ться]; воева́ть; боро́ться; **~er** ['faitə] бое́ц; ✈ истреби́тель *m*; **~ing** ['faitiŋ] сраже́ние, бой; дра́ка; *attr.* боево́й.

figurative ['figjurətiv] □ перено́сный, метафори́ческий.

figure ['figə] **1.** фигу́ра; изображе́ние; ци́фра; диагра́мма; F цена́; **2.** *v/t.* изобража́ть [-рази́ть]; представля́ть себе́; вычисля́ть [вы́числить], рассчи́тывать [-ита́ть]; *v/i.* фигури́ровать.

filament ['filəmənt] ⚡ нить нака́ла; волокно́, волосо́к.

filbert ['filbət] ♀ лесно́й оре́х.

filch [filtʃ] [у]красть, [у-, с]тащи́ть (from у P).

file[1] [fail] **1.** ⊕ напи́льник; пи́лочка (для ногте́й); **2.** пили́ть, подпи́ливать [-ли́ть].

file[2] [~] **1.** регистра́тор; подши́тые бума́ги *f/pl.*; картоте́ка; **2.** регистри́ровать (докуме́нты) (*im*)*pf.*; подшива́ть к де́лу.

filial ['filjəl] □ сыно́вний, доче́рний.

filibuster ['filibʌstə] флибустье́р, [пира́т.]

fill [fil] **1.** наполня́ть(ся) [-о́лнить(-ся)]; [за]пломбирова́ть (зуб); удовлетворя́ть [-ри́ть]; *Am.* выполня́ть [вы́полнить] (зака́зы);

~ in заполня́ть [-о́лнить]; **2.** доста́ток; сы́тость *f*.
fillet ['filit] повя́зка (на го́лову); филе́(й) (мя́со) *n indecl*.
filling ['filiŋ] наполне́ние; погру́зка; (зубна́я) пло́мба; фарш, начи́нка; *mot*. ~ station бензи́новая коло́нка.
fillip ['filip] щелчо́к; толчо́к.
filly ['fili] молода́я кобы́ла.
film [film] **1.** плёнка; фильм; ды́мка; ~ cartridge кату́шка с плёнками; **2.** производи́ть киносъёмку (Р); экранизи́ровать (*im*)*pf*.
filter ['filtə] **1.** фильтр, цеди́лка; **2.** [про]фильтрова́ть, процéживать [-цеди́ть].
filth [filθ] грязь *f*; **~y** ['filθi] □ гря́зный, нечи́стый.
fin [fin] плавни́к (ры́бы); *sl*. рука́.
final ['fainl] **1.** □ заключи́тельный; оконча́тельный; **2.** *sport* фина́л.
financ|e [fi'næns] **1.** нау́ка о фина́нсах; ~s *pl*. фина́нсы *m*/*pl*.; **2.** *v*/*t*. финанси́ровать (*im*)*pf*.; *v*/*i*. занима́ться фина́нсовыми опера́циями; **~ial** [fi'nænʃəl] □ фина́нсовый; **~ier** [-siə] финанси́ст.
finch [fintʃ] *zo*. зя́блик.
find [faind] [*irr*.] **1.** находи́ть [найти́]; счита́ть [счесть]; обрета́ть [обрести́]; заст(ав)а́ть; all found на всём гото́вом; **2.** нахо́дка; **~ing** ['faindiŋ] ⚖ пригово́р; *pl*. вы́воды.
fine¹ [fain] □ то́нкий, изя́щный; прекра́сный; высокопро́бный.
fine² [~] **1.** штраф; in ~ в о́бщем, сло́вом; наконе́ц; **2.** [о]штрафова́ть.
fineness ['fainnis] то́нкость *f*, изя́щество; острота́ (чувств).
finery ['fainəri] пы́шный наря́д; украше́ние.
finger ['fiŋgə] **1.** па́лец; **2.** тро́гать, перебира́ть па́льцами; **~-language** язы́к глухонемы́х; **~-print** дактилоскопи́ческий отпеча́ток.
finish ['finiʃ] **1.** *v*/*t*. конча́ть [ко́нчить]; заверша́ть [-ши́ть]; отде́л(ыв)ать; доеда́ть [дое́сть], допи́(ва́)ть; *v*/*i*. конча́ть(ся) [ко́нчить(ся)]; **2.** коне́ц; зако́нченность *f*; отде́лка; *sport* фи́ниш.
finite ['fainait] □ ограни́ченный, име́ющий преде́л.
fir [fə:] ель *f*, пи́хта; **~-cone** ['fə:koun] ело́вая ши́шка.
fire ['faiə] **1.** ого́нь *m*; be on ~ горе́ть; **2.** *v*/*t*. зажига́ть [заже́чь], поджига́ть [-же́чь]; [за]топи́ть (пе́чку); обжига́ть [обже́чь] (кирпичи́ и т. п.); *fig*. воспламеня́ть [-ни́ть]; *Am*. F увольня́ть [уво́лить]; *v*/*i*. стреля́ть [вы́стрелить]; **~-alarm** пожа́рная трево́га; **~-brigade**, *Am*. **~-department** пожа́рная кома́нда; **~-engine** [''faiər'endʒin] пожа́рная маши́на; **~-escape** [''faiəris'keip] пожа́рная ле́стница; **~-extinguisher** [-riks'tiŋgwiʃə] огнетуши́тель *m*; **~man** пожа́рный; кочега́р; **~place** ками́н; **~plug** пожа́рный кран, гидра́нт; **~proof** огнеупо́рный; **~-side** ме́сто о́коло ками́на; **~-station** пожа́рная ста́нция; **~wood** дрова́ *n*/*pl*.; **~works** *pl*. фейерве́рк.
firing ['faiəriŋ] стрельба́; отопле́ние.
firm [fə:m] **1.** □ кре́пкий, пло́тный, твёрдый; сто́йкий; насто́йчивый; **2.** фи́рма; **~ness** ['fə:mnis] твёрдость *f*.
first [fə:st] **1.** *adj*. пе́рвый; ра́нний; выдаю́щийся; ~ cost ✝ себесто́имость *f*; **2.** *adv*. сперва́, снача́ла; впервы́е; скоре́е; at ~ снача́ла; ~ of all пре́жде всего́; **3.** нача́ло; the ~ пе́рвое число́; from the ~ с са́мого нача́ла; **~-born** перве́нец; **~-class** первокла́ссный; **~ly** ['fə:stli] во-пе́рвых; **~-rate** первокла́ссный.
fish [fiʃ] **1.** ры́ба; F odd (и́ли queer) ~ чуда́к; **2.** уди́ть ры́бу; выу́живать [вы́удить] (*a*. *fig*.); **~-bone** ры́бная кость *f*.
fisher|man ['fiʃəmən] рыба́к, рыболо́в; **~y** [-ri] рыболо́вство; ры́бный про́мысел.
fishing ['fiʃiŋ] ры́бная ло́вля; **~-line** леса́; **~-tackle** рыболо́вные принадле́жности *f*/*pl*.
fiss|ion ['fiʃən] ⚛ расщепле́ние; **~ure** ['fiʃə] тре́щина, рассе́лина.
fist [fist] кула́к; по́черк (шутли́во); **~icuffs** ['fistikʌfs] *pl*. кула́чный бой.
fit¹ [fit] **1.** □ го́дный, подходя́щий; здоро́вый; досто́йный; **2.** *v*/*t*. прила́живать [-ла́дить] (to к Д); подходи́ть [подойти́] к (Д); приспособля́ть [-спосо́бить] (for, to к Д); ~ out снаряжа́ть [-яди́ть]; снабжа́ть [-бди́ть]; ~ up соб(и)ра́ть, [с]монти́ровать; *v*/*i*. годи́ть-

ся; сидеть (о платье); прилаживаться [-ладиться]; приспособляться [-пособиться]; **3.** ⊕ пригонка; посадка.

fit² [fit] ☤ припадок, пароксизм, приступ; порыв; by ~s and starts порывами, урывками; give a p. a ~ поражать [поразить] (В), возмущать [-утить] (В).

fit|ful ['fitful] □ судорожный, порывистый; **~ness** [-nis] пригодность *f*; **~ter** [-ə] механик, монтёр; **~ting** [-iŋ] **1.** □ подходящий, годный; **2.** установка; сборка, монтаж; примерка (платья); ~s *pl.* арматура.

five [faiv] **1.** пять; **2.** пятёрка.

fix [fiks] **1.** устанавливать [-новить]; укреплять [-пить]; останавливать [-новить] (взгляд, внимание) (на П); *Am.* приводить в порядок; ~ o. s. устраиваться [-роиться]; ~ up решать [решить]; организовать *(im)pf.*; улаживать [уладить]; устраивать [-роить]; *v/i.* затверде(ва)ть; останавливаться [-новиться] (on на П); **2.** F дилемма, затруднительное положение; **~ed** [fikst] (*adv.* **~edly** ['fiksidli]) неподвижный; **~ture** ['fikstʃə] арматура; прибор, приспособление; установленная величина; lighting ~ осветительный прибор.

fizzle ['fizl] [за]шипеть.

flabby ['flæbi] □ вялый; *fig.* слабохарактерный.

flag [flæg] **1.** флаг, знамя *n*; плита; плитняк; **2.** сигнализировать флагом; украшать флагами; мостить плитами.

flagitious [flə'dʒiʃəs] □ преступный, гнусный, позорный.

flagrant ['fleigrənt] □ скандальный; очевидный.

flag|staff флагшток; **~-stone** плита (для мощения).

flair [flɛə] чутьё, нюх.

flake [fleik] **1.** слой; ~s *pl.* хлопья *m/pl.*; **2.** падать хлопьями; расслаиваться [-лоиться].

flame [fleim] **1.** пламя *n*; огонь *m*; *fig.* пыл, страсть *f*; **2.** пламенеть; пылать.

flank [flæŋk] **1.** бок, сторона; склон (горы); ⚔ фланг; **2.** быть расположеным сбоку, на фланге (Р); ~ (on) граничить (с Т), примыкать (к Д).

flannel ['flænl] фланель *f*; **~s** [-z] *pl.* фланелевые брюки *f/pl.*

flap [flæp] **1.** взмах (крыльев); хлопок, шлепок; пола; длинное ухо (собаки и т. п.); **2.** *v/t.* махать [махнуть] (Т); взмахивать [-хнуть] (крыльями); шлёпать [-пнуть], ударять легко; *v/i.* свисать; развеваться [-веяться].

flare [flɛə] **1.** гореть ярким пламенем; расширяться [-шириться]; ~ up вспыхивать [-хнуть]; *fig.* разразиться гневом, вспылить *pf.*; **2.** вспышка; сигнальная ракета; вспыхивание.

flash [flæʃ] **1.** показной, безвкусный, кричащий; **2.** вспышка; *fig.* проблеск; in a ~ в мгновение ока; **3.** сверкать [-кнуть]; вспыхивать [-хнуть]; быстро пронестись; срочно передавать (по телефону, телеграфу); **~-light** *phot.* вспышка магния; *Am.* карманный электрический фонарь *m*; **~y** □ показной, безвкусный.

flask [flɑ:sk] фляжка; флакон.

flat [flæt] **1.** □ плоский; ровный; скучный; ✝ вялый (о рынке); ♪ бемольный, минорный; прямой; ~ price стандартная цена; fall ~ не иметь успеха; sing ~ детонировать; **2.** плоскость *f*; равнина, низина; ♪ бемоль *m*; **~-iron** утюг; **~ness** ['flætnis] плоскость *f*; безвкусица; ✝ вялость *f*; **~ten** ['flætn] делать(ся) плоским, ровным.

flatter ['flætə] [по]льстить (Д); **~er** [-rə] льстец (льстица); **~y** [-ri] лесть *f*.

flavo(u)r ['fleivə] **1.** приятный вкус; аромат; *fig.* привкус; **2.** приправлять [-равить] (пищу); придавать запах, вкус (Д); **~less** [-lis] безвкусный.

flaw [flɔ:] **1.** трещина, щель *f*; недостаток; порок; брак (товара); ⚓ шквал, порыв ветра; **2.** повреждать [-едить]; [по]трескаться; **~less** ['flɔ:lis] □ безупречный.

flax [flæks] ⚘ лён.

flay [flei] сдирать кожу с (Р).

flea [fli:] блоха.

fled [fled] *pt.* и *p. pt.* от flee.

flee [fli:] [*irr.*] [по]бежать, спасаться бегством.

fleec|e [fli:s] **1.** руно; овечья

шерсть *f*; **2.** [о]стричь (овцу́); *fig.* обдира́ть [ободра́ть]; **~y** ['fli:si] покры́тый ше́рстью.

fleer [fliə] насмеха́ться [-ея́ться] (at над T).

fleet [fli:t] **1.** □ бы́стрый; неглубо́кий; **2.** флот.

flesh [fleʃ] **1.** сыро́е мя́со; плоть *f*; мя́коть *f* (плода́); *fig.* по́хоть *f*; **2.** приуча́ть вку́сом кро́ви (соба́ку к охо́те); **~ly** ['fleʃli] пло́тский, теле́сный; **~y** [-i] мяси́стый; то́лстый.

flew [flu:] *pt.* от fly.

flexib|ility [fleksə'biliti] ги́бкость *f*; **~le** ['fleksəbl] □ ги́бкий, гну́щийся; *fig.* пода́тливый.

flicker ['flikə] **1.** мерца́ние; трепета́ние; **2.** мерца́ть; мелька́ть [-кну́ть].

flier *s.* flyer лётчик.

flight [flait] полёт, перелёт; стая (птиц); ⚔, ✈ звено́; бе́гство; ряд ступе́ней; put to ~ обраща́ть в бе́гство; **~y** ['flaiti] □ ве́треный, капри́зный.

flimsy ['flimzi] непро́чный, то́нкий.

flinch [flintʃ] уклоня́ться [-ни́ться] (from от P).

fling ['fliŋ] **1.** бросо́к, швыро́к; жизнера́достность *f*; весе́лье; have one's ~ [по]весели́ться; **2.** [*irr.*] *v/i.* кида́ться [ки́нуться], броса́ться [бро́ситься]; *v/t.* кида́ть [ки́нуть], броса́ть [бро́сить]; распространя́ть [-ни́ть] (арома́т и т. п.); ~ open распа́хивать [-хну́ть] (окно́ и т. п.).

flint [flint] кремень *m*.

flip [flip] **1.** щелчо́к; **2.** щёлкать [щёлкнуть].

flippan|cy ['flipənsi] легкомы́слие, ве́треность *f*; **~t** □ легкомы́сленный, ве́треный.

flirt [flə:t] **1.** коке́тка; **2.** флиртова́ть; коке́тничать; **~ation** [flə:'teiʃən] флирт.

flit [flit] порха́ть [-хну́ть]; ю́ркать [юркну́ть]; (та́йно) переезжа́ть [перее́хать].

float [flout] **1.** поплаво́к; буй; паро́м; плот; пла́вательный по́яс; ломова́я теле́га; **2.** *v/t.* затопля́ть [-пи́ть]; наводня́ть [-ни́ть]; ⚓ снима́ть с ме́ли; ☤ пуска́ть в ход (предприя́тие); *v/i.* пла́вать, [по-] плы́ть (о предме́те); держа́ться на воде́.

flock [flɔk] **1.** пуши́нка; клочо́к; ста́до (ове́ц); стая; **2.** стека́ться [сте́чься]; держа́ться вме́сте.

flog [flɔg] [вы́]поро́ть, [вы́]сечь.

flood [flʌd] **1.** (*a.* ~-tide) прили́в, подъём воды́; наводне́ние, полово́дье, разли́в; **2.** поднима́ться [-ня́ться] (об у́ровне реки́), выступа́ть из берего́в; затопля́ть [-пи́ть]; наводня́ть [-ни́ть]; **~-gate** шлюз.

floor [flɔ:] **1.** пол; эта́ж; ⚒ гумно́; have the ~ *parl.* взять сло́во; **2.** настила́ть пол; вали́ть на́ пол; *fig.* смуща́ть [смути́ть]; **~ing** ['flɔ:riŋ] насти́лка поло́в; пол.

flop [flɔp] **1.** шлёпаться [-пнуться]; плю́хать(ся) [-хнуть(ся)]; бить (кры́льями); *Am.* потерпе́ть фиа́ско; **2.** шлёпанье.

florid ['flɔrid] □ цвети́стый (*a.* *fig.*).

florin [-in] флори́н (моне́та).

florist ['flɔrist] торго́вец цвета́ми.

floss [flɔs] шёлк-сырец.

flounce¹ [flauns] обо́рка.

flounce² [~] броса́ться [бро́ситься], ре́зко дви́гаться.

flounder¹ *zo.* ['flaundə] ка́мбала.

flounder² [~] бара́хтаться; [за]пу́таться (в слова́х).

flour ['flauə] мука́.

flourish ['flʌriʃ] **1.** ро́счерк; цвети́стое выраже́ние; ♪ туш; **2.** *v/i.* пы́шно расти́; процвета́ть, преуспева́ть; *v/t.* разма́хивать (T).

flout [flaut] насмеха́ться (at над T).

flow [flou] **1.** тече́ние, пото́к; струя́; прили́в; изоби́лие; пла́вность *f* (ре́чи); **2.** течь; струи́ться; ли́ться.

flower [flauə] **1.** цвето́к; цвете́ние; расцве́т; **2.** цвести́; **~y** [-ri] *fig.* цвети́стый (стиль).

flown [floun] *p. pt.* от fly.

flu [flu:] = influenza F грипп.

fluctuat|e ['flʌktjueit] колеба́ться; быть неусто́йчивым; **~ion** [flʌktju'eiʃən] колеба́ние; неусто́йчивость *f*.

flue [flu:] дымохо́д; ⊕ жарова́я труба́.

fluen|cy ['flu:ənsi] *fig.* пла́вность *f*, бе́глость *f* (ре́чи); **~t** [-t] □ пла́вный, бе́глый; жи́дкий; теку́чий.

fluff [flʌf] пух, пушо́к; **~y** ['flʌfi] пуши́стый.

fluid ['flu:id] **1.** жи́дкость *f*; **2.** жи́дкий; теку́чий.

flung [flʌŋ] *pt.* и *p. pt.* от fling.
flunk [flʌŋk] *Am.* F провали́ться на экза́мене.
flunk(e)y ['flʌŋki] ливре́йный лаке́й.
flurry ['flʌri] волне́ние; сумато́ха.
flush [flʌʃ] **1.** внеза́пный прито́к; прили́в кро́ви, кра́ска (на лице́); прили́в (чувст); **2.** по́лный (до краёв); изоби́лующий; **3.** *v/t.* затопля́ть [-пи́ть]; спуска́ть во́ду в (П); *v/i.* течь; хлы́нуть *pf.*; [по-] красне́ть.
fluster ['flʌstə] **1.** суета́, волне́ние; **2.** [вз]волнова́ть(ся); возбужда́ть (-ся) [-ди́ть(ся)].
flute [flu:t] **1.** ♪ фле́йта; вы́емка (на коло́нне); **2.** игра́ть на фле́йте.
flutter ['flʌtə] **1.** порха́ние; тре́пет, волне́ние; **2.** *v/i.* маха́ть кры́льями; развева́ться (по ве́тру); порха́ть [-хну́ть].
flux [flʌks] *fig.* тече́ние; пото́к; ⚕ патологи́ческое истече́ние.
fly [flai] **1.** му́ха; **2.** [*irr.*] лета́ть, [по]лете́ть; пролета́ть [-ете́ть]; [по]спеши́ть; поднима́ть [-ня́ть] (флаг); ✈ управля́ть (самолётом); ~ at набра́сываться [-ро́ситься] (с бра́нью) на (В); ~ into a passion вспыли́ть *pf.*
flyer ['flaiə] лётчик.
fly-flap ['flaiflæp] хлопу́шка.
flying ['flaiiŋ] лета́тельный; лётный; лету́чий; ~ squad выездна́я полице́йская кома́нда.
fly|-weight наилегча́йший ве́с (о боксёре); **~-wheel** махово́е колесо́.
foal [foul] **1.** жеребёнок; ослёнок; **2.** [о]жереби́ться.
foam [foum] **1.** пе́на; мы́ло (на ло́шади); **2.** [вс]пе́ниться; взмы́ли(ва)ться (о ло́шади); **~y** ['foumi] пе́нящийся; взмы́ленный.
focus ['foukəs] **1.** центр; *phys.*, ⚕ фо́кус; **2.** помеща́ть, быть в фо́кусе; сосредото́чи(ва)ть (*a. fig.*).
fodder ['fɔdə] фура́ж, корм [(скота́).
foe [fou] враг.
fog [fɔg] **1.** густо́й тума́н; мгла; замеша́тельство; *phot.* вуаль *f*; **2.** [за]тума́нить; *fig.* напуска́ть (в глаза́) тума́ну; озада́чи(ва)ть; **~gy** ['fɔgi] □ тума́нный.
foible ['fɔibl] *fig.* сла́бость *f.*
foil[1] [fɔil] фо́льга; фон.
foil[2] [~] **1.** ста́вить в тупи́к; расстра́ивать пла́ны (Р); **2.** рапи́ра.
fold[1] [fould] **1.** (*mst* sheep-~) заго́н, овча́рня; *fig.* па́ства; **2.** загоня́ть [загна́ть] (ове́ц).
fold[2] [~] **1.** скла́дка, сгиб; **2.** створ (две́ри); ⊕ фальц; **3.** *v/t.* скла́дывать [сложи́ть]; сгиба́ть [согну́ть]; скре́щивать [-ести́ть] (ру́ки); **~er** ['fouldə] фальцо́вщик; *Am.* брошю́ра.
folding ['fouldiŋ] складно́й; ство́рчатый; откидно́й; **~-camera** *phot.* складно́й аппара́т; **~-chair** складно́й стул; **~-door(s** *pl.*) двуство́рчатая дверь *f*; **~-screen** ши́рма.
foliage ['fouliidʒ] листва́.
folk [fouk] наро́д, лю́ди *m/pl.*; **~lore** ['fouklɔ:] фолькло́р; **~-song** наро́дная пе́сня.
follow ['fɔlou] сле́довать (за Т *or* Д); следи́ть за (Т); [по]гна́ться за (Т); занима́ться [-ня́ться] (Т); ~ suit сле́довать приме́ру; **~er** ['fɔlouə] после́дователь(ница *f*) *m*; *pol.* попу́тчик; покло́нник; **~ing** ['fɔlouiŋ] сле́дующий; попу́тный.
folly ['fɔli] безрассу́дство, глу́пость *f*, безу́мие.
foment [fou'ment] класть припа́рку (Д); подстрека́ть [-кну́ть].
fond [fɔnd] □ не́жный, лю́бящий; be ~ of люби́ть (В).
fond|le ['fɔndl] [при]ласка́ть; **~ness** [-nis] не́жность *f*, любо́вь *f.*
font [fɔnt] купе́ль *f*; исто́чник.
food [fu:d] пи́ща; **~-stuffs** *pl.* съестны́е проду́кты *m/pl.*; **~-value** пита́тельность *f.*
fool [fu:l] **1.** дура́к, глупе́ц; make a ~ of a p. одура́чи(ва)ть кого́-либо; **2.** *v/t.* обма́нывать [-ну́ть]; ~ away упуска́ть [-сти́ть]; *v/i.* [по-] дура́читься; ~ about болта́ться зря.
fool|ery ['fu:ləri] дура́чество; **~-hardy** ['fu:lha:di] □ безрассу́дно хра́брый; **~ish** ['fu:liʃ] □ глу́пый; **~ishness** [-nis] глу́пость *f*; **~-proof** несло́жный, безопа́сный.
foot [fut] **1.** (*pl.* feet) нога́, ступня́; фут (ме́ра); основа́ние; on ~ пешко́м; в ходу́; **2.** *v/t.* (*mst* ~ up) подсчи́тывать [-ита́ть]; ~ the bill заплати́ть по счёту; ~ it идти́ пешко́м; **~boy** паж; **~fall** по́ступь *f*; звук шаго́в; **~-gear** F *coll.* о́бувь *f*; чулки́ *m/pl.*; **~hold** *fig.* то́чка опо́ры.

footing ['futiŋ] опóра; основáние; итóг столбцá цифр; lose one's ~ оступáться [-пи́ться].

foot|lights *pl. thea.* рáмпа; **~man** ['futmən] ливрéйный лакéй; **~-path** тропи́нка; тротуáр; **~print** след; **~-sore** со стёртыми ногáми; **~step** стопá; след; шаг; **~stool** скамéечка для ног; **~wear** *part. Am.* = ~-gear.

fop [fɔp] щёголь *m*, хлыщ.

for [fɔ:; fɔ:r; fə, fo, f] *prp. mst* для (Р); рáди (Р); за (В); в направлéнии (Р), к (Д); из-за (Р), по причи́не (Р), вслéдствие (Р); в течéние (Р), в продолжéние (Р); ~ three days в течéние трёх днéй; ужé три дня; вмéсто (Р); в обмéн на (В); **2.** *cj.* так как, потому́ что, и́бо.

forage ['fɔridʒ] **1.** фурáж; корм; **2.** фуражи́ровать.

foray ['fɔrei] набéг, мародёрство.

forbad(e) [fə'beid] *pt.* от forbid.

forbear¹ [fɔ:'bɛə] [*irr.*] быть терпели́вым; воздéрживаться [-жáться] (from от Р).

forbear² ['fɔ:bɛə] прéдок; предшéственник.

forbid [fə'bid] [*irr.*] запрещáть [-ети́ть]; **~den** [-n] *p. pt.* от forbid; **~ding** [-iŋ] □ оттáлкивающий; угрожáющий.

forbor|e [fɔ:'bɔ:] *pt.* от forbear¹; **~ne** [-n] *p. pt.* от forbear¹.

force [fɔ:s] **1.** си́ла; наси́лие, принуждéние; смысл, значéние; armed ~s *pl.* вооружённые си́лы *f/pl.*; come in ~ вступáть в си́лу; **2.** заставля́ть [-áвить], принуждáть [-у́дить]; брать си́лой; ~ open взлáмывать [взломáть]; **~d** [-t]: ~ loan принуди́тельный заём; ~ landing вы́нужденная посáдка; ~ march форси́рованный марш (похóд); **~ful** □ си́льный, дéйственный.

forcible ['fɔ:səbl] □ наси́льственный; убеди́тельный; эффекти́вный.

ford [fɔ:d] **1.** брод; **2.** переходи́ть [вброд.]

fore [fɔ:] **1.** *adv.* впереди́; **2.** *adj.* перéдний; **~bode** [fɔ:'boud] предвещáть; предчу́вствовать; **~boding** плохóе предзнаменовáние; предчу́вствие; **~cast 1.** ['fɔ:kɑ:st] предсказáние; **2.** [fɔ:'kɑ:st] [*irr.* (cast)] предскáзывать [-казáть]; **~father** прéдок; **~finger** указáтельный пáлец; **~foot** перéдняя ногá; **~go** [fɔ:'gou] [*irr.* (go)] предшéствовать; **~gone** [fɔ:'gɔn, *attr.* 'fɔ:gɔn]: ~ conclusion зарáнее при́нятое решéние; **~ground** перéдний план; **~head** ['fɔrid] лоб.

foreign ['fɔrin] инострáнный; the ♀ Office министéрство инострáнных дел (в Лóндоне); ~ policy внéшняя поли́тика; **~er** [-ə] инострáнец (-нка).

fore|leg перéдняя ногá; **~lock** чуб, прядь волóс на лбу; **~man** ⚖ старшинá присяжных; деся́тник; прорáб; **~most** перéдний, передовóй; **~noon** у́тро; **~runner** предвéстник (-ица); **~see** [fɔ:'si:] [*irr.* (see)] предви́деть; **~sight** ['fɔ:sait] предви́дение; предусмотри́тельность *f*.

forest ['fɔrist] **1.** лес; **2.** засáживать лéсом.

forestall [fɔ:'stɔ:l] предупреждáть [-упреди́ть]; предвосхищáть [-хи́тить].

forest|er ['fɔristə] лесни́к, лесни́чий; **~ry** [-tri] лесни́чество; лесовóдство.

fore|taste ['fɔ:teist] **1.** предвкушéние; **2.** предвкушáть [-уси́ть]; **~tell** [fɔ:'tel] [*irr.* (*tell*)] предскáзывать [-зáть].

forfeit ['fɔ:fit] **1.** штраф; конфискáция; утрáта (прáва); фант; **2.** [по]плати́ться (Т); утрáчивать [-áтить] (прáво).

forgave [fə'geiv] *pt.* от forgive.

forge¹ [fɔ:dʒ] (*mst* ~ ahead) настóйчиво продвигáться вперёд.

forge² [~] **1.** ку́зница; **2.** ковáть; поддéл(ыв)ать; **~ry** ['fɔ:dʒəri] поддéлка, подлóг.

forget [fə'get] [*irr.*] забы́(вá)ть; **~ful** [-ful] □ забы́вчивый; **~-me-not** [-minɔt] незабу́дка.

forgiv|e [fə:giv] [*irr.*] прощáть [прости́ть]; **~en** [fa'givn] *p. pt.* от ~e; **~eness** [-nis] прощéние; **~ing** □ всепрощáющий, снисходи́тельный.

forgo [fɔ:'gou] [*irr.* (go)] воздéрживаться [-жáться] от (Р), откáзываться [-зáться] от (Р).

forgot, ~ten [fə'gɔt(n)] *pt. a. p. pt.* от forget.

fork [fɔ:k] ви́лка; ви́лы *f/pl.*; ♪ камертóн; разветвлéние (дорóги).

forlorn [fəˈlɔːn] забро́шенный, несча́стный.
form [fɔːm] **1.** фо́рма; фигу́ра; бланк; *school* па́рта; класс; **2.** образо́вывать(ся) [-ова́ть(ся)]; составля́ть [-а́вить]; ⚔ [по]стро́ить (-ся); [с]формирова́ть.
formal [ˈfɔːməl] □ форма́льный, официа́льный; **~ity** [fɔːˈmæliti] форма́льность *f*.
formation [fɔːˈmeiʃən] образова́ние; формирова́ние; ⚔ расположе́ние, строй; систе́ма; строе́ние.
former [ˈfɔːmə] пре́жний, бы́вший; предше́ствующий; **~ly** [-li] пре́жде.
formidable [ˈfɔːmidəbl] □ стра́шный; грома́дный; тру́днопреодоли́мый (о зада́че).
formula [ˈfɔːmjulə] фо́рмула; ⚕ реце́пт; **~te** [-leit] формули́ровать (*im*)*pf*., *pf*. *a*. [c-].
forsake [fəˈseik] [*irr*.] оставля́ть [-а́вить], покида́ть [-и́нуть].
forswear [fɔːˈswɛə] [*irr*. (swear)] отрека́ться [-е́чься] от (Р); ~ o. s. наруша́ть кля́тву.
fort [fɔːt] ⚔ форт.
forth [fɔːθ] *adv*. вперёд, да́льше; впредь; **~coming** предстоя́щий, гряду́щий; **~with** *adv*. тотча́с, неме́дленно.
fortieth [ˈfɔːtiiθ] сороково́й; сорокова́я часть *f*.
forti|fication [fɔːtifiˈkeiʃən] фортифика́ция; укрепле́ние; **~fy** [ˈfɔːtifai] ⚔ укрепля́ть [-пи́ть], сооружа́ть укрепле́ние (Р); *fig*. подкрепля́ть [-пи́ть] (фа́ктами); **~tude** [-tjuːd] си́ла ду́ха.
fortnight [ˈfɔːtnait] две неде́ли *f/pl*.
fortress [ˈfɔːtris] кре́пость *f*.
fortuitous [fɔːˈtjuitəs] □ случа́йный.
fortunate [ˈfɔːtʃnit] счастли́вый, уда́чный; **~ly** *adv*. к сча́стью.
fortune [ˈfɔːtʃən] судьба́; бога́тство, состоя́ние; **~-teller** гада́лка.
forty [ˈfɔːti] со́рок.
forward [ˈfɔːwəd] **1.** *adj*. пере́дний; передово́й; развя́зный, де́рзкий; ра́нний; **2.** *adv*. вперёд, да́льше; впредь; **3.** *sport* напада́ющий; **4.** пересыла́ть [-сла́ть]; препровожда́ть [-води́ть].
forwarding-agent экспеди́тор.
forwent [fɔːˈwent] *pt*. от forego.
foster [ˈfɔstə] воспи́тывать [-ита́ть]; ходи́ть за (детьми́, больны́ми); *fig*. пита́ть (чу́вство), леле́ять (мысль); поощря́ть [-ри́ть]; благоприя́тствовать (Д).
fought [fɔːt] *pt*. и *p. pt*. от fight.
foul [faul] **1.** □ гря́зный, отврати́тельный; бу́рный (о пого́де); гно́йный; зара́зный; бесче́стный; run ~ of ста́лкиваться [столкну́ться] с (Т); **2.** *sport* игра́ про́тив пра́вил; **3.** [за]па́чкать(ся); нече́стно игра́ть.
found [faund] **1.** *pt*. и *p. pt*. от find; **2.** закла́дывать [заложи́ть] (фунда́мент); осно́вывать [основа́ть]; учрежда́ть [-еди́ть]; ⊕ пла́вить; отли́(ва́)ть.
foundation [faunˈdeiʃən] фунда́мент, осно́ва.
founder [ˈfaundə] **1.** основа́тель(ница *f*) *m*, учреди́тель(ница *f*) *m*; **2.** *v/i*. идти́ ко дну́.
foundry [ˈfaundri] ⊕ лите́йная; литьё.
fountain [ˈfauntin] исто́чник; фонта́н; **~-pen** автору́чка, ве́чное перо́.
four [fɔː] **1.** четы́ре; **2.** четвёрка; **~-square** квадра́тный; *fig*. усто́йчивый; **~teen** [ˈfɔːˈtiːn] четы́рнадцать; **~teenth** [-θ] четы́рнадцатый; **~th** [fɔːθ] **1.** четвёртый; **2.** че́тверть *f*.
fowl [faul] дома́шняя пти́ца.
fox [fɔks] **1.** лиси́ца, лиса́; **2.** [с]хитри́ть; обма́нывать [-ну́ть]; **~y** [ˈfɔksi] хи́трый.
fraction [ˈfrækʃən] дробь *f*; части́ца.
fracture [ˈfræktʃə] **1.** тре́щина, изло́м; ⚕ перело́м; **2.** [с]лома́ть (*a*. ⚕); раздробля́ть [-би́ть].
fragile [ˈfrædʒail] хру́пкий, ло́мкий.
fragment [ˈfrægmənt] обло́мок, оско́лок; отры́вок.
fragran|ce [ˈfreigrəns] арома́т; **~t** [-t] □ арома́тный.
frail [freil] □ хру́пкий; хи́лый, боле́зненный; **~ty** *fig*. хру́пкость *f*.
frame [freim] **1.** сооруже́ние; сруб, скеле́т; телосложе́ние; ра́мка, ра́ма; ~ of mind настрое́ние; **2.** сооружа́ть [-уди́ть]; созд(ав)а́ть; вставля́ть в ра́му; **~work** ⊕ ра́ма; сруб, о́стов; *fig*. строй, ра́мки *f/pl*.
franchise [ˈfræntʃaiz] ⚖ пра́во уча́ствовать в вы́борах; привиле́гия.

frank ['fræŋk] □ и́скренний, откровéнный.

frankfurter ['fræŋkfətə] *Am.* соси́ска.

frankness ['fræŋknis] откровéнность *f.*

frantic ['fræntik] (~ally) нейсто́вый.

fratern|al [frə'tə:nl] □ бра́тский; *adv.* по-бра́тски; **~ity** [-niti] бра́тство; о́бщи́на; *Am. univ.* студéнческая организа́ция.

fraud [frɔ:d] обма́н, мошéнничество; **~ulent** ['frɔ:djulənt] □ обма́нный, мошéннический.

fray [frei] **1.** дра́ка, столкновéние; **2.** изна́шивать(ся) [износи́ть(ся)].

freak [fri:k] капри́з, причу́да; уро́дец (в приро́де).

freckle ['frekl] весну́шка.

free [fri:] **1.** □ *com.* свобо́дный, во́льный; незави́симый; neза́нятый; беспла́тный; he is ~ to он во́лен (+ *inf.*); make ~ to *inf.* позволя́ть себé; set ~ выпуска́ть на свобо́ду; **2.** освобожда́ть [-боди́ть]; **~booter** ['fri:bu:tə] пира́т; **~dom** ['fri:dəm] свобо́да; ~ of a city зва́ние почётного граждани́на; **~holder** земéльный со́бственник; **~mason** масо́н.

freez|e [fri:z] [*irr.*] *v/i.* замерза́ть [замёрзнуть]; засты́(ва́)ть; мёрзнуть; *v/t.* замора́живать [-ро́зить]; **~er** ['fri:zə] моро́женица; **~ing 1.** □ ледeня́щий; **2.** замора́живание; замерза́ние; ~ point то́чка замерза́ния.

freight [freit] **1.** фрахт, груз; сто́имость перево́зки; **2.** [по]грузи́ть; [за]фрахтова́ть; **~-car** *Am.* 🚃 това́рный ваго́н.

French [frentʃ] **1.** францу́зский; take ~ leave уйти́ не прости́вшись; **2.** францу́зский язы́к; the ~ францу́зы *pl.*; **~man** ['frentʃmən] францу́з; **~woman** ['frentʃwumən] францу́женка.

frenz|ied ['frenzid] взбешённый; **~y** [-zi] безу́мие, бéшенство.

frequen|cy ['fri:kwənsi] частота́ (*a. phys.*); ча́стое повторéние; **~t 1.** [-t] □ ча́стый; **2.** [fri'kwent] посеща́ть ча́сто.

fresh [freʃ] □ свéжий; но́вый; чи́стый; *Am.* F дéрзкий; ~ water прéсная вода́; **~en** ['freʃn] освежа́ть [-жи́ть]; [по]свежéть; **~et** ['freʃit] полово́дье; *fig.* пото́к; **~man** [-mən] *univ. sl.* первоку́рсник; **~ness** [-nis] свéжесть *f.*

fret [fret] **1.** волнéние, раздражéние; ♪ лад (в гита́ре); **2.** [о]беспоко́ить(ся), [вз]волнова́ть(ся); подта́чивать [-точи́ть], разъеда́ть [-éсть]; **~ted instrument** стру́нный щипко́вый инструмéнт.

fretful ['fretful] □ раздражи́тельный, капри́зный.

friar ['fraiə] мона́х.

friction ['frikʃən] трéние (*a. fig.*).

Friday ['fraidi] пя́тница.

friend [frend] прия́тель(ница *f*) *m*, друг, подру́га; **~ly** [-li] дру́жеский; **~ship** [-ʃip] дру́жба.

frigate ['frigit] ⚓ фрега́т.

fright [frait] испу́г; *fig.* пу́гало страши́лище; **~en** ['fraitn] [ис-]пуга́ть; вспу́гивать [-гну́ть]; **~ed** at и́ли of испу́ганный (Т); **~ful** [-ful] □ стра́шный, ужа́сный.

frigid ['fridʒid] □ холо́дный.

frill [fril] обо́рка.

fringe [frindʒ] **1.** бахрома́; чёлка; кайма́; **2.** отдéлывать бахромо́й; окаймля́ть [-ми́ть].

frippery ['fripəri] безделу́шки *f/pl.*; мишу́рные украшéния *n/pl.*

frisk [frisk] **1.** прыжо́к; **2.** резви́ться; **~y** ['friski] □ рéзвый, игри́вый.

fritter ['fritə] **1.** ола́дья; **2.** ~ away растра́чивать по мелоча́м.

frivol|ity [fri'vɔliti] легкомы́слие; фриво́льность *f*; **~ous** ['frivələs] □ легкомы́сленный, повéрхностный; пустя́чный.

frizzle ['frizl] жа́рить(ся) с шипéнием.

fro [frou]: to and ~ взад и вперёд.

frock [frɔk] да́мское и́ли дéтское пла́тье; ря́са; (*mst* ~-coat) сюрту́к.

frog [frɔg] лягу́шка.

frolic ['frɔlik] **1.** ша́лость *f*, весéлье, рéзвость *f*; **2.** резви́ться, [на]прока́зничать; **~some** [səm] □ игри́вый, рéзвый.

from [frɔm, frəm] *prp.* от (Р); из (Р); с (Р); по (Д); defend ~ защища́ть от (Р).

front [frʌnt] **1.** фаса́д; пéредняя сторона́; ⚔ фронт; in ~ of пéред (Т); впереди́ (Р); **2.** пéредний; **3.** выходи́ть на (В) (об окнé) (*a.* ~ on, towards); **~al** ['frʌntl] *anat.* ло́бный; ⚠ фаса́дный; фронта́льный; **~ier** ['frʌntjə] **1.** грани́ца; **2.** по-

граничный; ~ispiece ['frʌntispi:s] *typ.* фронтиспис; ⚠ фасад.
frost [frɔst] **1.** мороз; **2.** побивать морозом (растения); **~-bite** ⚕ отмороженное место; **~y** ['frɔsti] □ морозный; *fig.* ледяной.
froth [frɔθ] **1.** пена; **2.** [вс-, за]пенить(ся); **~y** ['frɔθi] □ пенистый; *fig.* пустой.
frown [fraun] **1.** хмурый взгляд; нахмуренные брови *f/pl.*; **2.** *v/i.* [на]хмуриться; [на]супиться.
frow|zy, ~sy ['frauzi] затхлый, спёртый; неряшливый.
froze [frouz] *pt.* от freeze; **~n** [-n] **1.** *p. pt.* от freeze; **2.** замёрзший; замороженный.
frugal ['fru:gəl] □ умеренный, скромный.
fruit [fru:t] **1.** плод, фрукт; **2.** плодоносить, давать плоды; **~erer** ['fru:tərə] торговец фруктами; **~ful** ['fru:tful] □ плодовитый, плодородный; *fig.* плодотворный; **~less** [-lis] □ бесплодный.
frustrat|e [frʌs'treit] расстраивать [-роить] (планы), делать тщетным; **~ion** [frʌs:'treiʃən] расстройство (планов), крушение (надежд).
fry [frai] **1.** жареное (кушанье); **2.** [из]жарить(ся); **~ing-pan** ['fraiiŋpæn] сковорода.
fudge [fʌdʒ] **1.** выдумка; помадка; **2.** делать кое-как.
fuel ['fjuəl] **1.** топливо; **2.** *mot.* горючее.
fugitive ['fju:dʒitiv] беглец; беженец (-нка); **2.** беглый; мимолётный.
fulfil(l) [ful'fil] выполнять [выполнить], осуществлять [-вить]; **~ment** [-mənt] осуществление, выполнение.
full [ful] **1.** □ *com.* полный; целый; дородный; of ~ age совершеннолетний; **2.** *adv.* вполне; как раз; очень; **3.** полность *f*; in ~ полностью; to the ~ в полной мере; **~-dress** парадная форма; **~-fledged** вполне оперившийся, развитый.
ful(l)ness ['fulnis] полнота, обилие.
fulminate ['fʌlmineit] сверкать [-кнуть]; [за]греметь; ~ against [раз]громить (В).
fumble ['fʌmbl] нащуп(ыв)ать; [про]мямлить; вертеть в руках.
fume [fju:m] **1.** пар, дым; испарение; **2.** окуривать [-рить]; испаряться [-риться].
fumigate ['fju:migeit] окуривать [-рить].
fun [fʌn] веселье; забава; make ~ of высмеивать [высмеять] (В).
function ['fʌŋkʃən] **1.** функция, назначение; **2.** функционировать, действовать; **~ary** [-əri] должностное лицо.
fund [fʌnd] **1.** запас; капитал, фонд; ~s *pl.* государственные процентные бумаги *f/pl.*; **2.** консолидировать (*im*)*pf.*; фундировать (*im*)*pf.*
fundament|al [fʌndə'mentl] □ основной, коренной, существенный; **~als** *pl.* основы *f/pl.*
funer|al ['fju:nərəl] **1.** похороны *f/pl.*; **2.** похоронный; **~eal** [fju:'niəriəl] □ траурный; мрачный.
fun-fair ['fʌnfɛə] ярмарка.
funnel ['fʌnl] воронка; ⚓, 🚂 дымовая труба.
funny ['fʌni] □ забавный, смешной; странный.
fur [fə:] **1.** мех; шкура; ~s *pl.* меха *m/pl.*, меховые товары *m/pl.*, пушнина; **2.** подбивать мехом.
furbish ['fə:biʃ] [от]полировать; ~ up подновлять [-вить].
furious ['fjuəriəs] □ взбешённый.
furl [fə:l] уб(и)рать (паруса); складывать [сложить] (зонтик).
furlough ['fə:lou] **1.** отпуск; **2.** увольнять в отпуск (*mst* о солдатах).
furnace ['fə:nis] горн, печь *f*; топка.
furnish ['fə:niʃ] снабжать [снабдить] (with T); доставлять [-авить]; обставлять [-авить], меблировать (*im*)*pf.*
furniture ['fə:nitʃə] мебель *f*, обстановка; оборудование.
furrier ['fʌriə] меховщик.
furrow ['fʌrou] борозда; колея; жёлоб; морщина.
further ['fə:ðə] **1.** дальше, далее; затем; кроме того; **2.** содействовать, способствовать (Д); **~ance** [-rəns] продвижение (of P), содействие (of Д); **~more** [-mɔ:] *adv.* к тому же, кроме того.
furthest ['fə:ðist] самый дальний.
furtive ['fə:tiv] □ скрытый, тайный.
fury ['fjuəri] неистовство, ярость *f*.

fuse [fju:z] **1.** пла́вка; ⚔ взрыва́тель *m*; ⚡ пла́вкий предохрани́тель *m*; **2.** сплавля́ть(ся) [-а́вить(ся)]; ⚡ [рас]пла́вить(ся); ⚔ вставля́ть взрыва́тель в (В).
fusion [ˈfju:ʒən] пла́вка; *fig.* слия́ние.
fuss [fʌs] F **1.** суета́; возбуждённое состоя́ние; **2.** [за]суети́ться; [вз-]волнова́ться (about из-за Р); надоеда́ть с пустяка́ми (Д).
fusty [ˈfʌsti] за́тхлый, спёртый; *fig.* старомо́дный, устаре́вший.
futile [ˈfju:tail] бесполе́зный, тще́тный; пусто́й.
future [ˈfju:tʃə] **1.** бу́дущий; **2.** бу́дущее, бу́дущность *f*; **~s** *pl.* † това́ры, закупа́емые заблаговре́менно.
fuzz [fʌz] **1.** пух; пуши́нка; **2.** покры́(ва́)ться пу́хом; разлета́ться [-лете́ться] (о пу́хе).

G

gab [gæb] F болтовня́; the gift of the ~ хорошо́ подве́шенный язы́к.
gabble [ˈgæbl] **1.** бормота́ние, бессвя́зная речь *f*; **2.** [про]бормота́ть; [за]гогота́ть.
gaberdine [ˈgæbədi:n] габарди́н.
gable [ˈgeibl] ⚠ фронто́н, щипе́ц.
gad [gæd]: ~ about шля́ться, шата́ться.
gad-fly [ˈgædflai] *zo.* о́вод, слепе́нь *m*.
gag [gæg] **1.** заты́чка, кляп; *parl.* прекраще́ние пре́ний; *Am.* острота́; **2.** затыка́ть рот (Д); заста́вить замолча́ть; *pol.* заж(им)а́ть (кри́тику и т. п.).
gage [geidʒ] зало́г, закла́д; вы́зов.
gaiety [ˈgeiəti] весёлость *f*.
gaily [ˈgeili] *adv.* от gay ве́село; я́рко.
gain [gein] **1.** при́быль *f*; вы́игрыш; за́работок; приро́ст; **2.** выи́грывать [вы́играть]; приобрета́ть [-ести́]; **~ful** [ˈgeinful] □ дохо́дный, вы́годный.
gait [geit] похо́дка.
gaiter [ˈgeitə] гама́ша, ге́тра, кра́га.
gale [geil] шторм, си́льный ве́тер
gall [gɔ:l] **1.** ⚕ жёлчь *f*; жёлчность *f*; сса́дина; **2.** раздража́ть [-жи́ть]; [о]беспоко́ить.
gallant *mst* [gəˈlænt] **1.** □ гала́нтный; внима́тельный; почти́тельный; **2.** [ˈgælənt] *adj.* □ хра́брый, до́блестный; *su.* кавале́р; **~ry** [ˈgæləntri] хра́брость *f*; гала́нтность *f*.
gallery [ˈgæləri] галере́я.
galley [ˈgæli] ⚓ гале́ра; **~-proof** гра́нка.
gallon [ˈgælən] галло́н (ме́ра жи́дких и сыпу́чих тел; англ. = 4,54 л; ам. = 3,78 л).
gallop [ˈgæləp] **1.** гало́п; **2.** скака́ть (пуска́ть) гало́пом.
gallows [ˈgælouz] *sg.* ви́селица.
gamble [ˈgæmbl] **1.** аза́ртная игра́; риско́ванное предприя́тие; **2.** игра́ть в аза́ртные и́гры; спекули́ровать (на би́рже); **~r** [-ə] картёжник, игро́к.
gambol [ˈgæmbəl] **1.** прыжо́к; **2.** пры́гать, скака́ть.
game [geim] **1.** игра́; па́ртия (игры́); дичь *f*; **~s** *pl.* состяза́ния *n/pl.*; и́гры *f/pl.*; **2.** F охо́тно гото́вый (сде́лать что́-либо); **3.** игра́ть на де́ньги; **~ster** игро́к, картёжник.
gander [ˈgændə] гуса́к.
gang [gæŋ] **1.** брига́да; арте́ль *f*; сме́на (рабо́чих); ша́йка, ба́нда; **2.** ~ up организова́ть ша́йку; **~-board** ⚓ схо́дни *f/pl.*
gangway [-wei] прохо́д ме́жду ряда́ми (кре́сел и т. п.); ⚓ схо́дни *f/pl.*
gaol [dʒeil] тюрьма́; *s.* jail.
gap [gæp] пробе́л; брешь *f*, щель *f*; *fig.* расхожде́ние (во взгля́дах).
gape [geip] разева́ть рот; [по]глазе́ть; зия́ть.
garb [gɑ:b] наря́д, одея́ние.
garbage [ˈgɑ:bidʒ] (ку́хонные) отбро́сы *m/pl.*; му́сор.
garden [ˈgɑ:dn] **1.** сад; огоро́д;

2. занима́ться садово́дством; **~er** садо́вник, садово́д; **~ing** садово́дство.
gargle ['gɑːgl] **1.** полоска́ть го́рло; **2.** полоска́ние для го́рла.
garish ['gɛəriʃ] □ крича́щий (о пла́тье, кра́сках); я́ркий.
garland ['gɑːlənd] гирля́нда, вено́к.
garlic ['gɑːlik] ⚘ чесно́к.
garment ['gɑːmənt] предме́т оде́жды; *fig.* покро́в, одея́ние.
garnish ['gɑːniʃ] **1.** гарни́р; украше́ние; **2.** гарни́ровать *(im)pf.*; украша́ть [укра́сить].
garret ['gærit] манса́рда.
garrison ['gærisn] ⚔ **1.** гарнизо́н; **2.** ста́вить (полк и т. п.) гарнизо́ном.
garrulous ['gæruləs] □ болтли́вый.
garter ['gɑːtə] подвя́зка.
gas [gæs] **1.** газ; F болтовня́; *Am.* F бензи́н, горю́чее; **2.** выпуска́ть га́зы; отравля́ть га́зом; F болта́ть, бахва́литься; **~eous** ['geiziəs] газообра́зный.
gash [gæʃ] **1.** глубо́кая ра́на, разре́з; **2.** наноси́ть глубо́кую ра́ну (Д).
gas|-lighter га́зовая зажига́лка; **~-mantle** кали́льная се́тка; **~olene, ~oline** ['gæsoliːn] *mot.* газоли́н; *Am.* бензи́н.
gasp [gɑːsp] задыха́ться [задохну́ться]; лови́ть во́здух.
gas|sed [gæst] отра́вленный га́зом; **~-stove** га́зовая плита́; **~-works** *pl.* га́зовый заво́д.
gate [geit] воро́та *n/pl.*; кали́тка; **~man** 🚂 сто́рож; **~way** воро́та *n/pl.*, вход; подворо́тня.
gather ['gæðə] **1.** *v/t.* соб(и)ра́ть; снима́ть [снять] (урожа́й); [на-, со]рва́ть (о цвета́х); *fig.* де́лать вы́вод; ~ speed набира́ть ско́рость; ускоря́ть ход; *v/i.* соб(и)ра́ться; **2.** ~s *pl.* сбо́рки *f/pl.*; **~ing** собира́ние; сбо́рище, собра́ние.
gaudy ['gɔːdi] □ я́ркий, крича́щий, безвку́сный.
gauge [geidʒ] **1.** ме́ра; измери́тельный прибо́р; масшта́б; 🚂 ширина́ колеи́; ⊕ шабло́н, лека́ло; **2.** измеря́ть [-е́рить]; градуи́ровать *(im)pf.*; выверя́ть [вы́верить]; *fig.* оце́нивать [-ни́ть] (челове́ка).
gaunt [gɔːnt] □ исхуда́лый, измождённый; мра́чный.
ga(u)ntlet ['gɔːntlit] **1.** *hist.* ла́тная рукави́ца; рукави́ца (шофёра, фехтова́льная и т. п.); **2.** run the ~ пройти́ сквозь стро́й; подверга́ться ре́зкой кри́тике.
gauze [gɔːz] газ (мате́рия); ма́рля.
gave [geiv] *pt.* от give.
gawk [gɔːk] F остоло́п, рази́ня *m/f*; **~y** [gɔː'ki] неуклю́жий.
gay [gei] □ весёлый; я́ркий, пёстрый.
gaze [geiz] **1.** внима́тельный взгляд; **2.** при́стально гляде́ть.
gazette [gə'zet] **1.** официа́льная газе́та; **2.** опубликова́ть в официа́льной газе́те.
gear [giə] **1.** механи́зм; приспособле́ния *n/pl.*; ⊕ шестерня́; зубча́тая переда́ча; *mot.* переда́ча; ско́рость *f*; in ~ включённый, де́йствующий; **2.** приводи́ть в движе́ние; включа́ть [-чи́ть]; **~ing** ⊕ зубча́тая переда́ча; приво́д.
geese [giːs] *pl.* от goose.
gem [dʒem] драгоце́нный ка́мень *m*; *fig.* сокро́вище.
gender ['dʒendə] *gr.* род.
general ['dʒenərəl] **1.** □ о́бщий; обы́чный; повсеме́стный; гла́вный; генера́льный; ~ election всео́бщие вы́боры *m/pl.*; **2.** ⚔ генера́л; **~ity** [dʒenə'ræliti] всео́бщность *f*; примени́мость ко всему́; большинство́; **~ize** ['dʒenərəlaiz] обобща́ть [-щи́ть]; **~ly** [-li] вообще́; обы́чно.
generat|e ['dʒenəreit] порожда́ть [-роди́ть]; производи́ть [-вести́]; **~ion**; [dʒenə'reiʃən] поколе́ние; порожде́ние.
gener|osity [dʒenə'rɔsiti] великоду́шие; ще́дрость *f*; **~ous** ['dʒenərəs] □ великоду́шный; ще́дрый.
genial ['dʒiːnjəl] □ тёплый, мя́гкий (кли́мат); до́брый, серде́чный.
genius ['dʒiːnjəs] ге́ний; дух; одарённость *f*, гениа́льность *f*.
genteel [dʒen'tiːl] све́тский; элега́нтный.
gentle ['dʒentl] □ зна́тный; мя́гкий; кро́ткий; ти́хий; не́жный; сми́рный (о живо́тных); лёгкий (ве́тер); **~man** ['dʒentlmən] джентльме́н; господи́н; **~manlike, ~manly** [-li] воспи́танный; **~ness** ['dʒentlnis] мя́гкость *f*; доброта́.
gentry ['dʒentri] мелкопоме́стное дворя́нство.
genuine ['dʒenjuin] □ по́длинный; и́скренний; неподде́льный.

geography [dʒiˈɔgrəfi] геогра́фия.
geology [dʒiˈɔlədʒi] геоло́гия.
geometry [dʒiˈɔmitri] геоме́трия.
germ [dʒə:m] **1.** микро́б; заро́дыш; **2.** *fig.* зарожда́ться [-оди́ться].
German[1] [ˈdʒə:mən] **1.** герма́нский, неме́цкий; ~ silver ⊕ нейзи́льбер; **2.** не́мец, не́мка; неме́цкий язы́к.
german[2] [~]: brother ~ родно́й брат; **~e** [dʒə:ˈmein] уме́стный, подходя́щий.
germinate [ˈdʒə:mineit] дава́ть ростки́, прораста́ть [-расти́].
gesticulat|e [dʒesˈtikjuleit] жестикули́ровать; **~ion** [-ˈtikjuˈˈleiʃən] жестикуля́ция.
gesture [ˈdʒestʃə] жест; ми́мика.
get [get] [*irr.*] **1.** *v/t.* дост(ав)а́ть; получа́ть [-чи́ть]; зараба́тывать [-бо́тать]; добы́(ва́)ть; заставля́ть [заста́вить]; I have got я име́ю; ~ one's hair cut [по]стри́чься; ~ by heart учи́ть наизу́сть; **2.** *v/i.* [с]де́латься, станови́ться [стать]; ~ ready [при]гото́виться; ~ about начина́ть ходи́ть (по́сле боле́зни); ~ abroad распростроня́ться [-ни́ться] (о слу́хах); ~ ahead продвига́ться вперёд; ~ at доб(и)ра́ться до (Р); ~ away уд(и)ра́ть, уходи́ть [уйти́]; отправля́ться [-а́виться]; ~ in входи́ть [войти́]; ~ on with a p. ужи́(ва́)ться с ке́м-либо; ~ out выходи́ть [вы́йти]; ~ to hear (know, learn) узн(ав)а́ть; ~ up вст(ав)а́ть; **~-up** [getˈʌp] мане́ра одева́ться; оформле́ние; *Am.* предприи́мчивость *f.*
ghastly [ˈgɑ:stli] ужа́сный; мёртвенно-бле́дный.
ghost [goust] при́зрак, привиде́ние; дух (*a. eccl.*); *fig.* тень *f*, лёгкий след; **~like** [ˈgoustlaik], **~ly** [-li] похо́жий на привиде́ние, при́зрачный.
giant [ˈdʒaiənt] **1.** велика́н, гига́нт, исполи́н; **2.** гига́нтский, исполи́нский.
gibber [ˈdʒibə] говори́ть невня́тно.
gibbet [ˈdʒibit] **1.** ви́селица; **2.** ве́шать [пове́сить].
gibe [dʒaib] *v/t.* смея́ться над (Т); *v/i.* насмеха́ться (at над Т).
gidd|iness [ˈgidinis] ⚕ головокруже́ние; легкомы́слие; **~y** [ˈgidi] □ испы́тывающий головокруже́ние; легкомы́сленный.
gift [gift] дар, пода́рок; спосо́бность *f*, тала́нт (of к Д); **~ed** [ˈgiftid] одарённый, спосо́бный, тала́нтливый.
gigantic [dʒaiˈgæntik] (~ally) гига́нтский, грома́дный.
giggle [ˈgigl] **1.** хихи́канье; **2.** хихи́кать [-кнуть].
gild [gild] [*irr.*] [по]золоти́ть.
gill [gil] *zo.* жа́бра.
gilt [gilt] **1.** позоло́та; **2.** позоло́ченный.
gin [dʒin] джин (напи́ток); ⊕ подъёмная лебёдка.
ginger [ˈdʒindʒə] **1.** имби́рь *m*; F воодушевле́ние; **2.** F подстёгивать [-стегну́ть], оживля́ть [-ви́ть]; **~bread** имби́рный пря́ник; **~ly** [-li] осторо́жный, ро́бкий.
Gipsy [ˈdʒipsi] цыга́н(ка).
gird [gə:d] [*irr.*] опоя́сывать(ся) [-сать(ся)]; окружа́ть [-жи́ть].
girder [ˈgə:də] ⊕ ба́лка, перекла́дина, подпо́рка.
girdle [ˈgə:dl] **1.** по́яс, куша́к; **2.** подпоя́сывать [-сать].
girl [gə:l] де́вочка, де́вушка; **~hood** [ˈgə:lhud] деви́чество; **~ish** □ деви́ческий.
girt [gə:t] *pt.* и *p. pt.* от gird.
girth [gə:θ] обхва́т, разме́р; подпру́га.
gist [dʒist] суть *f*, су́щность *f*.
give [giv] [*irr.*] **1.** *v/t.* да(ва́)ть; [по]дари́ть; причиня́ть [-ни́ть]; доставля́ть [-а́вить]; ~ birth to роди́ть; ~ away отд(ав)а́ть; F вы́да(ва́)ть, пред(ав)а́ть; ~ forth изд(ав)а́ть (за́пах и т. п.); объявля́ть [-ви́ть]; ~ in под(ав)а́ть; ~ up отка́зываться [-за́ться] от (Р); **2.** *v/i.* ~ (in) уступа́ть [-пи́ть]; ~ into, ~ (up)on выходи́ть на (В) (об о́кнах и т. п.); ~ out конча́ться [ко́нчиться]; обесси́леть *pf.*; [ис]по́ртиться; **~n** [givn] **1.** *p. pt.* от give; **2.** *fig.* да́нный; скло́нный (to к Д); пре́данный (to Д).
glaci|al [ˈgleisiəl] □ леднико́вый; ледяно́й; леденя́щий; **~er** гле́тчер, ледни́к.
glad [glæd] □ дово́льный; ра́достный, весёлый; I am ~ я ра́д(а); ~ly охо́тно, ра́достно; **~den** [ˈglædn] [об]ра́довать.
glade [gleid] прога́лина, про́сека.
gladness [ˈglædnis] ра́дость *f*.
glamo|rous [ˈglæmərəs] обая́тельный, очарова́тельный; **~(u)r**

['glæmə] **1.** очарова́ние; **2.** очаро́вывать [-рова́ть].

glance [glɑ:ns] **1.** бы́стрый взгляд; **2.** скользи́ть [-зну́ть] (*mst* ~ aside, off); ~ at ме́льком взгляну́ть на (В).

gland [glænd] железа́.

glare [glɛə] **1.** ослепи́тельно сверка́ть; при́стально смотре́ть; **2.** при́стальный или свире́пый взгляд; ослепи́тельный блеск.

glass [glɑ:s] **1.** стекло́; стака́н, рю́мка; зе́ркало; (a pair of) ~es *pl.* очки́ *n/pl.*; **2.** *attr.* стекля́нный; **~-shade** (стекля́нный) колпа́к; абажу́р; **~y** ['glɑ:si] □ зерка́льный; безжи́зненный; стекля́нный.

glaz|e [gleiz] **1.** глазу́рь *f*, мурава́; **2.** глазирова́ть (*im*)*pf.*; застекля́ть [-ли́ть]; **~ier** ['gleiziə] стеко́льщик.

gleam [gli:m] **1.** о́тблеск; сла́бый свет; *fig.* про́блеск; **2.** мерца́ть, сла́бо свети́ться.

glean [gli:n] *v/t. fig.* тща́тельно собира́ть (фа́кты, све́дения); *v/i.* подбира́ть коло́сья (по́сле жа́твы).

glee [gli:] ликова́ние; ~ club клуб для хорово́го пе́ния.

glib [glib] □ гла́дкий; бо́йкий (о ре́чи).

glid|e [glaid] **1.** скользи́ть, пла́вно дви́гаться; ✈ [с]плани́ровать; **2.** пла́вное движе́ние; **~er** ['glaidə] ✈ планёр.

glimmer ['glimə] **1.** мерца́ние, ту́склый свет; *min.* слюда́; **2.** мерца́ть, ту́скло свети́ть.

glimpse [glimps] **1.** мимолётный взгляд; мимолётное впечатле́ние (of от Р); **2.** (у)ви́деть ме́льком.

glint [glint] **1.** я́ркий блеск; **2.** я́рко блесте́ть; отража́ть свет.

glisten ['glisn], **glitter** ['glitə] блесте́ть, сверка́ть, сия́ть.

gloat [glout]: ~ (up)on, over пожира́ть глаза́ми (В).

globe [gloub] шар; земно́й шар; гло́бус.

gloom [glu:m], **~iness** ['glu:minis] мрак; мра́чность *f*; **~y** ['glu:mi] □ мра́чный; угрю́мый.

glori|fy ['glɔ:rifai] прославля́ть [-а́вить]; восхваля́ть [-ли́ть]; **~ous** ['glɔ:riəs] □ великоле́пный, чуде́сный.

glory ['glɔ:ri] **1.** сла́ва; **2.** торжествова́ть; горди́ться (in Т)

gloss [glɔs] **1.** вне́шний блеск; гло́сса; **2.** наводи́ть гля́нец на (В); ~ over прикра́шивать [-кра́сить].

glossary ['glɔsəri] глосса́рий, слова́рь *m* (в конце́ кни́ги).

glossy ['glɔsi] □ глянцеви́тый, лощёный.

glove [glʌv] перча́тка.

glow [glou] **1.** накаля́ться до́красна; горе́ть; тлеть; сия́ть; **2.** зной; нака́л; за́рево; жар; румя́нец; **~-worm** светля́к, светлячо́к.

glue [glu:] **1.** клей; **2.** [с]кле́ить.

glut [glʌt] пресыще́ние; затова́ривание (ры́нка).

glutton ['glʌtn] обжо́ра *m/f*; **~ous** [-əs] □ обжо́рливый; **~y** [-i] обжо́рство.

gnash [næʃ] [за]скрежета́ть (зуба́ми).

gnat [næt] кома́р.

gnaw [nɔ:] глода́ть.

gnome [noum] гном, ка́рлик.

go [gou] **1.** [*irr.*] *com.* ходи́ть, идти́ [пойти́]; проходи́ть [пройти́]; уходи́ть [уйти́]; е́здить, [по]е́хать; [с]де́латься; рабо́тать (о маши́не, се́рдце); let ~ пуска́ть [пусти́ть]; выпуска́ть из рук; ~ shares дели́ться по́ровну; ~ to (*or* and) see заходи́ть [зайти́] к [Д], навеща́ть [-ести́ть]; ~ at набра́сываться [-ро́ситься] на (В); ~ between посре́дничать ме́жду (Т); ~ by проходи́ть [пройти́]; руководи́ться (Т); ~ for идти́ [пойти́] за (Т); ~ for a walk де́лать прогу́лку; ~ in for an examination [про]экзаменова́ться; ~ on продолжа́ть [-до́лжить]; идти́ да́льше; ~ through with доводи́ть до конца́ (В); ~ without обходи́ться [обойти́сь] без (Р); **2.** ходьба́, движе́ние; F мо́да; энергия; on the ~ на ходу́; на нога́х; it is no ~ ничего́ не поде́лаешь; in one ~ сра́зу; have a ~ at [по]про́бовать (В).

goad [goud] **1.** побужда́ть [побуди́ть]; подстрека́ть [-кну́ть]; **2.** стрека́ло; *fig.* сти́мул, возбуди́тель *m.*

goal [goul] цель *f*; ме́сто назначе́ния; *sport* воро́та *n/pl.*; гол; фи́ниш; **~-keeper** врата́рь *m.*

goat [gout] козёл, коза́.

gobble [gɔbl] есть жа́дно, бы́стро; **~r** [-ə] обжо́ра *m/f*; индю́к.

go-between ['goubitwi:n] посре́дник.

goblin ['gɔblin] гном, домово́й.

god бог (*eccl.*: ♀ Бог); божество́; *fig.* и́дол, куми́р; **~child** кре́стник (-ица); **~dess** ['gɔdis] боги́ня; **~-father** крёстный оте́ц; **~head** божество́; **~less** [-'lis] безбо́жный; **~like** богоподо́бный; **~liness** [-linis] на́божность *f*; благоче́стие; **~ly** [-li] благочести́вый; **~mother** крёстная мать *f*.

goggle [gɔgl] **1.** тара́щить глаза́; **2.** (a pair of) **~s** *pl.* защи́тные очки́ *n/pl.*

going ['gouiŋ] **1.** иду́щий; де́йствующий; be ~ to *inf.* наме́реваться, собира́ться (+ *inf.*); **2.** ходьба́; ухо́д; отъезд.

gold [gould] **1.** зо́лото; **2.** золото́й; **~en** ['gouldən] золото́й; **~finch** *zo.* щего́л; **~smith** золоты́х дел ма́стер.

golf [gɔlf] **1.** гольф; **2.** игра́ть в гольф.

gondola ['gɔndələ] гондо́ла.

gone [gɔn] *p. pt.* от go; уше́дший, уе́хавший; F безнадёжный, поте́рянный; уме́рший, поко́йный.

good [gud] **1.** *com.* хоро́ший; до́брый; го́дный, поле́зный; ✝ кредитоспосо́бный; ♀ Friday *eccl.* вели́кая страстна́я пя́тница; be ~ at быть спосо́бным к (Д); **2.** добро́, бла́го; по́льза; **~s** *pl.* това́р; that's no ~ э́то бесполе́зно; for ~ навсегда́; **~by(e)** [gud'bai] **1.** до свида́ния!, проща́йте!; **2.** проща́ние; **~ly** ['gudli] милови́дный, прия́тный; значи́тельный, изря́дный; **~natured** доброду́шный; **~ness** [-nis] доброта́; *int.* го́споди!; **~will** доброжела́тельность *f*.

goody ['gudi] конфе́та.

goose [gu:s], *pl.* geese [gi:s] гусь *m*, гуся́ня; портно́вский утю́г.

gooseberry ['gu:zbəri] крыжо́вник (*no pl.*).

goose|-flesh, *Am.* **~-pimples** *pl. fig.* гуси́ная ко́жа (от хо́лода).

gore [gɔ:] **1.** запёкшаяся кровь *f*; **2.** забода́ть *pf*.

gorge [gɔ:dz] **1.** пасть *f*, гло́тка; у́зкое уще́лье; пресыще́ние; **2.** [со]жра́ть; ~ o. s. наж(и)ра́ться.

gorgeous ['gɔ:dʒəs] □ пы́шный, великоле́пный.

gory ['gɔ:ri] □ окрова́вленный; кровопроли́тный.

gospel ['gɔspəl] ева́нгелие.

gossip ['gɔsip] **1.** спле́тни *f/pl.*; спле́тник (-ица); **2.** [на]спле́тничать.

got [gɔt] *pt.* и *p. pt.* от get.

Gothic ['gɔθik] готи́ческий; *fig.* ва́рварский.

gouge [gaudʒ] **1.** ⊕ долото́, стаме́ска; **2.** выда́лбливать [вы́долбить]; *Am.* F обма́нывать [-ну́ть].

gourd [guəd] ♀ тыква.

gout [gaut] ⚕ пода́гра.

govern ['gʌvən] *v/t.* пра́вить, управля́ть (Т); *v/i.* госпо́дствовать; **~ess** [-is] гуверна́нтка; **~ment** [-mənt] прави́тельство; управле́ние; губе́рния; *attr.* прави́тельственный; **~mental** [gʌvən'mentl] прави́тельственный; **~or** ['gʌvənə] прави́тель *m*; коменда́нт; губерна́тор; F оте́ц.

gown [gaun] **1.** (же́нское) пла́тье; ма́нтия; **2.** оде́(ва́)ть.

grab [græb] F **1.** схва́тывать [-ати́ть]; **2.** захва́т; ⊕ автомати́ческий ковш, черпа́к.

grace [greis] **1.** гра́ция, изя́щество; любе́зность *f*; ми́лость *f*, милосе́рдие; Your ♀ Ва́ша Ми́лость *f*; **2.** *fig.* украша́ть [укра́сить]; удоста́ивать [-сто́ить]; **~ful** ['greisful] □ грацио́зный, изя́щный; **~fulness** [-nis] грацио́зность *f*, изя́щность *f*.

gracious ['greiʃəs] □ снисходи́тельный; благоскло́нный; ми́лостивый.

gradation [grə'deiʃən] града́ция, постепе́нный перехо́д.

grade [greid] **1.** сте́пень *f*; гра́дус; ранг; ка́чество; *Am.* класс (шко́лы); 🚂 укло́н; **2.** [рас]сортирова́ть; ⊕ нивели́ровать (*im*)*pf*.

gradua|l ['grædjuəl] □ постепе́нный; после́довательный; **~te 1.** [-eit] градуи́ровать (*im*)*pf.*, наноси́ть деле́ния; конча́ть университе́т; *Am.* конча́ть (любо́е) уче́бное заведе́ние; **2.** [-it] *univ.* око́нчивший университе́т с учёной сте́пенью; **~tion** [grædju'eiʃən] градуиро́вка (сосу́да); *Am.* оконча́ние уче́бного заведе́ния; *univ.* получе́ние учёной сте́пени.

graft [grɑ:ft] **1.** 🖌 черено́к; приви́вка (расте́ния); *Am.* взя́тка; по́дкуп; **2.** 🖌 приви́(ва́)ть (расте́ние); ⚕ переса́живать ткань; *Am.* дава́ть (брать) взя́тки.

grain [grein] зерно́; хле́бные

зла́ки *m/pl.*; крупи́нка; *fig.* скло́нность *f*, приро́да.
gramma|r ['græmə] грамма́тика; ~ school сре́дняя шко́ла; *Am.* ста́ршие кла́ссы сре́дней шко́лы; **~tical** [grə'mætikəl] □ граммати́ческий.
gram(me) [græm] грамм.
granary ['grænəri] жи́тница; амба́р.
grand [grænd] **1.** □ вели́чественный; грандио́зный; вели́кий; **2.** ♪ (*a.* ~ piano) роя́ль *m*; **~child** внук, вну́чка; **~eur** ['grændʒə] грандио́зность *f*; вели́чие.
grandiose ['grændious] □ грандио́зный; напы́щенный.
grandparents *pl.* де́душка и ба́бушка.
grange [greindʒ] фе́рма.
grant [grɑ:nt] **1.** предоставля́ть [-а́вить]; допуска́ть [-сти́ть]; дарова́ть *(im)pf.*; **2.** дар; субси́дия; да́рственный акт; take for **~ed** счита́ть дока́занным.
granul|ate ['grænjuleit] [раз]дроби́ть; гранули́ровать(ся) *(im)pf.*; **~e** ['grænju:l] зерно́, зёрнышко.
grape [greip] виногра́д; **~-fruit** ⚘ гре́йпфрут.
graph [græf] диагра́мма, гра́фик; **~ic(al** □) ['græfik, -ikəl] графи́ческий; нагля́дный; ~ arts *pl.* изобрази́тельные иску́сства *n/pl.*; **~ite** ['græfait] графи́т.
grapple ['græpl]: ~ with боро́ться с (Т); *fig.* пыта́ться преодоле́ть (затрудне́ние).
grasp [grɑ:sp] **1.** хвата́ть [схвати́ть] (by за В); заж(им)а́ть (в руке́); хвата́ться [схвати́ться] (at за В); понима́ть [поня́ть]; **2.** спосо́бность восприя́тия; схва́тывание, кре́пкое сжа́тие; власть *f*.
grass [grɑ:s] трава́; па́стбище; send to ~ выгоня́ть на подно́жный корм; **~hopper** кузне́чик; **~-widow** F «соло́менная» вдова́; **~y** травяни́стый; травяно́й.
grate [greit] **1.** решётка; ⊕ гро́хот; **2.** [на]тере́ть (тёркой); [за]скрежета́ть (зуба́ми); ~ on *fig.* раздража́ть [-жи́ть] (В).
grateful ['greitful] □ благода́рный.
grater ['greitə] тёрка.
grati|fication [grætifi'keiʃən] вознагражде́ние; удовлетворе́ние; **~fy** ['grætifai] удовлетворя́ть [-ри́ть].
grating ['greitiŋ] **1.** □ скрипу́чий, ре́зкий; **2.** решётка.
gratitude ['grætitju:d] благода́рность *f*.
gratuit|ous [grə'tju(:)itəs] □ даро́вой, безвозме́здный; **~y** [-i] де́нежный пода́рок; чаевы́е.
grave [greiv] **1.** □ серьёзный, ве́ский; ва́жный; тяжёлый; **2.** моги́ла; **3.** [*irr.*] *fig.* запечатле́(ва́)ть; **~-digger** моги́льщик.
gravel ['grævəl] **1.** гра́вий; ⚕ мочево́й песо́к; **2.** посыпа́ть гра́вием.
graveyard кла́дбище.
gravitation [grævi'teiʃən] притяже́ние; тяготе́ние (*a. fig.*).
gravity ['græviti] серьёзность *f*, ва́жность *f*; тя́жесть *f*, опа́сность (положе́ния).
gravy ['greivi] (мясна́я) подли́вка.
gray [grei] се́рый.
graze [greiz] пасти́(сь); щипа́ть траву́; заде́(ва́)ть.
grease [gri:s] **1.** са́ло; сма́зка, сма́зочное вещество́; **2.** [gri:z] сма́з(ыв)ать.
greasy ['gri:zi] □ са́льный, жи́рный; ско́льзкий (о гря́зной доро́ге).
great [greit] □ *com.* вели́кий; большо́й; огро́мный; F восхити́тельный; великоле́пный; ~ grandchild пра́внук (-учка); **~coat** ['greit'kout] пальто́ *n indecl.*; **~ly** ['greitli] о́чень, си́льно; **~ness** [-nis] вели́чие, си́ла.
greed [gri:d] жа́дность *f*, а́лчность *f*; **~y** ['gri:di] □ жа́дный, а́лчный (of, for к Д).
Greek [gri:k] **1.** грек, греча́нка; **2.** гре́ческий.
green [gri:n] **1.** □ зелёный; незре́лый; *fig.* нео́пытный; **2.** зелёный цвет, зелёная кра́ска; мо́лодость *f*; лужа́йка; **~s** *pl.* зе́лень *f*, о́вощи *m/pl.*; **~back** *Am.* банкно́та; **~grocer** зеленщи́к; **~house** тепли́ца, оранжере́я; **~ish** ['gri:niʃ] зеленова́тый; **~sickness** бле́дная не́мочь *f*.
greet [gri:t] приве́тствовать; кла́няться [поклони́ться] (Д); **~ing** ['gri:tiŋ] приве́тствие; приве́т.
grenade [gri'neid] ⚔ грана́та.
grew [gru:] *pt.* от grow.
grey [grei] **1.** □ се́рый; седо́й;

2. се́рый цвет, се́рая кра́ска; **3.** де́лать(ся) се́рым; **~hound** борза́я (соба́ка).

grid [grid] решётка; се́тка; **~iron** ра́шпер.

grief [gri:f] го́ре, печа́ль *f*; come to ~ потерпе́ть неуда́чу, попа́сть в беду́.

griev|ance ['gri:vəns] оби́да; жа́лоба; **~e** [gri:v] горева́ть; огорча́ть [-чи́ть], опеча́ли(ва)ть; **~ous** ['gri:vəs] □ го́рестный, печа́льный.

grill [gril] **1.** ра́шпер; жа́реное на ра́шпере (мя́со и т. п.); **2.** жа́рить на ра́шпере; **~-room** ко́мната рестора́на, где мя́со жа́рится при пу́блике.

grim [grim] □ жесто́кий; мра́чный, злове́щий.

grimace [gri'meis] **1.** грима́са, ужи́мка; **2.** грима́сничать.

grim|e [graim] грязь *f*, са́жа (на ко́же); **~y** ['graimi] □ запа́чканный, гря́зный.

grin [grin] **1.** усме́шка; **2.** усмеха́ться [-хну́ться].

grind [graind] [*irr.*] **1.** [с]моло́ть; разма́лывать [-моло́ть]; растира́ть [растере́ть] (в порошо́к); [на]точи́ть; *fig.* зубри́ть; **2.** разма́лывание; тяжёлая, ску́чная рабо́та; **~stone** точи́льный ка́мень *m.*; жёрнов.

grip [grip] **1.** схва́тывание, зажа́тие, пожа́тие; рукоя́ть *f*; *fig.* тиски́ *m/pl.*; **2.** схва́тывать [схвати́ть] (*a. fig.*); овладева́ть внима́нием (Р).

gripe [graip] зажи́м; рукоя́тка; **~s** *pl.* ко́лики *f/pl.*

grisly ['grizli] ужа́сный.

gristle ['grisl] хрящ.

grit [grit] **1.** песо́к, гра́вий; F твёрдость хара́ктера, вы́держка; **~s** *pl.* овся́ная крупа́; **2.** [за]скрежета́ть (Т).

grizzly ['grizli] **1.** се́рый; с про́седью; **2.** североамерика́нский се́рый медве́дь *m*, гри́зли *m indecl.*

groan [groun] о́хать [о́хнуть]; [за-]стона́ть.

grocer ['grousə] бакале́йщик; **~ies** [-riz] *pl.* бакале́я; **~y** [-ri] бакале́йная ла́вка; торго́вля бакале́йными това́рами.

groggy ['grɔgi] нетвёрдый на нога́х; ша́ткий.

groin [grɔin] *anat.* пах.

groom [grum] **1.** грум, ко́нюх; жени́х; **2.** ходи́ть за (ло́шадью); хо́лить; well- ~ed вы́холенный.

groove [gru:v] **1.** желобо́к, паз; *fig.* рути́на, привы́чка, коле́я; **2.** де́лать вы́емку на (П).

grope [group] идти́ о́щупью; нащу́п(ыв)ать (*a. fig.*).

gross [grous] **1.** □ большо́й; ту́чный; гру́бый; ✝ валово́й, бру́тто; **2.** ма́сса; гросс; in the ~ о́птом, гурто́м.

grotto ['grɔtou] пеще́ра, грот.

grouch [grautʃ] *Am.* F **1.** дурно́е настрое́ние; **2.** быть не в ду́хе; **~y** ['grautʃi] ворчли́вый.

ground[1] [graund] *pt.* и *p. pt.* от grind; ~ glass ма́товое стекло́.

ground[2] [graund] **1.** *mst* земля́, по́чва; уча́сток земли́; площа́дка; основа́ние; дно; **~s** *pl.* сад, парк (при до́ме); (кофе́йная) гу́ща; on the ~(s) of на основа́нии (Р); stand one's ~ удержа́ть свои́ пози́ции, прояви́ть твёрдость; **2.** класть на зе́млю; обосно́вывать [-нова́ть]; ⚡ заземля́ть [-ли́ть]; обуча́ть осно́вам предме́та; **~-floor** ни́жний эта́ж; **~less** [-lis] □ беспричи́нный, необосно́ванный; **~-staff** ✈ нелётный соста́в; **~work** фунда́мент, осно́ва.

group [gru:p] **1.** гру́ппа; фра́кция; **2.** (с)группирова́ть(ся); классифици́ровать (*im*)*pf.*

grove [grouv] ро́ща, лесо́к.

grovel ['grɔvl] *mst fig.* по́лзать, пресмыка́ться.

grow [grou] [*irr.*] *v/i.* расти́; выраста́ть [вы́расти]; [с]де́латься, станови́ться [стать]; *v/t.* ⚘ выра́щивать [вы́растить]; культиви́ровать (*im*)*pf.*; **~er** ['grouə] садово́д, плодово́д.

growl [graul] [за]рыча́ть; [за]ворча́ть.

grow|n [groun] *p. pt.* от grow; **~n-up** ['groun'ʌp] взро́слый; **~th** [grouθ] рост.

grub [grʌb] **1.** личи́нка; гу́сеница; **2.** вска́пывать [вскопа́ть]; выкорчёвывать [вы́корчевать]; **~by** ['grʌbi] чума́зый, неря́шливый.

grudge [grʌdʒ] **1.** недово́льство; за́висть *f*; **2.** [по]зави́довать в (П); неохо́тно дава́ть; [по]жале́ть.

gruff [grʌf] □ гру́бый.

grumble ['grʌmbl] [за]ворча́ть; [по]жа́ловаться; [за]грохота́ть; **~r** [-ə] *fig.* ворчу́н(ья).

grunt [grʌnt] хрю́кать [-кнуть].

guarant|ee [gærən'tiː] **1.** поручи́тель(ница *f*) *m*; гара́нтия; поруча́тельство; **2.** гаранти́ровать (*im*)*pf*., руча́ться за (В); **~or** [gærən'tɔ] поручи́тель *m*; **~y** ['gærənti] гара́нтия.

guard [gɑːd] **1.** стра́жа; ⚔ карау́л; 🚂 конду́ктор; *Am.* тюре́мщик; ~s *pl.* гва́рдия; be off ~ быть недоста́точно бди́тельным; **2.** *v/t.* охраня́ть [-ни́ть]; сторожи́ть; защища́ть [защити́ть] (from от Р); *v/i.* [по]бере́чься, остерега́ться [-ре́чься] (against Р); **~ian** ['gɑːdjən] храни́тель *m*; ⚖ опеку́н; **~ianship** [-ʃip] охра́на; ⚖ опеку́нство.

guess [ges] **1.** дога́дка, предположе́ние; **2.** отга́дывать [-да́ть], уга́дывать [-да́ть]; *Am.* счита́ть, полага́ть.

guest [gest] го́сть(я *f*) *m*.

guffaw [gʌ'fɔː] хо́хот.

guidance ['gaidəns] руково́дство.

guide [gaid] **1.** проводни́к, гид; ⊕ переда́точный рыча́г; Girl ♀s *pl.* ска́утки *f/pl.*; **2.** направля́ть [-ра́вить]; руководи́ть (Т); **~-book** путеводи́тель *m*; **~-post** указа́тельный столб.

guild [gild] цех, ги́льдия; организа́ция.

guile [gail] хи́трость *f*, кова́рство; **~ful** ['gailful] □ кова́рный; **~less** [-lis] □ простоду́шный.

guilt [gilt] вина́, вино́вность *f*; **~less** ['giltlis] □ невино́вный; **~y** ['gilti] □ вино́вный, винова́тый.

guise [gaiz] нару́жность *f*; ма́ска.

guitar [gi'tɑː] ♪ гита́ра.

gulf [gʌlf] зали́в; про́пасть *f*.

gull [gʌl] **1.** ча́йка; глупе́ц; **2.** обма́нывать [-ну́ть]; [о]дура́чить.

gullet ['gʌlit] пищево́д; гло́тка.

gulp [gʌlp] **1.** жа́дно глота́ть; **2.** глото́к.

gum [gʌm] десна́; гу́мми *n indecl.*; клей; ~s *pl. Am.* гало́ши *f/pl.*; **2.** скле́и(ва)ть; гумми́ровать (*im*)*pf*.

gun [gʌn] **1.** ору́дие, пу́шка; ружьё; *Am.* револьве́р; F big ~ *fig.* ва́жная персо́на, «ши́шка»; **2.** *Am.* охо́титься; **~boat** каноне́рка; **~-man** *Am.* банди́т; **~ner** ⚔, ⚓ ['gʌnə] артиллери́ст, пулемётчик; **~powder** по́рох; **~smith** оруже́йный ма́стер.

gurgle ['gəːgl] [за]журча́ть, [за-] [бу́лькать.

gush [gʌʃ] **1.** си́льный пото́к; ли́вень *m*; *fig.* излия́ние; **2.** хлы́нуть *pf.*; ли́ться пото́ком; *fig.* излива́ть чу́вства; **~er** ['gʌʃə] *fig.* челове́к, излива́ющий свои́ чу́вства; *Am.* нефтяно́й фонта́н.

gust [gʌst] поры́в (ве́тра).

gut [gʌt] кишка́; ~s *pl.* вну́тренности *f/pl.*; F си́ла во́ли.

gutter ['gʌtə] водосто́чный жёлоб; сто́чная кана́ва.

guy [gai] **1.** пу́гало, чу́чело; *Am.* F па́рень *m*, ма́лый; **2.** издева́ться над (Т), осме́ивать [-е́ять].

guzzle ['gʌzl] жа́дно пить; есть с жа́дностью.

gymnas|ium [dʒim'neizjəm] гимнасти́ческий зал; **~tics** [dʒim'næstiks] *pl.* гимна́стика.

gyrate [dʒaiə'reit] враща́ться по кру́гу, дви́гаться по спира́ли.

gyroplane ['dʒaiəroplein] автожи́р.

H

haberdashery ['hæbədæʃəri] галантере́я; *Am.* мужско́е бельё.

habit ['hæbit] **1.** привы́чка; сложе́ние; сво́йство; **2.** оде́(ва́)ть; **~able** ['hæbitəbl] го́дный для жилья́; **~ation** [hæbi'teiʃən] жили́ще.

habitual [hə'bitjuəl] □ обы́чный, привы́чный.

hack [hæk] **1.** теса́ть; руби́ть [руб(а)ну́ть]; разбива́ть на куски́; **2.** наёмная ло́шадь *f*; моты́га.

hackneyed ['hæknid] *fig.* изби́тый, бана́льный.

had [hæd] *pt.* и *p. pt.* от have.

hag [hæg] (*mst fig.* old ~) ве́дьма.

haggard ['hægəd] □ измождённый, осу́нувшийся.

haggle [hægl] [с]торговáться.
hail [heil] **1.** град; óклик; **2.** it ~s град идёт; *fig.* сы́паться грáдом; привéтствовать; ~ from происходи́ть из (Р); **~stone** грáдина.
hair [hɛə] вóлос; **~-breadth** минимáльное расстоя́ние; **~-cut** стри́жка; **~-do** причёска; **~dresser** парикмáхер; **~less** [ˈhɛəlis] лы́сый, безволóсый; **~pin** шпи́лька; **~-raising** стрáшный; **~splitting** крохобóрство; **~y** [-ri] волосáтый.
hale [heil] здорóвый, крéпкий.
half [hɑ:f] **1.** полови́на; ~ a crown полкрóны; by halves кóе-кáк; go halves дели́ть попол́ам; **2.** полу...; полови́нный; **3.** почти́; наполови́ну; **~-back** полузащи́тник; **~-breed** мети́с; гибри́д; **~-caste** человéк смéшанной рáсы; **~-hearted** □ равнодýшный, вя́лый; **~-length** (*a.* ~ portrait) поясно́й портрéт; **~penny** [ˈheipni] полпéнни *n indecl.*; **~-time** *sport* тайм, полови́на игры́; **~-way** на полпути́; **~witted** слабоýмный.
halibut [ˈhælibət] пáлтус (ры́ба).
hall [hɔ:l] зал; холл, вестибю́ль *m*; *Am.* коридóр; *univ.* общежи́тие для студéнтов.
halloo [həˈlu:] кричáть атý; наýсь[к(ив)ать.]
hallow [ˈhælou] освящáть [-яти́ть]; **~mas** [-mæs] *eccl.* день «всех святы́х».
halo [ˈheilou] *ast.* венéц; ореóл.
halt [hɔ:lt] **1.** привáл; остановка; **2.** остан́авливать(ся) [-нови́ть(ся)]; дéлать привáл; *mst fig.* колебáться; запинáться [запнýться].
halter [ˈhɔ:ltə] пóвод, недоýздок.
halve [hɑ:v] **1.** дели́ть попол́ам; **2.** ~s [hɑ:vz] *pl.* от half.
ham [hæm] óкорок, ветчинá.
hamburger [ˈhæmbə:gə] *Am.* (ру́бленая) котлéта.
hamlet [ˈhæmlit] деревýшка.
hammer [ˈhæmə] **1.** молотóк, мóлот; ♪ молотóчек; **2.** ковáть мóлотом; бить молоткóм; [по]стучáть; выкóвывать [вы́ковать].
hammock [ˈhæmək] гамáк, подвеснáя кóйка.
hamper [ˈhæmpə] **1.** корзи́на с кры́шкой; **2.** [вос]препя́тствовать, [по]мешáть (Д).
hand [hænd] **1.** рукá; пóчерк; стрéлка (часóв); рабóчий; at ~ под рукóй; a good (poor) ~ at (не-)искýсный в (П); ~ and glove в тéсной свя́зи; lend a ~ помогáть [-мóчь]; off ~ экспрóмтом; on ~ ✝ имéющийся в продáже, в распоряжéнии; on the one ~ с однóй сторон́ы; on the other ~ с другóй сторон́ы; ~-to-~ рукопáшный; come to ~ получáться [-чи́ться]; прибы́(вá)ть; **2.** ~ down оставля́ть потóмству; ~ in вручáть [-чи́ть]; ~ over перед(ав)áть; **~-bag** дáмская сýмочка; **~bill** реклáмный листóк; **~-brake** ⊕ ручнóй тóрмоз; **~cuff** нарýчник; **~ful** [ˈhændful] горсть *f*; F «наказáние»; **~-glass** ручнóе зéркало.
handicap [ˈhændikæp] **1.** помéха; *sport* гандикáп; **2.** стáвить в невы́годное положéние.
handi|craft [-krɑ:ft] ручнáя рабóта, ремеслó; **~craftsman** кустáрь *m*; ремéсленник; **~work** рукодéлие; ручнáя рабóта.
handkerchief [ˈhæŋkətʃi(:)f] носовóй платóк; косы́нка.
handle [hændl] **1.** рýчка, рукоя́тка; **2.** держáть в рукáх, трóгать и́ли брать рукáми; обходи́тся [обойти́сь] с (Т).
hand|made ручнóй рабóты; **~-set** *Am.* телефóнная трýбка; **~shake** рукопожáтие; **~some** [ˈhænsəm] □ краси́вый; поря́дочный; **~work** ручнáя рабóта; **~writing** пóчерк; **~y** [ˈhændi] □ удóбный; бли́зкий.
hang [hæŋ] **1.** [*irr.*] *v/t.* вéшать [повéсить]; подвéшивать [-вéсить]; (*pt.* и *p.pt.* ~ed) вéшать [повéсить]; *v/i.* висéть; ~ about (*Am.* around) слоня́ться, околáчиваться, шля́ться; ~ on прицепля́ться -[пи́ться] к (Д); *fig.* упóрствовать; **2.** смысл, сýщность *f*.
hangar [ˈhæŋə] ангáр.
hang-dog пристыжённый, виновáтый (вид).
hanger [ˈhæŋə] вéшалка (плáтья); крючóк, крюк; **~-on** *fig.* прихлебáтель *m*.
hanging [ˈhæŋiŋ] вéшание; повéшение (казнь); **~s** [-s] *pl.* драпирóвки *f/pl.*
hangman [ˈhæŋmən] палáч.
hang-over F похмéлье.
hap|hazard [ˈhæpˈhæzəd] **1.** случáйность *f*; at ~ наудáчу; **2.** случáйный; **~less** [-lis] □ злополýчный.

happen [ˈhæpən] случа́ться [-чи́ться], происходи́ть [произойти́]; ока́зываться [-за́ться]; he **~**ed to be at home он случа́йно оказа́лся до́ма; **~** (up)on, *Am.* **~** in with случа́йно встре́тить; **~ing** [ˈhæpniŋ] слу́чай, собы́тие.

happi|ly [ˈhæpili] счастли́во; к сча́стью; **~ness** [-nis] сча́стье.

happy [ˈhæpi] □ *com.* счастли́вый; уда́чный.

harangue [həˈræŋ] **1.** речь *f*; **2.** [произноси́ть речь.]

harass [ˈhærəs] [вс]трево́жить; изводи́ть [-вести́].

harbo(u)r [ˈhɑːbə] **1.** га́вань *f*, порт; **2.** стать на я́корь; дать убе́жище (Д); *fig.* зата́ивать [-и́ть]; **~age** [-ridʒ] убе́жище, прию́т.

hard [hɑːd] **1.** *adj. com.* твёрдый, жёсткий; кре́пкий; тру́дный; тяжёлый; *Am.* спиртно́й; **~** cash нали́чные *pl.* (де́ньги); **~** currency усто́йчивая валю́та; **~** of hearing туго́й на́ ухо; **2.** *adv.* твёрдо; кре́пко; си́льно; упо́рно; с трудо́м; **~** by бли́зко, ря́дом; **~** up в затрудни́тельном фина́нсовом положе́нии; **~-boiled** сва́ренный вкруту́ю; бесчу́вственный, чёрствый; *Am.* хладнокро́вный; **~en** [ˈhædn] де́лать(ся) твёрдым; [за-] тверде́ть; *fig.* закаля́ть(ся) [-ли́ть (-ся)]; **~-headed** практи́чный, тре́звый; **~-hearted** □ бесчу́вственный; **~iness** выно́сливость *f*; **~ly** [ˈhɑːdli] с трудо́м; едва́; едва́ ли; **~ness** [-nis] твёрдость *f* и т. д.; **~ship** [-ʃip] лише́ние, нужда́; **~ware** скобяно́й това́р; **~y** [ˈhɑːdi] □ сме́лый, отва́жный; выно́сливый.

hare [hɛə] за́яц; **~-brained** [рассе́янный.]

hark [hɑːk] прислу́ш(ив)аться (to к Д); **~**! чу!

harlot [ˈhɑːlət] проститу́тка.

harm [hɑːm] **1.** вред, зло; оби́да; **2.** [по]вреди́ть (Д); **~ful** [ˈhɑːmful] □ вре́дный, па́губный; **~less** [-lis] □ безвре́дный, безоби́дный.

harmon|ic [hɑːˈmɔnik] (**~**ally, **~ious** □ [hɑːˈmounjəs]) гармони́чный, стро́йный; **~ize** [ˈhɑːmənaiz] *v/t.* гармонизи́ровать *(im)pf.*; приводи́ть в гармо́нию; *v/i.* гармони́ровать; **~y** [-ni] гармо́ния, созву́чие; согла́сие.

harness [ˈhɑːnis] **1.** у́пряжь *f*, сбру́я; **2.** запряга́ть [запря́чь].

harp [hɑːp] **1.** а́рфа; **2.** игра́ть на а́рфе; **~** (up)on завести́ волы́нку о (П).

harpoon [hɑːˈpuːn] гарпу́н, острога́.

harrow [ˈhærou] **1.** борона́; **2.** [вз]борони́ть; *fig.* [из]му́чить, [ис]терза́ть.

harry [ˈhæri] разоря́ть [-ри́ть], опустоша́ть [-ши́ть].

harsh [hɑːʃ] □ ре́зкий; жёсткий; стро́гий, суро́вый; те́рпкий.

hart [hɑːt] *zo.* оле́нь *m.*

harvest [ˈhɑːvist] **1.** жа́тва, убо́рка (хле́ба), сбор (я́блок и т. п.); урожа́й; **2.** собира́ть урожа́й.

has [hæz] 3. *p. sg. pres.* от have.

hash [hæʃ] **1.** ру́бленое мя́со; *fig.* пу́таница; **2.** [по]руби́ть, [по]кроши́ть (о мя́се).

hast|e [heist] поспе́шность *f*, торопли́вость *f*; make **~** [по]спеши́ть; **~en** [ˈheisn] [по]торопи́ть(ся); **~y** [ˈheisti] □ поспе́шный; вспы́льчивый; необду́манный.

hat [hæt] шля́па.

hatch [hætʃ] **1.** вы́водок; ⚓, ✈ люк; **2.** выси́живать [вы́сидеть] (цыпля́т и т. п.) (*a. fig.*); вылупля́ться из яйца́.

hatchet [ˈhætʃit] топо́рик.

hatchway [ˈhætʃwei] ⚓ люк.

hat|e [heit] **1.** не́нависть *f*; **2.** ненави́деть; **~eful** [ˈheitful] □ ненави́стный; **~red** [ˈheitrid] не́нависть *f*.

haught|iness [ˈhɔːtinis] надме́нность *f*, высокоме́рие; **~y** [-ti] □ надме́нный, высокоме́рный.

haul [hɔːl] **1.** перево́зка; тя́га; **2.** [по]тяну́ть; таска́ть, [по]тащи́ть; перевози́ть [-везти́].

haunch [hɔːntʃ] бедро́, ля́жка; за́дняя нога́.

haunt [hɔːnt] **1.** появля́ться [-ви́ться] в (П) (о при́зраке); ча́сто посеща́ть (ме́сто); **2.** люби́мое ме́сто; прито́н; **~**ed house дом с привиде́нием.

have [hæv] **1.** [*irr.*] *v/t.* име́ть; I **~** to do я до́лжен сде́лать; **~** one's hair cut стри́чься; he will **~** it that ... он наста́ивает на том, что́бы (+ *inf.*); I had better go мне бы лу́чше пойти́; I had rather go я предпочёл бы пойти́; **~** about one име́ть при себе́; **2.** *v/aux.* вспомога́тельный глаго́л для образо-

вáния·перфéктной фóрмы: I ~ come я пришёл.
haven ['heivn] гáвань *f*; убéжище.
havoc ['hævək] опустошéние.
hawk [hɔ:k] **1.** я́стреб; **2.** торговáть враснóс.
hawthorn ['hɔ:θɔ:n] ⚘ боя́рышник.
hay [hei] сéно; ~ fever сенная лихорáдка; **~cock, ~stack** копнá сéна; **~loft** сеновáл.
hazard ['hæzəd] **1.** шанс; риск; **2.** рисковáть [-кну́ть]; **~ous** ['hæzədəs] □ рискóванный.
haze [heiz] **1.** лёгкий тумáн, ды́мка; **2.** *Am.* зло подшу́чивать над (Т).
hazel ['heizl] **1.** ⚘ орéшник; **2.** кáрий (цвет); **~-nut** леснóй орéх.
hazy ['heizi] □ тумáнный; *fig.* сму́тный.
he [hi:] **1.** *pron. pers.* он; ~ who ... тот, кто ...; **2.** ~-... пéред назвáнием живóтного обозначáет самцá.
head [hed] **1.** *com.* головá; главá; начáльник; вождь *m*; изголóвье; лицевáя сторонá (монéты); come to a ~ назрé(вá)ть (о нары́ве); *fig.* дости́гнуть крити́ческой стáдии; get it into one's ~ that ... забрáть себé в гóлову, что ...; **2.** глáвный; **3.** *v/t.* возглавля́ть; ~ off отклоня́ть [-ни́ть]; *v/i.* направля́ться [-áвиться]; ~ for держáть курс на (В); **~ache** ['hedeik] головнáя боль *f*; **~-dress** головнóй убóр; причёска; **~ing** [-iŋ] заголóвок; **~land** мыс; **~light** ⛟ головнóй фонáрь *m*; *mot.* фáра; **~-line** заголóвок; **~long** *adj.* опромéтчивый; *adv.* опромéтчиво; очертя́ гóлову; **~master** дирéктор шкóлы; **~-phone** нау́шник; **~quarters** *pl.* ⚔ штаб-квартúра; **~strong** своевóльный, упря́мый; **~waters** *pl.* истóки *m/pl.*; **~way**: make ~ дéлать успéхи; **~y** ['hedi] □ стреми́тельный; опьяня́ющий.
heal [hi:l] излéчивать [-чи́ть], исцеля́ть [-ли́ть]; (*a.* ~ up) зажи́(вá)ть.
health [helθ] здорóвье; **~ful** ['helθful] □ целéбный; **~-resort** курóрт; **~y** ['helθi] □ здорóвый; полéзный.
heap [hi:p] **1.** ку́ча, мáсса; гру́да; **2.** нагромождáть [-мозди́ть]; нагружáть [-узи́ть]; накопля́ть [-пи́ть] (*a* ~ up).
hear [hiə] [*irr.*] [у]слы́шать; [по-] слу́шать; **~d** [hə:d] *pt.* и *p. pt.* от hear; **~er** ['hiərə] слу́шатель(ница *f*) *m*; **~ing** [-iŋ] слух; ⚖ слу́шание, разбóр дéла; **~say** ['hiəsei] слух, молвá.
hearse [hə:s] катафáлк.
heart [hɑ:t] *com.* сéрдце; му́жество; суть *f*; сердцеви́на; ~s *pl.* чéрви *f/pl.* (кáрточная масть); *fig.* сéрдце, душá; by ~ наизу́сть; out of ~ в уны́нии; lay to ~ принимáть бли́зко к сéрдцу; lose ~ теря́ть му́жество; take ~ собрáться с дýхом; **~ache** ['hɑ:teik] душéвная боль *f*; **~-break** си́льная печáль *f*; **~-broken** уби́тый гóрем; **~burn** изжóга; **~en** ['hɑ:tən] ободря́ть [-ри́ть]; **~felt** и́скренний.
hearth [hɑ:θ] очáг (*a. fig.*).
heart|less ['hɑ:tlis] □ бессердéчный; **~rending** душераздирáющий; **~y** ['hɑ:ti] □ дру́жеский, сердéчный; здорóвый.
heat [hi:t] **1.** *com.* жарá, жар; пыл; *sport* забéг, заплы́в, заéзд; **2.** нагрé(вá)ть(ся); топи́ть; [раз]горячи́ть; **~er** ['hi:tə] ⊕ нагревáтель *m*; калори́фер, радиáтор.
heath [hi:θ] мéстность, порóсшая вéреском; ⚘ вéреск.
heathen ['hi:ðən] **1.** язы́чник; **2.** язы́ческий.
heating ['hi:tiŋ] нагревáние; отоплéние; накáливание.
heave [hi:v] **1.** подъём; волнéние (мóря); **2.** [*irr.*] *v/t.* поднимáть [-ня́ть]; [по]тяну́ть (я́корь); *v/i.* вздымáться; напрягáться [-я́чься].
heaven ['hevn] небесá *n/pl.*, нéбо; **~ly** [-li] небéсный.
heaviness ['hevinis] тя́жесть *f*; инéртность *f*; депрéссия.
heavy ['hevi] □ *com.* тяжёлый; оби́льный (урожáй); си́льный (вéтер и т. п.); бу́рный (о мóре); мрáчный; неуклю́жий; ⚡ ~ current ток высóкого напряжéния; **~-weight** *sport* тяжеловéс.
heckle ['hekl] прерывáть замечáниями (орáтора).
hectic ['hektik] ⚕ чахóточный; лихорáдочный, возбуждённый.
hedge [hedʒ] **1.** и́згородь *f*; **2.** *v/t.* огорáживать и́згородью; ограни́чи(ва)ть; *fig.* окружáть [-жи́ть] (with T); *v/i.* уклоня́ться от прямóго отвéта; **~hog** *zo.* ёж.

heed [hi:d] **1.** внимáние, осторóжность *f*; take no ~ of не обращáть внимáния на (В); **2.** обращáть внимáние на (В); **~less** [-lis] □ небрéжный; необдýманный.
heel [hi:l] **1.** пя́тка; каблýк; *Am. sl.* хам, подлéц; head over ~s, ~s over head вверх тормáшками; down at ~ *fig.* неря́шливый; **2.** прибивáть каблýк к (Д); слéдовать по пятáм за (Т).
heifer ['hefə] тёлка.
height [hait] высотá; вышинá; возвы́шенность *f*; верх; **~en** ['haitn] повышáть [повы́сить]; усили-(ва)ть.
heinous ['heinəs] □ отврати́тельный, ужáсный.
heir [ɛə] наслéдник; ~ apparent закóнный наслéдник; **~ess** ['ɛəris] наслéдница; **~loom** [-lu:m] наслéдство.
held [held] *pt.* и *p. pt.* от hold.
helicopter ['helikɔptə] вертолёт.
hell [hel] ад; *attr.* áдский; raise ~ скандáлить, безобрáзничать; **~ish** ['heliʃ] □ áдский.
hello ['hʌ'lou, hə'lou] аллó!
helm [helm] ⚓ руль *m*, рулевóе колесó, штурвáл; *fig.* корми́ло.
helmet ['helmit] шлем.
helmsman ['helmzmən] ⚓ рулевóй; кóрмчий.
help [help] **1.** *com.* пóмощь *f*; спасéние; mother's ~ бóнна **2.** *v/t.* помогáть [помóчь] (Д); угощáть [угости́ть] (to Т); ~ o. s. не церемóниться, брать (за столóм); I could not ~ laughing я не мог не смея́ться; *v/i.* помогáть [-мóчь]; годи́ться; **~er** ['helpə] помóщник (-ица); **~ful** ['helpful] □ полéзный; **~ing** ['helpiŋ] пóрция; **~less** ['helplis] □ беспóмощный; **~lessness** [-nis] беспóмощность *f*; **~ mate** ['helpmeit], **~meet** [-mi:t] помóщник (-ица); товáрищ, подрýга; супрýг(а).
helve [helv] рýчка, рукоя́ть *f*.
hem [hem] **1.** рубéц, крóмка; **2.** подрубáть [-би́ть]; ~ in окружáть [-жи́ть].
hemisphere ['hemisfiə] полушáрие.
hemlock ['hemlɔk] ⚘ болиголóв.
hemp [hemp] конопля́, пенькá.
hemstitch ['hemstitʃ] ажýрная стрóчка.
hen [hen] кýрица; сáмка (пти́ца).
hence [hens] отсюда; слéдовательно; a year ~ чéрез год; **~forth** ['hens'fɔ:θ], **~forward** ['hens'fɔ:wəd] с э́того врéмени, впредь.
henpecked находя́щийся под башмакóм у жены́.
her [hə:, hə] её; ей.
herald ['herəld] **1.** вéстник; **2.** возвещáть [-вести́ть], объявля́ть [-ви́ть]; ~ in вводи́ть [ввести́].
herb [hə:b] (целéбная) травá; (пря́ное) растéние; **~ivorous** [hə:'bivərəs] травоя́дный.
herd [hə:d] **1.** стáдо, гурт; *fig.* толпá; **2.** *v/t.* пасти́ (скот); *v/i.* (*a.* ~ together) ходи́ть стáдом; [с]толпи́ться; **~sman** ['hə:dzmən] пастýх.
here [hiə] здесь, тут; сюдá; вот; ~'s to you! за вáше здорóвье!
here|after [hiər'ɑ:ftə] **1.** в бýдущем; **2.** бýдущее; **~by** э́тим, настоя́щим; при сём; таки́м óбразом.
heredit|ary [hi'reditəri] наслéдственный; **~y** [-ti] наслéдственность *f*.
here|in ['hiər'in] в э́том; здесь; при сём; **~of** э́того, об э́том; отсю́да, из э́того.
heresy ['herisi] éресь *f*.
heretic ['heritik] ерети́к (-и́чка).
here|tofore ['hiətu'fɔ:] прéжде, до э́того; **~upon** вслед за э́тим, пóсле э́того; вслéдствие э́того; **~with** настоя́щим, при сём.
heritage ['heritidʒ] наслéдство; наслéдие (*mst fig.*).
hermit ['hə:mit] отшéльник, пусты́нник.
hero ['hiərou] герóй; **~ic** [-'rouik] (~ally) герои́ческий, герóйский; **~ine** ['herouin] герои́ня; **~ism** [-izm] герои́зм.
heron ['herən] *zo.* цáпля.
herring ['heriŋ] сельдь *f*, селёдка.
hers [hə:z] *pron. poss.* её.
herself [hə:'self] самá; себя́, -ся, -сь.
hesitat|e ['heziteit] [по]колебáться; запинáться [запнýться]; **~ion** [hezi'teiʃən] колебáние; запи́нка.
hew [hju:] [*irr.*] руби́ть; разрубáть [-би́ть]; проклáдывать [проложи́ть] (дорóгу); высекáть [вы́сечь].
hey [hei] эй!
heyday ['heidei] *fig.* зени́т, расцвéт.

hicc|up, [ˈhikʌp] *a.* **~ough 1.** икóта; **2.** икáть [икнýть].

hid [hid], **hidden** [ˈhidn] *pt* и *p. pt.* от hide.

hide [haid] [*irr.*] [с]прятать(ся); скры́(вá)ть(ся); **~-and-seek** игрá в прятки.

hidebound [ˈheidbaund] *fig.* ýзкий, ограни́ченный.

hideous [ˈhidiəs] □ отврати́тельный, ужáсный.

hiding-place потаённое мéсто, убéжище.

high [hai] **1.** *adj.* □ *com.* высóкий; возвы́шенный; си́льный; вы́сший, верхóвный; дорогóй (о ценé); с душкóм (мя́со); with a ~ hand своевóльно, влáстно; ~ spirits *pl.* припóднятое настроéние; ~ life вы́сшее óбщество; ~ light основнóй момéнт; ~ words гнéвные словá *n/pl.*; **2.** *adv.* высокó; си́льно; **~-bred** порóдистый; **~-brow** *Am. sl.* претенциóзный интеллигéнт; **~-class** первоклáссный; **~-day** прáздник; **~-grade** высокопроцéнтный; высокосóртный; **~-handed** своевóльный; повели́тельный; **~lands** *pl.* гóрная странá; **~ly** [ˈhaili] óчень, весьмá; speak ~ of положи́тельно отзывáться о (П); **~-minded** возвы́шенный, благорóдный; **~ness** [ˈhainis] возвы́шенность *f*; *fig.* высóчество; **~-power**: ~ station мóщная электростáнция; **~-road** шоссé *n, indecl.*; глáвная дорóга; **~-strung** óчень чувстви́тельный; **~way** большáя дорóга, шоссé; *fig.* прямóй путь *m*; **~wayman** разбóйник.

hike [haik] F **1.** пешехóдная экскýрсия; **2.** путешéствовать пешкóм; **~r** [ˈheikə] пешехóдный путешéственник; стрáнник (-ица).

hilarious [hiˈlɛəriəs] □ (шýмно) весёлый.

hill [hil] холм, возвышéние; **~billy** *Am.* [ˈhilbili] человéк из глухóй стороны́; **~ock** [ˈhilək] хóлмик; **~y** [-i] холми́стый.

hilt [hilt] рукоя́тка (сáбли и т. п.).

him [him] *pron. pers.* (кóсвенный падéж от he) егó, емý; **~self** [himˈself] сам; себя́, -ся, -сь.

hind [haind] **1.** лань *f*; **2.** ~ leg зáдняя ногá; **~er 1.** [ˈhaində] *adj.* зáдний; **2.** [ˈhində] *v/t.* [по]мешáть, препя́тствовать (Д); **~most** сáмый зáдний.

hindrance [ˈhindrəns] помéха, препя́тствие.

hinge [hindʒ] **1.** пéтля; крюк; шарни́р; *fig.* стéржень *m*, суть *f*; **2.** ~ upon *fig.* зави́сеть от (Р).

hint [hint] **1.** намёк; **2.** намекáть [-кнýть] (at на В).

hip [hip] бедрó; ⚘ я́года шипóвника.

hippopotamus [hipəˈpɔtəməs] гиппопотáм.

hire [haiə] **1.** наём, прокáт; **2.** нанимáть [наня́ть]; ~ out сдавáть в наём, давáть напрокáт.

his [hiz] *pron. poss.* егó, свой.

hiss [his] *v/i.* [про]шипéть; *v/t.* осви́стывать [-стáть].

histor|ian [hisˈtɔːriən] истóрик; **~ic(al** □) [hisˈtɔrik, -rikəl] истори́ческий; **~y** [ˈhistəri] истóрия.

hit [hit] **1.** удáр, толчóк; попадáние (в цель); *thea.*, ♪ успéх, боеви́к; **2.** [*irr.*] ударя́ть [удáрить]; поражáть [порази́ть]; попадáть [попáсть] в (цель и т. п.); *Am.* F прибы́(вá)ть в (В); ~ a p. a blow наноси́ть удáр (Д); F ~ it off with [по-]лáдить с (Т); ~ (up)on находи́ть [найти́] (В); нападáть [напáсть] на (В).

hitch [hitʃ] **1.** толчóк, рывóк; ⚓ пéтля, ýзел; *fig.* препя́тствие; **2.** подтáлкивать [-толкнýть]; зацепля́ть(ся) [-пи́ть(ся)], прицепля́ть (-ся) [-пи́ть(ся)]; **~-hike** *Am.* F *mot.* путешéствовать, пóльзуясь попýтными автомоби́лями.

hither [ˈhiðə] *lit.* сюдá; **~to** [-ˈtuː] *lit.* до сих пор.

hive [haiv] **1.** ýлей; рой пчёл; *fig.* людскóй муравéйник; **2.** ~ up запасáть [-сти́]; жить вмéсте.

hoard [hɔːd] **1.** запáс, склад; **2.** накопля́ть [-пи́ть]; запасáть [-сти́] (В); припря́т(ыв)ать.

hoarfrost [ˈhɔːˈfrɔst] и́ней.

hoarse [hɔːs] □ хри́плый, охри́пший.

hoary [ˈhɔːry] седóй; покры́тый и́неем.

hoax [houks] **1.** обмáн, мистификáция; **2.** подшýчивать [-ути́ть] над (Т), мистифици́ровать (*im*)*pf.*

hobble [ˈhɔbl] **1.** прихрáмывающая похóдка; **2.** *v/i.* прихрáмывать; *v/t.* [с]трено́жить (лóшадь).

hobby [ˈhɔbi] *fig.* конёк, люби́мое заня́тие.

hobgoblin ['hɔbgɔblin] домовой.
hobo ['houbou] *Am.* F бродяга *m.*
hod [hɔd] лоток (для подноса кирпичей); корыто (для извести).
hoe [hou] 𝄪 **1.** мотыга; **2.** мотыжить; разрыхлять [-лить] (мотыгой).
hog [hɔg] **1.** свинья (*a. fig.*); боров; **2.** выгибать спину; коротко подстригать (гриву); **~gish** ['hɔgiʃ] □ свинский; обжорливый.
hoist [hɔist] **1.** лебёдка; лифт; **2.** поднимать [-нять].
hold [hould] **1.** владение; захват; власть *f,* влияние; ⚓ трюм; catch (*or* get, lay, take) ~ of схватывать [схватить] (В); keep ~ of удерживать [-жать] (В); **2.** [*irr.*] *v/t.* держать; выдерживать [выдержать]; останавливать [-новить]; проводить [-вести] (собрание и т. п.); завладе(ва)ть (вниманием); занимать [-нять]; вмещать [вместить]; ~ one's own отстаивать свою позицию; ~ the line! *teleph.* не вешайте трубку; ~ over откладывать [отложить]; ~ up поддерживать [-жать]; задерживать [-жать]; остановить с целью грабежа; **3.** *v/i.* останавливаться [-новиться]; держаться (о погоде); ~ forth рассуждать; разглагольствовать; ~ good (*or* true) иметь силу; ~ off держаться поодаль; ~ on держаться за (В); ~ to придерживаться (Р); ~ up держаться прямо; **~er** ['houldə] арендатор; владелец; **~ing** [-iŋ] участок земли; владение; **~-over** *Am.* пережиток; **~-up** *Am.* налёт, ограбление.
hole [houl] дыра, отверстие; яма; нора; F *fig.* затруднительное положение; pick ~s in находить недостатки в (П).
holiday ['hɔlədi] праздник; день отдыха; отпуск; ~s *pl.* каникулы *f/pl.*
hollow ['hɔlou] **1.** □ пустой, полый; впалый, ввалившийся; **2.** пустота; дупло; лощина; **3.** выдалбливать [выдолбить].
holly ['hɔli] ⚘ остролист, падуб.
holster ['houlstə] кобура.
holy ['houli] святой, священный; ~ water святая вода; ♀ Week страстная неделя.
homage ['hɔmidʒ] почтение, уважение; do (*or* pay, render) ~ оказывать почтение (to Д).
home [houm] **1.** дом, жилище; родина; at ~ дома; **2.** *adj.* домашний; внутренний; ♀ Office, *Am.* ♀ Departement министерство внутренних дел; ♀ Secretary министр внутренних дел; **3.** *adv.* домой; hit (*or* strike) ~ попасть в цель; **~-felt** прочувствованный, сердечный; **~less** ['houmlis] бездомный; **~like** уютный; **~ly** [-li] *fig.* простой, обыденный; домашний; некрасивый; **~-made** домашнего изготовления; **~sickness** тоска по родине; **~stead** дом с участком земли; усадьба; **~ward**(**s**) [-wəd(s)] домой.
homicide ['hɔmisaid] убийство; убийца *m/f.*
homogeneous [hɔmo'dʒi:niəs] □ однородный.
hone [houn] **1.** оселок, точильный камень *m*; **2.** [на]точить.
honest ['ɔnist] □ честный; **~y** [-i] честность *f.*
honey ['hʌni] мёд; my ~! душенька!; **~comb** ['hʌnikoum] соты *m/pl.*; **~ed** ['hʌnid] медовый; **~-moon** **1.** медовый месяц; **2.** проводить медовый месяц.
honorary ['ɔnərəri] почётный.
hono(**u**)**r** ['ɔnə] **1.** честь *f*; честность *f*; почёт; почесть *f*; Your ♀ ваша честь *f*; **2.** почитать [-чтить]; удостаивать [-стоить]; ✝ платить в срок (по векселю); **~able** ['ɔnərəbl] □ почётный; благородный; почтенный.
hood [hud] **1.** капюшон; *mot.* капот; **2.** покрывать капюшоном.
hoodwink ['hudwiŋk] обманывать [-нуть].
hoof [hu:f] копыто.
hook [hu:k] **1.** крюк, крючок; багор; серп; by ~ or by crook правдами и неправдами, так или иначе; **2.** зацеплять [-пить]; застёгивать(ся) [-стегнуть(ся)].
hoop [hu:p] **1.** обруч; ⊕ обойма, бугель *m,* кольцо; **2.** набивать обручи на (В); скреплять обручем.
hooping-cough коклюш.
hoot [hu:t] **1.** крик совы; гиканье; **2.** *v/i.* [за]улюлюкать, [за]гикать; *mot.* [за]гудеть; *v/t.* освистывать [-истать].

hop [hɔp] **1.** ⚘ хмель *m*; прыжо́к; *sl.* танцева́льный ве́чер; **2.** собира́ть хмель; скака́ть, пры́гать на одно́й ноге́.

hope [houp] **1.** наде́жда; **2.** наде́яться (for на В); ~ in полага́ться [положи́ться] на (В); **~ful** ['houpful] □ подаю́щий наде́жды; наде́ющийся; **~less** [-lis] □ безнадёжный.

horde [hɔ:d] орда́; вата́га, ша́йка.

horizon [ho'raizn] горизо́нт; *fig.* кругозо́р.

horn [hɔ:n] рог; *mot.* гудо́к; ♪ рожо́к; ~ of plenty рог изоби́лия.

hornet ['hɔ:nit] *zo.* ше́ршень *m.*

horny ['hɔ:ni] □ мозо́листый.

horr|ible ['hɔrəbl] □ стра́шный, ужа́сный, **~id** ['hɔrid] □ ужа́сный; проти́вный; **~ify** ['hɔrifai] ужаса́ть [-сну́ть]; шоки́ровать; **~or** ['hɔrə] у́жас; отвраще́ние.

horse [hɔ:s] ло́шадь *f*, конь *m*; ко́злы *f/pl.*; *sport* конь *m*; take ~ сесть на ло́шадь; **~back**: on ~ верхо́м; **~hair** ко́нский во́лос; **~-laugh** F гру́бый, гро́мкий хо́хот; **~man** [-mən] вса́дник, верхово́й; **~power** лошади́ная си́ла; **~-radish** ⚘ хрен; **~shoe** подко́ва.

horticulture ['hɔ:tikʌltʃə] садово́дство.

hose [houz] ✝ *coll.* чулки́ *m/pl.* (как назва́ние това́ра); шланг.

hosiery ['houʒəri] ✝ чуло́чные изде́лия *n/pl.*, трикота́ж.

hospitable ['hɔspitəbl] □ гостеприи́мный.

hospital ['hɔspitl] больни́ца, го́спиталь *m*; **~ity** [hɔspi'tæliti] гостеприи́мство.

host [houst] хозя́ин; содержа́тель гости́ницы; *fig.* мно́жество; ~s of heaven *eccl.* а́нгелы, си́лы небе́сные.

hostage ['hɔstidʒ] зало́жник (-ица).

hostel ['hɔstəl] общежи́тие; турба́за.

hostess ['houstis] хозя́йка (*s.* host).

hostil|e ['hɔstail] вражде́бный; **~ity** [hɔs'tiliti] вражде́бность *f*; вражде́бный акт.

hot [hɔt] горя́чий; жа́ркий; пы́лкий; ~ dogs горя́чие соси́ски *f/pl.*; **~bed** парни́к; *fig.* оча́г.

hotchpotch ['hɔtʃpɔtʃ] овощно́й суп; *fig.* вся́кая вся́чина.

hotel [ho(u)'tel] оте́ль *m*, гости́ница.

hot|headed опроме́тчивый; **~-house** оранжере́я, тепли́ца; **~-spur** вспы́льчивый челове́к.

hound [haund] **1.** го́нчая соба́ка; *fig.* негодя́й, подле́ц; **2.** трави́ть соба́ками.

hour [auə] час; вре́мя; **~ly** ['auəli] [ежеча́сный.]

house 1. [haus] *com.* дом; зда́ние; *parl.* пала́та; *univ.* колле́дж; **2.** [hauz] *v/t.* поселя́ть [-ли́ть]; помеща́ть [-сти́ть]; приюти́ть *pf.*; *v/i.* помеща́ться [-сти́ться]; жить; **~-breaker** взло́мщик, громи́ла *m*; **~-check** *Am.* о́быск; **~hold** дома́шнее хозя́йство; домоча́дцы *m/pl.*; **~holder** глава́ семьи́; **~-keeper** эконо́мка; **~keeping** дома́шнее хозя́йство, домово́дство; **~warming** новосе́лье; **~wife** хозя́йка; **~wifery** ['hauswifəri] дома́шнее хозя́йство; домово́дство.

housing ['hauziŋ] снабже́ние жили́щем; жили́щное строи́тельство.

hove [houv] *pt.* и *p. pt.* от heave.

hovel ['hɔvəl] наве́с; лачу́га, хиба́рка.

hover ['hɔvə] пари́ть (о пти́це); *fig.* колеба́ться, не реша́ться.

how [hau] как?, каки́м о́бразом?; ~ about ...? как обстои́т де́ло с (Т)?; **~ever** [hau'əvə] **1.** *adv.* как бы ни; **2.** *cj.* одна́ко, тем не ме́нее.

howl [haul] **1.** вой, завыва́ние; **2.** [за]вы́ть; **~er** ['haulə] *sl.* гру́бая оши́бка.

hub [hʌb] ступи́ца (колеса́), втýлка; *fig.* центр (внима́ния).

hubbub ['hʌbʌb] шум, гам.

huckster ['hʌkstə] мелочно́й торго́вец; бары́шник.

huddle ['hʌdl] **1.** сва́ливать в ку́чу, укла́дывать кое-ка́к; сверну́ться «кала́чиком»; ~ on надева́ть на́спех; **2.** ку́ча; су́толока, сумато́ха.

hue [hju:] отте́нок; ~ and cry пого́ня с кри́ками.

huff [hʌf] **1.** раздраже́ние; **2.** *v/t.* задира́ть; запу́гивать [-га́ть]; *v/i.* оскорбля́ться [-би́ться], обижа́ться [оби́деться].

hug [hʌg] **1.** объя́тие; **2.** обнима́ть [-ня́ть]; *fig.* быть приве́рженным, скло́нным к (Д).

huge [hju:dʒ] □ огро́мный, гига́нтский; **~ness** ['hju:dʒnis] огро́мность *f.*

hulk [hʌlk] *fig.* большо́й, неуклю́жий челове́к.
hull [hʌl] **1.** ⚘ шелуха́, скорлупа́; ко́рпус (корабля́); **2.** [на]шелуши́ть, [об]лущи́ть.
hum [hʌm] [за]жужжа́ть; напева́ть; F make things ~ вноси́ть оживле́ние в рабо́ту.
human ['hju:mən] **1.** □ челове́ческий; **~ly** по-челове́чески; **2.** F челове́к; **~e** [hju:'mein] □ гума́нный, челове́чный; **~itarian** [hjumæni'tɛəriən] филантро́п; **2.** гуманита́рный; гума́нный; **~ity** [hju'mæniti] челове́чество; гума́нность *f*; **~kind** ['hju:mən'kaind] людско́й род.
humble ['hʌmbl] **1.** □ скро́мный; поко́рный, смире́нный; **2.** унижа́ть [уни́зить]; смиря́ть [-ри́ть].
humble-bee ['hʌmblbi:] шмель *m.*
humbleness [-nis] скро́мность *f*; поко́рность *f.*
humbug ['hʌmbʌg] чепуха́; хвасту́н.
humdrum ['hʌmdrʌm] бана́льный, ску́чный.
humid ['hju:mid] сыро́й, вла́жный; **~ity** [hju'miditi] сы́рость *f*, вла́га.
humiliat|e [hju'milieit] унижа́ть [уни́зить]; **~ion** [hjumili'eiʃən] униже́ние.
humility [hju'militi] смире́ние; поко́рность *f.*
humming ['hʌmiŋ] F мо́щный; **~bird** *zo.* коли́бри *m/f indecl.*
humorous ['hju:mərəs] □ юмористи́ческий; коми́ческий.
humo(u)r ['hju:mə] **1.** ю́мор; шутли́вость *f*; настрое́ние; out of ~ не в ду́хе; **2.** потака́ть (Д); ублажа́ть [-жи́ть].
hump [hʌmp] **1.** горб; **2.** [с]го́рбить(ся).
hunch [hʌntʃ] **1.** горб; *Am.* подозре́ние; ломо́ть *m*; **2.** [с]го́рбить (-ся) (*a.* ~ out, up); **~back** горбу́н(ья).
hundred ['hʌndrəd] **1.** сто; **2.** со́тня; **~th** [-θ] со́тый; со́тая часть *f*; **~weight** це́нтнер.
hung [hʌŋ] *pt.* и *p.pt.* от hang.
Hungarian [hʌŋ'gɛəriən] **1.** венге́рец (-рка); **2.** венге́рский.
hunger ['hʌŋgə] **1.** го́лод; *fig.* жа́жда; **2.** *v/i.* голода́ть; быть голо́дным; *fig.* жа́ждать (for P).
hungry ['hʌŋgri] □ голо́дный.
hunk [hʌŋk] то́лстый кусо́к.
hunt [hʌnt] **1.** охо́та; по́иски *m/pl.* (for P); **2.** охо́титься на (В) *or* за (Т); трави́ть; ~ out *or* up отыски́вать [-ка́ть]; ~ for *fig.* охо́титься за (Т), иска́ть (P *or* B); **~er** ['hʌntə] охо́тник; охо́тничья ло́шадь *f*; **~ing-ground** райо́н охо́ты.
hurdle ['hə:dl] препя́тствие, барье́р; **~-race** ска́чки с препя́тствиями; барье́рный бег.
hurl [hə:l] **1.** си́льный бросо́к; **2.** швыря́ть [-рну́ть], мета́ть [метну́ть].
hurricane ['hʌrikən] урага́н.
hurried ['hʌrid] □ торопли́вый.
hurry ['hʌri] **1.** торопли́вость *f*, поспе́шность *f*; **2.** *v/t.* [по]торопи́ть; поспе́шно посыла́ть; *v/i.* [по]спеши́ть (*a.* ~ up).
hurt [hə:t] **1.** поврежде́ние; **2.** [*irr.*] (*a. fig.*) причиня́ть боль; поврежда́ть [-еди́ть]; боле́ть (о ча́сти те́ла).
husband ['hʌzbənd] **1.** муж, супру́г; **2.** [с]эконо́мить, эконо́мно расхо́довать.
hush [hʌʃ] **1.** тишина́, молча́ние; **2.** ти́ше!; **3.** водворя́ть тишину́; ~ up зама́лчивать [замолча́ть]; *v/i.* успока́иваться [-ко́иться]; утиха́ть [ути́хнуть].
husk [hʌsk] **1.** ⚘ шелуха́; **2.** очища́ть от шелухи́, [на]шелуши́ть; **~y** ['hʌski] □ си́плый, охри́пший (го́лос); *Am.* ро́слый.
hustle ['hʌsl] **1.** *v/t.* толка́ть [-кну́ть]; [по]торопи́ть; понужда́ть [-ну́дить]; *v/i.* толка́ться [-кну́ться]; [по]торопи́ться; *part. Am.* бы́стро де́йствовать; **2.** толкотня́; *Am.* F энерги́чная де́ятельность *f*; ~ and bustle толкотня́ и шум.
hut [hʌt] хи́жина, хиба́рка; бара́к.
hutch [hʌtʃ] кле́тка (для кро́ликов и т. п.).
hybrid ['haibrid] 🕮 гибри́д, по́месь *f*; **~ize** ['haibridaiz] скре́щивать [-ести́ть] (расте́ния, живо́тных).
hydro... ['haidro...] 🕮 водо...; **~chloric** [-'klɔrik]: ~ acid соля́ная кислота́; **~gen** ['haidridʒən] ⚗ водоро́д; **~pathy** [hai'drɔpəθi] водолече́ние; **~phobia** ['haidrə'foubiə] водобоя́знь *f*; **~plane** ['haidroplein] гидропла́н.

hygiene ['haidʒi:n] гигие́на.
hymn [him] **1.** церко́вный гимн; **2.** петь ги́мны.
hyphen ['haifən] **1.** дефи́с, соедини́тельная чёрточка; **2.** писа́ть через чёрточку.
hypnotize ['hipnətaiz] [за]гипнотизи́ровать.
hypo|chondriac [haipo'kɔndriæk] ипохо́ндрик; **~crisy** [hi'pɔkrəsi] лицеме́рие; **~crite** ['hipokrit] лицеме́р; **~critical** [hipo'kritikəl] □ лицеме́рный; **~thesis** [hai'pɔθisis] гипо́теза, предположе́ние.
hyster|ical [his'terikəl] □ истери́чный; **~ics** [his'teriks] *pl.* исте́рика.

I

I [ai] *pers. pron.* я.
ice [ais] **1.** лёд; моро́женое; **2.** замора́живать [-ро́зить]; покрыва́ть льдом; глазирова́ть *(im)pf.*; **~-age** ледниково́й пери́од; **~-bound** затёртый льда́ми; **~-box, ~-chest** холоди́льник, ле́дник; **~-cream** моро́женое.
icicle ['aissikl] (ледяна́я) сосу́лька.
icing ['aisiŋ] са́харная глазу́рь *f*; ✝ обледене́ние.
icy ['aisi] □ ледяно́й.
idea [ai'diə] иде́я; поня́тие, представле́ние; мысль *f*; **~l** [-l] **1.** □ идеа́льный; вообража́емый; **2.** идеа́л.
identi|cal [ai'dentikəl] □ тожде́ственный; одина́ковый; **~fication** [ai'dentifi'keiʃən] отождествле́ние; установле́ние ли́чности; **~fy** [-fai] отождествля́ть [-ви́ть]; устана́вливать ли́чность (то́ждество) (P); **~ty** [-ti] тожде́ственность *f*; ~ card удостовере́ние ли́чности.
idiom ['idiəm] идио́ма; го́вор.
idiot ['idiət] идио́т(ка); **~ic** [idi'ɔtik] (-ally) идио́тский.
idle ['aidl] **1.** □ neза́нятый; безрабо́тный; лени́вый; пра́здный; тще́тный; ⊕ безде́йствующий, холосто́й; ~ hours *pl.* часы́ досу́га; **2.** *v/t.* проводи́ть (вре́мя) без де́ла (*mst* ~ away); *v/i.* лени́ться, безде́льничать; **~ness** [-nis] пра́здность *f*, безде́лье; **~r** [-ə] безде́льник (-ица), лентя́й(ка).
idol ['aidl] и́дол; *fig.* куми́р; **~atry** [ai'dɔlətri] идолопокло́нство; обожа́ние; **~ize** ['aidəlaiz] боготвори́ть.
idyl(l) ['aidil] иди́ллия.
if [if] *cj.* е́сли; е́сли бы; (= whether) ли: ~ he knows зна́ет ли он.
ignit|e [ig'nait] зажига́ть [-же́чь]; загора́ться [-ре́ться], воспламеня́ться [-ни́ться]; **~ion** [ig'niʃən] *mot.* зажига́ние; запа́л; *attr.* запа́льный.
ignoble [ig'noubl] □ ни́зкий, позо́рный.
ignor|ance ['ignərəns] неве́жество; неве́дение; **~ant** [-rənt] неве́жественный; несве́дущий; **~e** [ig'nɔ:] игнори́ровать *(im)pf.*; ⚖ отверга́ть [-е́ргнуть].
ill [il] **1.** *adj.* больно́й, нездоро́вый; дурно́й; **2.** *adv.* едва́ ли; пло́хо, ду́рно; **3.** зло, вред.
ill|-advised неблагоразу́мный; **~-bred** невоспи́танный.
illegal [i'li:gəl] □ незако́нный.
illegible [i'ledʒəbl] □ неразбо́рчивый.
illegitimate [ili'dʒitimit] □ незако́нный; незаконнорождённый.
ill|-favo(u)red некраси́вый; неприя́тный; **~-humo(u)red** в дурно́м настрое́нии, не в ду́хе.
illiberal [i'libərəl] □ ограни́ченный (о взгля́дах); скупо́й.
illicit [i'lisit] □ запрещённый (зако́ном).
illiterate [i'litərit] □ **1.** негра́мотный; **2.** необразо́ванный челове́к; не́уч.
ill|-mannered невоспи́танный, гру́бый; **~-natured** □ дурно́го нра́ва, зло́бный.
illness ['ilnis] боле́знь *f*.
ill|-timed несвоевре́менный, неподходя́щий; **~-treat** пло́хо обраща́ться с (T).
illumin|ate [i'lju:mineit] освеща́ть [-ети́ть], озаря́ть [-ри́ть]; просвеща́ть [-ети́ть]; пролива́ть свет

на (В); **~ating** [-neitiŋ] освещáющий, осветúтельный; **~ation** [ilju:miˈneiʃən] освещéние; иллюминáция.
illus|ion [iˈlu:ʒən] иллю́зия, обмáн чувств; **~ive** [-siv], □ **~ory** □ обмáнчивый, иллюзóрный.
illustrat|e [ˈiləstreit] иллюстрúровать *(im)pf.*; пояснять [-нúть]; **~ion** [iləsˈtreiʃən] иллюстрáция; **~ive** [ˈiləstreitiv] □ иллюстратúвный.
illustrious [iˈlʌstriəs] □ знаменúтый.
ill-will недоброжелáтельность *f.*
image [ˈimidʒ] óбраз; изображéние; отражéние; подóбие.
imagin|able [iˈmædʒinəbl] □ вообразúмый; **~ary** [-nəri] воображáемый; мнúмый; **~ation** [imædʒiˈneiʃən] воображéние, фантáзия; **~ative** [iˈmæddʒinətiv] □ одарённый воображéнием; **~e** [iˈmædʒin] воображáть [-разúть]; представля́ть [-áвить] себé.
imbecile [ˈimbisail] **1.** □ слабоýмный; **2.** глупéц.
imbibe [imˈbaib] впúтывать [впитáть], вдыхáть [вдохнýть]; *fig.* усвáивать [усвóить] (идéи).
imbue [imˈbju:] насыщáть [-ы́тить]; окрáшивать [окрáсить]; *fig.* наполня́ть [-óлнить].
imita|te [ˈimiteit] подражáть (Д); передрáзнивать [-нúть]; поддéл(ыв)ать; **~tion** [imiˈteiʃən] подражáние; поддéлка, суррогáт; *attr.* поддéльный, искýсственный.
immaculate [iˈmækjulit] □ безукорúзненный; незапя́тнанный (*a. fig.*).
immaterial [iməˈtiəriəl] □ несущéственный, невáжный; невещéственный.
immature [iməˈtjuə] незрéлый; недорáзвитый.
immediate [iˈmi:djət] □ непосрéдственный; ближáйший; безотлагáтельный; **~ly** [-li] *adv.* непосрéдственно; немéдленно.
immense [iˈmens] □ огрóмный.
immerse [iˈmə:s] погружáть [-узúть], окунáть [-нýть]; *fig.* ~ o. s. in погружáться [-узúться] в (В).
immigra|nt [ˈimigrənt] иммигрáнт(ка); **~te** [greit] иммигрúровать *(im)pf.*; **~tion** [imiˈgreiʃən] иммигрáция.
imminent [ˈiminənt] □ грозя́щий, навúсший.
immobile [iˈmoubail] неподвúжный.
immoderate [iˈmɔdərit] неумéренный, чрезмéрный.
immodest [iˈmɔdist] □ нескрóмный.
immoral [iˈmɔrəl] □ безнрáвственный.
immortal [iˈmɔ:tl] □ бессмéртный.
immovable [iˈmu:vəbl] □ недвижимый, неподвúжный; непоколебúмый.
immun|e [iˈmju:n] невосприúмчивый (from к Д); иммýнный; **~ity** [-iti] освобождéние (от платежá); ⚖ иммунитéт, невосприúмчивость *f* (from к Д); *pol.* иммунитéт.
imp [imp] бесёнок; шалунúшка *m/f.*
impair [imˈpɛə] ослабля́ть [-áбить]; [ис]пóртить; повреждáть [-едúть].
impart [imˈpɑ:t] прид(ав)áть; перед(ав)áть (нóвости т. п.).
impartial [imˈpɑ:ʃəl] □ беспристрáстный, непредвзя́тый; **~ity** [ˈimpɑ:ʃiˈæliti] беспристрáстность *f.*
impassable [imˈpɑ:səbl] □ непроходúмый, непроéзжий.
impassioned [imˈpæʃənd] стрáстный, пы́лкий.
impassive [imˈpæsiv] □ спокóйный, безмятéжный.
impatien|ce [imˈpeiʃəns] нетерпéние; **~t** [-t] □ нетерпелúвый.
impeach [imˈpi:tʃ] порицáть; набрáсывать тень на (В).
impeccable [imˈpekəbl] □ безупрéчный; непогрешúмый.
impede [imˈpi:d] [вос]препя́тствовать (Д); [по]мешáть (Д).
impediment [imˈpedimənt] помéха; задéржка.
impel [imˈpel] принуждáть [-ýдить].
impend [imˈpend] нависáть [-úснуть]; надвигáться [-úнуться].
impenetrable [imˈpenitrəbl] □ непроходúмый; непроницáемый; *fig.* непостижúмый.
imperative [imˈperətiv] □ повелúтельный, влáстный; крáйне необходúмый.
imperceptible [impəˈseptəbl] □ незамéтный.
imperfect [imˈpə:fikt] □ непóлный; несовершéнный, дефéктный.

imperial [im'piəriəl] □ импе́рский; императо́рский; госуда́рственный.
imperil [im'peril] подверга́ть опа́сности.
imperious [im'piəriəs] □ вла́стный; настоя́тельный; высокоме́рный.
impermeable [im'pə:miəbl] непроница́емый.
impersonal [im'pə:snl] □ безли́чный.
impersonate [im'pə:səneit] олицетворя́ть [-ри́ть]; исполня́ть роль (Р).
impertinen|ce [im'pə:tinəns] де́рзость *f*; **~t** [-nənt] □ де́рзкий.
impervious [im'pə:viəs] □ непроница́емый, непроходи́мый; глухо́й (to к Д).
impetu|ous [im'petjuəs] □ стреми́тельный; **~s** ['impitəs] дви́жущая си́ла.
impiety [im'paiəti] неве́рие; неуваже́ние.
impinge [im'pindʒ] *v/i.* ударя́ться [уда́риться] (on о В); покуша́ться [-уси́ться] (on на В).
impious ['impiəs] □ нечести́вый.
implacable [im'pleikəbl] □ неумоли́мый; непримири́мый.
implant [im'plɑ:nt] насажда́ть [насади́ть]; внуша́ть [-ши́ть].
implement ['implimənt] **1.** инструме́нт; ору́дие; принадле́жность *f*; **2.** выполня́ть [вы́полнить].
implicat|e ['implikeit] вовлека́ть [-е́чь], впу́т(ыв)ать; заключа́ть в себе́; **~ion** [impli'keiʃən] вовлече́ние; вы́вод.
implicit [im'plisit] □ безоговоро́чный; подразумева́емый.
implore [im'plɔ:] умоля́ть [-ли́ть].
imply [im'plai] подразумева́ть; намека́ть [-кну́ть] на (В); зна́чить.
impolite [impo'lait] □ неве́жливый, неучти́вый.
impolitic [im'pɔlitik] □ нецелесообра́зный.
import **1.** ['impɔ:t] ввоз, и́мпорт; **~s** *pl.* ввози́мые това́ры *m/pl.*; **2.** [im'pɔ:t] ввози́ть [ввезти́], импорти́ровать (*im*)*pf.*; име́ть значе́ние; **~ance** [im'pɔ:təns] значи́тельность *f*, ва́жность *f*; **~ant** [-tənt] □ ва́жный, значи́тельный; **~ation** [impɔ:'teiʃən] ввоз, и́мпорт.
importun|ate [im'pɔ:tjunit] □ назо́йливый; **~e** [im'pɔ:tju:n] докуча́ть (Д), надоеда́ть [-е́сть] (Д).
impos|e [im'pəuz] *v/t.* навя́зывать [-за́ть]; облага́ть [обложи́ть]; *v/i.* ~ upon производи́ть впечатле́ние на (В), импони́ровать (Д); **~ition** [impə'ziʃən] наложе́ние; обложе́ние.
impossib|ility [im'pɔsə'biliti] невозмо́жность *f*; невероя́тность *f*; **~le** [im'pɔsəbl] □ невозмо́жный; невероя́тный.
impost|or [im'pɔstə] обма́нщик; самозва́нец; **~ure** [im'pɔstʃə] обма́н, плутовство́.
impoten|ce ['impotəns] беcси́лие, сла́бость *f*; **~t** [-tənt] бесси́льный, сла́бый.
impoverish [im'pɔvəriʃ] доводи́ть до бе́дности; обедня́ть [-ни́ть].
impracticable [im'præktikəbl] □ неисполни́мый, неосуществи́мый.
impregnate ['impregneit] оплодотворя́ть [-ри́ть]; ⚗ насыща́ть [-ы́тить], пропи́тывать [-пита́ть].
impress **1.** ['impres] отпеча́ток (*a. fig.*); *typ.* о́ттиск; **2.** [im'pres] отпеча́т(ыв)ать; запечатле́(ва́)ть; внуша́ть [-ши́ть] (on Д); производи́ть впечатле́ние на (В); **~ion** [im'preʃən] впечатле́ние; *typ.* о́ттиск; печа́тание; I am under the ~ that у меня́ впечатле́ние, что ...; **~ive** [im'presive] □ внуши́тельный, производя́щий впечатле́ние.
imprint **1.** [im'print] запечатле́(ва́)ть; отпеча́т(ыв)ать; **2.** ['imprint] отпеча́ток; *typ.* выходны́е све́дения *n/pl.*
imprison [im'prizn] заключа́ть в тюрьму́, заточа́ть [-чи́ть]; **~ment** [-mənt] заточе́ние, заключе́ние (в тюрьму́).
improbable [im'prɔbəbl] □ невероя́тный, неправдоподо́бный.
improper [im'prɔpə] □ неуме́стный; непристо́йный; непра́вильный.
improve [im'pru:v] *v/t.* улучша́ть [улу́чшить]; [у]соверше́нствовать; повыша́ть це́нность (Р); *v/i.* улучша́ться [улу́чшиться]; [у]соверше́нствоваться; ~ upon улучша́ть [улу́чшить] (В); **~ment** [-mənt] усоверше́нствование; улучше́ние.
improvise ['improvaiz] импровизи́ровать (*im*)*pf.*

imprudent [imˈpruːdənt] □ неблагоразу́мный; неосторо́жный.
impuden|ce [ˈimpjudəns] бессты́дство; де́рзость *f*; **~t** [-dənt] □ наха́льный; бессты́дный.
impuls|e [ˈimpʌls], **~ion** [imˈpʌlʃən] толчо́к; поры́в; ⚡ возбужде́ние.
impunity [imˈpjuːniti] безнака́занность *f*; with ~ безнака́занно.
impure [imˈpjuə] □ нечи́стый; с при́месью.
imput|ation [impjuˈteiʃən] обвине́ние; **~e** [imˈpjuːt] вменя́ть [-ни́ть] (в вину́); припи́сывать [-са́ть] (Д/В).
in [in] **1.** *prp. com.* в, во (П or В); ~ number в коли́честве (Р), число́м в (В); ~ itself само́ по себе́; ~ 1949 в 1949-ом (в ты́сяча девятьсо́т со́рок девя́том) году́; cry out ~ alarm закрича́ть в испу́ге (*or* от стра́ха); ~ the street на у́лице; ~ my opinion по моему́ мне́нию, по-мо́ему; ~ English по-англи́йски; a novel ~ English рома́н на англи́йском языке́; ~ tens по десяти́; ~ the circumstances при да́нных усло́виях; a coat ~ velvet ба́рхатное пальто́ (*or* из ба́рхата); ~ this manner таки́м о́бразом; ~ a word одни́м сло́вом; ~ crossing the road переходя́ че́рез у́лицу; be ~ power быть у вла́сти; be engaged ~ reading занима́ться чте́нием; **2.** *adv.* внутри́; внутрь; be ~ for: a) быть обречённым на (что́-либо неприя́тное); b) I am ~ for an examination мне предстои́т экза́мен; F be ~ with быть в хоро́ших отноше́ниях с (Т).
inability [inəˈbiliti] неспосо́бность *f*.
inaccessible [inækˈsesəbl] □ недосту́пный; недосяга́емый.
inaccurate [inˈækjurit] □ нето́чный; неаккура́тный.
inactiv|e [inˈæktiv] □ безде́ятельный; неде́йствующий; **~ity** [inækˈtiviti] безде́ятельность *f*; ине́ртность *f*.
inadequate [inˈædikwit] □ несоразме́рный; недоста́точный.
inadmissible [inədˈmisəbl] недопусти́мый, неприе́млемый.
inadvertent [inədˈvəːtənt] □ невнима́тельный; ненаме́ренный.
inalienable [inˈeiliənəbl] □ неотъе́млемый.
inane [iˈnein] □ бессмы́сленный; [пусто́й.
inanimate [inˈænimit] □ неодушевлённый; безжи́зненный.
inapproachable [inəˈproutʃəbl] недосту́пный, непristу́пный.
inappropriate [-priit] □ неуме́стный, несоотве́тствующий.
inapt [inˈæpt] □ неспосо́бный; неподходя́щий.
inarticulate [inɑːˈtikjulit] □ нечленоразде́льный, невня́тный.
inasmuch [inəzˈmʌtʃ]: ~ as *adv.* так как; ввиду́ того́, что.
inattentive [inəˈtentiv] □ невнима́тельный.
inaugura|te [iˈnɔːgjureit] откры́(ва́)ть (вы́ставку и т. п.); вводи́ть в до́лжность; **~tion** [inɔgjuˈreiʃən] вступле́ние в до́лжность; (торже́ственное) откры́тие.
inborn [ˈinˈbɔːn] врождённый; приро́дный.
incalculable [inˈkælkjuləbl] □ неисчисли́мый, несчётный; ненадёжный (о челове́ке).
incandescent [inkænˈdesnt] раскалённый; кали́льный.
incapa|ble [inˈkeipəbl] □ неспосо́бный (of к Д *or* на В); **~citate** [inkəˈpæsiteit] де́лать неспосо́бным, неприго́дным.
incarnate [inˈkɑːnit] воплощённый; олицетворённый.
incautious [inˈkɔːʃəs] □ неосторо́жный, опроме́тчивый.
incendiary [inˈsendjəri] **1.** поджига́тель *m*; *fig.* подстрека́тель *m*; **2.** зажига́тельный (*a.* ⚔); *fig.* подстрека́ющий.
incense¹ [ˈinsens] ла́дан, фимиа́м.
incense² [inˈsens] [рас]серди́ть, приводи́ть в я́рость.
incentive [inˈsentiv] побуди́тельный моти́в, побужде́ние.
incessant [inˈsesnt] □ непреры́вный.
incest [ˈinsest] кровосмеше́ние.
inch [intʃ] дюйм (= 2,54 см); *fig.* пядь *f*; by ~es ма́ло-пома́лу.
inciden|ce [ˈinsidəns] сфе́ра де́йствия; **~t** [-t] **1.** слу́чай, случа́йность *f*; происше́ствие; **2.** случа́йный; прису́щий (to Д); **~tal** [insiˈdentl] □ случа́йный; побо́чный; прису́щий (Д); **~ly** случа́йно; ме́жду про́чим.
incinerate [inˈsinəreit] сжига́ть [сжечь]; испепеля́ть [-ли́ть].
incis|e [inˈsaiz] надре́з(ыв)ать; де́-

лать надре́з на (П); **~ion** [in'siʒən] разре́з, надре́з; насе́чка; **~ive** [in'saisiv] □ ре́жущий; о́стрый.
incite [in'sait] подстрека́ть [-кну́ть]; побужда́ть [-уди́ть]; **~ment** [-mənt] подстрека́тельство; побужде́ние, сти́мул.
inclement [in'klemənt] суро́вый, холо́дный.
inclin|ation [inkli'neiʃən] накло́н, отко́с; отклоне́ние; накло́нность *f*, скло́нность *f*; **~e** [in'klain] **1.** *v/i.* склоня́ться [-ни́ться]; ~ to *fig.* быть скло́нным к (Д); *v/t.* склоня́ть [-ни́ть] (*a fig.*); располага́ть [-ложи́ть]; **2.** накло́н; скло́нность *f*.
inclose [in'klouz] *s.* enclose.
inclu|de [in'klu:d] заключа́ть [-чи́ть], содержа́ть (в себе́); включа́ть [-чи́ть]; **~sive** [-siv] □ включа́ющий в себя́, содержа́щий.
incoheren|ce [inko'hiərəns] несвя́зность *f*, непосле́довательность *f*; **~t** [-t] □ несвя́зный, непосле́довательный.
income ['inkəm] дохо́д.
incommode [inkə'moud] [по]беспоко́ить.
incomparable [in'kɔmpərəbl] □ несравни́мый; несравне́нный.
incompatible [inkəm'pætəbl] □ несовмести́мый.
incompetent [in'kɔmpitənt] □ несве́дущий, неуме́лый; ⚖ неправоспосо́бный.
incomplete [inkəm'pli:t] □ непо́лный; незако́нченный.
incomprehensible [in'kɔmpri''hensəbl] □ непоня́тный, непостижи́мый.
inconceivable [inkən'si:vəbl] □ невообрази́мый.
incongruous [in'kɔŋgruəs] □ неуме́стный, неле́пый; несовмести́мый.
inconsequent(**ial**) [in'kɔnsikwənt, -'kwenʃəl] □ непосле́довательный.
inconsidera|ble [inkən'sidərəbl] □ незначи́тельный, нева́жный; **~te** [-rit] □ неосмотри́тельный; необду́манный; невнима́тельный (к други́м).
inconsisten|cy [inkən'sistənsi] несовмести́мость *f*; **~t** [-tənt] □ несовмести́мый.
inconstant [in'kɔnstənt] □ непостоя́нный, неусто́йчивый.
incontinent [in'kɔntinənt] □ несде́ржанный; невозде́ржанный.
inconvenien|ce [inkən'vi:njəns] **1.** неудо́бство; беспоко́йство; **2.** [по-] беспоко́ить; **~t** [-njənt] □ неудо́бный, затрудни́тельный.
incorporat|e **1.** [in'kɔ:pəreit] объединя́ть(ся) [-ни́ть(ся)]; включа́ть [-чи́ть] (into в В); **2.** [-rit] соединённый, объединённый; **~ed** [-reitid] зарегистри́рованный (об о́бществе; **~ion** [in'kɔ:pə''reiʃən] объедине́ние; регистра́ция.
incorrect [inkə'rekt] □ непра́вильный; неиспра́вный.
incorrigible [in'kɔridʒəbl] □ неисправи́мый.
increase **1.** [in'kri:s] увели́чи(ва)ть(ся); уси́ли(ва)ть(ся); **2.** ['inkri:s] рост; увеличе́ние; приро́ст.
incredible [in'kredəbl] □ невероя́тный.
incredul|ity [inkri'dju:liti] недове́рчивость *f*; **~ous** [in'kredjuləs] □ недове́рчивый, скепти́ческий.
incriminate [in'krimineit] ⚖ инкримини́ровать (*im*)*pf.*, обвиня́ть в преступле́нии.
incrustation [inkrʌs'teiʃən] кора́, ко́рка; ⊕ на́кипь *f*.
incub|ate ['inkjubeit] выводи́ть [вы́вести] (цыпля́т); **~ator** [-beitə] инкуба́тор.
inculcate ['inkʌlkeit] внедря́ть [-ри́ть], вселя́ть [-ли́ть] (upon Д).
incumbent [in'kʌmbənt] возло́женный, (воз)лежа́щий.
incur [in'kə:] подверга́ться [-е́ргнуться] (Д); наде́лать *pf.* (долго́в).
incurable [in'kjuərəbl] **1.** неизлечи́мый; **2.** страда́ющий неизлечи́мой боле́знью.
incurious [in'kjuəriəs] □ нелюбопы́тный; невнима́тельный.
incursion [in'kə:ʃən] вторже́ние.
indebted [in'detid] в долгу́; *fig.* обя́занный.
indecen|cy [in'di:snsi] непристо́йность *f*, неприли́чие; **~t** [-snt] □ неприли́чный.
indecisi|on [indi'siʒən] нереши́тельность *f*; колеба́ние; **~ve** [-saisiv] □ нереши́тельный; не реша́ющий.
indecorous [in'dekərəs] □ некорре́ктный; неприли́чный.
indeed [in'di:d] в са́мом де́ле, действи́тельно; неуже́ли!

indefensible [indiˈfensəbl] □ непригóдный для оборóны; *fig.* несостоя́тельный.
indefinite [inˈdefinit] □ неопределённый; неограни́ченный.
indelible [inˈdelibl] □ неизглади́мый; несмывáемый.
indelicate [inˈdelikit] □ неделикáтный, нескрóмный.
indemni|fy [inˈdemnifai] возмещáть убы́тки (Р); обезопáсить *pf.*; компенси́ровать *(im)pf.*; **~ty** [-ti] гарáнтия от убы́тков; возмещéние, компенсáция.
indent [inˈdent] **1.** зазу́бривать [-ри́ть]; вырезáть [вы́резать]; предъявля́ть трéбование; ☨ закáзывать товáры; **2.** трéбование; ☨ закáз на товáры; óрдер; **~ation** [indenˈteiʃən] зубéц; вы́резка; **~ure** [inˈdentʃə] **1.** докумéнт, контрáкт, договóр; **2.** обя́зывать договóром.
independen|ce [indiˈpendəns] незави́симость *f*, самостоя́тельность *f*; **~t** [-t] □ незави́симый, самостоя́тельный.
indescribable [indisˈkraibəbl] □ неопису́емый.
indestructible [-ˈstrʌktəbl] □ неразруши́мый.
indeterminate [indiˈtə:minit] □ неопределённый; нея́сный.
index [ˈindeks] **1.** и́ндекс, указáтель *m*; показáтель *m*; указáтельный пáлец; **2.** заноси́ть в и́ндекс.
India [ˈindjə] ˈИндия; ~ rubber каучу́к; рези́на; **~n** [-n] **1.** инди́йский; индéйский; ~ corn маис, кукуру́за; **2.** инди́ец, индиáнка; (Red ~) индéец, индиáнка.
indicat|e [ˈindikeit] укáзывать [-зáть]; предпи́сывать [-сáть]; **~ion** [indiˈkeiʃən] указáние.
indict [inˈdait] предъявля́ть обвинéние (for в П); **~ment** [-mənt] обвини́тельный акт.
indifferen|ce [inˈdifrəns] равноду́шие, безразли́чие; **~t** [-t] □ равноду́шный, беспристрáстный; незначи́тельный.
indigenous [inˈdidʒinəs] мéстный, тузéмный.
indigent [ˈindidʒənt] □ нуждáющийся.
indigest|ible [indiˈdʒestəbl] □ неудобовари́мый; **~ion** [-tʃən] расстрóйство желу́дка.
indign|ant [inˈdignənt] □ негоду́ющий; **~ation** [indigˈneiʃən] негодовáние; **~ity** [inˈdigniti] пренебрежéние, оскорблéние.
indirect [indiˈrekt] □ непрямóй; окóльный; уклóнчивый.
indiscre|et [indisˈkri:t] □ нескрóмный; неблагоразу́мный; болтли́вый; **~tion** [-ˈkreʃən] нескрóмность *f*; неосмотри́тельность *f*; болтли́вость *f*.
indiscriminate [indisˈkriminit] □ неразбóрчивый.
indispensable [indisˈpensəbl] □ необходи́мый, обязáтельный.
indispos|ed [indisˈpouzd] нездорóвый; **~ition** [ˈindispəˈˈziʃən] недомогáние, нездорóвье; нерасположéние (to к Д).
indistinct [indisˈtiŋkt] □ нея́сный, неотчётливый; невня́тный.
indite [inˈdait] выражáть в словáх; сочиня́ть [-ни́ть].
individual [indiˈvidjuəl] **1.** □ ли́чный, индивидуáльный; характéрный; отдéльный; **2.** индиви́дуум; ли́чность *f*; **~ity** [-vidjuˈæliti] индивидуáльность *f*.
indivisible [indiˈvizəbl] недели́мый.
indolen|ce [ˈindoləns] прáздность *f*; вя́лость *f*; **~t** [-t] □ прáздный; вя́лый.
indomitable [inˈdɔmitəbl] □ упóрный; неукроти́мый.
indoor [ˈindɔ:] вну́тренний; кóмнатный; **~s** [ˈinˈdɔ:z] в дóме, внутри́ дóма.
indorse *s.* endorse.
induce [inˈdju:s] побуждáть [-уди́ть]; вызывáть [вы́звать]; **~ment** [-mənt] побуждéние.
induct [inˈdʌkt] водворя́ть [-ри́ть]; вводи́ть в дóлжность; **~ion** [inˈdʌkʃən] вступлéние, введéние.
indulge [inˈdʌldʒ] *v/t.* доставля́ть удовóльствие (Д with Т); баловáть; потвóрствовать (Д); *v/i.* ~ in a th. увлекáться [-éчься] (Т); пред(ав)áться (Д); **~nce** [-əns] снисхождéние; потвóрство; **~nt** [-ənt] □ снисходи́тельный; потвóрствующий.
industri|al [inˈdʌstriəl] □ промы́шленный; производи́тельный; **~alist** [-ist] промы́шленник; **~ous** [inˈdʌstriəs] □ трудолюби́вый, прилéжный.

industry [ˈindəstri] промы́шленность *f*, инду́стрия; прилежа́ние.

inebriate 1. [inˈiːbriit] пья́ный; опьяне́вший; **2.** [-ieeit] опьяня́ть [-ни́ть].

ineffable [inˈefəbl] □ невырази́мый.

ineffect|ive [iniˈfektiv], **~ual** [-tjuəl] □ безрезульта́тный; недействи́тельный.

inefficient [iniˈfiʃənt] □ неспосо́бный, неуме́лый; непроизводи́тельный.

inelegant [inˈeligənt] □ грубова́тый, безвку́сный.

inept [iˈnept] □ неуме́стный, неподходя́щий; глу́пый.

inequality [iniˈkwɔliti] нера́венство; неодина́ковость *f*.

inequitable [inˈekwitəbl] приstра́стный.

inert [iˈnəːt] □ ине́ртный; вя́лый; ко́сный; **~ia** [iˈnəːʃiə], **~ness** [iˈnəːtnis] ине́рция; вя́лость *f*.

inestimable [inˈestiməbl] □ неоцени́мый.

inevitable [inˈevitəbl] □ неизбе́жный, немину́емый.

inexact [inigˈzækt] □ нето́чный.

inexhaustible [inigˈzɔːstəbl] □ неистощи́мый, неисчерпа́емый.

inexorable [inˈeksərəbl] □ неумоли́мый, непрекло́нный.

inexpedient [iniksˈpiːdiənt] □ нецелесообра́зный.

inexpensive [iniksˈpensiv] □ недорого́й, дешёвый.

inexperience [iniksˈpiəriəns] нео́пытность *f*; **~d** [-t] нео́пытный.

inexpert [ineksˈpəːt] □ нео́пытный; неиску́сный, неуме́лый.

inexplicable [inˈeksplikəbl] □ необъясни́мый, непоня́тный.

inexpressi|ble [iniksˈpresəbl] □ невырази́мый, неопису́емый; **~ve** [-siv] □ невырази́тельный.

inextinguishable [iniksˈtiŋgwiʃəbl] □ неугаси́мый.

inextricable [inˈekstrikəbl] □ запу́танный; безвы́ходный.

infallible [inˈfæləbl] □ безоши́бочный, непогреши́мый.

infam|ous [ˈinfəməs] □ посты́дный, позо́рный, бесче́стный; **~y** [-mi] бесче́стье, позо́р; ни́зость *f*, по́длость *f*.

infan|cy [ˈinfənsi] младе́нчество; **~t** [-t] младе́нец.

infanti|le [ˈinfəntail], **~ne** [-tain] младе́нческий; инфанти́льный.

infantry [ˈinfəntri] ⚔ пехо́та, инфанте́рия.

infatuate [inˈfætjueit] вскружи́ть го́лову (Д); увлека́ть [-е́чь].

infect [inˈfekt] заража́ть [-рази́ть]; **~ion** [inˈfekʃən] инфе́кция, зара́за; зарази́тельность *f*; **~ious** [-ʃəs] □, **~ive** [-tiv] инфекцио́нный, зара́зный; зарази́тельный.

infer [inˈfəː] де́лать вы́вод; подразумева́ть; **~ence** [ˈinfərəns] вы́вод, заключе́ние; подразумева́емое.

inferior [inˈfiəriə] **1.** ни́зший (по чи́ну); ху́дший, неполноце́нный; **2.** подчинённый; **~ity** [inˈfiəriˈɔriti] бо́лее ни́зкое ка́чество (положе́ние, досто́инство); неполноце́нность *f*.

infernal [inˈfəːnl] □ а́дский.

infertile [inˈfəːtail] бесплодный, неплодоро́дный.

infest [inˈfest] *fig.* наводня́ть [-ни́ть]; be **~ed** with кише́ть (Т).

infidelity [infiˈdeliti] неве́рие; неве́рность *f* (to Д).

infiltrate [inˈfiltreit] *v/t.* пропуска́ть сквозь фильтр; *v/i.* проника́ть [-и́кнуть]; проса́чиваться [-сочи́ться].

infinit|e [ˈinfinit] □ бесконе́чный, безграни́чный; **~y** [inˈfiniti] бесконе́чность *f*, безграни́чность *f*.

infirm [inˈfəːm] □ не́мощный, дря́хлый; слабохара́ктерный; **~ary** [-əri] больни́ца; **~ity** [-iti] не́мощь *f*; недоста́ток.

inflam|e [inˈfleim] воспламеня́ть (-ся) [-ни́ть(ся)]; ⚕ воспаля́ть(ся) [-ли́ть(ся)]; **~ed** [-d] воспалённый.

inflamma|ble [inˈflæməbl] □ воспламеня́ющийся; огнеопа́сный; **~tion** [infləˈmeiʃən] воспламене́ние; ⚕ воспале́ние; **~tory** [inˈflæmətəri] поджига́тельский; воспали́тельный.

inflat|e [inˈfleit] наду́(ва́)ть (га́зом, во́здухом); ✈ взду(ва́)ть; **~ion** [-ʃən] надува́ние; *fig.* напы́щенность *f*; инфля́ция.

inflexi|ble [inˈfleksəbl] □ неги́бкий, негну́щийся; *fig.* непреклонный, непоколеби́мый; **~on** [-ʃən] изги́б; модуля́ция.

inflict [inˈflikt] налага́ть [-ложи́ть];

наноси́ть [-нести́] (ра́ну и т. п.); причиня́ть [-ни́ть] (боль); **~ion** [infli'kʃən] наложе́ние и т. д.

influen|ce ['influəns] **1.** влия́ние, возде́йствие; **2.** возде́йствовать на (В) *(im)pf.*, [по]влия́ть на (В); **~tial** [influ'enʃəl] □ влия́тельный.

influx ['inflʌks] впаде́ние (прито́ка); *fig.* наплы́в, прили́в.

inform [in'fɔ:m] *v/t.* информи́ровать *(im)pf.*, уведомля́ть [уве́домить] (of о П); *v/i.* доноси́ть [-нести́] (against a p. на В); **~al** [-l] □ неофициа́льный; непринуждённый; **~ality** [infɔ:'mæliti] несоблюде́ние форма́льностей; отсу́тствие церемо́ний; **~ation** [infə'meiʃən] информа́ция, све́дения *n/pl.*; спра́вка; осведомле́ние; **~ative** [in'fɔ:mətiv] информацио́нный.

infrequent [in'fri:kwənt] □ ре́дкий.

infringe [in'frindʒ] наруша́ть [-ру́шить] (*a.* ~ upon).

infuriate [in'fjuərieit] [вз]беси́ть.

infuse [in'fju:z] ⚕ вли(ва́)ть; *fig.* вселя́ть [-ли́ть]; наста́ивать [настоя́ть] (тра́вы и т. п.).

ingen|ious [in'dʒi:njəs] □ изобрета́тельный; **~uity** [indʒi'njuiti] изобрета́тельность *f*; **~uous** [in'dʒenjuəs] □ чистосерде́чный; просто́й, бесхи́тростный.

ingot ['iŋgət] сли́ток, брусо́к (мета́лла).

ingratitude [in'grætitju:d] неблаго́дарность *f*.

ingredient [in'gri:diənt] составна́я часть *f*, ингредие́нт.

inhabit [in'hæbit] обита́ть, жить в (П); **~ant** [-itənt] жи́тель(ница *f*) *m*, обита́тель(ница *f*) *m*.

inhal|ation [inhə'leiʃən] вдыха́ние; ⚕ ингаля́ция; **~e** [in'heil] вдыха́ть [вдохну́ть].

inherent [in'hiərənt] □ прису́щий; прирождённый.

inherit [in'herit] насле́довать *(im)pf.*; унасле́довать *pf.*; **~ance** [-itəns] насле́дство; *biol.* насле́дственность *f*.

inhibit [in'hibit] [вос]препя́тствовать (Д); *biol.* [за]тормози́ть; **~ion** [inhi'biʃən] сде́рживание; *biol.* торможе́ние.

inhospitable [in'hɔspitəbl] □ негостеприи́мный.

inhuman [in'hju:mən] □ бесчелове́чный, нечелове́ческий.

inimitable [i'nimitəbl] □ неподража́емый; несравне́нный.

iniquity [i'nikwiti] несправедли́вость *f*; беззако́ние.

initia|l [i'niʃəl] **1.** □ нача́льный, первонача́льный; **2.** нача́льная бу́ква; ~s *pl.* инициа́лы *m/pl.*; **~te** **1.** [-iit] при́нятый (в о́бщество), посвящённый (в та́йну); **2.** [-ieit] вводи́ть [ввести́]; посвяща́ть [-вяти́ть]; положи́ть нача́ло (Д); **~tive** [i'niʃiətiv] инициати́ва, почи́н; **~tor** [-ieitə] инициа́тор.

inject [in'dʒekt] впры́скивать [-снуть].

injunction [in'dʒʌŋkʃən] прика́з; постановле́ние суда́.

injur|e ['indʒə] [по]вреди́ть по-; вреждать [-еди́ть]; ра́нить *(im)pf.*; **~ious** [in'dʒuəriəs] □ вре́дный; оскорби́тельный; **~y** ['indʒəri] оскорбле́ние; поврежде́ние, ра́на.

injustice [in'dʒʌstis] несправедли́вость *f*.

ink [iŋk] **1.** черни́ла *n/pl.*; (*mst* printer's ~) типогра́фская кра́ска; **2.** ме́тить черни́лами; сади́ть кля́ксы на (В).

inkling ['iŋkliŋ] намёк (of на В); подозре́ние.

ink|pot черни́льница; **~stand** пи́сьменный прибо́р; **~y** ['iŋki] черни́льный.

inland ['inlənd] **1.** вну́тренняя террито́рия страны́; **2.** вну́тренний; **3.** [in'lænd] внутрь, внутри́ (страны́).

inlay [in'lei] **1.** [*irr.* (lay)] вкла́дывать [вложи́ть]; выстила́ть [вы́стлать]; покрыва́ть моза́икой; **2.** ['in'lei] моза́ика, инкруста́ция.

inlet ['inlet] у́зкий зали́в, бу́хта; входно́е (*or* вво́дное) отве́рстие.

inmate ['inmeit] сожи́тель(ница *f*) *m* (по ко́мнате).

inmost ['inmoust] глубоча́йший, сокрове́нный.

inn [in] гости́ница.

innate ['in'neit] □ врождённый. приро́дный.

inner ['inə] вну́тренний; **~most** [-moust] *s.* inmost.

innings ['iniŋz] о́чередь пода́чи мяча́.

innkeeper хозя́ин гости́ницы.

innocen|ce ['inosns] ⚖ невинóвность *f*; неви́нность *f*; простотá; **~t** [-snt] **1.** □ неви́нный; ⚖ невинóвный; **2.** простáк, наи́вный человéк.

innocuous [i'nɔkjuəs] □ безврéдный, безоби́дный.

innovation [ino'veiʃən] нововведéние, нóвшество; новáторство.

innuendo [inju'endou] кóсвенный намёк, инсинуáция.

innumerable [in'ju:mərəbl] □ бессчётный, бесчи́сленный.

inoculate [i'nɔkjuleit] дéлать приви́вку (Д), приви́(вá)ть; *fig.* внушáть [-ши́ть].

inoffensive [inə'fensiv] безоби́дный, безврéдный.

inoperative [in'ɔpərətiv] бездéятельный; недéйствующий.

inopportune [in'ɔpətju:n] □ несвоеврéменный, неподходя́щий.

inordinate [i'nɔ:dinit] □ неумéренный, чрезмéрный.

inquest ['inkwest] ⚖ слéдствие, дознáние; coroner's ~ судéбный осмóтр трýпа.

inquir|e [in'kwaiə] узн(ав)áть; наводи́ть спрáвки (about, after, for о П; of у Р); ~ into исслéдовать (*im*)*pf*; **~ing** [-riŋ] □ пытли́вый; **~y** [-ri] спрáвка; расслéдование, слéдствие.

inquisit|ion [inkwi'ziʃən] расслéдование; **~ive** [in'kwizitiv] □ любознáтельный; лыбопы́тный.

inroad ['inroud] набéг, нашéствие; *fig.* посягáтельство.

insan|e [in'sein] □ душевнобольнóй; безýмный; **~ity** [in'sæniti] умопомешáтельство; безýмие.

insatia|ble [in'seiʃiəbl] □, **~te** [-ʃiət] ненасы́тный, жáдный.

inscribe [in'skraib] впи́сывать [-сáть]; надпи́сывать [-сáть] (in, on В/Т *or* В на П); посвящáть [-яти́ть] (кни́гу).

inscription [in'skripʃən] нáдпись *f*; посвящéние (кни́ги).

inscrutable [ins'kru:təbl] □ непостижи́мый, загáдочный.

insect ['insekt] насекóмое; **~icide** [in'sektisaid] срéдство для истреблéния насекóмых.

insecure [insi'kjuə] □ ненадёжный; небезопáсный.

insens|ate [in'senseit] бесчýвственный; бессмы́сленный; **~ible** [-əbl] □ нечувстви́тельный; потеря́вший сознáние; незамéтный; **~itive** [-itiv] нечувстви́тельный.

inseparable [in'sepərəbl] □ неразлýчный; неотдели́мый.

insert **1.** [in'sə:t] вставля́ть [-áвить]; помещáть [-ести́ть] (в газéте); **2.** ['insə:t] встáвка, вклáдыш; **~ion** [in'sə:ʃən] встáвка; объявлéние.

inside ['in'said] **1.** внýтренняя сторонá; внýтренность *f*; изнáнка (одéжды); **2.** *adj.* внýтренний; **3.** *adv.* внутрь, внутри́; **4.** *prp.* внутри́ (Р).

insidious [in'sidiəs] □ хи́трый, ковáрный.

insight ['insait] проницáтельность *f*; интуи́ция.

insignia [in'signiə] *pl.* знáки отли́чия; значки́ *m/pl.*

insignificant [insig'nifikənt] незначи́тельный.

insincere [insin'siə] неи́скренний.

insinuat|e [in'sinjueit] инсинуи́ровать (*im*)*pf.*; намекáть [-кнýть] на (В); ~ o. s. *fig.* вкрáдываться [вкрáсться]; **~ion** [in'sinju''eiʃən] инсинуáция; вкрáдчивость *f*.

insipid [in'sipid] безвкýсный, прéсный.

insist [in'sist] ~ (up)on: настáивать [-стоя́ть] на (П), утверждáть (В); **~ence** [-əns] настóйчивость *f*; **~ent** [-ənt] □ настóйчивый.

insolent ['insələnt] □ нáглый.

insoluble [in'sɔljubl] нераствори́мый; неразреши́мый.

insolvent [in'sɔlvənt] несостоя́тельный (должни́к).

inspect [in'spekt] осмáтривать [осмотрéть]; инспекти́ровать; **~ion** [in'spekʃən] осмóтр; инспéкция.

inspir|ation [inspə'reiʃən] вдыхáние; вдохновéние; воодушевлéние; **~e** [in'spaiə] вдыхáть [вдохнýть]; *fig.* вдохновля́ть [-ви́ть].

install [in'stɔ:l] устанáвливать [-нови́ть]; вводи́ть в дóлжность; ⊕ [с]монти́ровать; **~ation** [instɔ:'leiʃən] установка; устрóйство.

instalment [in'stɔ:lmənt] очереднóй взнос (при рассрóчке); отдéльный вы́пуск (кни́ги).

instance ['instəns] слýчай; примéр; трéбование; ⚖ инстáнция; for ~ напримéр.

instant ['instənt] □ **1.** немéдленный, безотлага́тельный; on the 10th ~ 10-го теку́щего ме́сяца; **2.** мгнове́ние, моме́нт; **~aneous** [instən'teinjəs] □ мгнове́нный; **~ly** ['instəntli] неме́дленно, то́тчас.

instead [in'sted] взаме́н, вме́сто; ~ of вме́сто (Р).

instep ['instep] подъём (ноги́).

instigat|e ['instigeit] побужда́ть [-уди́ть]; подстрека́ть [-кну́ть]; **~or** [-ə] подстрека́тель(ница *f*) *m*.

instil(l) [in'stil] влива́ть по ка́пле; *fig.* внуша́ть [-ши́ть] (into Д).

instinct ['instiŋkt] инсти́нкт; **~ive** [in'stiŋktiv] □ инстинкти́вный.

institut|e ['institju:t] нау́чное учрежде́ние, институ́т; **2.** учрежда́ть [-еди́ть]; устана́вливать [-нови́ть]; **~ion** [insti'tju:ʃən] установле́ние; учрежде́ние, заведе́ние.

instruct [in'strʌkt] [на]учи́ть, обуча́ть [-чи́ть]; инструкти́ровать (*im*)*pf.*; **~ion** [in'strʌkʃən] обуче́ние; предписа́ние; инстру́кция; **~ive** [-tiv] □ поучи́тельный; **~or** [-tə] руководи́тель *m*, инстру́ктор; преподава́тель *m*.

instrument ['instrumənt] инструме́нт; ору́дие (*a. fig.*); прибо́р, аппара́т; ⚖ докуме́нт; **~al** [instru'mentl] □ слу́жащий сре́дством; инструмента́льный; **~ality** [-men'tæliti] сре́дство, спо́соб.

insubordinate [insə'bɔ:dnit] неподчиня́ющийся дисципли́не.

insufferable [in'sʌfərəbl] □ невыноси́мый, нестерпи́мый.

insufficient [insə'fiʃənt] недоста́точный.

insula|r ['insjulə] □ островно́й; *fig.* за́мкнутый; **~te** [-leit] ⚡ изоли́ровать (*im*)*pf.*; **~tion** [insju'leiʃən] ⚡ изоля́ция.

insult 1. ['insʌlt] оскорбле́ние; **2.** [in'sʌlt] оскорбля́ть [-би́ть].

insur|ance [in'ʃuərəns] страхова́ние; *attr.* страхово́й; **~e** [in'ʃuə] [за]страхова́ть(ся).

insurgent [in'sə:dʒənt] **1.** мятéжный; **2.** повста́нец; мятéжник.

insurmountable [insə'mauntabl] □ непреодоли́мый.

insurrection [insə'rekʃən] восста́ние; мятéж.

intact [in'tækt] нетро́нутый; неповреждённый.

intangible [in'tændʒəbl] □ неосяза́емый; *fig.* неулови́мый.

integ|ral ['intigrəl] □ неотъе́млемый; це́лый; це́лостный; **~rate** [-greit] объединя́ть [-ни́ть]; интегри́ровать (*im*)*pf.*; **~rity** [in'tegriti] че́стность *f*; це́лостность *f*.

intellect ['intilekt] ум, рассу́док; **~ual** [inti'lektjuəl] **1.** □ интеллектуа́льный, у́мственный; **2.** интеллиге́нт(ка); ~s *pl.* интеллиге́нция.

intelligence [in'telidʒəns] ум, рассу́док, интелле́кт; Intelligence service разве́дывательная слу́жба, разве́дка.

intellig|ent [in'telidʒənt] □ у́мный; смышлёный; **~ible** [-dʒəbl] □ поня́тный.

intemperance [in'tempərəns] неуме́ренность *f*; невозде́рж(ан)ность *f*; присти́стие к спиртны́м напи́ткам.

intend [in'tend] намерева́ться; име́ть в виду́; ~ for предназнача́ть [-зна́чить] для (Р).

intense [in'tens] □ си́льный; интенси́вный, напряжённый.

intensify [in'tensifai] уси́ли(ва)ть (-ся); интенсифици́ровать (*im*)*pf.*

intensity [in'tensiti] интенси́вность *f*, си́ла; я́ркость *f* (кра́ски).

intent [in'tent] **1.** □ стремя́щийся, скло́нный (on к Д); внима́тельный, при́стальный; **2.** наме́рение, цель *f*; to all ~s and purposes в су́щности; во всех отноше́ниях; **~ion** [in'tenʃən] наме́рение; **~ional** [-l] □ наме́ренный, умы́шленный.

inter [in'tə:] предава́ть земле́, [по-]хорони́ть.

inter... ['intə] *pref.* меж..., между...; [пере...; взаимо...]

interact [intər'ækt] де́йствовать друг на дру́га, взаимоде́йствовать.

intercede [intə'si:d] хода́тайствовать.

intercept [-'sept] перехва́тывать [-хвати́ть]; прер(ы)ва́ть; прегражда́ть путь (Д); **~ion** [-pʃən] перехва́т(ывание); пересече́ние.

intercess|ion [intə'seʃən] хода́тайство, засту́пничество; **~or** [-sə] хода́тай, засту́пник.

interchange 1. [intə'tʃeindʒ] *v/t.* чередова́ть; обме́ниваться [-ня́ться] (Т); *v/i.* чередова́ться; **2.** ['intə'tʃeindʒ] обме́н; чередова́ние, сме́на.

intercourse ['intəkɔ:s] обще́ние, связь *f*; отноше́ния *n/pl.*; сноше́ния *n/pl.*

interdict **1.** [intə'dikt] запрещáть [-ретúть]; лишáть прáва пóльзования; **2.** ['intədikt], **~ion** [intə'dikʃən] запрещéние.
interest ['intrist] **1.** *com.* интерéс; заинтересóванность *f* (in в П); вы́года; процéнты *m/pl.* (на капитáл); **2.** *com.* интересовáть; заинтересóвывать [-совáть]; **~ing** [-iŋ] □ интерéсный.
interfere [intə'fiə] вмéшиваться [-шáться]; [по]мешáть, надоедáть [-éсть] (with Д); **~nce** [-rəns] вмешáтельство; помéха.
interim ['intərim] **1.** промежýток врéмени; **2.** врéменный, промежýточный.
interior [in'tiəriə] **1.** □ внýтренний; **2.** внýтренность *f*; внýтренние óбласти страны́; *pol.* внýтренние делá *n/pl.*
interjection [intə'dʒekʃən] восклицáние; *gr.* междомéтие.
interlace [intəl'eis] переплетáть(ся) [-плестú(сь)].
interlock [intə'lɔk] сцеплять(ся) [-пúть(ся)].
interlocut|ion [intəlo'kju:ʃən] бесéда, диалóг; **~or** [intə'lɔkjutə] собесéдник.
interlope [intə'loup] вмéшиваться [-шáться]; **~r** [-ə] вмéшивающийся в чужúе делá.
interlude ['intəlu:d] антрáкт; промежýточный эпизóд.
intermeddle [intə'medl] вмéшиваться [-шáться] (with, in в В); совáться не в своё дéло.
intermedia|ry [-'mi:diəri] **1.** = intermediate; посрéднический; **2.** посрéдник; **~te** [-'mi:djət] □ промежýточный; срéдний.
interment [in'tə:mənt] погребéние.
interminable [in'tə:minəbl] □ бесконéчный.
intermingle [intə'miŋgl] смéшивать(ся) [-шáть(ся)]; общáться.
intermission [-'miʃən] переры́в, пáуза, перемéна (в шкóле).
intermit [intə'mit] прер(ы)вáть (-ся); **~tent** [-ənt] □ преры́вистый; перемежáющийся.
intermix [intə'miks] перемéшивать(ся) [-шáть(ся)].
intern [in'tə:n] интернúровать (*im*)*pf.*
internal [in'tə:nl] □ внýтренний.
international [intə'næʃnl] □ междунарóдный, интернационáльный; ~ law междунарóдное прáво.
interpolate [in'tə:poleit] интерполúровать (*im*)*pf.*
interpose [intə'pouz] *v/t.* вставлять [-áвить], вводúть [ввестú]; *v/i.* становúться [стать] (between мéжду Т); вмéшиваться [-шáться] (в В).
interpret [in'tə:prit] объяснять [-нúть], растолкóвывать [-ковáть]; переводúть [-вестú] (ýстно); **~ation** [-''eiʃən] толковáние, интерпретáция, объяснéние; **~er** [-ə] перевóдчик (-ица).
interrogat|e [in'terogeit] допрáшивать [-росúть]; спрáшивать [спросúть]; **~ion** [-''geiʃən] допрóс; вопрóс; **~ive** [intə'rɔgətiv] □ вопросúтельный.
interrupt [intə'rʌpt] прер(ы)вáть; **~ion** [-'rʌpʃən] переры́в.
intersect [intə'sekt] пересекáть(ся) [-сéчь(ся)]; скрéщивать(ся) [-естúть(ся)]; **~ion** [-kʃən] пересечéние.
intersperse [intə'spə:s] разбрáсывать [-бросáть], рассыпáть [-ы́пать]; усéивать [усéять].
intertwine [intə'twain] сплетáть (-ся) [-естú(сь)].
interval ['intəvəl] промежýток, расстояние, интервáл; пáуза, перемéна.
interven|e [intə'vi:n] вмéшиваться [-шáться]; вступáться [-пúться]; **~tion** [-'venʃən] интервéнция; вмешáтельство.
interview ['intəvju:] **1.** свидáние, встрéча; интервью́ *n indecl.*; **2.** интервьюúровать (*im*)*pf.*, имéть бесéду с (Т).
intestine [in'testin] **1.** внýтренний; **2.** кишкá; **~s** *pl.* кишкú *f/pl.*, кишéчник.
intima|cy ['intiməsi] интúмность *f*, блúзость *f*; **~te** **1.** [-meit] сообщáть [-щúть]; намекáть [-кнýть] на (В); **2.** [-mit] a) □ интúмный, лúчный; блúзкий; b) блúзкий друг; **~tion** [inti'meiʃən] сообщéние; намёк.
intimidate [in'timideit] [ис]пугáть; запýгивать [-гáть].
into ['intu, intə] *prp.* в, во (В).
intolera|ble [in'tɔlərəbl] □ невыносúмый, нестерпúмый; **~nt** [-rənt] □ нетерпúмый.
intonation [intou'neiʃən] интонáция.

intoxica|nt [in'tɔksikənt] опьяня́ющий (напи́ток); **~te** [-keit] опьяня́ть [-ни́ть]; **~tion** [-''keiʃən] опьяне́ние.
intractable [in'træktəbl] □ неподатливый.
intrepid [in'trepid] неустраши́мый, бесстра́шный, отва́жный.
intricate ['intrikit] □ сло́жный, затрудни́тельный.
intrigue [in'tri:g] **1.** интри́га; любо́вная связь *f*; **2.** интригова́ть; [за]интригова́ть, [за]интересова́ть; **~r** [-ə] интрига́н(ка).
intrinsic(al □) [in'trinsik, -sikəl] вну́тренний; сво́йственный; суще́ственный.
introduc|e [intrə'dju:s] вводи́ть [ввести́]; представля́ть [-а́вить]; **~tion** [-'dʌkʃən] введе́ние; представле́ние; ♪ интроду́кция; **~tory** [-'dʌktəri] вступи́тельный, вво́дный.
intru|de [in'tru:d] вторга́ться [вто́ргнуться]; навя́зываться [-за́ться]; **~der** [-ə] проны́ра *m/f*; незва́ный гость *m*; **~sion** [-ʒən] вторже́ние; появле́ние без приглаше́ния; **~sive** [-siv] □ назо́йливый, навя́зчивый.
intrust [in'trʌst] *s.* entrust.
intuition [intju'iʃən] интуи́ция.
inundate ['inʌndeit] затопля́ть [-пи́ть], наводня́ть [-ни́ть].
inure [i'njuə] приуча́ть [-чи́ть] (to к Д).
invade [in'veid] вторга́ться [вто́ргнуться]; *fig.* овладе́(ва́)ть (Т); **~r** [-ə] захва́тчик, интерве́нт.
invalid 1. [in'vælid] недействи́тельный, не име́ющий зако́нной си́лы; **2.** ['invəli:d] a) нетрудоспосо́бный; b) инвали́д; **~ate** [in'vælideit] лиша́ть зако́нной си́лы, сде́лать недействи́тельным.
invaluable [in'væljuəbl] □ неоцени́мый.
invariable [in'vɛəriəbl] □ неизме́нный; неизменя́емый.
invasion [in'veiʒən] вторже́ние, набе́г; ⚖ посяга́тельство; ⚕ инва́зия.
inveigh [in'vei]: ~ against поноси́ть, [об]руга́ть (В).
invent [in'vent] изобрета́ть [-брести́]; выду́мывать [вы́думать]; **~ion** [in'venʃən] изобрете́ние; изобрета́тельность *f*; **~ive** [-tiv] □ изобрета́тельный; **~or** [-tə] изобрета́тель *m*; **~ory** ['invəntri] **1.** о́пись *f*, инвента́рь *m*; *Am.* переучёт това́ра, инвентариза́ция; **2.** составля́ть о́пись (Р); вноси́ть в инвента́рь.
inverse ['invə:s] □ перевёрнутый, обра́тный.
invert [in'və:t] перевёртывать [переверну́ть], переставля́ть [-а́вить].
invest [in'vest] вкла́дывать [вложи́ть] (капита́л); *fig.* облека́ть [обле́чь] (with Т); ⚔ обложи́ть *pf.* (кре́пость).
investigat|e [in'vestigeit] рассле́довать (*im*)*pf.*; разузн(ав)а́ть; иссле́довать (*im*)*pf.* **~ion** [investi'geiʃən] ⚖ сле́дствие; иссле́дование; **~or** [in'vestigeitə] иссле́дователь *m.*; ⚖ сле́дователь *m.*
invest|ment [in'vestmənt] вложе́ние де́нег, инвести́рование; вклад; **~or** [-ə] вкла́дчик.
inveterate [in'vetərit] закорене́лый; F зая́длый; застаре́лый.
invidious [in'vidiəs] □ вызыва́ющий вражде́бное чу́вство; ненави́стный; зави́дный.
invigorate [in'vigəreit] дава́ть си́лы (Д); воодушевля́ть [-ви́ть].
invincible [in'vinsəbl] □ непобеди́мый.
inviola|ble [in'vaiələbl] □ неруши́мый; неприкоснове́нный; **~te** [-lit] ненару́шенный.
invisible [in'vizəbl] неви́димый.
invit|ation [invi'teiʃən] приглаше́ние; **~e** [in'vait] приглаша́ть [-ласи́ть].
invoice ['invɔis] ✝ накладна́я, факту́ра.
invoke [in'vouk] вызыва́ть [вы́звать] (ду́ха); взыва́ть [воззва́ть] о (П); приз(ы)ва́ть.
involuntary [in'vɔləntəri] □ нево́льный; непроизво́льный.
involve [in'vɔlv] включа́ть в себя́; вовлека́ть [-е́чь]; впу́т(ыв)ать.
invulnerable [in'vʌlnərəbl] □ неуязви́мый.
inward ['inwəd] **1.** вну́тренний; у́мственный; **2.** *adv.* (*mst* ~s [-z]) внутрь; вну́тренне; **3.** ~s *pl.* вну́тренности *f/pl.*
inwrought ['in'rɔ:t] во́тканный в мате́рию (об узо́ре); *fig.* те́сно свя́занный (with с Т).

iodine ['aiədi:n] йод.
IOU ['aiou'ju:] (= I owe you) долговая расписка.
irascible [i'ræsibl] □ раздражительный.
irate [ai'reit] гневный.
iridescent [iri'desnt] радужный, переливчатый.
iris ['aiəris] *anat.* радужная оболочка (глаза); ⚘ ирис, касатик.
Irish ['aiəriʃ] **1.** ирландский; **2.** the ~ ирландцы *m/pl.*
irksome ['ə:ksəm] утомительный, [скучный.]
iron ['aiən] **1.** железо; (*mst* flat-~) утюг; ~s *pl.* оковы *f/pl.*, кандалы *m/pl.*; **2.** железный; **3.** [вы]утюжить, [вы]гладить; **~clad 1.** покрытый бронёй, бронированный; **2.** броненосец; **~-hearted** *fig.* жестокосердный.
ironic(**al** □) [aiə'rɔnik, -nikəl] иронический.
iron|ing ['aiəniŋ] **1.** глаженье; вещи для глаженья; **2.** гладильный; **~mongery** скобяной товар; **~mould** ржавое пятно; **~works** *mst sg.* чугуноплавильный или железоделательный завод.
irony ['aiərəni] ирония.
irradiate [i'reidieit] озарять [-рить]; ⚕ облучать [-чить]; *phys.* испускать лучи; *fig.* распространять [-нить] (знания и т. п.); проливать свет на (В).
irrational [i'ræʃnl] неразумный; ⚹ иррациональный.
irreconcilable [i'rekənsailəbl] □ непримиримый; несовместимый.
irrecoverable [iri'kʌvərəbl] □ непоправимый, невозвратный.
irredeemable [iri'di:məbl] □ невозвратимый; безысходный; не подлежащий выкупу.
irrefutable [i'refjutəbl] □ неопровержимый.
irregular [i'regjulə] □ неправильный (*a. gr.*); беспорядочный; нерегулярный.
irrelevant [i'relivənt] □ не относящийся к делу; неуместный.
irreligious [iri'lidʒəs] □ нерелигиозный; неверующий.
irremediable [iri'mi:diəbl] □ непоправимый; неизлечимый.
irreparable [i'repərəbl] □ непоправимый.
irreproachable [iri'proutʃəbl] □ безукоризненный, безупречный.
irresistible [iri'zistəbl] □ неотразимый; непреодолимый (о желании и т. п.).
irresolute [i'rezəlu:t] □ нерешительный.
irrespective [iris'pektiv] □ безотносительный (of к Д); независимый (of от Р).
irresponsible [iris'pɔnsəbl] □ безответственный; невменяемый.
irreverent [i'revərənt] □ непочтительный.
irrevocable [i'revəkəbl] □ безвозвратный.
irrigate ['irigeit] орошать [оросить].
irrita|ble ['iritəbl] □ раздражительный; болезненно чувствительный; **~nt** [-tənt] раздражающее средство; **~te** [-teit] раздражать [-жить]; **~tion** [iri'teiʃən] раздражение.
irruption [i'rʌpʃən] набег, нашествие.
is [iz] 3. *p. sg. pres.* от be.
island ['ailənd] остров; **~er** [-ə] островитянин (-тянка).
isle [ail] остров; **~t** [ai'lit] островок.
isolat|e ['aisəleit] изолировать; (*im*)*pf.*, отделять [-лить]; **~ion** [aisə'leiʃən] изолирование.
issue ['isju:] **1.** вытекание, излияние; выход; потомство; спорный вопрос; выпуск, издание; исход, результат; ~ in law разногласие о правильности применения закона; be at ~ быть в разногласии; быть предметом спора; point at ~ предмет обсуждения; **2.** *v/i.* исходить [изойти] (from из Р); вытекать [вытечь] (from из Р); происходить [произойти] (from от Р); *v/t.* выпускать [выпустить], изд(ав)ать.
isthmus ['isməs] перешеек.
it [it] *pron. pers.* он, она, оно; это.
Italian [i'tæljən] **1.** итальянский; **2.** итальянец (-нка); **3.** итальянский язык.
italics [i'tæliks] *typ.* курсив.
itch [itʃ] **1.** ⚕ чесотка; зуд; **2.** чесаться, зудеть; be ~ing to *inf.* гореть желанием (+ *inf.*).
item ['aitem] **1.** пункт, параграф; вопрос (на повестке); номер (программы); **2.** *adv.* также, тоже; **~ize** ['aitəmaiz] *part. Am.* перечислять по пунктам.
iterate ['itəreit] повторять [-рить].

itinerary [iˈtinərəri, aiˈt-] маршру́т, путь *m*; путеводи́тель *m*.
its [its] *pron. poss.* от it его́, её, свой.
itself [itˈself] (сам *m*, сама́ *f*.) само́ *n*; себя́, -ся, -сь; себе́; in ~ само́ по себе́; by ~ само́ собо́й; отде́льно.
ivory [ˈaivəri] слоно́вая кость *f*.
ivy [ˈaivi] ⚘ плющ.

J

jab [dʒæb] F **1.** толка́ть [-кну́ть]; ты́кать [ткнуть]; пыря́ть [-рну́ть]; **2.** толчо́к, пино́к, (ко́лющий) уда́р.
jabber [ˈdʒæbə] болта́ть, тарато́рить.
jack [dʒæk] **1.** па́рень *m*; вале́т (ка́рта); ⊕ домкра́т; ⚓ матро́с; флаг, гюйс; **2.** поднима́ть домкра́том; *Am. sl.* повыша́ть [-ы́сить] (це́ны); **~ass** осёл; дура́к.
jacket [ˈdʒækit] жаке́т; ку́ртка; ⊕ чехо́л, кожу́х.
jack|-knife складно́й нож; **~-of--all-trades** на все ру́ки ма́стер.
jade [dʒeid] кля́ча; *contp.* шлю́ха; неря́ха.
jag [dʒæg] зубе́ц; зазу́брина; дыра́, проре́ха; **~ged** [ˈdʒægid], **~gy** [-i] зубча́тый; зазу́бренный.
jail [dʒeil] тюрьма́; тюре́мное заключе́ние; **~er** [ˈdʒeilə] тюре́мщик.
jam¹ [dzæm] варе́нье.
jam² [~] **1.** сжа́тие, сжима́ние; ⊕ перебо́й; traffic ~ зато́р в у́личном движе́нии; *Am.* be in a ~ быть в затрудни́тельном положе́нии; **2.** заж(им)а́ть; защемля́ть [-ми́ть]; набива́ть битко́м; загроможда́ть [-мозди́ть]; глуши́ть (радиопереда́чи).
jangle [ˈdʒæŋgl] издава́ть ре́зкие зву́ки; нестро́йно звуча́ть.
janitor [ˈdʒænitə] швейца́р; дво́рник.
January [ˈdʒænjuəri] янва́рь *m*.
Japanese [dʒæpəˈni:z] **1.** япо́нский; **2.** япо́нец (-нка); the ~ *pl.* япо́нцы *pl*.
jar [dʒɑ:] **1.** кувши́н; ба́нка; ссо́ра; неприя́тный, ре́зкий звук; дребезжа́ние; **2.** [за]дребезжа́ть; [по-]коро́бить; дисгармони́ровать.
jaundice [ˈdʒɔ:ndis] ⚕ желту́ха; жёлчность *f*; *fig.* за́висть *f*; **~d** [-t] желту́шный; *fig.* зави́стливый.
jaunt [dʒɔ:nt] **1.** увесели́тельная пое́здка, прогу́лка; **2.** предпринима́ть увесели́тельную пое́здку и т. п.; **~y** [ˈdʒɔ:nti] □ весёлый, бо́йкий.
javelin [ˈdʒævlin] копьё.
jaw [dʒɔ:] че́люсть *f*; ~s *pl.* рот, пасть *f*; ⊕ *mst pl.* губа́ (клеще́й); **~-bone** челюстна́я кость *f*.
jealous [ˈdʒeləs] □ ревни́вый; зави́стливый; **~y** [-i] ре́вность *f*; за́висть *f*.
jeep [dʒi:p] *Am.* ⚔ джип.
jeer [dʒiə] **1.** насме́шка, глумле́ние; **2.** насмеха́ться [-ея́ться], [по]глуми́ться (at над T).
jejune [dʒiˈdʒu:n] □ пре́сный; пусто́й, неинтере́сный.
jelly [ˈdʒeli] **1.** желе́ *n indecl.*; сту́день *m*; **2.** засты́(ва́)ть; **~-fish** меду́за.
jeopardize [ˈdʒepədaiz] подверга́ть опа́сности.
jerk [dʒə:k] **1.** рыво́к; толчо́к; подёргивание (му́скула); **2.** ре́зко толка́ть и́ли дёргать; дви́гаться толчка́ми; **~y** [ˈdʒə:ki] □ отры́вистый; ~ ily *adv.* рывка́ми.
jersey [ˈdʒə:zi] фуфа́йка; вя́заный жаке́т.
jest [dʒest] **1.** шу́тка; насме́шка; **2.** [по]шути́ть; насме́шничать; **~er** [ˈdʒestə] шутни́к (-и́ца); шут.
jet [dʒet] **1.** струя́ (воды́, га́за и т. п.); ⊕ жиклёр, форсу́нка; *attr.* реакти́вный; **2.** бить струёй; выпуска́ть струёй.
jetty [ˈdʒeti] ⚓ при́стань *f*; мол; да́мба.
Jew [dʒu:] евре́й; *attr.* евре́йский.
jewel [ˈdʒu:əl] драгоце́нный ка-

мень *m*; **~(l)er** [-ə] ювели́р; **~(le)ry** [-ri] драгоце́нности *f/pl.*
Jew|ess ['dʒu:is] евре́йка; **~ish** [-iʃ] евре́йский.
jib [dʒib] ⚓ кли́вер.
jiffy ['dʒifi] F миг, мгнове́ние.
jig-saw *Am.* маши́нная ножо́вка; ~ puzzle составна́я карти́нка-зага́дка.
jilt [dʒilt] **1.** коке́тка, обма́нщица; **2.** увле́чь и обману́ть (о же́нщине).
jingle ['dʒiŋgl] **1.** звон, звя́канье; **2.** [за]звене́ть, звя́кать [-кнуть].
job [dʒɔb] **1.** рабо́та, труд; де́ло; зада́ние; by the ~ сде́льно, поуро́чно; ~ lot ве́щи ку́пленные гурто́м по дешёвке; ~ work сде́льная рабо́та; **2.** *v/t.* брать (дава́ть) внаём; *v/i.* рабо́тать пошту́чно, сде́льно; быть ма́клером; **~ber** ['dʒɔbə] занима́ющийся случа́йной рабо́той; сде́льщик; ма́клер; спекуля́нт.
jockey ['dʒɔki] **1.** жоке́й; **2.** обма́нывать [-ну́ть], наду́(ва́)ть.
jocose [dʒə'kous] шутли́вый, игри́вый.
jocular ['dʒɔkjulə] шутли́вый, [юмористи́ческий.]
jocund ['dʒɔkənd] □ весёлый, живо́й; прия́тный.
jog [dʒɔg] **1.** толчо́к; тря́ская езда́; ме́дленная ходьба́; **2.** *v/t.* толка́ть [-кну́ть]; *v/i.* (*mst* ~ along,) е́хать подпры́гивая, трясти́сь.
join [dʒɔin] **1.** *v/t.* соединя́ть [-ни́ть], присоединя́ть [-ни́ть]; присоединя́ться [-ни́ться] к (Д); войти́ в компа́нию (Р); вступи́ть в чле́ны (Р); ~ battle вступа́ть в бой; ~ hands объединя́ться [-ни́ться]; бра́ться за́ руки; *v/i.* соединя́ться [-ни́ться]; объединя́ться [-ни́ться]; ~ in with присоединя́ться [-ни́ться] к (Д); ~ up вступа́ть в а́рмию; **2.** соедине́ние; то́чка (ли́ния, пло́скость) соедине́ния.
joiner ['dʒɔinə] столя́р; **~y** [-ri] [столя́рничество.]
joint [dʒɔint] **1.** ме́сто соедине́ния; *anat.* суста́в; ⚘ у́зел; кусо́к мя́са для жа́рения; put out of ~ выви́хивать [вы́вихнуть]; **2.** □ соединённый; о́бщий; ~ heir сонасле́дник; **3.** соединя́ть [-ни́ть]; расчленя́ть [-ни́ть]; **~-stock** акционе́рый капита́л; ~ company акционе́рное о́бщество.
jok|e [dʒouk] **1.** шу́тка, острота́; **2.** *v/i.* [по]шути́ть; *v/t.* поддра́знивать [-ни́ть], **~er** ['dʒoukə] шутни́к (-и́ца); **~y** [-ki] □ шутли́вый; шу́точный.
jolly ['dʒɔli] весёлый, ра́достный; F преле́стный, сла́вный.
jolt [dʒoult] **1.** трясти́ [тряхну́ть], встря́хивать [-хну́ть]; **2.** толчо́к; тря́ска.
jostle ['dʒɔsl] **1.** толка́ть(ся) [-кну́ть(ся)]; тесни́ть(ся); **2.** толчо́к; толкотня́, да́вка (в толпе́).
jot [dʒɔt] **1.** ничто́жное коли́чество, йо́та; **2.** ~ down бе́гло наброса́ть, кра́тко записа́ть.
journal ['dʒə:nl] дневни́к; журна́л; *parl.* протоко́л заседа́ния; ⊕ ше́йка (ва́ла), ца́пфа; **~ism** ['dʒə:nlizm] журнали́стика.
journey ['dʒə:ni] **1.** пое́здка, путеше́ствие; **2.** путеше́ствовать; **~man** подмасте́рье; наёмник.
jovial ['dʒouviəl] весёлый, общи́тельный.
joy [dʒɔi] ра́дость *f*, удово́льствие; **~ful** ['dʒɔiful] □ ра́достный, весёлый; **~less** [-lis] □ безра́достный; **~ous** [-əs] □ ра́достный, весёлый.
jubil|ant ['dʒu:bilənt] лику́ющий; **~ate** [-leit] ликова́ть, торжествова́ть; **~ee** ['dʒu:bili:] юбиле́й.
judge [dʒʌdʒ] **1.** судья́ *m*; арби́тр; знато́к, цени́тель; **2.** *v/i.* суди́ть, посуди́ть *pf.*; быть арби́тром; *v/t.* суди́ть о (П); оце́нивать [-ни́ть]; осужда́ть [осуди́ть], порица́ть.
judg(e)ment ['dʒʌdʒmənt] пригово́р, реше́ние суда́; сужде́ние; рассуди́тельность *f*; мне́ние, взгляд.
judicature ['dʒu:dikətʃə] суде́йская корпора́ция; судоустро́йство; отправле́ние правосу́дия.
judicial [dʒu:'diʃəl] □ суде́бный; суде́йский; рассуди́тельный.
judicious [dʒu:'diʃəs] □ здравомы́слящий, рассуди́тельный; **~ness** [-nis] рассуди́тельность *f*.
jug [dʒʌg] кувши́н; F тюрьма́.
juggle ['dʒʌgl] **1.** фо́кус, трюк; **2.** жонгли́ровать; обма́нывать [-ну́ть]; **~r** [-ə] жонглёр; фо́кусник (-ица).
juic|e [dʒu:s] сок; **~y** ['dʒu:si] □ со́чный; F колори́тный; интере́сный.

July [dʒuˈlai] ию́ль *m.*
jumble [ˈdʒʌmbl] **1.** пу́таница, беспоря́док; **2.** толка́ться; сме́шивать(ся) [-ша́ть(ся)]; дви́гаться в беспоря́дке; **~-sale** прода́жа вся́ких сбо́рных веще́й с благотвори́тельной це́лью.
jump [dʒʌmp] **1.** прыжо́к; скачо́к; вздра́гивание (от испу́га); **2.** *v/i.* пры́гать [-гнуть]; скака́ть [-кну́ть]; ~ at охо́тно приня́ть (предложе́ние, пода́рок), ухва́тываться [ухвати́ться] за (В); ~ to conclusions де́лать поспе́шные вы́воды; *v/t.* перепры́гивать [-гнуть]; **~er** [ˈdʒʌmpə] прыгу́н; скаку́н; дже́мпер; **~y** [-pi] не́рвный, легко́ вздра́гивающий.
junct|ion [ˈdʒʌŋkʃən] соедине́ние; 🚂 железодоро́жный у́зел; **~ure** [-ktʃə] соедине́ние; стече́ние обстоя́тельств, положе́ние дел; (крити́ческий) моме́нт; at this ~ of things при подо́бном положе́нии дел.
June [dʒu:n] ию́нь *m.*
jungle [ˈdʒʌŋgl] джу́нгли *f/pl.*; густы́е за́росли *f/pl.*
junior [ˈdʒu:njə] **1.** мла́дший; моло́же (to Р *or* чем И); **2.** мла́дший.
junk [dʒʌŋk] □ джо́нка; *Am.* старьё; *sl.* хлам, отбро́сы *m/pl.*
juris|diction [dʒuərisˈdikʃən] отправле́ние правосу́дия; юрисди́кция; **~prudence** [ˈdʒuərispru:dəns] юриспруде́нция, законове́дение.
juror [ˈdʒuərə] ⚖ прися́жный; член жюри́.
jury [-ri] ⚖ прися́жные *m/pl.*; жюри́ *n indecl.*; **~man** прися́жный; член жюри́.
just [dʒʌst] **1.** □ *adj.* справедли́вый; пра́ведный; ве́рный, то́чный; **2.** *adv.* то́чно, как раз, и́менно; то́лько что; пря́мо; ~ now сейча́с, сию́ мину́ту; то́лько что.
justice [ˈdʒʌstis] справедли́вость *f*; правосу́дие; судья́ *m*; **court of** ~ суд.
justification [dʒʌstifiˈkeiʃən] оправда́ние; реабилита́ция.
justify [ˈdʒʌstifai] опра́вдывать [-да́ть], извиня́ть [-ни́ть].
justly [ˈdʒʌstli] справедли́во.
justness [-nis] справедли́вость *f.*
jut [dʒʌt] (*a.* ~ out) выступа́ть; вы́да(ва́)ться.
juvenile [ˈdʒu:vinail] **1.** ю́ный, ю́ношеский; **2.** ю́ноша *m*, подро́сток.

K

kangaroo [kæŋgəˈru:] кенгуру́ *m/f. indecl.*
keel [ki:l] **1.** киль *m*; **2.** ~ over опроки́дывать(ся) [-и́нуть(ся)].
keen [ki:n] □ о́стрый; ре́зкий; проница́тельный; си́льный; be ~ on о́чень люби́ть (В), стра́стно увлека́ться (Т); **~ness** [ˈki:nnis] острота́; проница́тельность *f.*
keep [ki:p] **1.** содержа́ние; пропита́ние; for ~s F *part. Am.* навсегда́; **2.** [*irr.*] *v/t. com.* держа́ть; сохраня́ть [-ни́ть], храни́ть; содержа́ть; вести́ (кни́ги и т. п.); [с]держа́ть (сло́во и т. п.); ~ company with подде́рживать знако́мство с (Т); ~ waiting заставля́ть ждать; ~ away не подпуска́ть (from к Д); ~ a th. from a p. уде́рживать что́-либо от (Р); ~ in не выпуска́ть; оставля́ть (шко́льника) по́сле уро́ков; ~ on не снима́ть (шля́пы и т. п.); ~ up подде́рживать [-жа́ть]; **3.** *v/i.* держа́ться; уде́рживаться [-жа́ться] (from от Р); ост(ав)а́ться; не по́ртиться (о пи́ще); F и́ли *Am.* жить, обрета́ться; ~ doing продолжа́ть де́лать; ~ away держа́ться в отдале́нии; ~ from возде́рживаться [-жа́ться] от (Р); ~ off держа́ться в отдале́нии от (Р); ~ on (talking) продолжа́ть (говори́ть); ~ to приде́рживаться (Р); ~ up дер-

жа́ться бо́дро; ~ up with держа́ться наравне́ с (Т), идти́ в но́гу с (Т).

keep|er ['ki:pə] храни́тель *m*; сто́рож; **~ing** ['ki:piŋ] хране́ние; содержа́ние; be in (out of) ~ with ... (не) согласова́ться с (Т); **~sake** ['ki:pseik] пода́рок на па́мять.

keg [keg] бочо́нок.

kennel ['kenl] конура́.

kept [kept] *pt.* и *p. pt.* от keep.

kerb(stone) ['kə:b(stoun)] край тротуа́ра; бордю́рный ка́мень *m*.

kerchief ['kə:tʃif] (головно́й) плато́к; косы́нка.

kernel ['kə:nl] зерно́, зёрнышко; ядро́; *fig.* суть *f*.

kettle ['ketl] ча́йник (для кипяче́ния воды́); котёл; **~drum** ♪ лита́вра; F зва́ный вече́рний чай.

key [ki:] **1.** ключ; код; ⊕ клин; шпо́нка; кла́виш(а); ♪ ключ, тона́льность *f*; *fig.* тон; **2.** запира́ть [запере́ть] (на ключ); ♪ настра́ивать [-ро́ить]; ~ up *fig.* придава́ть реши́мость (Д); be ~ed up *Am.* быть в взви́нченном состоя́нии; **~board** клавиату́ра; **~hole** замо́чная сква́жина; **~-note** тона́льность *f*; *fig.* основна́я мысль *f*; **~stone** ⚓ ключево́й ка́мень *m*.

kick [kik] **1.** уда́р (ного́й, копы́том); пино́к; F си́ла сопротивле́ния; **2.** *v/t.* ударя́ть [уда́рить] (ного́й); брыка́ть [-кну́ть]; ~ out *Am. sl.* вышвы́ривать [вы́швырнуть], выгоня́ть [вы́гнать]; *v/i.* брыка́ться [-кну́ться], ляга́ться [лягну́ться]; [вос]проти́виться; **~er** ['kikə] брыкли́вая ло́шадь *f*; футболи́ст.

kid [kid] **1.** козлёнок; ла́йка (ко́жа); F ребёнок; **2.** *sl.* поддра́знивать [-ни́ть].

kidnap ['kidnæp] похища́ть [-хи́тить] (люде́й); **~(p)er** [-ə] похити́тель-вымога́тель *m*.

kidney ['kidni] *anat.* по́чка; F тип, хара́ктер.

kill [kil] уби́(ва́)ть; бить (скот); *fig.* [по]губи́ть; *parl.* прова́ливать [-ли́ть] (законопрое́кт и т. п.); ~ off уничтожа́ть [-о́жить]; ~ time убива́ть вре́мя; **~er** ['kilə] уби́йца *m/f*.

kiln [kiln] обжига́тельная печь *f*.

kin [kin] семья́; родня́.

kind [kaind] **1.** □ до́брый, серде́чный, любе́зный; **2.** сорт, разнови́дность *f*; род; pay in ~ плати́ть нату́рой; **~-hearted** мягкосерде́чный, до́брый.

kindle ['kindl] зажига́ть(ся) [заже́чь(ся)]; воспламеня́ть [-ни́ть].

kindling ['kindliŋ] расто́пка.

kind|ly ['kaindli] до́брый; **~ness** [-nis] доброта́; до́брый посту́пок.

kindred ['kindrid] **1.** ро́дственный; **2.** кро́вное родство́.

king [kiŋ] коро́ль *m*; **~dom** ['kiŋdəm] короле́вство; ⚘, *zo.* (расти́тельное, живо́тное) ца́рство; **~like** [-laik], **~ly** [-li] короле́вский; вели́чественный.

kink [kiŋk] изги́б; пе́тля; у́зел; *fig.* стра́нность *f*, причу́да.

kin|ship ['kinʃip] родство́; **~sman** ['kinzmən] ро́дственник.

kiss [kis] **1.** поцелу́й; **2.** [по]целова́ть(ся).

kit [kit] ка́дка; ра́нец; ⚔ ли́чное обмундирова́ние; **~-bag** ⚔ вещево́й мешо́к; ⊕ набо́р инструме́нтов.

kitchen ['kitʃin] ку́хня.

kite [kait] (бума́жный) змей.

kitten ['kitn] котёнок.

knack [næk] уда́чный приём; уме́ние, сноро́вка.

knapsack ['næpsæk] ра́нец, рюкза́к.

knave [neiv] моше́нник; вале́т (ка́рта).

knead [ni:d] [с]меси́ть.

knee [ni:] коле́но; **~-cap** *anat.* коле́нная ча́шечка; **~l** [ni:l] [*irr.*] станови́ться на коле́ни; стоя́ть на коле́нях (to пе́ред Т).

knell [nel] похоро́нный звон.

knelt [nelt] *pt.* и *p. pt.* от kneel.

knew [nju:] *pt.* и *p. pt.* от know.

knickknack ['niknæk] безделу́шка.

knife [naif] **1.** (*pl.* knives) нож; **2.** ре́зать, коло́ть ножо́м.

knight [nait] **1.** ры́царь *m*; *chess* конь *m*; **2.** возводи́ть в ры́цари; **~-errant** стра́нствующий ры́царь *m*; **~hood** ['naithud] ры́царство; **~ly** [-li] ры́царский.

knit [nit] [*irr.*] [с]вяза́ть; свя́зывать [-за́ть]; сраста́ться [срасти́сь]; ~ the brows хму́рить бро́ви; **~ting** ['nitiŋ] **1.** вяза́ние; **2.** вяза́льный.

knives [naivz] *pl.* от knife.

knob [nɔb] ши́шка; набалда́шник; ру́чка; кно́пка; голо́вка.

knock [nɔk] **1.** уда́р, стук; **2.** ударя́ть(ся) [уда́рить(ся)]; [по]стуча́ть(ся); F ~ about ры́скать по све́ту; ~ down сбива́ть с ног; ⊕ разбира́ть [-зобра́ть]; be ~ed down попада́ть под автомоби́ль и т. п.; ~ off work прекраща́ть рабо́ту; ~ off стря́хивать [-хну́ть], сма́хивать [-хну́ть]; ~ out вы́би(ва́)ть, выкола́чивать [вы́колотить]; *sport.* нокаути́ровать (*im*)*pf.*; **~-kneed** с вы́вернутыми внутрь коле́нями; *fig.* сла́бый; **~-out** нока́ут (*a.* ~ blow).

knoll [noul] холм, бугóр.

knot [nɔt] **1.** у́зел; сою́з, у́зы *f/pl.*; **2.** завя́зывать у́зел (и́ли узло́м); спу́т(ыв)ать; **~ty** ['nɔti] узлова́тый; сучкова́тый; *fig.* затрудни́тельный.

know [nou] [*irr.*] знать; быть знако́мым с (Т); узн(ав)а́ть; [с]уме́ть; ~ French говори́ть по-францу́зски; come to ~ узн(ав)а́ть; **~ing** ['nouiŋ] □ ло́вкий, хи́трый; проница́тельный; **~ledge** ['nɔlidʒ] зна́ние; to my ~ по мои́м све́дениям; **~n** [noun] *p. pt.* от know; come to be ~ сде́латься изве́стным; make ~ объявля́ть [-ви́ть].

knuckle ['nʌkl] **1.** суста́в па́льца; **2.** ~ down, ~ under уступа́ть [-пи́ть]; подчиня́ться [-ни́ться].

L

label ['leibl] **1.** ярлы́к, этике́тка; **2.** накле́ивать ярлы́к на (В); *fig.* относи́ть к катего́рии (as P).

laboratory [lə'bɔrətəri] лаборато́рия; ~ assistant лаборато́рный (-ная) ассисте́нт(ка).

laborious [lə'bɔːriəs] □ тру́дный; стара́тельный.

labo(u)r ['leibə] **1.** труд; рабо́та; родовы́е му́ки *f/pl.*; hard ~ принуди́тельный труд; ♀ Exchange би́ржа труда́; **2.** рабо́чий; трудово́й; **3.** *v/i.* труди́ться, рабо́тать; прилага́ть уси́лия; *v/t.* выраба́тывать [вы́работать]; **~-creation** предоставле́ние рабо́ты; **~ed** вы́мученный; тру́дный; **~er** [-rə] рабо́чий.

lace [leis] **1.** кру́жево; шнуро́к; **2.** [за]шнурова́ть; окаймля́ть [-ми́ть] (кру́жевом и т. п.); хлеста́ть [-тну́ть], [вы́]поро́ть (*a.* ~ into *a p.*).

lacerate ['læsəreit] разрыва́ть [разорва́ть], раздира́ть [разодра́ть].

lack [læk] **1.** недоста́ток, нужда́; отсу́тствие (Р); **2.** испы́тывать недоста́ток, нужду́ в (П) he ~s money у него́ недоста́ток де́нег; be ~ing недост(ав)а́ть: water is ~ing недостаёт воды́; **~-lustre** ту́склый.

lacquer ['lækə] **1.** лак, политу́ра; **2.** [от]лакирова́ть.

lad [læd] па́рень *m*, ю́ноша *m*.

ladder ['lædə] ле́стница; ⚓ трап.

laden ['leidn] нагружённый; *fig.* обременённый.

lading ['leidiŋ] погру́зка; груз, фрахт.

ladle ['leidl] **1.** ковш; черпа́к; поло́вник; **2.** вычёрпывать [вы́черпнуть]; разли́(ва́)ть (суп) (*a.* ~ out).

lady ['leidi] да́ма; ле́ди *f. indecl.* (ти́тул); **~like** име́ющая мане́ры ле́ди; **~love** возлю́бленная; **~ship** [-ʃip]: your ~ ва́ша ми́лость *f.*

lag [læg] **1.** запа́здывать; отст(ав)а́ть (*a.* ~ behind); **2.** запа́здывание; отстава́ние.

laggard ['lægəd] ме́дленный, вя́лый челове́к.

lagoon [lə'guːn] лагу́на.

laid [leid] *pt.* и *p. pt.* от lay; ~-up лежа́чий (больно́й).

lain [lein] *p. pt.* от lie².

lair [lɛə] ло́говище, берло́га.

laity ['leiiti] миря́не *pl.*; профа́ны [*m/pl.*]

lake [leik] о́зеро.

lamb [læm] **1.** ягнёнок; **2.** [о]ягни́ться.

lambent ['læmbənt] игра́ющий, колыха́ющийся (о пла́мени).

lambkin ['læmkin] ягнёночек.

lame [leim] **1.** □ хромо́й; *fig.* неубеди́тельный; **2.** [из]уве́чить, [ис]кале́чить.
lament [lə'ment] **1.** стена́ние, жа́лоба; **2.** стена́ть; опла́к(ив)ать; [по]жа́ловаться; **~able** ['læmən-təbl] жа́лкий; печа́льный; **~ation** [læmən'teiʃən] жа́лоба, плач.
lamp [læmp] ла́мпа; фона́рь *m*; *fig.* све́точ, свети́ло.
lampoon [læm'pu:n] **1.** памфле́т, па́сквиль *m*; **2.** писа́ть па́сквиль на (В).
lamp-post фона́рный столб.
lampshade абажу́р.
lance [lɑ:ns] **1.** пи́ка; острога́; **2.** пронза́ть пи́кой; вскрыва́ть ланце́том; **~-corporal** *Brit.* ⚔ ефре́йтор.
land [lænd] **1.** земля́, су́ша; страна́; ~s *pl.* поме́стья *n/pl.*; ~ register поземе́льная кни́га; **2.** ⚓ выса́живать(ся) [вы́садить(ся)]; выта́скивать на бе́рег; ⚓ пристава́ть к бе́регу, прича́ли(ва)ть; ✈ приземля́ться [-ли́ться]; **~ed** ['lændid] земе́льный; **~holder** владе́лец земе́льного уча́стка.
landing ['lændiŋ] вы́садка; ✈ приземле́ние, поса́дка; ~ ground поса́дочная площа́дка; **~-stage** при́стань *f*.
land|lady хозя́йка (меблиро́ванных ко́мнат); поме́щица; **~lord** поме́щик; хозя́ин (кварти́ры, гости́ницы); **~mark** межево́й знак, ве́ха; ориенти́р; **~-owner** землевладе́лец; **~scape** ['lænskeip] ландша́фт, пейза́ж; **~slide** о́ползень *m*; *pol.* ре́зкое измене́ние (в распределе́нии голосо́в ме́жду па́ртиями).
lane [lein] тропи́нка; переу́лок.
language ['læŋgwidʒ] язы́к (речь); strong ~ си́льные выраже́ния *n/pl.*, брань *f*.
languid ['læŋgwid] □ то́мный.
languish ['læŋgwiʃ] [за]ча́хнуть; тоскова́ть, томи́ться.
languor ['læŋgə] апати́чность *f*; томле́ние; то́мность *f*.
lank ['læŋk] □ высо́кий и худо́й; прямо́й (о волоса́х); **~y** ['læŋki] □ долговя́зый.
lantern ['læntən] фона́рь *m*; **~-slide** диапозити́в.
lap [læp] **1.** пола́; коле́ни *n/pl.*; *fig.* ло́но; ⊕ накла́дка; перекры́тие; *sport.* круг; **2.** перекры́(ва́)ть; [вы́]лака́ть; жа́дно пить; плеска́ться.
lapel [lə'pel] отворо́т (пальто́ и т. п.).
lapse [læps] **1.** ход (вре́мени); оши́бка, опи́ска; (мора́льное) паде́ние; **2.** па́дать [упа́сть] (мора́льно); приня́ться за ста́рое; теря́ть си́лу (о пра́ве).
larceny ['lɑ:sni] ⚖ воровство́.
lard [lɑ:d] **1.** свино́е са́ло; **2.** [на-] шпигова́ть; **~er** ['lɑ:də] кладова́я.
large [lɑ:dʒ] □ большо́й, кру́пный; оби́льный; ще́дрый; at ~ на свобо́де; простра́нно, подро́бно; **~ly** ['lɑ:dʒli] в значи́тельной сте́пени; оби́льно, ще́дро; на широ́кую но́гу, в широ́ком масшта́бе; **~ness** [-nis] большо́й разме́р; широта́ (взгля́дов).
lark [lɑ:k] жа́воронок; *fig.* шу́тка, [прока́за, заба́ва.]
larva ['lɑ:və] *zo.* личи́нка.
larynx ['læ:riŋks] горта́нь *f*.
lascivious [lə'siviəs] □ похотли́вый.
lash [læʃ] **1.** плеть *f*; бич; реме́нь *m* (часть кнута́); уда́р (пле́тью и т. п.); ресни́ца; **2.** хлеста́ть [-ну́ть]; привя́зывать [-за́ть]; *fig.* бичева́ть.
lass, ~ie [læs, 'læsi] де́вушка, де́вочка.
lassitude ['læsitju:d] уста́лость *f*.
last[1] [lɑ:st] **1.** *adj.* после́дний; про́шлый; кра́йний; ~ but one предпосле́дний; ~ night вчера́ ве́чером; **2.** коне́ц; at ~ наконе́ц; **3.** *adv.* в после́дний раз; по́сле всех; в конце́.
last[2] [~] продолжа́ться [-до́лжиться]; [про]дли́ться; хвата́ть [-ти́ть]; сохраня́ться [-ни́ться].
last[3] [~] коло́дка.
lasting ['lɑ:stiŋ] □ дли́тельный, постоя́нный; про́чный.
lastly ['lɑ:stli] наконе́ц.
latch [lætʃ] **1.** щеко́лда, задви́жка; америка́нский замо́к; **2.** запира́ть [запере́ть].
late [leit] по́здний; запозда́лый; неда́вний; уме́рший, поко́йный; *adv.* по́здно; at (the) ~st не поздне́е; of ~ за после́днее вре́мя; be ~ опа́здывать [опозда́ть]; **~ly** ['leitli] неда́вно; за после́днее вре́мя.
latent ['leitənt] □ скры́тый; 🏥 [лате́нтный.]

lateral [ˈlætərəl] □ боково́й; побо́чный, втори́чный.
lath [lɑ:θ] **1.** дра́нка; пла́нка; **2.** прибива́ть пла́нки к (Д).
lathe [leið] тока́рный стано́к.
lather [ˈlɑ:ðə] **1.** мы́льная пе́на; **2.** *v/t.* намы́ли(ва)ть; *v/i.* мы́литься, намы́ли(ва)ться; взмы́ли(ва)ться (о ло́шади).
Latin [ˈlætin] **1.** лати́нский язы́к; **2.** лати́нский.
latitude [ˈlætitju:d] *geogr.*, *ast.* широта́; *fig.* свобо́да де́йствий.
latter [ˈlætə] неда́вний; после́дний; **~ly** [-li] неда́вно; к концу́.
lattice [ˈlætis] решётка (*a.* **~-work**).
laud [lɔ:d] **1.** хвала́; **2.** [по]хвали́ть; **~able** [ˈlɔ:dəbl] □ похва́льный.
laugh [lɑ:f] **1.** смех; **2.** смея́ться; ~ at a p. высме́ивать [вы́смеять] (В), смея́ться над (Т); **~able** [ˈlɑ:fəbl] □ смешно́й; **~ter** [ˈlɑ:ftə] смех.
launch [lɔ:ntʃ] **1.** барка́с; мото́рная ло́дка; **2.** запуска́ть [-сти́ть]; спуска́ть [-сти́ть] (су́дно на́ воду); *fig.* пуска́ть в ход.
laund|ress [ˈlɔ:ndris] пра́чка; **~ry** [-ri] пра́чечная; бельё для сти́рки.
laurel [ˈlɔrəl] ⚘ лавр.
lavatory [ˈlævətəri] убо́рная.
lavender [ˈlævində] ⚘ лава́нда.
lavish [ˈlæviʃ] **1.** □ ще́дрый, расточи́тельный; **2.** расточа́ть [-чи́ть].
law [lɔ:] зако́н; пра́вило; ⚖ пра́во; ⚖ юриспруде́нция; go to ~ нача́ть суде́бный проце́сс; lay down the ~ задава́ть тон; **~-abiding** ⚖ законопослу́шный, соблюда́ющий зако́н; **~-court** суд; **~ful** [ˈlɔ:ful] □ зако́нный; **~less** [ˈlɔ:lis] □ беззако́нный.
lawn [lɔ:n] лужа́йка, газо́н; бати́ст (ткань).
law|suit [ˈlɔ:sju:t] суде́бный проце́сс; **~yer** [ˈlɔ:jə] юри́ст; адвока́т.
lax [læks] □ вя́лый; ры́хлый; небре́жный; неря́шливый; **~ative** [ˈlæksətiv] слаби́тельное.
lay[1] [lei] **1.** *pt.* от lie[2]; **2.** све́тский, мирско́й (не духо́вный).
lay[2] [~] **1.** положе́ние, направле́ние; **2.** [*irr.*] *v/t.* класть [положи́ть]; возлага́ть [-ложи́ть; успока́ивать [-ко́ить]; накры́(ва́)ть (на стол); ~ before a p. предъявля́ть [-ви́ть] (Д); ~ in stocks запаса́ться [запасти́сь] (of T); ~ low опроки́дывать [-и́нуть]; ~ open излага́ть [изложи́ть]; откры́(ва́)ть; ~ out выкла́дывать [вы́ложить]; разби́(ва́)ть (сад, парк и т. п.); ~ up [на]копи́ть; прико́вывать к посте́ли; ~ with обкла́дывать [обложи́ть] (T); *v/i.* [с]нести́сь (о пти́цах); держа́ть пари́ (*a.* ~ a wager).
layer [ˈleiə] слой, пласт, наслое́ние.
layman [ˈleimən] миря́нин; неспециали́ст, люби́тель *m.*
lay|off приостано́вка произво́дства; **~-out** план; разби́вка.
lazy [ˈleizi] □ лени́вый.
lead[1] [led] свине́ц; ⚓ лот; грузи́ло; *typ.* шпо́ны *m/f pl.*
lead[2] [li:d] **1.** руково́дство; инициати́ва; *sport.* ли́дерство; *thea.* гла́вная роль *f*; ⚡ вво́дный про́вод; **2.** [*irr.*] *v/t.* води́ть, [по-] вести́; приводи́ть [-вести́]; склоня́ть [-ни́ть] (to к Д); руководи́ть (Т); ходи́ть [пойти́] с (Р *pl.*) (о ка́рточной игре́); ~ on соблазня́ть [-ни́ть]; *v/t.* вести́; быть пе́рвым ~ off нач(ин)а́ть, класть нача́ло.
leaden [ˈledn] свинцо́вый (*a. fig.*).
leader [ˈli:də] руководи́тель(ница *f*) *m*; вождь *m*; передова́я статья́.
leading [ˈli:diŋ] **1.** руководя́щий; веду́щий; передово́й; выдаю́щийся; **2.** руково́дство; веде́ние.
leaf [li:f] (*pl.*: leaves) лист (⚘ *pl.*: ли́стья); листва́; **~let** [ˈli:flit] листо́вка; **~y** [ˈli:fi] покры́тый ли́стьями.
league [li:g] **1.** ли́га, сою́з; **2.** вступа́ть в сою́з; объединя́ть(ся) [-ни́ть(ся)].
leak [li:k] **1.** течь *f*; уте́чка, **2.** дава́ть течь, пропуска́ть во́ду; ~ out проса́чиваться [-сочи́ться]; *fig.* обнару́жи(ва)ться; **~age** [ˈli:kidʒ] проса́чивание; *fig.* обнару́жение (та́йны и т. п.); **~y** [ˈli:ki] с те́чью.
lean [li:n] **1.** [*irr.*] прислоня́ть(ся) [-ни́ть(ся)] (against к Д); опира́ться [опере́ться] (on на В) (*a. fig.*); наклоня́ть(ся) [-ни́ть(ся)]; **2.** то́щий, худо́й.
leant [lent] *pt.* и *p. pt.* от lean.
leap [li:p] **1.** прыжо́к, скачо́к; **2.** [*a. irr.*] пры́гать [-гнуть], скака́ть [скакну́ть]; **~t** [lept] *pt.* и *p. pt.* от leap; **~-year** високо́сный год.
learn [lə:n] [*a. irr.*] изуча́ть [-чи́ть], [на]учи́ться (Д); ~ from узн(ав)а́ть от (Р); **~ed** [lə:nid] □ учёный; **~ing**

['lə:niŋ] уче́ние; учёность *f*, эруди́ция; **~t** [lə:nt] *pt.* и *p. pt.* от learn.

lease [li:s] **1.** аре́нда; наём; **2.** сдава́ть внаём, в аре́нду; брать внаём, в аре́нду.

least [li:st] *adj.* мале́йший; наиме́ньший; *adv.* ме́нее всего́, в наиме́ньшей сте́пени; at (the) ~ по кра́йней ме́ре.

leather ['leðə] **1.** ко́жа; реме́нь *m*; **2.** (*a.* ~n) ко́жаный.

leave [li:v] **1.** разреше́ние, позволе́ние; о́тпуск; **2.** [*irr.*] *v/t.* оставля́ть [-а́вить]; покида́ть [поки́нуть]; предоставля́ть [-а́вить]; *Am.* позволя́ть [-о́лить]; ~ off броса́ть [бро́сить] (де́лать что́-либо); *v/i.* уезжа́ть [уе́хать]; уходи́ть [уйти́].

leaves [li:vz] *pl.* от leaf.

leavings ['li:viŋz] оста́тки *m/pl.*; отбро́сы *m/pl.*

lecture ['lektʃə] **1.** докла́д; ле́кция; наставле́ние; **2.** *v/i.* чита́ть ле́кции; *v/t.* отчи́тывать [-ита́ть]; **~r** [-rə] докла́дчик (-ица); ле́ктор; *univ.* преподава́тель *m.*

led [led] *pt.* и *p. pt.* от lead.

ledge [ledʒ] вы́ступ, усту́п; риф.

ledger ['ledʒə] ☨ гроссбу́х, гла́вная кни́га.

leech [li:tʃ] *zo.* пия́вка.

leer [liə] **1.** взгляд и́скоса; **2.** смотре́ть, гляде́ть и́скоса (at на В).

leeway ['li:wei] ⚓ дрейф; *fig.* make up for ~ навёрстывать упу́щенное.

left[1] [left] *pt.* и *p. pt.* от leave; be ~ ост(ав)а́ться.

left[2] [~] **1.** ле́вый; **2.** ле́вая сторона́; **~-hander** левша́ *m/f.*

leg [leg] нога́ (от бедра́ до ступни́); но́жка (стола́ и т. п.); штани́на.

legacy ['legəsi] насле́дство.

legal ['li:gəl] □ зако́нный, лега́льный; правово́й; **~ize** [-aiz] узако́ни(ва)ть, легализова́ть (*im*)*pf.*

legation [li'geiʃən] дипломати́ческая ми́ссия.

legend ['ledʒənd] леге́нда; на́дпись *f*; **~ary** [-əri] легенда́рный.

leggings ['legiŋz] гама́ши *f/pl.*, кра́ги *f/pl.*

legible ['ledʒəbl] □ разбо́рчивый.

legionary ['li:dʒənəri] легионе́р.

legislat|ion [ledʒis'leiʃən] законода́тельство; **~ive** ['ledʒisleitiv] законода́тельный; **~or** законода́тель *m.*

legitima|cy [li'dʒitiməsi] зако́нность *f*; **~te** **1.** [-meit] узако́ни(ва)ть; **2.** [-mit] зако́нный.

leisure ['leʒə] досу́г; at your ~ когда́ вам удо́бно; **~ly** не спеша́, споко́йно.

lemon ['lemən] лимо́н; **~ade** [lemə'neid] лимона́д.

lend [lend] [*irr.*] ода́лживать [одолжи́ть]; дава́ть взаймы́; *fig.* д(ав)а́ть, прид(ав)а́ть.

length [leŋð] длина́; расстоя́ние; продолжи́тельность *f*; отре́з (мате́рии); at ~ подро́бно; go all ~s пойти́ на всё; **~en** ['leŋθən] удлиня́ть(ся) [-ни́ть(ся)]; **~wise** [-waiz] в длину́; вдоль; **~y** [-i] растя́нутый; многосло́вный.

lenient ['li:niənt] □ мя́гкий; снисходи́тельный.

lens [lenz] ли́нза.

lent[1] [lent] *pt.* и *p. pt.* от lend.

Lent[2] [~] вели́кий пост.

less [les] **1.** (*comp.* от little) ме́ньший; **2.** *adv.* ме́ньше, ме́нее; **3.** *prp.* без (Р).

lessen ['lesn] *v/t.* уменьша́ть [уме́ньши́ть]; недооце́нивать [-ни́ть]; *v/i.* уменьша́ться [уме́ньши́ться].

lesser ['lesə] ме́ньший.

lesson ['lesn] уро́к; *fig.* give a ~ to a p. проучи́ть (В) *pf.*; предостереже́ние.

lest [lest] что́бы не, как бы не.

let [let] [*irr.*] оставля́ть [-а́вить]; сдава́ть внаём; позволя́ть [-во́лить] (Д), пуска́ть [пусти́ть]; ~ alone оста́вить в поко́е; *adv.* не говоря́ уже́ о ... (П); ~ down опуска́ть [-сти́ть]; *fig.* подводи́ть [-вести́]; ~ go выпуска́ть из рук; вы́кинуть из головы́ (мысль); ~ into посвяща́ть [-яти́ть] в (та́йну и т. п.); ~ off стреля́ть [вы́стрелить] из (Р); *fig.* выпа́ливать [вы́палить] (шу́тку); ~ out выпуска́ть [вы́пустить]; ~ up *Am.* ослабе́(ва́)ть.

lethargy ['leθədʒi] летарги́я; апати́чность *f.*

letter ['letə] **1.** бу́ква; ли́тера; письмо́; ~s *pl.* литерату́ра; учёность *f*; *attr.* пи́сьменный; to the ~ буква́льно; **2.** помеча́ть бу́квами; де́лать на́дпись на (П); **~-case** бума́жник; **~-cover** конве́рт; **~ed** [-d] начи́танный, образо́ванный; **~-file** регистра́тор (па́пка); **~ing**

[-riŋ] на́дпись *f*; тисне́ние; **~press** текст в кни́ге (в отли́чие от иллюстра́ций).
lettuce ['letis] сала́т.
level ['levl] **1.** горизонта́льный; ро́вный; одина́ковый, ра́вный, равноме́рный; my ~ best всё, что в мои́х си́лах; **2.** у́ровень *m*; ватерпа́с, ниве́лир; *fig.* масшта́б; ~ of the sea у́ровень мо́ря; on the ~ *Am.* че́стно, правди́во; **3.** *v/t.* выра́внивать [вы́ровнять]; ура́внивать [-вня́ть]; сгла́живать [сгла́дить]; сра́внивать, [с]ровня́ть (с землёй); ~ up повыша́ть ура́внивая; *v/i.* ~ at прице́ли(ва)ться в (В); **~-headed** уравнове́шенный.
lever ['li:və] рыча́г, ва́га; **~age** [-ridʒ] подъёмная си́ла.
levity ['leviti] легкомы́слие, ве́тренность *f*.
levy ['levi] **1.** сбор, взима́ние (нало́гов); ⚔ набо́р (ре́крутов); **2.** взима́ть (нало́г); ⚔ наб(и)ра́ть.
lewd [lju:d] □ похотли́вый.
liability [laiə'biliti] отве́тственность *f* (*a.* ⚖); обяза́тельство; задо́лженность *f*; *fig.* подве́рженность *f*, скло́нность *f*; liabilities *pl.* обяза́тельства *n/pl.*; ✝ долги́ *m/pl.*
liable ['laiəbl] □ отве́тственный (за В); обя́занный; подве́рженный; be ~ to быть предрасполо́женным к (Д).
liar ['laiə] лгу́н(ья).
libel ['laibəl] **1.** клевета́; **2.** [на-] клевета́ть на (В).
liberal ['libərəl] **1.** □ ще́дрый, оби́льный; *pol.* либера́льный; **2.** либера́л(ка); **~ity** [libə'ræliti] ще́дрость *f*; либера́льность *f*.
liberat|e ['libəreit] освобожда́ть [-боди́ть]; **~ion** [libə'reiʃən] освобожде́ние; **~or** ['libəreitə] освободи́тель *m*.
libertine ['libətain] распу́тник; [вольноду́мец.]
liberty [-ti] свобо́да; во́льность *f*; бесцеремо́нность *f*; be at ~ быть свобо́дным.
librar|ian [lai'brεəriən] библиоте́карь *m*; **~y** ['laibrəri] библиоте́ка.
lice [lais] *pl.* от louse.
licen|ce, *Am.* **~se** ['laisəns] **1.** разреше́ние, ✝ лице́нзия; во́льность *f*; driving ~ води́тельские права́ *n/pl.*; **2.** разреша́ть [-ши́ть]; дава́ть пра́во, пате́нт на (В).
licentious [lai'senʃəs] □ распу́щенный, безнра́вственный.
lick [lik] **1.** обли́зывание; **2.** лиза́ть [лизну́ть]; обли́зывать [-за́ть]; F [по]би́ть, [по]колоти́ть; ~ the dust быть пове́рженным на́земь; быть уби́тым; ~ into shape привести́ в поря́док.
lid [lid] кры́шка; ве́ко.
lie¹ [lai] **1.** ложь *f*, обма́н; give the ~ облича́ть во лжи; **2.** [со]лга́ть.
lie² [~] **1.** положе́ние; направле́ние; **2.** [*irr.*] лежа́ть; быть располо́женным, находи́ться; заключа́ться; ~ by остава́ться без употребле́ния; ~ down ложи́ться [лечь]; ~ in wait for поджида́ть (В).
lien ['liən] ⚖ пра́во наложе́ния аре́ста на иму́щество должника́.
lieu [lju:]: in ~ of вме́сто (Р).
lieutenant [lef'tenənt, ⚓ and *Am.* lut-] лейтена́нт; **~-commander** капита́н-лейтена́нт.
life [laif] жизнь *f*; о́браз жи́зни; биогра́фия; жи́вость *f*; for ~ пожи́зненный; на всю жизнь; ~ sentence пожи́зненное заключе́ние; **~-assurance** страхова́ние жи́зни; **~-boat** спаса́тельная ло́дка; **~-guard** лейб-гва́рдия; **~less** □ бездыха́нный, безжи́зненный; **~-like** сло́вно живо́й; **~-long** пожи́зненный; **~-preserver** спаса́тельный по́яс; трость, на́литая свинцо́м; **~-time** вся жизнь *f*, це́лая жизнь *f*.
lift [lift] **1.** лифт; подъёмная маши́на; *phys.*, ✈ подъёмная си́ла; *fig.* возвыше́ние; give a p. a ~ подвози́ть [-везти́] кого́-либо; **2.** *v/t.* поднима́ть [-ня́ть]; возвыша́ть [-вы́сить]; *sl.* [у]кра́сть; *v/i.* возвыша́ться [-вы́ситься]; поднима́ться [-ня́ться].
light¹ [lait] **1.** свет, освеще́ние; ого́нь *m*; *fig.* свети́ло; аспе́кт; will you give me a ~ позво́льте прикури́ть; put a ~ to зажига́ть [заже́чь]; **2.** све́тлый, я́сный; **3.** [*a. irr.*] *v/t.* зажига́ть [заже́чь]; освеща́ть [-ети́ть]; *v/i.* (*mst* ~ up) загора́ться [-ре́ться]; освеща́ться [-ети́ться].
light² [~] **1.** *adj.* □ лёгкий, легкове́сный; незначи́тельный; пусто́й, легкомы́сленный; ~ current ⚡ ток сла́бого напряже́ния; make ~

of относи́ться несерьёзно к (Д); **2.** ~ on неожи́данно натолкну́ться на (В), случа́йно напа́сть на (В).
lighten ['laitn] освеща́ть [-ети́ть]; [по]светле́ть; сверка́ть [-кну́ть] (о мо́лнии); де́лать(ся) бо́лее лёгким.
lighter ['laitə] зажига́лка; запа́л; ⚓ ли́хтер.
light|headed легкомы́сленный; в бреду́; **~-hearted** □ беззабо́тный; весёлый; **~house** мая́к.
lighting ['laitiŋ] освеще́ние.
light|-minded легкомы́сленный; **~ness** лёгкость *f*.
lightning [-niŋ] мо́лния; **~-conductor, ~-rod** громоотво́д.
light-weight *sport* легкове́с.
like [laik] **1.** похо́жий, подо́бный; ра́вный; such ~ подо́бный тому́, тако́й; F feel ~ хоте́ть (+ *inf*.); what is he ~? что он за челове́к?; **2.** не́что подо́бное; ~s *pl.* скло́нности *f/pl.*, влече́ния *n/pl.*; his ~ ему подо́бные; **3.** люби́ть; [за-] хоте́ть; how do you ~ London? как вам нра́вится Ло́ндон? I should ~ to know я хоте́л бы знать.
like|lihood ['laiklihud] вероя́тность *f*; **~ly** ['laikli] вероя́тный; подходя́щий; he is ~ to die он вероя́тно умрёт.
like|n ['laikən] уподобля́ть [-о́бить]; сра́внивать [-ни́ть]; **~ness** ['laiknis] схо́дство, подо́бие; **~wise** [-waiz] то́же, та́кже; подо́бно.
liking ['laikiŋ] расположе́ние (for к Д).
lilac ['lailək] **1.** сире́нь *f*; **2.** лило́вый.
lily ['lili] ли́лия; ~ of the valley ла́ндыш.
limb [lim] член, коне́чность *f*; ве́тка.
limber ['limbə] ги́бкий, мя́гкий.
lime [laim] и́звесть *f*; ⚘ лиме́тта (разнови́дность лимо́на); **~light** свет ра́мпы; *fig.* центр о́бщего внима́ния.
limit ['limit] грани́ца, преде́л; off ~s вход воспрещён (на́дпись); be ~ed to ограни́чи(ва)ться (Т); **~ation** [limi'teiʃən] ограниче́ние; ⚖ преде́льный срок; **~ed** ['limitid]: ~ (liability) company о́бщество с ограни́ченной отве́тственностью; **~less** ['limitlis] □ безграни́чный.
limp [limp] **1.** [за]хрома́ть; **2.** прихра́мывание, хромота́; **3.** мя́гкий, нетвёрдый; сла́бый.
limpid ['limpid] прозра́чный.
line [lain] **1.** ли́ния (*a.* 🚂, *tel.*); строка́; черта́, штрих; шнуро́к; леса́ (у́дочки); специа́льность *f*, заня́тие; ⚔ развёрнутый строй; ⚔ рубе́ж; ~s *pl.* стихи́; ~ of conduct о́браз де́йствия; hard ~s *pl.* неуда́ча; in ~ with в согла́сии с (Т); stand in ~ *Am.* стоя́ть в о́череди; **2.** *v/t.* разлино́вывать [-нова́ть]; класть на подкла́дку; ~ out набра́сывать [-роса́ть]; тяну́ться вдоль (Р).; *v/i.* ~ up выстра́иваться [вы́строиться] (в ряд).
linea|ge ['liniidʒ] родосло́вная, происхожде́ние; **~ment** [-mənt] черты́ (лица́); очерта́ние (гор); **~r** ['liniə] лине́йный.
linen ['linin] **1.** полотно́; *coll.* бельё; **2.** полотня́ный.
liner ['lainə] пассажи́рский парохо́д и́ли самолёт.
linger ['liŋgə] [по]ме́длить, [про-] ме́шкать; ~ over заде́рживаться [-жа́ться] на (П).
lingerie ['læ:ŋʒəri:] ✝ да́мское бельё.
lining ['lainiŋ] подкла́дка; ⊕ оби́вка, облицо́вка, футеро́вка.
link [liŋk] **1.** звено́; связь *f*; соедине́ние; *fig.* у́зы *f/pl.*; **2.** соединя́ть [-ни́ть]; смыка́ть [сомкну́ть]; примыка́ть [-мкну́ть].
linseed ['linsi:d] льняно́е се́мя *n*; ~ oil льняно́е ма́сло.
lion ['laiən] лев; **~ess** [-is] льви́ца.
lip [lip] губа́; край; F де́рзкая болтовня́; **~-stick** губна́я пома́да.
liquefy ['likwifai] превраща́ть(ся) в жи́дкость.
liquid ['likwid] **1.** жи́дкий; прозра́чный; ✝ легко́ реализу́емый; **2.** жи́дкость *f*.
liquidat|e ['likwideit] ликвиди́ровать *im(pf.)*; выпла́чивать [вы́платить] (долг); **~ion** [likwi'deiʃən] ликвида́ция; вы́плата до́лга.
liquor ['likə] жи́дкость *f*; (*a.* strong ~) спиртно́й напи́ток.
lisp [lisp] **1.** шепеля́вость *f*; ле́пет; **2.** шепеля́вить, сюсю́кать.
list [list] **1.** спи́сок, рее́стр, пе́ре-

чень *m*; крен (су́дна); **2.** вноси́ть в спи́сок; составля́ть спи́сок (Р); [на]крени́ться.
listen ['lisn] [по]слу́шать; прислу́ш(ив)аться; (to к Д); ~ in подслу́ш(ив)ать (to В); слу́шать ра́дио; **~er, ~er-in** [-ə'rin] слу́шатель(ница *f*) *m*.
listless ['listlis] апати́чный.
lit [lit] *pt.*и *p. pt.* от light[1].
literal ['litərəl] □ буква́льный, досло́вный.
litera|ry ['litərəri] □ литерату́рный; **~ture** ['litəritʃə] литерату́ра.
lithe [laið] ги́бкий.
lithography [li'θɔgrəfi] литогра́фия.
litigation [liti'geiʃən] тя́жба; спор.
litter ['litə] **1.** носи́лки *f/pl.*; подсти́лка (для скота́); помёт (припло́д); беспоря́док; **2.** подстила́ть [подостла́ть] (соло́му и т. п.); [о]щени́ться, [о]пороси́ться и т. п.; разбра́сывать в беспоря́дке.
little ['litl] **1.** *adj.* ма́ленький, небольшо́й; коро́ткий (о вре́мени); a ~ one малы́ш; **2.** *adv.* немно́го, ма́ло; **3.** пустя́к, ме́лочь *f*; a ~ немно́го; ~ by ~ ма́ло-пома́лу, постепе́нно; not a ~ нема́ло.
live 1. [liv] *com.* жить; существова́ть; ~ to see дожи́(ва́)ть до (Р); ~ down загла́живать [-ла́дить]; ~ out пережи́(ва́)ть; ~ up to a standard жить согла́сно тре́бованиям; **2.** [laiv] живо́й; жи́зненный; горя́щий; ⚔ боево́й, де́йствующий (снаря́д); ⚡ под напряже́нием; **~lihood** ['laivlihud] сре́дства к жи́зни; **~liness** [-nis] жи́вость *f*; оживле́ние; **~ly** ['laivli] живо́й; оживлённый.
liver ['livə] *anat.* пе́чень *f*; *cook.* печёнка.
livery ['livəri] ливре́я.
live|s [laivz] *pl.* от life; **~-stock** ['laivstɔk] живо́й инвента́рь *m*.
livid ['livid] мéртвенно бле́дный.
living ['liviŋ] **1.** □ живо́й; живу́щий, существу́ющий; **2.** сре́дства к жи́зни; жизнь *f*, о́браз жи́зни; **~-room** жила́я ко́мната.
lizard ['lizəd] я́щерица.
load [loud] **1.** груз; тя́жесть *f*, бре́мя *n*; заря́д; **2.** [на]грузи́ть; отягоща́ть [-готи́ть]; заряжа́ть [-яди́ть] (об ору́жии); *fig.* обременя́ть [-ни́ть]; **~ing** ['loudiŋ] погру́зка; груз; заря́дка.
loaf [loaf] **1.** (*pl.* loaves) хлеб, карава́й; **2.** безде́льничать; шата́ться, слоня́ться без де́ла.
loafer ['loufə] безде́льник; бродя́га *m*.
loam [loum] жи́рная гли́на; плодоро́дная земля́.
loan [loun] **1.** заём; on ~ взаймы́; **2.** дава́ть взаймы́, ссужа́ть [ссуди́ть].
lo(a)th [louθ] □ несклóнный; **~e** [louð] пита́ть отвраще́ние к (Д); **~some** ['louðsəm] □ отврати́тельный.
loaves [louvz] *pl.* хле́бы *m/pl.*
lobby ['lɔbi] **1.** прихо́жая; *parl.* кулуа́ры *m/pl.*; *thea.* фойе́ *n indecl.*; **2.** *part. Am. parl.* пыта́ться возде́йствовать на чле́нов конгре́сса.
lobe [loub] ⚘ *anat.* до́ля; мо́чка (у́ха).
lobster ['lɔbstə] ома́р.
local ['loukəl] **1.** □ ме́стный; ~ government ме́стное самоуправле́ние; **2.** ме́стное изве́стие; (*a.* ~ train) при́городный по́езд; **~ity** [lou'kæliti] ме́стность *f*, райо́н; окре́стность *f*; **~ize** ['loukəlaiz] локализова́ть (*im*)*pf.*; ограни́чивать распростране́ние (Р).
locat|e [lou'keit] *v/t.* определя́ть ме́сто (Р); располага́ть в определённом ме́сте; назнача́ть ме́сто для (Р); *Am.* отмеча́ть грани́цу (Р); be ~d быть располо́женным; *v/i.* поселя́ться [-ли́ться]; **~ion** [-ʃən] размеще́ние; определе́ние ме́ста; *Am.* местонахожде́ние.
lock [lɔk] **1.** замо́к; запо́р; зато́р; шлюз; ло́кон; пучо́к; **2.** *v/t.* запира́ть [запере́ть]; ⊕ [за]тормози́ть; ~ in запира́ть [запере́ть]; ~ up вложи́ть (капита́л) в тру́дно реализу́емые бума́ги; *v/i.* запира́ться [запере́ться]; замыка́ться [замкну́ться].
lock|er ['lɔkə] запира́ющийся шка́фчик; **~et** ['lɔkit] медальо́н; **~-out** лока́ут; **~smith** сле́сарь *m*; **~-up** вре́мя закры́тия (школ, магази́нов и т. п.); арестáнтская ка́мера.
locomotive ['loukəmoutiv] **1.** дви́жущий(ся); **2.** (и́ли ~ engine) локомоти́в, парово́з, теплово́з, электрово́з.

locust ['loukəst] саранча́.
lodestar путево́дная звезда́.
lodg|e [lɔdʒ] **1.** сторо́жка; (*mst* охо́тничий) до́мик; (масо́нская) ло́жа; **2.** *v/t.* дать помеще́ние (Д); депони́ровать (*im*)*pf.* (де́ньги); под(ав)а́ть (жа́лобу); *v/i.* квартирова́ть; застрева́ть [-ря́ть] (о пу́ле и т. п.); **~er** ['lɔdʒə] жиле́ц, жили́ца; **~ing** ['lɔdʒiŋ] жили́ще; ~s *pl.* кварти́ра; ко́мната (снима́емая).
loft [lɔft] черда́к; галере́я; **~y** ['lɔfti] □ высокоме́рный; вели́чественный.
log [lɔg] коло́да; бревно́; ⚓ лаг; **~-cabin** бреве́нчатая хи́жина; **~gerhead** ['lɔgəhed]: be at ~s быть в ссо́ре, ссо́риться (with с Т).
logic ['lɔdʒik] ло́гика; **~al** ['lɔdʒikəl] □ логи́ческий.
loin [lɔin] филе́йная часть *f*; ~s *pl.* поясни́ца.
loiter ['lɔitə] слоня́ться без де́ла; ме́шкать.
loll [lɔl] сиде́ть разваля́сь; стоя́ть облокотя́сь.
lone|liness ['lounlinis] одино́чество; **~ly** [-li] □, **~some** [-səm] □ одино́кий.
long¹ [lɔŋ] **1.** до́лгий срок, до́лгое вре́мя *n*; before ~ вско́ре; for ~ надо́лго; **2.** *adj.* дли́нный; до́лгий; ме́дленный; in the ~ run в конце́ концо́в; be ~ ме́длить; до́лго дли́ться; **3.** *adv.* до́лго; ~ ago давно́; so ~! пока́ (до свида́ния)!; ~er до́льше; бо́льше.
long² [~] стра́стно жела́ть, жа́ждать (for Р), тоскова́ть (по Д).
long|-distance *attr.* да́льний; *sport* на дли́нные диста́нции; **~evity** [lɔn'dʒeviti] долгове́чность *f*.
longing ['lɔŋiŋ] **1.** □ тоску́ющий; **2.** си́льное жела́ние, стремле́ние (к Д), тоска́ (по Д).
longitude ['lɔndʒitju:d] *geogr.* долгота́.
long|shoreman ['lɔŋʃɔ:mən] порто́вый гру́зчик; **~sighted** дальнозо́ркий; **~-suffering 1.** многострада́льный; долготерпели́вый; **2.** долготерпе́ние; **~-term** долгосро́чный; **~-winded** □ могу́щий до́лго бежа́ть, не задыха́ясь; многоречи́вый.
look [luk] **1.** взгляд; выраже́ние (глаз, лица́); вид, нару́жность *f* (*a.* ~s *pl.*); have a ~ at a th. посмотре́ть на (В); ознакомля́ться [-ко́миться] с (Т); **2.** *v/i.* [по-] смотре́ть (at на В); вы́глядеть; ~ for иска́ть (В *or* Р); ~ forward to предвкуша́ть [-уси́ть] (В); с ра́достью ожида́ть (Р); ~ into иссле́довать (*im*)*pf.*; ~ out! береги́сь!, смотри́!; ~ (up)on *fig.* смотре́ть как на (В), счита́ть за (В); *v/t.* ~ disdain смотре́ть с презре́нием; ~ over не замеча́ть [-е́тить]; просма́тривать [-мотре́ть]; ~ up [по]иска́ть (в словаре́ и т. п.); навеща́ть [-ести́ть].
looker-on ['lukər'ɔn] зри́тель(ница *f*) *m*; наблюда́тель(ница *f*) *m*.
looking-glass зе́ркало.
look-out ['luk'aut] вид (на мо́ре и т. п.); ви́ды *m/pl.*, ша́нсы *m/pl.*; that is my ~ э́то моё де́ло.
loom [lu:m] **1.** тка́цкий стано́к; **2.** мая́чить, нея́сно вырисо́вываться.
loop [lu:p] **1.** (✈ мёртвая) пе́тля; **2.** де́лать (✈ мёртвую) пе́тлю; закрепля́ть пе́тлей; **~hole** лазе́йка (*a. fig.*); *fig.* увёртка; ⚔ бо́йница, амбразу́ра.
loose [lu:s] **1.** □ *com.* свобо́дный; неопределённый; просто́рный; болта́ющийся, шата́ющийся; распу́щенный (о нра́вах); несвя́занный; ры́хлый; **2.** освобожда́ть [-боди́ть]; развя́зывать [-яза́ть]; **~n** ['lu:sn] ослабля́ть(ся) [-а́бить (-ся)]; развя́зывать [-яза́ть]; расрыхля́ть [-ли́ть]; расша́тывать [-шата́ть].
loot [lu:t] **1.** [о]гра́бить; **2.** добы́ча, награ́бленное добро́.
lop [lɔp] обруба́ть [-би́ть] (ве́тки); **~-sided** кривобо́кий; накренённый.
loquacious [lo'kweiʃəs] болтли́вый.
lord [lɔ:d] господи́н, ба́рин; лорд; повели́тель *m*; the ♀ госпо́дь *m*; my ~ [mi'lɔ:d] мило́рд (обраще́ние); the ♀'s prayer о́тче наш (моли́тва); the ♀'s Supper та́йная ве́черя; **~ly** ['lɔ:dli] высокоме́рный; **~ship** ['lɔ:dʃip]: your ~ ва́ша све́тлость *f*.
lorry ['lɔri] 🚂 грузови́к; ваго́н-платфо́рма; подво́да; поло́к.
lose [lu:z] [*irr.*] *v/t.* [по]теря́ть; упуска́ть [-сти́ть]; прои́грывать [-ра́ть]; ~ o. s. заблуди́ться *pf.*; *v/i.* [по]теря́ть; прои́грывать(ся)

[-ра́ть(ся)]; отст(ав)а́ть (о часа́х).
loss [lɔs] поте́ря, утра́та; уро́н; убы́ток; про́игрыш; at a ~ в затрудне́нии.
lost [lɔst] *pt.* и *p. pt.* от lose; be ~ пропада́ть [-па́сть]; погиба́ть [-ги́бнуть]; *fig.* растеря́ться *pf.*
lot [lɔt] жре́бий; † ве́щи продава́емые па́ртией на аукцио́не; у́часть *f*, до́ля; *Am.* уча́сток земли́; F ма́сса, у́йма; draw ~s броса́ть жре́бий; fall to a p.'s ~ вы́пасть на до́лю кого́-нибудь.
lotion ['louʃən] жи́дкое космети́ческое сре́дство, жи́дкий крем.
lottery ['lɔtəri] лотере́я.
loud [laud] □ гро́мкий, зву́чный; шу́мный, крикли́вый; *fig.* крича́щий (о кра́сках).
lounge [laundʒ] **1.** сиде́ть развали́сь; стоя́ть опира́ясь; **2.** пра́здное времяпрепровожде́ние; дива́н; *thea.* фойе́ *n indecl.*
lour ['lauə] смотре́ть угрю́мо; [на]хму́риться.
lous|e [laus] (*pl.*: lice) вошь *f* (*pl.*: вши); **~y** ['lauzi] вши́вый; *fig.* парши́вый.
lout [laut] неуклю́жий, неотёсанный челове́к.
lovable ['lʌvəbl] □ привлека́тельный, ми́лый.
love [lʌv] **1.** любо́вь *f*; влюблённость *f*; предме́т любви́; give (*or* send) one's ~ to a p. передава́ть, посыла́ть приве́т (Д); in ~ with влюблённый в (В); make ~ to уха́живать за (Т); **2.** люби́ть; ~ to do де́лать с удово́льствием; **~-affair** любо́вная интри́га; **~ly** ['lʌvli] прекра́сный, чу́дный; **~r** ['lʌvə] любо́вник; возлю́бленный; люби́тель(ница *f*) *m.*
loving ['lʌviŋ] □ лю́бящий.
low[1] [lou] ни́зкий, невысо́кий; *fig.* сла́бый; ти́хий (о го́лосе); ни́зкий, непристо́йный; ~est bid са́мая ни́зкая цена́, предло́женная на аукцио́не.
low[2] [~] **1.** мыча́ние; **2.** [за]мыча́ть.
lower[1] ['louə] **1.** *compr.* от low[1]; ни́зший; ни́жний; **2.** *v/t.* спуска́ть [-сти́ть] (ло́дку, па́рус); опуска́ть [-сти́ть] (глаза́); снижа́ть [-и́зить]; *v/i.* снижа́ться [-и́зиться] (о це́нах, зву́ке и т. п.); уменьша́ться [уме́ньшиться].
lower[2] ['lauə] *s.* lour.
low|land ни́зменная ме́стность *f*, ни́зменность *f*; **~liness** ['loulinis] скро́мность *f*; **~ly** скро́мный; **~-necked** с ни́зким вы́резом; **~-spirited** пода́вленный, уны́лый.
loyal ['lɔiəl] □ ве́рный, лоя́льный; **~ty** [-ti] ве́рность *f*, лоя́льность *f*.
lozenge ['lɔzindʒ] табле́тка; ромб.
lubber ['lʌbə] у́валень *m.*
lubric|ant ['lu:brikənt] сма́зка; **~ate** [-keit] сма́з(ыв)ать (маши́ну); **~ation** [lu:bri'keiʃən] сма́зка.
lucid ['lu:sid] □ я́сный; прозра́чный.
luck [lʌk] уда́ча, сча́стье; good ~ счастли́вый слу́чай, уда́ча; bad ~, hard ~, ill ~ неуда́ча; **~ily** ['lʌkili] к сча́стью; **~y** ['lʌki] □ счастли́вый, уда́чный; принося́щий уда́чу.
lucr|ative ['lu:krətiv] □ при́быльный, вы́годный; **~e** ['lu:kə] бары́ш, при́быль *f*.
ludicrous ['lu:dikrəs] □ неле́пый, смешно́й.
lug [lʌg] [по]тащи́ть, [по]волочи́ть.
luggage ['lʌgidʒ] бага́ж; **~-office** 🚂 ка́мера хране́ния багажа́.
lugubrious [lu:gju:briəs] □ мра́чный.
lukewarm ['lu:kwɔ:m] теплова́тый; *fig.* равноду́шный.
lull [lʌl] **1.** убаю́к(ив)ать; усыпля́ть [-пи́ть]; **2.** вре́менное зати́шье; вре́менное успокое́ние.
lullaby ['lʌləbai] колыбе́льная пе́сня.
lumber ['lʌmbə] нену́жные громо́здкие ве́щи *f/pl.*; *Am.* пиломатериа́лы *m/pl.*; **~man** *Am.* лесопромы́шленник; лесору́б.
lumin|ary ['lu:minəri] свети́ло; **~ous** [-əs] □ светя́щийся, све́тлый; *fig.* пролива́ющий свет.
lump [lʌmp] **1.** глы́ба, ком; *fig.* чурба́н; кусо́к (са́хара и т. п.); in the ~ о́птом, гурто́м; ~ sum о́бщая су́мма; **2.** *v/t.* брать огу́лом; сме́шивать в ку́чу; *v/i.* свёртываться в ко́мья; **~ish** ['lʌmpiʃ] неуклю́жий; тупоу́мный; **~y** ['lʌmpi] □ комкова́тый.
lunatic ['lu:nətik] **1.** сумасше́дший, безу́мный; **2.** психи́чески больно́й; ~ asylum психиатри́ческая больни́ца.

lunch(**eon**) ['lʌntʃ(ən)] **1.** второ́й за́втрак; **2.** [по]за́втракать.

lung [lʌŋ] лёгкое; (a pair of) ~s *pl.* лёгкие *n/pl.*

lunge [lʌndʒ] **1.** вы́пад, уда́р (рапи́рой, шпа́гой) **2.** *v/i.* наноси́ть уда́р (at Д).

lurch [lə:tʃ] **1.** [на]крени́ться; идти́ шата́ясь; **2.** leave a. p. in the ~ поки́нуть кого́-нибудь в беде́, в тяжёлом положе́нии.

lure [ljuə] **1.** прима́нка; *fig.* собла́зн; **2.** прима́нивать [-ни́ть]; *fig.* соблазня́ть [-ни́ть].

lurid ['ljuərid] мра́чный.

lurk [lə:k] скрыва́ться в заса́де; таи́ться.

luscious ['lʌʃəs] □ со́чный; при́торный.

lustr|e ['lʌstə] гля́нец; лю́стра; **~ous** ['lʌstrəs] □ глянцеви́тый.

lute¹ [lu:t, lju:t] ♪ лю́тня.

lute² [~] **1.** зама́зка, мастика; **2.** зама́зывать зама́зкой.

Lutheran ['lu:θərən] лютера́нский.

luxur|iant [lʌg'zjuəriənt] □ пы́шный; **~ious** [-riəs] □ роско́шный, пы́шный; **~y** ['lʌkʃəri] ро́скошь *f*; предме́т ро́скоши.

lye [lai] щёлок.

lying ['laiiŋ] **1.** *p. pr.* от lie¹ и lie²; **2.** *adj.* лжи́вый, ло́жный; лежа́щий; **~-in** [-'in] ро́ды *m/pl.*; ~ hospital роди́льный дом.

lymph [limf] ли́мфа.

lynch [lintʃ] расправля́ться самосу́дом с (Т); **~-law** ['lintʃlɔ:] самосу́д; зако́н Ли́нча.

lynx [links] *zo.* рысь *f.*

lyric ['lirik], **~al** [-ikəl] □ лири́ческий; **~s** *pl.* ли́рика.

M

macaroni [mækə'rouni] макаро́ны *f/pl.*

macaroon [mækə'ru:n] минда́льное пече́нье.

machin|ation [mæki'neiʃən] махина́ция, интри́га; ~s *pl.* ко́зни *f/pl.*; **~e** [mə'ʃi:n] **1.** маши́на; механи́зм; *attr.* маши́нный; ~ fitter сле́сарь-монта́жник; **2.** подверга́ть маши́нной обрабо́тке; **~e-made** сде́ланный механи́ческим спо́собом; **~ery** [-əri] маши́нное обору́дование; **~ist** [-ist] меха́ник; машини́ст.

mackerel ['mækrəl] *zo.* макре́ль *f.*

mackintosh ['mækintɔʃ] макинто́ш, плащ.

mad [mæd] □ сумаше́дший, поме́шанный; бе́шеный; *fig.* ди́кий; *Am.* взбешённый; go ~ сходи́ть с ума́; drive ~ своди́ть с ума́.

madam ['mædəm] мада́м *f indecl.*; суда́рыня.

mad|cap **1.** сорвиголова́ *m/f*; **2.** сумасбро́дный; **~den** ['mædn] [вз]беси́ть; своди́ть с ума́.

made [meid] *pt.* и *p. pt.* от make.

made-up прихоро́шенный; гото́вый (об оде́жде); ~ of состоя́щий из (Р).

mad|house дом умалишённых; **~man** сумасше́дший; **~ness** ['mædnis] сумасше́ствие.

magazine [mægə'zi:n] скла́д боеприпа́сов; журна́л; ⊕, ⚔ магази́н.

maggot ['mægət] личи́нка.

magic ['mædʒik] **1.** (*a.* **~al** ['mædʒikəl] □) волше́бный; **2.** волшебство́; **~ian** [mə'dʒiʃən] волше́бник.

magistra|cy ['mædʒistrəsi] до́лжность судьи́; магистра́т; **~te** [-trit] мирово́й судья́ *m.*

magnanimous [mæg'næniməs] □ великоду́шный.

magnet ['mægnit] магни́т; **~ic** [mæg'netik] (~ally) магни́тный; магнети́ческий.

magni|ficence [mæg'nifisns] великоле́пие; **~ficent** [-snt] великоле́пный; **~fy** ['mægnifai] увели́чи(ва)ть; **~tude** ['mægnitju:d] величина́; разме́ры *m/pl.*; ва́жность *f.*

mahogany [mə'hɔgəni] кра́сное де́рево.

maid [meid] деви́ца, де́вушка; го́рничная, служа́нка; old ~ ста́-

рая де́ва; ~ of honour фре́йлина; *Am.* подру́жка неве́сты.

maiden ['meidn] **1.** деви́ца, де́вушка; **2.** незаму́жняя; *fig.* де́вственный; *fig.* пе́рвый; ~ name де́вичья фами́лия; **~head, ~hood** деви́чество; де́вственность *f*; **~ly** [-li] деви́чий.

mail¹ [meil] кольчу́га.

mail² [~] **1.** по́чта; *attr.* почто́вый; **2.** *Am.* сдава́ть на по́чту; посыла́ть по́чтой; **~-bag** почто́вая су́мка; **~man** *Am.* почтальо́н.

maim [meim] [ис]кале́чить, [из-] уве́чить.

main [mein] **1.** гла́вная часть *f*; ~s *pl.* ⚡ магистра́ль *f*; ⚡ сеть си́льного то́ка; *f*; in the ~ в основно́м; **2.** гла́вный, основно́й; **~land** ['meinlənd] матери́к; **~ly** ['meinli] гла́вным о́бразом; бо́льшей ча́стью; **~spring** *fig.* гла́вная дви́жущая си́ла; **~stay** *fig.* гла́вная подде́ржка, опо́ра.

maintain [men'tein] подде́рживать [-жа́ть]; утвержда́ть [-рди́ть]; сохраня́ть [-ни́ть].

maintenance ['meintinəns] содержа́ние, сре́дства к существова́нию; подде́ржка; сохране́ние.

maize [meiz] ⚘ майс, кукуру́за.

majest|ic [mə'dʒestik] (~ally) вели́чественный; **~y** ['mædʒisti] вели́чество; вели́чественность *f*.

major ['meidʒə] **1.** ста́рший, бо́льший; ♪ мажо́рный; ~ key мажо́р; совершенноле́тний; **2.** майо́р; *Am. univ.* гла́вный предме́т; **~-general** генера́л-майо́р; **~ity** [mə'dʒɔriti] совершенноле́тие; большинство́; чин майо́ра.

make [meik] **1.** [*irr.*] *v/t. com.* [с]де́лать, производи́ть [-вести́]; [при-] гото́вить; составля́ть [-а́вить]; заключа́ть [-чи́ть] (мир и т. п.); заставля́ть [-ста́вить]; ~ good исправля́ть [-а́вить; [с]держа́ть (сло́во); do you ~ one of us? вы с на́ми? ~ a port входи́ть в порт, га́вань; ~ sure of удостоверя́ться [-ве́риться] в (П); ~ way уступа́ть доро́гу (for Д); ~ into превраща́ть [-рати́ть], переде́л(ыв)ать в (В); ~ out разбира́ть [разобра́ть]; выпи́сывать [вы́писать]; ~ over перед(ав)а́ть; ~ up составля́ть [-а́вить] ула́живать [ула́дить] (о ссо́ре); [за]гримирова́ть; навёрстывать [наверста́ть] (вре́мя); = ~ up for (*v/i.*); ~ up one's mind реша́ться [-ши́ться]; **2.** *v/i.* направля́ться [-а́виться] (for к Д); ~ away with отде́л(ыв)аться от (Р); ~ off уезжа́ть [уе́хать]; уходи́ть [уйти́]; ~ up for возмеща́ть [-мести́ть]; **3.** тип, моде́ль *f*; изде́лие; ма́рка (фи́рмы); **~-believe** притво́рство; предло́г; **~-shift** заме́на; подру́чное сре́дство; **~-up** соста́в; грим, косме́тика.

maladjustment ['mæləd'dʒʌstmənt] неуда́чное приспособле́ние.

maladministration ['mælədminis'treiʃən] плохо́е управле́ние.

malady ['mælədi] боле́знь *f*.

malcontent ['mælkəntent] **1.** недово́льный; **2.** недово́льный (челове́к).

male [meil] **1.** мужско́й; **2.** мужчи́на; саме́ц.

malediction [mæli'dikʃən] прокля́тие.

malefactor ['mælifæktə] злоде́й.

malevolen|ce [mə'levələns] злора́дство; недоброжела́тельность *f*; **~t** [-lənt] □ злора́дный; недоброжела́тельный.

malice ['mælis] зло́ба.

malicious [mə'liʃəs] □ зло́бный; **~ness** [-nis] зло́бность *f*.

malign [mə'lain] **1.** □ па́губный, вре́дный; **2.** [на]клевета́ть на (В); злосло́вить; **~ant** [mə'lignənt] □ зловре́дный; зло́бный, зло́стный; ⚕ злока́чественный; **~ity** [-niti] зло́бность *f*; па́губность *f*; ⚕ злока́чественность *f*.

malleable ['mæliəbl] ко́вкий; *fig.* пода́тливый.

mallet ['mælit] колоту́шка.

malnutrition ['mælnju:'triʃən] недоста́точное пита́ние.

malodorous ['mæ'loudərəs] □ злово́нный, воню́чий.

malt [mɔ:lt] со́лод; F пи́во.

maltreat [mæl'tri:t] ду́рно обраща́ться с (Т).

mammal ['mæməl] млекопита́ющее (живо́тное).

mammoth ['mæməθ] **1.** грома́дный; **2.** ма́монт.

man [mæn] **1.** (*pl.* men) челове́к; мужчи́на *m*; челове́чество; слуга́ *m*; фигу́ра (игры́); **2.** ⚔ ⚓ укомплекто́вывать соста́вом; ~ o. s. мужа́ться.

manage ['mænidʒ] *v/t.* управля́ть

(T), заве́довать (T); стоя́ть во главе́ (P); справля́ться [-а́виться] с (T); обходи́ться [обойти́сь] (with (T, without без P); ~ to (+ *inf.*) [с]уме́ть ...; **~able** [-əbl] □ послу́шный, сми́рный; сгово́рчивый; **~ment** [-mənt] управле́ние, заве́дование; уме́ние спра́виться; **~r** [-ə] заве́дующий; дире́ктор; **~ress** [-əres] заве́дующая.
managing [ˈmænidʒiŋ] руководя́щий; делово́й.
mandat|e [ˈmændeit] манда́т; нака́з; **~ory** [ˈmændətəri] манда́тный; повели́тельный.
mane [mein] гри́ва; *fig.* ко́смы *f/pl.*
manful [ˈmænful] □ му́жественный.
mange [meindʒ] *vet.* чесо́тка.
manger [ˈmeindʒə] я́сли *m/pl.*, корму́шка.
mangle [ˈmæŋgl] **1.** като́к (для белья́); **2.** [вы́]ката́ть (бельё); *fig.* искажа́ть [искази́ть].
mangy [ˈmeindʒi] чесо́точный; парши́вый.
manhood [ˈmænhud] возмужа́лость *f*; му́жественность *f*.
mania [ˈmeiniə] ма́ния; **~c** [ˈmeiniæk] **1.** манья́к (-я́чка); **2.** поме́шанный.
manicure [ˈmænikjuə] **1.** маникю́р; **2.** де́лать маникю́р (Д).
manifest [ˈmænifest] **1.** □ очеви́дный, я́вный; **2.** ⚓ деклара́ция судово́го гру́за; **3.** *v/t.* обнару́живать; обнаро́довать *pf.*; проявля́ть [-ви́ть]; **~ation** [ˈmænifesˈteiʃən] проявле́ние; манифеста́ция; **~o** [-ˈfestou] манифе́ст.
manifold [ˈmænifould] □ **1.** разнообра́зный, разноро́дный; **2.** размножа́ть [-о́жить] (докуме́нты).
manipulat|e [məˈnipjuleit] манипули́ровать; **~ion** [mənipjuˈleiʃən] манипуля́ция; подтасо́вка.
man|kind [mænˈkaind] **1.** челове́чество; **2.** [ˈmænkaind] мужско́й род; **~ly** [-li] му́жественный.
manner [ˈmænə] спо́соб, ме́тод; мане́ра; о́браз де́йствий; **~s** *pl.* уме́ние держа́ть себя́; мане́ры *f/pl.*; обы́чаи *m/pl.*; in a ~ в не́которой сте́пени; **~ed** [-d] вы́чурный; **~ly** [-li] ве́жливый.
manoeuvre [məˈnu:və] **1.** манёвр; **2.** проводи́ть манёвры; маневри́ровать.
man-of-war вое́нный кора́бль *f.*
manor [ˈmænə] поме́стье.
mansion [ˈmænʃən] большо́й поме́щичий дом.
manslaughter [ˈmænslɔ:tə] непредуму́шленное уби́йство.
mantel [mæntl] облицо́вка ками́на; **~piece, ~shelf** по́лка ками́на.
mantle [mæntl] **1.** ма́нтия; *fig.* покро́в; **2.** *v/t.* оку́т(ыв)ать; покры́(ва́)ть; *v/i.* [по]красне́ть.
manual [-juəl] **1.** ручно́й; **2.** руково́дство (кни́га), уче́бник, спра́вочник.
manufactory [mænjuˈfæktəri] фа́брика.
manufactur|e [mænjuˈfæktʃə] **1.** произво́дство; изде́лие; **2.** выде́лывать [вы́делать], [с]фабрикова́ть; **~er** [-rə] фабрика́нт; заво́дчик; **~ing** [-riŋ] произво́дство, вы́делка; *attr.* фабри́чный, промы́шленный.
manure [mənˈjuə] **1.** удобре́ние; **2.** удобря́ть [-о́брить].
many [ˈmeni] **1.** мно́гие, многочи́сленные; мно́го; ~ a ино́й; **2.** мно́жество; a good ~ поря́дочное коли́чество; a great ~ грома́дное коли́чество.
map [mæp] **1.** ка́рта; **2.** наноси́ть на ка́рту; ~ out [с]плани́ровать.
mar [mɑ:] искажа́ть [искази́ть]; [ис]порти́ть.
marble [mɑ:bl] **1.** мра́мор; **2.** расписывать под мра́мор.
March[1] [mɑ:tʃ] март.
march[2] [~] **1.** ⚔ марш; похо́д; *fig.* разви́тие (собы́тий); **2.** марширова́ть; *fig.* идти́ вперёд (*a.* ~ on).
marchioness [ˈmɑ:ʃənis] марки́за (ти́тул).
mare [mɛə] кобы́ла; ~'s nest иллю́зия; газе́тная у́тка.
margin [ˈmɑ:dʒin] край; поля́ *n/pl.* (страни́цы); опу́шка (ле́са); **~al** [-l] □ находя́щийся на краю́; ~ note заме́тка на поля́х страни́цы.
marine [məˈri:n] **1.** морско́й; **2.** солда́т морско́й пехо́ты; *paint.* морско́й вид (карти́на); **~r** [ˈmærinə] моря́к, матро́с.
marital [məˈraitl] □ супру́жеский.
maritime [ˈmæritaim] примо́рский; морско́й.
mark[1] [mɑ:k] ма́рка (де́нежная едини́ца).
mark[2] [~] **1.** ме́тка, знак; балл,

отмéтка (оцéнка знáний); фабрúчная мáрка; мишéнь *f*; нóрма; a man of ~ выдаю́щийся человéк; up to the ~ *fig.* на дóлжной высотé; **2.** *v/t.* отмечáть [-éтить]; стáвить расцéнку на (товáр); стáвить отмéтку в (П); ~ off отделя́ть [-ли́ть]; ~ out расставля́ть указáтельные знáки на (П); ~ time ⚔ отбивáть шаг на мéсте; **~ed** [mɑːkt] □ отмéченный; замéтный.
market [ˈmɑːkit] **1.** ры́нок, базáр; ☨ сбыт; in the ~ в продáже; **2.** привози́ть на ры́нок (для продáжи); покупáть на ры́нке; продá(вá)ть; go **~ing** ходи́ть на ры́нок; **~able** [-əbl] □ хóдкий.
marksman [ˈmɑːksmən] мéткий стрелóк.
marmalade [ˈmɑːməleid] (апельси́нное) варéнье; мармелáд.
maroon [məˈruːn] высáживать на необитáемом óстрове.
marquee [mɑːˈkiː] шатёр.
marquis [ˈmɑːkwis] марки́з.
marriage [ˈmæridʒ] брак; свáдьба; civil ~ граждáнский брак; **~able** [-əbl] дости́гший (-шая) брáчного вóзраста; **~-lines** *pl.* свидéтельство о брáке.
married [ˈmærid] женáтый; замýжняя; ~ couple супрýги *pl.*
marrow [ˈmærou] кóстный мозг; *fig.* сýщность *f*; **~y** [-i] костномозговóй; *fig.* крéпкий.
marry [ˈmæri] *v/t.* жени́ть; вы́давáть зáмуж; *eccl.* сочетáть брáком; жени́ться на (П), вы́йти зáмуж за (В); *v/i.* жени́ться; вы́йти зáмуж.
marsh [mɑːʃ] болóто.
marshal [ˈmɑːʃəl] **1.** мáршал; церемониймéйстер; *Am.* начáльник поли́ции; **2.** выстрáивать [вы́строить] (войскá и т. п.); торжéственно вести́.
marshy [ˈmɑːʃi] болóтистый, болóтный.
mart [mɑːt] ры́нок; аукциóнный зал.
marten [ˈmɑːtin] *zo.* куни́ца.
martial [ˈmɑːʃl] □ воéнный; воинственный; ~ law воéнное положéние.
martyr [ˈmɑːtə] **1.** мýченик (-ица); **2.** за]мýчить (дó смерти).
marvel [ˈmɑːvel] **1.** ди́во, чýдо; **2.** удивля́ться [-ви́ться]; **~lous** [ˈmɑːvələs] □ изуми́тельный, удиви́тельный.
mascot [ˈmæskət] талисмáн.
masculine [ˈmɑːskjulin] мужскóй; мýжественный.
mash [mæʃ] **1.** мешани́на; сýсло; **2.** размина́ть [-мя́ть]; раздáвливать [-дави́ть]; **~ed** potatoes *pl.* картóфельное пюрé *n indecl.*
mask [mɑːsk] **1.** мáска; **2.** [за]маскировáть; скры(вá)ть; **~ed** [-t]: ~ ball маскарáд.
mason [ˈmeisn] кáменщик; масóн; **~ry** [-ri] кáменная (и́ли кирпи́чная) клáдка; масóнство.
masquerade [mæskəˈreid] **1.** маскарáд; **2.** *fig.* притворя́ться [-ри́ться].
mass [mæs] **1.** мáсса; *eccl.* мéсса; ~ meeting мáссовое собрáние; **2.** собирáться толпóй, собирáть(ся) в кýчу; ⚔ масси́ровать (*im*)*pf.*
massacre [ˈmæsəkə] **1.** резня́, избиéние; **2.** вырезáть [вы́резать] (людéй).
massage [ˈmæsɑːʒ] **1.** массáж; **2.** масси́ровать.
massive [ˈmæsiv] масси́вный; [крýпный.]
mast [mɑːst] ⚓ мáчта.
master [ˈmɑːstə] **1.** хозя́ин; господи́н; капитáн (сýдна); учи́тель *m*; мáстер; *univ.* главá коллéджа; ♀ of Arts маги́стр искýсств; **2.** одолé(вá)ть; справля́ться [-áвиться] с (Т); овладé(вá)ть (Т); владéть (языкóм); **3.** *attr.* мастерскóй; ведýщий; **~-builder** строи́тель *m*; **~ful** [ˈmɑːstəful] □ властный; мастерскóй; **~key** отмы́чка; **~ly** [-li] мастерскóй; **~piece** шедéвр; **~ship** [-ʃip] мастерствó; дóлжность учи́теля; **~y** [ˈmɑːstəri] госпóдство, власть *f*; мастерствó.
masticate [ˈmæstikeit] [с]жевáть.
mastiff [ˈmæstif] англи́йский дог.
mat [mæt] **1.** цинóвка, рогóжа; **2.** *fig.* спýт(ыв)ать. [*m.*]
match[1] [mætʃ] спи́чка; ⚔ фити́ль
match[2] [~] **1.** рóвня́ *m/f*; матч, состязáние; вы́годный брак, пáртия; be a ~ for быть рóвней (Д); **2.** *v/t.* [с]равня́ться с (Т); подбирáть под пáру; well **~ed** couple хорóшая пáра; *v/i.* соответствовать; сочетáться; to ~ подходя́щий (по цвéту, тóну и т. п.); **~less** [ˈmætʃlis] □ несравнéнный, бесподóбный.

mate [meit] **1.** товáрищ; сожи́тель (-ница *f*) *m*; супру́г(а); самéц (сáмка); ⚓ помóщник капитáна; **2.** сочетáть(ся) брáком.

material [mə'tiəriəl] **1.** □ материáльный; сущéственный; **2.** материáл (*a. fig.*); матéрия; веществó.

matern|al [mə'tə:nl] □ матери́нский; **~ity** [-niti] матери́нство; (*mst* ~ hospital) роди́льный дом.

mathematic|ian [mæθimə'tiʃən] матемáтик; **~s** [-mæ'tiks] (*mst sg.*) матемáтика.

matriculate [mə'trikjuleit] приня́ть и́ли быть при́нятым в университéт.

matrimon|ial [mætri'mounjəl] □ брáчный; супру́жеский; **~y** ['mætriməni] супру́жество, брак.

matrix ['meitriks] мáтрица.

matron ['meitrən] заму́жняя жéнщина; эконóмка; сестрá-хозя́йка (в больни́це).

matter ['mætə] **1.** веществó; материáл; предмéт; дéло; пóвод; what's the ~? что случи́лось?, в чём дéло?; no ~ who ... всё равнó, кто ...; ~ of course самó собóй разумéющееся дéло; for that ~ что касáется э́того; ~ of fact факт; **2.** имéть значéние; it 'does not ~ ничегó; **~-of-fact** факти́ческий; деловóй.

mattress ['mætris] матрáц, тюфя́к.

matur|e [mə'tjuə] **1.** □ зрéлый; вы́держанный; ⚕ подлежáщий уплáте; **2.** созрé(вá)ть; вполнé развивáться; ⚕ наступáть [-пи́ть] (о срóке); **~ity** [-riti] зрéлость *f*; ⚕ срок платежá по вéкселю.

maudlin ['mɔ:dlin] □ плакси́вый.

maul [mɔ:l] [рас]терзáть; *fig.* жестóко критиковáть.

mawkish ['mɔ:kiʃ] □ сентиментáльный; неприя́тный на вкус.

maxim ['mæksim] афори́зм; при́нцип; **~um** [-siməm] **1.** мáксимум; вы́сшая стéпень *f*; **2.** максимáльный.

May[1] [mei] май.

may[2] [~] [*irr.*] (модáльный глагóл без инфинити́ва и причáстий) [с]мочь; имéть разрешéние.

maybe ['meibi:] *Am.* мóжет быть.

May-day ['meidei] прáздник пéрвого мáя.

mayor [mɛə] мэр.

maz|e [meiz] лабири́нт; *fig.* путаница; be ~d и́ли in a ~ быть растéрянным; **~y** ['meizi] □ запу́танный.

me [mi:, mi] кóсвенный падéж от I: мне, меня́; F я.

meadow ['medou] луг.

meagre ['mi:gə] худóй, тóщий; ску́дный.

meal [mi:l] едá (зáвтрак, обéд, у́жин); мукá.

mean[1] [mi:n] □ пóдлый, ни́зкий; скáредный.

mean[2] [~] **1.** срéдний; in the ~ time тем врéменем; **2.** середи́на; **~s** *pl.* состоя́ние, богáтство; (*a. sg.*) срéдство; спóсоб; by all ~s любóй ценóй; конéчно; by no ~s нискóлько; отню́дь не ...; by ~s of посрéдством (P).

mean[3] [~] [*irr.*] намеревáться; имéть в виду́; хотéть сказáть, подразумевáть; предназначáть [-знáчить]; знáчить; ~ well (ill) имéть дóбрые (плохи́е) намéрения.

meaning ['mi:niŋ] **1.** □ знáчащий; **2.** значéние; смысл; **~less** [-lis] бессмы́сленный.

meant [ment] *pt.* и *p. pt.* от mean.

mean|time, ~while тем врéменем.

measles ['mi:zlz] *pl.* ⚕ корь *f*.

measure ['meʒə] **1.** мéра; мéрка; мероприя́тие; масштáб; ♪ такт; ~ of capacity мéра объёма; beyond ~ непомéрно; in a great ~ в большóй стéпени; made to ~ сдéланный по мéрке; **2.** измеря́ть [-éрить]; [с]мéрить; снимáть мéрку с (P); **~less** [-lis] □ неизмери́мый; **~ment** [-mənt] размéр; измерéние.

meat [mi:t] мя́со; *fig.* содержáние; **~y** ['mi:ti] мяси́стый; *fig.* содержáтельный.

mechanic [mi'kænik] механик; ремéсленник; **~al** [-nikəl] □ маши́нный; механи́ческий; машинáльный; **~ian** [mekə'niʃən] механик; **~s** (*mst sg.*) механика.

mechanize ['mekənaiz] механизи́ровать (*im*)*pf.*; ⚔ моторизовáть [(*im*)*pf.*]

medal [medl] медáль *f*.

meddle [medl] (with, in) вмéшиваться [-шáться] (в B); **~some** [-səm] □ надоéдливый.

media|l ['mi:diəl] □, **~n** [-ən] срéдний; среди́нный.

mediat|e ['mi:dieit] посрéдничать; **~ion** [mi:di'eiʃən] посрéдничество;

~or ['mi:dieitə] посре́дник.
medical ['medikəl] □ медици́нский; враче́бный; ~ certificate больни́чный листо́к; медици́нское свиде́тельство; ~ man вра́ч, ме́дик.
medicin|al [me'disinl] □ лека́рственный; целе́бный; **~e** ['med(i)sin] медици́на; лека́рство.
medi(a)eval [medi'i:vəl] □ средневеко́вый.
mediocre ['mi:dioukə] посре́дственный.
meditat|e ['mediteit] *v/i.* размышля́ть [-ы́слить]; *v/t.* обду́м(ыв)ать (В); **~ion** [medi'teiʃən] размышле́ние; созерца́ние; **~ive** ['mediteitiv] □ созерца́тельный.
Mediterranean [meditə'reinjən] (и́ли ~ Sea) Средизе́мное мо́ре.
medium ['mi:diəm] **1.** середи́на; сре́дство, спо́соб; ме́диум (у спири́тов); аге́нт; **2.** сре́дний; уме́ренный. [*n indecl.*]
medley ['medli] смесь *f*; ♪ попурри́
meek [mi:k] □ кро́ткий, мя́гкий; **~ness** ['mi:knis] кро́тость *f*, мя́гкость *f*.
meet [mi:t] [*irr.*] *v/t.* встреча́ть [-е́тить]; [по]знако́миться с (Т); удовлетворя́ть [-ри́ть] (тре́бования и т. п.); опла́чивать [-лати́ть] (долги́); go to ~ a p. идти́ навстре́чу (Д); *v/i.* [по]знако́миться; сходи́ться [сойти́сь], соб(и)ра́ться; ~ with испы́тывать [-пыта́ть] (В), подверга́ться [-ве́ргнуться] (Д); **~ing** ['mi:tiŋ] заседа́ние; встре́ча; ми́тинг, собра́ние.
melancholy ['melənkəli] **1.** уны́ние; грусть *f*; **2.** пода́вленный; уны́лый.
mellow ['melou] **1.** □ спе́лый; прия́тный на вкус; **2.** смягча́ть (-ся) [-чи́ть(ся)]; созре́(ва́)ть.
melo|dious [mi'loudjəs] □ мелоди́чный; **~dy** ['melədi] мело́дия.
melon ['melən] ⚘ ды́ня.
melt [melt] [рас]та́ять; [рас]пла́вить(ся); *fig.* смягча́ть(ся) [-чи́ть (-ся)].
member ['membə] член (*a. parl.*); **~ship** [-ʃip] чле́нство.
membrane ['membrein] плева́, оболо́чка; перепо́нка; ⊕ мембра́на.
memento [me'mentou] напомина́ние.
memoir ['memwɑ:] мемориа́льная статья́; ~s *pl.* мемуа́ры *m/pl.*
memorable ['memərəbl] □ незабве́нный.
memorandum [memə'rændəm] заме́тка; *pol.* меморa̋ндум.
memorial [mi'mɔ:riəl] **1.** па́мятник; ~s *pl.* хро́ника; **2.** мемориа́льный.
memorize ['meməraiz] *part. Am.* зау́чивать наизу́сть.
memory ['meməri] па́мять *f*; воспомина́ние.
men [men] (*pl.* от man) лю́ди *m/pl.*; мужчи́ны *m/pl.*
menace ['menəs] **1.** угрожа́ть [-ози́ть], [по]грози́ть (Д; with Т); **2.** угро́за; опа́сность *f*.
mend [mend] **1.** *v/t.* исправля́ть [-а́вить]; [по]чини́ть; ~ one's ways исправля́ться [-а́виться]; *v/i.* улучша́ться [улу́чшиться]; поправля́ться [-а́виться]; **2.** почи́нка; on the ~ на попра́вку (о здоро́вье).
mendacious [men'deiʃəs] □ лжи́вый.
mendicant ['mendikənt] ни́щий; ни́щенствующий мона́х.
menial ['mi:niəl] *contp.* **1.** □ рабо-ле́пный, лаке́йский; **2.** слуга́ *m*, лаке́й.
mental [mentl] □ у́мственный; психи́ческий; ~ arithmetic счёт в уме́; **~ity** [men'tæliti] спосо́бность мышле́ния; склад ума́.
mention ['menʃən] **1.** упомина́ние; **2.** упомина́ть [-мяну́ть] (В *or* о П); don't ~ it! не сто́ит!, не́ за что!
mercantile ['mə:kəntail] торго́вый, комме́рческий.
mercenary ['mə:sinəri] **1.** □ коры́стный; наёмный; **2.** наёмник.
mercer ['mə:sə] торго́вец шёлком и ба́рхатом.
merchandise ['mə:tʃəndaiz] това́р (-ы *pl.*).
merchant ['mə:tʃənt] торго́вец, купе́ц; law ~ торго́вое пра́во; **~man** [-mən] торго́вое су́дно.
merci|ful ['mə:siful] □ милосе́рдный; **~less** [-lis] □ немилосе́рдный.
mercury ['mə:kjuri] ртуть *f*.
mercy [-si] милосе́рдие; сострада́ние; проще́ние; be at a p.'s ~ быть во вла́сти кого́-либо.
mere [miə] □ просто́й; сплошно́й; **~ly** то́лько, про́сто.
meretricious [meri'triʃəs] □ показно́й; мишу́рный; распу́тный.

merge [mə:dʒ] сли́(ва́)ть(ся) (in с T); **~r** ['mə:dʒə] слия́ние, объедине́ние.
meridian [mə'ridiən] **1.** полу́денный; *fig.* вы́сший; **2.** по́лдень *m*; *geogr.* меридиа́н; *fig.* вы́сшая то́чка; расцве́т.
merit ['merit] **1.** заслу́га; досто́инство; make a ~ of a th. ста́вить что́-либо себе́ в заслу́гу; **2.** заслу́живать [-ужи́ть]; **~orious** [meri'tɔ:riəs] □ досто́йный награ́ды; похва́льный.
mermaid ['mə:meid] руса́лка, ная́да.
merriment ['merimənt] весе́лье.
merry ['meri] □ весёлый, ра́достный; make ~ весели́ться; **~-go--round** карусе́ль *f*; **~-making** весе́лье; пра́зднество.
mesh [meʃ] **1.** пе́тля; ~(es *pl.*) се́ти *f/pl.*; ⊕ be in ~ сцепля́ться [-пи́ться]; **2.** *fig.* опу́тывать сетя́ми; запу́таться в сетя́х.
mess[1] [mes] **1.** беспоря́док, пу́таница; неприя́тность *f*; кавардáк; make a ~ of a th. провáливать дéло; **2.** *v/t.* приводи́ть в беспоря́док; *v/i.* F ~ about рабо́тать ко́е-ка́к.
mess[2] [~] ⚔ о́бщий стол; столо́вая.
message ['mesidʒ] сообще́ние; посла́ние; поруче́ние.
messenger ['mesindʒə] посы́льный; предве́стник.
met [met] *pt.* и *p. pt.* от meet.
metal ['metl] **1.** мета́лл; щéбень *m*; **2.** мости́ть щéбнем; **~lic** [mi'tælik] (~ally) металли́ческий; **~lurgy** ['metələ:dʒi] металлу́ргия.
meteor ['mi:tjə] метео́р; **~ology** [mi:tjə'rɔlədʒi] метеороло́гия.
meter ['mi:tə] счётчик; измери́тель *m*.
method ['meθəd] ме́тод, спо́соб; систе́ма, поря́док; **~ic**, *mst.* **~ical** □ [mi'θɔdik, -dikəl] системати́ческий; методи́ческий, методи́чный.
meticulous [mi'tikjuləs] □ дото́шный; щепети́льный.
metre ['mi:tə] метр.
metric ['metrik] (~ally) метри́ческий; ~ system метри́ческая систе́ма.
metropoli|s [mi'trɔpəlis] столи́ца; метропо́лия; **~tan** [metrə'pɔlitən] столи́чный.
mettle [metl] темпера́мент; пыл.
Mexican ['meksikən] **1.** мексика́нский; **2.** мексика́нец (-нка).
miauw [mi'au] [за]мяу́кать.
mice [mais] *pl.* мы́ши *f/pl.*
Michaelmas ['miklməs] Миха́йлов день *m* (29 сентября́).
micro... ['maikro] микро...
micro|phone ['maikrəfoun] микрофо́н; **~scope** микроско́п.
mid [mid] сре́дний; среди́нный; **~air**: in ~ высоко́ в во́здухе; **~day** **1.** по́лдень *m*; **2.** полу́денный.
middle [midl] **1.** среди́на; **2.** сре́дний; ♀ Ages *pl.* сре́дние века́ *m/pl.*, средневеко́вье; **~-aged** сре́дних лет; **~-class** сре́дняя буржуази́я; **~man** посре́дник; **~-sized** сре́дней величины́; **~-weight** сре́дний ве́с (о бо́ксе); (боксёр) сре́днего ве́са.
middling ['midliŋ] посре́дственный.
middy ['midi] F = midshipman.
midge [midʒ] мо́шка; **~t** ['midʒit] ка́рлик; *attr.* миниатю́рный.
mid|land ['midlənd] вну́тренняя часть страны́; **~most** центра́льный; **~night** по́лночь *f*; **~riff** ['midrif] *anat.* диафра́гма; **~ship** ми́дель *m*; **~shipman** корабе́льный гардемари́н; **~st** [midst] среди́на; среда́; in the ~ of среди́ (P); in our ~ в на́шей среде́; **~summer** среди́на ле́та; **~way** на полпути́; **~wife** акуше́рка; **~wifery** ['midwifəri] акуше́рство; **~winter** среди́на зимы́.
mien [mi:n] ми́на (выраже́ние лица́).
might [mait] **1.** мощь *f*; могу́щество; with ~ and main изо всех си́л; **2.** *pt.* и *p.pt.* от may; **~y** ['maiti] могу́щественный; грома́дный.
migrat|e [mai'greit] мигри́ровать; **~ion** [-ʃən] мигра́ция; перелёт; **~ory** ['maigrətəri] кочу́ющий; перелётный.
mild [maild] □ мя́гкий; кро́ткий; сла́бый (о напи́тке, табаке́ и т. п.).
mildew ['mildju:] ⚘ ми́лдью *n indecl.*; пле́сень *f*.
mildness ['maildnis] мя́гкость *f*; кро́ткость *f*.; уме́ренность *f*.
mile [mail] ми́ля (= 1609,33 м).
mil(e)age ['mailidʒ] расстоя́ние в ми́лях.
milit|ary ['militəri] **1.** □ вое́нный; во́инский; ♀ Government вое́нное

правительство; **2.** военные; военные власти *f/pl.*; **~ia** [miˈliʃə] милиция; ополчение.

milk [milk] **1.** молоко; powdered ~ молочный порошок; whole ~ цельное молоко; **2.** [вы]доить; **~maid** доярка; **~man** молочник; **~sop** бесхарактерный человек, «тряпка»; **~y** [ˈmilki] молочный; ♀ Way Млечный путь *m.*

mill[1] [mil] **1.** мельница; фабрика, завод; **2.** [с]молоть; ⊕ [от]фрезеровать *(im)pf.*

mill[2] [~] *Am.* (= 1/10 *cent*) милл (тысячная часть доллара).

millepede [ˈmilipi:d] *zo.* многоножка.

miller [ˈmilə] мельник; ⊕ фрезерный станок; фрезеровщик.

millet [ˈmilit] ♀ просо.

milliner [ˈmilinə] модистка; **~y** [-ri] магазин дамских шляп.

million [ˈmiljən] миллион; **~aire** [miljəˈnɛə] миллионер; **~th** [ˈmiljənθ] **1.** миллионный; **2.** миллионная часть *f.*

mill-pond мельничный пруд; **~stone** жёрнов.

milt [milt] молоки *f/pl.*

mimic [ˈmimik] **1.** подражательный; **2.** имитатор; **3.** пародировать *(im)pf.*; подражать (Д); **~ry** [-ri] подражание; *zo.* мимикрия.

mince [mins] **1.** *v/t.* [из]рубить (мясо); he does not ~ matters он говорит без обиняков; *v/i.* говорить жеманно; **2.** рубленое мясо (*mst* ~d meat); **~meat** фарш из изюма, яблок и т. п.; **~-pie** пирог (*s.* mincemeat).

mincing-machine мясорубка.

mind [maind] **1.** ум, разум; мнение; намерение; охота; память *f*; to my ~ по моему мнению; out of one's ~ без ума; change one's ~ передум(ыв)ать; bear in ~ помнить, не забы(ва)ть; have a ~ to иметь желание (+ *inf.*); have a th. on one's ~ беспокоиться о чём-либо; make up one's ~ решаться [-шиться]; **2.** помнить; [по]заботиться о (П); остерегаться [-речься] (Р); never ~! ничего!; I don't ~ (it) я ничего не имею против; would you ~ taking off your hat? будьте добры, снять шляпу; **~ful** [ˈmaindful] □ (of) внимательный (к Д); заботливый.

mine[1] [main] *pred.* мой *m*, моя *f*, моё *n*, мои *pl.*; **2.** мои (родные) моя семья.

mine[2] [~] **1.** рудник, копь *f*, шахта; *fig.* источник; ⚔ мина; **2.** добы(ва)ть; рыть; производить горные работы; ⚔ минировать *(im)pf.*; подры(ва)ть; *fig.* подрывать [подорвать]; **~r** [ˈmainə] горняк, шахтёр.

mineral [ˈminərəl] **1.** минерал; **~s** *pl.* минеральные воды *f/pl.*; **2.** минеральный.

mingle [ˈmiŋgl] смешивать(ся) [-шать(ся)].

miniature [ˈminjətʃə] **1.** миниатюра; **2.** миниатюрный.

minim|ize [ˈminimaiz] доводить до минимума; *fig.* преуменьшать [-еньшить]; **~um** [-iməm] **1.** минимум; **2.** минимальный.

mining [ˈmainiŋ] горная промышленность *f.*

minister [ˈministə] **1.** министр; посланник; священник; **2.** *v/i.* совершать богослужение; [по-] служить.

ministry [ˈministri] служение; министерство.

mink [miŋk] *zo.* норка.

minor [ˈmainə] **1.** младший; меньший; второстепенный; ♪ минорный; A ~ ля минор; **2.** несовершеннолетний; *Am. univ.* второстепенный предмет; **~ity** [maiˈnɔriti] несовершеннолетие; меньшинство.

minstrel [ˈminstrəl] менестрель *m*; **~s** *pl.* исполнители негритянских песен.

mint [mint] ♀ мята; монета; монетный двор; *fig.* «золотое дно»; a ~ of money большая сумма; **2.** [вы-, от]чеканить.

minuet [minjuˈet] ♪ менуэт.

minus [ˈmainəs] **1.** *prp.* без (Р), минус; **2.** *adj.* отрицательный.

minute 1. [maiˈnju:t] □ мелкий; незначительный; подробный, детальный; **2.** [ˈminit] минута; момент; **~s** *pl.* протокол; **~ness** [maiˈnju:tnis] малость *f*; точность *f.*

mirac|le [ˈmirəkl] чудо; **~ulous** [miˈrækjuləs] □ чудесный.

mirage [ˈmirɑ:ʒ] мираж.

mire [ˈmaiə] **1.** трясина; грязь *f*; **2.** завязнуть в трясине.

mirror [ˈmirə] **1.** зеркало; **2.** отражать [отразить].

mirth [mɔ:θ] весе́лье, ра́дость *f*; **~ful** [ˈmɔ:θful] □ весёлый, ра́достный; **~less** [-lis] □ безра́достный.
miry [ˈmaiəri] то́пкий.
mis... [mis] *pref.* означа́ет непра́вильность и́ли недоста́ток, напр.: misadvise дать непра́вильный сове́т.
misadventure [ˈmisədˈventʃə] несча́стье; несча́стный слу́чай.
misanthrop|e [ˈmizənθroup], **~ist** [miˈzænθropist] мизантро́п, челоконенави́стник.
misapply [ˈmisəˈplai] злоупотребля́ть [-би́ть] (Т); непра́вильно испо́льзовать.
misapprehend [ˈmisæpriˈhend] понима́ть оши́бочно.
misbehave [ˈmisbiˈheiv] ду́рно вести́ себя́.
misbelief [ˈmisbiˈli:f] заблужде́ние; е́ресь *f*.
miscalculate [ˈmisˈkælkjuleit] ошиба́ться в расчёте; непра́вильно рассчи́тывать.
miscarr|iage [ˈmisˈkæridʒ] неуда́ча; недоста́вка по а́дресу; вы́кидыш, або́рт; ~ of justice суде́бная оши́бка; **~y** [-ri] терпе́ть неуда́чу; сде́лать вы́кидыш.
miscellaneous [misiˈleinjəs] □ сме́шанный; разносторо́нний.
mischief [ˈmistʃif] озорство́; прока́зы *f/pl*; вред; зло.
mischievous [ˈmistʃivəs] □ вре́дный; озорно́й, шаловли́вый.
misconceive [ˈmiskənˈsi:v] непра́вильно понима́ть.
misconduct 1. [ˈmisˈkɔndəkt] дурно́е поведе́ние; плохо́е управле́ние; **2.** [-kənˈdʌkt] пло́хо управля́ть (Т); ~ o. s. ду́рно вести́ себя́.
misconstrue [ˈmiskənˈstru:] непра́вильно истолко́вывать.
miscreant [ˈmiskriənt] негодя́й, злоде́й.
misdeed [ˈmisˈdi:d] злодея́ние.
misdemeano(u)r [ˈmisdiˈmi:nə] ⚖ суде́бно наказу́емый просту́пок.
misdirect [ˈmisdiˈrekt] неве́рно напра́вить; непра́вильно адресова́ть.
miser [ˈmaizə] скупе́ц, скря́га *m/f*.
miserable [ˈmizərəbl] □ жа́лкий, несча́стный; убо́гий, ску́дный.
miserly [ˈmaizəli] скупо́й.
misery [ˈmizəri] невзго́да, несча́стье, страда́ние; нищета́.
misfortune [misˈfɔ:tʃən] неуда́ча, несча́стье.
misgiving [misˈgiviŋ] опасе́ние, предчу́вствие дурно́го.
misguide [misˈgaid] вводи́ть в заблужде́ние; непра́вильно напра́вить.
mishap [ˈmishæp] неуда́ча.
misinform [ˈmisinˈfɔ:m] непра́вильно информи́ровать.
misinterpret [ˈmisinˈtə:prit] неве́рно истолко́вывать.
mislay [misˈlei] [*irr.* (lay)] положи́ть не на ме́сто.
mislead [misˈli:d] [*irr.* (lead)] вводи́ть в заблужде́ние.
mismanage [ˈmisˈmænidʒ] пло́хо управля́ть (Т); [ис]по́ртить.
misplace [ˈmisˈpleis] положи́ть не на ме́сто; *p.pt.* **~d** *fig.* неуме́стный.
misprint [ˈmisˈprint] **1.** непра́вильно печа́тать; сде́лать опеча́тку; **2.** опеча́тка.
misread [ˈmisˈri:d] [*irr.* (read)] чита́ть непра́вильно; непра́вильно истолко́вывать.
misrepresent [ˈmisrepriˈzent] представля́ть в ло́жном све́те.
miss[1] [mis] мисс, ба́рышня.
miss[2] [~] **1.** про́мах; отсу́тствие; поте́ря; **2.** *v/t.* упуска́ть [-сти́ть]; опа́здывать [-да́ть] на (В); прогляде́ть *pf.*, не заме́тить; не заста́ть до́ма; чу́вствовать отсу́тствие (кого́-либо); *v/i.* прома́хиваться [-хну́ться]; не попада́ть в цель.
missile [ˈmisail] мета́тельный снаря́д; раке́та.
missing [ˈmisiŋ] отсу́тствующий, недостаю́щий; ⚔ бе́з вести пропа́вший; be ~ отсу́тствовать.
mission [ˈmiʃən] ми́ссия, делега́ция; призва́ние; поруче́ние; *eccl.* миссионе́рская де́ятельность *f*; **~ary** [ˈmiʃnəri] миссионе́р.
mis-spell [ˈmisˈspel] [*a. irr.* (spell)] орфографи́чески непра́вильно писа́ть.
mist [mist] лёгкий тума́н; ды́мка.
mistake [misˈteik] **1.** [*irr.* (take)] ошиба́ться [-би́ться]; непра́вильно понима́ть; принима́ть [-ня́ть] (for за (В); be **~n** ошиба́ться [-би́ться]; **2.** оши́бка; заблужде́ние; **~n** [ən] □ оши́бочный, непра́вильно по́нятый; неуме́стный.
mister [ˈmistə] ми́стер, господи́н (ста́вится перед фами́лией).

mistletoe ['misltou] ⚘ омéла.
mistress ['mistris] хозя́йка дóма; учи́тельница; мастери́ца; любóвница; сокращённо: Mrs. ['misiz] ми́ссис, госпожá (стáвится пéред фами́лией замýжней жéнщины).
mistrust ['mis'trʌst] **1.** не доверя́ть (Д); **2.** недовéрие; **~ful** [-ful] □ недовéрчивый.
misty ['misti] □ тумáнный; нея́сный.
misunderstand ['misʌndə'stænd] [*irr.* (stand)] неправи́льно понимáть; **~ing** [-iŋ] недоразумéние; размóлвка.
misuse 1. ['mis'ju:z] злоупотребля́ть [-би́ть](Т); дýрно обращáться с (Т); **2.** [-'ju:s] злоупотреблéние.
mite [mait] *zo.* клещ; лéпта; малю́тка *m/f*.
mitigate ['mitigeit] смягчáть [-чи́ть]; уменьшáть [умéньши́ть].
mitre ['maitə] ми́тра.
mitten ['mitn] рукави́ца.
mix [miks] [с]мешáть(ся); перемéшивать [-шáть]; вращáться (в óбществе); **~ed** перемéшанный, смéшанный; разнорóдный; **~ up** перепýт(ыв)ать; be **~ed** up with быть замéшанным в (П); **~ture** ['mikstʃə] смесь *f*.
moan [moun] **1.** стон; **2.** [за]стонáть.
moat [mout] крепостнóй ров.
mob [mɔb] **1.** толпá; чернь *f*. **2.** [с]толпи́ться; нападáть толпóй на (В).
mobil|e ['moubail] подвижнóй; ⚔ моби́льный, подвижнóй; **~ization** [moubilai'zeiʃən] ⚔ мобилизáция; **~ize** ['moubilaiz] ⚔ мобилизовáть (*im*)*pf*.;
moccasin ['mɔkəsin] мокаси́н (óбувь индéйцев).
mock [mɔk] **1.** насмéшка; **2.** поддéльный; мни́мый; **3.** *v/t*. осмéивать [-ея́ть]; *v/i*. **~** at насмехáться [-ея́ться] над (Т); **~ery** [-ri] насмéшка.
mode [moud] мéтод, спóсоб; обы́чай; фóрма; мóда.
model [mɔdl] **1.** модéль *f*; манекéн; натýрщик (-ица); *fig*. примéр, образéц; *attr*. образцóвый, примéрный; **2.** модели́ровать (*im*)*pf*.; [вы́]лепи́ть; оформля́ть [офóрмить].
moderat|e 1. ['mɔdərit] □ умéренный; воздéржанный; вы́держанный; **2.** ['mɔdəreit] умеря́ть [умéрить]; смягчáть(ся) [-чи́ть(ся)]; **~ion** [mɔdə'reiʃən] умéренность *f*; воздержáние.
modern ['mɔdən] совремéнный; **ize** [-aiz] модернизи́ровать (*im*)*pf*.
modest ['mɔdist] □ скрóмный; благопристóйный; **~y** [-i] скрóмность *f*.
modi|fication [mɔdifi'keiʃən] видоизменéние; модификáция; **~fy** ['mɔdifai] видоизменя́ть [-ни́ть]; смягчáть [-чи́ть].
modulate ['mɔdjuleit] модули́ровать.
moist [mɔist] влáжный; **~en** ['mɔisn] увлажня́ть(ся) [-ни́ть(ся)]; **~ure** ['mɔistʃə] влáжность; влáга.
molar ['moulə] коренной зуб.
molasses [mə'læsiz] чёрная пáтока.
mole [moul] *zo*. крот; рóдинка; мол, дáмба.
molecule ['mɔlikju:l] молéкула.
molest [mo'lest] пристá(вá)ть к (Д).
mollify ['mɔlifai] успокáивать [-кóить], смягчáть [-чи́ть].
mollycoddle ['mɔlikɔdl] **1.** нéженка *m/f*.; **2.** изнéжи(ват)ь.
molten ['moultən] расплáвленный; литóй.
moment ['moumənt] момéнт, миг, мгновéние; = **~um**; **~ary** [-əri] □ моментáльный; кратковрéменный; **~ous** [mou'mentəs] □ вáжный; **~um** [-təm] дви́жущая си́ла; *phys*. момéнт.
monarch ['mɔnək] монáрх; **~y** ['mɔnəki] монáрхия.
monastery ['mɔnəstri] монасты́рь *m*.
Monday ['mʌndi] понедéльник.
monetary ['mʌnitəri] монéтный; валю́тный; дéнежный.
money ['mʌni] дéньги *f/pl*.; ready **~** нали́чные дéньги *f/pl*; **~-box** копи́лка; **~-changer** меня́ла *m*; **~-order** почтóвый дéнежный перевóд.
mongrel ['mʌŋgrəl] **1.** *biol*. мети́с; пóмесь *f*; дворня́жка; **2.** нечистокрóвный.
monitor ['mɔnitə] настáвник; ⚓ монитóр.
monk [mʌŋk] монáх.
monkey ['mʌŋki] **1.** обезья́на; ⊕ копрóвая бáба; **2.** F [по]дурáчить-

ся; ~ with возиться с (Т); **~-wrench** ⊕ раздвижной гаечный ключ.

monkish ['mʌŋkiʃ] монашеский.

mono|cle ['mɔnɔkl] монокль *m*; **~gamy** [mɔ'nɔgəmi] единобрачие; **~logue** [-lɔg] монолог; **~polist** [mə'nɔpəlist] монополист; **~polize** [-laiz] монополизировать *(im)pf.*; *fig.* присваивать себе (В); **~poly** [-li] монополия (Р); **~tonous** [mə'nɔtənəs] □ монотонный; однозвучный; **~tony** [-təni] монотонность *f*.

monsoon [mɔn'su:n] муссон.

monster ['mɔnstə] чудовище; урод; *fig.* изверг; *attr.* исполинский.

monstro|sity [mɔns'trɔsiti] чудовищность *f*; уродство; **~us** ['mɔnstrəs] □ уродливый; чудовищный.

month [mʌnθ] месяц; **~ly** ['mʌnθli] **1.** (еже)месячный; **2.** ежемесячный журнал.

monument ['mɔnjumənt] памятник; **~al** [mɔnju'mentl] □ монументальный.

mood [mu:d] настроение, расположение духа.

moody [mu:di] □ капризный; угрюмый, унылый; не в духе.

moon [mu:n] **1.** луна, месяц; **2.** F проводить время в мечтаниях; **~light** лунный свет; **~lit** залитый лунным светом; **~struck** лунатический.

Moor¹ [muə] марокканец (-нка); мавр(итанка).

moor² [~] торфянистая местность, поросшая вереском.

moor³ [~] ⚓ причали(ва)ть; **~ings** ['muəriŋz] *pl.* ⚓ швартовы *m/pl.*

moot [mu:t] : ~ point спорный вопрос.

mop [mɔp] **1.** швабра; **2.** чистить шваброй.

mope [moup] хандрить.

moral ['mɔrəl] **1.** □ моральный, нравственный; **2.** нравоучение, мораль *f*; **~s** *pl.* нравы *m/pl.*; **~e** [mɔ'ra:l] *part.* ⚔ моральное состояние; **~ity** [mə'ræliti] мораль *f*, этика; **~ize** ['mɔrəlaiz] морализировать.

morass [mə'ræs] болото, трясина.

morbid ['mɔ:bid] □ болезненный.

more [mɔ:] больше; более; ещё; once ~ ещё раз; so much the ~ тем более; no ~ больше не ...; **~over** [mɔ:'rouvə] сверх того, кроме того.

moribund ['mɔribʌnd] умирающий.

morning ['mɔ:niŋ] утро; tomorrow ~ завтра утром; ~ **coat** визитка.

morose [mə'rous] □ угрюмый.

morphia ['mɔ:fiə], **morphine** ['mɔ:fi:n] морфий.

morsel ['mɔ:səl] кусочек.

mortal ['mɔ:tl] **1.** □ смертный; смертельный; **2.** смертный, человек; **~ity** [mɔ:'tæliti] смертельность *f*; смертность *f*.

mortar ['mɔ:tə] ступка; известковый раствор; ⚔ мортира; миномёт.

mortgage ['mɔ:gidʒ] **1.** заклад; ипотека, закладная; **2.** закладывать [заложить]; **~e** [mɔ:gə'dʒi:] кредитор по закладной.

mortgag|er, ~or ['mɔ:gədʒə] должник по закладной.

morti|fication [mɔ:tifi'keiʃən] умерщвление (плоти); унижение; **~fy** ['mɔ:tifai] умерщвлять [-ртвить] (плоть); огорчать [-чить], унижать [унизить].

morti|ce, ~se ['mɔ:tis] ⊕ гнездо шипа.

mortuary ['mɔ:tjuəri] мертвецкая.

mosaic [mə'zeiik] мозаика.

moss [mɔs] мох; **~y** мшистый.

most [moust] **1.** *adj.* □ наибольший; **2.** *adv.* больше всего; ~ beautiful самый красивый; **3.** наибольшее количество; большая часть *f*; at (the) ~ самое большее, не больше чем; **~ly** ['moustli] по большей части; главным образом; чаще всего.

moth [mɔθ] моль *f*; мотылёк; **~-eaten** изъеденный молью.

mother ['mʌðə] **1.** мать *f*; **2.** относиться по-матерински к (Д); **~hood** ['mʌðəhud] материнство; **~-in-law** [-rinlɔ:] тёща; свекровь *f*; **~ly** [-li] материнский; **~-of-pearl** [-rev'pə:l] перламутровый; **~-tongue** родной язык.

motif [mou'ti:f] мотив.

motion ['mouʃən] **1.** движение; ход; *parl.* предложение; **2.** *v/t.* показывать жестом; *v/i.* кивать [кивнуть] (to на В); **~less** [-lis] непо-

движный; **~-picture** *Am.* кино...; ~s *pl.* фильм; кинó *n indecl.*
motive [ˈmoutiv] **1.** движущий; двигательный; **2.** пóвод, мотив; **3.** побуждáть [-удить]; мотивировать (*im*)*pf.*; **~less** беспричинный.
motley [ˈmɔtli] разноцвéтный; пёстрый.
motor [ˈmoutə] **1.** двигатель *m*, мотóр; = ~-car; **2.** мотóрный; авто..., автомобильный; ~ mechanic, ~fitter авторемóнтный механик; **3.** éхать (или везти) на автомобиле; **~-bicycle** мотоцикл; **~-bus** автóбус; **~-car** автомобиль *m*, F машина; **~-cycle** мотоцикл; **~ing** [ˈmoutəriŋ] автомобильное дéло; автомобильный спорт; **~ist** [-rist] автомобилист(ка); **~lorry,** *Am.* **~truck** грузовóй автомобиль *m*, грузовик.
mottled [mɔtld] крáпчатый.
mould [mould] **1.** садóвая земля; пóчва; плéсень *f*; фóрма (литéйная); шаблóн; склад, харáктер; **2.** отливáть в фóрму; *fig.* [с]формировáть.
moulder [ˈmouldə] рассыпáться [-ыпаться].
moulding [ˈmouldiŋ] ⚠ карниз.
mouldy [ˈmouldi] заплéсневелый.
moult [moult] *zo.* [по]линять.
mound [maund] нáсыпь *f*; холм; курган.
mount [maunt] **1.** горá; лóшадь под седлóм; **2.** *v/i.* восходить [взойти]; поднимáться [-няться]; садиться на лóшадь; *v/t.* устанáвливать [-новить] (рáдио и т. п.), [с]монтировать; вставлять в рáму (в опрáву).
mountain [ˈmauntin] **1.** горá; **2.** гóрный, нагóрный; **~eer** [mauntiˈniə] альпинист(ка); **~ous** [ˈmauntinəs] гористый.
mourn [mɔ:n] горевáть; оплáк(ивать; **~er** [ˈmɔ:nə] скорбящий; **~ful** [ˈmɔ:nful] □ трáурный; **~ing** [ˈmɔ:niŋ] трáур; плач; *attr.* трáурный.
mouse [maus] (*pl.* mice) мышь *f*.
m(o)ustache [məsˈtɑ:ʃ] усы *m/pl.*
mouth [mauθ], *pl.* **~s** [-z] рот, устá *n/pl.*; ýстье (реки); вход (в гáвань); **~-organ** губнáя гармóника; **~piece** мундштýк; *fig.* рýпор.
move [mu:v] **1.** *v/t. com.* двигать [двинуть]; передвигáть [-инуть]; трóгать [трóнуть]; вносить [внести] (предложéние); *v/i.* двигаться [двинуться]; переезжáть [переéхать]; развива́ться (о событиях); идти [пойти] (о делáх); *fig.* вращáться (в óбществе и т. п.); ~ for a th. предлагáть [-ложить] чтó-либо; ~ in въезжáть [въéхать]; ~ on двигаться вперёд; **2.** движéние; переéзд; ход (в игрé); *fig.* шаг; on the ~ на ходý; make a ~ встать из-за столá; предпринимáть чтó-либо; **~ment** [ˈmu:vmənt] движéние; ♪ темп, ритм; ♪ часть *f* (симфóнии и т. п.); ⊕ ход (машины).
movies [ˈmu:viz] *s. pl.* кинó *n indecl.*
moving [ˈmu:viŋ] □ движущийся; ~ staircase эскалáтор.
mow [mou] [*irr.*] [с]косить; **~n** [-n] *p. pt.* от mow.
Mr [ˈmistə] *s.* mister.
Mrs [ˈmisiz] *s.* mistress.
much [mʌtʃ] *adj.* мнóго; *adv.* мнóго, óчень; I thought as ~ я так и дýмал; make ~ of высокó ценить (В); I am not ~ of a dancer я невáжно танцýю.
muck [mʌk] навóз; *fig.* дрянь *f*.
mucus [ˈmju:kəs] слизь *f*.
mud [mʌd] грязь *f*; **~dle** [mʌdl] **1.** *v/t.* запýтывать [-тать]; [с]пýтать (*a.* ~ up, together); F опьянять [-нить]; *v/i.* халтýрить; дéйствовать без плáна; **2.** F пýтаница, неразбериха; **~dy** [ˈmʌdi] грязный; **~-guard** крылó. [напýльсник.]
muff [mʌf] мýфта; **~etee** [mʌfiˈti:]
muffin [ˈmʌfin] сдóбная бýлка.
muffle [ˈmʌfl] глушить, заглушáть [-шить] (гóлос и т. п.); закýт(ывать; **~r** [-ə] кашнé *n indecl.*; *mot.* глушитель *m*.
mug [mʌg] крýжка.
muggy [ˈmʌgi] дýшный, влáжный.
mulatto [mjuˈlætou] мулáт(ка).
mulberry [ˈmʌlbəri] тýтовое дéрево, шелковица; тýтовая ягода.
mule [mju:l] мул; упрямый человéк; **~teer** [mju:liˈtiə] погóнщик мýлов.
mull[1] [mʌl] муслин.
mull[2] [~] *Am.*: ~ over обдýм(ывать; размышлять [-мыслить].
mulled [mʌld]: ~ wine глинтвéйн.
multi|farious [mʌltiˈfɛəriəs] □ разнообрáзный; **~form** [ˈmʌltifɔ:m] многообрáзный; **~ple** [ˈmʌltipl] **1.** ⅍ крáтный; **2.** ⅍ крáтное числó;

многокра́тный; разнообра́зный; **~plication** [mʌltipli'keiʃən] умноже́ние; увеличе́ние; ~ table табли́ца умноже́ния; **~plicity** [-'plisiti] многочи́сленность *f*; разнообра́зие; **~ply** ['mʌltiplai] увели́чи(ва)ть(-ся); ⚙ умножа́ть [-о́жить]; **~tude** [-tju:d] мно́жество; ма́сса; толпа́; **~tudinous** [mʌlti'tju:dinəs] многочи́сленный.
mum [mʌm] ти́ше!
mumble [mʌmbl] [про]бормота́ть; с трудо́м жева́ть.
mummery ['mʌməri] пантоми́ма, маскара́д; *contp.* «представле́ние».
mumm|ify ['mʌmifai] мумифици́ровать; *(im)pf.*; **~y** ['mʌmi] му́мия.
mumps [mʌmps] *sg.* ⚕ свинка.
mundane ['mʌndein] □ мирско́й; све́тский.
municipal [mju'nisipəl] □ муниципа́льный; **~ity** [-nisi'pæliti] муниципалите́т.
munificen|ce [mju:'nifisns] ще́дрость *f*; **~t** [-t] ще́дрый.
murder ['mə:də] **1.** уби́йство; **2.** уби́(ва́)ть; *fig.* прова́ливать [-ли́ть] (пье́су и т. п.); **~er** [-rə] уби́йца; **~ess** [-ris] же́нщина-уби́йца; **~ous** [-rəs] □ уби́йственный.
murky ['mə:ki] □ тёмный; па́смурный.
murmur ['mə:mə] **1.** журча́ние; шо́рох (ли́стьев); ро́пот; **2.** [за-] журча́ть; ропта́ть.
murrain ['mʌrin] чума́ (рога́того скота́).
musc|le [mʌsl] му́скул, мы́шца; **~ular** ['mʌskjulə] му́скулистый; му́скульный.
Muse[1] [mju:z] му́за.
muse[2] [~] заду́м(ыв)аться (on над Т).
museum [mju:'ziəm] музе́й.
mushroom ['mʌʃrum] **1.** гриб; **2.** расплю́щи(ва)ть(ся); *Am.* ~ up расти́ как грибы́.
music ['mju:zik] му́зыка; музыка́льное произведе́ние; но́ты *f/pl.*; set to ~ положи́ть на му́зыку; **~al** ['mju:zikəl] □ музыка́льный; мелоди́чный; ~ box шарма́нка; **~-hall** мю́зик-холл, эстра́дный теа́тр; **~ian** [mju:'ziʃən] музыка́нт (-ша); **~stand** пюпи́тр для нот; **~-stool** табуре́т для роя́ля.
musketry ['mʌskitri] руже́йный ого́нь *m*; стрелко́вая подгото́вка.
muslin ['mʌzlin] мусли́н (ткань).
mussel [mʌsl] ми́дия.
must [mʌst]: I ~ я до́лжен (+ *inf.*); I ~ not мне нельзя́; **2.** виногра́дное су́сло; пле́сень *f*.
mustache *Am.* усы́ *m/pl.*
mustard ['mʌstəd] горчи́ца.
muster ['mʌstə] **1.** смотр, осмо́тр; ⚔ сбор; **2.** проверя́ть [-е́рить].
musty ['mʌsti] за́тхлый.
muta|ble ['mju:təbl] □ изме́нчивый, непостоя́нный; **~tion** [mju:'teiʃən] измене́ние, переме́на.
mute [mju:t] **1.** □ немо́й; **2.** немо́й; стати́ст; **3.** надева́ть сурди́нку на (В).
mutilat|e ['mju:tileit] [из]уве́чить; **~ion** [-'eiʃən] уве́чье.
mutin|eer [mju:ti'niə] мяте́жник; **~ous** ['mju:tinəs] □ мяте́жный; **~y** [-ni] **1.** мяте́ж; **2.** поднима́ть мяте́ж.
mutter ['mʌtə] **1.** бормота́нье; ворча́ние; **2.** [про]бормота́ть; [за-] ворча́ть.
mutton [mʌtn] бара́нина; leg of ~ бара́нья но́жка; ~ chop бара́нья котле́та.
mutual ['mju:tjuəl] □ обою́дный, взаи́мный; о́бщий.
muzzle ['mʌzl] **1.** мо́рда, ры́ло; ду́ло, жерло́; намо́рдник; **2.** надева́ть намо́рдник (Д); *fig.* заста́вить молча́ть.
my [mai, *a.* mi] *pron. poss.* мой *m*, моя́ *f*, моё *n*; мои́ *pl.*
myrtle [mə:tl] ⚘ мирт.
myself [mai'self, mi-] *pron. refl.* **1.** себя́, меня́ самого́; -ся, -сь; **2.** (для усиле́ния) сам.
myster|ious [mis'tiəriəs] □ таи́нственный; **~y** [-ri] та́йна; та́инство.
mysti|c ['mistik] (*a.* ~al [-ikəl] □) мисти́ческий; **~fy** [-tifai] мистифици́ровать *(im)pf.*; озада́чи(ва)ть.
myth [miθ] миф; мифи́ческое лицо́.

N

nab [næb] *sl.* схвати́ть на ме́сте преступле́ния.
nacre [ˈneikə] перламу́тр.
nag [næg] F **1.** кля́ча; **2.** прид(и)-ра́ться к (Д).
nail [neil] **1.** *anat.* но́готь *m*; гвоздь *m*; **2.** заби́(ва́)ть гвоздя́ми, пригвожда́ть [-озди́ть], приби́(ва́)ть; *fig.* прико́вывать [-ова́ть].
naïve [naiˈi:v, nɑ:ˈiv] □, **naive** [neiv] □ наи́вный; безыску́сственный.
naked [ˈneikid] □ наго́й, го́лый; я́вный; **~ness** [-nis] нагота́; обнажённость *f*.
name [neim] **1.** и́мя *n*; фами́лия; назва́ние; of (F by) the ~ of под и́менем (Р), по и́мени (И); in the ~ of во и́мя (Р); от и́мени (Р); call a p. ~s [об]руга́ть (В); **2.** наз(ы)-ва́ть; дава́ть и́мя (Д); **~less** [ˈneimlis] □ безымя́нный; **~ly** [-li] и́менно; **~-plate** доще́чка с фами́лией; **~sake** тёзка *m/f*.
nap [næp] **1.** ворс; лёгкий сон; **2.** дрема́ть [вздремну́ть].
nape [neip] заты́лок.
napkin [ˈnæpkin] салфе́тка; подгу́зник.
narcotic [nɑ:ˈkɔtik] **1.** (~ally) наркоти́ческий; **2.** нарко́тик.
narrat|e [næˈreit] расска́зывать [-за́ть]; **~ion** [-ʃən] расска́з; **~ive** [ˈnærətiv] **1.** □ повествова́тельный; **2.** расска́з.
narrow [ˈnærou] **1.** □ у́зкий; те́сный; ограни́ченный (об интелле́кте); **2.** ~s *pl.* проли́в; **3.** су́живать(ся) [су́зить(ся)]; уменьша́ть (-ся) [уме́ньши́ть(ся)]; ограни́чи-(ва)ть; **~-chested** узкогру́дый; **~-minded** □ ограни́ченный, у́зкий; недалёкий; **~ness** [-nis] у́зость *f*.
nasal [ˈneizəl] □ носово́й; гнуса́вый.
nasty [ˈnɑ:sti] □ проти́вный; неприя́тный; гря́зный; зло́бный.
natal [ˈneitl]: ~ day день рожде́ния.
nation [ˈneiʃən] на́ция.
national [ˈnæʃnl] **1.** □ национа́льный, наро́дный; госуда́рственный; **2.** соотéчественник; по́дданный; **~ity** [næʃəˈnæliti] национа́льность *f*; по́дданство; **~ize** [ˈnæʃnəlaiz] национализи́ровать (*im*)*pf*.; натурализова́ть (*im*)*pf*.
native [ˈneitiv] **1.** □ родно́й; тузе́мный; ~ language родно́й язы́к; **2.** уроже́нец (-нка); тузе́мец (-мка).
natural [ˈnætʃrəl] □ есте́ственный; ~ sciences есте́ственные нау́ки *f/pl.*; **~ist** [-ist] натурали́ст (в иску́сстве); естествоиспыта́тель *m*; **~ize** [-aiz] натурализова́ть (*im*)*pf*.; **~ness** [-nis] есте́ственность *f*.
nature [ˈneitʃə] приро́да; хара́ктер.
naught [nɔ:t] ничто́; ноль *m*; set at ~ пренебрега́ть [-бре́чь] (Т); **~y** [ˈnɔ:ti] □ непослу́шный, капри́зный.
nause|a [ˈnɔ:siə] тошнота́; отвраще́ние; **~ate** [-eit] *v/t.* тошни́ть; it ~s me меня́ тошни́т от э́того; внуша́ть отвраще́ние (Д); be ~d испы́тывать тошноту́; *v/i.* чу́вствовать тошноту́; **~ous** [-əs] □ тошнотво́рный.
nautical [ˈnɔ:tikəl] морско́й; мореходный.
naval [ˈneivəl] (вое́нно-)морско́й.
nave [neiv] ⚠ неф (це́ркви).
navel [ˈneivəl] пуп, пупо́к.
naviga|ble [ˈnævigəbl] □ судохо́дный; **~te** [-geit] *v/i.* управля́ть (су́дном, аэропла́ном); пла́вать (на су́дне); лета́ть (на аэропла́не); *v/t.* управля́ть (су́дном и т. д.); пла́вать по (Д); **~tion** [næviˈgeiʃən] морехо́дство; навига́ция; **~tor** [ˈnævigeitə] морепла́ватель *m*; шту́рман.
navy [ˈneivi] вое́нный флот.
nay [nei] нет; да́же; бо́лее того́.
near [niə] **1.** *adj.* бли́зкий; бли́жний; скупо́й; ~ at hand под руко́й; ~ silk полушёлк; **2.** *adv.* по́дле; бли́зко, недалеко́; почти́; **3.** *prp.* о́коло (Р), у (Р); **4.** приближа́ться [-ли́зиться] к (Д); **~by** [ˈniəˈbai] ря́дом; **~ly** [ˈniəli] почти́; **~ness** [-nis] бли́зость *f*.
neat [ni:t] □ чи́стый, опря́тный; стро́йный; иску́сный; кра́ткий; **~ness** [ˈni:tnis] опря́тность *f* и т. д.
nebulous [ˈnebjuləs] □ о́блачный; тума́нный.
necess|ary [ˈnesisəri] **1.** □ необходи́мый, ну́жный; **2.** необходи́мое; **~itate** [niˈsesiteit] де́лать необходи́мым; **~ity** [-ti] необходи́мость *f*, нужда́.

neck [nek] шéя; гóрлышко (бутылки и т. п.); вырез (в плáтье); ~ of land перешéек; ~ and ~ головá в гóлову; **~band** вóрот (рубáшки); **~erchief** [ˈnekətʃif] шéйный платóк; **~lace** [-lis] ожерéлье; **~tie** [гáлстук.
née [nei] урождённая.
need [ni:d] **1.** нáдобность *f*; потрéбность *f*; нуждá; недостáток; be in ~ of нуждáться в (П); **2.** бéдствовать; нуждáться в (П); I ~ it мне э́то нýжно; **~ful** [ˈni:dful] □ нýжный.
needle [ˈni:dl] иглá, игóлка; спи́ца (вязáльная).
needless [ˈni:dlis] □ ненýжный.
needlewoman швея́.
needy [ˈni:di] □ нуждáющийся; бéдствующий.
nefarious [niˈfɛəriəs] бесчéстный.
negat|ion [niˈgeiʃən] отрицáние; **~ive** [ˈnegətiv] **1.** □ отрицáтельный; негати́вный *f*; **2.** отрицáние; *phot*. негати́в; **3.** отрицáть.
neglect [niˈglekt] **1.** пренебрежéние; небрéжность *f*; **2.** пренебрегáть [-брéчь] (Т); **~ful** [-ful] □ небрéжный.
negligen|ce [ˈneglidʒəns] небрéжность *f*; **~t** [-t] □ небрéжный.
negotia|te [niˈgouʃieit] вести́ переговóры; договáриваться [-вори́ться] о (П); F преодолé(вá)ть; **~tion** [nigouʃiˈeiʃən] переговóры *m/pl*.; преодолéние (затруднéний); **~tor** [niˈgouʃieitə] лицó, ведýщее переговóры.
negr|ess [ˈni:gris] негритя́нка; **~o** [ˈni:grou], *pl*. ~es [-z] негр.
neigh [nei] **1.** ржáние; **2.** [за]ржáть.
neighbo(u)r [ˈneibə] сосéд(ка); **~hood** [-hud] сосéдство; **~ing** [-riŋ] сосéдний, смéжный.
neither [ˈneiðə] **1.** ни тот, ни другóй; **2.** *adv*. тáкже не; ~ ... nor ... ни ... ни...
nephew [ˈnevju:] племя́нник.
nerve [nə:v] **1.** нерв; мýжество, хладнокрóвие; нáглость *f*; **2.** придавáть си́лы (хрáбрости) (Д); **~less** [ˈnə:vlis] □ бесси́льный, вя́лый.
nervous [ˈnə:vəs] □ нéрвный; нервóзный; си́льный; **~ness** [-nis] нéрвность *f*, нервóзность *f*; энéргия.
nest [nest] **1.** гнездó (*a. fig.*); **2.** вить гнездó; **~le** [nesl] *v/i*. удóбно устрóиться; приж(им)áться (to, on, against к Д); *v/t*. приж(им)áть (гóлову).
net¹ [net] **1.** сеть *f*; **2.** расставля́ть сéти; поймáть и́ли покры́ть сéтью.
net² [~] **1.** нéтто *adj. indecl.*, чи́стый (вес, дохóд); **2.** приноси́ть (и́ли получáть) чи́стого дохóда.
nettle [netl] **1.** ♀ крапи́ва; **2.** обжигáть крапи́вой; *fig*. уязвля́ть [-ви́ть].
network [ˈnetwə:k] плетёнка; сеть *f* (желéзных дорóг, радиостáнций и т. п.).
neuter [ˈnju:tə] **1.** *gr*. срéдний; ♀ беспóлый; **2.** срéдний род; кастри́рованное живóтное.
neutral [ˈnju:trəl] **1.** □ нейтрáльный; срéдний, неопределённый; **2.** нейтрáльное госудáрство; граждани́н нейтрáльного госудáрства; **~ity** [njuˈtræliti] нейтралитéт; **~ize** [ˈnju:trəlaiz] нейтрализовáть (*im*)*pf*.
never [ˈnevə] никогдá; совсéм не; **~more** никогдá бóльше; **~theless** [nevəðəˈles] тем не мéнее; несмотря́ на э́то.
new [nju:] нóвый; молодóй (об овощáх); свéжий; **~-comer** новоприбы́вший; **~ly** [ˈnju:li] зáново, вновь; недáвно.
news [nju:z] нóвости *f/pl.*, извéстия *n/pl.*; **~-agent** газéтчик; **~-boy** газéтчик-разнóсчик; **~-monger** сплéтник (-ица); **~-paper** газéта; **~-print** газéтная бумáга; **~-reel** киножурнáл; **~stall**, *Am*. **~-stand** газéтный киóск.
New Year Нóвый год; ~'s Eve канýн Нóвого гóда.
next [nekst] **1.** *adj*. слéдующий; ближáйший; ~ door to *fig*. чуть (ли) не, почти́; ~ to вóзле (Р); вслед за (Т); **2.** *adv*. потóм, пóсле; в слéдующий раз.
nibble [nibl] *v/t*. обгры́з(á)ть; [о]щипáть (*a. v/i.* ~ at); *v/i*. ~ at *fig*. прид(и)рáться к (Д).
nice [nais] □ прия́тный, ми́лый, слáвный; хорóшенький; тóнкий; приверéдливый; **~ty** [ˈnaisiti] тóчность *f*; разбóрчивость *f*; *pl*. тóнкости *f/pl.*, детáли *f/pl.*
niche [nitʃ] ни́ша.
nick [nik] **1.** зарýбка; in the ~ of time как раз вó-время; **2.** сдéлать зарýбку в (П); поспéть вó-время на (В).

nickel [nikl] **1.** *min.* ни́кель *m*; *Am.* моне́та в 5 це́нтов; **2.** [от]никели́ровать.

nickname ['nikneim] **1.** про́звище; **2.** да(ва́)ть про́звище (Д).

niece [ni:s] племя́нница.

niggard ['nigəd] скупе́ц; **~ly** [-li] скупо́й, ска́редный.

night [nait] ночь *f*, ве́чер; by ~, at ~ но́чью, ве́чером; **~-club** ночно́й клуб; **~fall** су́мерки *f/pl.*; **~-dress, ~gown** (же́нская) ночна́я соро́чка; **~ingale** ['naitiŋgeil] солове́й; **~ly** ['naitli] ночно́й; *adv.* но́чью; ежено́щно; **~mare** кошма́р; **~-shirt** ночна́я руба́шка.

nil [nil] *particul. sport* ноль *m or* нуль *m*; ничего́.

nimble [nimbl] □ прово́рный, ло́вкий; живо́й.

nimbus ['nimbəs] сия́ние, орео́л.

nine [nain] де́вять; **~pins** *pl.* ке́гли *f/pl.*; **~teen** ['nain'ti:n] девятна́дцать; **~ty** ['nainti] девяно́сто.

ninny ['nini] F простофи́ля *m/f.*

ninth [nainθ] **1.** девя́тый; **2.** девя́тая часть *f*; **~ly** ['nainθli] в-девя́тых.

nip [nip] **1.** щипо́к; уку́с; си́льный моро́з; **2.** щипа́ть [щипну́ть]; прищемля́ть [-ми́ть]; поби́ть моро́зом; ~ in the bud пресека́ть в заро́дыше.

nipper ['nipə] клешня́; (a pair of) **~s** *pl.* щипцы́ *m/pl.*

nipple [nipl] сосо́к.

nitre ['naitə] ⚗ сели́тра.

nitrogen ['naitridʒən] азо́т.

no [nou] **1.** *adj.* никако́й; in ~ time в мгнове́ние о́ка; ~ one никто́; **2.** *adv.* нет; **3.** отрица́ние.

nobility [nou'biliti] дворя́нство; благоро́дство.

noble ['noubl] **1.** □ благоро́дный; зна́тный; **2.** = **~man** титуло́ванное лицо́, дворяни́н; **~ness** ['noublnis] благоро́дство.

nobody ['noubədi] никто́.

nocturnal [nɔk'tə:nl] ночно́й.

nod [nɔd] **1.** кива́ть голово́й; дрема́ть, «клева́ть но́сом»; **2.** киво́к голово́й.

node [noud] ⚘ у́зел; ⚕ наро́ст, утолще́ние.

noise [nɔiz] **1.** шум, гам; гро́хот; **2.** ~ abroad разглаша́ть [-ласи́ть]; **~less** ['nɔizlis] □ бесшу́мный.

noisome ['nɔisəm] вре́дный; нездоро́вый; зловóнный.

noisy ['nɔizi] □ шу́мный; шумли́вый; *fig.* крича́щий (о кра́сках).

nomin|al ['nɔminl] □ номина́льный; именно́й; ~ value номина́льная цена́; **~ate** ['nɔmineit] назнача́ть [-зна́чить]; выставля́ть [вы́ставить] (кандида́та); **~ation** [nɔmi'neiʃən] выставле́ние (кандида́та); назначе́ние.

non [nɔn] *prf.* не..., бес..., без...

nonage ['nounidʒ] несовершенноле́тие.

non-alcoholic безалкого́льный.

nonce [nɔns]: for the ~ то́лько для да́нного слу́чая.

non-commissioned ['nɔnkə'miʃənd]: ~ officer сержа́нт, у́нтер-офице́р.

non-committal уклóнчивый.

non-conductor ⚡ непроводни́к.

nonconformist ['nɔnkən'fɔ:mist] челове́к не подчиня́ющийся о́бщим пра́вилам.

nondescript ['nɔndiskript] неопределённый; неопредели́мый.

none [nʌn] **1.** ничто́, никто́; ни оди́н; никако́й; **2.** ниско́лько, совсе́м не ...; ~ the less тем не ме́нее.

nonentity [nɔ'nentiti] небытие́; ничто́жество (о челове́ке); фи́кция.

non-existence небытие́.

non-party ['nɔn'pɑ:ti] беспарти́йный.

non-performance неисполне́ние.

nonplus [-'plʌs] **1.** замеша́тельство; **2.** приводи́ть в замеша́тельство.

non-resident не прожива́ющий в да́нном ме́сте.

nonsens|e ['nɔnsəns] вздор, бессмы́слица; **~ical** [nɔn'sensikəl] □ бессмы́сленный.

non-skid ['nɔn'skid] приспособле́ние про́тив буксова́ния колёс.

non-stop безостано́вочный; ✈ беспоса́дочный.

non-union не состоя́щий чле́ном профсою́за.

noodle ['nu:dl]: **~s** *pl.* лапша́.

nook [nuk] укро́мный уголо́к; закоу́лок.

noon [nu:n] по́лдень *m* (*a.* **~day**, **~tide**, **~time**).

noose [nu:s] **1.** пе́тля; арка́н; **2.** лови́ть арка́ном; ве́шать [пове́сить].

nor [nɔ:] и не; та́кже не; ни.

norm [nɔ:m] но́рма; станда́рт, образе́ц; **~al** ['nɔ:məl] □ норма́льный; **~alize** [-aiz] нормировáть (*im*)*pf*.; нормализовáть (*im*)*pf*.

north [nɔ:θ] **1.** сéвер; **2.** сéверный; **3.** *adv.* ~ of к сéверу от (P); **~-east** **1.** сéверо-востóк; **2.** сéверо-восточный (*a.* **~-eastern** [-ən]); **~erly** ['nɔ:ðəli], **~ern** ['nɔ:ðən] сéверный; **~ward**(s) ['nɔ:θwəd(z)] *adv.* на сéвер; к сéверу; **~-west** **1.** сéверо-зáпад; ⚓ норд-вéст; **2.** сéверо-зáпадный (*a.* **~-western** [-ən]).

nose [nouz] **1.** нос; нóсик (чáйника и т. п.); чутьё; нос (лóдки и т. п.); **2.** *v/t.* [по]нюхать; разнюх(ив)ать; **~-dive** ✈ пикирóвка; **~gay** букéт цветóв.

nostril ['nɔstril] ноздря́.

nosy ['nouzi] F любопы́тный.

not [nɔt] не.

notable ['noutəbl] **1.** □ достопримечáтельный; **2.** выдающийся человéк.

notary ['noutəri] нотáриус (*a.* ~ public).

notation [nou'teiʃən] нотáция; зá[пись *f*.]

notch [nɔtʃ] **1.** зару́бка; зазу́брина; **2.** зарубáть [-би́ть]; зазу́бри(ва)ть.

note [nout] **1.** замéтка; зáпись *f*; примечáние; долговáя распи́ска; (дипломати́ческая) нóта; ♪ нóта; репутáция; внимáние; **2.** замечáть [-éтить]; упоминáть [-мяну́ть]; (*a* ~ down) дéлать замéтки, записывать [-сáть]; отмечáть [-éтить]; **~book** записнáя кни́жка; **~d** ['noutid] хорошó извéстный; **~worthy** достопримечáтельный.

nothing ['nʌθiŋ] ничтó, ничегó; for ~ зря, дáром; bring (come) to ~ свести́ (сойти́) на нет.

notice ['noutis] **1.** внимáние; извещéние, уведомлéние; предупреждéние; at short ~ без предупреждéния; give ~ предупреждáть об увольнéнии (и́ли об ухóде); извещáть [-ести́ть]; **2.** замечáть [-éтить]; обращáть внимáние на (B); **~able** ['noutisəbl] □ достóйный внимáния; замéтный.

noti|fication [noutifi'keiʃən] извещéние, сообщéние; объявлéние; **~fy** ['noutifai] извещáть [-ести́ть], уведомля́ть [увéдомить].

notion ['nouʃən] поня́тие, представлéние; **~s** *pl. Am.* галантерéя.

notorious [nou'tɔ:riəs] □ пресловýтый.

notwithstanding [nɔtwiθ'stændiŋ] несмотря́ на (B), вопреки́ (Д).

nought [nɔ:t] ничтó; 𝔄 ноль *m or* нуль *m*.

nourish ['nʌriʃ] питáть (*a. fig*.); [на-, по]корми́ть; *fig.* [вз]лелéять (надéжду и т. п.); **~ing** [-iŋ] питáтельный; **~ment** [-mənt] питáние; пи́ща (*a. fig*.).

novel ['nɔvəl] **1.** нóвый; необы́чный; **2.** ромáн; **~ist** [-ist] романи́ст (áвтор); **~ty** ['nɔvəlti] нови́нка; новизнá.

November [no'vembə] ноя́брь *m*.

novice ['nɔvis] начинáющий; новичóк; *eccl.* послу́шник (-ица).

now [nau] **1.** тепéрь, сейчáс; тóтчас; just ~ тóлько что; ~ and again (и́ли then) от врéмени до врéмени; **2.** *cj.* когдá, раз.

nowadays ['nauədeiz] в нáше врéмя.

nowhere ['nouwɛə] нигдé, никудá.

noxious ['nɔkʃəs] □ врéдный.

nozzle [nɔzl] нóсик (чáйника и т.п.); ⊕ соплó.

nucle|ar ['nju:kliə] я́дерный; ~ pile я́дерный реáктор; **~us** [-s] ядрó.

nude [nju:d] нагóй; *paint.* обнажённая фигу́ра.

nudge [nʌdʒ] F **1.** подтáлкивать лóктем; **2.** лёгкий толчóк лóктем.

nuisance [nju:sns] неприя́тность *f*; досáда; *fig.* надоéдливый человéк.

null [nʌl] невырази́тельный; недействи́тельный; ~ and void потеря́вший закóнную си́лу (о договóре); **~ify** ['nʌlifai] аннули́ровать (*im*)*pf*.; **~ity** [-ti] ничтóжность *f*; ничтóжество (о человéке); ⚖ недействи́тельность *f*.

numb [nʌm] **1.** онемéлый, оцепенéлый; окоченéлый; **2.** вызывáть онемéние (и́ли окоченéние) (P).

number ['nʌmbə] **1.** числó; нóмер; **2.** [за]нумеровáть; насчи́тывать; **~less** [-lis] бесчи́сленный.

numera|l ['nju:mərəl] **1.** и́мя числи́тельное; ци́фра; **2.** числовóй; **~tion** [nju:mə'reiʃən] исчислéние; нумерáция.

numerical [nju:'merikəl] □ числовóй; цифровóй.

numerous ['nju:mərəs] □ многó[чи́сленный.]

nun [nʌn] монáхиня; *zo.* сини́ца-лазóревка.

nunnery ['nʌnəri] жéнский монá[сты́рь *m*.]

nuptial ['nʌpʃəl] **1.** бра́чный, сва́дебный; **2.** **~s** [-z] *pl.* сва́дьба.

nurse [nə:s] **1.** корми́лица (*mst* wet-~); ня́ня (*a.* ~-maid); сиде́лка (в больни́це); медици́нская сестра́; at ~ на попече́нии ня́ни; **2.** корми́ть, вска́рмливать гру́дью; ня́нчить; уха́живать за (T); **~ry** ['nə:sri] де́тская (ко́мната); ✓ пито́мник, расса́дник; ~ school де́тский сад.

nurs(e)ling ['nə:sliŋ] пито́мец (-ми́ца).

nurture ['nə:tʃə] **1.** пита́ние; воспита́ние; **2.** пита́ть; воспи́тывать [-та́ть].

nut [nʌt] оре́х; ⊕ га́йка; ~s *pl.* ме́лкий у́голь *m*; **~cracker** щипцы́ для оре́хов; щелку́нчик; **~meg** ['nʌtmeg] муска́тный оре́х.

nutri|tion [nju:'triʃən] пита́ние; пи́ща; **~tious** [-ʃəs], **~tive** ['nju:tritiv] □ пита́тельный.

nut|shell оре́ховая скорлупа́; in a ~ кра́тко, в двух слова́х; **~ty** ['nʌti] име́ющий вкус оре́ха; щегольско́й.

nymph [nimf] ни́мфа.

O

oaf [ouf] дурачо́к; неуклю́жий челове́к.

oak [ouk] дуб.

oar [ɔ:] **1.** весло́; **2.** *poet.* грести́; **~sman** ['ɔ:zmən] гребе́ц.

oasis [ou'eisis] оа́зис.

oat [out] овёс (*mst* ~s *pl.*).

oath [ouθ] кля́тва; ⚔, ⚖ прися́га; руга́тельство.

oatmeal ['outmi:l] овся́нка (крупа́).

obdurate ['ɔbdjurit] □ закосне́лый.

obedien|ce [o'bi:djəns] послуша́ние, повинове́ние; **~t** [-t] □ послу́шный, поко́рный.

obeisance [o'beisəns] ни́зкий покло́н, револа́нс; почте́ние; do ~ выража́ть почте́ние.

obesity [ou'bi:siti] ту́чность *f*, полнота́.

obey [o'bei] повинова́ться (*im*)*pf.* (Д); [по]слу́шаться (Р).

obituary [o'bitjuəri] некроло́г; спи́сок уме́рших.

object 1. ['ɔbdʒikt] предме́т, вещь *f*; объе́кт; *fig.* цель *f*, наме́рение; **2.** [əb'dʒekt] не люби́ть, не одобря́ть (Р); возража́ть [-рази́ть] (to про́тив Р).

objection [əb'dʒekʃən] возраже́ние; **~able** [-əbl] □ нежела́тельный; неприя́тный.

objective [ɔb'dʒektiv] **1.** □ объекти́вный; целево́й; **2.** ⚔ объе́кт, цель *f*.

object-lens *opt.* ли́нза объекти́ва.

obligat|ion [ɔbli'geiʃən] обяза́тельство; обя́занность *f*; **~ory** [ɔ'bligətəri] □ обяза́тельный.

oblig|e [ə'blaidʒ] обя́зывать [-за́ть]; принужда́ть [-у́дить]; ~ a p. де́лать одолже́ние кому́-либо; much ~d о́чень благода́рен (-рна); **~ing** [-iŋ] □ услу́жливый, любе́зный.

oblique [o'bli:k] □ косо́й; око́льный; *gr.* ко́свенный.

obliterate [o'blitəreit] изгла́живать(ся) [-ла́дить(ся)]; вычёркивать [вы́черкнуть].

oblivi|on [o'bliviən] забве́ние; **~ous** [-əs] □ забы́вчивый.

obnoxious [əb'nɔkʃəs] □ неприя́тный, проти́вный, несно́сный.

obscene [ɔb'si:n] □ непристо́йный.

obscur|e [əb'skjuə] **1.** □ тёмный; мра́чный; нея́сный; неизве́стный; непоня́тный; **2.** затемня́ть [-ни́ть]; **~ity** [-riti] мрак, темнота́ и т. д.

obsequies ['ɔbsikwiz] *pl.* погребе́ние.

obsequious [əb'si:kwiəs] □ раболе́пный, подобостра́стный.

observ|able [əb'zə:vəbl] □ заме́тный; **~ance** [-vəns] соблюде́ние (зако́на, обря́да и т. п.); обря́д; **~ant** [-vənt] □ наблюда́тельный; **~ation** [ɔbzə'veiʃən] наблюде́ние; наблюда́тельность *f*; замеча́ние; **~atory** [əb'zə:vətri] обсервато́рия; **~e** [əb'zə:v] *v/t.* наблюда́ть; *fig.* соблюда́ть [-юсти́]; замеча́ть [-е́тить] (В); *v/i.* замеча́ть [-е́тить].

obsess [əb'ses] завладе́(ва́)ть (T); ~ed by, *a.* with одержи́мый (T); пресле́дуемый (T).

obsolete ['ɔbsoli:t, -səl-] устаре́лый.

obstacle ['ɔbstəkl] препя́тствие.

obstinate ['ɔbstinit] □ упря́мый.

obstruct [əb'strʌkt] [по]меша́ть (Д), затрудня́ть [-ни́ть]; загражда́ть [-ради́ть]; **~ion** [əb'strʌkʃən] препя́тствие, поме́ха; загражде́ние; обстру́кция; **~ive** [-tiv] меша́ющий; обструкцио́нный.

obtain [əb'tein] *v/t.* добы́(ва́)ть, доста́(ва́)ть; *v/i.* быть в обы́чае; **~able** [-əbl] † получа́емый; дости́жимый.

obtru|de [əb'tru:d] навя́зывать(ся) [-за́ть(ся)] (on Д); **~sive** [-siv] навя́зчивый.

obtuse [əb'tju:s] □ тупо́й (*a. fig.*).

obviate ['ɔbvieit] избега́ть [-ежа́ть] (Р).

obvious ['ɔbviəs] □ очеви́дный, я́сный.

occasion [ə'keiʒən] **1.** слу́чай; возмо́жность *f*; по́вод; причи́на; F собы́тие; on the ~ of по слу́чаю (Р); **2.** причиня́ть [-ни́ть]; дава́ть по́вод к (Д); **~al** [-ʒnl] □ случа́йный; ре́дкий.

Occident ['ɔksidənt] За́пад, стра́ны За́пада; **2al** [ɔksi'dentl] □ за́падный.

occult [ɔ'kʌlt] □ окку́льтный, та́йный.

occup|ant ['ɔkjupənt] жи́тель(ница *f*) *m*; владе́лец (-лица); **~ation** [ɔkju'peiʃən] завладе́ние; ⚔ оккупа́ция; заня́тие, профе́ссия; **~y** ['ɔkjupai] занима́ть [заня́ть]; завладе́(ва́)ть (Т); оккупи́ровать (*im*)*pf*.

occur [ə'kə:] случа́ться [-чи́ться]; встреча́ться [-е́титься]; ~ to a p. приходи́ть в го́лову кому́; **~rence** [ə'kʌrəns] происше́ствие, слу́чай.

ocean ['ouʃən] океа́н.

o'clock [ə'klɔk]: five ~ пять часо́в.

ocul|ar ['ɔkjulə] □ глазно́й; **~ist** ['ɔkjulist] окули́ст, глазно́й врач.

odd [ɔd] □ нечётный; непа́рный; ли́шний; разро́зненный; чудно́й, стра́нный; **~ity** ['ɔditi] чудакова́тость *f*; **~s** [ɔdz] *pl.* нера́венство; разногла́сие; ра́зница; преиму́щество; гандика́п; ша́нсы *m/pl.*; be at ~ with не ла́дить с (Т); ~ and ends оста́тки *m/pl.*; то да сё.

odious ['oudiəs] ненави́стный; отврати́тельный.

odo(u)r ['oudə] за́пах; арома́т.

of [ov; *mst* əv, v] *prp.* о, об (П); из (Р); от (Р); ука́зывает на причи́ну, принадле́жность, объе́кт де́йствия, ка́чество, исто́чник; ча́сто соотве́тствует ру́сскому роди́тельному падежу́; think ~ a th. ду́мать о (П); ~ charity из милосе́рдия; die ~ умере́ть от (Р); cheat ~ обсчи́тывать на (В); the battle ~ Quebec би́тва под Кве́беком; proud ~ го́рдый (Т); the roof ~ the house кры́ша до́ма.

off [ɔ:f, ɔf] **1.** *adv.* прочь; far ~ далеко́; ча́ще всего́ перево́дится верба́льными приста́вками: go ~ уходи́ть [уйти́]; switch ~ выключа́ть [вы́ключить]; take ~ снима́ть [снять]; ~ and on от вре́мени до вре́мени; be well (badly) ~ быть зажи́точным (бе́дным), быть в хоро́шем (плохо́м) положе́нии; **2.** *prp.* с (Р), со (Р) (выража́ет удале́ние предме́та с пове́рхности); от (Р) (ука́зывает на расстоя́ние); **3.** *adj.* свобо́дный от слу́жбы (рабо́ты); да́льний, бо́лее удалённый; боково́й; пра́вый (о стороне́).

offal ['ɔfəl] отбро́сы *m/pl.*; па́даль *f*; **~s** *pl.* потроха́ *m/pl.*

offen|ce, *Am.* **~se** [ə'fens] просту́пок; оби́да, оскорбле́ние; наступле́ние.

offend [ə'fend] *v/t.* обижа́ть [оби́деть], оскорбля́ть [-би́ть]; *v/i.* наруша́ть [-у́шить] (against В); **~er** оби́дчик; правонаруши́тель(ница *f*) *m*; first ~ престу́пник, суди́мый впервы́е.

offensive [ə'fensiv] **1.** □ оскорби́тельный, оби́дный; агресси́вный, наступа́тельный; проти́вный; **2.** наступле́ние.

offer ['ɔfə] **1.** предложе́ние; **2.** *v/t.* предлага́ть [-ложи́ть]; приноси́ть в же́ртву; *v/i.* выража́ть гото́вность (+ *inf.*); [по]пыта́ться; явля́ться [яви́ться]; **~ing** [-riŋ] же́ртва; предложе́ние.

off-hand ['ɔ:f'hænd] *adv.* F бесцеремо́нно; без подгото́вки.

office ['ɔfis] слу́жба, до́лжность *f*; конто́ра, канцеля́рия; *eccl.* богослуже́ние; 2 министе́рство; **~r** ['ɔfisə] должностно́е лицо́, чино́вник (-ица); ⚔ офице́р.

official [ə'fiʃəl] **1.** □ официа́льный; служе́бный; ~ channel служе́бный поря́док; ~ hours *pl.* служе́бные часы́ *m/pl.*; **2.** служе́бное лицо́, слу́жащий; чино́вник.

officiate [əˈfiʃieit] исполня́ть обя́занности (as P).
officious [əˈfiʃəs] □ назо́йливый; официо́зный.
off|set возмеща́ть [-ести́ть]; **~shoot** побе́г; о́тпрыск; ответвле́ние; **~spring** о́тпрыск, пото́мок.
often [ˈɔ:fn; *a.* ˈɔ:ftən] ча́сто, мно́го раз.
ogle [ougl] **1.** стро́ить гла́зки (Д); **2.** влюблённый взгля́д.
ogre [ˈougə] людое́д.
oil [ɔil] **1.** ма́сло (расти́тельное, минера́льное); нефть *f*; **2.** сма́з(ыв)ать; *fig.* подма́з(ыв)ать; **~cloth** клеёнка; **~skin** дождеви́к; **~y** [ˈɔili] □ масляни́стый, ма́сляный; *fig.* еле́йный.
ointment [ˈɔintmənt] мазь *f*.
O. K., okay [ˈouˈkei] F **1.** *pred.* всё в поря́дке, хорошо́; **2.** *int.* хорошо́!, ла́дно!, есть!
old [ould] *com.* ста́рый; (in times) of ~ в старину́; ~ age ста́рость *f*; **~-fashioned** [ˈouldˈfæʃənd] старомо́дный; **~ish** [ˈouldiʃ] старова́тый.
olfactory [ɔlˈfæktəri] *anat.* обоня́тельный.
olive [ˈɔliv] ♀ оли́ва; оли́вковый [цвет.
ominous [ˈɔminəs] □ злове́щий.
omission [oˈmiʃən] упуще́ние; про́пуск.
omit [oˈmit] пропуска́ть [-сти́ть]; упуска́ть [-сти́ть].
omnipoten|ce [ɔmˈnipotəns] всемогу́щество; **~t** [-tənt] □ всемогу́щий.
on [ɔn] **1.** *prp. mst* на (П *or* В); ~ the wall на стене́; march ~ London марш на Ло́ндон; ~ good authority из достове́рного исто́чника; ~ the 1st of April пе́рвого апре́ля; ~ his arrival по его́ прибы́тии; talk ~ a subject говори́ть на те́му; ~ this model по э́тому образцу́; ~ hearing it услы́шав э́то; **2.** *adv.* да́льше; вперёд; да́лее; keep one's hat ~ остава́ться в шля́пе; have a coat ~ быть в пальто́; and so ~ и так да́лее (и т. д.); be ~ быть пу́щенным в ход, включённым (и т. п.).
once [wʌns] **1.** *adv.* раз; не́когда, когда́-то; at ~ сейча́с же; ~ for all раз навсегда́; ~ in a while и́зредка; this ~ на э́тот раз; **2.** *cj.* как то́лько.
one [wʌn] **1.** оди́н; еди́ный; еди́нственный; како́й-то; ~ day одна́жды; ~ never knows никогда́ не зна́ешь; **2.** (число́) оди́н; едини́ца; the little ~s малыши́ *m/pl.*; ~ another друг дру́га; at ~ заодно́, сра́зу; ~ by ~ оди́н за други́м; I for ~ я со свое́й стороны́.
onerous [ˈɔnərəs] □ обремени́тельный.
one|self [wʌnˈself] *pron. refl.* -ся, -сь, (самого́) себя́; **~-sided** □ односторо́нний; **~-way**: ~ street у́лица односторо́ннего движе́ния.
onion [ˈʌnjən] лук, лу́ковица.
onlooker [ˈɔnlukə] зри́тель(ница *f*) *m*; наблюда́тель(ница *f*) *m*.
only [ˈounli] **1.** *adj.* еди́нственный; **2.** *adv.* еди́нственно; то́лько; исключи́тельно; ~ yesterday то́лько вчера́; **3.** *cj.* но; ~ that ... е́сли бы не то, что ...
onset [ˈɔnset], **onslaught** [-slɔ:t] ата́ка, на́тиск, нападе́ние.
onward [ˈɔnwəd] **1.** *adj.* продвига́ющийся вперёд; **2.** *adv.* вперёд; впереди́.
ooze [u:z] **1.** ил, ти́на; **2.** проса́чиваться [-сочи́ться]; ~ away убы́(ва́)ть.
opaque [ouˈpeik] □ непрозра́чный.
open [ˈoupən] **1.** □ *com.* откры́тый; открове́нный; я́вный; ~ to досту́пный (Д); in the ~ air на откры́том во́здухе; **2.** bring into the ~ обнару́жи(ва)ть; **3.** *v/t.* откры́(ва́)ть; нач(ин)а́ть; *v/i.* откры́(ва́)ться; нач(ин)а́ться; ~ into откры́(ва́)ться в (В) (о две́ри); ~ on to выходи́ть на *or* в (В); **~-handed** ще́дрый; **~ing** [ˈoupniŋ] отве́рстие; нача́ло; откры́тие; **~-minded** *fig.* непредубеждённый.
opera [ˈɔpərə] о́пера; **~-glass(es** *pl.*) бино́кль *m*.
operat|e [ˈɔpəreit] *v/t.* управля́ть (Т); *part. Am.* приводи́ть в де́йствие; *v/i.* опери́ровать (*im*)*pf.*; ока́зывать влия́ние; рабо́тать; де́йствовать; **~ion** [ɔpəˈreiʃən] де́йствие; ⚕, ⚔, ⚓ опера́ция; проце́сс; be in ~ быть в де́йствии; **~ive 1.** [ˈɔpərеitiv] □ де́йствующий; действи́тельный; операти́вный (*a.* ⚕); **2.** [ˈɔpərətiv] (фабри́чный) рабо́чий; **~or** [ˈɔpəreitə] опера́тор; телеграфи́ст(ка).
opinion [əˈpinjən] мне́ние; взгляд; in my ~ по-мо́ему.
opponent [əˈpounənt] оппоне́нт, проти́вник.

opportun|e ['ɔpətju:n] □ благоприя́тный; подходя́щий; своевре́менный; **~ity** [ɔpə'tju:niti] удо́бный слу́чай, возмо́жность *f.*
oppos|e [ə'pouz] противопоставля́ть [-ста́вить]; [вос]проти́виться (Д); **~ed** [-d] противопоста́вленный; be ~ то быть про́тив (Р); **~ite** ['ɔpəzit] **1.** □ противополо́жный; **2.** *prp., adv.* напро́тив, про́тив (Р); **3.** противополо́жность *f*; **~ition** [ɔpə'ziʃən] сопротивле́ние; оппози́ция; контра́ст.
oppress [ə'pres] притесня́ть [-ни́ть], угнета́ть; **~ion** [-ʃən] притесне́ние, угнете́ние; угнетённость *f*; **~ive** [-siv] □ гнету́щий, угнета́ющий; ду́шный.
optic ['ɔptik] глазно́й, зри́тельный; **~al** [-tikəl] □ опти́ческий; **~ian** [ɔp'tiʃən] о́птик.
option ['ɔpʃən] вы́бор, пра́во вы́бора; ~ right пра́во преиму́щественной поку́пки; **~al** ['ɔpʃənl] □ необяза́тельный, факультати́вный.
opulence ['ɔpjuləns] бога́тство.
or [ɔ:] и́ли; ~ else и́наче; и́ли же.
oracular [ɔ'rækjulə] □ проро́ческий.
oral ['ɔ:rəl] □ у́стный; слове́сный.
orange ['ɔrindʒ] **1.** апельси́н; ора́нжевый цвет; **2.** ора́нжевый.
orat|ion [o'reiʃən] речь *f*; **~or** ['ɔrətə] ора́тор; **~ory** [-ri] красноре́чие; часо́вня.
orb [ɔ:b] шар; орби́та; *fig.* небе́сное свети́ло; держа́ва.
orchard ['ɔ:tʃəd] фрукто́вый сад.
orchestra ['ɔ:kistrə] ♪ орке́стр.
ordain [ɔ:'dein] посвяща́ть в духо́вный сан; предпи́сывать [-са́ть].
ordeal [ɔ:'di:l] *fig.* испыта́ние.
order ['ɔ:də] **1.** поря́док; знак отли́чия; прика́з; ⚚ зака́з; ранг; ⚔ строй; take (holy) ~s принима́ть духо́вный сан; in ~ to что́бы; in ~ that с тем, что́бы; make to ~ де́лать на зака́з; *parl.* standing ~s *pl.* пра́вила процеду́ры; **2.** прика́зывать [-за́ть]; назнача́ть [-на́чить]; ⚚ зака́зывать [-за́ть]; **~ly** [-li] **1.** аккура́тный; споко́йный; регуля́рный; **2.** ⚔ вестово́й, ордина́рец.
ordinance ['ɔ:dinəns] ука́з, декре́т.
ordinary ['ɔ:dnri] □ обыкнове́нный; зауря́дный.
ordnance ['ɔ:dnəns] ⚔, ⚓ артиллери́йские ору́дия *n/pl.*; артиллери́йское и техни́ческое снабже́ние.
ordure ['ɔ:djuə] наво́з; отбро́сы *m/pl*; грязь *f.*
ore ['ɔ:] руда́.
organ ['ɔ:gən] о́рган; го́лос; ♪ орга́н; **~grinder** шарма́нщик; **~ic** [ɔ:'gænik] (~ally) органи́ческий; **~ization** [ɔ:gənai'zeiʃən] организа́ция; **~ize** ['ɔ:gənaiz] организова́ть (*im*)*pf.*; **~izer** [-ə] организа́тор.
orgy ['ɔ:dʒi] о́ргия.
orient ['ɔ:rient] **1.** восто́к; Восто́к, восто́чные стра́ны *f/pl.*; **2.** ориенти́ровать (*im*)*pf.*; **~al** [ɔ:ri'entl] **1.** □ восто́чный, азиа́тский; **2.** жи́тель Восто́ка; **~ate** ['ɔ:rienteit] ориенти́ровать (*im*)*pf.*
orifice ['ɔrifis] отве́рстие; у́стье.
origin ['ɔridʒin] исто́чник; происхожде́ние; нача́ло.
original [ə'ridʒənl] **1.** □ первонача́льный; оригина́льный; по́длинный; **2.** оригина́л, по́длинник; чуда́к; **~ity** [əridʒi'næliti] оригина́льность *f.*
originat|e [ə'ridʒineit] *v/t.* дава́ть нача́ло (Д), порожда́ть [породи́ть]; *v/i.* происходи́ть [-изойти́] (from от Р); **~or** [-ə] созда́тель *m*; инициа́тор.
ornament 1. ['ɔ:nəmənt] украше́ние, орна́мент; *fig.* краса́; **2.** [-ment] украша́ть [укра́сить]; **~al** [ɔ:nə'mentl] □ декорати́вный.
ornate [ɔ:'neit] □ разукра́шенный; витиева́тый (стиль).
orphan ['ɔ:fən] **1.** сирота́ *m/f.*; **2.** осироте́лый (*a.* ~ed); **~age** [-idʒ], **~-asylum** прию́т для сиро́т.
orthodox ['ɔ:θədɔks] □ правове́рный; *eccl.* правосла́вный.
oscillate ['ɔsileit] вибри́ровать; *fig.* колеба́ться.
ossify ['ɔsifai] [о]костене́ть.
ostensible [ɔs'tensəbl] □ очеви́дный.
ostentatio|n [ɔstən'teiʃən] хвастовство́; выставле́ние напока́з; **~us** [-ʃəs] □ показно́й.
ostler ['ɔslə] ко́нюх.
ostrich ['ɔstritʃ] *zo.* стра́ус.
other ['ʌðə] друго́й; ино́й; the ~ day на днях; the ~ morning неда́вно у́тром; every ~ day че́рез

день; **~wise** [waiz] и́на́че; и́ли же.

otter ['ɔtə] *zo.* вы́дра.

ought [ɔ:t]: I ~ to мне сле́довало бы; you ~ to have done it вам сле́довало э́то сде́лать.

ounce [auns] у́нция (= 28,3 г).

our ['auə] *pron. poss.* **~s** ['auəz] *pron. poss. pred.* наш, на́ша, на́ше; на́ши *pl.*; **~selves** [auə'selvz] *pron.* **1.** *refl.* себя́, -ся, -сь; **2.** (для усиле́ния) (мы) са́ми.

oust [aust] выгоня́ть [вы́гнать], вытесня́ть [вы́теснить].

out [aut] **1.** *adv.* нару́жу; вон; до конца́; ча́сто перево́дится приста́вкой вы- : take ~ вынима́ть [вы́нуть]; be ~ with быть в ссо́ре с (Т); ~ and ~ соверше́нно; way ~ вы́ход; **2.** *parl.* the ~s *pl.* оппози́ция; **3.** ✝ ~ size разме́р бо́льше норма́льного; **4.** *prp.* ~ of: из (Р); вне (Р); из-за (Р).

out... [~] пере...; вы...; рас...; про...; воз..., вз...; из...; **~balance** [aut'bæləns] переве́шивать [-ве́сить]; **~bid** [-'bid][*irr.* (bid)] перебива́ть це́ну; **~-break** ['autbreik] взрыв, вспы́шка (гне́ва); (внеза́пное) нача́ло (войны́, эпиде́мии и т. п.); **~building** ['autbildiŋ] надво́рное строе́ние; **~burst** [-'bə:st] взрыв, вспы́шка; **~cast** [-kɑ:st] **1.** изгна́нник (-ица); па́рия *m/f*; **2.** и́згнанный; **~come** [-'kʌm] результа́т; **~cry** [-krai] вы́крик; проте́ст; **~do** [aut'du:] [*irr.* (do)] превосходи́ть [-взойти́]; **~door** ['autdɔ:] *adj.* (находя́щийся) вне до́ма и́ли на откры́том во́здухе; нару́жный; **~doors** ['aut'dɔ:z] *adv.* на откры́том во́здухе, вне до́ма.

outer ['autə] вне́шний, нару́жный; **~most** ['autəmoust] кра́йний.

out|fit [-fit] снаряже́ние; обмундиро́вка; обору́дование; **~going** [-gouiŋ] **1.** уходя́щий; исходя́щий (о бума́гах, пи́сьмах и т. п.); **2.** ~s *pl.* расхо́ды *m/pl.*; **~grow** [aut'grou] [*irr.* (grow)] выраста́ть [вы́расти] из (пла́тья и т. п.); **~-house** [-haus] надво́рное строе́ние; фли́гель *m*.

outing ['autiŋ] (за́городная) прогу́лка.

out|last [aut'lɑ:st] продолжа́ться до́льше, чем ...; пережи́(ва́)ть; **~law** ['autlɔ:] **1.** челове́к вне зако́на; **2.** объявля́ть вне зако́на; **~lay**[-lei] изде́ржки *f/pl.*; **~let** [-let] выпускно́е отве́рстие; вы́ход; **~line** [-lain] **1.** (*a. pl.*) очерта́ние, ко́нтур; **2.** рисова́ть ко́нтур (Р); де́лать набро́сок (Р); **~live** [aut'liv] пережи́(ва́)ть; **~look** ['autluk] вид, перспекти́ва; то́чка зре́ния, взгляд; **~lying** [-laiiŋ] отдалённый; **~number** [aut'nʌmbə] превосходи́ть чи́сленостью; **~-post** [-poust] аванпо́ст; **~pouring** [-pɔ:riŋ] *mst pl.* излия́ние (чувств); **~put** [-put] вы́пуск; производи́тельность *f*; проду́кция.

outrage ['autreidʒ] **1.** гру́бое наруше́ние (on Р); **2.** гру́бо наруша́ть (зако́н); **~ous** [aut'reidʒəs] □ неи́стовый; возмути́тельный.

out|right ['aut'rait] откры́то; сра́зу; вполне́; **~run** [aut'rʌn] [*irr.* (run)] перегоня́ть [-гна́ть], опережа́ть [-реди́ть]; *fig.* преступа́ть преде́лы (Р); **~set** ['autset] нача́ло; отправле́ние; **~shine** [aut'ʃain] [*irr.* (shine)] затмева́ть [-ми́ть]; **~side** ['aut'said] нару́жная сторона́; вне́шняя пове́рхность *f*; вне́шность *f*; кра́йность *f*; at the ~ в кра́йнем слу́чае; **2.** нару́жный, вне́шний; кра́йний; **3.** *adv.* нару́жу; снару́жи; на (откры́том) во́здухе; **4.** *prp.* вне (Р); **~sider** ['aut'saidə] посторо́нний (челове́к); **~skirts** ['autskə:ts] *pl.* окра́ина; **~spoken** [aut'spoukən] □ открове́нный; **~standing** ['autstændiŋ] выступа́ющий; *fig.* выдаю́щийся; неупла́ченный (счёт); **~stretch** [aut'stretʃ] протя́гивать [-тяну́ть]; **~strip** [-'strip] опережа́ть [-реди́ть]; превосходи́ть [-взойти́].

outward ['autwəd] **1.** вне́шний, пове́рхностный; **2.** *adv.* (*mst* ~s [-z]) нару́жу; за преде́лы.

outweigh [aut'wei] превосходи́ть ве́сом; *fig.* переве́шивать [переве́сить].

oven ['ʌvn] (хле́бная) печь *f*; ду-[хо́вка.]

over ['ouvə] **1.** *adv.* ча́ще всего́ перево́дится приста́вками глаго́лов: пере..., вы..., про...; сно́ва; вдоба́вок; сли́шком; ~ and above кро́ме того́; (all) ~ again сно́ва, ещё раз; ~ against напро́тив; ~ and ~ (again) то и де́ло; read ~ перечи́тывать [-чита́ть]; **2.** *prp.* над (Т);

по (Д); за (В); свы́ше (Р); сверх (Р); че́рез (В); о(б) (П); all ~ the town по всему́ го́роду.

over ... ['ouvə] *pref.* как приста́вка, означа́ет: сверх...; над...; пере...; чрезме́рно; **~act** ['ouvər'ækt] переи́грывать [-гра́ть] (роль); **~all** ['ouvərɔ:l] спецоде́жда; **~awe** [ouvər'ɔ:] держа́ть в благогове́йном стра́хе; **~balance** [ouvə'bæləns] теря́ть равнове́сие; переве́шивать [-ве́сить]; **~bearing** [-'bɛəriŋ] □ вла́стный; **~board** ['ouvəbɔ:d] ⚓ за́ борт, за бо́ртом; **~cast** ['ouvə'kɑ:st] па́смурный; **~-charge** [ouvə'tʃɑ:dʒ] **1.** сли́шком высо́кая цена́; **2.** перегружа́ть [-узи́ть]; запра́шивать сли́шком высо́кую це́ну с (Р) (for за В); **~coat** [-kout] пальто́ *n indecl.*; **~come** [-'kʌm] [*irr.* (come)] преодоле́(ва́)ть, побежда́ть [-еди́ть]; **~crowd** [ouvə'kraud] переполня́ть [-о́лнить] (за́л и т. п.); **~do** [-'du:] [*irr.* (do)] пережа́ри(ва)ть (мя́со и т. п.); де́лать сли́шком усе́рдно, утри́ровать (*im*)*pf.*; **~draw** ['ouvə'drɔ:] [*irr.* (draw)] ✝ превыша́ть [-вы́сить] (креди́т); **~dress** [-'dres] одева́ться сли́шком пы́шно; **~due** [-'dju:] просро́ченный; **~eat** [ouvər'i:t] [*irr.* (eat)]: ~ o. s. объеда́ться [объе́сться]; **~flow 1.** [ouvə'flou] [*irr.* (flow)] *v/t.* затопля́ть [-пи́ть]; *v/i.* перели́(ва́)ться; **2.** ['ouvəflou] наводне́ние; разли́в; **~grow** ['ouvə'grou] [*irr.* (grow)] заглуша́ть [-ши́ть] (о расте́ниях); расти́ сли́шком бы́стро; **~hang 1.** ['ouvə'hæŋ] [*irr.* (hang)] *v/i.* нависа́ть [-и́снуть]; **2.** ['ouvəhæŋ] свес; вы́ступ; **~haul** [ouvə'hɔ:l] [от]ремонти́ровать; **~-head 1.** ['ouvə'hed] *adv.* над голово́й, наверху́; **2.** ['ouvəhed] *adj.* ве́рхний; ✝ накладно́й; **3.** ~s *pl.* ✝ накладны́е расхо́ды *m/pl.*; **~hear** [ouvə'hiə] [*irr.* (hear)] подслу́ш(ив)ать; нечая́нно слы́шать; **~lap** [ouvə'læp] *v/t.* части́чно покрыва́ть; *v/i.* заходи́ть оди́н за друго́й; **~lay** [ouvə'lei] [*irr.* (lay)] ⊕ покры́(ва́)ть; **~load** [ouvə'loud] перегружа́ть [-узи́ть]; **~look** [ouvə'luk] обозре́(ва́)ть; прогля́дывать [-де́ть]; **~master** [ouvə'mɑ:stə] подчиня́ть себе́; **~much** ['ouvə'mʌtʃ] чрезме́рно; **~pay** [-'pei] [*irr.* (pay)] перепла́чивать [-лати́ть]; **~power** [ouvə'pauə] переси́ли(ва)ть; **~reach** [ouvə'ri:tʃ] перехитри́ть *pf.*; ~ o. s. брать сли́шком мно́го на себя́, сли́шком напряга́ть си́лы; **~ride** [-'raid] [*irr.* (ride)] перее́хать ло́шадью; *fig.* отверга́ть [-е́ргнуть]; **~run** [-'rʌn] [*irr.* (run)] перелива́ться че́рез край; **~sea** ['ouvə'si:] **1.** замо́рский; заграни́чный; **2.** (*a.* ~seas) за́ морем, за́ море; **~see** [-'si:] [*irr.* (see)] надзира́ть за (Т); **~seer** ['ouvəsiə] надзира́тель(ница *f*) *m*; **~shadow** [ouvə'ʃædou] броса́ть тень на (В); омрача́ть [-чи́ть]; **~sight** [-sait] недосмо́тр; **~sleep** ['ouvəsli:p] [*irr.* (sleep)] прос(ы)па́ть; **~spread** [ouvə'spred] [*irr.* (spread)] покры́(ва́)ть; **~state** ['ouvə'steit] преувели́чи(ва)ть; **~-strain** [-'strein] **1.** переутомле́ние; **2.** переутомля́ть [-ми́ть]; **~take** [ouvə'teik] [*irr.* (take)] догоня́ть [догна́ть]; застига́ть врасплох; **~tax** ['ouvə'tæks] обременя́ть чрезме́рным нало́гом; *fig.* сли́шком напряга́ть (си́лы и т. п.) **~throw 1.** [ouvə'θrou] [*irr.* (throw)] сверга́ть [све́ргнуть]; опроки́дывать [-и́нуть]; **2.** ['ouvəθrou] сверже́ние; ниспроверже́ние; **~time** ['ouvətaim] **1.** сверхуро́чные часы́ *m/pl.*; **2.** *adv.* сверхуро́чно.

overture ['ouvətjuə] ♪ увертю́ра; нача́ло (перегово́ров и т. п.); форма́льное предложе́ние.

over|turn [ouvə'tə:n] опроки́дывать [-и́нуть]; **~weening** [ouvə'wi:niŋ] высокоме́рный; **~whelm** [ouvə'welm] подавля́ть [-ви́ть]; переси́ли(ва)ть; **~work** [-wə:k] **1.** перегру́зка; переутомле́ние; **2.** [*irr.* (work)] переутомля́ть(ся) [-ми́ть(ся)]; **~wrought** ['ouvə'rɔ:t] переутомлённый; возбуждённый (о не́рвах).

owe [ou] быть до́лжным (Д/В); быть обя́занным (Д/Т).

owing ['ouiŋ] до́лжный; неупла́ченный; ~ to *prp.* благодаря́ (Д).

owl [aul] сова́.

own [oun] **1.** свой, со́бственный; родно́й; **2.** my ~ моя́ со́бственность *f*; a house of one's ~ со́бственный дом; hold one's ~ сохраня́ть свои́ пози́ции; **3.** владе́ть (Т); призна́(ва́)ть (В); призна́(ва́)ться в (П).

owner ['ounə] владе́лец (-лица *f*);

~ship [-ʃip] сóбственность *f*; прáво сóбственности.
ox [ɔks], *pl.* **oxen** вол, бык.
oxid|e [ˈɔksaid] ⚗ óкись *f*; **~ize** [ˈɔksidaiz] окислять(ся) [-лить (-ся)].
oxygen [ˈɔksidʒən] ⚗ кислорóд.
oyster [ˈɔistə] ýстрица.

P

pace [peis] **1.** шаг; похóдка, пóступь *f*; темп; **2.** *v/t.* измерять шагáми; *v/i.* [за]шагáть.
pacific [pəˈsifik] (~ally) миролюбúвый; ≈ Ocean Тúхий океáн; **~ation** [ˈpæsifiˈkeiʃən] умиротворéние; усмирéние.
pacify [ˈpæsifai] умиротворять [-рúть]; усмирять [-рúть].
pack [pæk] **1.** пáчка; вьюк; связка; кúпа; колóда (карт); свóра (собáк); стáя (волкóв); **2.** *v/t.* (*often* ~ up) упакóвывать [-ковáть]; заполнять [запóлнить], набú(вá)ть; (*a.* ~ off) выпровáживать [вы́проводить]; ⊕ уплотнять [-нúть]; *v/i.* упакóвываться [-овáться]; (*often* ~ up) уклáдываться [уложúться]; **~age** [ˈpækidʒ] тюк; кúпа; упакóвка; мéсто (багажá); **~er** [ˈpækə] упакóвщик (-ица); **~et** [ˈpækit] пакéт; почтóвый парохóд; **~thread** бечёвка, шпагáт.
pact [pækt] пакт, договóр.
pad [pæd] **1.** мягкая проклáдка; блокнóт; **2.** подбú(вá)ть, набú(вá)ть (вáтой и т. п.); **~ding** [ˈpædiŋ] набúвочный материáл; *fig.* многословие.
paddle [pædl] **1.** веслó, гребóк; ⚓ лóпасть *f* (гребнóго колесá); **2.** грестú гребкóм; плыть на байдáрке; **~-wheel** гребнóе колесó.
paddock [ˈpædək] вы́гон, загóн.
padlock [ˈpædlɔk] висячий замóк.
pagan [ˈpeigən] **1.** язы́чник; **2.** язы́ческий.
page [peidʒ] **1.** паж; странúца; **2.** нумеровáть странúцы (P).
pageant [ˈpædʒənt] пы́шное (истори́ческое) зрéлище; карнавáльное шéствие.
paid [peid] *pt.* и *p. pt.* от pay.
pail [peil] ведрó, бадья.
pain [pein] **1.** боль *f*; страдáние; наказáние; ~s *pl.* (*often sg.*) старáния *n/pl.*; on ~ of под стрáхом (P); be in ~ испы́тывать боль; take ~s [по]старáться; **2.** причинять боль (Д); **~ful** [ˈpeinful] □ болéзненный; мучúтельный; **~less** [-lis] □ безболéзненный; **~staking** [ˈpeinzteikiŋ] усéрдный, старáтельный.
paint [peint] **1.** крáска; румяна *n/pl.*; **2.** [по]крáсить; [на]румянить(ся); **~-brush** кисть *f*; **~er** [ˈpeintə] худóжник; маляр; **~ing** [ˈpeintiŋ] живопись *f*; картúна; **~ress** [-tris] худóжница.
pair [pɛə] **1.** пáра; четá; a ~ of scissors нóжницы *f/pl.*; **2.** соединять(ся) пó двое; спáривать(ся).
pal [pæl] *sl.* приятель(ница *f*) *m.*
palace [ˈpælis] дворéц.
palatable [ˈpælətəbl] вкýсный.
palate [-it] нёбо; вкус.
pale[1] [peil] **1.** □ блéдный; тýсклый; ~ ale свéтлое пúво; **2.** [по]бледнéть.
pale[2] [~] кол; *fig.* предéлы *m/pl.*
paleness [ˈpeilnis] блéдность *f*.
pall [pɔ:l] окýтывать покрóвом.
pallet [ˈpælit] солóменный тюфяк.
palliat|e [ˈpælieit] облегчáть [-чúть] (болéзнь); *fig.* покры́(вá)ть; **~ive** [ˈpælietiv] паллиатúвный; смягчáющий.
pall|id [ˈpælid] □ блéдный; **~idness** [-nis], **~or** [-lə] блéдность *f*.
palm [pɑ:m] **1.** ладóнь *f*; ⚘ пáльма; **2.** трóгать, глáдить ладóнью; прятать в рукé; ~ off on a p. всýчивать [-чúть] (Д); **~tree** пáльмовое дéрево.
palpable [ˈpælpəbl] □ осязáемый; *fig.* очевúдный, явный.
palpitat|e [ˈpælpiteit] трепетáть; бúться (о сéрдце); **~ion** [-ʃən] сердцебиéние.

palsy [ˈpɔːlzi] **1.** парали́ч; *fig.* сла́бость *f*; **2.** парализова́ть (*im*)*pf*.
palter [ˈpɔːltə] [с]плутова́ть; криви́ть душо́й.
paltry [ˈpɔːltri] □ пустяко́вый, ничто́жный.
pamper [ˈpæmpə] [из]балова́ть, изне́жи(ва)ть.
pamphlet [ˈpæmflit] брошю́ра.
pan [pæn] кастрю́ля; сковорода́.
pan... [~] *pref.* пан...; обще...
panacea [pænəˈsiə] панаце́я, универса́льное сре́дство.
pancake [ˈpænkeik] блин; ола́дья.
pandemonium [pændiˈmounjəm] 🕮 *fig.* «ад кроме́шный».
pander [ˈpændə] **1.** потво́рствовать (to Д); сво́дничать; **2.** сво́дник (-ица).
pane [pein] (око́нное) стекло́.
panegyric [pæniˈdʒirik] панеги́рик, похвала́.
panel [pænl] **1.** △ пане́ль *f*; филёнка; ⚖ список присяжных заседа́телей; **2.** обшива́ть пане́лями (сте́ны).
pang [pæŋ] внеза́пная о́страя боль *f*; ~s *pl. fig.* угрызе́ния (со́вести).
panic [ˈpænik] **1.** пани́ческий; **2.** па́ника.
pansy [ˈpænzi] ⚘ аню́тины гла́зки *m/pl.*
pant [pænt] задыха́ться [задохну́ться]; тяжело́ дыша́ть; стра́стно жела́ть (for, after P).
panties [ˈpæntiz] *Am.* F (a pair of ~) (да́мские) пантало́ны *m/pl.*
pantry [ˈpæntri] кладова́я; буфе́тная (для посу́ды).
pants [pænts] *pl. Am.* или P (a pair of ~) подшта́нники *m/pl.*; штаны́ *m/pl.*
pap [pæp] ка́шка (для дете́й).
papal [ˈpeipəl] □ па́пский.
paper [ˈpeipə] **1.** бума́га; газе́та; обо́и *m/pl.*; нау́чный докла́д; докуме́нт; **2.** о(б)кле́ивать обо́ями; **~-bag** кулёк; **~-clip**, **~-fastener** скре́пка; **~-hanger** обо́йщик; **~-weight** пресс-папье́ *n indecl.*
pappy [ˈpæpi] кашицеобра́зный.
par [pɑː] ра́венство; ⚕ номина́льная сто́имость *f*; at ~ альпа́ри; be on a ~ with быть наравне́, на одно́м у́ровне с (Т).
parable [ˈpærəbl] при́тча.
parachut|e [ˈpærəʃuːt] парашю́т; **~ist** [-ist] парашюти́ст.
parade [pəˈreid] **1.** выставле́ние напока́з; ⚔ пара́д; ⚔ плац (= ~-ground); ме́сто для гуля́нья; make a ~ of выставля́ть напока́з; **2.** выставля́ть напока́з; ⚔ выстра́ивать(ся) на пара́д.
paradise [ˈpærədais] рай.
paragon [-gən] образе́ц (соверше́нства, доброде́тели).
paragraph [ˈpærəgrɑːf] абза́ц; пара́граф; газе́тная заме́тка.
parallel [ˈpærəlel] **1.** паралле́льный; **2.** паралле́ль *f* (*a. fig.*); *geogr.* паралле́ль *f*; without ~ несравни́мый; **3.** быть паралле́льным с (Т), проходи́ть паралле́льно (Д); сра́внивать [-ни́ть].
paraly|se [ˈpærəleiz] парализова́ть (*im*)*pf.*; **~sis** [pəˈrælisis] ⚕ парали́ч.
paramount [ˈpærəmaunt] верхо́вный, вы́сший; первостепе́нный.
parapet [ˈpærəpit] ⚔ бру́ствер; парапе́т, пери́ла *n/pl.*
paraphernalia [pærəfəˈneiˈljə] *pl.* принадле́жности *f/pl.*
parasite [ˈpærəsait] парази́т (*a. fig.*); *fig.* тунея́дец (-дка).
parasol [pærəˈsɔl] зо́нтик (от со́лнца).
paratroops [ˈpærətruːps] *pl.* ⚔ парашю́тно-деса́нтные войска́ *n/pl.*
parboil [ˈpɑːbɔil] слегка́ прова́ривать.
parcel [pɑːsl] **1.** паке́т; посы́лка; **2.** (*mst* ~ out) дели́ть на уча́стки; выделя́ть [вы́делить].
parch [pɑːtʃ] иссуша́ть [-ши́ть]; опаля́ть [-ли́ть] (о со́лнце).
parchment [-mənt] перга́мент.
pardon [pɑːdn] **1.** проще́ние; ⚖ поми́лование; **2.** проща́ть [прости́ть]; поми́ловать *pf.*; **~able** [-əbl] □ прости́тельный.
pare [pɛə] [по]чи́стить (о́вощи и т. п.); обреза́ть [-ре́зать]; *fig.* уре́з(ыв)ать.
parent [ˈpɛərənt] роди́тель(ница *f*) *m*; *fig.* исто́чник; ~s *pl.* роди́тели *m/pl.*; **~age** [-idʒ] происхожде́ние; **~al** [pəˈrentl] □ роди́тельский.
parenthe|sis [pəˈrenθisis], *pl.* ~ses [-siːz] вво́дное сло́во, вво́дное предложе́ние; *pl. typ.* (кру́глые) ско́бки *f/pl.*
paring [ˈpɛəriŋ] кожура́, ко́рка, шелуха́; ~s *pl.* обре́зки *m/pl.*; очи́стки *f/pl.*

parish ['pæriʃ] **1.** церко́вный прихо́д; прихожа́не *pl.*; (*a.* civil ~) гражда́нский о́круг; **2.** прихо́дский.

parity ['pæriti] ра́венство; равноце́нность *f.*

park [pɑ:k] **1.** парк; *mot.* стоя́нка; **2.** *mot.* ста́вить на стоя́нку; **~ing** ['pɑ:kiŋ] *mot.* стоя́нка; *attr.* стоя́ночный.

parlance ['pɑ:ləns] спо́соб выраже́ния, язы́к.

parley [pɑ:li] **1.** перегово́ры *m/pl.*; **2.** вести́ перегово́ры.

parliament ['pɑ:ləmənt] парла́мент; **~ary** [-'mentəri] парламента́рный, парла́ментский.

parlo(u)r ['pɑ:lə] приёмная; жила́я ко́мната; гости́ная; *Am.* зал, ателье́ *n indecl.*; **~-maid** го́рничная.

parochial [pə'roukjəl] □ прихо́дский; *fig.* ме́стный; у́зкий, ограни́ченный.

parole [pə'roul] ⚔ паро́ль *m*; че́стное сло́во.

parquet ['pɑ:kei] парке́т; *thea.* пере́дние ряды́ парте́ра.

parrot ['pærət] **1.** попуга́й; **2.** повторя́ть как попуга́й.

parry ['pæri] отража́ть [отрази́ть], [от]пари́ровать (уда́р).

parsimonious [pɑ:si'mounjəs] □ бережли́вый, эконо́мный; скупо́й.

parsley ['pɑ:sli] ⚘ петру́шка.

parson [pɑ:sn] прихо́дский свяще́нник, па́стор.

part [pɑ:t] **1.** часть *f*, до́ля; уча́стие; *thea. a. fig.* роль *f*; ме́стность *f*; ♪ па́ртия; a man of ~s спосо́бный челове́к; take in good (bad) ~ хорошо́ (пло́хо) принима́ть (слова́ и т. п.); for my (own) ~ с мое́й стороны́; in ~ части́чно; on the ~ of со стороны́ (Р); **2.** *adv.* ча́стью, отча́сти; **3.** *v/t.* разделя́ть [-ли́ть]; ~ the hair де́лать пробо́р; *v/i.* разлуча́ться [-чи́ться], расст(ав)а́ться (with, from с Т).

partake [pɑ:'teik] [*irr.* (takə)] принима́ть уча́стие; разделя́ть [-ли́ть].

partial ['pɑ:ʃəl] □ части́чный; пристра́стный; неравноду́шный (to к Д); **~ity** [pɑ:ʃi'æliti] пристра́стие; скло́нность *f.*

particip|ant [pɑ:'tisipənt] уча́стник (-ица); **~ate** [-peit] уча́ствовать (in в П); **~ation** [-peiʃən] уча́стие.

particle ['pɑ:tikl] части́ца; крупи́ца.

particular [pə'tikjulə] **1.** □ осо́бенный; осо́бый; ча́стный; разбо́рчивый; **2.** подро́бность *f*, дета́ль *f*; in ~ в осо́бенности; **~ity** [pətikju'læriti] осо́бенность *f*; тща́тельность *f*; **~ly** [pə'tikjuləli] осо́бенно; чрезвыча́йно.

parting ['pɑ:tiŋ] **1.** разлу́ка; пробо́р; ~ of the ways *part. fig.* перепу́тье; **2.** проща́льный.

partisan [pɑ:ti'zæn] **1.** сторо́нник (-ица); ⚔ партиза́н; **2.** партиза́нский.

partition [pɑ:'tiʃən] **1.** разде́л; перегоро́дка; **2.** ~ off отделя́ть перегоро́дкой.

partly ['pɑ:tli] ча́стью, отча́сти.

partner ['pɑ:tnə] **1.** уча́стник (-ица); ☤ компаньо́н(ка); партнёр(ша); **2.** ста́вить в па́ру; де́лать партнёром; быть партнёром; **~ship** [-ʃip] уча́стие; ☤ това́рищество, компа́ния.

part-owner совладе́лец.

part-time непо́лная за́нятость *f*; *attr.* не по́лностью за́нятый; ~ worker рабо́чий, за́нятый не по́лный рабо́чий день.

party ['pɑ:ti] па́ртия; отря́д; уча́стник (to в П); компа́ния; вечери́нка; ~ line *parl.* парти́йные директи́вы *f/pl.*; ~ ticket *Am.* парти́йная програ́мма.

pass ['pɑ:s] **1.** прохо́д; перева́л; па́спорт; про́пуск; беспла́тный биле́т; *univ.* посре́дственная сда́ча экза́мена; **2.** *v/i.* проходи́ть [пройти́]; прекраща́ться [-крати́ться]; умира́ть [умере́ть]; происходи́ть [-изойти́], случа́ться [-чи́ться]; переходи́ть [перейти́] (from … to … из [Р] … в [В] …); име́ть хожде́ние; *cards* [с]пасова́ть; come to ~ случа́ться [-чи́ться]; ~ as, for счита́ться (Т), слыть (Т); ~ away исчеза́ть [-е́знуть]; умира́ть [умере́ть]; ~ by проходи́ть ми́мо; ~ into переходи́ть [перейти́] в (В); ~ off проходи́ть [пройти́] (о бо́ли и т. п.); ~ on идти́ да́льше; ~ out выходи́ть [вы́йти]; **3.** *v/t.* проходи́ть [пройти́]; проезжа́ть [-е́хать]; минова́ть (*im*)*pf.*; выде́рживать [вы́держать] (экза́мен); обгоня́ть [обогна́ть], опережа́ть [-реди́ть]; переправля́ть(ся) [-а́вить(ся)] че́рез (В); (*a.* ~ on) перед(ав)а́ть; выноси́ть [вы́нести] (пригово́р); проводи́ть [-вести́] (вре́мя); принима́ть [-ня́ть] (зако́н); **~able** [ˈpɑ:səbl] □ проходи́мый; ходя́чий (о деньга́х); посре́дственный, сно́сный.

passage [ˈpæsidʒ] прохо́д; тече́ние (вре́мени); перее́зд, перепра́ва; коридо́р; отры́вок (из кни́ги).

passenger [ˈpæsindʒə] пассажи́р; седо́к; **~-train** пассажи́рский по́езд.

passer-by [ˈpɑ:səˈbai] прохо́жий.

passion [ˈpæʃən] страсть *f*; гнев; ♀ *eccl.* кре́стные му́ки *f/pl.*; ♀ Week страстна́я неде́ля; **~ate** [-it] □ стра́стный.

passive [ˈpæsiv] □ пасси́вный; поко́рный.

passport [ˈpɑ:spɔ:t] па́спорт.

password [-wə:d] ⚔ паро́ль *m*.

past [pɑ:st] **1.** *adj.* про́шлый; мину́вший; for some time ~ за после́днее вре́мя; **2.** *adv.* ми́мо; **3.** *prp.* за (Т); по́сле (Р); ми́мо (Р); свы́ше (Р); half ~ two полови́на тре́тьего; ~ endurance нестерпи́мый; ~ hope безнадёжный; **4.** про́шлое.

paste [peist] **1.** те́сто; па́ста; клей; **2.** кле́ить, прикле́и(ва)ть; **~board** карто́н; *attr.* карто́нный.

pastel [ˈpæstel] пасте́ль *f*.

pasteurize [ˈpæstəraiz] пастеризова́ть *(im)pf.*

pastime [ˈpɑ:staim] времяпрепровожде́ние.

pastor [ˈpɑ:stə] па́стор; па́стырь *m*; **~al** [-rəl] пастора́льный; пасту́шеский.

pastry [ˈpeistri] пиро́жное, пече́нье; **~-cook** конди́тер.

pasture [ˈpɑ:stʃə] **1.** па́стбище; вы́гон; **2.** пасти́(сь).

pat [pæt] **1.** похло́пывание; кружо́чек (ма́сла); **2.** похло́п(ыв)ать; **3.** кста́ти; во́-время.

patch [pætʃ] **1.** запла́та; клочо́к земли́; обры́вок; лоску́т; **2.** [за-] лата́ть, [по]чини́ть.

pate [peit] F башка́, голова́.

patent [ˈpeitənt] **1.** я́вный; откры́тый; патенто́ванный; ~ fastener кно́пка (застёжка); ~ leather лакиро́ванная ко́жа; **2.** (*a.* letters ~ *pl.*) пате́нт; дипло́м; **3.** [за]патентова́ть; **~ee** [peitənˈti:] владе́лец пате́нта.

patern|al [pəˈtə:nl] □ отцо́вский; оте́ческий; **~ity** [-niti] отцо́вство.

path [pɑ:θ], *pl.* ~s [pɑ:ðz] тропи́нка, доро́жка.

pathetic [pəˈθetik] (~ally) патети́ческий; тро́гательный.

patien|ce [ˈpeiʃəns] терпе́ние; насто́йчивость *f*; **~t** [-t] **1.** □ терпели́вый; **2.** пацие́нт(ка).

patrimony [ˈpætriməni] родово́е поме́стье, во́тчина.

patrol [pəˈtroul] ⚔ **1.** патру́ль *m*; дозо́р; **2.** патрули́ровать.

patron [ˈpeitrən] патро́н; покрови́тель *m*; клие́нт; **~age** [ˈpætrənidʒ] покрови́тельство; клиенту́ра; **~ize** [-naiz] покрови́тельствовать; снисходи́тельно относи́ться к (Д); постоя́нно покупа́ть у (Р).

patter [ˈpætə] говори́ть скорогово́ркой; [про]бормота́ть; бараба́нить (о дожде́); топота́ть, семени́ть.

pattern [ˈpætən] **1.** образе́ц; моде́ль *f*; узо́р; **2.** де́лать по образцу́ (on Р).

paunch [pɔ:ntʃ] брюшко́, пу́зо.

pauper [ˈpɔ:pə] ни́щий (-щая); **~ize** [-raiz] доводи́ть до нищеты́.

pause [pɔ:z] **1.** па́уза, переры́в, остано́вка; **2.** де́лать па́узу.

pave [peiv] [на]мости́ть; *fig.* прокла́дывать [проложи́ть] (путь); **~ment** [ˈpeivmənt] тротуа́р, пане́ль *f*; мостова́я.

paw [pɔ:] **1.** ла́па; F рука́; **2.** тро́гать ла́пой; бить копы́том.

pawn [pɔ:n] **1.** зало́г, закла́д; *chess* пе́шка; in, at ~ в закла́де; **2.** закла́дывать [заложи́ть]; **~broker** ростовщи́к; **~shop** ломба́рд, ссу́дная ка́сса.

pay [pei] **1.** пла́та, упла́та; зарпла́та, жа́лованье; **2.** [*irr.*] *v/t.* [за]плати́ть; опла́чивать [оплати́ть]; вознагражда́ть [-ради́ть]; [с]де́лать (визи́т); ~ attention to обраща́ть внима́ние на (В); ~ down плати́ть нали́чными; *v/i.* окупа́ться [-пи́ться] (*a. fig.*); ~ for [у-, за]плати́ть за (В), опла́чивать [оплати́ть] (В); *fig.* [по]пла́титься за (В); **~able** [ˈpeiəbl] подлежа́щий упла́те; **~-day** день вы́платы жа́лованья; **~ing** [ˈpeiiŋ] вы́годный; **~master** казначе́й, касси́р; **~ment** [mənt] упла́та, платёж; **~roll** платёжная ве́домость *f*.

pea [pi:] ⚘ горо́х; горо́шина; **~s** *pl.* горох; *attr.* горо́ховый.
peace [pi:s] мир; споко́йствие; **~able** [ˈpi:səbl] □ миролюби́вый, ми́рный; **~ful** [-ful] □ ми́рный, споко́йный; **~maker** миротво́рец.
peach [pi:tʃ] пе́рсик; пе́рсиковое де́рево.
pea|cock [ˈpi:kɔk] павли́н; **~hen** [-hen] па́ва.
peak [pi:k] верши́на (горы́); козырёк (ке́пки); *attr.* максима́льный; вы́сший.
peal [pi:l] **1.** звон колоколо́в; раска́т (гро́ма); ~ of laughter взрыв сме́ха; **2.** разда́(ва́)ться; греме́ть; трезво́нить.
peanut [ˈpi:nʌt] земляно́й оре́х.
pear [pɛə] ⚘ гру́ша; гру́шевое де́рево.
pearl [pə:l] *coll.* же́мчуг; жемчу́жина *a. fig.*; *attr.* жемчу́жный; **~y** [ˈpə:li] как же́мчуг.
peasant [ˈpezənt] **1.** крестья́нин; **2.** крестья́нский; **~ry** [-ri] кресть-[я́нство.]
peat [pi:t] торф.
pebble [ˈpebl] голы́ш, га́лька.
peck [pek] **1.** пек, ме́ра сыпу́чих тел (= 9,087 ли́тра); *fig.* мно́жество; **2.** клева́ть [клю́нуть].
peculate [ˈpekjuleit] (незако́нно) растра́чивать [-ра́тить].
peculiar [piˈkju:ljə] □ своеобра́зный; осо́бенный; стра́нный; **~ity** [pikju:liˈæriti] осо́бенность *f*; стра́нность *f*.
pecuniary [piˈkju:njəri] де́нежный.
pedagogue [ˈpedəgɔg] педаго́г, учи́тель(ница *f*) *m*.
pedal [pedl] **1.** педа́ль *f*; **2.** ножно́й; **3.** е́хать на велосипе́де; рабо́тать педа́лями.
peddle [pedl] торгова́ть вразно́с.
pedest|al [ˈpedistl] пьедеста́л (*a. fig.*); **~rian** [piˈdestriən] **1.** пешехо́д; **2.** пешехо́дный.
pedigree [ˈpedigri:] родосло́вная.
pedlar [ˈpedlə] разно́счик, коробе́йник.
peek [pi:k] *Am.* **1.** ~ in загля́дывать [-яну́ть]; **2.** бе́глый взгляд.
peel [pi:l] **1.** ко́рка, ко́жица, шелуха́; **2.** (*a.* ~ off) *v/t.* снима́ть ко́жицу, ко́рку, шелуху́ с (Р); [по-] чи́стить (фру́кты, о́вощи); *v/i.* [об]лупи́ться, сходи́ть [сойти́] (о ко́же).
peep [pi:p] **1.** взгляд укра́дкой; **2.** взгля́дывать укра́дкой; *fig.* проявля́ться [-ви́ться]; [про]пища́ть; **~-hole** глазо́к (око́шечко).
peer [piə] **1.** [с]равня́ться с (Т); ~ at вгля́дываться [-де́ться] в (В); **2.** ро́вня́ *m/f.*; пэр; **~less** [ˈpiəlis] □ несравне́нный.
peevish [ˈpi:viʃ] □ брюзгли́вый.
peg [pəg] **1.** ко́лышек; ве́шалка; ♪ коло́к; зажи́мка для белья́; *fig.* take a p. down a ~ сбива́ть спесь с кого́-либо; **2.** прикрепля́ть ко́лышком; отмеча́ть ко́лышками; ~ away, along F упо́рно рабо́тать; **~-top** юла́ (игру́шка).
pellet [ˈpelit] ша́рик; пилю́ля; дроби́нка.
pell-mell [ˈpelˈmel] впереме́шку.
pelt [pelt] **1.** ко́жа, шку́ра; **2.** *v/t.* обстре́ливать [-ля́ть]; забра́сывать [-роса́ть]; *v/i.* бараба́нить (о дожде́ и т. п.).
pen [pen] **1.** перо́; заго́н; **2.** [на-] писа́ть; [*irr.*] загоня́ть в заго́н.
penal [pi:nl] □ уголо́вный; кара́тельный; ~ servitude ка́торжные рабо́ты *f/pl.*; **~ize** [ˈpi:nəlaiz] нака́зывать [-за́ть]; **~ty** [ˈpenlti] наказа́ние; ✝, *sport.* штраф; *attr.* штрафно́й.
penance [ˈpenəns] эпитими́я.
pence [pens] *pl.* от penny.
pencil [pensl] **1.** каранда́ш; кисть *f* (живопи́сца); **2.** [на]рисова́ть; писа́ть карандашо́м; вычёрчивать [вы́чертить].
pendant [ˈpendənt] кул́он, брело́к.
pending [ˈpendiŋ] **1.** ⚖ ожида́ющий реше́ния; **2.** *prp.* в продолже́ние (Р); (вплоть) до (Р).
pendulum [ˈpendjuləm] ма́ятник.
penetra|ble [ˈpenitrəbl] □ прони́ца́емый; **~te** [-treit] проника́ть [-ни́кнуть] в (В); глубоко́ тро́гать; прони́зывать [-за́ть]; *fig.* вника́ть [вни́кнуть] в (В); **~tion** [peniˈtreiʃən] проника́ние; проница́тельность *f*; **~tive** [ˈpenitreitiv] □ проника́ющий; проница́тельный.
penholder ру́чка (для пера́).
peninsula [piˈninsjulə] полуо́стров.
peniten|ce [ˈpenitəns] раска́яние; покая́ние; **~t 1.** □ раска́ивающийся; **2.** ка́ющийся гре́шник; **~tiary** [peniˈtenʃəri] исправи́тельный дом; *Am.* ка́торжная тюрьма́.
penman [ˈpenmən] писа́тель *m*; [писе́ц.]
pen-name псевдони́м.

pennant ['penənt] ⚓ вы́мпел.
penniless ['penilis] □ без копе́йки.
penny ['peni] пе́нни *n indecl.*, пенс; *Am.* моне́та в 1 цент; **~-weight** 24 гра́на (= 1,5552 гр).
pension 1. ['penʃən] пе́нсия; **2.** увольня́ть на пе́нсию; дава́ть пе́нсию (Д); **~ary, ~er** ['penʃənəri, -ʃənə] пенсионе́р(ка).
pensive ['pensiv] □ заду́мчивый.
pent [pent] заключённый; **~-up** нако́пленный (о гне́ве и т. п.).
penthouse ['penthaus] навéс.
penu|rious [pi'njuəriəs] ску́дный; скупо́й; **~ry** ['penjuri] нужда́; недоста́ток.
people [pi:pl] **1.** наро́д; *coll.* лю́ди *m/pl.*; населе́ние; **2.** заселя́ть [-ли́ть]; населя́ть [-ли́ть].
pepper ['pepə] **1.** пе́рец; **2.** [по-, на-] пе́рчить; **~mint** ⚘ мя́та; **~y** [-ri] □ напе́рченный; *fig.* вспы́льчивый.
per [pə:] по (Д), че́рез (В), посре́дством (Р); за (В), на (В), в (В); ~ cent проце́нт.
perambulat|e [pə'ræmbjuleit] обходи́ть [обойти́], объезжа́ть [-е́хать]; **~or** ['præmbjuleitə] де́тская коля́ска.
perceive [pə'si:v] воспринима́ть [-ня́ть]; ощуща́ть [ощути́ть]; понима́ть [-ня́ть].
percentage [pə'sentidʒ] проце́нт; проце́нтное отноше́ние и́ли содержа́ние.
percepti|ble [pə'septəbl] □ ощути́мый; **~on** [-ʃən] ощуще́ние; восприя́тие.
perch [pə:tʃ] **1.** *zo.* о́кунь *m*; перч, ме́ра длины́ (= 5.029 м); насе́ст; **2.** сади́ться [сесть]; уса́живаться [усе́сться]; сажа́ть на насе́ст.
percolate ['pə:kəleit] [про]фильтрова́ть; проце́живать [-цеди́ть].
percussion [pə:'kʌʃən] уда́р.
perdition [pə:'diʃən] ги́бель *f*.
peregrination [perigri'neiʃən] стра́нствование; путеше́ствие.
peremptory [pə'remptəri] безапелляцио́нный; повели́тельный, вла́стный.
perennial [pə'renjəl] □ ве́чный, неувяда́емый; ⚘ многоле́тний.
perfect 1. ['pə:fikt] □ соверше́нный; зако́нченный; **2.** [pə'fekt] [у]соверше́нствовать; заверша́ть [-ши́ть]; **~ion** [-ʃən] соверше́нство; *fig.* вы́сшая сте́пень *f*.
perfidious [pə'fidiəs] □ вероло́мный.
perfidy ['pə:fidi] вероло́мство.
perforate ['pə:fəreit] перфори́ровать (*im*)*pf*.
perform [pə'fɔ:m] исполня́ть [-о́лнить] (*a. thea.*); *thea.*, ♪ игра́ть [сыгра́ть] (роль, пье́су и т. п.), представля́ть [-а́вить]; **~ance** [əns] исполне́ние (*a. thea.*); *thea.* представле́ние; *sport* достиже́ние; **~er** [-ə] исполни́тель(ница *f*) *m*.
perfume 1. ['pə:fju:m] духи́ *m/pl.*; благоуха́ние; **2.** [pə'fju:m] [на-] души́ть; **~ry** [-əri] парфюме́рия.
perfunctory [pə'fʌŋktəri] □ *fig.* механи́ческий; пове́рхностный.
perhaps [pə'hæps, præps] мо́жет быть.
peril ['peril] **1.** опа́сность *f*; **2.** подверга́ть опа́сности; **~ous** [-əs] □ опа́сный.
period ['piəriəd] пери́од; абза́ц; **~ic** [piəri'ɔdik] периоди́ческий; **~ical** [-dikəl] **1.** □ периоди́ческий; **2.** периоди́ческое изда́ние.
perish ['periʃ] погиба́ть [-и́бнуть]; [по]губи́ть; **~able** ['periʃəbl] □ скоропо́ртящийся; тле́нный.
periwig ['periwig] пари́к.
perjur|e ['pə:dʒə]: ~ o. s. лжесвиде́тельствовать; наруша́ть кля́тву; **~y** [-ri] лжесвиде́тельство; клятвопреступле́ние.
perk [pə:k] F: *mst* ~ up *v/i.* задира́ть нос; *v/t.* ~ o. s. прихора́шиваться.
perky ['pə:ki] □ де́рзкий; самоуве́ренный.
permanen|ce ['pə:mənəns] постоя́нство; **~t** [-t] □ постоя́нный, неизме́нный.
permea|ble ['pə:miəbl] проница́емый; **~te** [-mieit] проника́ть [-и́кнуть], пропи́тывать [-ита́ть].
permissi|ble [pə'misəbl] □ позволи́тельный; **~on** [-ʃən] позволе́ние, разреше́ние.
permit 1. [pə'mit] разреша́ть [-ши́ть], позволя́ть [-во́лить]; допуска́ть [-усти́ть]; **2.** ['pə:mit] разреше́ние; про́пуск.
pernicious [pə:'niʃəs] па́губный.
perpendicular [pə:pən'dikjulə] □ перпендикуля́рный.
perpetrate ['pə:pitreit] соверша́ть [-ши́ть] (преступле́ние и т. п.).
perpetu|al [pə'petjuəl] постоя́н-

ный, вечный; ~ate [-jueit] увековечи(ва)ть.

perplex [pə'pleks] озадачи(ва)ть, сбивать с толку; **~ity** [-iti] озадаченность *f*; недоумение; затруднение.

perquisites ['pə:kwizits] *pl.* случайные доходы *m/pl.*

persecut|e ['pə:sikju:t] преследовать; **~ion** [pə:si'kju:ʃən] преследование.

persever|ance [pə:si'viərəns] настойчивость *f*, упорство; **~e** [-'viə] *v/i.* выдерживать [выдержать]; упорно продолжать (in В).

persist [pə'sist] упорствовать (in в П); **~ence** [-əns] настойчивость *f*; **~ent** [-ənt] □ настойчивый.

person ['pə:sn] лицо, личность *f*, особа, человек; **~age** [-idʒ] важная персона; персонаж; **~al** [-l] □ личный; **~ality** [pə:sə'næliti] личность *f*; колкость *f*; **~ate** ['pə:səneit] играть роль (Р); выдавать себя за (В); **~ify** [pə:'sɔnifai] олицетворять [-рить], воплощать [-лотить]; **~nel** [pə:sə'nel] персонал, личный состав.

perspective [pə'spektiv] перспектива; вид.

perspicuous [pə'spikjuəs] □ ясный.

perspir|ation [pə:spə'reiʃən] потение; пот; **~e** [pəs'paiə] [вс]потеть.

persua|de [pə'sweid] убеждать [убедить]; склонять [-нить] (into к Д); **~sion** [-ʒən] убеждение; убедительность *f*; **~sive** [-siv] □ убедительный.

pert [pə:t] □ дерзкий; развязный.

pertain [pə:'tein] (to) принадлежать (Д); относиться [отнестись] (к Д).

pertinacious [pə:ti'neiʃəs] □ упрямый, неуступчивый.

pertinent ['pə:tinənt] □ уместный; относящийся к делу.

perturb [pə'tə:b] нарушать [-ушить] (спокойствие); [о]беспокоить.

perus|al [pə'ru:zəl] внимательное прочтение; **~e** [pə'ru:z] [про]читать; внимательно прочитывать.

pervade [pə:'veid] распространяться [-ниться] по (Д) (о запахе и т. п.).

pervers|e [pə'və:s] □ превратный, ошибочный; ⚕ извращённый; **~ion** [-ʃən] ⚕ извращение.

pervert **1.** [pə'və:t] извращать [-ратить]; совращать [-ратить]; **2.** ['pə:və:t] отступник (-ица).

pest [pest] *fig.* язва, бич; паразит; **~er** ['pestə] докучать (Д), надоедать [-есть] (Д).

pesti|ferous [pes'tifərəs] □ заразный; **~lence** ['pestiləns] чума; **~lent** [-t] смертоносный; **~lential** [pesti'lenʃəl] □ чумной; зловонный.

pet [pet] **1.** комнатное животное; любимец, баловень *m*; **2.** любимый; ~ dog комнатная собачка, болонка; ~ name ласкательное имя; **3.** баловать; ласкать.

petition [pi'tiʃən] **1.** прошение, петиция; просьба; **2.** [по]просить; подавать прошение.

petrify ['petrifai] превращать(ся) в камень; приводить в оцепенение.

petrol ['petrəl] *Brit. mot.* бензин.

petticoat ['petikout] нижняя юбка.

pettish ['petiʃ] □ обидчивый.

petty ['peti] □ мелкий; мелочный.

petulant ['petjulənt] раздражительный.

pew [pju:] церковная скамья.

pewter ['pju:tə] оловянная посуда.

phantasm ['fæntæzm] фантом; иллюзия.

phantom ['fæntəm] фантом, призрак; иллюзия.

Pharisee ['færisi:] фарисей.

pharmacy ['fɑ:məsi] фармация; аптека.

phase [feiz] фаза; период.

phenomen|on [fi'nɔminən], *pl.* ~a [-nə] явление; феномен.

phial ['faiəl] склянка, пузырёк.

philander ['fi'lændə] флиртовать.

philanthropist [fi'lænθrəpist] филантроп.

philologist [fi'lɔlədʒist] филолог.

philosoph|er [fi'lɔsəfə] философ; **~ize** [-faiz] философствовать; **~y** [-fi] философия.

phlegm [flem] мокрота; флегматичность *f*.

phone [foun] F *s.* telephone.

phonetics [fo'netiks] *pl.* фонетика.

phosphorus ['fɔsfərəs] фосфор.

photograph ['foutəgrɑ:f] **1.** фотография, снимок; **2.** [с]фотографировать; **~er** [fə'tɔgrəfə] фотограф; ~**y** [-fi] фотогра́фия (де́ло).

phrase [freiz] **1.** фра́за, выраже́ние; слог; **2.** выража́ть [вы́разить].

physic|al ['fizikəl] □ физи́ческий; теле́сный; ~**ian** [fi'ziʃən] врач; ~**-ist** ['fizisist] фи́зик; ~**s** ['fiziks] *sg.* фи́зика.

physique [fi'zi:k] телосложе́ние.

pick [pik] **1.** уда́р (о́стрым); вы́бор; кирка́; **2.** выбира́ть [вы́брать]; ковыря́ть [-рну́ть] в (П); соб(и)ра́ть (цветы́, плоды́); обгла́дывать [обглода́ть]; [по]клева́ть; срыва́ть [сорва́ть] (цвето́к, фрукт); ~ out выбира́ть [вы́брать]; ~ up соб(и)ра́ть; подбира́ть [подобра́ть]; поднима́ть [-ня́ть]; заезжа́ть [за-е́хать] за (Т); ~**-a-back** ['pikəbæk] (о де́тях) на спине́ (отца́ и т. п.); ~**axe** кирка́.

picket ['pikit] **1.** кол; ⚔ сторожева́я заста́ва; ста́чечный пике́т; **2.** выставля́ть пике́ты вокру́г (Р); обноси́ть частоко́лом.

picking ['pikiŋ] собира́ние, отбо́р и т. д. (*s. verb*); ~s *pl.* оста́тки *m/pl.*, объе́дки *m/pl.*; *mst* ~s *pl.* ме́лкая пожи́ва.

pickle [pikl] **1.** рассо́л; *pl.* пи́кули *f/pl.*; F неприя́тности *f/pl.*; **2.** [по-] соли́ть; ~d herring солёная селёдка.

pick|lock ['piklɔk] отмы́чка; ~**-pocket** карма́нный вор.

pictorial [pik'tɔ:riəl] **1.** иллюстри́рованный; изобрази́тельный; **2.** иллюстри́рованный журна́л.

picture ['piktʃə] **1.** карти́на; the ~s *pl.* кино́ *indecl.*; ~-gallery карти́нная галере́я; ~ (post)card откры́тка с ви́дом; **2.** изобража́ть [-рази́ть]; опи́сывать [-са́ть]; вообража́ть [-рази́ть]; ~**sque** [piktʃə'resk] живопи́сный.

pie [pai] паште́т; пиро́г; торт.

piebald ['paibɔ:ld] пе́гий (о ло́шади).

piece [pi:s] **1.** кусо́к, часть *f*; обры́вок, облóмок; шту́ка; ~ of advice сове́т; ~ of news но́вость *f*; by the ~ поштýчно; give a ~ of one's mind выска́зывать своё мне́ние; take to ~s разбира́ть на ча́сти; **2.** [по]чини́ть; соединя́ть в одно́ це́лое, собира́ть из кусо́чков; ~**meal** по частя́м, постепе́нно; ~**work** сде́льная рабо́та.

pier [piə] усто́й; бык (моста́); мол; волноло́м; при́стань *f*.

pierce [piəs] пронза́ть [-зи́ть]; просве́рливать [-ли́ть]; прони́зывать [-за́ть].

piety ['paiəti] благоче́стие, набо́жность *f*.

pig [pig] свинья́.

pigeon ['pidʒin] го́лубь *m*; ~**-hole** **1.** отделе́ние (пи́сьменного стола́ и т. п.); **2.** раскла́дывать по я́щикам; откла́дывать в до́лгий я́щик.

pig|headed ['pig'hedid] упря́мый; ~**-iron** чугу́н в болва́нках; ~**skin** свина́я ко́жа; ~**sty** свина́рник; ~**tail** коси́чка, коса́.

pike [paik] ⚔ копьё; пи́ка; *zo.* щу́ка.

pile [pail] **1.** ку́ча, гру́да; ⚡ батаре́я; костёр; шта́бель *m*; ~s *pl.* геморро́й; **2.** скла́дывать [сложи́ть]; сва́ливать в ку́чу.

pilfer ['pilfə] [у]ворова́ть.

pilgrim ['pilgrim] пало́мник; ~**age** ['pilgrimidʒ] пало́мничество.

pill [pil] пилю́ля.

pillage ['pilidʒ] **1.** грабёж; **2.** [о]гра́бить.

pillar ['pilə] столб, коло́нна; ~**-box** почто́вый я́щик.

pillion ['piljən] *mot.* за́днее сиде́нье.

pillory ['piləri] **1.** позо́рный столб; **2.** поста́вить к позо́рному столбу́.

pillow ['pilou] поду́шка; ~**-case,** ~**-slip** на́волочка.

pilot ['pailət] **1.** ✈ пило́т; ⚓ ло́цман; **2.** ⚓ проводи́ть [-вести́]; ✈ пилоти́ровать; ~**-balloon** шар-пило́т.

pimp [pimp] **1.** сво́дник (-ица); **2.** сво́дничать.

pimple [pimpl] пры́щик.

pin [pin] **1.** була́вка; шпи́лька; кно́пка; ке́гля; ♪ коло́к; **2.** прика́лывать [-коло́ть]; *fig.* пригвожда́ть [-озди́ть].

pinafore ['pinəfɔ:] пере́дник.

pincers ['pinsəz] *pl.* клещи́ *f/pl.*; щипцы́ *m/pl.*

pinch [pintʃ] **1.** щипо́к; щепо́тка (со́ли и т. п.); стеснённое положе́ние, кра́йность *f*; **2.** *v/t.* щипа́ть [щипну́ть]; прищемля́ть [-ми́ть]; *v/i.* [по]скупи́ться; жать (об о́буви).

pine [pain] **1.** ⚘ сосна́; **2.** [за]ча́хнуть; изны́(ва́)ть; ~**-apple** анана́с; ~**-cone** сосно́вая ши́шка.

pinion ['pinjən] **1.** оконе́чность пти́чьего крыла́; перо́ (крыла́); ⊕

шестерня́; **2.** подреза́ть кры́лья (Д); *fig.* свя́зывать ру́ки (Д).
pink [piŋk] **1.** ⚘ гвозди́ка; *fig.* вы́сшая сте́пень *f*; **2.** ро́зовый.
pinnacle [ˈpinəkl] ⚠ остроконе́чная ба́шенка; верши́на (горы́); *fig.* верх.
pint [paint] пи́нта (= 0,47 ли́тра).
pioneer [paiəˈniə] **1.** пионе́р; ⚔ сапёр; **2.** прокла́дывать путь (for Д); руководи́ть (ке́м-либо).
pious [ˈpaiəs] □ на́божный.
pip [pip] *vet.* типу́н; ко́сточка, зёрнышко (плода́); очко́ (на ка́ртах); звёздочка (на пого́не).
pipe [paip) **1.** труба́; тру́бка; ♪ свире́ль *f*, ду́дка; бо́чка (для вина́); **2.** игра́ть на свире́ли и т. п.; [за-] пища́ть; **~-layer** прокла́дчик труб; **~-line** трубопрово́д; нефтепрово́д; **~r** [ˈpaipə] ду́дочник; волы́нщик.
piping [ˈpaipiŋ]: **1.** ~ hot о́чень горя́чий; **2.** кант (на пла́тье).
pique [pi:k] **1.** доса́да; **2.** возбужда́ть [-уди́ть] (любопы́тство); коло́ть [кольну́ть], заде́(ва́)ть (самолю́бие); ~ o. s. on чва́ниться (Т).
pira|cy [ˈpaiərəsi] пира́тство; наруше́ние а́вторского пра́ва; **~te** [-rit] **1.** пира́т; наруши́тель а́вторского пра́ва; **2.** самово́льно переиздава́ть.
pistol [pistl] пистоле́т.
piston [ˈpistən] ⊕ по́ршень *m*; **~-rod** шату́н; **~-stroke** ход по́ршня.
pit [pit] **1.** я́ма; ша́хта; о́спина; *thea.* парте́р; *Am.* отде́л това́рной би́ржи; **2.** скла́дывать в я́му (на́ зиму).
pitch [pitʃ] **1.** смола́; дёготь *m*; бросо́к; сте́пень *f*; ♪ высота́ то́на; ⚓ килева́я ка́чка; ⊕ накло́н; **2.** *v/t.* разби́(ва́)ть (пала́тку); мета́ть [метну́ть], броса́ть [бро́сить]; ♪ дава́ть основно́й тон (Д); *v/i.* ⚔ располага́ться ла́герем; подверга́ться ка́чке; F ~ into набра́сываться [-ро́ситься] на (В).
pitcher [ˈpitʃə] кувши́н.
pitchfork [ˈpitʃfɔ:k] ви́лы *f/pl.*; ♪ камерто́н.
pitfall [ˈpitfɔ:l] *fig.* лову́шка.
pith [piθ] спинно́й мозг; сердцеви́на; *fig.* су́щность *f*, суть *f*; **~y** [ˈpiθi] с сердцеви́ной; энерги́чный.
pitiable [ˈpitiəbl] □ жа́лкий.
pitiful [ˈpitiful] □ жа́лостливый; жа́лостный; (*a. contp.*) жа́лкий.
pitiless [ˈpitilis] □ безжа́лостный.
pittance [ˈpitəns] ску́дное жа́лованье.
pity [ˈpiti] **1.** жа́лость *f* (for к Д); it is a ~ жаль; **2.** [по]жале́ть.
pivot [ˈpivət] **1.** то́чка враще́ния; ⊕ сте́ржень *m* (*a. fig.*); штифт; **2.** враща́ться ([up]on вокру́г Р).
placable [ˈpleikəbl] □ кро́ткий, незлопа́мятный.
placard [ˈplækɑ:d] **1.** плака́т; **2.** раскле́и(ва)ть (объявле́ния); реклами́ровать плака́тами.
place [pleis] **1.** ме́сто; месте́чко, селе́ние; пло́щадь *f*; жили́ще; уса́дьба; до́лжность *f*, слу́жба; ~ of delivery ме́сто доста́вки; give ~ to уступа́ть ме́сто (Д); in ~ of вме́сто (Р); out of ~ неуме́стный; **2.** [по]ста́вить, класть [положи́ть]; размеща́ть [-ести́ть], помеща́ть [-ести́ть].
placid [ˈplæsid] □ споко́йный, безмяте́жный.
plagiar|ism [ˈpleidʒiərizm] плагиа́т; **~ize** [-raiz] незако́нно заи́мствовать (мы́сли и т. п.).
plague [pleig] **1.** бе́дствие, бич; чума́; **2.** [из]му́чить; F надоеда́ть [-е́сть] (Д).
plaid [plæd] шотла́ндка; плед.
plain [plein] **1.** □ просто́й; поня́тный; я́сный, я́вный; очеви́дный; обыкнове́нный; гла́дкий, ро́вный; **2.** *adv.* я́сно; разбо́рчиво; открове́нно; **3.** равни́на; пло́скость *f*; **~-clothes man** сы́щик; **~dealing** прямота́.
plaint|iff [ˈpleintif] исте́ц, исти́ца; **~ive** [ˈpleintiv] □ жа́лобный, зауны́вный.
plait [plæt, *Am.* pleit] **1.** коса́ (воло́с); **2.** заплета́ть [-ести́].
plan [plæn] **1.** план; **2.** составля́ть план; *fig.* намеча́ть [-е́тить]; намерева́ться.
plane [plein] **1.** пло́ский; **2.** пло́скость *f*; прое́кция; ✈ несу́щая пове́рхность *f*; самолёт; *fig.* у́ровень *m*; ⊕ руба́нок; **3.** [вы́]строга́ть; ✈ [с]плани́ровать.
plank [plæŋk] **1.** доска́, пла́нка; *Am. pol.* пункт парти́йной програ́ммы; **2.** настила́ть и́ли обшива́ть до́сками; *sl.* ~ down выкла́дывать [вы́ложить] (де́ньги).

plant [plɑ:nt] **1.** расте́ние; ⊕ заво́д, фа́брика; **2.** сажа́ть [посади́ть] (расте́ние); устана́вливать [-нови́ть]; **~ation** [plæn'teiʃən] планта́ция; насажде́ние; **~er** ['plɑ:ntə] планта́тор.
plaque [plɑ:k] таре́лка (как стенно́е украше́ние); доще́чка.
plash [plæʃ] плеска́ть(ся) [-сну́ть].
plaster ['plɑ:stə] **1.** *pharm.* пла́стырь *m*; ⊕ штукату́рка; (*mst* ~ of Paris) гипс; **2.** [о]штукату́рить; накла́дывать пла́стырь на (В).
plastic ['plæstik] (~ally) пласти́ческий; ~ material пластма́сса.
plat [plæt] план, съёмка; уча́сток.
plate [pleit] **1.** пласти́нка; плита́; полоса́ (мета́лла); доще́чка с на́дписью; столо́вое серебро́; таре́лка; ⊕ листово́е желе́зо; **2.** покрыва́ть мета́ллом.
plat(t)en [plætn] ва́лик (пи́шущей маши́нки).
platform ['plætfɔ:m] перро́н, платфо́рма; трибу́на; площа́дка (ваго́на); полити́ческая програ́мма.
platinum ['plætinəm] *min.* пла́тина.
platitude [-titju:d] бана́льность *f*.
platoon [plə'tu:n] ⚔ взвод.
platter ['plætə] деревя́нная таре́лка.
plaudit ['plɔ:dit] рукоплеска́ния [*n/pl.*]
plausible ['plɔ:zəbl] □ правдоподо́бный.
play [plei] **1.** игра́; пье́са; ⊕ зазо́р; мёртвый ход; **2.** игра́ть [сыгра́ть] (в В, ♪ на П); свобо́дно дви́гаться (о механи́зме); ~ off *fig.* разы́грывать [-ра́ть]; стра́вливать [страви́ть] (against с Т); **~ed out** вы́дохшийся; **~bill** театра́льная афи́ша; **~er** ['pleiə] игро́к; актёр; **~er-piano** пиано́ла; **~fellow, ~mate** това́рищ игр, друг де́тства; партнёр; **~ful** ['pleiful] □ игри́вый; **~goer** театра́л; **~-ground** площа́дка для игр; **~-house** теа́тр; **~thing** игру́шка; **~wright** драмату́рг.
plea [pli:] оправда́ние, до́вод; мольба́; on the ~ (of и́ли that ...) под предло́гом (Р *or* что ...).
plead [pli:d] *v/i.* обраща́ться к суду́; ~ for вступа́ться [-пи́ться] за (В); говори́ть за (В); ~ guilty признава́ть себя́ вино́вным; *v/t.* защища́ть [-ити́ть] (в суде́); приводи́ть в оправда́ние; **~er** ['pli:də] ⚖ защи́тник; **~ing** ['pli:diŋ] ⚖ защи́та.
pleasant [pleznt] □ прия́тный; **~ry** [-ri] шу́тка.
please [pli:z] [по]нра́виться (Д); угожда́ть [угоди́ть] (Д); if you ~ с ва́шего позволе́ния; изво́льте! ~ come in! войди́те пожа́луйста!; доставля́ть удово́льствие (Д); be ~d to do де́лать с удово́льствием; be ~d with быть дово́льным (Т); **~d** [pli:zd] дово́льный.
pleasing ['pli:ziŋ] □ прия́тный.
pleasure ['pleʒə] удово́льствие, наслажде́ние; *attr.* увесели́тельный; at ~ по жела́нию.
pleat [pli:t] **1.** скла́дка; **2.** де́лать скла́дки на (П).
pledge [pledʒ] **1.** зало́г, закла́д; обе́т, обеща́ние; **2.** закла́дывать [заложи́ть]; руча́ться [поручи́ться] (Т); he ~d himself он связа́л себя́ обеща́нием.
plenary [pli:nəri] по́лный, плена́рный.
plenipotentiary [plenipə'tenʃəri] полномо́чный представи́тель *m*.
plentiful ['plentiful] □ оби́льный.
plenty [-ti] **1.** изоби́лие; доста́ток; избы́ток; ~ of мно́го (Р); **2.** F чрезвы́чайно; вполне́.
pliable ['plaiəbl] □ ги́бкий; *fig.* пода́тливый, мя́гкий.
pliancy ['plaiənsi] ги́бкость *f*.
pliers ['pleiəz] *pl.* плоскогу́бцы *m/pl.*
plight [plait] **1.** свя́зывать обеща́нием; помо́лвить *pf.*; **2.** (плохо́е) положе́ние.
plod [plɔd] (*a.* ~ along, on) таска́ться, [по]тащи́ться; корпе́ть (at над Т).
plot [plɔt] **1.** уча́сток земли́. деля́нка; за́говор; план; фа́була, сюже́т; **2.** *v/i.* составля́ть за́говор; [за]интригова́ть; *v/t.* наноси́ть [нанести́] (на ка́рту); *b. s.* замышля́ть [-ы́слить].
plough, *Am. a.* plow [plau] **1.** плуг; **2.** [вс]паха́ть; *fig.* [из]борозди́ть; **~share** ле́ме́х.
pluck [plʌk] **1.** дёрганье; F сме́лость *f*, му́жество; потроха́ *m/pl.*; **2.** срыва́ть [сорва́ть] (цвето́к); ощи́пывать [-па́ть] (пти́цу); ~ at дёргать [дёрнуть] (В); хвата́ть(ся) [схвати́ть(ся)] за (В); ~ up courage со-

бра́ться с ду́хом; ~y ['plʌki] сме́лый, отва́жный.
plug [plʌg] **1.** вту́лка; заты́чка; ⚡ ште́псель *m*; ~ socket ште́псельная розе́тка; **2.** *v/t.* затыка́ть [заткну́ть]; [за]пломбирова́ть (зуб).
plum [plʌm] сли́ва.
plumage ['plu:midʒ] опере́ние.
plumb [plʌm] **1.** вертика́льный; отве́сный; **2.** отве́с; лот; **3.** *v/t.* ста́вить по отве́су; измеря́ть ло́том; проника́ть вглубь (Р); *v/i.* работа́ть водопрово́дчиком; **~er** ['plʌmə] водопрово́дчик; **~ing** [-iŋ] водопрово́д(ное де́ло).
plume [plu:m] **1.** перо́; плюма́ж; **2.** украша́ть плюма́жем; ~ o. s. on кичи́ться (Т).
plummet ['plʌmit] свинцо́вый отве́с; грузи́ло.
plump [plʌmp] **1.** *adj.* пу́хлый, по́лный; F □ реши́тельный; **2.** [по]толсте́ть; бу́хать(ся) [-хнуть (-ся)]; **3.** тяжёлое паде́ние; **4.** F *adv.* пря́мо, без обиняко́в.
plunder ['plʌndə] **1.** грабёж; награ́бленные ве́щи *f/pl.*; **2.** [о]гра́бить.
plunge [plʌndʒ] **1.** ныря́ть [нырну́ть]; окуна́ть(ся) [-ну́ть(ся)]; **2.** ныря́ние; погруже́ние; take the ~ де́лать реши́тельный шаг.
plurality [pluə'ræliti] мно́жество; большинство́; мно́жественность *f.*
plush [plʌʃ] плюш, плис.
ply [plai] **1.** слой; скла́дка; оборо́т; three-~ трёхсло́йный; **2.** *v/t.* засыпа́ть [засы́пать], забра́сывать [-роса́ть] (вопро́сами); *v/i.* курси́ровать; **~-wood** фане́ра.
pneumatic [nju:'mætik] **1.** (~ally) пневмати́ческий; ~ post пневмати́ческая по́чта; **2.** пневмати́ческая ши́на.
pneumonia [nju:'mounjə] ⚕ воспале́ние лёгких.
poach [poutʃ] браконье́рствовать; ~ed egg яйцо́-пашо́т.
poacher ['poutʃə] браконье́р.
pocket ['pɔkit] **1.** карма́н; ✈ возду́шная я́ма; **2.** класть в карма́н; прикарма́ни(ва)ть; присва́ивать [-сво́ить]; подавля́ть [-ви́ть] (чу́вство); прогла́тывать [-лоти́ть] (оби́ду); **3.** карма́нный.
pod [pɔd] ♀ стручо́к; шелуха́.
poem ['pouim] поэ́ма; стихотворе́ние.
poet ['pouit] поэ́т; **~ess** [-is] поэте́сса; **~ic(al** □) [pou'etik, -tikəl] поэти́ческий; поэти́чный; **~ics** [-tiks] *pl.* поэ́тика; **~ry** ['pouitri] поэ́зия.
poignan|cy ['pɔi(g)nənsi] острота́; **~t** [-t] о́стрый; *fig.* мучи́тельный.
point [pɔint] **1.** то́чка; пункт, смысл; суть де́ла; очко́; деле́ние (шкалы́); остриё, о́стрый коне́ц; 🚂 стре́лка; ~ of view то́чка зре́ния; the ~ is that ... де́ло в том, что ...; make a ~ of *ger.* поста́вить себе́ зада́чей (+ *inf.*); in ~ of в отноше́нии (Р); off the ~ не (относя́щийся) к де́лу; be on the ~ of *ger.* со-б(и)ра́ться (+ *inf.*); win on ~s выи́грывать по пу́нктам; to the ~ к де́лу (относя́щийся); **2.** *v/t.* ~ one's finger пока́зывать па́льцем (at на В); заостря́ть [-ри́ть]; (*often* ~ out) ука́зывать [-за́ть]; ~ at направля́ть [-ра́вить] (ору́жие) на (В); *v/i.* ~ at ука́зывать [-за́ть] на (В); ~ to быть напра́вленным на (В); **~ed** ['pɔintid] □ остроконе́чный; о́стрый; *fig.* ко́лкий; **~er** ['pɔintə] указа́тель *m*; ука́зка; по́йнтер; **~less** [-lis] пло́ский; бессмы́сленный.
poise [pɔiz] **1.** равнове́сие; оса́нка; **2.** *v/t.* уравнове́шивать [-е́сить]; держа́ть (го́лову и т. п.); *v/i.* находи́ться в равнове́сии; пари́ть.
poison ['pɔizn] **1.** яд, отра́ва; **2.** отравля́ть [-ви́ть]; **~ous** [-əs] (*fig. a.*) ядови́тый.
poke [pouk] **1.** толчо́к, тычо́к; **2.** *v/t.* ты́кать [ткнуть]; толка́ть [-кну́ть]; сова́ть [су́нуть]; меша́ть кочерго́й; ~ fun at подшу́чивать [-шути́ть] над (Т); *v/i.* сова́ть нос (into в В); иска́ть о́щупью (for В *or* Р).
poker ['poukə] кочерга́.
poky ['pouki] те́сный; убо́гий.
polar ['poulə] поля́рный; ~ bear бе́лый медве́дь *m*.
pole [poul] по́люс; шест; жердь *f*; кол; 2 поля́к, по́лька; **~cat** *zo.* хорёк.
polemic [po'lemik] (*a.* **~al** [-mikəl] □) полеми́ческий.
pole-star Поля́рная звезда́; *fig.* путево́дная звезда́.
police [pə'li:s] **1.** поли́ция; **2.** подде́рживать поря́док в (П); **~-man** полице́йский; **~-station** полице́йский уча́сток.
policy ['pɔlisi] поли́тика; ли́ния поведе́ния; страхово́й по́лис.

Polish[1] ['pouliʃ] по́льский.
polish[2] ['pɔliʃ] **1.** полиро́вка; *fig.* лоск; **2.** [на]полирова́ть; *fig.* утонча́ть [-чи́ть].
polite [pə'lait] □ ве́жливый, благовоспи́танный; **~ness** [-nis] ве́жливость *f*.
politic ['pɔlitik] □ полити́чный; расчётливый; **~al** [pə'litikəl] □ полити́ческий; госуда́рственный; **~ian** [pɔli'tiʃən] поли́тик; **~s** ['pɔlitiks] *pl.* поли́тика.
poll [poul] **1.** голосова́ние; подсчёт голосо́в; спи́сок избира́телей; **2.** *v/t.* получа́ть [-чи́ть] (голоса́); *v/i.* [про]голосова́ть; **~-book** спи́сок избира́телей.
pollen ['pɔlin] ⚘ пыльца́.
poll-tax ['pɔltæks] поду́шный нало́г.
pollute [pə'lu:t] загрязня́ть [-ни́ть]; оскверня́ть [-ни́ть].
polyp(e) ['pɔlip] *zo.*, **~us** [-lipəs] ⚕ поли́п.
pommel ['pʌml] **1.** голо́вка (эфе́са шпа́ги); лука́ (седла́), **2.** [по]би́ть; [по]колоти́ть.
pomp [pɔmp] по́мпа; великоле́пие.
pompous ['pɔmpəs] □ напы́щенный.
pond [pɔnd] пруд.
ponder ['pɔndə] *v/t.* обду́м(ыв)ать; *v/i.* заду́м(ыв)аться; **~able** [-rəbl] весо́мый; **~ous** [-rəs] □ *fig.* тяжелове́сный.
pontiff ['pɔntif] первосвяще́нник.
pontoon [pɔn'tu:n] ⚔ понто́н; **~-bridge** понто́нный мост.
pony ['pouni] по́ни *m indecl.* (лоша́дка).
poodle [pu:dl] пу́дель *m*.
pool [pu:l] **1.** лу́жа; бассе́йн; о́мут; *cards* пу́лька; ✝ пул; **2.** ✝ объединя́ть в о́бщий фонд; скла́дываться [сложи́ться] (with с T).
poop [pu:p] ⚓ корма́.
poor [puə] □ бе́дный, неиму́щий; несча́стный; ску́дный; плохо́й; **~-house** богаде́льня; **~-law** зако́н о бе́дных; **~ly** ['puəli] *adj.* нездоро́вый; **~ness** ['puənis] бе́дность *f*.
pop [pɔp] **1.** хло́панье; F шипу́чий напи́ток; **2.** *v/t.* сова́ть [су́нуть]; *v/i.* хло́пать [-пнуть] (о про́бке); [по]тре́скаться (о кашта́нах и т.п.); ~ in внеза́пно появи́ться.
popcorn ['pɔpkɔ:n] *Am.* калёные зёрна кукуру́зы.
pope [poup] (ри́мский) па́па *m*.
poplar ['pɔplə] ⚘ то́поль *m*.
poppy ['pɔpi] ⚘ мак.
popula|ce ['pɔpjuləs] простонаро́дье; **~r** [-lə] □ наро́дный; популя́рный; **~rity** [-'læriti] популя́рность *f*.
populat|e ['pɔpjuleit] населя́ть [-ли́ть]; **~ion** [pɔpju'leiʃən] населе́ние.
populous ['pɔpjuləs] □ многолю́дный.
porcelain ['pɔ:slin] фарфо́р.
porch [pɔ:tʃ] подъе́зд; по́ртик; *Am.* вера́нда.
pore [pɔ:] **1.** по́ра; **2.** погружа́ться [-узи́ться] (over в B).
pork [pɔ:k] свини́на.
porous ['pɔ:rəs] □ по́ристый.
porridge ['pɔridʒ] овся́ная ка́ша.
port [pɔ:t] **1.** га́вань *f*, порт; ⚓ ле́вый борт; портве́йн; **2.** ⚓ брать нале́во.
portable ['pɔ:təbl] портати́вный.
portal [pɔ:tl] порта́л; та́мбур (двере́й).
portend [pɔ:'tend] предвеща́ть.
portent ['pɔ:tent] предве́стник, зна́мение (плохо́го); чу́до; **~ous** [pɔ:'tentəs] □ злове́щий; знамена́тельный.
porter ['pɔ:tə] привра́тник, швейца́р; носи́льщик; по́ртер (пи́во).
portion ['pɔ:ʃən] **1.** часть *f*; по́рция; *fig.* уде́л, у́часть *f*; **2.** дели́ть (на ча́сти); наделя́ть [-ли́ть].
portly ['pɔ:tli] доро́дный; представи́тельный.
portmanteau [pɔ:t'mæntou] чемода́н.
portrait ['pɔ:trit] портре́т.
portray [pɔ:'trei] рисова́ть портре́т с (P); изобража́ть [-рази́ть]; опи́сывать [-са́ть]; **~al** [-əl] рисова́ние портре́та; изображе́ние; описа́ние.
pose [pouz] **1.** по́за; **2.** пози́ровать; ста́вить в по́зу; [по]ста́вить (вопро́с); ~ as выдава́ть себя́ за (B).
position [pə'ziʃən] ме́сто; положе́ние; пози́ция; состоя́ние; то́чка зре́ния.
positive ['pɔzətiv] **1.** □ положи́тельный; позити́вный; уве́ренный; самоуве́ренный; абсолю́тный; **2.** *gr.* положи́тельная сте́пень *f*; *phot.* позити́в.
possess [pə'zes] облада́ть (T); владе́ть (T); *fig.* овладе́(ва́)ть (T); be **~ed** быть одержи́мым; ~ o. s. of завладе́(ва́)ть (T); **~ion** [-ʃən] вла-

де́ние; облада́ние; *fig.* одержи́мость *f*; **~or** [-sə] владе́лец.
possib|ility [pɔsə'biliti] возмо́жность *f*; **~le** ['pɔsəbl] □ возмо́жный; **~ly** [-i] возмо́жно; if I ~ can е́сли у меня́ бу́дет возмо́жность *f*.
post [poust] **1.** по́чта; столб; до́лжность *f*; пост; *Am.* ~ exchange гарнизо́нный магази́н; **2.** *v/t.* отправля́ть по по́чте; раскле́и(ва)ть (афи́ши); расставля́ть [-а́вить]; well ~ed хорошо́ осведомлённый; *v/i.* [по]спеши́ть.
postage [-tidʒ] почто́вая опла́та; **~-stamp** почто́вая ма́рка.
postal ['poustəl] □ почто́вый; ~ order де́нежный почто́вый перево́д.
post-card откры́тка.
poster ['poustə] афи́ша, плака́т.
posterior [pɔs'tiəriə] **1.** □ после́дующий; за́дний; **2.** зад.
posterity [pɔs'teriti] пото́мство.
post-free без почто́вой опла́ты.
post-haste ['poust'heist] поспе́шно.
posthumous ['pɔstjuməs] □ посме́ртный; рождённый по́сле сме́рти отца́.
post|man почтальо́н; **~mark** **1.** почто́вый ште́мпель *m*; **2.** [за-] штемпелева́ть; **~master** почтме́йстер.
post-mortem ['poust'mɔ:tem] **1.** посме́ртный; **2.** вскры́тие тру́па.
post|(-)office по́чта, почто́вая конто́ра; ~ box абонеме́нтный почто́вый я́щик; **~-paid** франки́рованный.
postpone [poust'poun] отсро́чи(ва)ть; откла́дывать [отложи́ть]; **~ment** [-mənt] отсро́чка.
postscript ['pous(s)kript] постскри́птум.
postulate **1.** ['pɔstjulit] постула́т; **2.** [-leit] ста́вить усло́вием; постули́ровать *(im)pf.*; [по]тре́бовать.
posture ['pɔstʃə] **1.** по́за; положе́ние; **2.** пози́ровать; ста́вить в по́зу.
post-war ['poust'wɔ:] послевое́нный.
posy ['pouzi] буке́т цвето́в.
pot [pɔt] **1.** горшо́к; котело́к; **2.** класть и́ли сажа́ть в горшо́к; заготовля́ть впрок.
potation [pou'teiʃən] питьё, напи́ток; (*part.* ~s *pl.*) попо́йка.
potato [pə'teitou] карто́фелина; **~es** *pl.* карто́фель *m*; F карто́шка.
pot-belly пу́зо; пуза́тый челове́к.
poten|cy ['poutənsi] си́ла, могу́щество; **~t** [-tənt] □ могу́щественный; кре́пкий; **~tial** [pə'tenʃəl] **1.** потенциа́льный, возмо́жный; **2.** потенциа́л.
pother ['pɔðə] сумато́ха; шум.
pot|-herb пря́ное расте́ние; **~house** каба́к.
potion ['pouʃən] ⚕ миксту́ра; зе́лье.
potter ['pɔtə] гонча́р; **~y** [-ri] гли́няные изде́лия *n/pl.*; гонча́рня.
pouch [pautʃ] **1.** су́мка (*a. biol.*); мешо́чек; **2.** прикарма́ни(ва)ть; класть в су́мку.
poultry ['poultri] дома́шняя пти́ца.
pounce [pauns] **1.** прыжо́к, наско́к; **2.** набра́сываться [-ро́ситься] ([up]on на В).
pound [paund] **1.** фунт; заго́н; ~ (sterling) фунт сте́рлингов (сокр. £ = 20 ш.); **2.** [ис]толо́чь; колоти́ть(ся); ~ at бомбардирова́ть.
pour [pɔ:] *v/t.* лить; ~ out нали́(ва́)ть; сы́пать, насыпа́ть [насы́пать]; *v/i.* ли́ться; [по]сы́паться.
pout [paut] **1.** наду́тые гу́бы *f/pl.*; **2.** *v/t.* наду́(ва́)ть (гу́бы); *v/i.* [на-] ду́ться.
poverty ['pɔvəti] бе́дность *f*.
powder ['paudə] **1.** порошо́к; пу́дра; по́рох; **2.** [ис]толо́чь; [на-] пу́дрить(ся); посыпа́ть [посы́пать]; **~-box** пу́дреница.
power ['pauə] си́ла; мо́щность *f*; *pol.* держа́ва; власть *f*; ⚖ полномо́чие; & сте́пень *f*; **~-current** ток высо́кого напряже́ния; **~ful** [-ful] □ мо́щный, могу́щественный; си́льный; **~less** [-lis] бесси́льный; **~ plant** силова́я устано́вка; **~-station** электроста́нция.
pow-wow ['pau'wau] зна́харь (у инде́йцев) *m*; *Am.* шу́мное собра́ние.
practica|ble ['præktikəbl] □ осуществи́мый; проходи́мый (о доро́ге); **~l** [-kəl] □ практи́ческий; практи́чный; факти́ческий; ~ joke (гру́бая) шу́тка, прока́за.
practice ['præktis] пра́ктика; упражне́ние, трениро́вка; привы́чка; обы́чай; put into ~ осуществля́ть [-ви́ть].
practise [~] *v/t.* применя́ть [-ни́ть]; занима́ться [-ня́ться] (T); упражня́ться в (П); практикова́ть; *v/i.* упражня́ться; ~ (up)on злоупотребля́ть [-би́ть] (T); **~d** [-t] о́пытный.
practitioner [præk'tiʃnə] практику́ющий врач.

praise [preiz] **1.** хвала́; **2.** [по]хвали́ть.
praiseworthy ['preizwə:ði] досто́йный похвалы́.
prance [prɑ:ns] станови́ться на дыбы́; гарцева́ть.
prank [præŋk] вы́ходка, прока́за.
prate [preit] **1.** пустосло́вие; **2.** пустосло́вить, болта́ть.
pray [prei] [по]моли́ться; [по]проси́ть; ~! прошу́ вас!
prayer [prɛə] моли́тва; про́сьба; Lord's ~ о́тче наш; **~-book** моли́твенник; **~ful** [-ful] □ богомо́льный.
pre... [pri:, pri] до...; пред...
preach [pri:tʃ] пропове́довать; **~er** ['pri:tʃə] пропове́дник.
preamble [pri:'æmbl] преа́мбула; вступле́ние.
precarious [pri'kɛəriəs] ненадёжный.
precaution [pri'kɔ:ʃən] предосторо́жность *f*.
precede [pri'si:d] предше́ствовать (Д); **~nce, ~ncy** [-əns(i)] пе́рвенство,; преиму́щественное значе́ние; **~nt** ['presidənt] прецеде́нт.
precept ['pri:sept] наставле́ние; за́поведь *f*; **~or** [pri'septə] наста́вник.
precinct ['pri:siŋkt] преде́л; (полице́йский) уча́сток; (избира́тельный) о́круг; **~s** *pl.* окре́стности *f/pl.*
precious ['preʃəs] **1.** □ драгоце́нный; **2.** F *adv.* о́чень; ~! здо́рово!
precipi|ce ['presipis] про́пасть *f*; **~tate 1.** [pri'sipiteit] низверга́ть [-е́ргнуть]; [по]торопи́ть; ⚗ осажда́ть [осади́ть]; **2.** [-tit] a) □ опроме́тчивый; стреми́тельный; b) ⚗ оса́док; **~tation** [prisipi'teiʃən] низверже́ние; стреми́тельность *f*; оса́дки *m/pl.*; ⚗ осажде́ние; **~tous** [pri'sipitəs] □ крутой; обры́вистый.
precis|e [pri'sais] □ то́чный; **~ion** [-'siʒən] то́чность *f*.
preclude [pri'klu:d] исключа́ть зара́нее; предотвраща́ть [-рати́ть] (В); [по]меша́ть (Д).
precocious [pri'kouʃəs] □ преждевре́менно развито́й.
preconceive ['pri:kən'si:v] представля́ть себе́ зара́нее; **~d** предвзя́тый.
preconception ['pri:kən'sepʃən] предвзя́тое мне́ние.
precursor [pri'kə:sə] предте́ча *m/f*; предше́ственник (-ица).
predatory ['predətəri] хи́щный.
predecessor ['pri:disesə] предше́ственник (-ица).
predestin|ate [pri:'destineit] предопределя́ть [-ли́ть]; **~ed** [-tind] предопределённый.
predicament [pri'dikəmənt] серьёзное затрудне́ние.
predicate ['predikit] предика́т.
predict [pri'dikt] предска́зывать [-за́ть]; **~ion** [-kʃən] предсказа́ние.
predilection [pri:di'lekʃən] склонность *f*, пристра́стие (for к Д).
predispos|e ['pri:dis'pouz] предрасполага́ть [-ложи́ть].
predomina|nce [pri'dɔminəns] госпо́дство, преоблада́ние; **~nt** [-nənt] □ преоблада́ющий; домини́рующий; **~te** [-neit] госпо́дствовать, преоблада́ть (over над Т).
pre-eminent [pri:'eminənt] □ выдаю́щийся.
pre-emption [pri:'emʃən] (*a.* right of ~) преиму́щественное пра́во на поку́пку.
prefabricate ['pri:'fæbrikeit] изготовля́ть зара́нее (ча́сти станда́ртного до́ма и т. п.).
preface ['prefis] **1.** предисло́вие; **2.** предпос(ы)ла́ть (Д with В); снабжа́ть предисло́вием.
prefect ['pri:fekt] префе́кт.
prefer [pri'fə:] предпочита́ть [-поче́сть]; повыша́ть [-ы́сить] (в чи́не); под(ав)а́ть (проше́ние); выдвига́ть [вы́двинуть] (тре́бование); **~able** ['prefərəbl] □ предпочти́тельный; **~ence** [rəns] предпочте́ние; **~ential** [prefə'renʃəl] □ предпочти́тельный; льго́тный.
prefix ['pri:fiks] пре́фикс, приста́вка.
pregnan|cy ['pregnənsi] бере́менность *f*; бога́тство (воображе́ния и т. п.); **~t** [-nənt] □ бере́менная; *fig.* чрева́тый; бога́тый.
prejud|ge ['pri:'dʒʌdʒ] осужда́ть, не вы́слушав; **~ice** ['predʒudis] **1.** предрассу́док; предубежде́ние; **2.** предубежда́ть [-беди́ть] (про́тив Р); наноси́ть уще́рб (Д); **~icial** [predʒu'diʃəl] па́губный.
prelate ['prelit] прела́т.
preliminar|y [pri'liminəri] **1.** □ предвари́тельный; вступи́тельный; **2.** подготови́тельное мероприя́тие.
prelude ['prelju:d] ♪ прелю́дия.

prematur|e [premə'tjuə] преждевре́менный.
premeditation [primedi'teiʃən] преднаме́ренность *f*.
premier ['premjə] **1.** пе́рвый; **2.** премье́р-мини́стр.
premises ['premisiz] *pl.* помеще́ние; дом (с пристро́йками).
premium ['pri:mjəm] награ́да, пре́мия; ✝ лаж; страхова́я пре́мия; at a ~ вы́ше номина́льной сто́имости; в большо́м спро́се.
premonit|ion [pri:mo'niʃən] предчу́вствие; предупрежде́ние.
preoccup|ied [pri'ɔkjupaid] озабо́ченный; **~y** [-pai] поглоща́ть внима́ние (P); занима́ть ра́ньше (чем кто́-либо).
preparat|ion [prepə'reiʃən] приготовле́ние; подгото́вка; **~ory** [pri:pærətəri] □ предвари́тельный; подготови́тельный, приготови́тельный.
prepare [pri'pεə] *v/t.* приготовля́ть [-то́вить]; [при]гото́вить; подготовля́ть [-то́вить]; *v/i.* [при]гото́виться; подготовля́ться [-то́виться] (for к Д); **~d** [-d] □ подгото́вленный; гото́вый.
prepondera|nce [pri'pɔndərəns] преоблада́ние; **~nt** [-rənt] □ преоблада́ющий; **~te** [-reit] име́ть переве́с; ~ over превосходи́ть [-взойти́] (В).
prepossess [pri:pə'zes] располага́ть к себе́; **~ing** [-iŋ] □ располага́ющий.
preposterous [pri'pɔstərəs] несообра́зный, неле́пый, абсу́рдный.
prerequisite ['pri:'rekwizit] предпосы́лка.
presage ['presidʒ] **1.** предзнаменова́ние; предчу́вствие; **2.** (*a.* [pri'seidʒ])предзнаменова́ть, предвеща́ть; предчу́вствовать.
prescribe [pris'kraib] предпи́сывать [-писа́ть]; ⚕ прописывать [-писа́ть].
prescription [pris'kripʃən] предписа́ние; ⚕ реце́пт.
presence [prezns] прису́тствие; ~ of mind прису́тствие ду́ха.
present¹ [preznt] **1.** □ прису́тствующий; тепе́решний, настоя́щий; да́нный; **2.** настоя́щее вре́мя; пода́рок; at ~ в да́нное вре́мя; for the ~ на э́тот раз.
present² [pri'zent] представля́ть [-а́вить]; преподноси́ть [-нести́]; под(ав)а́ть (проше́ние); [по]ста́вить (пье́су); одаря́ть [-ри́ть]; под(ав)а́ть.
presentation [prezen'teiʃən] представле́ние; подноше́ние; пода́ча.
presentiment [pri'zentimənt] предчу́вствие.
presently ['prezntli] вско́ре; сейча́с.
preservati|on [prezə'veiʃən] сохране́ние; сохра́нность *f*; **~ve** [pri'zə:vətiv] **1.** предохрани́тельный; **2.** предохрани́тельное сре́дство.
preserve [pri'zə:v] **1.** сохраня́ть [-ни́ть]; предохраня́ть [-ни́ть]; заготовля́ть впрок (о́вощи и т.п.); **2.** (*mst pl.*) консе́рвы *m/pl.* (*a. opt.*); варе́нье; запове́дник.
preside [pri'zaid] председа́тельствовать (over на П).
presiden|cy ['prezidənsi] президе́нтство; председа́тельство; **~t** [-dənt] президе́нт; председа́тель *m*.
press [pres] **1.** печа́ть *f*, пре́сса; да́вка; ⊕ пресс; **2.** *v/t.* жать; дави́ть; наж(им)а́ть; навя́зывать [-за́ть] (on Д); *Am.* [вы́]гла́дить; be ~ed for time спеши́ть; *v/i.* дави́ть (on на В); ~ for наста́ивать [настоя́ть] на (П); ~ on [по]спеши́ть; ~ (up)on наседа́ть [-е́сть] на (В); **~ing** ['presiŋ] □ неотло́жный; **~ure** ['preʃə] давле́ние (*a. fig.*); сжа́тие.
presum|able [pri'zju:məbl] □ предположи́тельный; **~e** [pri'zju:m] *v/t.* предполага́ть [-ложи́ть]; *v/i.* полага́ть; осме́ли(ва)ться; ~ (up)on злоупотребля́ть [-би́ть] (Т); кичи́ться (Т).
presumpt|ion [pri'zʌmpʃən] самонаде́янность *f*; предположе́ние; **~ive** [-tiv] □ предполага́емый; **~uous** [-tjuəs] □ самонаде́янный.
presuppos|e [pri:sə'pouz] предполага́ть [-ложи́ть]; **~ition** ['pri:sʌpə'ziʃən] предположе́ние.
pretence [pri'tens] прете́нзия, тре́бование; притво́рство; предло́г.
pretend [pri'tend] притворя́ться [-ри́ться]; симули́ровать (*im*)*pf*.; претендова́ть (to на В).
pretension [pri'tenʃən] прете́нзия, притяза́ние (to на В).
pretentious [-ʃəs] претенцио́зный.
pretext ['pri:tekst] предло́г.
pretty ['priti] **1.** □ хоро́шенький; прия́тный; **2.** *adv.* дово́льно.

prevail [pri'veil] превозмога́ть [-мо́чь] (over В); преоблада́ть (over над Т *or* среди́ Р); ~ (up)on a p. to do убеди́ть кого́-нибудь что́-либо сде́лать; **~ing** [-iŋ] □ преобладающий.

prevalent ['prevələnt] □ преоблада́ющий; широко́ распространённый.

prevaricat|e [pri'værikeit] отклоня́ться от прямо́го отве́та, увиливать [-льну́ть].

prevent [pri'vent] предотвраща́ть [-ати́ть]; [по]меша́ть (Д); предупрежда́ть [-упреди́ть]; **~ion** [pri'venʃən] предупрежде́ние; предотвраще́ние; **~ive** [-tiv] **1.** □ предупреди́тельный; профилакти́ческий; **2.** ⚕ профилакти́ческое сре́дство.

pre|view ['pri:vju:] предвари́тельный осмо́тр (фи́льма, мод и т. п.).

previous ['pri:vjəs] □ предыду́щий; преждевре́менный; предвари́тельный; ~ to до (Р); **~ly** пре́жде.

pre-war ['pri:wɔ:] довое́нный.

prey [prei] **1.** добы́ча; же́ртва; beast (bird) of ~ хи́щный зверь *m* (хи́щная пти́ца); **2.** ~ (up)on: (о)гра́бить; терза́ть; подта́чивать [-точи́ть].

price [prais] **1.** цена́; **2.** оце́нивать [-ни́ть]; назнача́ть це́ну (Д); **~less** ['praislis] бесце́нный.

prick [prik] **1.** проко́л; уко́л; шип; **2.** *v/t.* коло́ть [кольну́ть]; ~ up one's ears навостри́ть у́ши; *v/i.* коло́ться; **~le** [prikl] шип, колю́чка; **~ly** ['prikli] колю́чий.

pride [praid] **1.** го́рдость *f*; take ~ in горди́ться (Т); **2.** ~ o. s. горди́ться ([up]on Т).

priest [pri:st] свяще́нник.

prim [prim] □ чо́порный; натя́нутый.

prima|cy ['praiməsi] пе́рвенство; **~ry** [-ri] □ первонача́льный; основно́й; нача́льный; перви́чный.

prime [praim] **1.** □ гла́вный; первонача́льный; перви́чный; основно́й; превосхо́дный; ~ cost ✝ себесто́имость *f*; ♀ Minister премье́р-мини́стр; **2.** *fig.* расцве́т; **3.** *v/t.* снабжа́ть информа́цией; учи́ть гото́вым отве́там.

primer ['primə] буква́рь *m*; нача́льный уче́бник.

primeval [prai'mi:vəl] первобы́тный.

primitive ['primitiv] □ первобы́тный; примити́вный; основно́й.

primrose ['primrouz] ⚘ при́мула.

prince [prins] принц; князь *m*; **~ss** [prin'ses] принце́сса; княги́ня; княжна́.

principal ['prinsəpəl] **1.** □ гла́вный, основно́й; **2.** принципа́л, глава́; ре́ктор университе́та; дире́ктор шко́лы; основно́й капита́л.

principle ['prinsəpl] при́нцип; пра́вило; причи́на, исто́чник; on ~ из при́нципа.

print [print] **1.** *typ.* печа́ть *f*; о́ттиск; шрифт; след; отпеча́ток; штамп; гравю́ра; произведе́ние печа́ти; ✝ набивна́я ткань *f*; out of ~ распро́данный (о печа́тном); **2.** [на]печа́тать; *phot.* отпеча́т(ыв)ать; *fig.* запечатле́(ва́)ть (on на П); **~er** ['printə] печа́тник.

printing ['printiŋ] печа́тание; печа́тное изда́ние; *attr.* печа́тный; **~-ink** типогра́фская кра́ска; **~-office** типогра́фия.

prior ['praiə] **1.** предше́ствующий (to Д); **2.** *adv.* ~ to до (Р); **3.** *eccl.* настоя́тель *m*; **~ity** [prai'ɔriti] приорите́т; очерёдность *f*.

prism [prizm] при́зма.

prison ['prizn] тюрьма́; **~er** [-ə] заключённый; пле́нный.

privacy ['praivəsi] уедине́ние; сохране́ние в та́йне.

private ['praivit] **1.** □ ча́стный; ли́чный; уединённый; конфиденциа́льный; **2.** ⚔ рядово́й; in ~ конфиденциа́льно.

privation [prai'veiʃən] лише́ние, нужда́.

privilege ['privilidʒ] **1.** привиле́гия; **2.** дава́ть привиле́гию (Д).

privy ['privi]: ~ to посвящённый в (В); ♀ Council та́йный сове́т; ♀ Councillor член та́йного сове́та; ♀ Seal ма́лая госуда́рственная печа́ть *f*.

prize [praiz] **1.** пре́мия, приз; ⚓ приз; трофе́й; вы́игрыш; **2.** удосто́енный пре́мии; **3.** высоко́ цени́ть; взла́мывать [взлома́ть]; **~-fighter** боксёр-профессиона́л.

probab|ility [prɔbə'biliti] вероя́тность *f*; **~le** ['prɔbəbl] □ вероя́тный.

probation [prə'beiʃən] испыта́ние; испыта́тельный стаж; ⚖ усло́вное

освобождение. [дировать.]
probe [proub] ⚕ **1.** зонд; **2.** зон-
probity ['proubiti] честность *f.*
problem ['prɔbləm] проблема; ⅋ задача; **~atic(al** □) [prɔbli'mætik, -tikəl] проблематичный.
procedure [prə'si:dʒə] процедура; образ действия.
proceed [prə'si:d] отправляться дальше; приступать [-пить] (to к Д); поступать [-пить]; продолжать [-должить] (with В); ~ from исходить (от Р); **~ing** [-iŋ] поступок; ~s *pl.* ⚖ судопроизводство; протоколы *m/pl.*, труды *m/pl.*; **~s** ['prousi:dz] доход; выручка, вырученная сумма.
process 1. ['prouses] процесс; движение, течение; ход; способ; in ~ на ходу; in ~ of construction строящийся; **2.** [prə'ses] привлекать к суду; ⊕ обрабатывать [-ботать]; **~ion** [-ʃən] процессия.
proclaim [prə'kleim] провозглашать [-ласить]; объявлять [-вить] (войну и т. п.).
proclamation [prɔklə'meiʃən] воззвание; объявление; прокламация.
proclivity [prə'kliviti] склонность *f.*
procurat|ion [prɔkjuə'reiʃən] полномочие, доверенность *f*; **~or** ['prɔkjuəreitə] поверенный.
procure [prə'kjuə] *v/t.* дост(ав)ать; *v/i.* сводничать.
prod [prɔd] **1.** тычок, толчок; **2.** тыкать [ткнуть]; толкать [-кнуть]; *fig.* подстрекать [-кнуть].
prodigal ['prɔdigəl] **1.** расточительный; ~ son блудный сын; **2.** мот(овка).
prodig|ious [prə'didʒes] □ удивительный; громадный; **~y** ['prɔdidʒi] чудо.
produc|e 1. [prə'dju:s] предъявлять [-вить]; представлять [-авить]; производить [-вести]; [по]ставить (фильм и т. п.); изд(ав)ать; **2.** ['prɔdju:s] продукция; продукт; **~er** [prə'dju:sə] производитель *m*; режиссёр *m.*
product ['prɔdəkt] продукт, изделие; **~ion** [prə'dʌkʃən] производство; продукция; постановка; (художественное) произведение; **~ive** [prə'dʌktiv] □ производительный, продуктивный; плодородный; **~iveness** [-nis], **~ivity** [prɔdʌk'tiviti] продуктивность *f*, производительность *f.*
profan|e [prə'fein] **1.** □ мирской, светский; богохульный; **2.** осквернять [-нить]; профанировать (*im*)*pf.*; **~ity** [prə'fæniti] богохульство.
profess [prə'fes] исповедовать (веру); открыто признавать; заявлять [-вить]; претендовать на (В); *univ.* преподавать; **~ion** [prə'feʃən] профессия; заявление; вероисповедание; **~ional** [-l] **1.** □ профессиональный; **2.** специалист; профессионал (*a. sport*); **~or** [-sə] профессор.
proffer ['prɔfə] **1.** предлагать [-ложить]; **2.** предложение.
proficien|cy [prə'fiʃənsi] опытность *f*; умение; **~t** [-ʃənt] **1.** □ умелый; искусный; **2.** мастер, знаток.
profile ['proufi:l] профиль *m.*
profit ['prɔfit] **1.** прибыль *f*; выгода, польза; **2.** *v/t.* приносить пользу (Д); *v/i.* ~ by [вос]пользоваться (Т); извлекать пользу из (Р); **~able** ['prɔfitəbl] □ прибыльный; выгодный; полезный; **~eer** [prɔfi'tiə] **1.** спекулянт; **2.** спекулировать; **~-sharing** участие в прибыли.
profligate ['prɔfligit] **1.** □ распутный; **2.** распутник.
profound [prə'faund] □ глубокий; основательный; проникновенный.
profundity [prɔ'fʌnditi] глубина.
profus|e [prə'fju:s] □ изобильный; щедрый; **~ion** [prə'fju:ʒən] изобилие.
progen|itor [prou'dʒenitə] прародитель(ница *f*) *m*; **~y** ['prɔdʒini] потомство. [грамма.]
program, ~me ['prougræm] про-
progress 1. ['prougres] прогресс; продвижение; успехи *m/pl.*; be in ~ развиваться; вестись; **2.** [prə'gres] продвигаться вперёд; делать успехи; **~ion** [prə'greʃən] движение вперёд; ⅋ прогрессия; **~ive** [-siv] **1.** □ передовой, прогрессивный; прогрессирующий; **2.** *pol.* член прогрессивной партии.
prohibit [prə'hibit] запрещать [-етить]; препятствовать (Д); **~ion** [proui'biʃən] запрещение; **~ive** [prə'hibitiv] □ запретительный.

project 1. ['prɔdʒekt] проéкт; план; **2.** [prə'dʒekt] *v/t.* бросáть [брóсить]; [с-, за]проектúровать; *v/i.* обдýмывать план; вы́да(вá)ться; **~ile** [prə'dʒektail] снаря́д; **~ion** [prə'dʒekʃən] метáние; проектúрование; проéкт; вы́ступ; проéкция; **~or** [-tə] ✝ проектирóвщик; *opt.* прожéктор; волшéбный фонáрь *m.*
proletarian [proule'tɛəriən] **1.** пролетáрий; **2.** пролетáрский.
prolific [prə'lifik] (**~ally**) плодорóдный; плодовúтый.
prolix ['prouliks] □ многословный.
prologue ['proulɔg] пролóг.
prolong [prə'lɔŋ] продлевáть [-лúть]; продолжáть [-дóлжить].
promenade [prɔmi'nɑ:d] **1.** прогýлка; мéсто для прогýлки; **2.** прогýливаться [-ля́ться].
prominent ['prɔminənt] □ выступáющий; рельéфный; *fig.* выдаю́щийся.
promiscuous [prə'miskjuəs] □ разнорóдный; смéшанный; неразбóрчивый.
promis|e ['prɔmis] **1.** обещáние; **2.** обещáть (*im*)*pf.*, *pf. a.* [по-]; **~ing** [-iŋ] □ *fig.* подаю́щий надéжды; **~sory** [-əri] заключáющий в себé обещáние; **~** note ✝ долговóе обязáтельство.
promontory ['prɔmәntri] мыс.
promot|e [prə'mout] способствовать (*im*)*pf.*, *pf. a.* [по-] (Д); содéйствовать (*im*)*pf.*, *pf. a.* [по-] (Д); выдвигáть [вы́двинуть]; продвигáть [-úнуть]; повышáть по слýжбе; ⚔ присвóить звáние (Р); **~ion** [prə'mouʃən] повышéние (в чúне и т. п.); продвижéние.
prompt [prɔmpt] **1.** □ бы́стрый; провóрный; **2.** побуждáть [-удúть]; внушáть [-шúть]; подскáзывать [-зáть] (Д); суфлúровать (Д); **~er** ['prɔmptə] суфлёр; **~ness** ['prɔmptnis] быстротá; провóрство.
promulgate ['prɔməlgeit] провозглашáть [-ласúть].
prone [proun] □ (лежáщий) ничкóм; распростёртый; **~** to склóнный к (Д).
prong [prɔŋ] зубéц (вúлки); шпенёк.
pronounce [prə'nauns] произносúть [-нестú]; объявля́ть [-вúть].
pronunciation [-nʌnsi'eiʃən] произношéние.

proof [pru:f] **1.** доказáтельство; прóба. испытáние; *typ.* корректýра, прóбный óттиск; **2.** непроницáемый; недостýпный; **~-reader** коррéктор.
prop [prɔp] подпóрка; опóра.
propaga|te ['prɔpəgeit] размножáть(ся) [-óжить(ся)]; распространя́ть(ся) [-нúть(ся)]; **~tion** [prɔpə'geiʃən] размножéние; распространéние.
propel [prə'pel] продвигáть вперёд; **~ler** [-ə] пропéллер, воздýшный винт; гребнóй винт.
propensity [prə'pensiti] склóнность *f.*
proper ['prɔpə] □ свóйственный, присýщий; подходя́щий; прáвильный; сóбственный; прилúчный; **~ty** [-ti] имýщество, сóбственность *f*; свóйство.
prophe|cy ['prɔfisi] прорóчество; **~sy** [-sai] [на]прорóчить.
prophet ['prɔfit] прорóк.
propi|tiate [prə'piʃieit] умилостивля́ть [умúлостивить]; **~tious** [prə'piʃəs] □ благосклóнный; благоприя́тный.
proportion [prə'pɔ:ʃən] **1.** пропóрция; соразмéрность *f*; часть *f*; **~s** *pl.* размéры *m/pl.*; **2.** соразмеря́ть [-мéрить]; **~al** [-l] □ пропорционáльный.
propos|al [prə'pouzəl] предложéние; план; **~e** [prə'pouz] *v/t.* предлагáть [-ложúть]; **~** to o. s. стáвить себé цéлью; *v/i.* дéлать предложéние (брáка); намéреваться, предполагáть; **~ition** [prɔpə'ziʃən] предложéние.
propound [prə'paund] предлагáть на обсуждéние.
propriet|ary [prə'praiətəri] сóбственнический; чáстный; *pharm.* патентóванный; **~or** [-tə] владéлец (-лица); **~y** [-ti] умéстность *f*, пристóйность *f*; the proprieties *pl.* прилúчия *n/pl.*
propulsion [prə'pʌlʃən] ⊕ привóд; движéние вперёд.
pro-rate [prou'reit] распределя́ть пропорционáльно.
prosaic [prou'zeiik] (**~ally**) *fig.* прозаúчный.
proscribe [pros'kraib] объявля́ть вне закóна; запрещáть [-етúть].
prose [prouz] **1.** прóза; **2.** прозаúческий; *fig.* прозаúчный.

prosecut|e ['prɔsikju:t] проводи́ть [-вести́], [по]вести́; пресле́довать суде́бным поря́дком; **~ion** [prɔsi'kju:ʃən] суде́бное пресле́дование; **~or** ['prɔsikju:tə] ⚖ обвини́тель *m*; public ~ прокуро́р.

prospect 1. ['prɔspekt] перспекти́ва, вид (*a. fig.*); ☤ предполага́емый покупа́тель *m* (клие́нт и т. п.); **2.** [prəs'pekt] ⚒ разве́д(ыв)ать (for на В); **~ive** [prəs'pektiv] □ бу́дущий, ожида́емый; **~us** [-təs] проспе́кт.

prosper ['prɔspə] *v/t.* благоприя́тствова́ть (Д); *v/i.* процвета́ть; преуспева́ть; **~ity** [prɔs'periti] процвета́ние; благосостоя́ние; *fig.* расцве́т; **~ous** ['prɔspərəs] □ благоприя́тный; состоя́тельный; процвета́ющий.

prostitute ['prɔstitju:t] **1.** проститу́тка; **2.** проституи́ровать (*im*)*pf.*; [о]бесче́стить.

prostrat|e 1. ['prɔstreit] распростёртый; пове́рженный; обесси́ленный; **2.** [prɔs'treit] поверга́ть ниц; унижа́ть [уни́зить]; истоща́ть [-щи́ть]; ~ o. s. па́дать ниц; **~ion** [-ʃən] распростёртое положе́ние; изнеможе́ние.

prosy ['prouzi] □ *fig.* проза́ичный; бана́льный.

protect [prə'tekt] защища́ть [-ити́ть]; (пред)охраня́ть [-ни́ть] (from от Р); **~ion** [prə'tekʃən] защи́та; **~ive** [-tiv] защи́тный; предохрани́тельный; ~ duty покрови́тельственная по́шлина; **~or** [-tə] защи́тник; **~orate** [-tərit] протектора́т.

protest 1. ['proutest] проте́ст; опротестова́ние (ве́кселя); **2.** [prə'test] [за]протестова́ть; опроте́сто́вывать [-стова́ть] (ве́ксель).

Protestant ['prɔtistənt] **1.** протеста́нт(ка); **2.** протеста́нтский.

protestation [proutes'teiʃən] торже́ственное заявле́ние.

protocol ['proutəkɔl] протоко́л.

prototype [-taip] прототи́п.

protract [prə'trækt] тяну́ть (В *or* с Т); продолжа́ть [-до́лжить].

protru|de [prə'tru:d] выдава́ться нару́жу, торча́ть; **~sion** [-ʒən] вы́ступ.

protuberance [prə'tju:bərəns] вы́пуклость *f*; опу́хлость *f*.

proud [praud] □ го́рдый (of Т).

prove [pru:v] *v/t.* дока́зывать [-за́ть]; удостоверя́ть [-ве́рить]; испы́тывать [-пыта́ть]; *v/i.* ока́зываться [-за́ться].

provender ['prɔvində] корм.

proverb ['prɔvəb] посло́вица.

provide [prə'vaid] *v/t.* заготовля́ть [-то́вить]; снабжа́ть [-бди́ть]; обеспе́чи(ва)ть; ⚖ ста́вить усло́вием; *v/i.* запаса́ться [-сти́сь]; ~d (that) при усло́вии (что).

providen|ce ['prɔvidəns] провиде́ние; предусмотри́тельность *f*; **~t** [-dənt] □ предусмотри́тельный; **~tial** [prɔvi'denʃəl] □ провиденциа́льный.

provider [prə'vaidə] поставщи́к(-и́ца).

provin|ce ['prɔvins] о́бласть *f*; прови́нция; *fig.* сфе́ра де́ятельности; **~cial** [prə'vinʃəl] **1.** провинциа́льный; **2.** провинциа́л(ка).

provision [prə'viʒən] снабже́ние; обеспе́чение; ⚖ положе́ние (догово́ра и т. п.); ~s *pl.* прови́зия; **~al** [-l] □ предвари́тельный; вре́менный.

proviso [prə'vaizou] усло́вие.

provocat|ion [prɔvə'keiʃən] вы́зов; провока́ция; раздраже́ние; **~ive** [prə'vɔkətiv] вызыва́ющий (о поведе́нии и т. п.); провокацио́нный.

provoke [prə'vouk] [с]провоци́ровать; возбужда́ть [-буди́ть]; вызыва́ть [вы́звать]; [рас]серди́ть.

provost 1. ['prɔvəst] ре́ктор; дека́н; **2.** [prə'vou] ⚔ офице́р вое́нной поли́ции.

prow [prau] ⚓ нос (су́дна).

prowess ['prauis] до́блесть *f*.

prowl [praul] кра́сться; броди́ть.

proximity [prɔk'simiti] бли́зость *f*.

proxy ['prɔksi] замести́тель *m*; полномо́чие; переда́ча го́лоса; дове́ренность *f*.

prude [pru:d] щепети́льная, стыдли́вая же́нщина.

pruden|ce ['pru:dəns] благоразу́мие; предусмотри́тельность *f*; осторо́жность *f*; **~t** [-t] □ благоразу́мный; осторо́жный.

prud|ery ['pru:dəri] чрезме́рная стыдли́вость *f*; **~ish** [-diʃ] □ чрезме́рно стыдли́вый.

prune [pru:n] **1.** черносли́в; **2.** ✂ подреза́ть [-ре́зать], обреза́ть [обре́зать]; *fig.* сокраща́ть [-рати́ть].

prurient ['pruəriənt] □ похотли́вый.

pry [prai] **1.** подгля́дывать [-яде́ть]; ~ into сова́ть нос в (В); *Am.* ~ open вскры́(ва́)ть, взла́мывать [взлома́ть]; ~ up поднима́ть [-ня́ть]; **2.** рыча́г.
psalm [sɑ:m] псало́м.
pseudonym ['(p)sju:dənim] псевдони́м.
psychiatrist [sai'kaiətrist] психиа́тр.
psychic ['saikik], **~al** [-kikəl] □ психи́ческий.
psycholog|ical [saikə'lɔdʒikəl] □ психологи́ческий; **~ist** [sai'kɔlədʒist] психо́лог; **~y** [-dʒi] психоло́гия.
pub [pʌb] F тракти́р, каба́к.
puberty ['pju:bəti] полова́я зре́лость *f*.
public ['pʌblik] **1.** □ публи́чный, обще́ственный; госуда́рственный; коммуна́льный; ~ house тракти́р; ~ law междунаро́дное пра́во; ~ spirit дух солида́рности, патриоти́зма; **2.** пу́блика; обще́ственность *f*; **~an** ['pʌblikən] тракти́рщик; **~ation** [pʌbli'keiʃən] опубликова́ние; изда́ние; monthly ~ ежеме́сячник; **~ity** [pʌ'blisiti] гла́сность *f*; рекла́ма.
publish ['pʌbliʃ] [o]публикова́ть, изд(ав)а́ть; опублико́вывать [-кова́ть]; оглаша́ть [-ласи́ть]; **~ing** house изда́тельство; **~er** [-ə] изда́тель *m*; **~s** *pl.* изда́тельство.
pucker ['pʌkə] **1.** [c]мо́рщить(ся); **2.** морщи́на.
pudding ['pudiŋ] пу́динг; black ~ кровяна́я колбаса́.
puddle ['pʌdl] лу́жа.
puerile ['pjuərail] □ ребя́ческий.
puff [pʌf] **1.** дунове́ние (ве́тра); клуб (ды́ма); пухо́вка; **2.** *v/t.* наду́(ва́)ть; выпя́чивать [вы́пятить]; расхва́ливать [-ли́ть], преувели́ченно реклами́ровать; **~ed** eyes распу́хшие глаза́ *m/pl.*; *v/i.* дуть поры́вами; пыхте́ть; ~ away at попы́хивать (T); ~ out наду́(ва́)ться; **~-paste** слоёное те́сто; **~y** ['pʌfi] запыха́вшийся; отёкший; одутлова́тый.
pug [pʌg], **~-dog** мопс.
pugnacious [pʌg'neiʃəs] драчли́вый.
pug-nosed ['pʌgnouz] курно́сый.
puke [pju:k] рво́та.
pull [pul] **1.** тя́га; ру́чка (звонка́ и т. п.); затя́жка (ды́мом); **2.** [по-] тяну́ть; таска́ть, [по]тащи́ть; выдёргивать [вы́дернуть]; дёргать [-рнуть]; ~ down сноси́ть [снести́] (зда́ние и т. п.); ~ out 🚂 отходи́ть [отойти́] (от ста́нции); ⚕ ~ through выха́живать [вы́ходить]; поправля́ться [-а́виться] (от боле́зни); ~ o. s. together взять себя́ в ру́ки; ~ up подтя́гивать [-яну́ть]; оса́живать [осади́ть] (лошаде́й); остана́вливать(ся) [-нови́ть(ся)].
pulley ['puli] ⊕ блок; во́рот; ремённый шкив.
pulp [pʌlp] мя́коть плода́; пу́льпа (зу́ба); ⊕ бума́жная ма́сса.
pulpit ['pulpit] ка́федра (пропове́дника).
pulpy ['pʌlpi] □ мя́гкий; мяси́стый.
puls|ate [pʌl'seit] пульси́ровать; би́ться; **~e** [pʌls] пульс.
pulverize ['pʌlvəraiz] *v/t.* распыля́ть [-ли́ть]; размельча́ть в порошо́к; *v/i.* распыля́ться [-ли́ться].
pumice ['pʌmis] пе́мза.
pump [pʌmp] **1.** насо́с; лёгкая ба́льная ту́фля; **2.** кача́ть [качну́ть] (насо́сом); ~ up нака́чивать [-ча́ть].
pumpkin ['pʌmpkin] ♀ ты́ква.
pun [pʌn] **1.** каламбу́р; **2.** каламбу́рить.
Punch[1] [pʌntʃ] полишине́ль *m*.
punch[2] [~] **1.** ⊕ ке́рнер, пробо́йник; компо́стер; уда́р кулако́м; **2.** проби́(ва́)ть (отве́рстия); [от-] штампова́ть; бить кулако́м.
punctilious [pʌŋk'tiliəs] педанти́чный; щепети́льный до мелоче́й.
punctual ['pʌŋktjuəl] □ пунктуа́льный; **~ity** [pʌŋktju'æliti] пунктуа́льность *f*.
punctuat|e ['pʌŋktjueit] ста́вить зна́ки препина́ния; *fig.* перемежа́ть; **~ion** [pʌŋktju'eiʃən] пунктуа́ция.
puncture ['pʌŋktʃə] **1.** проко́л; ⚡ пробо́й; **2.** прока́лывать [-коло́ть]; получа́ть проко́л.
pungen|cy ['pʌndʒənsi] острота́, е́дкость *f*; **~t** [-t] о́стрый, е́дкий.
punish ['pʌniʃ] нака́зывать [-за́ть]; **~able** [-əbl] □ наказу́емый; **~ment** [-mənt] наказа́ние.
puny ['pju:ni] □ кро́хотный; тщеду́шный.
pupil [pju:pl] *anat.* зрачо́к; учени́к (-и́ца).
puppet ['pʌpit] марионе́тка (*a. fig.*); **~show** ку́кольный теа́тр.
puppy ['pʌpi] щено́к; *fig.* молокосо́с; фат.
purchase ['pə:tʃəs] **1.** поку́пка, заку́пка; приобрете́ние; ⊕ механи́зм для подня́тия гру́зов (рыча́г;

лебёдка и т. п.); *fig.* то́чка опо́ры; **2.** покупа́ть [купи́ть]; приобрета́ть [-рести́]; **~r** [-ə] покупа́тель(ница *f*) *m*.
pure [pjuə] □ *com.* чи́стый; беспоро́чный; беспри́месный; **~-bred** ['pjuəbred] *Am.* чистокро́вный.
purgat|ive ['pə:gətiv] слаби́тельное; **~ory** [-t(ə)ri] чисти́лище.
purge [pə:dʒ] **1.** ⚕ слаби́тельное; *pol.* чи́стка; **2.** очища́ть [очи́стить]; *pol.* проводи́ть чи́стку в (П).
purify ['pjuərifai] очища́ть [очи́стить].
purity ['pjuəriti] чистота́; непоро́чность *f*.
purl [pə:l] журча́ть.
purlieus ['pə:lju:z] *pl.* окре́стности *f/pl.*
purloin [pə:'lɔin] [у]ворова́ть.
purple [pə:pl] **1.** пурпу́рный; багро́вый; **2.** пу́рпур; **3.** turn ~ [по-] багрове́ть.
purport ['pə:pət] смысл, содержа́ние.
purpose ['pə:pəs] **1.** наме́рение, цель *f*; у́мысел; on ~ наро́чно; to the ~ кста́ти; к де́лу; to no ~ напра́сно; **2.** име́ть це́лью; намерева́ться [наме́риться]; **~ful** [-ful] □ умы́шленный; целеустремлённый; **~less** [-lis] □ бесце́льный; **~ly** [-li] наро́чно.
purr [pə:] [за]мурлы́кать.
purse [pə:s] **1.** кошелёк; де́нежный приз; public ~ казна́; **2.** подж(им)а́ть (гу́бы); зажму́ри(ва)ть (глаза́).
pursuan|ce [pə'sju(:)əns]: in ~ of согла́сно (Д); **~t** [-ənt]: ~ to согла́сно (Д).
pursu|e [pə'sju:] пресле́довать (В); занима́ться [заня́ться] (Т); продолжа́ть [-до́лжить]; **~er** [-ə] пресле́дователь(ница *f*) *m*; **~it** [pə'sju:t] пого́ня *f*; *mst* ~s *pl.* заня́тие.
purvey [pə:'vei] поставля́ть [-а́вить] (проду́кты); снабжа́ть [-бди́ть] (Т); **~or** [-ə] поставщи́к.
pus [pʌs] ⚕ гной.
push [puʃ] **1.** толчо́к; уда́р; давле́ние; напо́р; уси́лие; **2.** толка́ть [-кну́ть]; наж(им)а́ть (на В); продвига́ть(ся) [-ви́нуть(ся)] (*a.* ~ on); притесня́ть [-ни́ть]; [по]торопи́ть; ~ one's way прота́лкиваться [протолка́ться]; **~-button** ⚡ кно́пка (звонка́ и т. п.).
pussillanimous [pju:si'læniməs] □ малоду́шный.
puss(y) ['pus(i)] ко́шечка, ки́ска.
put [put] [*irr.*] **1.** класть [положи́ть]; [по]ста́вить; сажа́ть [посади́ть]; зад(ав)а́ть (вопро́с, зада́чу и т. п.); сова́ть [су́нуть]; ~ across успе́шно проводи́ть (ме́ру); перевози́ть [-везти́]; ~ back ста́вить на ме́сто (обра́тно); ста́вить наза́д; ~ by откла́дывать [отложи́ть] (де́ньги); ~ down подавля́ть [-ви́ть] (восста́ние); запи́сывать [-са́ть]; заставля́ть замолча́ть; припи́сывать [-са́ть] (to Д); ~ forth проявля́ть [-ви́ть]; пуска́ть [пусти́ть] (побе́ги); пуска́ть в обраще́ние; ~ in вставля́ть [-а́вить]; всо́вывать [всу́нуть]; ~ off снима́ть [снять] (оде́жду); отде́л(ыв)аться от (P with T); отта́лкивать [оттолкну́ть]; откла́дывать [отложи́ть]; ~ on наде́(ва́)ть (пла́тье и т. п.); *fig.* принима́ть [-ня́ть] (вид); прибавля́ть [-а́вить]; ~ out выкла́дывать [вы́ложить]; протя́гивать [-тяну́ть]; выгоня́ть [вы́гнать]; [по]туши́ть (ого́нь); ~ through *teleph.* соединя́ть [-ни́ть] (to с Т); ~ to прибавля́ть [-ба́вить]; ~ to death казни́ть (*im*)*pf.*; ~ to the rack пыта́ть; ~ up [по-]стро́ить, возводи́ть [-вести́] (зда́ние); [по]ста́вить (пье́су); дава́ть прию́т (Д); **2.** *v/i.*: ⚓ ~ off, ~ to sea уходи́ть в мо́ре; ~ in ⚓ заходи́ть в порт; ~ up at остана́вливаться [останови́ться] в (П); ~ up with [по]мири́ться с (Т).
putrefy ['pju:trifai] (с)гнить.
putrid ['pju:trid] □ гнило́й; воню́чий; **~ity** [pju:'triditi] гниль *f*.
putty ['pʌti] **1.** (око́нная) зама́зка; **2.** зама́з(ыв)ать (о́кна).
puzzle [pʌzl] **1.** недоуме́ние; затрудне́ние; зага́дка; головоло́мка; **2.** *v/t.* озада́чи(ва)ть; ста́вить в тупи́к; ~ out распу́т(ыв)ать; *v/i.* би́ться (over над Т); **~-headed** ['pʌzl'hedid] бестолко́вый; сумбу́рный.
pygm|ean [pig'mi:ən] ка́рликовый; **~y** ['pigmi] ка́рлик, пигме́й.
pyjamas [pə'dʒɑ:məz] *pl.* пижа́ма.
pyramid ['pirəmid] пирами́да; **~al** [pi'ræmidl] □ пирамида́льный.
pyre ['paiə] погреба́лный костёр.
pyrotechnic [pairo'teknik] пиротехни́ческий; ~ display фейерве́рк.
Pythagorean [pai'θægə'ri:ən] пифаго́ре́йский.
pyx [piks] *eccl.* дарохрани́тельница.

Q

quack [kwæk] **1.** зна́харь *m* (-рка); шарлата́н; кря́канье (у́ток); **2.** шарлата́нский; **3.** кря́кать [-кнуть]; **~ery** [ˈkwækəri] шарлата́нство.
quadrangle [kwɔˈdræŋgl] четырёхуго́льник; шко́льный двор.
quadrennial [kwɔˈdreniəl] □ четырёхле́тний; происходя́щий раз в четы́ре го́да.
quadru|ped [ˈkwɔdruped] четвероно́гое живо́тное; **~ple** [ˈkwɔdrupl] □ учетверённый; четверно́й.
quagmire [ˈkwægmaie] тряси́на, боло́то.
quail [kweil] дро́гнуть *pf.*; [с]тру́сить.
quaint [kweint] □ стра́нный, необы́чный.
quake [kweik] [за]трясти́сь; [за-]дрожа́ть; дро́гнуть *pf.*
Quaker [ˈkweikə] ква́кер.
quali|fication [kwɔlifiˈkeiʃən] квалифика́ция; сво́йство; ограниче́ние; **~fy** [ˈkwɔlifai] *v/t.* квалифици́ровать *(im)pf.*; ограни́чи(ва)ть; смягча́ть [-чи́ть]; наз(ы)ва́ть (as T); *v/i.* подгота́вливаться [-гото́виться] (for к Д); **~ty** [-ti] ка́чество; сво́йство; досто́инство.
qualm [kwɔ:m, kwɑ:m] тошнота́; сомне́ние; при́ступ малоду́шия.
quantity [ˈkwɔntiti] коли́чество; & величина́; мно́жество.
quarantine [ˈkwɔrənti:n] **1.** каранти́н; **2.** подверга́ть каранти́ну.
quarrel [ˈkwɔrəl] **1.** ссо́ра, перебра́нка; **2.** [по]ссо́риться; **~some** [-səm] □ вздо́рный; придирчи́вый.
quarry [ˈkwɔri] **1.** каменоло́мня; добы́ча (на охо́те) **2.** добы́(ва́)ть (ка́мни); *fig.* [по]ры́ться.
quart [kwɔ:t] ква́рта (= 1,14 ли́тра).
quarter [ˈkwɔ:tə] **1.** че́тверть *f*; че́тверть часа́; кварта́л; ме́сто, сторона́; поща́да; **~s** *pl.* кварти́ра; ⚔ каза́рмы *f/pl.*; *fig.* исто́чники *m/pl.*; from all **~s** со всех сторо́н; **2.** дели́ть на четы́ре ча́сти; ⚔ расквартиро́вывать [-ирова́ть]; четвертова́ть *(im)pf.*; **~-day** день, начина́ющий кварта́л го́да; **~-deck** шка́нцы *m/pl.*; **~ly** [-li] **1.** кварта́льный; **2.** журна́л, выходя́щий ка́ждый кварта́л го́да; **~master** ⚔ квартирме́йстер.
quartet(te) [kwɔ:ˈtet] ♪ кварте́т.
quash [kwɔʃ] ⚖ аннули́ровать *(im)pf.*
quaver [ˈkweivə] **1.** дрожь *f*; ♪ трель *f*; **2.** вибри́ровать; говори́ть дрожа́щим го́лосом.
quay [ki:] на́бережная.
queasy [ˈkwi:zi] □ сла́бый (о желу́дке); тошнотво́рный.
queen [kwi:n] короле́ва; *chess* ферзь *m*; **~like, ~ly** [ˈkwi:nli] подоба́ющий короле́ве; ца́рственный.
queer [kwiə] стра́нный, эксцентри́чный.
quench [kwentʃ] утоля́ть [-ли́ть] (жа́жду); [по]туши́ть; охлажда́ть [охлади́ть].
querulous [ˈkweruləs] □ ворчли́вый.
query [ˈkwiəri] **1.** вопро́с; **2.** спра́шивать [спроси́ть]; подверга́ть сомне́нию.
quest [kwest] **1.** по́иски *m/pl.*; **2.** оты́скивать [-ка́ть], разы́скивать [-ка́ть].
question [ˈkwestʃən] **1.** вопро́с; сомне́ние; пробле́ма; beyond (all) ~ вне вся́кого сомне́ния; in ~ (лицо́, вопро́с,) о кото́ром идёт речь; call in ~ подверга́ть сомне́нию; that is out of the ~ об э́том не мо́жет быть и ре́чи; **2.** расспра́шивать [-роси́ть]; задава́ть вопро́с (Д); допра́шивать [-роси́ть]; подверга́ть сомне́нию; **~able** [-əbl] □ сомни́тельный; **~naire** [kestiəˈnɛə, kwestʃəˈnɛə] анке́та.
queue [kju:] **1.** о́чередь *f*, «хвост»; коса́ (воло́с); **2.** заплета́ть в ко́су; (*mst* ~ up) стоя́ть в о́череди.
quibble [kwibl] **1.** игра́ слов, каламбу́р; увёртка; **2.** [с]остри́ть; уклоня́ться [-ни́ться].
quick [kwik] **1.** живо́й; бы́стрый, ско́рый; прово́рный; о́стрый (слух и т. п.); **2.** чувстви́тельное ме́сто; to the ~ *fig.* за живо́е; до мо́зга косте́й; cut to the ~ задева́ть за живо́е; **~en** [ˈkwikən] *v/t.* ускоря́ть [-о́рить]; оживля́ть [-ви́ть]; *v/i.* ускоря́ться [-о́риться]; оживля́ться [-ви́ться]; **~ness** [ˈkwiknis] быстрота́; оживлённость *f*; сообрази́тельность *f*; **~sand** плыву́н, сыпу́чие пески́ *m/pl.*; **~silver** ртуть *f*; **~-witted** нахо́дчивый.

quiescen|ce [kwai'esns] покóй; неподвижность *f*; **~t** [-t] неподвижный; *fig.* спокóйный.
quiet ['kwaiət] **1.** □ спокóйный, тихий; бесшýмный; смирный; **2.** покóй; тишинá; **3.** успокáивать(ся), [-кóить(ся)]; **~ness** [-nis], **~ude** [-ju:d] тишинá; покóй; спокóйствие.
quill [kwil] птичье перó; ствол перá; *fig.* перó (для письмá); иглá (ежá и т. п.); **~ing** ['kwiliŋ] рюш (на плáтье).
quilt [kwilt] **1.** стёганое одеяло; **2.** [вы́]стегáть.
quince [kwins] ⚘ айвá.
quinine [kwi'ni:n, *Am.* 'kwainain] *pharm.* хинин.
quintuple ['kwintjupl] пятикрáтный.
quip [kwip] саркáзм; острóтá; кóлкость *f*.
quirk [kwə:k] = quibble, quip; причýда; рóсчерк перá; завитóк (рисýнка).
quit [kwit] **1.** покидáть [-инуть]; оставлять [-áвить]; give notice to ~ заявлять об ухóде (с рабóты); **2.** свобóдный, отдéлавшийся (of от P).
quite [kwait] вполнé, совершéнно, совсéм; довóльно; ~ a hero настоящий герóй; ~ (so)!, ~ that! так!, совершéнно вéрно!
quittance ['kwitəns] квитáнция.
quiver ['kwivə] [за]дрожáть; [за-]трепетáть.
quiz [kwiz] **1.** шýтка; мистификáция; насмéшка; *part. Am.* опрóс, провéрка знáний; **2.** подшýчивать [-утить] над (T); *part. Am.* опрáшивать [опросить].
quorum ['kwɔ:rəm] *parl.* кворум.
quota ['kwoutə] дóля, часть *f*, квóта.
quotation [kwou'teiʃən] цитáта; цитирование; ⚚ котирóвка, курс.
quote [kwout] [про]цитировать; ⚚ котировать (*im*)*pf.*; давáть расцéнку на (B).

R

rabbi ['ræbai] раввин.
rabbit ['ræbit] крóлик.
rabble [ræbl] сброд; толпá.
rabid ['ræbid] □ нéистовый, яростный; бéшеный.
rabies ['reibii:z] бéшенство.
race [reis] **1.** рáса; род; порóда; состязáние в скóрости; бег; гóнки *f/pl.*; (*mst* ~s *pl.*) скáчки *f/pl.*; бегá *m/pl.*; **2.** [по]мчáться; состязáться в скóрости; учáствовать в скáчках и т. п.; **~-course** дорóжка; трек; **~r** ['reisə] учáстник гóнок или скáчек (лóшадь, автомобиль и т. п.).
racial ['reiʃəl] рáсовый.
rack [ræk] **1.** вéшалка; подстáвка; пóлка; стóйка; кормýшка; 🚂 luggage ~ сéтка для вещéй; **2.** класть в сéтку или на пóлку; пытáть; ~ one's brains ломáть себé гóлову; go to ~ and ruin погибáть [-йбнуть]; разорáться [-риться].
racket ['rækit] тéннисная ракéтка; шум, гам; *Am.* шантáж; **~eer** [ræki'tiə] *Am.* вымогáтель *m*.
racy ['reisi] □ характéрный; крéпкий; пикáнтный; колоритный.
radar ['reidɑ:] радáр; ~ set радиолокáтор.
radian|ce ['reidiəns] сияние; **~t** [-t] □ лучистый; сияющий, лучезáрный.
radiat|e ['reidieit] излучáть [-чить] (свет, теплó); **~ion** [reidi'eiʃən] излучéние; **~or** ['reidieitə] излучáтель *m*; ⚠, *mot.* радиáтор.
radical ['rædikəl] **1.** □ основнóй, коренной; фундаментáльный; радикáльный; **2.** *pol.* радикáл.
radio ['reidiou] **1.** рáдио *n indecl.*; ~ drama, ~ play радиопостанóвка; ~ set радиоприёмник; **2.** передавáть по рáдио; **~graph** [-grɑ:f] **1.** рентгéновский снимок; **2.** дéлать рентгéновский снимок с (P); **~scopy** [reidi'ɔskəpi] исслéдование рентгéновскими лучáми; **~-tele-**

gram радио(теле)гра́мма. [ди́ска.
radish ['rædiʃ] ре́дька; (red) ~ ре-
raffle [ræfl] **1.** *v/t.* разы́грывать в лотере́ю; *v/i.* уча́ствовать в лотере́е; **2.** лотере́я.
raft [rɑ:ft] **1.** плот; паро́м **2.** сплавля́ть [-а́вить] (лес); **~er** ['rɑ:ftə] ⊕ стропи́ло.
rag [ræg] тря́пка; ~s *pl.* тряпьё, ве́тошь *f*; лохмо́тья *m/pl.*
ragamuffin ['rægəmʌfin] оборва́нец; у́личный ма́льчик.
rage [reidʒ] **1.** я́рость *f*, гнев; пова́льное увлече́ние; предме́т увлече́ния; it is all the ~ э́то после́дний крик мо́ды; **2.** [вз]беси́ться; бушева́ть.
ragged ['rægid] □ неро́вный; рва́ный, поно́шенный.
raid [reid] **1.** налёт; набе́г; обла́ва; **2.** де́лать набе́г, налёт на (В); вторга́ться [вто́ргнуться] в (В).
rail [reil] **1.** пери́ла *n/pl.*; огра́да; 🚂 рельс; попере́чина; (main) ~ ⚓ по́ручень *m*; run off the ~s сойти́ с ре́льсов; **2.** е́хать по желе́зной доро́ге; [вы́]руга́ть, [вы́]брани́ть (at, against В).
railing ['reiliŋ] огра́да; пери́ла *n/pl.*
raillery ['reiləri] беззло́бная насме́шка, подшу́чивание.
railroad ['reilroud] *part. Am.*, **railway** [-wei] желе́зная доро́га.
rain [rein] **1.** дождь *m*; **2.** идти́ (о дожде́); *fig.* [по]сы́паться; **~bow** ра́дуга; **~coat** *Am.* дождеви́к, непромока́емое пальто́ *n indecl.*; **~fall** коли́чество оса́дков; **~-proof** непромока́емый; **~y** ['reini] □ дождли́вый.
raise [reiz] (*often* ~ up) поднима́ть [-ня́ть]; воздвига́ть [-ви́гнуть] (па́мятник и т. п.); возвыша́ть [-ы́сить]; воспи́тывать [-ита́ть]; вызыва́ть [вы́звать] (смех, гнев и т. п.); возбужда́ть [-уди́ть] (чу́вство); добы́(ва́)ть (де́ньги).
raisin [reizn] изю́минка; *pl.* изю́м.
rake [reik] **1.** гра́бли *f/pl.*; кочерга́; пове́са *m*; распу́тник; **2.** *v/t.* сгреба́ть [-ести́]; разгреба́ть [-ести́]; *fig.* ~ for тща́тельно иска́ть (В *or* Р).
rally ['ræli] **1.** вновь собира́ть(ся); овладе́(ва́)ть собо́й; **2.** *Am.* ма́ссовый ми́тинг; объедине́ние; съезд.
ram [ræm] **1.** бара́н; тара́н; **2.** [про-]тара́нить; заби́(ва́)ть.
rambl|e ['ræmbl] **1.** прогу́лка (без це́ли); **2.** броди́ть без це́ли; говори́ть бессвя́зно; **~er** [-ə] праздноша́тающийся; ползу́чее расте́ние; **~ing** [-iŋ] бродя́чий; бессвя́зный; разбро́санный; ползу́чий.
ramify ['ræmifai] разветвля́ться [-етви́ться].
ramp [ræmp] скат, укло́н; **~ant** ['ræmpənt] стоя́щий на за́дних ла́пах (о геральди́ческом живо́тном); *fig.* необу́зданный.
rampart ['ræmpɑ:t] вал.
ramshackle ['ræmʃækl] ве́тхий.
ran [ræn] *pt.* от **run**.
ranch [ræntʃ] *Am.* скотово́дная фе́рма.
rancid ['rænsid] □ прого́рклый.
ranco(u)r ['ræŋkə] зло́ба, затаённая вражда́.
random ['rændəm] **1.** at ~ науга́д, наобу́м; **2.** сде́ланный (вы́бранный и т. д.) науга́д; случа́йный.
rang [ræŋ] *pt.* от **ring**.
range [reindʒ] **1.** ряд; ли́ния (домо́в); цепь *f* (гор); о́бласть распростране́ния (расте́ний и т. п.); преде́л, амплиту́да; диапазо́н (го́лоса); ⚔ да́льность де́йствия; стре́льбище; **2.** *v/t.* выстра́ивать в ряд; ста́вить в поря́дке; классифици́ровать (*im*)*pf.*; ⚓ пла́вать, [по]плы́ть вдоль (Р); *v/i.* выстра́иваться в ряд; простира́ться; броди́ть, ры́скать.
rank [ræŋk] **1.** ряд; ⚔ шере́нга; зва́ние, чин; катего́рия; ~ and file рядово́й соста́в; *fig.* людска́я ма́сса; **2.** *v/t.* стро́ить в шере́нгу; выстра́ивать в ряд; классифици́ровать (*im*)*pf.*; *v/i.* стро́иться в шере́нгу; равня́ться (with Д); **3.** бу́йный (о расти́тельности); прого́рклый (о ма́сле); отъя́вленный.
rankle [ræŋkl] *fig.* му́чить, терза́ть (об оби́де и т. п.); ~ in терза́ть (В).
ransack ['rænsæk] [по]ры́ться в (П); [о]гра́бить.
ransom ['rænsəm] **1.** вы́куп; **2.** выкупа́ть [вы́купить].
rant [rænt] **1.** деклама́ция; высокопа́рная речь *f*; **2.** говори́ть напы́щенно; [про]деклами́ровать; шу́мно весели́ться.
rap [ræp] **1.** лёгкий уда́р; стук (в дверь и т. п.); *fig.* not a ~ ни гроша́; **2.** ударя́ть [уда́рить]; [по-]стуча́ть.
rapaci|ous [rə'peiʃəs] □ жа́дный;

хи́щный; **~ty** [rəˈpæsiti] жа́дность *f*; хи́щность *f*.

rape [reip] **1.** похище́ние; изнаси́лование; **2.** похища́ть [-и́тить]; [из]наси́ловать.

rapid [ˈræpid] **1.** □ бы́стрый, ско́рый; круто́й; **2.** ~s *pl.* поро́ги *m/pl.*, стремни́ны *f/pl.*; **~ity** [rəˈpiditi] ско́рость *f*.

rapt [ræpt] восхищённый; увлечённый; **~ure** [ˈræptʃə] восто́рг, экста́з; go into ~s приходи́ть в восто́рг.

rare [rɛə] □ ре́дкий; *phys.* разреже́нный.

rarefy [ˈrɛərifai] разрежа́ть(ся) [-еди́ть(ся)].

rarity [-riti] ре́дкость *f*.

rascal [ˈrɑːskəl] моше́нник; **~ity** [rɑːsˈkæliti] моше́нничество; **~ly** [ˈrɑːskəli] моше́ннический.

rash[1] [ræʃ] □ стреми́тельный; опроме́тчивый; необду́манный.

rash[2] [~] сыпь *f*.

rasp [rɑːsp] **1.** ра́шпиль *m*; скре́жет; **2.** подпи́ливать ра́шпилем; соскреба́ть [-ести́]; раздража́ть [-жи́ть].

raspberry [ˈrɑːzbəri] мали́на.

rat [ræt] кры́са; *sl.* изме́нник; smell a ~ чу́ять недо́брое.

rate [reit] **1.** но́рма; ста́вка; пропо́рция; сте́пень *f*; ме́стный нало́г; разря́д; ско́рость *f*; at any ~ во вся́ком слу́чае; ~ of exchange (валю́тный) курс; **2.** оце́нивать [-ни́ть], расце́нивать [-ни́ть]; [вы́-] брани́ть; ~ among счита́ться среди́ (P).

rather [rɑːðə] скоре́е; предпочти́тельно; верне́е; дово́льно; I had ~ ... я предпочёл бы ...

ratify [ˈrætifai] ратифици́ровать (*im*)*pf.*; утвержда́ть [-рди́ть].

rating [ˈreitiŋ] оце́нка; су́мма нало́га; ранг; класс.

ratio [ˈreiʃiou] 🕮 отноше́ние.

ration [ˈræʃən] **1.** рацио́н; паёк; **2.** снабжа́ть продово́льствием; нормирова́ть вы́дачу (P).

rational [ræʃnl] □ рациона́льный; разу́мный; **~ity** [ræʃˈnæliti] рациона́льность *f*; разу́мность *f*; **~ize** [ˈræʃnəlaiz] рационализи́ровать (*im*)*pf*.

ratten [rætn] саботи́ровать (*im*)*pf.*

rattle [rætl] **1.** треск; дребезжа́ние; трещо́тка (*a. fig.*); погрему́шка; **2.** [про]треща́ть; [за]дребезжа́ть; [за]греме́ть (T); говори́ть без у́молку; ~ off отбараба́нить *pf.*; **~snake** грему́чая змея́; **~trap** *fig.* ве́тхий экипа́ж, автомоби́ль и т. п.

rattling [ˈrætliŋ] *fig.* бы́стрый; великоле́пный.

raucous [ˈrɔkəs] □ хри́плый.

ravage [ˈrævidʒ] **1.** опустоше́ние; **2.** опустоша́ть [-ши́ть]; разоря́ть [-ри́ть].

rave [reiv] бре́дить (*a. fig.*), говори́ть бессвя́зно; неи́стовствовать.

ravel [rævl] *v/t.* запу́т(ыв)ать; распу́т(ыв)ать; *v/i.* запу́т(ыв)аться; (*a.* ~ out) располза́ться по швам.

raven [reivn] во́рон.

raven|ing [ˈrævniŋ], **~ous** [-əs] прожо́рливый; хи́щный.

ravine [rəˈviːn] овра́г, лощи́на.

ravish [ˈræviʃ] приводи́ть в восто́рг; [из]наси́ловать; похища́ть [-и́тить]; **~ment** [-mənt] похище́ние; восхище́ние; изнаси́лование.

raw [rɔː] □ сыро́й; необрабо́танный; нео́пытный; ободра́нный; **~-boned** худо́й, костля́вый.

ray [rei] **1.** луч; *fig.* про́блеск; ⚕ ~ treatment облуче́ние.

raze [reiz] разруша́ть до основа́ния; сноси́ть [снести́] (зда́ние и т. п.); вычёркивать [вы́черкнуть].

razor [ˈreizə] бри́тва; **~-blade** ле́звие безопа́сной бри́твы.

re... [riː] *pref.* (придаёт сло́ву значе́ния:) сно́ва, за́ново, ещё раз, обра́тно.

reach [riːtʃ] **1.** преде́л досяга́емости; круг понима́ния, кругозо́р; о́бласть влия́ния; beyond ~ вне преде́лов досяга́емости; within easy ~ побли́зости; под руко́й; **2.** *v/t.* достига́ть [-и́гнуть] (P); доезжа́ть [дое́хать], доходи́ть [дойти́] до (P); простира́ться [-стере́ться] до (P); протя́гивать [-яну́ть]; дост(ав)а́ть до (P); *v/i.* протя́гивать ру́ку (for за T).

react [riˈækt] реаги́ровать; ~ upon each other взаимоде́йствовать; противоде́йствовать (against Д).

reaction [riˈækʃən] реа́кция; **~ary** [-ʃənəri] **1.** реакцио́нный; **2.** реакционе́р(ка).

read 1. [riːd] [*irr.*] [про]чита́ть; изуча́ть [-чи́ть]; истолко́вывать [-кова́ть]; пока́зывать [-за́ть] (о прибо́ре); гласи́ть; ~ to a p. чита́ть кому́-нибудь вслух; **2.** [red]

a) *pt.* и *p. pt.* от read 1.; b) *adj.* начи́танный; **~able** ['ri:dəbl] □ интере́сный; чёткий; **~er** ['ri:də] чита́тель(ница *f*) *m*; чтец; ле́ктор; хрестома́тия.

readi|ly ['redili] *adv.* охо́тно; бы́стро; легко́; **~ness** [-nis] гото́вность *f*; подгото́вленность *f*.

reading ['ri:diŋ] чте́ние; ле́кция; толкова́ние, понима́ние; *parl.* чте́ние (законопрое́кта).

readjust ['ri:ə'dʒʌst] сно́ва приводи́ть в поря́док; переде́л(ыв)ать; **~ment** [-mənt] приведе́ние в поря́док; переде́лка.

ready ['redi] □ гото́вый; склóнный; ☤ нали́чный; make (или get) ~ [при]гото́вить(ся); **~-made** гото́вый (о пла́тье).

reagent [ri'eidʒənt] ⚗ реакти́в.

real [riəl] □ действи́тельный; реа́льный; настоя́щий; ~ estate недви́жимость *f*; **~ity** [ri'æliti] действи́тельность *f*; **~ization** [riəlai'zeiʃən] понима́ние, осозна́ние; осуществле́ние; ☤ реализа́ция; **~ize** ['riəlaiz] представля́ть себе́; осуществля́ть [-ви́ть]; осозн(ав)а́ть; реализова́ть *(im)pf.*

realm [relm] короле́вство; ца́рство; сфе́ра.

realty ['riəlti] недви́жимое иму́щество.

reap [ri:p] [с]жать (рожь и т. п.); *fig.* пож(ин)а́ть; **~er** ['ri:pə] жнец, жни́ца.

reappear ['ri:ə'piə] появля́ться сно́ва.

rear [riə] **1.** *v/t.* воспи́тывать [-та́ть]; выра́щивать [вы́растить]; *v/i.* станови́ться на дыбы́; **2.** за́дняя сторона́; ⚔ тыл; at the ~ of, in (the) ~ of позади́ (Р); **3.** за́дний; ты́льный; ⚔ тылово́й; **~-admiral** ⚓ контр-адмира́л; **~-guard** ⚔ арьерга́рд.

re-arm ['ri:ɑ:m] перевооружа́ть(ся) [-жи́ть(ся)].

reason [ri:zn] **1.** ра́зум; рассу́док; основа́ние; причи́на; by ~ of по причи́не (Р); for this ~ поэ́тому; it stands to ~ that … я́сно, что …, очеви́дно, что …; **2.** *v/i.* рассужда́ть [-уди́ть]; заключа́ть [-чи́ть]; резюми́ровать *(im)pf.*; *v/t.* ~ out проду́мать до конца́; ~ out of разубежда́ть [-еди́ть] в (П); **~able** ['ri:znəbl] □ (благо)разу́мный; уме́ренный; недорого́й.

reassure ['ri:ə'ʃuə] сно́ва уверя́ть; успока́ивать [-ко́ить].

rebate ['ri:beit] ☤ ски́дка; усту́пка.

rebel 1. [rebl] бунтовщи́к (-и́ца); повста́нец; **2.** [~] (*a.* **~lious** [ri'beljəs]) мяте́жный; **3.** [ri'bel] восст(ав)а́ть; бунтова́ть [вз-ся]; **~lion** [ri'beljən] мяте́ж, восста́ние; бунт.

rebirth ['ribə:θ] возрожде́ние.

rebound [ri'baund] **1.** отска́кивать [-скочи́ть]; **2.** рикоше́т; отско́к.

rebuff [ri'bʌf] **1.** отпо́р; ре́зкий отка́з; **2.** дава́ть отпо́р (Д).

rebuild ['ri:'bild] [*irr.* (build)] восстана́вливать [-нови́ть] (зда́ние и т. п.).

rebuke [ri'bju:k] **1.** упрёк; вы́говор; **2.** упрека́ть [-кну́ть]; де́лать вы́говор (Д).

rebut [ri'bʌt] дава́ть отпо́р (Д).

recall [ri'kɔ:l] **1.** отозва́ние (депута́та, посла́ и т. п.); ☤ отме́на; **2.** отзыва́ть [отозва́ть]; призыва́ть обра́тно; отменя́ть [-ни́ть]; напомина́ть [-о́мнить]; вспомина́ть [-о́мнить] (В); ☤ брать (или тре́бовать) обра́тно (капита́л); отменя́ть [-ни́ть].

recapitulate [ri:kə'pitjuleit] резюми́ровать *(im)pf.*

recast ['ri:'kɑ:st] [*irr.* (cast)] придава́ть но́вую фо́рму (Д); ⊕ отлива́ть за́ново.

recede [ri'si:d] отступа́ть [-пи́ть]; удаля́ться [-ли́ться].

receipt [ri'si:t] **1.** распи́ска, квита́нция; получе́ние; реце́пт (кулина́рный); ~s *pl.* прихо́д; **2.** распи́сываться [-са́ться] на (П).

receiv|able [ri'si:vəbl] ☤ неопла́ченный (счёт); **~e** [ri'si:v] получа́ть [-чи́ть]; принима́ть [-ня́ть]; воспринима́ть [-ня́ть]; **~ed** [-d] общепри́знанный; **~er** [-ə] получа́тель(ница *f*) *m*; *teleph.* телефо́нная тру́бка; ⚖ суде́бный исполни́тель *m*.

recent [ri:snt] □ неда́вний; све́жий; но́вый; **~ly** [-li] неда́вно.

receptacle [ri'septəkl] вмести́лище.

reception [ri'sepʃən] получе́ние; приём; приня́тие.

receptive [ri'septiv] □ восприи́мчивый (к Д).

recess [ri'ses] кани́кулы *f/pl.*; переры́в; ни́ша; уединённое ме́сто; ~es *pl. fig.* тайники́ *m/pl.*; **~ion** [-ʃən] удале́ние; углубле́ние; ☤ спад.

recipe ['resipi] рецéпт.
recipient [ri'sipiənt] получáтель (-ница *f*) *m*.
reciproc|al [ri'siprəkəl] взаи́мный; обою́дный; эквивалéнтный; **~ate** [-keit] ⊕ дви́гать(ся) взад и вперёд; обмéниваться [-ня́ться] (услу́гами и т. п.); **~ity** [resi'prɔsiti] взаи́мность *f*.
recit|al [ri'saitl] чтéние, деклама́ция; повествовáние; ♪ концéрт (соли́ста); **~ation** [resi'teiʃən] деклама́ция; **~e** [ri'sait] [про]деклами́ровать; расскáзывать [-зáть].
reckless ['reklis] □ безрассу́дный; опромéтчивый; беспéчный.
reckon ['rekən] *v/t.* исчисля́ть [-чи́слить]; причисля́ть [-чи́слить] (among к Д); считáть [счесть] за (В); *v/i.* предполагáть [-ложи́ть]; ~ (up)on *fig.* рассчи́тывать на (В); **~ing** [-iŋ] подсчёт; счёт; расплáта.
reclaim [ri'kleim] исправля́ть [-áвить]; поднимáть [-ня́ть] (целину́).
recline [ri'klain] отки́дывать(ся) [-и́нуть(ся)]; полулежáть.
recluse [ri'klu:s] отшéльник (-ица).
recogni|tion [rekəg'niʃən] опознáние; узнавáние; признáние (Р); **~ze** ['rekəgnaiz] узн(ав)áть; призн(ав)áть.
recoil [ri'kɔil] **1.** отскóк; ⚔ отдáча, откáт; **2.** отскáкивать [-скочи́ть]; откáтываться [-кати́ться].
recollect [rekə'lekt] вспоминáть [вспóмнить] (В); **~ion** [rekə'lekʃən] воспоминáние, пáмять *f* (of о П).
recommend [rekə'mend] рекомендовáть (*im*)*pf.*, *pf. a.* [по-]; **~ation** [rekəmen'deiʃən] рекомендáция.
recompense ['rekəmpəns] **1.** вознаграждéние; компенсáция; **2.** вознаграждáть [-ради́ть]; отплáчивать [отплати́ть] (Д).
reconcil|e ['rekənsail] примиря́ть [-ри́ть] (to с Т); улáживать [улáдить]; ~e o. s. примиря́ться [-ри́ться]; **~iation** ['rekənsili'eiʃən] примирéние.
recondition ['ri:kən'diʃən] [от]ремонти́ровать; переоборýдовать.
reconn|aissance [ri'kɔnisəns] ⚔ развéдка; **~oitre** [rekə'nɔitə] производи́ть развéдку; развéд(ы-в)ать.
reconsider ['ri:kən'sidə] пересмáтривать [-мотрéть].
reconstitute ['ri:kɔnstitju:t] восстанáвливать [-нови́ть].
reconstruct ['ri:kəns'trʌkt] восстанáвливать [-нови́ть]; перестрáивать [-стрóить]; **~ion** [-s'trʌkʃən] реконстру́кция; восстановлéние.
reconvert ['ri:kən'və:t] перестрáивать на ми́рный лад.
record 1. ['rekɔ:d] зáпись *f*; *sport* рекóрд; ⚖ протокóл (заседáния и т. п.); place on ~ запи́сывать [-сáть]; граммофóнная пласти́нка; репутáция; ♀ Office госудáрственный архи́в; off the ~ *Am.* неофициáльно; on ~ зарегистри́рованный; **2.** [ri'kɔ:d] запи́сывать [-сáть]; [за]регистри́ровать; **~er** [ri'kɔ:də] регистрáтор; регистри́рующий прибóр.
recount [ri'kaunt] излагáть [изложи́ть] (подрóбно).
recoup [ri'ku:p] компенси́ровать (*im*)*pf.*, возмещáть [-ести́ть] (Д for В).
recourse [ri'kɔ:s] обращéние за пóмощью; прибéжище; have ~ to прибегáть к пóмощи (Р).
recover [ri'kʌvə] *v/t.* получáть обрáтно; вернýть (себé) *pf.*; навёрстывать [-верстáть] (врéмя); *v/i.* оправля́ться [-áвиться] (*a.* ~ o. s.); **~y** [-ri] восстановлéние; выздоровлéние; возмещéние; ⚖ взыскáние.
recreat|e ['rekrieit] *v/t.* освежáть [-жи́ть]; развлекáть [-éчь]; *v/i.* освежáться [-жи́ться] (пóсле рабóты и т. п.) (*a.* ~ o. s.); развлекáться [-éчься]; **~ion** [rekri'eiʃən] óтдых; развлечéние.
recrimination [rikrimi'neiʃən] взаи́мное (и́ли встрéчное) обвинéние.
recruit [ri'kru:t] **1.** рéкрут новобрáнец; *fig.* новичóк; **2.** [у]комплектовáть; [за]вербовáть (новобрáнцев).
rectangle ['rektæŋgl] прямоугóльник.
recti|fy ['rektifai] исправля́ть [-áвить]; выверя́ть [вы́верить]; ⚡ выпрямля́ть [вы́прямить]; **~tude** ['rektitju:d] прямотá, чéстность *f*.
rector ['rektə] рéктор; пáстор, свящéнник; **~y** [-ri] дом свящéнника.
recumbent [ri'kʌmbənt] □ лежáчий.
recuperate [ri'kju:pəreit] восста-

навливать си́лы; оправля́ться [опра́виться].

recur [ri'kəː] возвраща́ться [-рати́ться] (to к Д); приходи́ть сно́ва на у́м; происходи́ть вновь; **~rence** [ri'kʌrəns] повторе́ние; **~rent** [-rənt] □ повторя́ющийся; периоди́ческий; ⚕ возвра́тный.

red [red] **1.** кра́сный; ~ heat кра́сное кале́ние; ~ herring *fig.* отвлече́ние внима́ния; ~ tape канцеля́рщина; **2.** кра́сный цве́т; **~s** *pl.* (*part. pol.*) кра́сные *pl.*

red|breast ['redbrest] мали́новка; **~den** [redn] [по]красне́ть; **~dish** ['rediʃ] красновáтый.

redeem [ri'diːm] искупа́ть [-пи́ть]; выкупа́ть [вы́купить]; спаса́ть [-сти́]; **~er** [-ə] спаси́тель *m.*

redemption [ri'dempʃən] искупле́ние; вы́куп; спасе́ние.

red-handed ['red'hændid]: take a p. ~ пойма́ть кого́-либо на ме́сте преступле́ния.

red-hot накалённый до́красна́; *fig.* взбешённый; горя́чий.

red-letter: ~ day пра́здничный [день *m.*]

redness ['rednis] краснота́.

redolent ['redolənt] благоуха́ю[щий.]

redouble [ri'dʌbl] удва́ивать(ся) [удво́ить(ся)].

redound [ri'daund]: ~ to спосо́бствовать (Д), помога́ть [помо́чь] (Д).

redress [ri'dres] **1.** исправле́ние; ⚖ возмеще́ние; **2.** исправля́ть [-а́вить]; загла́живать [-ла́дить] (вину́); возмеща́ть [-ести́ть].

reduc|e [ri'djuːs] понижа́ть [-и́зить]; снижа́ть [-и́зить]; доводи́ть [довести́] (to до Р); уменьша́ть [уме́ньши́ть]; сокраща́ть [-рати́ть]; уре́з(ыв)ать; ~ to writing излага́ть пи́сьменно; **~tion** [ri'dʌkʃən] сниже́ние (цен), ски́дка; уменьше́ние; сокраще́ние; уме́ньшенная ко́пия (карти́ны и т. п.).

redundant [ri'dʌndənt] □ изли́шний; чрезме́рный.

reed [riːd] тростни́к; свире́ль *f.*

reef [riːf] риф, подво́дная скала́.

reek [riːk] **1.** вонь *f,* за́тхлый за́пах; дым; пар; **2.** *v/i.* дыми́ться; (неприя́тно) па́хнуть (of Т); испуска́ть пар.

reel [riːl] **1.** кату́шка; боби́на; бараба́н, во́рот; **2.** *v/i.* [за]кружи́ться, [за]верте́ться; шата́ться [шатну́ться]; *v/t.* [на]мота́ть; ~ off разма́тывать [-мота́ть]; *fig.* отбараба́нить *pf.*; ~ up нама́тывать на кату́шку.

re-elect ['riːi'lekt] переизб(и)ра́ть.

re-enter ['riː'entə] входи́ть сно́ва в (В).

re-establish ['riːis'tæbliʃ] восстана́вливать [-нови́ть].

refection [ri'fekʃən] заку́ска.

refer [ri'fəː]: ~ to *v/t.* припи́сывать [-са́ть] (Д); относи́ть [отнести́] (к Д); направля́ть [-ра́вить] (к Д); передава́ть на рассмотре́ние (Д); *v/i.* ссыла́ться [сосла́ться] на (В); относи́ться [отнести́сь] к (Д); **~ee** [refə'riː] *sport* судья́ *m*; **~ence** ['refrəns] спра́вка; ссы́лка; рекоменда́ция; упомина́ние; отноше́ние; лицо́, да́вшее рекоменда́цию; in ~ to относи́тельно (Р); ~ book спра́вочник; ~ library спра́вочная библиоте́ка; make ~ to ссыла́ться [сосла́ться] на (В).

referendum [refə'rendəm] рефере́ндум.

refill ['riː'fil] наполня́ть сно́ва; пополня́ть(ся) [-по́лнить(ся)].

refine [ri'fain] ⊕ очища́ть [очи́стить] рафини́ровать (*im*)*pf.*; де́лать(ся) бо́лее утончённым; ~ (up)on [у]соверше́нствовать; **~ment** [-mənt] очище́ние, рафини́рование; отде́лка; усоверше́нствование; утончённость *f*; **~ry** [-əri] ⊕ очисти́тельный заво́д.

reflect [ri'flekt] *v/t.* отража́ть [отрази́ть]; *v/i.* ~ (up)on: броса́ть тень на (В); размышля́ть [-ы́слить] о (П); отража́ться [-рази́ться] на (В); **~ion** [ri'flekʃən] отраже́ние; о́тсве́т; размышле́ние, обду́мывание; *fig.* тень *f*; рефле́ксия.

reflex ['riːfleks] **1.** отраже́ние; о́тсве́т, о́тблеск; рефле́кс; **2.** рефлекто́рный.

reforest ['riːfɔrist] сно́ва засажда́ть ле́сом.

reform [ri'fɔːm] **1.** рефо́рма; улучше́ние; **2.** улучша́ть(ся) [улу́чшить(ся)]; реформи́ровать (*im*)*pf.*; исправля́ть(ся); **~ation** [refə'meiʃən] преобразова́ние; исправле́ние (мора́льное); *eccl.* ♀ Реформа́ция; **~atory** [ri'fɔːmətəri] исправи́тельное заведе́ние; **~er** [-mə] реформа́тор.

refract|ion [ri'frækʃən] рефра́кция, преломле́ние; **~ory** [-təri] □

упря́мый; непоко́рный; ⊕ огнеупо́рный.
refrain [ri'frein] **1.** *v/t.* сде́рживать [-жа́ть]; *v/i.* возде́рживаться [-жа́ться] (from от Р); **2.** припе́в, рефре́н.
refresh [ri'freʃ] освежа́ть [-жи́ть]; подкрепля́ть(ся) [-пи́ть(ся)]; подновля́ть [-ви́ть]; **~ment** [-mənt] подкрепле́ние; заку́ска.
refrigerat|e [ri'fridʒəreit] замора́живать [-ро́зить]; охлажда́ть(ся) [охлади́ть(ся)]; **~ion** [rifridʒə'reiʃən] замора́живание; охлажде́ние.
refuel ['ri:'fjuəl] *mot.* заправля́ться горю́чим.
refuge ['refju:dʒ] убе́жище; **~e** [refju'dʒi:] бе́женец (-нка).
refulgent [ri'fʌldʒənt] лучеза́рный.
refund [ri'fʌnd] возмеща́ть расхо́ды (Д); возвраща́ть [-рати́ть].
refusal [ri'fju:zəl] отка́з.
refuse 1. [ri'fju:z] *v/t.* отка́зываться [-за́ться] от (Р); отка́зывать [-за́ть] в (П); отверга́ть [отве́ргнуть]; *v/i.* отка́зываться [-за́ться]; [за]арта́читься (о ло́шади); **2.** ['refju:s] брак ⊕; отбро́сы *m/pl.*; му́сор.
refute [ri'fju:t] опроверга́ть [-ве́ргнуть].
regain [ri'gein] получа́ть обра́тно; сно́ва достига́ть.
regal [ri:gəl] □ короле́вский; ца́рственный.
regale [ri'geil] *v/t.* угоща́ть [угости́ть]; *v/i.* пирова́ть; угоща́ться [угости́ться] (on Т).
regard [ri'gɑ:d] **1.** взгляд, взор; внима́ние; уваже́ние; with ~ to по отноше́нию к (Д); kind ~s серде́чный приве́т; **2.** [по]смотре́ть на (В); рассма́тривать (as как); [по]счита́ться с (Т); относи́ться [отнести́сь] к (Д); as ~s ... что каса́ется (Р); **~ing** [-iŋ] относи́тельно (Р); **~less** [-lis] *adv.* ~ of не обраща́я внима́ния на (В); не счита́ясь с (Т).
regenerate 1. [ri'dʒenəreit] перерожда́ть(ся) [-оди́ть(ся)]; возрожда́ться [-роди́ться]; ⊕ регенери́ровать; **2.** [-rit] возрождённый.
regent ['ri:dʒənt] ре́гент.
regiment ['redʒimənt] **1.** полк; **2.** формирова́ть полк(и́) из (Р); организова́ть *(im)pf.*; **~als** [redʒi'mentlz] *pl.* полкова́я фо́рма.
region ['ri:dʒən] о́бласть *f*; райо́н; **~al** [-l] □ областно́й; ме́стный.
register ['redʒistə] **1.** журна́л (за́писей); рее́стр; официа́льный спи́сок; ♪ реги́стр; ⊕ засло́нка; **2.** регистри́ровать(ся) *(im)pf.*, *pf.* *a.* [за-]; заноси́ть в спи́сок; ✉ посыла́ть заказны́м.
registr|ar [redʒis'trɑ:] регистра́тор; слу́жащий за́гса; **~ation** [redʒis'treiʃən] регистра́ция; **~y** ['redʒistri] регистрату́ра; регистра́ция; регистрацио́нная за́пись *f*; рее́стр.
regret [ri'gret] **1.** сожале́ние; раска́яние; **2.** [по]жале́ть (that ... что ...); сожале́ть о (П); горева́ть о (П); раска́иваться [-ка́яться] в (П); **~ful** [-ful] □ по́лный сожале́ния; **~table** [-əbl] □ приско́рбный.
regular ['regjulə] □ пра́вильный; регуля́рный (*a.* ⚔); форма́льный; **~ity** [regju'læriti] регуля́рность *f*.
regulat|e ['regjuleit] [у]регули́ровать, упоря́дочи(ва)ть; ⊕ [от]регули́ровать; **~ion** [regju'leiʃən] **1.** регули́рование; предписа́ние; **~s** *pl.* уста́в; **2.** *attr.* устано́вленный.
rehears|al [ri'hə:səl] *thea.*, ♪ репети́ция; **~e** [ri'hə:s] *thea.* [про]репети́ровать.
reign [rein] **1.** ца́рствование; *fig.* власть *f*; **2.** ца́рствовать; госпо́дствовать (*a. fig.*); *fig.* цари́ть.
reimburse [ri:im'bə:s] возвраща́ть [-рати́ть]; возмеща́ть расхо́ды (Д).
rein [rein] **1.** вожжа́; **2.** пра́вить (лошадьми́); сде́рживать [-жа́ть].
reinforce [ri:in'fɔ:s] подкрепля́ть [-пи́ть]; уси́ли(ва)ть; **~ment** [-mənt] подкрепле́ние.
reinstate ['ri:in'steit] восстана́вливать [-нови́ть] (в права́х и т. п.).
reinsure ['ri:in'ʃuə] перестрахо́вывать [-ова́ть].
reiterate [ri:'itəreit] повторя́ть [-ри́ть] (*mst* многокра́тно).
reject [ri'dʒekt] отверга́ть [отве́ргнуть]; отка́зываться [-за́ться] от (Р); отклоня́ть [-ни́ть]; **~ion** [ri'dʒekʃən] отклоне́ние; отка́з.
rejoic|e [ri'dʒɔis] *v/t.* [об]ра́довать *v/i.* [об]ра́доваться (at, in Д); **~ing** [-iŋ] (ча́сто ~s *pl.*) весе́лье; пра́зднование.
rejoin 1. ['ri:'dʒɔin] сно́ва соединя́ться [-ни́ться] с (Т); сно́ва примыка́ть [-мкну́ть] к (Д); **2.** [ri'dʒɔin] возража́ть [-рази́ть].

rejuvenate [ri'dʒu:vineit] омола́живать(ся) [омолоди́ть(ся)].
relapse [ri'læps] **1.** рециди́в (⚖, ⚕); **2.** сно́ва впада́ть (в е́ресь, заблужде́ние и т. п.); сно́ва заболева́ть.
relate [ri'leit] *v/t.* расска́зывать [-за́ть]; приводи́ть в связь; *v/i.* относи́ться [отнести́сь]; **~d** [-id] ро́дственный (to с Т).
relation [ri'leiʃən] отноше́ние; связь *f*; родство́; ро́дственник (-ица); in ~ to по отноше́нию к (Д); **~ship** [-ʃip] родство́.
relative ['relətiv] **1.** □ относи́тельный; сравни́тельный (to с Т); усло́вный; **2.** ро́дственник (-ица).
relax [ri'læks] уменьша́ть напряже́ние (Р); смягча́ть(ся) [-чи́ть (-ся)]; де́лать(ся) ме́нее стро́гим; **~ation** [ri:læk'seiʃən] ослабле́ние; смягче́ние; о́тдых от рабо́т; развлече́ние.
relay [ri'lei] **1.** сме́на; *sport* эстафе́та; *attr.* эстафе́тный; **2.** *radio* трансли́ровать (*im*)*pf*.
release [ri'li:s] **1.** освобожде́ние; высвобожде́ние; избавле́ние; вы́пуск (фи́льма на прока́т и т. п.); **2.** освобожда́ть [-боди́ть]; высвобожда́ть [вы́свободить]; избавля́ть [-а́вить]; выпуска́ть [вы́пустить]; отпуска́ть [-сти́ть]; проща́ть [прости́ть] (долг).
relegate ['religeit] отсыла́ть [отосла́ть]; направля́ть [-ра́вить] (to к Д); ссыла́ть [сосла́ть].
relent [ri'lent] смягча́ться [-чи́ться]; **~less** [-lis] □ безжа́лостный.
relevant ['relivənt] уме́стный; относя́щийся к де́лу.
reliab|ility [rilaiə'biliti] надёжность *f*; про́чность *f*; **~le** [ri'laiəbl] □ надёжный; достове́рный.
reliance [ri'laiəns] дове́рие; уве́ренность *f*.
relic ['relik] пережи́ток; рели́квия; рели́кт; **~s** *pl.* оста́нки *m*/*pl*.
relief [ri'li:f] облегче́ние; по́мощь *f*; посо́бие; подкрепле́ние; сме́на (*a.* ⚔); ⚔ сня́тие оса́ды; релье́ф; ~ works *pl.* обще́ственные рабо́ты для безрабо́тных.
relieve [ri'li:v] облегча́ть [-чи́ть]; освобожда́ть [-боди́ть]; ока́зывать по́мощь (Д); выруча́ть [вы́ручить]; ⚔ снять оса́ду с (Р); сменя́ть [-ни́ть].
religion [ri'lidʒən] рели́гия.
religious [ri'lidʒəs] □ религио́зный; благогове́йный; добросо́вестный; *eccl.* мона́шеский.
relinquish [ri'liŋkwiʃ] оставля́ть [-а́вить] (наде́жду и т. п.); броса́ть [бро́сить] (привы́чку).
relish ['reliʃ] **1.** вкус; при́вкус; припра́ва; **2.** наслажда́ться [-лади́ться] (Т); получа́ть удово́льствие от (Р); придава́ть вкус (Д).
reluctan|ce [ri'lʌktəns] нежела́ние; нерасположе́ние; **~t** [-t] □ сопротивля́ющийся; неохо́тный.
rely [ri'lai]: ~ (up)on полага́ться [-ложи́ться] на (В), наде́яться на (В).
remain [ri'mein] ост(ав)а́ться; **~der** [-də] оста́ток.
remark [ri'mɑ:k] **1.** замеча́ние; заме́тка; **2.** замеча́ть [-е́тить]; выска́зываться [вы́сказаться] (on о П); **~able** [ri'mɑ:kəbl] □ замеча́тельный.
remedy ['remidi] **1.** сре́дство, лека́рство; ме́ра (for про́тив Р); **2.** исправля́ть [-а́вить]; выле́чивать [вы́лечить].
rememb|er [ri'membə] по́мнить; вспомина́ть [-о́мнить]; ~ me to ... переда́й(те) приве́т (Д); **~rance** [-brəns] воспомина́ние; па́мять *f*; суве́нир; **~s** *pl.* приве́т.
remind [ri'maind] напомина́ть [-о́мнить] (Д; of о П *or* В); **~er** [-ə] напомина́ние.
reminiscence [remi'nisns] воспомина́ние.
remiss [ri'mis] □ неради́вый; невнима́тельный; вя́лый; **~ion** [ri'miʃən] проще́ние; отпуще́ние (грехо́в); освобожде́ние от упла́ты; уменьше́ние.
remit [ri'mit] отпуска́ть [-сти́ть] (грехи́); перес(ы)ла́ть (това́ры); уменьша́ть(ся) [уме́ньши́ть(ся)]; **~tance** [-əns] де́нежный перево́д.
remnant ['remnənt] оста́ток; пережи́ток.
remodel ['ri:mɔdl] перестра́ивать [-стро́ить].
remonstra|nce [ri'mɔnstrəns] проте́ст; увеща́ние; **~te** [-treit] протестова́ть; увещева́ть, увеща́ть (with В).
remorse [ri'mɔ:s] угрызе́ния (*n*/*pl.*) со́вести; раска́яние; **~less** [-lis] □ безжа́лостный.
remote [ri'mout] □ отдалённый; да́льний; уединённый; **~ness** [-nis] отдалённость *f*.

remov|al [ri'mu:vəl] перее́зд; устране́ние; смеще́ние; ~ van фурго́н для перево́за ме́бели; **~e** [ri'mu:v] *v/t.* удаля́ть [-ли́ть]; уноси́ть [унести́]; передвига́ть [-и́нуть]; смеща́ть [смести́ть]; *v/i.* переезжа́ть [перее́хать]; **~er** [-ə] перево́зчик ме́бели.

remunerat|e [ri'mju:nəreit] вознагражда́ть [-ради́ть]; опла́чивать [оплати́ть]; **~ive** [ri'mju:nərətiv] □ хорошо́ опла́чиваемый, вы́годный.

renascence [ri'næsns] возрожде́ние; возобновле́ние.

rend [rend] [*irr.*] разрыва́ть(ся) [разорва́ть(ся)]; раздира́ть(ся) [разодра́ть(ся)].

render ['rendə] возд(ав)а́ть; ока́зывать [оказа́ть] (услу́гу и т. п.); представля́ть [-а́вить]; изобража́ть [-рази́ть]; [за]плати́ть (Т for за В); ♪ исполня́ть [-о́лнить]; переводи́ть [-вести́] (на друго́й язы́к); раста́пливать [-топи́ть] (са́ло).

renew [ri'nju:] возобновля́ть [-нови́ть]; **~al** [-əl] возобновле́ние.

renounce [ri'nauns] отка́зываться [-за́ться] от (Р); отрека́ться [-ре́чься] от (Р).

renovate ['renoveit] восстана́вливать [-нови́ть]; освежа́ть [-жи́ть].

renown [ri'naun] *rhet.* изве́стность *f*; **~ed** [-d] *rhet.* знамени́тый.

rent[1] [rent] **1.** *pt.* и *p. pt.* от rend; **2.** проре́ха; дыра́.

rent[2] [~] **1.** аре́ндная пла́та; кварти́рная пла́та; ре́нта; **2.** нанима́ть [наня́ть] и́ли сда(ва́)ть (дом и т. п.); **~al** [rentl] аре́ндная пла́та.

renunciation [rinʌnsi'eiʃən] отрече́ние; отка́з (of от Р).

repair[1] [ri'pɛə] **1.** почи́нка, ремо́нт; in (good) ~ в испра́вном состоя́нии; **2.** [по]чини́ть, [от]ремонти́ровать; исправля́ть [-а́вить].

repair[2]: ~ to отправля́ться [-а́виться] в (В).

reparation [repə'reiʃən] возмеще́ние; исправле́ние; *pol.* make ~s *pl.* плати́ть репара́ции.

repartee [repɑ:'ti:] нахо́дчивость *f*; остроу́мный отве́т.

repast [ri'pɑ:st] тра́пеза.

repay [*irr.* (pay)] [ri'pei] отпла́чивать [-лати́ть]; отдава́ть до́лг (Д); возвраща́ть [-рати́ть] (де́ньги); возмеща́ть [-ести́ть]; **~ment** [-mənt] возвра́т (де́нег); возмеще́ние.

repeal [ri'pi:l] **1.** аннули́рование; **2.** аннули́ровать (*im*)*pf.*; отменя́ть [-ни́ть].

repeat [ri'pi:t] **1.** повторя́ть(ся) [-ри́ть(ся)]; говори́ть наизу́сть; **2.** ♪ повторе́ние; знак повторе́ния; ☤ повто́рный зака́з.

repel [ri'pel] отта́лкивать [оттолкну́ть]; ⚔ отража́ть [-рази́ть]; отверга́ть [-е́ргнуть].

repent [ri'pent] раска́иваться [-ка́яться] (of в П); **~ance** [-əns] раска́яние; **~ant** [-ənt] ка́ющийся.

repetition [repi'tiʃən] повторе́ние; повторе́ние наизу́сть.

replace [ri:'pleis] ста́вить, класть обра́тно; заменя́ть [-ни́ть]; замеща́ть [-ести́ть] (кого́-либо); **~ment** [-mənt] замеще́ние.

replenish [ri'pleniʃ] пополня́ть [-о́лнить]; **~ment** [-mənt] пополне́ние (*a.* ⚔).

replete [ri'pli:t] напо́лненный; насы́щенный.

replica ['replikə] то́чная ко́пия.

reply [ri'plai] **1.** отве́т (to на В); **2.** отвеча́ть [-е́тить]; возража́ть [-рази́ть].

report [ri'pɔ:t] **1.** отчёт; сообще́ние; донесе́ние; докла́д; молва́, слух; свиде́тельство; звук (взры́ва и т. п.); **2.** сообща́ть [-щи́ть] (В *or* о П); доноси́ть [-нести́] о (П); докла́дывать [доложи́ть]; рапортова́ть (*im*)*pf.* о (П); **~er** [-ə] докла́дчик (-ица); репортёр(ша F).

repos|e [ri'pouz] **1.** о́тдых; поко́й; **2.** *v/t.* дава́ть о́тдых (Д); *v/i.* отдыха́ть [отдохну́ть] (*a.* ~ o. s.); поко́иться; быть осно́ванным (на П); **~itory** [ri'pɔzitəri] склад; храни́лище.

reprehend [repri'hend] де́лать вы́говор (Д).

represent [repri'zent] представля́ть [-а́вить]; изобража́ть [-рази́ть]; *thea.* исполня́ть роль (Р); **~ation** [-zən'teiʃən] изображе́ние; представи́тельство; *thea.* представле́ние; **~ative** □ [repri'zentətiv] **1.** характе́рный; показа́тельный; представля́ющий (of В); *parl.* представи́тельный; **2.** представи́тель(ница *f*) *m*; House of ♀s *pl. Am. parl.* пала́та представи́телей.

repress [ri'pres] подавля́ть [-ви́ть]; **~ion** [ri'preʃən] подавле́ние.

reprimand [ˈreprimɑːnd] **1.** вы́говор; **2.** де́лать вы́говор (Д).
reprisal [riˈpraizəl] репресса́лия.
reproach [riˈproutʃ] **1.** упрёк; уко́р; **2.** (~ a p. with a th.) упрека́ть [-кну́ть], укоря́ть [-ри́ть] (кого́-либо в чём-либо).
reprobate [ˈreprobeit] распу́тник; подле́ц.
reproduc|e [riːprəˈdjuːs] воспроизводи́ть [-вести́]; размножа́ться [-о́житься]; **~tion** [-ˈdʌkʃən] воспроизведе́ние; размноже́ние; репроду́кция
reproof [riˈpruːf] порица́ние; вы́-[говор.
reprove [riˈpruːv] порица́ть; де́лать вы́говор (Д).
reptile [ˈreptail] пресмыка́ющееся (живо́тное).
republic [riˈpʌblik] респу́блика; **~an** [-likən] **1.** республика́нский; **2.** республика́нец (-нка).
repudiate [riˈpjuːdieit] отрека́ться [-е́чься] от (Р); отверга́ть [-ве́ргнуть].
repugnan|ce [riˈpʌgnəns] отвраще́ние; нерасположе́ние; противоре́чие; **~t** [-nənt] □ проти́вный, отта́лкивающий.
repuls|e [riˈpʌls] **1.** отка́з; отпо́р; **2.** ⚔ отража́ть [отрази́ть]; отта́лкивать [оттолкну́ть]; **~ive** [-iv] □ отта́лкивающий.
reput|able [ˈrepjutəbl] □ почте́нный; **~ation** [repjuːˈteiʃən] репута́ция; **~e** [riˈpjuːt] о́бщее мне́ние; репута́ция; **~ed** [riˈpjuːtid] изве́стный; предполага́емый; be **~ed** (to be ...) слыть (за В).
request [riˈkwest] **1.** тре́бование; про́сьба; ✝ спрос; in (great) ~ в (большо́м) спро́се; (*a. radio*) зая́вка; **2.** [по]проси́ть (В or Р or о П).
require [riˈkwaiə] нужда́ться в (П); [по]тре́бовать (Р); **~d** [-d] потре́бный; обяза́тельный; тре́буемый; **~ment** [-mənt] тре́бование; потре́бность *f*.
requisite [ˈrekwizit] **1.** необходи́мый; **2.** ~s *pl.* всё необходи́мое, ну́жное; **~ion** [rekwiˈziʃən] **1.** официа́льное предписа́ние; тре́бование; ⚔ реквизи́ция; **2.** де́лать зая́вку на (В); ⚔ реквизи́ровать (*im*)*pf*.
requital [riˈkwaitl] вознагражде́ние; возме́здие.
requite [riˈkwait] отпла́чивать [-лати́ть] (Д for за В); вознагражда́ть [-ради́ть]; [ото]мсти́ть за (В).
rescind [riˈsind] аннули́ровать (*im*)*pf*.
rescission [riˈsiʒən] аннули́рование, отме́на.
rescue [ˈreskjuː] **1.** освобожде́ние; спасе́ние; ⚖ незако́нное освобожде́ние; **2.** освобожда́ть [-боди́ть]; спаса́ть [-сти́]; ⚖ незако́нно освобожда́ть.
research [riˈsəːtʃ] изыска́ние (*mst pl.*); иссле́дование (нау́чное).
resembl|ance [riˈzembləns] схо́дство (to с Т); **~e** [riˈzembl] походи́ть на (В), име́ть схо́дство с (Т).
resent [riˈzent] обижа́ться [оби́деться] за (В); **~ful** [-ful] □ оби́женный; злопа́мятный; **~ment** [-mənt] негодова́ние; чу́вство оби́ды.
reservation [rezəˈveiʃən] огово́рка; скрыва́ние; *Am.* резерва́ция; запове́дник; резерви́рование; предвари́тельный зака́з.
reserve [riˈzəːv] **1.** запа́с; ✝ резе́рвный фонд; ⚔ резе́рв; сде́ржанность *f*; скры́тность *f*; **2.** сберега́ть [-ре́чь]; приберега́ть [-ре́чь]; откла́дывать [отложи́ть]; резерви́ровать (*im*)*pf*.; оставля́ть за собо́й; **~d** [-d] □ скры́тный; зака́занный зара́нее.
reside [riˈzaid] прожива́ть; ~ in быть прису́щим (Д); **~nce** [ˈrezidəns] местожи́тельство; резиде́нция; **~nt** [-dənt] **1.** прожива́ющий; живу́щий; **2.** постоя́нный жи́тель *m*; резиде́нт.
residu|al [riˈzidjuəl] оста́точный; **~e** [ˈrezidjuː] оста́ток; оса́док.
resign [riˈzain] *v/t.* отка́зываться [-за́ться] от (до́лжности, права́); оставля́ть [-а́вить] (наде́жду); слага́ть [сложи́ть] (обя́занности); уступа́ть [-пи́ть] (права́); ~ o. s. to покоря́ться [-ри́ться] (Д); *v/i.* уходи́ть в отста́вку; **~ation** [rezigˈneiʃən] отста́вка; отка́з от до́лжности; **~ed** [riˈzaind] □ поко́рный, безро́потный.
resilien|ce [riˈziliəns] упру́гость *f*, эласти́чность *f*; **~t** [-t] упру́гий, эласти́чный.
resin [ˈrezin] **1.** смола́; **2.** [вы́]смоли́ть.
resist [riˈzist] сопротивля́ться

(Д); противостоя́ть (Д); **~ance** [-əns] сопротивле́ние; **~ant** [-ent] сопротивля́ющийся.

resolut|e ['rezəlu:t] □ реши́тельный; **~ion** [rezə'lu:ʃən] резолю́ция; реши́тельность *f*, реши́мость *f*.

resolve [ri'zɔlv] **1.** *v/t.* растворя́ть [-ори́ть]; *fig.* реша́ть [реши́ть]; разреша́ть [-ши́ть]; *v/i.* реша́ть(ся) [реши́ть(ся)]; ~ (up)on реша́ться [-ши́ться] на (В); **2.** реше́ние; **~d** [-d] □ по́лный реши́мости.

resonant ['reznənt] □ зву́чный; резони́рующий.

resort [ri'zɔ:t] **1.** прибе́жище; куро́рт; summer ~ да́чное ме́сто; **2.** ~ to: прибега́ть [-е́гнуть] к (Д); ча́сто посеща́ть (В).

resound [ri'zaund] [про]звуча́ть; оглаша́ть(ся) [огласи́ть(ся)]; отража́ть [-рази́ть] (звук).

resource [ri'sɔ:s] ресу́рс; сре́дство; возмо́жность *f*; нахо́дчивость *f*; **~ful** [-ful] □ нахо́дчивый.

respect [ri'spekt] **1.** уваже́ние; отноше́ние; почте́ние (of к Д); ~s *pl.* приве́т, покло́н; **2.** *v/t.* уважа́ть, почита́ть; **~able** [-əbl] □ почте́нный; представи́тельный; *part.* † соли́дный; **~ful** [-ful] □ почти́тельный; **~ing** [-iŋ] относи́тельно (Р); **~ive** [-iv] □ соотве́тственный; we went to our ~ places мы пошли́ по места́м; **~ively** [-ivli] и́ли; соотве́тственно.

respirat|ion [respə'reiʃən] дыха́ние; вдох и вы́дох; **~or** ['respəreitə] респира́тор; противога́з.

respire [ris'paiə] дыша́ть; переводи́ть дыха́ние.

respite ['respait] передышка; отсро́чка.

respond [ris'pɔnd] отвеча́ть [-е́тить]; ~ to реаги́ровать на; отзыва́ться [отозва́ться] на (В).

response [ris'pɔns] отве́т; *fig.* о́тклик; о́тзыв.

responsi|bility [rispɔnsə'biliti] отве́тственность *f*; **~ble** [ris'pɔnsəbl] отве́тственный (to пе́ред Т).

rest [rest] **1.** о́тдых; поко́й; ло́же; опо́ра; **2.** *v/i.* отдыха́ть [отдохну́ть]; [по]лежа́ть; опира́ться [опере́ться] (on на В); *fig.* ~ (up)on осно́вываться [-ова́ться] на (П); *v/t.* дава́ть о́тдых (Д).

restaurant ['restərɔ:ŋ] рестора́н.

restitution [resti'tju:ʃən] возвра́т (об иму́ществе); восстановле́ние; возмеще́ние убы́тков.

restive ['restiv] □ норови́стый (о ло́шади); упря́мый.

restless ['restlis] непосе́дливый; беспоко́йный, неугомо́нный; **~ness** [-nis] непосе́дливость *f*; неугомо́нность *f*.

restorat|ion [resto'reiʃən] реставра́ция; восстановле́ние; **~ive** [ris'tɔrətiv] укрепля́ющий, тони́ческий.

restore [ris'tɔ:] восстана́вливать [-нови́ть]; возвраща́ть [-рати́ть]; *paint.* реставри́ровать (*im*)*pf.*; ~ to health выле́чивать [вы́лечить].

restrain [ris'trein] сде́рживать [-жа́ть]; заде́рживать [-жа́ть]; подавля́ть [-ви́ть] (чу́вства); **~t** [-t] сде́ржанность *f*; ограниче́ние; обузда́ние.

restrict [ris'trikt] ограни́чи(ва)ть; **~ion** [ris'trikʃən] ограниче́ние.

result [ri'zʌlt] **1.** результа́т; исхо́д; **2.** проистека́ть [-е́чь] (from от, из Р); ~ in приводи́ть [-вести́] к (Д).

resum|e [ri'zju:m] возобновля́ть [-ви́ть]; получа́ть обра́тно; резюми́ровать (*im*)*pf.*; **~ption** [ri'zʌmpʃən] возобновле́ние; продолже́ние.

resurrection [rezə'rekʃən] воскресе́ние; воскреше́ние (обы́чая и т. п.).

resuscitate [ri'sʌsiteit] воскреша́ть [-еси́ть]; оживля́ть [-ви́ть].

retail **1.** ['ri:teil] ро́зничная прода́жа; by ~ в ро́зницу; *attr.* ро́зничный; **2.** [ri:'teil] продава́ть(ся) в ро́зницу; **~er** [-ə] ро́зничный торго́вец.

retain [ri'tein] уде́рживать [-жа́ть]; сохраня́ть [-ни́ть].

retaliat|e [ri'tælieit] отпла́чивать [-лати́ть] (тем же); **~ion** [ritæli'eiʃən] отпла́та, возме́здие.

retard [ri'tɑ:d] заде́рживать [-жа́ть]; замедля́ть [-е́длить]; запа́здывать [запозда́ть].

retention [ri'tenʃən] удержа́ние; сохране́ние.

reticent ['retisənt] сде́ржанный; молчали́вый.

retinue ['retinju:] сви́та.

retir|e [ri'taiə] *v/t.* увольня́ть в отста́вку; изыма́ть из обраще́ния; *v/i.* выходи́ть в отста́вку; удаля́ться [-ли́ться]; уединя́ться [-ни́ться];

~ed [-d] □ уединённый; отставно́й, в отста́вке; ~ pay пе́нсия; **~ement** [-mənt] отста́вка; уедине́ние; **~ing** [-riŋ] скро́мный, застéнчивый.
retort [ri'tɔ:t] **1.** ре́зкий (или нахо́дчивый) отве́т; ⚗ рето́рта; **2.** отпари́ровать *pf.* (ко́лкость); возража́ть [-рази́ть].
retouch ['ri:tʌtʃ] де́лать попра́вки в (П); *phot.* ретуши́ровать (*im*)*pf.*
retrace [ri'treis] просле́живать до исто́чника; ~ one's steps возвраща́ться по свои́м следа́м (*a. fig.*).
retract [ri'trækt] отрека́ться [отре́чься] от (Р); брать наза́д (слова́ и т. п.); втя́гивать [втяну́ть].
retreat [ri'tri:t] **1.** отступле́ние (*part.* ⚔); уедине́ние; приста́нище; ⚔ отбо́й; ⚔ вече́рняя заря́; **2.** уходи́ть [уйти́]; удаля́ться [-ли́ться]; (*part.* ⚔) отступа́ть [-пи́ть].
retrench [ri'trentʃ] уре́з(ыв)ать, сокраща́ть [-рати́ть] (расхо́ды).
retrieve [ri'tri:v] (сно́ва) находи́ть [найти́]; восстана́вливать [-нови́ть].
retro... ['retro(u), 'ri:tro(u)] обра́тно...; **~active** [retrou'æktiv] име́ющий обра́тную си́лу; **~grade** ['retrougreid] **1.** ретрогра́дный; реакцио́нный; **2.** регресси́ровать; **~gression** [retrou'greʃən] регре́сс, упа́док; **~spect** ['retrouspekt] взгляд на про́шлое; **~spective** [retrou'spektiv] □ ретроспекти́вный; име́ющий обра́тную си́лу.
return [ri'tə:n] **1.** возвраще́ние; возвра́т; † оборо́т; дохо́д, при́быль *f*; отда́ча; результа́т вы́боров; *attr.* обра́тный (биле́т и т. п.); many happy ~s of the day поздравля́ю с днём рожде́ния; in ~ в обме́н (for на В); в отве́т; by ~ (of post) с обра́тной по́чтой; ~ ticket обра́тный биле́т; **2.** *v/i.* возвраща́ться [-рати́ться]; верну́ться *pf.*; *v/t.* возвраща́ть [-рати́ть]; верну́ть *pf.*; отпла́чивать [-лати́ть]; приноси́ть [-нести́] (дохо́д); присыла́ть наза́д; отвеча́ть [-е́тить]; *parl.* изб(и)ра́ть.
reunion ['ri:'ju:njən] собра́ние; воссоедине́ние.
revalorization [ri:væləraі'zeiʃən] переоце́нка.
reveal [ri'vi:l] обнару́жи(ва)ть; откры́(ва́)ть; **~ing** [-iŋ] обнару́живающий; показа́тельный.
revel [revl] **1.** пирова́ть; упи́(ва́)ться (in T); **2.** пиру́шка.
revelation [revi'leiʃən] открове́ние; обнару́же́ние; откры́тие.
revel|(l)er ['revlə] гуля́ка *m*; **~ry** [-ri] разгу́л, куте́ж.
revenge [ri'vendʒ] **1.** месть *f*; рева́нш; отме́стка; **2** [ото]мсти́ть за (В); **~ful** [-ful] □ мсти́тельный.
revenue ['revinju:] (годово́й) дохо́д; *pl.* дохо́дные статьи́ *f/pl.*; ~ board, ~ office департа́мент госуда́рственных сбо́ров.
reverberate [re'və:bəreit] отража́ть(ся) [отрази́ть(ся)].
revere [ri'viə] уважа́ть, почита́ть; **~nce** ['revərəns] **1.** почте́ние; **2.** уважа́ть; благогове́ть пе́ред (T); **~nd** [-d] **1.** почте́нный; **2.** *eccl.* преподо́бие.
reverent(**ial**) ['revərənt, revə'renʃəl] почти́тельный; по́лный благогове́ния.
reverie ['revəri] мечты́ *f/pl.*; мечта́тельность *f*.
revers|al [ri'və:səl] переме́на; обра́тный ход; отме́на; измене́ние; **~e** [ri'və:s] **1.** обра́тная сторона́; переме́на; противополо́жное; **~s** *pl.* превра́тности *f/pl.*; **2.** □ обра́тный; противополо́жный; **3.** повора́чивать наза́д; ⊕ дава́ть обра́тный ход; ⚖ отменя́ть [-ни́ть]; **~ion** [ri'və:ʃən] возвраще́ние; *biol.* атави́зм.
revert [ri'və:t] возвраща́ться [-рати́ться] (в пре́жнее состоя́ние или к вопро́су).
review [ri'vju:] **1.** обзо́р; прове́рка; ⚖ пересмо́тр; ⚔, ⚓ смотр; обозре́ние (журна́л); реце́нзия; **2.** пересма́тривать [-смотре́ть]; писа́ть реце́нзию о (П); обозре́(ва́)ть (В); ⚔, ⚓ производи́ть смотр (Р).
revile [ri'vail] оскорбля́ть [-би́ть].
revis|e [ri'vaiz] пересма́тривать [-смотре́ть]; исправля́ть [-а́вить]; **~ion** [ri'viʒən] пересмо́тр; реви́зия; испра́вленное изда́ние.
reviv|al [ri'vaivəl] возрожде́ние; оживле́ние; **~e** [ri'vaiv] приходи́ть или приводи́ть в чу́вство; оживля́ть [-ви́ть]; ожи́(ва́)ть.
revocation [revə'keiʃən] отме́на, аннули́рование (зако́на и т. п.).
revoke [ri'vouk] *v/t.* отменя́ть [-ни́ть] (зако́н и т. п.); *v/i.* де́лать рено́нс.

revolt [ri'voult] **1.** восста́ние; мяте́ж; **2.** *v/i.* восст(ав)а́ть; *fig.* отпада́ть [отпа́сть] (from от Р); *v/t.* *fig.* отта́лкивать [оттолкну́ть].
revolution [revə'lu:ʃən] кругово́е враще́ние; ⊕ оборо́т; *pol.* револю́ция; **~ary** [-əri] **1.** революцио́нный; **2.** революционе́р(ка); **~ize** [-aiz] революционизи́ровать (*im*)*pf.*
revolv|e [ri'vɔlv] *v/i.* враща́ться; периоди́чески возвраща́ться; *v/t.* враща́ть; обду́м(ыв)ать; **~ing** [-iŋ] враща́ющийся; поворо́тный.
revulsion [ri'vʌlʃən] внеза́пное измене́ние (чувств и т. п.).
reward [ri'wɔ:d] **1.** награ́да; вознагражде́ние; **2.** вознагражда́ть [-ради́ть]; награжда́ть [-ради́ть].
rewrite ['ri:'rait] [*irr.* (write)] перепи́сывать [-са́ть].
rhapsody ['ræpsədi] рапсо́дия.
rheumatism ['ru:mətizm] ревмати́зм.
rhubarb ['ru:bɑ:b] ⚘ реве́нь *m.*
rhyme [raim] **1.** ри́фма; (рифмо́ванный) стих; without ~ or reason без смы́сла; **2.** рифмова́ть(ся) (with, to с Т).
rhythm [riðm] ритм; **~ic**(**al**) [-mik, -mikəl] ритми́чный, ритми́ческий.
rib [rib] **1.** ребро́; **2.** ⊕ укрепля́ть рёбрами.
ribald ['ribəld] гру́бый, непристо́йный.
ribbon ['ribən] ле́нта; ~s *pl.* кло́чья *m/pl.*
rice [rais] рис.
rich [ritʃ] □ бога́тый (in Т); роско́шный; плодоро́дный (о по́чве); жи́рный (о пи́ще); по́лный (тон); густо́й (о кра́сках); ~ milk це́льное молоко́; **~es** ['ritʃiz] *pl.* бога́тство; сокро́вища *n/pl.*
rick [rik] ⚒ стог, скирд(а́).
ricket|s ['rikits] рахи́т; **~y** [-i] рахити́чный; ша́ткий.
rid [rid] [*irr.*] избавля́ть [-а́вить] (of от Р); get ~ of отде́л(ыв)аться от (Р), избавля́ться [-а́виться] от (Р).
ridden [ridn] **1.** *p. pt.* от ride; **2.** (в сло́жных слова́х) одержи́мый (стра́хом, предрассу́дками и т. п.), под вла́стью (чего́-либо).
riddle [ridl] **1.** зага́дка; решето́; **2.** изреше́чивать [-шети́ть].
ride [raid] **1.** езда́ верхо́м; ката́ние; прогу́лка; **2.** [*irr.*] *v/i.* е́здить, [по]е́хать (на ло́шади, автомоби́ле и т. п.); ката́ться верхо́м; *v/t.* е́здить, [по]е́хать на (П); ката́ть (на спине́); **~r** ['raidə] верхово́й; нае́здник (-ица) (в ци́рке); вса́дник (-ица).
ridge [ridʒ] го́рный кряж, хребе́т; △ конёк (кры́ши); ⚒ гря́дка.
ridicul|e ['ridikju:l] **1.** осмея́ние, насме́шка; **2.** высме́ивать [вы́смеять]; **~ous** [ri'dikjuləs] □ неле́пый, смешно́й.
riding ['raidiŋ] верхова́я езда́; *attr.* верхово́й.
rife [raif] □: ~ with изоби́лующий (Т).
riff-raff ['rifræf] подо́нки (о́бщества) *m/pl.*
rifle [raifl] **1.** винто́вка; **2.** [о]гра́бить; **~man** ⚔ стрело́к.
rift [rift] тре́щина, рассе́лина.
rig [rig] **1.** ⚓ оснастка; F наря́д; **2.** оснаща́ть [оснасти́ть]; F наряжа́ть [-яди́ть]; **~ging** ['rigiŋ] ⚓ такела́ж, сна́сти *f/pl.*
right [rait] **1.** □ пра́вильный, ве́рный; пра́вый; be ~ быть пра́вым; put ~ приводи́ть в поря́док; **2.** *adv.* пря́мо; пра́вильно; справедли́во; как ра́з; ~ away сра́зу; ~ on пря́мо вперёд; **3.** пра́во; справедли́вость *f*; the ~s *pl.* (of a story) настоя́щие фа́кты *m/pl.*; by ~ of на основа́нии (Р); on (*or* to) the ~ напра́во; **4.** приводи́ть в поря́док; выпрямля́ть(ся) [вы́прямить(ся)]; **~eous** ['raitʃəs] □ пра́ведный; **~ful** ['raitful] □ справедли́вый; зако́нный.
rigid ['ridʒid] □ негну́щийся, неги́бкий, жёсткий; *fig.* суро́вый; непрекло́нный; **~ity** [ri'dʒiditi] жёсткость *f*; непрекло́нность *f.*
rigo(**u**)**r** ['rigə] суро́вость *f*; стро́гость *f.*
rigorous [-rəs] □ суро́вый; стро́гий.
rim [rim] ободо́к; край; о́бод; опра́ва (очко́в).
rime [raim] и́ней; и́зморозь *f*; = rhyme.
rind [raind] кора́, кожура́; ко́рка.
ring [riŋ] **1.** кольцо́; круг; звон (колоколо́в); звоно́к; †, *sport* ринг; **2.** надева́ть кольцо́ на (В); (*mst* ~ in, round, about) окружа́ть [-жи́ть]; [*irr.*] [за]звуча́ть; ~ the bell [по]звони́ть (у две́ри); звони́ть в ко́локол; ~ a p. up позвони́ть

кому́-нибудь по телефо́ну; **~leader** зачи́нщик (-ица); **~let** ['riŋlit] коле́чко; ло́кон.
rink [riŋk] като́к, ске́тинг-ри́нк.
rinse [rins] [вы́]полоска́ть.
riot ['raiət] **1.** бунт; бу́йство; разгу́л; run ~ вести́ себя́ бу́йно; разгу́ливаться [-ля́ться]; **2.** принима́ть уча́стие в бу́нте; предава́ться разгу́лу; **~er** [-ə] бунта́рь *m*; **~ous** [-əs] □ бу́йный, разгу́льный.
rip [rip] [рас]поро́ть(ся).
ripe [raip] □ зре́лый (*a. fig.*); спе́лый; гото́вый; **~n** [raipn] созре́(ва́)ть, [по]спе́ть; **~ness** ['raipnis] спе́лость *f*; зре́лость *f*.
ripple [ripl] **1.** рябь *f*, зыбь *f*; журча́ние; **2.** покрыва́ть(ся) ря́бью; журча́ть.
rise [raiz] **1.** повыше́ние; восхо́д; подъём; вы́ход (на пове́рхность); возвы́шенность *f*; происхожде́ние; take (one's) ~ происходи́ть [произойти́]; **2.** [*irr.*] поднима́ться [-ня́ться]; всходи́ть [взойти́]; вст(ав)а́ть; восст(ав)а́ть; нач(ин)а́ться; ~ to быть в состоя́нии спра́виться с (Т); **~n** [rizn] *p. pt.* от rise.
rising ['raiziŋ] встава́ние; возвыше́ние; восста́ние; восхо́д.
risk [risk] **1.** риск; run a (*or* the) ~ рискова́ть [-кну́ть]; **2.** отва́живаться на (В); рискова́ть [-кну́ть] (Т); **~y** ['riski] □ риско́ванный.
rit|e [rait] обря́д, церемо́ния; **~ual** ['ritjuəl] **1.** ритуа́льный; **2.** ритуа́л.
rival ['raivəl] **1.** сопе́рник (-ица); ☤ конкуре́нт; **2.** сопе́рничающий; **3.** сопе́рничать с (Т); **~ry** [-ri] сопе́рничество; соревнова́ние.
rive [raiv] [*irr.*] раска́лывать(ся) [расколо́ть(ся)].
river ['rivə] река́; пото́к (*a. fig.*); **~side** бе́рег реки́; *attr.* прибре́жный.
rivet ['rivit] **1.** заклёпка; **2.** заклёпывать [-лепа́ть]; *fig.* прико́вывать [-ова́ть] (В к Д).
rivulet ['rivjulit] ручей; речу́шка.
road [roud] доро́га; путь *m*; *mst* ~s *pl.* ⚓ рейд (*a.* ~stead); **~ster** ['roudstə] доро́жный велосипе́д; ро́дстер (двухме́стный откры́тый автомоби́ль *m*); **~way** мостова́я.
roam [roum] *v/t.* броди́ть по (Д); *v/i.* стра́нствовать; скита́ться.
roar [rɔː] **1.** [за]реве́ть; [за]грохота́ть; ~ with laughter хохота́ть во всё го́рло; **2.** рёв; гро́хот; гро́мкий хо́хот.
roast [roust] **1.** [из]жа́рить(ся); кали́ть (оре́хи и т. п.); **2.** жа́реный; ~ meat жа́реное, жарко́е.
rob [rɔb] [о]гра́бить; *fig.* лиша́ть [-ши́ть] (of P); **~ber** ['rɔbə] граби́тель *m*; **~bery** [-ri] грабёж.
robe [roub] ма́нтия (судьи́); ря́са; хала́т.
robust [ro'bʌst] □ кре́пкий, здоро́вый.
rock [rɔk] **1.** скала́; утёс; го́рная поро́да; ~ crystal го́рный хруста́ль *m*; **2.** кача́ть(ся) [качну́ть(-ся)]; убаю́к(ив)ать.
rocket ['rɔkit] раке́та; *attr.* раке́тный; **~-powered** с раке́тным дви́гателем.
rocking-chair кре́сло-кача́лка.
rocky ['rɔki] камени́стый; скали́стый.
rod [rɔd] жезл; прут (*a.* ⊕); ро́зга, ро́зги; у́дочка; ⊕ шток; сте́ржень *m*; род (ме́ра длины́, о́коло 5-ти ме́тров).
rode [roud] *pt.* от ride.
rodent ['roudənt] грызу́н.
rodeo [rou'deiou] *Am.* заго́н для клейме́ния скота́; состяза́ние ковбо́ев.
roe [rou] косу́ля; икра́; soft ~ моло́ки *n/pl.*
rogu|e [roug] жу́лик, моше́нник; **~ish** ['rougiʃ] жуликова́тый, моше́ннический.
roister ['rɔistə] бесчи́нствовать.
rôle [roul] *thea.* роль *f* (*a. fig.*).
roll [roul] **1.** свёрток (мате́рии и т. п.); руло́н; кату́шка; рее́стр, спи́сок; раска́т (гро́ма); бу́лочка; **2.** *v/t.* ката́ть, [по]кати́ть; враща́ть; раска́тывать [-ката́ть] (те́сто); прока́тывать [-ката́ть] (мета́лл); ~ up свёртывать [сверну́ть]; ска́тывать [ската́ть]; *v/i.* ката́ться, [по]кати́ться; валя́ться (in в П); (о гро́ме) грохота́ть; ⚓ име́ть бокову́ю ка́чку; **~-call** ⚔ переклú́чка; **~er** ['roulə] ро́лик; вал; ~ skate конёк на ро́ликах.
rollick ['rɔlik] шу́мно весели́ться.
rolling ['rouliŋ] прока́тный; холми́стый; ~ mill ⊕ прока́тный стан.
Roman ['roumən] **1.** □ ри́мский; **2.** ри́млянин (-янка); *typ.* прямо́й све́тлый шрифт.

romance [rə'mæns] **1.** ♪ рома́нс; рома́н; **2.** *fig.* прикра́шивать действи́тельность; **3.** ♀ рома́нский; **~r** [-ə] романи́ст (а́втор).
romantic [ro'mæntik] (~ally) романти́чный; **~ism** [-tisizm] романти́зм, рома́нтика; **~ist** [-tisist] рома́нтик.
romp [rɔmp] **1.** возня́; сорвиголова́ *m/f*; **2.** вози́ться, шу́мно игра́ть.
röntgenogram [rɔnt'genəgræm] рентгеногра́мма.
rood [ru:d] че́тверть а́кра = 0,1 гекта́ра; распя́тие.
roof [ru:f] **1.** кры́ша; ~ of the mouth нёбо; **2.** [по]крыть (дом); **~ing** ['ru:fiŋ] **1.** кро́вельный материа́л; **2.** кро́вля; ~ felt кро́вельный толь *m.*
rook [ruk] **1.** грач; *chess* ладья́; *fig.* моше́нник; **2.** обма́нывать [-ну́ть].
room [ru:m] **1.** ко́мната; ме́сто; помеще́ние; простра́нство; ~s *pl.* кварти́ра; ко́мнаты *f/pl.*; **2.** *Am.* жить квартира́нтом (-ткой); **~er** ['rumə] квартира́нт(ка), жиле́ц, жили́ца; **~mate** сожи́тель(ница *f*) *m*; **~y** ['rumi] □ просто́рный.
roost [ru:st] **1.** насе́ст; **2.** уса́живаться на насе́ст; *fig.* устра́иваться на́ ночь; **~er** ['ru:stə] пету́х.
root [ru:t] ко́рень *m*; strike ~ пуска́ть ко́рни; укореня́ться [-ни́ться]; ~ out вырыва́ть с ко́рнем (*a. fig.*); выи́скивать [вы́искать] (*a.* ~ up); **~ed** ['ru:tid] укорени́вшийся.
rope [roup] **1.** кана́т; верёвка; трос; ни́тка (же́мчуга, бус); F come to the end of one's ~ дойти́ до то́чки; know the ~s *pl.* знать все ходы́ и вы́ходы; **2.** свя́зывать верёвкой; привя́зывать кана́том; (*mst* ~ off) оцепля́ть кана́том.
rosary ['rouzəri] *eccl.* чётки *f/pl.*
rose [rouz] **1.** ро́за; се́тка (на ле́йке); ро́зовый цвет; **2.** *pt.* от rise.
rosin ['rɔzin] канифо́ль *f.*
rostrum ['rɔstrəm] ка́федра; трибу́на.
rosy ['rouzi] □ ро́зовый; румя́ный; *fig.* ра́дужный.
rot [rɔt] **1.** гние́ние; гниль *f*; **2.** *v/t.* [с]гнои́ть; *v/i.* сгни(ва́)ть, [с]гнить.
rota|ry ['routəri] враща́тельный; ротацио́нный; **~te** [rou'teit] враща́ть(ся); чередова́ть(ся); **~tion** [rou'teiʃən] враще́ние; чередова́ние; **~tory** [rou'teitəri]: *s.* rotary; ⚡ многофа́зный.
rote [rout]: by ~ *fig.* механи́чески.
rotten [rɔtn] □ гнило́й; испо́рченный; F отврати́тельный.
rouge [ru:ʒ] **1.** румя́на *n/pl.*; **2.** [на-]румя́нить(ся).
rough [rʌf] **1.** □ гру́бый; шерша́вый; шерохова́тый; косма́тый; бу́рный; неделика́тный; ~ and ready сде́ланный ко́е-ка́к, на́спех; грубова́тый; **2.** буя́н; **3.** ~ it перебива́ться с трудо́м; **~cast 1.** ⊕ штукату́рка намётом; **2.** на́черно разрабо́танный; **3.** ⊕ штукату́рить намётом; **~en** ['rʌfən] де́лать(ся) гру́бым, шерохова́тым; **~ness** ['rʌfnis] шерохова́тость *f*; гру́бость *f*; **~shod**: ride ~ over обходи́ться гру́бо, суро́во с (Т).
round [raund] **1.** □ кру́глый; круговой; прямо́й, и́скренний; ~ trip *Am.* пое́здка ту́да и обра́тно; **2.** *adv.* круго́м, вокру́г; обра́тно; (*often* ~ about) вокру́г да о́коло; all the year ~ кру́глый год; **3.** *prp.* вокру́г, круго́м (Р); за (В *or* Т); по (Д); **4.** круг; цикл; тур (в та́нце); *sport* ра́унд; обхо́д; объе́зд; 100 ~s ⚔ сто патро́нов; **5.** *v/t.* закругля́ть [-ли́ть]; огиба́ть [обогну́ть]; ~ up окружа́ть [-жи́ть]; *v/i.* закругля́ться [-ли́ться]; **~about** ['raundəbaut] **1.** око́льный; **2.** око́льный путь *m*; карусе́ль *f*; **~ish** ['raundiʃ] круглова́тый; **~-up** обла́ва.
rous|e [rauz] *v/t.* [раз]буди́ть; возбужда́ть [-уди́ть]; воодушевля́ть [-ви́ть]; ~ o. s. стряхну́ть лень; *v/i.* просыпа́ться [-сну́ться]; **~ing** ['rauziŋ] возбужда́ющий; бу́рный.
rout [raut] **1.** разгро́м; бе́гство; put to ~ разгроми́ть на́голову; обраща́ть в бе́гство; **2.** = put to ~; рыть ры́лом.
route [ru:t, ⚔ raut] путь *m*; ⚔ маршру́т.
routine [ru:'ti:n] **1.** заведённый поря́док; рути́на; **2.** рути́нный.
rove [rouv] скита́ться; броди́ть.
row[1] [rou] **1.** ряд; прогу́лка в ло́дке; **2.** грести́ (весло́м); пра́вить (ло́дкой).
row[2] [rau] F **1.** галдёж, гвалт; дра́ка; ссо́ра; **2.** задава́ть нагоня́й (Д).
row-boat ['roubout] гребна́я ло́дка.
rower ['rouə] гребе́ц (*wo*)*man.*

royal ['rɔiəl] □ королéвский; великолéпный; **~ty** [-ti] член королéвской семьи́; королéвская влáсть *f*; **~s** *pl.* áвторский гонорáр.

rub [rʌb] **1.** трéние; растирáние; *fig.* препя́тствие; **2.** *v/t.* терéть; протирáть [-терéть]; натирáть [натерéть]; ~ out стирáть [стерéть]; ~ up [от]полировáть; освежáть [-жи́ть] (в пáмяти); *v/i.* терéться (against о В); *fig.* ~ along, on проби́(вá)ться с трудóм.

rubber ['rʌbə] каучу́к; рези́на; рези́нка; *cards* рóббер; **~s** *pl. Am.* галóши *f/pl.*; *attr.* рези́новый.

rubbish ['rʌbiʃ] му́сор; хлам; *fig.* вздор; глу́пости *f/pl.*

rubble [rʌbl] щéбень *m*; ⚠ бут.

ruby ['ru:bi] руби́н; руби́новый цвет.

rudder ['rʌdə] ⚓ руль *m*; ✈ руль поворóта.

rudd|iness ['rʌdinis] краснотá; румя́нец; **~y** ['rʌdi] я́рко-крáсный; румя́ный.

rude [ru:d] □ неотёсанный; грубый; невéжливый; *fig.* крéпкий (о здорóвье).

rudiment ['ru:diment] *biol.* рудимéнт, зачáток; **~s** *pl.* начáтки *m/pl.*

rueful ['ru:ful] □ уны́лый, печáльный.

ruff [rʌf] бры́жи *f/pl.*; *zo.* ёрш.

ruffian ['rʌfjən] грубия́н; хулигáн.

ruffle [rʌfl] **1.** манжéтка; рюш; суматóха; рябь *f*; **2.** [взъ]ерóшить (вóлосы); ряби́ть (вóду); *fig.* нарушáть спокóйствие (Р), [вс]тревóжить.

rug [rʌg] плед; ковёр, кóврик; **~ged** ['rʌgid] □ нерóвный; шероховáтый; сурóвый; пересечённый; рéзкий.

ruin ['ruin] **1.** ги́бель *f*; разорéние; крушéние (надéжд и т. п.); *mst* **~s** *pl.* развáлины *f/pl.*; **2.** [по]губи́ть; разоря́ть [-ри́ть]; разрушáть [-у́шить]; [о]бесчéстить; **~ous** ['ruinəs] □ разори́тельный; губи́тельный.

rul|e [ru:l] **1.** прáвило; устáв; правлéние; власть *f*; линéйка; as a ~ обы́чно; **2.** *v/t.* управля́ть (Т); постановля́ть [-ви́ть]; [на]линовáть; [раз]графи́ть; ~ out исключáть [-чи́ть]; *v/i.* госпóдствовать; **~er** ['ru:lə] прави́тель(ница *f*) *m*; линéйка.

rum [rʌm] ром; *Am.* спиртнóй напи́ток.

Rumanian [ru(:)'meinjən] **1.** румы́нский; **2.** румы́н(ка).

rumble ['rʌmbl] **1.** громыхáние; грóхот; (*Am.* ~-seat) откиднóе сидéнье; **2.** [за]громыхáть; [за-]грохотáть; [за]гремéть (о грóме).

rumina|nt ['ru:minənt] жвáчное живóтное; **~te** [-neit] жевáть жвáчку; *fig.* размышля́ть [-мы́слить].

rummage ['rʌmidʒ] **1.** распродáжа мéлочей (с благотвори́тельной цéлью); **2.** *v/t.* вытáскивать [вы́тащить]; перerý(вá)ть; *v/i.* ры́ться.

rumo(u)r ['ru:mə] **1.** слух; молвá; **2.** it is ~ed ... хóдят слу́хи ...

rump [rʌmp] огу́зок.

rumple [rʌmpl] [с]мять; [взъ]ерóшить (вóлосы, пéрья и т. п.).

run [rʌn] **1.** [*irr.*] *v/i. com.* бéгать, [по]бежáть; [по]тéчь; расплы́(вá)ться (о крáсках и т. п.); вращáться, рабóтать (о маши́не); гласи́ть; ~ across a p. натáлкиваться [натолкну́ться] на (В); ~ away убегáть [убежáть]; понести́ *pf.* (о лóшади); ~ down сбегáть [сбежáть]; останáвливаться [-нови́ться (о часáх и т. п.); истощáться [-щи́ться]; ~ dry иссякáть [-я́кнуть]; ~ for *parl.* выставля́ть свою́ кадидату́ру на (В); ~ into впадáть [впасть] в (В); доходи́ть [дойти́] до (Р); встречáть [-éтить]; ~ on продолжáться [-дóлжиться]; говори́ть без у́молку; ~ out, short кончáться [кóнчиться]; ~ through прочитáть бéгло; промáтывать]-мотáть]; ~ to достигáть [-и́гнуть] (су́ммы); ~ up to доходи́ть [дойти́] до (Р); **2.** *v/t.* пробегáть [-бежáть] (расстоя́ние); нали́(вá)ть (вóду и т. п.); вести́ (делá); выгоня́ть в пóле (скот); вонзáть [-зи́ть]; управля́ть (контóрой и т. п.); проводи́ть [-вести́] (Т, over по Д); ~ the blockade прорвáть блокáду; ~ down задавля́ть [-ви́ть]; *fig.* говори́ть плóхо о (П); унижáть [уни́зить]; переутомля́ть [-ми́ть]; ~ over переезжáть [-éхать], задавля́ть [-ви́ть]; прочитáть бéгло; ~ up взду(вá)ть (цéны); возводи́ть [-вести́] (здáние); ~ up a bill at [за]должáть (Д); **3.** бег; пробéг; ход, рабóта, дéйствие (маши́ны); течéние, ход (врéмени); ряд; поéздка, прогу́лка; ☤ спрос; управлéние; *Am.*

ручей, поток; загон; пастбище; разрешение пользоваться (of T); the common ~ обыкновенные люди *m/pl.*; *thea.* have a ~ of 20 nights идти двадцать вечеров подряд (о пьесе); in the long ~ со временем; в конце концов.

run|about ['rʌnəbaut] лёгкий автомобиль *m*; **~away** беглец; дезертир.

rung[1] [rʌŋ] *p. pt.* от ring.

rung[2] [~] ступенька.

run|let ['rʌnlit], **~nel** ['rʌnl] ручеёк; канава.

runner ['rʌnə] бегун; полоз (у саней); побег (растения); **~-up** [-'rʌp] занимающий второе место (в состязании).

running ['rʌniŋ] **1.** бегущий; беговой; текущий; two days ~ два дня подряд; ~ fire ⚔ беглый огонь *m*; ~ hand беглый почерк; **2.** беганье; бег; бега *m/pl.*; действие; **~-board** подножка.

runway ['rʌnwei] ✈ взлётно-посадочная полоса.

rupture ['rʌptʃə] **1.** перелом; разрыв; ⚕ грыжа; **2.** разрывать [разорвать] (*a. fig.*); прор(ы)вать.

rural ['ruərəl] □ сельский, деревенский

rush [rʌʃ] **1.** ♀ тростник, камыш; натиск; ⚘ наплыв (покупателей); ~ hours *pl.* часы-пик; ⚔ перебежка; **2.** *v/i.* мчаться; бросаться [броситься]; носиться, [по]нестись; ~ into бросаться необдуманно в (B); ~ into print слишком поспешно выступать в печати; *v/t.* мчать; увлекать [увлечь]; [по]торопить; *fig.* ⚔ брать стремительным натиском.

russet ['rʌsit] красно-коричневый.

Russia ['rʌʃə] Россия; **~n** [-n] **1.** русский; **2.** русский, русская; русский язык.

rust [rʌst] **1.** ржавчина; **2.** [за]ржаветь.

rustic ['rʌstik] **1.** (~ally) деревенский; простой; грубый; **2.** сельский житель *m*.

rustle [rʌsl] **1.** [за]шелестеть; **2.** шелест, шорох.

rust|less ['rʌstlis] нержавеющий; **~y** ['rʌsti] заржавленный, ржавый; порыжевший.

rut [rʌt] колея (*a. fig.*); ⊕ фальц, жёлоб; *zo.* течка.

ruthless ['ru:θlis] □ безжалостный.

rutted ['rʌtid], **rutty** ['rʌti] изрезанный колеями.

rye [rai] ♀ рожь *f*.

S

sabotage ['sæbotɑ:ʒ] **1.** саботаж; **2.** саботировать (B) (*a.* ~ on *a th.*) (*im*)*pf*.

sabre ['seibə] сабля, шашка.

sack [sæk] **1.** грабёж; мешок, куль *m*; сак (пальто); **2.** класть, ссыпать в мешок; [о]грабить; F увольнять [уволить] (B); **~cloth, ~ing** ['sækiŋ] дерюга, холст.

sacrament ['sækrəmənt] *eccl.* таинство, причастие.

sacred ['seikrid] □ святой; священный; ♪ духовный.

sacrifice ['sækrifais] **1.** жертва; жертвоприношение; at a ~ ⚘ себе в убыток; **2.** [по]жертвовать.

sacrileg|e ['sækrilidʒ] святотатство, кощунство; **~ious** [sækri'lidʒəs] □ святотатственный.

sad [sæd] □ печальный, грустный; досадный; тусклый.

sadden [sædn] [о]печалить(ся).

saddle [sædl] **1.** седло; **2.** [о]седлать; *fig.* взваливать [-лить] (upon на B); обременять [-нить]; **~r** шорник.

sadism ['sɑ:dizm] садизм.

sadness ['sædnis] печаль *f*, грусть *f*.

safe [seif] **1.** □ невредимый; надёжный; безопасный; (будучи) в безопасности; **2.** сейф, несгораемый шкаф; шкаф для провизии; **~-conduct** охранное свидетельство; **~guard** **1.** охрана; предосторожность *f*; защита; **2.** охранять [-нить]; защищать [-итить].

safety ['seifti] **1.** безопасность *f*; надёжность *f*; **2.** безопасный; **~-**

-pin английская булавка; **~-razor** безопасная бритва.
saffron ['sæfrən] шафран.
sag [sæg] оседать [осесть]; прогибаться [-гнуться]; обвисать [-иснуть]; ⚓ отклоняться от курса.
sagacious [sə'geiʃəs] проницательный, прозорливый; **~ty** [sə'gæsiti] проницательность *f*, прозорливость *f*.
sage [seidʒ] **1.** □ мудрый; разумный; **2.** мудрец; ⚘ шалфей.
said [sed] *pt.* и *p. pt.* от say.
sail [seil] **1.** парус; плавание под парусами; парусное судно; **2.** *v/i.* идти под парусами; плавать, [по-] плыть; отплы(ва)ть; носиться, [по]нестись (об облаках); *v/t.* управлять (судном); плавать по (Д); **~-boat** *Am.* парусная лодка; **~or** ['seilə] моряк, матрос; be a (good) bad ~ (не) страдать морской болезнью; **~-plane** планёр.
saint [seint] **1.** святой; **2.** причислять к лику святых; **~ly** ['seintli] *adj.* святой.
sake [seik]: for the ~ of ради (Р); for my ~ ради меня.
sal(e)able ['seiləbl] ходкий (товар).
salad ['sæləd] салат.
salary ['lsæləri] **1.** жалованье; **2.** платить жалованье (Д).
sale [seil] продажа; распродажа; аукцион; be for ~, be on ~ продаваться.
sales|man продавец; *Am.* коммивояжёр; **~woman** продавщица.
salient ['seiljənt] выдающийся, выступающий; выпуклый.
saline ['seilain] соляной; солёный.
saliva [sə'laivə] 🕮 слюна.
sallow ['sælou] болезненный, желтоватый (о цвете лица).
sally ['sæli] **1.** ⚔ вылазка; реплика, острота; **2.** ⚔ делать вылазку; ~ forth, ~ out отправляться [-авиться].
salmon ['sæmən] сёмга; лосось *m.*
saloon [sə'lu:n] зал; салон (на пароходе); салон-вагон; *Am.* бар, пивная.
salt [sɔ:lt] **1.** соль *f*; *fig.* остроумие; old ~ бывалый моряк; **2.** солёный; жгучий; едкий; **3.** [по]солить; засаливать [-солить]; **~-cellar** солонка; **~petre** ['sɔ:ltpitə] селитра; **~y** ['sɔ:lti] солёный.
salubrious [sə'lu:briəs] □, **salutary** ['sæljutəri] □ благотворный; полезный для здоровья.
salut|ation [sælju'teiʃən] приветствие; **~e** [sə'lu:t] **1.** приветствие; ⚔ салют; ⚔ отдание чести; **2.** приветствовать; ⚔ салютовать (*im*)*pf.* (Д); ⚔ отдавать честь (Д).
salvage ['sælvidʒ] **1.** спасение (имущества или судна); спасённое имущество; подъём (затонувших судов); **2.** спасать [спасти] (имущество от огня, судно на море и т. п.).
salvation [sæl'veiʃən] спасение; ♀ Army 'Армия спасения.
salve[1] [sælv] = salvage.
salve[2] [sɑ:v] **1.** средство для успокоения; **2.** успокаивать [-коить] (совесть); сглаживать [сгладить] (трудность).
salvo ['sælvou] (орудийный) залп; *fig.* взрыв аплодисментов.
same [seim]: the ~ тот же самый; та же самая; то же самое; it is all the ~ to me мне всё равно.
sample [sɑ:mpl] **1.** проба; образчик, образец; **2.** [по]пробовать; отбирать образцы (Р).
sanct|ify ['sæŋktifai] освящать [-ятить]; **~imonious** [sæŋkti'mounjəs] □ ханжеский; **~ion** ['sæŋkʃən] **1.** санкция; утверждение; принудительная мера; **2.** санкционировать (*im*)*pf.*; утверждать [-рдить]; **~ity** [-titi] святость *f*; **~uary** [-tjuəri] святилище; убежище.
sand [sænd] **1.** песок; **~s** *pl.* песчаный пляж; отмель *f*; пески *m/pl.* (пустыни); **2.** посыпать песком.
sandal [sændl] сандалия.
sandwich ['sænwidʒ, -witʃ] **1.** бутерброд, сандвич; **2.** прослаивать [-слоить].
sandy ['sændi] песчаный; песочный; песочного цвета.
sane [sein] нормальный; здравый; здравомыслящий.
sang [sæŋ] *pt.* от sing.
sanguin|ary ['sæŋgwinəri] □ кровавый; кровожадный; **~e** [-gwin] сангвинический; оптимистический.
sanitary ['sænitəri] □ санитарный; гигиенический.
sanit|ation [sæni'teiʃən] оздоровление; улучшение санитарных условий; санитария; **~y** ['sæniti] здравый ум.
sank [sæŋk] *pt.* от sink.
sap [sæp] **1.** сок (растений); *fig.*

жи́зненные си́лы *f/pl.*; ⚔ са́па; **2.** истоща́ть [-щи́ть]; подка́пывать [-копа́ть]; **~less** ['sæplis] худосо́чный; истощённый; **~ling** ['sæpliŋ] молодо́е деревцо́.
sapphire ['sæfaiə] *min.* сапфи́р.
sappy ['sæpi] со́чный; *fig.* си́льный.
sarcasm ['sɑ:kæzm] сарка́зм.
sardine [sɑ:'di:n] сарди́н(к)а.
sardonic [sɑ:'dɔnik] (~ally) сардони́ческий.
sash [sæʃ] куша́к, по́яс.
sash-window подъёмное окно́.
sat [sæt] *pt.* и *p. pt.* от sit.
satchel ['sætʃəl] (шко́льный) ра́нец.
sate [seit] насыща́ть [-ы́тить]; пресыща́ть [-ы́тить].
sateen [sæ'ti:n] сати́н.
satellite ['sætəlait] сателли́т (*a. astr.*); приспе́шник; *astr.* спу́тник.
satiate ['seiʃieit] пресыща́ть [-ы́тить]; насыща́ть [-ы́тить].
satin ['sætin] атла́с.
satir|e ['sætaiə] сати́ра; **~ist** ['sætərist] сати́рик; **~ize** [-raiz] высме́ивать [вы́смеять].
satisfaction [sætis'fækʃən] удовлетворе́ние.
satisfactory [sætis'fæktəri] удовлетвори́тельный.
satisfy ['sætisfai] удовлетворя́ть [-ри́ть]; утоля́ть [-ли́ть] (го́лод, любопы́тство и т. п.); выполня́ть [вы́полнить] (обяза́тельства); убежда́ть [убеди́ть].
saturate ['sætʃəreit] ⚗ насыща́ть [-ы́тить]; пропи́тывать [-ита́ть].
Saturday ['sætədi] суббо́та.
sauce [sɔ:s] **1.** со́ус; *fig.* припра́ва; F де́рзость *f*; **2.** приправля́ть со́усом; F [на]дерзи́ть (Д); **~pan** кастрю́ля; **~r** ['sɔ:sə] блю́дце.
saucy ['sɔ:si] □ F де́рзкий.
saunter ['sɔ:ntə] **1.** прогу́ливаться; флани́ровать; шата́ться; **2.** прогу́лка.
sausage ['sɔsidʒ] соси́ска, колбаса́.
savage ['sævidʒ] **1.** □ ди́кий; жесто́кий; свире́пый; **2.** дика́рь *m* (-а́рка); *fig.* ва́рвар(ка *f*); **~ry** [-ri] ди́кость *f*; жесто́кость *f*.
save [seiv] спаса́ть [спасти́]; избавля́ть [-а́вить] (from от Р); сберега́ть [-ре́чь]; откла́дывать [отложи́ть].
saving ['seiviŋ] **1.** □ спаси́тельный; сберега́тельный; **2.** спасе́ние; **~s** *pl.* сбереже́ния *n/pl.*
savings-bank сберега́тельная ка́сса.
saviour ['seivjə] спаси́тель *m*; ♀ Спаси́тель *m*.
savo(u)r ['seivə] **1.** вкус; F смак; *fig.* пика́нтность *f*; при́вкус; **2.** F смакова́ть; ~ of: отзыва́ться (Т); па́хнуть (Т); **~y** [-ri] □ вку́сный; пика́нтный; F сма́чный.
saw [sɔ:] **1.** *pt.* от see; **2.** погово́рка; пила́; **3.** [*irr.*] пили́ть; **~dust** опи́лки *f/pl.*; **~-mill** лесопи́льный заво́д; **~n** [sɔ:n] *p. pt.* от saw.
Saxon ['sæksn] **1.** саксо́нский; **2.** саксо́нец (-нка).
say [sei] **1.** [*irr.*] говори́ть [сказа́ть]; ~ grace чита́ть моли́тву (пе́ред едо́й); that is to ~ то́ есть, т. е.; you don't ~ so! неуже́ли!; I ~! послу́шай(те)!; he is said to be ... говоря́т, что он ...; **2.** речь *f*; сло́во; it is my ~ now о́чередь за мной тепе́рь говори́ть; **~ing** ['seiiŋ] погово́рка.
scab [skæb] струп (на я́зве); чесо́тка; *sl.* штрейкбре́хер.
scabbard ['skæbəd] но́жны *f/pl.*
scabrous ['skeibrəs] скабрёзный.
scaffold ['skæfəld] ⚠ леса́ *m/pl.*; подмо́стки *pl.*; эшафо́т; **~ing** [-iŋ] ⚠ леса́ *m/pl.*
scald [skɔ:ld] **1.** ожо́г (кипя́щей жи́дкостью); **2.** [о]шпа́рить; обва́ривать [-ри́ть].
scale[1] [skeil] **1.** чешу́йка (*coll.*: чешуя́); ви́нный ка́мень *m* (на зуба́х); на́кипь *f*, ока́лина (в котле́ и т. п.); (a pair of) ~s *pl.* весы́ *m/pl.*; **2.** соскобля́ть чешую́ с (Р); ⊕ снима́ть ока́лину с (Р); шелуши́ться; чи́стить от ви́нного ка́мня; взве́шивать [-е́сить].
scale[2] [~] **1.** ле́стница; масшта́б; разме́р; шкала́; ♪ га́мма; *fig.* разме́р; **2.** взбира́ться [взобра́ться] (по ле́стнице и т. п.); ~ up увели́чивать по масшта́бу; ~ down уменьша́ть по масшта́бу.
scallop ['skɔləp] **1.** *zo.* гребешо́к (моллю́ск); ~s *pl.* фесто́ны *m/pl.*; **2.** украша́ть фесто́нами.
scalp [skælp] **1.** скальп; **2.** скальпи́ровать (*im*)*pf.*, *pf. a.* [о-].
scaly ['skeili] чешу́йчатый; покры́тый на́кипью.
scamp [skæmp] **1.** безде́льник; **2.** рабо́тать кое-ка́к; **~er** [-ə] **1.** бежа́ть стремгла́в; уд(и)ра́ть; **2.** поспе́шное бе́гство; гало́п; *fig.* бе́глое чте́ние.

scandal ['skændl] скандáл; позóр; сплéтни *f/pl.*; **~ize** ['skændəlaiz] скандализúровать *(im)pf.*; **~ous** [-ləs] □ скандáльный; клеветнúческий.

scant, ~y [skænt, 'skænti] скýдный; огранúченный.

scapegoat ['skeipgout] козёл отпущéния.

scapegrace [-greis] повéса *m*, шалопáй.

scar [skɑ:] **1.** шрам; рубéц; **2.** *v/t.* покрывáть рубцáми; *v/i.* [за]рубцевáться.

scarc|e [skɛəs] недостáточный; скýдный; рéдкий; **~ely** ['skɛəsli] едвá ли; как тóлько, едвá; **~ity** [-siti] недостáток; дороговúзна.

scare [skɛə] **1.** [на-, ис]пугáть; отпýгивать [-гнýть] (*a.* ~ away); **2.** пáника; **~crow** пýгало, чýчело (*a. fig.*).

scarf [skɑ:f] шарф; шаль *f*; гáлстук.

scarlet ['skɑ:lit] **1.** áлый цвет; **2.** áлый; ~ fever ⚕ скарлатúна.

scarred [skɑ:d] в рубцáх.

scathing ['skeiðiŋ] éдкий; рéзкий; *fig.* уничтожáющий.

scatter ['skætə] разбрáсывать [-бросáть]; рассыпáть(ся) [-ы́пать (-ся)]; рассéивать(ся) [-éять(ся)].

scavenger ['skævindʒə] мýсорщик.

scenario [si'nɑ:riou] сценáрий.

scene [si:n] сцéна; мéсто дéйствия; декорáция; ~s *pl.* кулúсы *f/pl.*; **~ry** ['si:nəri] декорáции *f/pl.*; пейзáж.

scent [sent] **1.** аромáт, зáпах; духú *m/pl.*; *hunt.* чутьё, нюх; **2.** [по-] чýять; [на]душúть; **~less** ['sentlis] без аромáта, зáпаха.

sceptic ['skeptik] скéптик; **~al** [-tikəl] □ скептúческий.

scept|er, ~re ['septə] скúпетр.

schedule ['ʃedju:l, *Am.* 'skedju:l] **1.** таблúца; грáфик, плáн; *Am.* расписáние поездóв; **2.** составлять расписáние (Р); назначáть [назнáчить, намечáть [-éтить].

scheme [ski:m] **1.** схéма; план; проéкт; **2.** *v/t.* [за]проектúровать; *v/i.* интриговáть.

schism ['sizm] схúзма, раскóл.

scholar ['skɔlə] учёный; ученúк (-úца); **~ly** [-li] *adj.* учёный; **~ship** [-ʃip] учёность *f*, эрудúция; *univ.* стипéндия.

scholastic [skə'læstik] (~ally) схоластúческий; шкóльный.

school [sku:l] **1.** шкóла; класс (помещéние); at ~ в шкóле; primary ~ начáльная шкóла; secondary ~ срéдняя шкóла; **2.** дисциплинúровать *(im)pf.*; [вы́]шкóлить]; **~boy** шкóльник; **~fellow** шкóльный товáрищ; **~girl** шкóльница; **~ing** ['sku:liŋ] обучéние в шкóле; **~master** учúтель *m*; **~mate** *s.* schoolfellow; **~mistress** учúтельница; **~room** клáссная кóмната.

science ['saiəns] наýка; естéственные наýки *f/pl.*

scientific [saiən'tifik] [~ally] наýчный; умéлый.

scientist ['saiəntist] учёный; естествовéд.

scintillate ['sintileit] сверкáть [-кнýть]; мерцáть.

scion ['saiən] побéг (растéния); óтпрыск, потóмок.

scissors ['sizəz] *pl.* (a pair of ~) нóжницы *f/pl.*

scoff [skɔf] **1.** насмéшка; **2.** [по-] глумúться (at над Т).

scold [skould] **1.** сварлúвая жéнщина; **2.** [вы́]бранúть.

scon(e) [skɔn, skoun] лепёшка.

scoop [sku:p] **1.** совóк; черпáк; ковш; углублéние; сенсациóнная нóвость (однóй определённой газéты); **2.** зачéрпывать [-пнýть].

scooter ['sku:tə] *mot.* моторóллер; ⚓ скýтер; самокáт (игрýшка).

scope [skoup] кругозóр; размáх; охвáт; простóр.

scorch [skɔ:tʃ] *v/t.* обжигáть [обжéчь]; опалять [-лúть]; *v/i.* палúть; F бéшено нестúсь.

score [skɔ:] **1.** зарýбка; мéтка; счёт (в игрé); два десятка; ♪ партитýра; ~s *pl.* мнóжество; run up ~s *pl.* дéлать долгú; on the ~ of по причúне (Р); what's the ~? какóв счёт? (в игрé); **2.** отмечáть [-éтить]; засчúтывать [-итáть]; выúгрывать [вы́играть]; забивáть гол; оркестровáть *(im)pf.*; *Am.* [вы́]бранúть.

scorn [skɔ:n] **1.** презрéние; **2.** презирáть [-зрéть]; **~ful** ['skɔ:nful] □ презрúтельный.

Scotch [skɔtʃ] **1.** шотлáндский; **2.** шотлáндский диалéкт; the ~ шотлáндцы *m/pl.*; **~man** ['skɔtʃmən] шотлáндец.

scot-free ['skɔt'fri:] невредúмый; ненакáзанный.

scoundrel ['skaundrəl] негодя́й, подле́ц.
scour ['skauə] *v/t.* [по]чи́стить; отчища́ть [отчи́стить]; [вы́]мыть; смы(ва́)ть; ры́скать по (Д); *v/i.* ры́скать (*a.* ~ about).
scourge [skə:dʒ] **1.** бич; бе́дствие; **2.** бичева́ть; [по]кара́ть.
scout [skaut] **1.** разве́дчик (*a.* ✈); Boy ꙭs *pl.* бойска́уты *m/pl.*; ~ party ⚔ разве́дочный отря́д; **2.** производи́ть разве́дку; отверга́ть с презре́нием.
scowl [skaul] **1.** хму́рый вид; **2.** [на]хму́риться.
scrabble ['skræbl] цара́пать; [вс]кара́бкаться; сгреба́ть [сгрести́].
scramble ['skræmbl] **1.** [вс]кара́бкаться; [по]дра́ться (for за В); ~d eggs *pl.* яи́чница-болту́нья; **2.** сва́лка, борьба́; кара́бканье.
scrap [skræp] **1.** клочо́к; кусо́чек; лоскуто́к; вы́резка (из газе́ты); ⊕ лом; утильсырьё; ~s *pl.* оста́тки *m/pl.*; объе́дки *m/pl.*; **2.** отдава́ть на слом; выбра́сывать [вы́бросить]; **~-book** альбо́м для газе́тных вы́резок.
scrap|e [skreip] **1.** скобле́ние; цара́пина; затрудне́ние; **2.** скобли́ть; скрести́(сь); соскреба́ть [-ести́] (*mst* ~ off); отчища́ть [-и́стить]; заде́(ва́)ть; ша́ркать [-кнуть] (Т); скря́дничать; **~er** ['skreipə] скоба́ для чи́стки о́буви.
scrap|-heap сва́лка отбро́сов (и́ли ло́ма); **~-iron** желе́зный лом.
scratch [skrætʃ] **1.** цара́пина; *sport* черта́ ста́рта; **2.** случа́йный; разноше́рстный; *sport* без гандика́па; **3.** [о]цара́пать; [по]чеса́ть; ~ out вычёркивать [вы́черкнуть].
scrawl [skrɔ:l] **1.** кара́кули *f/pl.*; **2.** писа́ть кара́кулями.
scream [skri:m] **1.** вопль *m*; крик; **2.** пронзи́тельно крича́ть; **~y** [-i] крикли́вый; крича́щий (о кра́сках).
screech [skri:tʃ] пронзи́тельно крича́ть; взви́згивать [-гнуть].
screen [skri:n] **1.** ши́рма; экра́н; щит; перегоро́дка; плете́нь *m*; ⚠ та́мбур; гро́хот, си́то; ⚔ прикры́тие; the ~ кино́ *n indecl.*; **2.** прикры́(ва́)ть; заслоня́ть [-ни́ть]; *opt.* пока́зывать на экра́не; просе́ивать [-е́ять].
screw [skru:] **1.** га́йка; винт; = screw-propeller; **2.** привинчи́вать [-нти́ть] (*mst* ~ on); скрепля́ть винта́ми; *fig.* притесня́ть [-ни́ть]; ~ up [с]мо́рщить (лицо́); **~driver** отвёртка; **~-propeller** гребно́й винт.
scribble ['skribl] **1.** кара́кули *f/pl.*; **2.** [на]цара́пать.
scrimp [skrimp] *v/t.* уре́з(ыв)ать; *v/i.* [по]скупи́ться.
scrip [skrip] ✝ квита́нция о подпи́ске на а́кции.
script [skript] рукопи́сный шрифт; *film* сцена́рий.
Scripture ['skriptʃə] свяще́нное писа́ние.
scroll [skroul] сви́ток (перга́мента); спи́сок; ⚠ завито́к (украше́ние).
scrub [skrʌb] **1.** куст; ~s *pl.* куста́рник; по́росль *f*; **2.** скрести́; чи́стить щёткой.
scrubby ['skrʌbi] низкоро́слый; захуда́лый.
scrup|le ['skru:pl] **1.** сомне́ния *n/pl.*, колеба́ния *n/pl.*; **2.** [по]стесня́ться; **~ulous** ['skru:pjuləs] □ щепети́льный; добросо́вестный.
scrutin|ize ['skru:tinaiz] рассма́тривать [-мотре́ть]; тща́тельно проверя́ть; **~y** ['skru:tini] испыту́ющий взгляд; то́чная прове́рка.
scud [skʌd] **1.** гони́мые ве́тром облака́ *n/pl.*; стреми́тельный бег; **2.** носи́ться, [по]нести́сь; скользи́ть [-зну́ть[.
scuff [skʌf] идти́, волоча́ но́ги.
scuffle ['skʌfl] **1.** дра́ка; **2.** [по-]дра́ться.
scullery ['skʌləri] помеще́ние при ку́хне для мытья́ посу́ды.
sculptor ['skʌlptə] ску́льптор, вая́тель *m*.
sculptur|e ['skʌlptʃə] **1.** скульпту́ра; **2.** [из]вая́ть; высека́ть [вы́сечь].
scum [skʌm] пе́на; на́кипь *f*; *fig.* подо́нки *m/pl.*
scurf [skə:f] пе́рхоть *f*.
scurrilous ['skʌriləs] гру́бый, непристо́йный.
scurry ['skʌri] бы́стро бе́гать; снова́ть (туда́ и сюда́).
scurvy ['skə:vi] ⚕ цинга́.
scuttle ['skʌtl] **1.** ведёрко для у́гля; **2.** уд(и)ра́ть; дезерти́ровать (*im*)*pf.*
scythe [saið] ⸙ коса́.
sea [si:] мо́ре; *attr.* морско́й; be at

~ *fig.* не знать, что де́лать; недоумева́ть; **~board** бе́рег мо́ря; **~faring** ['si:fɛəriŋ] морепла́вание; **~-going** да́льнего пла́вания (о су́дне).
seal [si:l] **1.** *zo.* тюле́нь *m*; печа́ть *f*; пло́мба; клеймо́; **2.** запеча́т(ыв)ать; скрепля́ть печа́тью; опеча́т(ыв)ать; ~ up ⊕ гермети́чески уку́поривать; зама́з(ыв)ать; ~ (with lead) [за]пломбирова́ть.
sea-level ['levl] у́ровень мо́ря.
sealing-wax сургу́ч.
seam [si:m] **1.** шов (*a.* ⊕); рубе́ц; *geol.* просло́йка; **2.** сши(ва́)ть; [из]борозди́ть.
seaman ['si:mən] моря́к; матро́с.
seamstress ['semstris] швея́.
sea-plane гидропла́н.
sear [siə] иссуша́ть [-ши́ть]; опаля́ть [-ли́ть]; ⚕ прижига́ть [-же́чь]; *fig.* притупля́ть [-пи́ть].
search [sə:tʃ] **1.** по́иски *m/pl.*; о́быск; ро́зыск; in ~ of в по́исках (P); **2.** *v/t.* обы́скивать [-ка́ть]; зонди́ровать (ра́ну); пронизывать [-за́ть]; *v/i.* разы́скивать [-ка́ть] (for B); ~ into проника́ть [-и́кнуть] в (B); **~ing** [-iŋ] тща́тельный; испыту́ющий; **~-light** проже́ктор; **~-warrant** докуме́нт на пра́во о́быска.
sea|-shore морско́й бе́рег; **~sick** страда́ющий морско́й боле́знью; **~side** побере́жье; взмо́рье; *attr.* примо́рский; ~ place, ~ resort морско́й куро́рт.
season ['si:zn] **1.** вре́мя го́да; пери́од; сезо́н; out of ~ не во́время; with the compliments of the ~ с лу́чшими пожела́ниями к пра́зднику; **2.** *v/t.* приправля́ть [-а́вить] (пи́щу); выде́рживать [вы́держать] (вино́, лес и т. п.); закаля́ть [-ли́ть] (to про́тив P); **~able** [-əbl] □ своевре́менный; по сезо́ну; **~al** ['si:zənl] □ сезо́нный; **~ing** ['si:zniŋ] припра́ва; **~-ticket** сезо́нный биле́т.
seat [si:t] **1.** сиде́нье; стул; скамья́; ме́сто (в теа́тре и т. п.); поса́дка (на ло́шади); уса́дьба; подста́вка; **2.** уса́живать [усади́ть]; снабжа́ть сту́льями; вмеща́ть [вмести́ть]; ~ed сидя́щий; be ~ed сиде́ть, сади́ться [сесть].
sea|-urchin морско́й ёж; **~ward** ['si:wəd] *adj.* напра́вленный к мо́рю; *adv.* (*a.* ~s) к мо́рю; **~weed** морска́я во́доросль *f*; **~worthy** го́дный для морепла́вания.
secede [si'si:d] отка́лываться [отколо́ться], отпада́ть [отпа́сть] (от сою́за и т. п.).
secession [si'seʃən] раско́л; отпаде́ние; *hist.* вы́ход из сою́за (США); **~ist** [-ist] отсту́пник (-ица).
seclu|de [si'klu:d] уединя́ть [-ни́ть]; **~sion** [si'klu:ʒən] уедине́ние.
second ['sekənd] **1.** □ второ́й; втори́чный; уступа́ющий (to Д); on ~ thoughts по зре́лом размышле́нии; **2.** секу́нда; помо́щник; секунда́нт; ~s *pl.* ✝ това́р второ́го со́рта; **3.** подде́рживать [-жа́ть]; подкрепля́ть [-пи́ть]; **~ary** [-əri] □ втори́чный; второстепе́нный; побо́чный; **~-hand** подде́ржанный; из вторы́х рук; **~ly** [-li] во-вторы́х; **~-rate** второсо́ртный; второразря́дный.
secre|cy ['si:krisi] скры́тность *f*; секре́тность *f*; **~t** ['sikrit] **1.** □ та́йный, секре́тный; скры́тный; **2.** та́йна, секре́т; in ~ секре́тно, тайко́м; be in the ~ быть посвящённым в секре́т.
secretary ['sekrətri] секрета́рь *m*, секрета́рша; мини́стр.
secret|e [si'kri:t] (с)пря́тать; выделя́ть [вы́делить]; **~ion** [-ʃən] секре́ция, выделе́ние; **~ive** [-iv] скры́тный.
section ['sekʃən] сече́ние; разре́з; отре́зок; ⚕ вскры́тие, се́кция; отде́л; разде́л (кни́ги); ⚔ отделе́ние.
secular ['sekjulə] □ мирско́й, све́тский; веково́й.
secur|e [si'kjuə] **1.** □ безопа́сный; надёжный; уве́ренный; **2.** закрепля́ть [-пи́ть]; обеспе́чи(ва)ть; обезопа́сить *pf*; дост(ав)а́ть; **~ity** [-riti] безопа́сность *f*; надёжность *f*; обеспе́чение; зало́г; **~ities** *pl.* це́нные бума́ги *f/pl.*
sedate [si'deit] □ степе́нный; уравнове́шенный.
sedative ['sedətiv] *mst* ⚕ успока́ивающее сре́дство.
sedentary ['sedntəri] □ сидя́чий.
sediment ['sedimənt] оса́док.
sedition [si'diʃən] призы́в к бу́нту.
seditious [-ʃəs] □ бунта́рский.
seduc|e [si'dju:s] соблазня́ть

[-ни́ть]; **~tion** [si'dʌkʃən] собла́зн; **~tive** [-tiv] □ соблазни́тельный.
sedulous ['sedjuləs] □ приле́жный.
see [si:] [*irr.*] *v/i.* [у]ви́деть; I ~ я понима́ю; ~ about a th. [по]забо́титься о (П); ~ through a p. ви́деть насквозь кого́-либо; ~ to присма́тривать [-смотре́ть] за (Т); *v/t.* [у]ви́деть; [по]смотре́ть (фильм, и т. п.); замеча́ть [-е́тить]; понима́ть [-ня́ть]; посеща́ть [-ети́ть]; ~ a p. home провожа́ть кого́-нибудь домо́й; ~ off прово́жать [-води́ть]; ~ a th. through доводи́ть [довести́] что́-нибудь до конца́; ~ a p. through помога́ть [помо́чь] (Д); live to ~ дожи́(ва́т)ь до (Р).
seed [si:d] **1.** се́мя *n*; зерно́; *coll.* семена́ *n/pl.*; засе́в; зёрнышко (я́блока и т. п.); пото́мство; go to ~ пойти́ в семена́; *fig.* опуска́ться [-сти́ться]; **2.** *v/t.* засева́ть [засе́ять]; [по]се́ять; *v/i.* пойти́ в се́мя; **~ling** ['si:dliŋ] ⸙ се́янец; **~s** *pl.* расса́да; **~y** ['si:di] напо́лненный семена́ми; потрёпанный, обноси́вшийся; F нездоро́вый.
seek [si:k] [*irr.*] *mst fig.* [по]иска́ть (Р); [по]пыта́ться; [по]стара́ться; ~ after добива́ться (Р).
seem [si:m] [по]каза́ться; **~ing** ['si:miŋ] □ ка́жущийся; мни́мый; **~ly** [-li] подоба́ющий; присто́йный.
seen [si:n] *p. pt.* от see.
seep [si:p] проса́чиваться [-сочи́ться]; протека́ть [-е́чь].
seer ['si(:)ə] прови́дец.
seesaw ['si:'sɔ:] **1.** каче́ли *f/pl.*; кача́ние на доске́; **2.** кача́ться на доске́.
seethe [si:ð] кипе́ть, бурли́ть.
segment ['segmənt] сегме́нт, отре́зок; до́ля, до́лька.
segregate ['segrigeit] отделя́ть [-ли́ть].
seiz|e [si:z] хвата́ть [схвати́ть]; захва́тывать [захвати́ть]; ухвати́ться за (В) *pf.* (*a. fig.*); конфискова́ть (*im*)*pf.*; *fig.* охва́тывать [-ти́ть] (о чу́встве); **~ure** ['si:ʒə] конфиска́ция; захва́т; ⚕ апоплекси́ческий уда́р.
seldom ['seldəm] *adv.* ре́дко, и́зредка.
select [si'lekt] **1.** отбира́ть [отобра́ть]; подбира́ть [подобра́ть]; **2.** отбо́рный; и́збранный; **~ion** [si'lekʃən] вы́бор; подбо́р; отбо́р.
self [self] **1.** *pron.* сам; себя́; ✝ и́ли F = myself etc. я сам и т. д.; **2.** *adj.* одноцве́тный; **3.** *su.* (*pl.* **selves,** selvz) ли́чность *f*; **~-centred** эгоцентри́чный; **~-command** самооблада́ние; **~-conceit** самомне́ние; **~-conceited** чванли́вый; **~-conscious** засте́нчивый; **~-contained** самостоя́тельный; *fig.* за́мкнутый; **~-control** самооблáдание; **~-defence**: in ~ при самозащи́те; **~-denial** самоотрече́ние; **~-evident** очеви́дный; **~interest** своекоры́стие; **~ish** ['selfiʃ] □ эгоисти́чный; **~-possession** самооблада́ние; **~-reliant** самоуве́ренный; **~-seeking** своекоры́стный; **~-willed** своево́льный.
sell [sel] [*irr.*] прод(ав)а́ть; торгова́ть; ~ off, ~ out ✝ распрод(ав)а́ть; **~er** ['selə] продаве́ц (-вщи́ца); good ~ ✝ хо́дкий това́р.
semblance ['sembləns] подо́бие; нару́жность *f*; вид.
semi... ['semi...] полу...; **~-final** полуфи́нал.
seminary ['seminəri] духо́вная семина́рия; расса́дник (*fig.*).
sempstress [-stris] швея́.
senate ['senit] сена́т; *univ.* сове́т.
senator ['senətə] сена́тор.
send [send] [*irr.*] пос(ы)ла́ть; отправля́ть [-а́вить]; ~ for пос(ы)ла́ть за (Т); ~ forth испуска́ть [-усти́ть]; изд(ав)а́ть; ~ up вызыва́ть повыше́ние (Р); ~ word сообща́ть [-щи́ть].
senil|e ['si:nail] ста́рческий; **~ity** [si'niliti] ста́рость *f*; дря́хлость *f*.
senior ['si:njə] **1.** ста́рший; ~ partner ✝ глава́ фи́рмы; **2.** пожило́й челове́к; ста́рший; he is my ~ by a year он ста́рше меня́ на́ год; **~ity** [si:ni'ɔriti] старшинство́.
sensation [sen'seiʃən] ощуще́ние; чу́вство; сенса́ция; **~al** [-ʃnl] □ сенсацио́нный; сенсуа́льный.
sense [sens] **1.** чу́вство; ощуще́ние; смысл; значе́ние; in (out of) one's **~s** *pl.* (не) в своём уме́; bring one to his **~s** *pl.* привести́ кого́-либо в себя́; make ~ име́ть смысл; быть поня́тным; **2.** ощуща́ть [ощути́ть], [по]чу́вствовать.
senseless ['senslis] □ бесчу́вственный; бессмы́сленный; бессодержа́тельный; **~ness** [-nis] бесчу́вственность *f* и т. д.

sensibility [-i'biliti] чувстви́тельность *f*; то́чность *f* (прибо́ра).
sensible ['sensəbl] □ (благо)разу́мный; здравомы́слящий; ощути́мый, заме́тный; be ~ of созн(ав)а́ть (В).
sensitiv|e ['sensitiv] □ чувстви́тельный (to к Д); **~ity** [-'tiviti] чувстви́тельность *f* (to к Д).
sensual ['sensjuəl] □ чу́вственный.
sensuous ['sensjuəs] □ чу́вственный; эстети́чный.
sent [sent] *pt.* и *p. pt.* от send.
sentence ['sentəns] **1.** ⚖ пригово́р; *gr.* предложе́ние; serve one's ~ отбыва́ть наказа́ние; **2.** пригова́ривать [-говори́ть].
sententious [sen'tenʃəs] нравоучи́тели́ный; сентенцио́зный.
sentient ['senʃənt] чу́вствующий.
sentiment ['sentimənt] чу́вство; настрое́ние; мне́ние; мысль *f*; *s.* ~ality; **~al** [senti'mentl] сентимента́льный; **~ality** [sentimen'tæliti] сентимента́льность *f*.
sentinel ['sentinl], **sentry** ['sentri] ⚔ часово́й; карау́льный.
separa|ble ['sepərəbl] □ отдели́мый; **~te 1.** ['seprit] □ отде́льный, осо́бый; сепара́тный; **2.** ['sepəreit] отделя́ть(ся) [-ли́ть(ся)]; разлуча́ть(ся) [-чи́ть(ся)]; расходи́ться [разойти́сь]; **~tion** [sepə'reiʃən] отделе́ние; разлуче́ние; разобще́ние.
September [sep'tembə] сентя́брь [*m.*]
sepul|chre ['sepəlkə] *rhet.* гробни́ца; **~ture** ['sepəltʃə] погребе́ние.
sequel ['si:kwəl] продолже́ние; после́дствие.
sequen|ce ['si:kwəns] после́довательность *f*; **~t** [-kwənt] сле́дующий.
sequestrate [si'kwestreit] ⚖ секвестрова́ть (*im*)*pf.*; конфискова́ть (*im*)*pf.*
serenade [seri'neid] **1.** ♪ серена́да; **2.** петь серена́ду (Д).
seren|e [si'ri:n] □ безо́блачный (*a. fig.*); я́сный; безмяте́жный; Your ♀ Highness ва́ша све́тлость *f*; **~ity** [si'reniti] **1.** безмяте́жность *f*; безо́блачность *f*; **2.** ♀ све́тлость *f*.
serf [sə:f] крепостно́й; раб.
sergeant ['sɑ:dʒənt] ⚔ сержа́нт.
serial ['siəriəl] **1.** □ сери́йный; после́довательный; **2.** рома́н и́ли фильм в не́скольких частя́х.
series ['siəri:z] *pl.* се́рия; ряд.
serious ['siəriəs] □ серьёзный; be ~ серьёзно говори́ть; **~ness** [-nis] серьёзность *f*.
sermon ['sə:mən] про́поведь *f*.
serpent ['sə:pənt] змея́; **~ine** [-ain] изви́листый; змееви́дный.
servant ['sə:vənt] слуга́ *m/f*; служа́нка; служи́тель *m*; прислу́га.
serve [sə:v] **1.** *v/t.* [по]служи́ть (Д); под(ав)а́ть (обе́д, мяч в те́ннисе и т. п.); обслу́живать [-жи́ть]; вруча́ть [-чи́ть] (on Д); отбы́(ва́)ть (срок и т. п.); удовлетворя́ть [-ри́ть]; (it) ~s him right так ему́ и на́до; ~ out вы́да(ва́)ть, разд(ав)а́ть; *v/i.* [по]служи́ть (*a.* ⚔) (as Т); ~ at table прислу́живать за столо́м; **2.** *tennis*: пода́ча.
service ['sə:vis] **1.** слу́жба; обслу́живание; услу́га; (*a.* divine ~) богослуже́ние; сообще́ние; *tennis*: пода́ча (мяча́); the ~s *pl.* ⚔ а́рмия, флот и вое́нная авиа́ция; be at a p.'s ~ быть к чьи́м-либо услу́гам; **2.** *Am.* ⊕ [от]ремонти́ровать; **~able** ['se:visəbl] □ поле́зный; про́чный.
servil|e ['sə:vail] □ ра́бский; раболе́пный; холо́пский; **~ity** [sə:viliti] ра́бство; раболе́пство.
servitude ['sə:vitju:d] ра́бство; penal ~ ка́торга.
session ['seʃən] се́ссия; заседа́ние.
set [set] **1.** [*irr.*] *v/t.* [по]ста́вить; класть [положи́ть]; помеща́ть [-сти́ть]; размеща́ть [-сти́ть]; сажа́ть [посади́ть] (насе́дку на я́йца); зад(ав)а́ть (уро́ки и т. п.); вставля́ть в ра́му (карти́ну и т. п.); уса́живать [усади́ть] (to за В); ⚕ вправля́ть [-а́вить] (ру́ку, но́гу); ~ a p. laughing [рас]смеши́ть кого́-нибудь; ~ sail пуска́ться в пла́вание; ~ one's teeth сти́снуть зу́бы; ~ aside откла́дывать [отложи́ть]; ~ store by высоко́ цени́ть (В); счита́ть ва́жным (В); ~ forth излага́ть [изложи́ть]; ~ off оттеня́ть [-ни́ть]; ~ up учрежда́ть [-еди́ть]; устра́ивать [-ро́ить]; **2.** *v/i. ast.* заходи́ть [зайти́], сади́ться [сесть]; засты́(ва́)ть; ~ about a th. принима́ться [-ня́ться] за что́-нибудь; ~ forth отправля́ться [-а́виться]; ~ (up)on нач(ин)а́ть (В); ~ out отправля́ться [-а́виться]; ~ to вступа́ть в бой; бра́ться [взя́ться] за (рабо́ту, еду́);

~ up for выдава́ть себя́ за (В); **3.** неподви́жный; устано́вленный; засты́вший (взгляд); твёрдый; ~ (up)on поглощённый (Т); ~ with опра́вленный (Т); hard ~ нужда́ющийся; ~ speech приготовленная ре́чь *f*; **4.** набо́р; компле́кт; прибо́р; се́рия; ряд; систе́ма; гарниту́р; серви́з (обе́денный и т. п.); (ра́дио)приёмник; круг (общества); *tennis*: сет; покро́й (пла́тья); *thea.* обстано́вка.

set|back ['set'bæk] неуда́ча; **~-down** отпо́р; **~-off** контра́ст; украше́ние.

setting ['setiŋ] опра́ва (камне́й); декора́ции и костю́мы; *fig.* окружа́ющая обстано́вка; захо́д (со́лнца); ♪ му́зыка на слова́.

settle ['setl] *v/t.* водворя́ть [-ри́ть]; приводи́ть в поря́док; успока́ивать [-ко́ить]; реша́ть [-и́ть] (вопро́с); ула́живать [-а́дить]; заселя́ть [-ли́ть]; опла́чивать [-ати́ть] (счёт); устра́ивать [-ро́ить] (дела́); *v/i.* (*often* ~ down) поселя́ться [-ли́ться]; водворя́ться [-ри́ться]; устра́иваться [-ро́иться]; уса́живаться [усе́сться]; приходи́ть к реше́нию; отста́иваться [-тоя́ться]; оседа́ть [осе́сть]; устана́вливаться [-нови́ться] (о пого́де); **~d** ['setld] постоя́нный; усто́йчивый; **~ment** ['setlmənt] реше́ние; урегули́рование; поселе́ние; ⚖ да́рственная за́пись *f*; **~r** ['setlə] поселе́нец.

set-to (кула́чный) бой; схва́тка.

seven ['sevn] семь; **~teen(th)** [-ti:n(θ)] семна́дцать(-тый); **~th** ['sevnθ] **1.** □ седьмо́й; **2.** седьма́я часть *f*; **~tieth** ['sevntiiθ] семидеся́тый; **~ty** ['sevnti] се́мьдесят.

sever ['sevə] разъединя́ть [-ни́ть]; разлуча́ть [-чи́ть]; [по]рва́ть(ся).

several ['sevrəl] не́сколько (Р); □ отде́льный; **~ly** в отде́льности.

severance ['sevərəns] разры́в; отделе́ние.

sever|e [si'viə] □ стро́гий, суро́вый; ре́зкий; си́льный; жесто́кий; е́дкий; кру́пный (убы́ток); **~ity** [si'veriti] стро́гость *f*; суро́вость *f*; жесто́кость *f*.

sew [sou] [*irr.*] [с]шить.

sewer ['sjuə] сто́чная труба́; **~age** ['sjuəridʒ] канализа́ция.

sew|ing ['souiŋ] шитьё; *attr.* шве́йный; **~n** [soun] *p. pt.* от sew.

sex [seks] пол.

sexton ['sekstən] церко́вный сто́рож, понома́рь *m*; моги́льщик.

sexual ['seksjuəl] □ полово́й; сексуа́льный.

shabby ['ʃæbi] □ потёртый; жа́лкий; захуда́лый; по́длый.

shack [ʃæk] *Am.* лачу́га, хи́жина.

shackle ['ʃækl] **1.** **~s** *pl.* кандалы́ *m/pl.*; око́вы *f/pl.*; **2.** зако́вывать в кандалы́.

shade [ʃeid] **1.** тень *f*; отте́нок; абажу́р (для ла́мпы); нюа́нс; те́ни *f/pl.* (в жи́вописи); **2.** затеня́ть [-ни́ть]; омрача́ть [-чи́ть]; [за-] штрихова́ть; ♪ нюанси́ровать (*im*)*pf.*; ~ off незаме́тно переходи́ть (into в В).

shadow ['ʃædou] **1.** тень *f*; при́зрак; **2.** осеня́ть [-ни́ть]; (*mst* ~ forth) излага́ть тума́нно; следи́ть та́йно за (Т); **~y** [-i] тени́стый; при́зрачный; сму́тный.

shady ['ʃeidi] тени́стый; F тёмный, сомни́тельный; теново́й.

shaft [ʃɑ:ft] дре́вко; рукоя́тка; огло́бля; *fig.* стрела́ (*a.* ⚘); ⊕ вал.

shaggy ['ʃægi] косма́тый; волоса́тый.

shake [ʃeik] **1.** [*irr.*] *v/t.* трясти́ (В *or* Т); тряхну́ть (Т) *pf.*; встря́хивать [-хну́ть]; потряса́ть [-сти́]; [по-] колеба́ть; ~ hands пожа́ть ру́ку друг дру́гу, обменя́ться рукопожа́тием; *v/i.* [за]трясти́сь; [за]дрожа́ть (with, at от Р); ♪ пуска́ть трель; **2.** встря́ска; дрожь *f*; потрясе́ние; ♪ трель *f*; **~-hands** *pl.* рукопожа́тие; **~n** ['ʃeikən] **1.** *p. pt.* от shake; **2.** *adj.* потрясённый.

shaky ['ʃeiki] □ нетвёрдый (на нога́х); трясу́щийся; ша́ткий.

shall [ʃæl] [*irr.*] *v/aux.* вспом. глаго́л, образу́ющий бу́дущее (1-ое лицо́ еди́нственного и мно́жественного числа́:) I shall do я бу́ду де́лать, я сде́лаю.

shallow ['ʃælou] **1.** ме́лкий; *fig.* пове́рхностный; **2.** о́тмель *f*.

sham [ʃæm] **1.** притво́рный; подде́льный; **2.** притво́рство; подде́лка; притво́рщик (-ица); **3.** *v/t.* симули́ровать (*im*)*pf.*; *v/i.* притворя́ться [-ри́ться].

shamble ['ʃæmbl] волочи́ть но́ги; **~s** [-z] бо́йня.

shame [ʃeim] **1.** стыд; позóр; for ~! стыдно!; put to ~ [при]стыдить; **2.** [при]стыдить; [о]срамить; **~-faced** [ˈʃeimfeist] □ застéнчивый; **~ful** [ˈʃeimful] □ стыдный; позóрный; **~less** [ˈʃeimlis] □ бесстыдный.
shampoo [ʃæmˈpu:] **1.** шампýнь *m*; мытьё головы; **2.** мыть шампýнем.
shamrock [ˈʃæmrɔk] ⚘ трилистник.
shank [ʃæŋk] гóлень *f*; ствол.
shanty [ˈʃænti] хибáрка, хижина.
shape [ʃeip] **1.** фóрма; óбраз; очертáние; **2.** *v/t.* созд(ав)áть; придавáть фóрму, вид (Д); *v/i.* [с]формировáться; **~less** [ˈʃeiplis] бесфóрменный; **~ly** [-li] хорошó сложённый; приятной фóрмы.
share [ʃɛə] **1.** дóля, часть *f*; учáстие; áкция; лéмéх, сошник (плýга); go ~s *pl.* делиться пóровну; **2.** *v/t.* [по]делиться (Т); *v/i.* учáствовать (in в П); **~holder** ✝ пáйщик (-ица).
shark [ʃɑ:k] акýла; *fig.* мошéнник.
sharp [ʃɑ:p] **1.** □ *com.* óстрый (*a. fig.*); *fig.* отчётливый; крутóй; éдкий; кислый; рéзкий; пронзительный; кóлкий; F продувнóй; **2.** *adv.* крýто; тóчно; look ~! живо!; **3.** ♪ диéз; **~en** [ˈʃɑ:pən] [на-] точить; заострять [-рить]; **~er** [ˈʃɑ:pə] шýлер; **~ness** [ˈʃɑ:pnis] остротá; рéзкость *f* (и т. д.); **~-sighted** зóркий; **~-witted** остроýмный.
shatter [ˈʃætə] разбивáть вдребезги; разрушáть [-рýшить] (надéжды); расстрáивать [-рóить] (нéрвы, здорóвье).
shave [ʃeiv] **1.** [*irr.*] [по]брить(ся); [вы]строгáть (дóску и т. п.); едвá не задéть (В); **2.** бритьё; have a ~ [по]бриться; have a close ~ едвá избежáть опáсности; **~n** [ˈʃeivn] бритый.
shaving [ˈʃeiviŋ] **1.** бритьё; ~s *pl.* стрýжки *f/pl.*
shawl [ʃɔ:l] шаль *f*; большóй платóк (на плéчи).
she [ʃi:] **1.** онá; **2.** жéнщина; **she-...** сáмка (живóтного): she-wolf волчица.
sheaf [ʃi:f] сноп; связка; пучóк.
shear [ʃiə] **1.** [*irr.*] [о]стричь (овéц); *fig.* обдирáть как липку; **2.** ~s *pl.* (большие) нóжницы *f/pl.*
sheath [ʃi:θ] нóжны *f/pl.*; **~e** [ʃi:ð] вклáдывать в нóжны; ⊕ обши(вá)ть.
sheaves [ʃi:vz] *pl.* от sheaf.
shed[1] [ʃed] [*irr.*] [по]терять (вóлосы, зýбы); проли(вá)ть (слёзы, кровь); сбрáсывать [сбрóсить] (одéжду, кóжу).
shed[2] [~] навéс, сарáй; ангáр.
sheen [ʃi:n] блéск; óтблеск.
sheep [ʃi:p] овцá; **~-dog** овчáрка; **~-fold** овчáрня; **~ish** [ˈʃi:piʃ] □ глуповáтый; рóбкий; **~skin** овчина; барáнья кóжа.
sheer [ʃiə] явный; полнéйший; *Am.* прозрáчный (о ткáни); отвéсный.
sheet [ʃi:t] простыня; лист (бумáги, желéза); ширóкая полосá; ✝ таблица; ~ iron листовóе желéзо; ~ lightning зарница.
shelf [ʃelf] пóлка; устýп; риф; on the ~ *fig.* сдáнный в архив.
shell [ʃel] **1.** скорлупá; рáковина; щит (черепáхи); ⚔ снаряд; гильза; **2.** снимáть скорлупý с (Р); [об]лущить; обстрéливать [-лять]; **~-fish** моллюск; **~-proof** непробивáемый снарядами.
shelter [ˈʃeltə] **1.** приют, *fig.* кров; убéжище (*a.* ⚔); **2.** *v/t.* давáть приют (Д), приютить *pf.*; *v/i.* (*a.* take ~) укры(вá)ться; приютиться *pf.*
shelve [ʃelv] стáвить на пóлку; *fig.* отклáдывать в дóлгий ящик; увольнять [увóлить].
shelves [ʃelvz] *pl.* от shelf.
shepherd [ˈʃepəd] **1.** пастýх; пáстырь *m*; **2.** пасти; направлять [-áвить] (людéй как стáдо).
sherbet [ˈʃə:bət] шербéт.
shield [ʃi:ld] **1.** щит; защита; **2.** заслонять [-нить] (from от Р).
shift [ʃift] **1.** смéна (на завóде и т. п.); изменéние; сдвиг; перемéна; улóвка; make ~ ухитряться [-риться]; [у]довóльствоваться (with Т); **2.** *v/t.* [по]менять; перемещáть [-местить]; *v/i.* изворáчиваться [извернýться]; перемещáться [-меститься]; ~ for o. s. обходиться без пóмощи; **~less** [ˈʃiftlis] □ беспóмощный; **~y** [ˈʃifti] □ *fig.* изворóтливый, лóвкий.
shilling [ˈʃiliŋ] шиллинг.
shin [ʃin] **1.** (или ~-bone) гóлень *f*; **2.** ~ up вскарáбк(ив)аться.
shine [ʃain] **1.** сияние; свет; блеск,

глянец, лоск; **2.** [*irr.*] сиять; светить; блестеть; [от]полировать; [по]чистить (обувь); *fig.* блистать.
shingle ['ʃiŋgl] галька; кровельная дранка; *Am.* вывеска; ~s *pl.* ⚕ опоясывающий лишай.
shiny ['ʃaini] □ солнечный; лоснящийся; блестящий.
ship [ʃip] **1.** судно, корабль *m*; **2.** грузить на судно; перевозить [-везти]; производить посадку, нагрузку (Р на судно); **~board**: ⚓ on ~ на корабле; **~ment** ['ʃipmənt] нагрузка; погрузка; **~-owner** владелец судна; **~ping** ['ʃipiŋ] погрузка; торговый флот, суда *n/pl.*; судоходство; *attr.* судоходный; **~wreck** **1.** кораблекрушение; **2.** потерпеть кораблекрушение; **~-wrecked** потерпевший кораблекрушение; **~yard** верфь *f.*
shire ['ʃaiə, ...ʃiə] графство.
shirk [ʃə:k] увиливать [-льнуть] от (Р); **~er** ['ʃə:kə] прогульщик.
shirt [ʃə:t] мужская рубашка, сорочка; (*a.* ~-blouse) блуза.
shiver ['ʃivə] **1.** дрожь *f*; **2.** [за]дрожать; вздрагивать [-рогнуть]; **~y** [-ri] дрожащий.
shoal [ʃoul] **1.** мелководье; мель *f*; стая, косяк (рыбы); **2.** мелкий; **3.** [об]мелеть.
shock [ʃɔk] **1.** удар, толчок; потрясение; копна; ⚕ шок; **2.** *fig.* потрясать [-ясти]; шокировать; **~ing** ['ʃɔkiŋ] □ потрясающий; скандальный; ужасный.
shod [ʃɔd] *pt.* и *p. pt.* от shoe.
shoddy ['ʃɔdi] **1.** волокно из шерстяных тряпок; *fig.* хлам; **2.** поддельный; дрянной.
shoe [ʃu:] **1.** туфля; башмак; полуботинок; подкова; **2.** [*irr.*] обу(ва)ть; подковывать [-ковать]; **~black** чистильщик сапог; **~blacking** вакса; **~horn** рожок (для обуви); **~-lace,** *Am.* **~-string** шнурок для ботинок; **~maker** сапожник; **~polish** *s.* shoeblacking.
shone [ʃɔn] *pt.* и *p. pt.* от shine.
shook [ʃuk] *pt.* от shake.
shoot [ʃu:t] **1.** стрельба; ⚘ росток, побег; **2.** [*irr.*] *v/t.* стрелять; застрелить *pf.*; расстреливать [-лять]; снимать [снять], заснять *pf.* (фильм); *v/i.* стрелять [выстрелить]; дёргать (о боли); (*a.* ~ along, past) проноситься [-нестись]; промелькнуть *pf.*; промчаться *pf.*; ⚘ расти (быстро); ~ ahead ринуться вперёд; **~er** ['ʃu:tə] стрелок.
shooting ['ʃu:tiŋ] стрельба; охота; ~ star падающая звезда.
shop [ʃɔp] **1.** лавка, магазин; мастерская; talk ~ говорить в обществе о своей профессии; **2.** делать покупки (*mst* go ~ping); **~keeper** лавочник (-ица); **~man** лавочник; продавец; **~-steward** цеховой староста *m*; **~-window** витрина.
shore [ʃɔ:] **1.** берег; взморье, побережье; on ~ на берег, на берегу; подпорка; **2.** ~ up подпирать [-переть].
shorn [ʃɔ:n] *p. pt.* от shear.
short [ʃɔ:t] короткий; краткий; невысокий (рост); недостаточный; неполный; отрывистый, сухой (ответ); песочный (о печенье); in ~ вкратце; come (или fall) ~ of иметь недостаток в (П); не достигать [-ичь] *or* [-игнуть] (Р); не оправдывать [-дать] (ожиданий); cut ~ пре(ры)вать; fall (или run) ~ истощаться [-щиться], иссякать [-якнуть]; stop ~ of не доезжать [доехать], не доходить [дойти] до (Р); **~age** ['ʃɔ:tidʒ] нехватка; **~coming** недостаток; изъян; **~cut** сокращение дороги; **~-dated** ✝ краткосрочный; **~en** ['ʃɔ:tn] *v/t.* сокращать [-ратить]; укорачивать [-ротить]; *v/i.* сокращаться [-ратиться]; укорачиваться [-ротиться]; **~ening** [-iŋ] жир для теста; **~hand** стенография; **~ly** ['ʃɔ:tli] *adv.* вскоре; коротко; **~ness** [-nis] короткость *f*; краткость *f*; **~-sighted** близорукий; **~-term** краткосрочный; **~-winded** страдающий одышкой.
shot [ʃɔt] **1.** *pt.* и *p. pt.* от shoot; **2.** выстрел; ядро (пушки); дробь *f*, дробинка (*mst* small ~); стрелок; *sport* ядро (для толкания); удар; *phot.* снимок; ⚕ инъекция; have a ~ сделать попытку; F not by a long ~ отнюдь не; **~-gun** дробовик.
should [ʃud, ʃəd] *pt.* от shall.
shoulder ['ʃouldə] **1.** плечо; уступ, выступ; **2.** взваливать на плечи; *fig.* брать на себя; ⚔ брать к плечу (ружьё); **~-blade** лопатка (*anat.*).

shout [ʃaut] **1.** крик; во́зглас; **2.** [за]крича́ть [кри́кнуть]; [на]крича́ть (at на В).
shove [ʃʌv] **1.** толчо́к; **2.** пиха́ть [пихну́ть]; толка́ть [-кну́ть].
shovel [ˈʃʌvl] **1.** лопа́та, сово́к; **2.** копа́ть [копну́ть]; сгреба́ть лопа́той.
show [ʃou] **1.** [*irr.*] *v/t.* пока́зывать [-за́ть]; выставля́ть [вы́ставить]; проявля́ть [-ви́ть]; дока́зывать [-за́ть]; ~ in вводи́ть [ввести́]; ~ up изоблича́ть [-чи́ть]; *v/i.* пока́зываться [-за́ться]; проявля́ться [-ви́ться]; ~ off пуска́ть пыль в глаза́; **2.** зре́лище; вы́ставка; ви́димость *f*; пока́зывание; **~-case** витри́на.
shower [ˈʃauə] **1.** ли́вень *m*; душ; **2.** ли́ться ли́внем; ороша́ть [ороси́ть]; поли́(ва́)ть; *fig.* осыпа́ть [осы́пать]; **~y** [ˈʃauəri] дождли́вый.
show|n [ʃoun] *p. pt.* от show; **~-room** вы́ставочный зал; **~-window** *Am.* витри́на; **~y** [ˈʃoui] □ роско́шный; эффе́ктный.
shrank [ʃræŋk] *pt.* от shrink.
shred [ʃred] **1.** лоскуто́к, клочо́к; кусо́к; **2.** [*irr.*] ре́зать, рвать на клочки́; F [ис]кромса́ть.
shrew [ʃru:] сварли́вая же́нщина.
shrewd [ʃru:d] проница́тельный; хи́трый.
shriek [ʃri:k] **1.** пронзи́тельный крик, вопль *m*; **2.** [за]вопи́ть.
shrill [ʃril] **1.** □ пронзи́тельный; **2.** пронзи́тельно крича́ть, [за]визжа́ть.
shrimp [ʃrimp] *zo.* креве́тка; *fig.* сморчо́к.
shrine [ʃrain] ра́ка; святы́ня.
shrink [ʃriŋk] [*irr.*] сокраща́ться [-рати́ться]; усыха́ть [усо́хнуть]; сади́ться [сесть] (о мате́рии, ше́рсти); устраша́ться [-ши́ться] (from, at P); **~age** [ˈʃriŋkidʒ] сокраще́ние; уса́дка; усу́шка.
shrivel [ˈʃrivl] смо́рщи(ва)ть(ся); съёжи(ва)ться.
shroud [ʃraud] **1.** са́ван; *fig.* покро́в; **2.** завёртывать в са́ван; оку́т(ыв)ать (*a. fig.*).
shrub [ʃrʌb] куст; **~s** *pl.* кустарни́к.
shrug [ʃrʌg] **1.** пож(им)а́ть (плеча́ми); **2.** пожима́ние (плеча́ми).
shrunk [ʃrʌŋk] *pt.* и *p. pt.* от shrink (*a.* ~en).
shudder [ˈʃʌdə] **1.** вздра́гивать [-ро́гнуть]; содрога́ться [-гну́ться]; **2.** дрожь *f*; содрога́ние.
shuffle [ˈʃʌfl] **1.** ша́ркать [-кнуть] (при ходьбе́); волочи́ть (но́ги); [с]тасова́ть (ка́рты); виля́ть (лука́вить); ~ off свали́ть с себя́ (отве́тственность); **2.** ша́рканье; тасова́ние (карт); увёртка.
shun [ʃʌn] избега́ть [-ежа́ть] (P); остерега́ться [-ре́чься] (P).
shunt [ʃʌnt] **1.** 🚂 маневри́ровать; ⚡ шунти́ровать; *fig.* откла́дывать [отложи́ть]; **2.** 🚂 стре́лка; перево́д на запа́сный путь; ⚡ шунт.
shut [ʃʌt] [*irr.*] **1.** закры́(ва́)ть(ся), затворя́ть(ся) [-ри́ть(ся)]; ~ down прекраща́ть рабо́ту; ~ up! замолчи́!; **2.** закры́тый; **~ter** [ˈʃʌtə] ста́вень *m*; *phot.* затво́р.
shuttle [ˈʃʌtl] ⊕ челно́к; ~ train при́городный по́езд.
shy [ʃai] **1.** пугли́вый; засте́нчивый; **2.** [ис]пуга́ться (at P).
shyness [ˈʃainis] засте́нчивость *f*.
Siberian [saiˈbiəriən] **1.** сиби́рский; **2.** сибиря́к (-я́чка).
sick [sik] **1.** больно́й (of T); чу́вствующий тошноту́; уста́вший (of от P); be ~ for тоскова́ть по (Д *or* П); **~en** [ˈsikn] *v/i.* заболе́(ва́)ть; [за]ча́хнуть; ~ at чу́вствовать отвраще́ние к (Д); *v/t.* де́лать больны́м; вызыва́ть тошноту у (P); **~fund** больни́чная ка́сса.
sickle [ˈsikl] серп.
sick|-leave о́тпуск по боле́зни; **~ly** [ˈsikli] боле́зненный; тошнотво́рный; нездоро́вый (кли́мат); **~ness** (-nis) боле́знь *f*; тошнота́.
side [said] **1.** *com.* сторона́; бок; край; ~ by ~ бок о́ бок; take ~ with примыка́ть к стороне́ (P); **2.** *attr.* боково́й; побо́чный; **3.** ~ with стать на сто́рону (P); **~board** буфе́т; **~-car** *mot.* коля́ска мотоци́кла; **~-light** боково́й фона́рь *m*; **~long** *adv.* вкось; *adj.* косо́й; боково́й; **~-path** тротуа́р; **~-stroke** пла́вание на боку́; **~-track** **1.** 🚂 запасно́й путь *m*; **2.** переводи́ть (по́езд) на запа́сный путь; **~walk** *Am.* тротуа́р; **~ward** (-s) [ˈsaidwədz], **~ways** в сто́рону; вкось; бо́ком.
siding [ˈsaidiŋ] 🚂 ве́тка.
sidle [ˈsaidl] подходи́ть (и́ли ходи́ть) бочко́м.

siege [si:dʒ] оса́да; lay ~ to осаж-[дать [осади́ть].
sieve [si:v] си́то.
sift [sift] просе́ивать [-е́ять]; *fig.* [про]анализи́ровать.
sigh [sai] **1.** вздох; **2.** вздыха́ть [вздохну́ть].
sight [sait] **1.** зре́ние; вид; взгляд; зре́лище; прице́л; ~s *pl.* достопримеча́тельности *f/pl.*; catch ~ of уви́деть *pf.*, заме́тить *pf.*; lose ~ of потеря́ть из ви́ду; **2.** уви́деть *pf.*; вы́смотреть *pf.*; прице́ли(ва)ться (at в В); **~ly** ['saitli] краси́вый; прия́тный на вид; **~-seeing** ['sait-si:iŋ] осмо́тр достопримеча́тельностей.
sign [sain] **1.** знак; при́знак; симпто́м; вы́веска; in ~ of в знак (Р); **2.** *v/i.* подава́ть зна́к (Д); *v/t.* подпи́сывать [-са́ть].
signal ['signl] **1.** сигна́л; **2.** □ выдаю́щийся, замеча́тельный; **3.** [про]сигнализи́ровать; **~ize** ['signəlaiz] отмеча́ть [-е́тить].
signat|ory ['signətəri] **1.** подписа́вший; **2.** сторона́, подписа́вшая (догово́р); ~ powers *pl.* держа́вы-уча́стницы (догово́ра); **~ure** ['signitʃə] по́дпись *f.*
sign|board вы́веска; **~er** ['sainə] лицо́, подписа́вшее како́й-либо докуме́нт.
signet ['signit] печа́тка.
signific|ance [sig'nifikəns] значе́ние; **~ant** [-kənt] □ значи́тельный, многозначи́тельный; характе́рный (of для Р); **~ation** [signifi'keiʃən] значе́ние; смысл.
signify ['signifai] зна́чить, означа́ть; выка́зывать [вы́казать].
signpost указа́тельный столб.
silence ['sailəns] **1.** молча́ние; безмо́лвие; ~! молча́ть!; **2.** заста́вить молча́ть; заглуша́ть [-ши́ть]; **~r** [-ə] глуши́тель *m.*
silent ['sailənt] □ безмо́лвный; молчали́вый; бесшу́мный.
silk [silk] **1.** шёлк; **2.** шёлковый; **~en** ['silkən] □ шелкови́стый; **~worm** шелкови́чный червь *m*; **~y** ['silki] шелкови́стый.
sill [sil] подоко́нник; поро́г.
silly ['sili] □ глу́пый, дура́шливый.
silt [silt] **1.** ил; **2.** засоря́ть(ся) и́лом (*mst* ~ up).
silver ['silvə] **1.** серебро́; **2.** сере́бряный; **3.** [по]серебри́ть; **~y** [-ri] серебри́стый.
similar ['similə] □ схо́дный (с Т), похо́жий (на В); подо́бный; **~ity** [simi'læriti] схо́дство; подо́бие.
simile ['simili] сравне́ние (как ритори́ческая фигу́ра).
similitude [si'militju:d] подо́бие; о́браз; схо́дство.
simmer ['simə] ме́дленно кипе́ть (или кипяти́ть).
simper ['simpə] **1.** жема́нная улы́бка; **2.** жема́нно улыба́ться.
simple ['simpl] □ просто́й; несло́жный; простоду́шный; **~-hearted** наи́вный; **~ton** [-tən] проста́к.
simpli|city [sim'plisiti] простота́; простоду́шие; **~fy** [-fai] упроща́ть [-ости́ть].
simply ['simpli] про́сто; несло́жно.
simulate ['simjuleit] симули́ровать (*im*)*pf.*, притворя́ться [-ори́ться].
simultaneous [siməl'teinjəs] □ одновре́ме́нный.
sin [sin] **1.** грех; **2.** согреша́ть [-ши́ть], греши́ть.
since [sins] **1.** *prp.* с (Р); **2.** *adv.* с тех пор; ... тому́ наза́д; **3.** *cj.* с тех пор, как; так как; поско́льку.
sincer|e [sin'siə] □ и́скренний; **~ity** [sin'seriti] и́скренность *f.*
sinew ['sinju:] сухожи́лие; *fig. mst* ~s *pl.* физи́ческая си́ла; **~y** [-jui] му́скулистый; си́льный.
sinful ['sinful] □ гре́шный.
sing [siŋ] [*irr.*] [с]петь; воспе́(ва́)ть; ~ing bird пе́вчая пти́ца.
singe [sindʒ] опаля́ть [-ли́ть].
singer ['siŋə] певе́ц, певи́ца.
single ['siŋgl] **1.** □ еди́нственный; одино́чный; одино́кий; холосто́й, незаму́жняя; ~ entry проста́я бухгалте́рия; in ~ file гусько́м; **2.** одино́чная игра́ (в те́ннисе); **3.** ~ out отбира́ть [отобра́ть]; **~-breasted** однобо́ртный (пиджа́к); **~-handed** самостоя́тельно, без посторо́нней по́мощи; **~t** ['siŋglit] те́льная фуфа́йка; **~-track** одноколе́йный.
singular ['siŋgjulə] необыча́йный; стра́нный; еди́нственный; **~ity** [siŋgju'læriti] необыча́йность *f.*
sinister ['sinistə] злове́щий.
sink [siŋk] **1.** [*irr.*] *v/i.* опуска́ться [-сти́ться]; [по-, у]тону́ть; погружа́ться [-узи́ться]; *v/t.* затопля́ть [-пи́ть]; [вы́]рыть (коло́дец); прокла́дывать [проложи́ть] (тру́бы); помеща́ть невы́годно (капита́л);

замалчивать [замолчать] (факты); **2.** раковина (водопроводная); **~ing** [-iŋ] ⚕ внезапная слабость *f*; ~ fund амортизационный фонд.
sinless ['sinlis] безгрешный.
sinner ['sinə] грешник (-ица).
sinuous ['sinjuəs] □ извилистый.
sip [sip] **1.** маленький глоток; **2.** пить маленькими глотками.
sir [sə:] сударь *m* (обращение); ♀ сэр (титул).
siren ['saiərin] сирена.
sirloin ['sə:lɔin] филей.
sister ['sistə] сестра; **~hood** [-hud] сестринская община; **~-in-law** [-rinlɔ:] невестка; золовка; свояченица; **~ly** [-li] сестринский.
sit [sit] [*irr.*] *v/i.* сидеть; заседать; *fig.* быть расположенным; ~ down садиться [сесть]; *v/t.* сажать [посадить] (на яйца).
site [sait] местоположение; участок (для строительства).
sitting ['sitiŋ] заседание; **~-room** гостиная.
situat|ed ['sitjueitid] расположенный; **~ion** [sitju'eiʃən] положение; ситуация; должность *f*.
six [siks] **1.** шесть; **2.** шестёрка; **~teen** ['siks'ti:n] шестнадцать; **~teenth** [-θ] шестнадцатый; **~th** [siksθ] **1.** шестой; **2.** шестая часть *f*; **~tieth** ['sikstiiθ] шестидесятый; **~ty** ['siksti] шестьдесят.
size [saiz] **1.** размер, величина; формат; номер (обуви и т. п.); **2.** сортировать по размерам; ~ up определять величину (Р); ... **~d** [-d] ... размера.
siz(e)able ['saizəbl] порядочного размера.
sizzle ['sizl] [за]шипеть.
skat|e [skeit] **1.** конёк (*pl.*: коньки); (= roller-~) конёк на роликах; **2.** кататься на коньках; **~er** ['skeitə] конькобежец (-жка).
skein [skein] моток пряжи.
skeleton ['skelitn] скелет, остов; каркас; *attr.* ⚔ недоукомплектованный (полк и т. д.); ~ key отмычка.
sketch [sketʃ] **1.** эскиз, набросок; **2.** делать набросок (Р); рисовать эскизы.
ski [ʃi:, *Am.* ski:] **1.** (*pl.* ~ или ~s) лыжа; **2.** ходить на лыжах.
skid [skid] **1.** тормозной башмак; буксование; ✈ хвостовой костыль *m*; **2.** *v/t.* [за]тормозить; *v/i.* буксовать.
skilful ['skilful] □ искусный, умелый.
skill [skil] мастерство, умение; **~ed** квалифицированный; искусный.
skim [skim] **1.** снимать [снять] (накипь, сливки и т. п.); [по-] нестись по (Д), скользить [-знуть] по (Д); просматривать [-смотреть]; ~ over бегло прочитывать; **2.** ~ milk снятое молоко.
skimp [skimp] скудно снабжать; урез(ыв)ать; [по]скупиться (in на В); **~y** ['skimpi] □ скудный; узкий.
skin [skin] **1.** кожа; шкура; кожура; оболочка; **2.** *v/t.* сдирать кожу, шкуру, кору с (Р); ~ off F снимать [снять] (перчатки, чулки и т. п.); *v/i.* зажи(ва)ть (о ране) (*a.* ~ over); **~-deep** поверхностный; **~flint** скряга *m*; **~ny** ['skini] тощий.
skip [skip] **1.** прыжок; ⚒ бадья; **2.** *v/i.* [по]скакать; *fig.* перескакивать [-скочить] (from с [Р]), to на [В]); *v/t.* пропускать [-стить] (страницу и т. п.).
skipper ['skipə] шкипер, капитан.
skirmish ['skə:miʃ] **1.** ⚔ перестрелка; стычка; **2.** перестреливаться.
skirt [skə:t] **1.** юбка; пола; край, окраина; **2.** окаймлять [-мить]; идти вдоль края (Р); быть расположенным на окраине (Р).
skit [skit] сатира, пародия; **~tish** ['skitiʃ] □ игривый, кокетливый.
skittle ['skitl] кегля; play (at) ~s *pl.* играть в кегли; **~-alley** кегельбан.
skulk [skʌlk] скрываться; прятаться; красться; **~er** ['skʌlkə] скрывающийся; прогульщик.
skull [skʌl] череп.
sky [skai] небо (*eccl.*: небеса); **~lark** **1.** жаворонок; **2.** выкидывать штуки; **~light** верхний свет; светлый люк; **~line** горизонт; очертание (на фоне неба); **~-scraper** небоскрёб; **~ward(s)** ['skaiwəd(z)] к небу.
slab [slæb] плита; пластина.
slack [slæk) **1.** нерадивый; расхлябанный; слабый; медленный; ненатянутый (о поводьях и т. п.); (*a.* ✝) вялый; **2.** ⚓ слабина (каната); ✝ застой; ~s *pl.* свободные (рабочие) брюки *f/pl.*; **3.** = ~en; = slake; **~en** ['slækn]

ослабля́ть [-а́бить]; [о]сла́бнуть; замедля́ть [-е́длить]; ло́дырничать.
slag [slæg] шлак, ока́лина.
slain [slein] *p. pt.* от slay.
slake [sleik] утоля́ть [-ли́ть] (жа́жду); гаси́ть (и́звесть).
slam [slæm] **1.** хло́панье; (в ка́рточной игре́) шлем; **2.** хло́пать [-пнуть] (T); захло́пывать(ся) [-пнуть(ся)].
slander ['slɑ:ndə] **1.** клевета́; **2.** [на]клевета́ть; **~ous** [-rəs] □ клеветни́ческий.
slang [slæŋ] слэнг; жарго́н.
slant [slɑ:nt] **1.** склон, укло́н; *Am.* то́чка зре́ния; **2.** *v/t.* класть ко́со; направля́ть вкось; *v/i.* лежа́ть ко́со; **~ing** ['slɑ:ntiŋ] *adj.* □ косо́й; **~wise** [-waiz] *adv.* ко́со.
slap [slæp] **1.** шлепо́к; ~ in the face пощёчина; **2.** шлёпать [-пнуть].
slash [slæʃ] **1.** уда́р сплеча́; разре́з; вы́рубка; **2.** руби́ть [рубану́ть] (са́блей); [по]ра́нить (ножо́м); [ис]полосова́ть [полосну́ть] (кнуто́м и т. п.).
slate [sleit] **1.** сла́нец, ши́фер; гри́фельная доска́; **2.** крыть ши́ферными пли́тами; **~-pencil** гри́фель *m.*
slattern [slætən] неря́ха (же́нщина).
slaughter ['slɔ:tə] **1.** убо́й (скота́); резня́, кровопроли́тие; **2.** [за]ре́зать (дома́шнее живо́тное); **~-house** бо́йня.
Slav [slɑ:v] **1** славяни́н (-я́нка); **2.** славя́нский.
slave [sleiv] **1.** раб(ы́ня); *attr.* ра́бский; **2.** рабо́тать как ка́торжник.
slaver ['slævə] **1.** слю́ни *f/pl.*; **2.** [за]слюня́вить; пуска́ть слю́ни.
slav|ery ['sleivəri] ра́бство; **~ish** [-viʃ] □ ра́бский.
slay [slei] [*irr.*] уби́(ва́)ть.
sled [sled], **~ge**[1] [sledʒ] са́ни *f/pl.*; сала́зки *f/pl.*
sledge[2] [~] кузне́чный мо́лот.
sleek [sli:k] **1.** □ гла́дкий, прили́занный; хо́леный; **2.** пригла́живать [-гла́дить]; **~ness** [sli:knis] гла́дкость *f.*
sleep [sli:p] **1.** [*irr.*] *v/i.* спать; ~ (up-) on отложи́ть до за́втра; *v/t.* дава́ть (кому́-нибудь) ночле́г; ~ away прос(ы)па́ть; **2.** сон; **~er** [-ə] спя́щий; 🚂 шпа́ла; F спа́льный ваго́н; **~ing** [-iŋ]: ~ partner компаньо́н, не уча́ствующий акти́вно в дела́х; **~ing-car(riage)** 🚂 спа́льный ваго́н; **~less** [-lis] □ бессо́нный; **~-walker** луна́тик; **~y** [-i] □ со́нный, за́спанный.
sleet [sli:t] **1.** дождь со сне́гом и́ли гра́дом; **2.** it ~s идёт дождь со сне́гом; **~y** ['sli:ti] сля́котный.
sleeve [sli:v] рука́в; ⊕ му́фта; вту́лка.
sleigh [slei] са́ни *f/pl.*; сала́зки *f/pl.*
sleight [slait] (*mst* ~ of hand) ло́вкость *f* (рук); фо́кусничество.
slender ['slendə] □ стро́йный; то́нкий; ску́дный.
slept [slept] *pt.* и *p. pt.* от sleep.
sleuth [slu:θ] соба́ка-ище́йка; *fig.* сы́щик.
slew [slu:] *pt.* от slay.
slice [slais] **1.** ло́мтик; то́нкий слой; часть *f*; **2.** ре́зать ло́мтиками.
slick [slik] F гла́дкий; *Am.* хи́трый; **~er** *Am.* ['slikə] жу́лик.
slid [slid] *pt.* и *p. pt.* от slide.
slide [slaid] **1.** [*irr.*] скользи́ть [-зну́ть]; ката́ться по льду; вдвига́ть [-и́нуть], всо́вывать [всу́нуть] (into в B); let things ~ относи́ться ко всему́ спустя́ рукава́; **2.** скольже́ние; ледяна́я гора́ и́ли доро́жка; о́ползень *m*; накло́нная пло́скость *f*; ⊕ сала́зки *f/pl.*; диапозити́в; **~-rule** логарифми́ческая лине́йка.
slight [slait] **1.** □ то́нкий, хру́пкий; незначи́тельный; сла́бый; **2.** пренебреже́ние; **3.** пренебрега́ть [-бре́чь] (T); трети́ровать.
slim|e [slaim] слизь *f*; ли́пкий ил; **~y** ['slaimi] сли́зистый; вя́зкий.
sling [sliŋ] **1.** (руже́йный) реме́нь *m*; рога́тка; праща́; ⚕ повя́зка; **2.** [*irr.*] швыря́ть [швырну́ть]; ве́шать через плечо́; подве́шивать [-е́сить].
slink [sliŋk] [*irr.*] кра́сться.
slip [slip] **1.** [*irr.*] *v/i.* скользи́ть [-зну́ть]; поскользну́ться *pf.*; выскольза́ть [вы́скользнуть] (*a.* ~ away); буксова́ть (о колёсах); ошиба́ться [-би́ться]; *v/t.* сова́ть [су́нуть]; спуска́ть [спусти́ть] (соба́ку); выпуска́ть [вы́пустить] (стрелу́); ~ a p.'s memory ускольза́ть из па́мяти (P); ~ on (off) наде́(ва́)ть (сбра́сывать [сбро́сить]); **2.** скольже́ние; полоса́;

про́мах; оши́бка; опи́ска; опеча́тка; комбина́ция (бельё); ⚓ э́ллинг, ста́пель *m*; на́волочка; give a p. the ~ ускольза́ть [-зну́ть] от (P); **~per** ['slipə] ко́мнатная ту́фля, ~s *pl.* шлёпанцы *m/pl.*; **~pery** ['slipəri] □ ско́льзкий; ненадёжный; **~shod** ['slipʃɔd] неря́шливый; небре́жный; **~t** [slipt] *pt.* и *p. pt.* от slip.

slit [slit] **1.** разре́з; щель *f*; **2.** [*irr.*] разреза́ть в длину́.

sliver ['slivə] ще́пка, лучи́на.

slogan [slougən] ло́зунг, деви́з.

sloop [slu:p] ⚓ шлюп.

slop [slɔp]: **1.** лу́жа; ~s *pl.* жи́дкая пи́ща; ~s *pl.* помо́и *m/pl.*; **2.** проли́(ва́)ть; расплёскивать(ся) [-еска́ть(ся)].

slope [sloup] **1.** накло́н, склон, скат; **2.** клони́ться; име́ть накло́н.

sloppy ['slɔpi] □ мо́крый (о доро́ге); жи́дкий (о пи́ще); неря́шливый.

slot [slɔt] щель *f*; паз.

sloth [slouθ] лень *f*, ле́ность *f*; *zo.* лени́вец.

slot-machine автома́т (для прода́жи папиро́с и т. п.).

slouch [slautʃ] **1.** [с]суту́литься; неуклю́же держа́ться; свиса́ть [сви́снуть]; **2.** суту́лость *f*; ~ hat мя́гкая шля́па.

slough[1] [slau] боло́то; топь *f*.

slough[2] [slʌf] сбро́шенная ко́жа (зме́й).

sloven ['slʌvn] неря́ха *m/f*; **~ly** [-li] неря́шливый.

slow [slou] **1.** □ ме́дленный; медли́тельный; тупо́й; вя́лый; be ~ отст(ав)а́ть (о часа́х); **2.** (*a.* ~ down, up, off) замедля́ть(ся) [заме́длить (-ся)]; **~coach** тугоду́м; отста́лый челове́к; **~-worm** *zo.* медяни́ца.

sludge [slʌdʒ] *f*; отсто́й; ти́на.

slug [slʌg] **1.** слизня́к; *Am.* F жето́н для телефо́нных автома́тов; **2.** *Am.* F [от]тузи́ть.

slugg|ard ['slʌgəd] лежебо́ка *m/f.*; **~ish** ['slʌgiʃ] □ ме́дленный, вя́лый.

sluice [slu:s] **1.** шлюз; **2.** отводи́ть шлю́зом; шлюзова́ть (*im*)*pf.*; обли́(ва́)ть (over B).

slum [slʌm] *mst* ~s *pl.* трущо́ба.

slumber ['slʌmbə] **1.** (*a.* ~s *pl.*) сон; **2.** дрема́ть; спать.

slump [slʌmp] **1.** ре́зкое паде́ние (цен, спро́са); **2.** ре́зко па́дать; тяжело́ опуска́ться (на стул и т. п.).

slung [slʌŋ] *pt.* и *p. pt.* от sling.

slunk [slʌŋk] *pt.* и *p. pt.* от slink.

slur [slə:] **1.** слия́ние (зву́ков); *fig.* пятно́ (на репута́ции); ♪ ли́га; **2.** *v/t.* сли(ва́)ть (слова́); ~ over зама́зы(ва)ть; ♪ игра́ть лега́то.

slush [slʌʃ] сля́коть *f*; та́лый снег.

sly [slai] □ хи́трый; лука́вый; on the ~ тайко́м.

smack [smæk] **1.** (при́)вкус; за́пах; чмо́канье; зво́нкий поцелу́й; *fig.* отте́нок; **2.** отзыва́ться [отозва́ться] (of T); па́хнуть (of T); име́ть при́вкус (of P); чмо́кать [-кнуть] (губа́ми); хло́пать [-пнуть] (T); шлёпать [-пнуть].

small [smɔ:l] *com.* ма́ленький, небольшо́й; ме́лкий; незначи́тельный; ~ change ме́лочь *f*; ~ fry ме́лкая рыбёшка; мелюзга́; ~ of the back *anat.* поясни́ца; **~-arms** *pl.* ручно́е огнестре́льное ору́жие; **~ish** [smɔ:liʃ] дово́льно ма́ленький; **~pox** *pl.* ⚕ о́спа; **~-talk** лёгкий, бессодержа́тельный разгово́р.

smart [smɑ:t] **1.** □ ре́зкий, си́льный (уда́р); суро́вый (о наказа́нии); ло́вкий; остроу́мный; щегол̈ева́тый; наря́дный; **2.** боль *f*; **3.** боле́ть (о ча́сти те́ла); страда́ть; **~-money** компенса́ция за уве́чье; отступны́е де́ньги *f/pl.*; **~ness** ['smɑ:tnis] наря́дность *f*; элега́нтность *f*; ло́вкость *f*.

smash [smæʃ] **1.** *v/t.* сокруша́ть [-ши́ть] *a. fig.*; разбива́ть вдре́безги; *v/i.* разби́(ва́)ться; ста́лкиваться [столкну́ться] (into с T); † [о]банкро́титься; **2.** битьё вдре́безги; столкнове́ние (поездо́в и т. п.); **~-up** катастро́фа; банкро́тство.

smattering ['smætəriŋ] пове́рхностное зна́ние.

smear [smiə] **1.** пятно́; мазо́к; **2.** [на]ма́зать, изма́з(ыв)ать.

smell [smel] **1.** за́пах; обоня́ние; **2.** [*irr.*] обоня́ть (B); [по]чу́ять (B); (*a.* ~ at) [по]ню́хать (B); ~ of па́хнуть (T).

smelt[1] [smelt] *pt.* и *p. pt.* от smell.

smelt[2] [~] выплавля́ть [вы́плавить] (мета́лл).

smile [smail] **1.** улы́бка; **2.** улыба́ться [-бну́ться].

smirch [sməːtʃ] *rhet.* [за]пятна́ть.
smirk [sməːk] ухмыля́ться [-льну́ться].
smite [smait] [*irr.*] поража́ть [порази́ть]; ударя́ть [уда́рить]; разби́(ва́)ть (неприя́теля); разруша́ть [-ру́шить].
smith [smiθ] кузне́ц.
smithereens [ˈsmiðəˈriːnz] *pl.* оско́лки *m/pl.*; черепки́ *m/pl.*; (in)to ~ вдре́безги.
smithy [ˈsmiði] ку́зница.
smitten [ˈsmitn] **1.** *p.pt.* от smite; **2.** поражённый (with T); очаро́ванный (with T).
smock [smɔk] **1.** украша́ть обо́рками; **2.** **~-frock** рабо́чий хала́т.
smoke [smouk] **1.** дым; have a ~ покури́ть *pf.*; **2.** кури́ть; [на-] дыми́ть; [за]дыми́ться; выку́ривать [вы́курить] (*a.* ~ out); **~-dried** копчёный; **~r** [ˈsmoukə] куря́щий; 🚂 F ваго́н для куря́щих; отделе́ние для куря́щих; **~-stack** 🚂 ⚓ дымова́я труба́.
smoking [ˈsmoukiŋ] куря́щий; кури́тельный (о ко́мнате); **~-compartment** отделе́ние для куря́щих.
smoky [-ki] ды́мный; закопте́лый.
smooth [smuːð] **1.** □ гла́дкий; *fig.* пла́вный; споко́йный; вкра́дчивый, льсти́вый; **2.** пригла́живать [-ла́дить]; разгла́живать [-ла́дить]; *fig.* (*a.* ~ over) смягча́ть [-чи́ть], сма́з(ыв)ать; **~ness** [ˈsmuːðnis] гла́дкость *f* и т. д.
smote [smout] *pt.* от smite.
smother [ˈsmʌðə] [за]души́ть.
smoulder [ˈsmouldə] тлеть.
smudge [smʌdʒ] **1.** [за]па́чкать(ся); **2.** гря́зное пятно́.
smug [smʌg] самодово́льный.
smuggle [ˈsmʌgl] занима́ться контраба́ндой; прота́скивать контраба́ндой; **~r** [-ə] контрабанди́ст(ка).
smut [smʌt] **1.** са́жа, у́гольная пыль *f* и т. п.; гря́зное пятно́; непристо́йности *f/pl.*; ⚘ головня́; **2.** [за-] па́чкать.
smutty [ˈsmʌti] □ гря́зный.
snack [snæk] лёгкая заку́ска; **~-bar** заку́сочная.
snaffle [ˈsnæfl] тре́нзель *m.*
snag [snæg] коря́га; сучо́к; обло́манный зуб; *fig.* препя́тствие.
snail [sneil] *zo.* ули́тка.
snake [sneik] *zo.* змея́.
snap [snæp] **1.** щёлк, треск; застёжка; хрустя́щее пече́нье; де́тская ка́рточная игра́; *fig.* энерги́чность *f*; cold ~ внеза́пное похолода́ние; **2.** *v/i.* [с]лома́ться; щёлкать [-кнуть]; ухва́тываться [ухвати́ться] (at за В); огрыза́ться [-зну́ться] (at на В); [по]рва́ться; ца́пать [ца́пнуть] (at В); *v/t.* защёлкивать [защелкну́ть]; *phot.* де́лать momentáльный сни́мок (P); ~ out отре́зать *pf.*; ~ up подхва́тывать [-хвати́ть]; **~fastener** кно́пка (застёжка); **~pish** [ˈsnæpiʃ] □ раздражи́тельный; **~py** [ˈsnæpi] F энерги́чный; живо́й; **~shot** *phot.* момента́льный сни́мок.
snare [snɛə] **1.** сило́к; *fig.* лову́шка; западня́; **2.** пойма́ть в лову́шку.
snarl [snɑːl] **1.** рыча́ние; **2.** [про-] рыча́ть; *fig.* огрыза́ться [-зну́ться].
snatch [snætʃ] **1.** рыво́к; хвата́ние; обры́вок; кусо́чек; **2.** хвата́ть [схвати́ть]; ~ at хвата́ться [схвати́ться] за (В); ~ up подхва́тывать [-хвати́ть].
sneak [sniːk] **1.** *v/i.* кра́сться; *v/t.* F стащи́ть *pf.*, укра́сть *pf.*; **2.** трус; я́бедник (-ица); **~ers** [ˈsniːkəz] *pl.* те́ннисные ту́фли *f/pl*; та́почки *f/pl.*
sneer [sniə] **1.** усме́шка; насме́шка; **2.** насме́шливо улыба́ться; [по-] глуми́ться (at над T).
sneeze [sniːz] **1.** чиха́нье; **2.** чиха́ть [чихну́ть].
snicker [ˈsnikə] ти́хо ржать; хихи́кать [-кнуть].
sniff [snif] фы́ркать [-кнуть] (в знак презре́ния); [за]сопе́ть; [по-] ню́хать.
snigger [ˈsnigə] пода́вленный смешо́к.
snip [snip] **1.** обре́зок; надре́з; **2.** ре́зать но́жницами.
snipe [snaip] стреля́ть из укры́тия.
snippy [ˈsnipi] F отры́висто-гру́бый; надме́нный.
snivel [ˈsnivl] [за]хны́кать; F распуска́ть со́пли.
snob [snɔb] сноб; **~bery** [ˈsnɔbəri] снобизм.
snoop [snuːp] *Am.* **1.** сова́ть нос в чужи́е дела́; **2.** проны́ра *m/f.*
snooze [snuːz] F **1.** лёгкий, коро́ткий сон; **2.** дрема́ть, вздремну́ть *pf.*
snore [snɔː] [за]храпе́ть.

snort [snɔ:t] фы́ркать [-кнуть]; [за]храпе́ть (о ло́шади).
snout [snaut] ры́ло; мо́рда.
snow [snou] **1.** снег; **2.** it ~s снег идёт; be ~ed under быть занесённым сне́гом; **~-drift** сне́жный сугро́б; **~y** ['snoui] □ сне́жный; белосне́жный.
snub [snʌb] **1.** *fig.* оса́живать [осади́ть]; **2.** вы́говор; **~-nosed** курно́сый.
snuff [snʌf] **1.** ню́хательный таба́к; **2.** снима́ть нага́р (со свечи́); (*a.* take ~) ню́хать таба́к; **~le** ['snʌfl] гнуса́вить, говори́ть в нос.
snug [snʌg] □ ую́тный; доста́точный; **~gle** ['snʌgl] (ла́сково) приж(им)а́ть(ся) (to к Д).
so [sou] так; ита́к; таки́м о́бразом; I hope ~ я наде́юсь; are you tired? ~ I am вы уста́ли? — да; you are tired, ~ am I вы уста́ли и я то́же; ~ far до сих пор.
soak [souk] *v/t.* [на]мочи́ть; впи́тывать [впита́ть]; *v/i.* промока́ть; пропи́тываться [-пита́ться]; проса́чиваться [-сочи́ться].
soap [soup] **1.** мы́ло; soft ~ жи́дкое мы́ло; **2.** намы́ли(ва)ть; **~-box** мы́льница; импровизи́рованная трибу́на; **~y** ['soupi] □ мы́льный.
soar [sɔ:] высоко́ лета́ть; пари́ть; ✈ [с]плани́ровать.
sob [sɔb] **1.** рыда́ние; **2.** [за]рыда́ть, разрыда́ться *pf.*
sober ['soubə] **1.** □ тре́звый; уме́ренный; **2.** вытрезвля́ть [вы́трезвить]; **~ness** [-nis], **~sobriety** [sou'braiəti] тре́звость *f.*
so-called ['soukɔ:ld] так называ́емый.
sociable ['souʃəbl] **1.** □ общи́тельный; дру́жеский; **2.** *Am.* вечери́нка.
social ['souʃəl] **1.** □ обще́ственный; социа́льный; све́тский; ~ service социа́льное учрежде́ние; **2.** вечери́нка; **~ize** [-aiz] социализи́ровать (*im*)*pf.*
society [sə'saiəti] о́бщество; компа́ния (торго́вая); обще́ственность *f*; объедине́ние.
sociology [sousi'ɔləʤi] социоло́гия.
sock [sɔk] носо́к; сте́лька.
socket ['sɔkit] впа́дина (глазна́я); углубле́ние; ⚡ патро́н (электри́ческой ла́мпочки); ⊕ му́фта.
soda ['soudə] со́да; со́довая вода́; **~-fountain** сифо́н.
sodden ['sɔdn] промо́кший.
soft [sɔft] □ *com.* мя́гкий; не́жный; ти́хий; нея́ркий; кро́ткий; изне́женный; придуркова́тый; ~ drink *Am.* F безалкого́льный напи́ток; **~en** ['sɔfn] смягча́ть(ся) [-чи́ть(ся)].
soggy ['sɔgi] сыро́й; пропи́танный водо́й.
soil [sɔil] **1.** по́чва, земля́; грязь *f*; пятно́; **2.** [за]па́чкать(ся).
sojourn ['sɔʤə:n, 'sʌʤ-] **1.** пребыва́ние; **2.** (вре́менно) прожива́ть.
solace ['sɔləs] **1.** утеше́ние; **2.** утеша́ть [уте́шить].
sold [sould] *pt.* и *p. pt.* от sell.
solder ['sɔ(l)də] **1.** спа́йка; **2.** пая́ть, запа́ивать [запая́ть].
soldier ['souldʒə] солда́т; **~like, ~ly** [-li] во́инский; вои́нственный; **~y** [-ri] солда́ты *m/pl.*
sole[1] [soul] □ еди́нственный; исключи́тельный.
sole[2] [~] **1.** подо́шва; подмётка; **2.** ста́вить подмётку к (Д).
solemn ['sɔləm] □ торже́ственный; ва́жный; **~ity** [sə'lemniti] торже́ственность *f*; **~ize** ['sɔləmnaiz] [от]пра́здновать; торже́ственно отмеча́ть.
solicit [sə'lisit] [по]хода́тайствовать; выпра́шивать [вы́просить]; прист(ав)а́ть (к мужчи́не на у́лице); **~ation** [səlisi'teiʃən] хода́тайство; насто́йчивая про́сьба; **~or** [sə'lisitə] ⚖ стря́пчий; пове́ренный; *Am.* аге́нт фи́рмы; **~ous** [-əs] □ забо́тливый; ~ of стремя́щийся к (Д); **~ude** [-ju:d] забо́тливость *f*, забо́та.
solid ['sɔlid] **1.** □ твёрдый; про́чный; сплошно́й; масси́вный; ⩓ простра́нственный, куби́ческий; *fig.* соли́дный; надёжный; единогла́сный; сплочённый; a ~ hour це́лый час; ~ tire масси́вная ши́на; **2.** твёрдое те́ло; **~arity** [sɔli'dæriti] солида́рность *f*; **~ify** [sə'lidifai] [за]тверде́ть; де́лать твёрдым; **~ity** [-ti] твёрдость *f*; про́чность *f.*
soliloquy [sə'liləkwi] моноло́г; разгово́р с сами́м собо́й.
solit|ary ['sɔlitəri] □ одино́кий; уединённый; отде́льный; **~ude** [-tju:d] одино́чество; уединённое ме́сто.
solo ['soulou] со́ло *n indecl.*; ✈ оди-

но́чный полёт; ~ist ['soulouist] соли́ст(ка).

solu|ble ['sɔljubl] раствори́мый; разреши́мый; **~tion** [sə'lu:ʃən] растворе́ние; реше́ние; ⊕ раство́р; рези́новый клей.

solv|e [sɔlv] реша́ть [реши́ть], разреша́ть [-ши́ть]; **~ent** [-vənt] **1.** растворя́ющий; ☨ платёжеспосо́бный; **2.** раствори́тель *m.*

somb|er, ~re ['sɔmbə] □ мра́чный.

some [sʌm, səm] не́кий; како́й-то; како́й-нибудь; не́сколько; не́которые; о́коло (P); ~ 20 miles миль два́дцать; in ~ degree, to ~ extent до изве́стной сте́пени; **~body** ['sʌmbədi] кто́-то; кто́-нибудь; **~how** [-hau] ка́к-то; ка́к-нибудь; ~ or other так и́ли ина́че; **~one** [~wʌn] *s.* somebody.

somer|sault ['sʌməsɔ:lt], **~set** [-set] кувырка́ние; turn ~s *pl.* кувырка́ться, turn a ~ кувыркну́ться *pf.*

some|thing ['sʌmθiŋ] что́-то; что́-нибудь; кое-что́; ~ like приблизи́тельно; что-то вро́де (P): **~time** [-taim] **1.** когда́-то; не́когда; **2.** бы́вший, пре́жний; **~times** иногда́; **~what** [-wɔt] слегка́, немно́го; до не́которой сте́пени; **~where** [-wɛə] где́-то, куда́-то; где́-нибудь, куда́-нибудь.

son [sʌn] сын (*pl.*: сыновья́; *fig. pl.*: сыны́).

song [sɔŋ] пе́сня; рома́нс; F for a mere ~ за бесце́нок; **~-bird** пе́вчая пти́ца; **~ster** ['sɔŋstə] певе́ц; пе́вчая пти́ца.

son-in-law зя́ть *m.*

sonorous [sə'nɔ:rəs] □ зву́чный.

soon [su:n] ско́ро, вско́ре; ра́но; охо́тно; as (*or* so) ~ as как то́лько; **~er** ['su:nə] скоре́е; no ~ ... than едва́ ..., как; no ~ said than done ска́зано — сде́лано.

soot [su:t] **1.** са́жа; ко́поть *f*; **2.** покрыва́ть са́жей.

sooth|e [su:ð] успока́ивать [-ко́ить]; утеша́ть [уте́шить]; **~sayer** ['su:θseiə] предсказа́тель(ница *f*) *m.*

sooty ['su:ti] □ закопчённый; чёрный как са́жа.

sop [sɔp] **1.** обмакну́тый (в подли́вку и т. п.) кусо́к хле́ба и т. п.; *fig.* взя́тка; **2.** обма́кивать [-макну́ть]; нама́чивать [-мочи́ть].

sophist|icate [so'fistikeit] извраща́ть [-рати́ть]; подде́л(ыв)ать; лиша́ть наи́вности; **~icated** [-id] извращённый, искажённый; лишённый наи́вности; искушённый; **~ry** ['sɔfistri] софи́стика.

soporific [soupə'rifik] усыпля́ющее, снотво́рное сре́дство.

sorcer|er ['sɔ:sərə] волше́бник; **~ess** [-ris] волше́бница; ве́дьма; **~y** [-ri] волшебство́.

sordid ['sɔ:did] □ гря́зный; убо́гий.

sore [sɔ:] **1.** □ чувстви́тельный; боле́зненный; больно́й, воспалённый; оби́женный; ~ throat боль в го́рле; **2.** боля́чка; я́зва (*a. fig.*).

sorrel ['sɔ:rəl] **1.** гнедо́й (о ло́шади); **2.** гнеда́я ло́шадь *f.*

sorrow ['sɔrou] **1.** го́ре, печа́ль *f*; **2.** горева́ть, печа́литься; **~ful** ['sɔrouful] □ печа́льный, скорбный.

sorry ['sɔri] □ по́лный сожале́ния; (I am) (so) ~! мне о́чень жаль!; винова́т!; I am ~ for you мне вас жаль.

sort [sɔ:t] **1.** род, сорт; people of all ~s *pl.* всевозмо́жные лю́ди *m/pl.*; ~ of F как бу́дто; be out of ~s *pl.* быть не в ду́хе; пло́хо чу́вствовать себя́; **2.** сортирова́ть; ~ out рассортиро́вывать [-ирова́ть].

sot [sɔt] го́рький пья́ница *m.*

sough [sau] **1.** ше́лест; **2.** [за-] шелесте́ть.

sought [sɔ:t] *pt.* и *p. pt.* от seek

soul [soul] душа́.

sound [saund] **1.** □ здоро́вый, кре́пкий, про́чный; здра́вый; норма́льный; ☨ платёжеспосо́бный; ⚖ зако́нный; **2.** звук, шум; звон; зонд; проли́в; пла́вательный пузы́рь *m* (у ры́бы); **3.** звуча́ть (*a. fig.*); раз-д(ав)а́ться; зонди́ровать (*a. fig.*); измеря́ть глубину́ (P); выслу́шивать [вы́слушать] (больно́го); **~ing** ['saundiŋ] ⚓ проме́р глубины́ ло́том; зонди́рование; **~less** [-lis] □ беззву́чный; **~ness** [-nis] здоро́вье и т. д.; **~-proof** звуконепроница́емый.

soup [su:p] суп.

sour ['sauə] **1.** □ ки́слый; *fig.* угрю́мый; раздражи́тельный; **2.** *v/t.* [за]ква́сить; *fig.* озлобля́ть [озло́бить]; *v/i.* закиса́ть [-и́снуть]; прокиса́ть [-и́снуть].

source [sɔ:s] исто́к; исто́чник (*mst fig.*), ключ, родни́к.

sour|ish [ˈsauəriʃ] □ кисловáтый; **~ness** [-nis] кислотá; *fig.* гóречь *f*; раздражи́тельность *f*.

souse [saus] [за]соли́ть; [за]мариновáть; окáчивать [окати́ть].

south [sauθ] **1.** юг; **2.** ю́жный; **~-east 1.** юго-востóк; **2.** юго-востóчный (*a.* ~-eastern).

souther|ly [ˈsʌðəli], **~n** [ˈsʌðən] ю́жный; **~ner** [-ə] южáнин, южáнка; *Am.* жи́тель(ница) ю́жных штáтов.

southernmost [-moust] сáмый ю́жный.

southward, ~ly [ˈsauθwəd, -li], **~s** [-dz] *adv.* к ю́гу, на юг.

south|-west 1. юго-зáпад; **2.** юго-зáпадный (*a.* ~-westerly, ~-western); **~-wester** юго-зáпадный вéтер; ⚓ зюйдвéстка.

souvenir [ˈsu:vəniə] сувени́р.

sovereign [ˈsɔvrin] **1.** □ верхóвный; суверéнный; превосхóдный; **2.** монáрх; соверéн (монéта в оди́н фунт стéрлингов); **~ty** [-ti] верхóвная власть *f*; суверенитéт.

soviet [ˈsouviet] **1.** совéт; **2.** совéтский.

sow¹ [sau] *zo.* свинья́, свиномáтка; ⊕ чу́шка.

sow² [sou] [*irr.*] [по]сéять; засевáть [засéять]; **~n** [soun] *p. pt.* от sow².

spa [spɑ:] курóрт (с минерáльными вóдами); целéбные вóды *f/pl.*

space [speis] **1.** прострáнство; мéсто; промежу́ток; срок; *attr.* косми́ческий; **2.** *typ.* набирáть в разря́дку.

spacious [ˈspeiʃəs] □ простóрный; обши́рный; вмести́тельный.

spade [speid] лопáта; **~s** пи́ки *f/pl.* (кáрточная масть).

span [spæn] **1.** пролёт (мóстá); корóткое расстоя́ние и́ли врéмя; *Am.* пáра лошадéй (волóв и т. п.); **2.** стрóить мост чéрез (В); измеря́ть [-éрить].

spangle [ˈspæŋgl] **1.** блёстка; **2.** украшáть блёстками; *fig.* усéивать [усéять].

Spaniard [ˈspænjəd] испáнец (-нка).

Spanish [ˈspæniʃ] испáнский.

spank [spæŋk] F **1.** шлёпать [-пнуть]; отшлёп(ыв)ать; **2.** шлепóк; **~ing** [ˈspæŋkiŋ] свéжий (вéтер).

spar [spɑ:] **1.** ⚓ рангóутное дéрево; ✈ лонжерóн; **2.** бокси́ровать (в трениро́вке); *fig.* [по]спóрить, препирáться.

spare [spεə] **1.** □ запаснóй; ли́шний, свобóдный;ску́дный; худощáвый; скрóмный; ~ time свобóдное врéмя *n*; **2.** ⊕ запасная часть *f*; **3.** [по]щади́ть; [по]жалéть; [с]берéчь; уделя́ть [-ли́ть] (врéмя); избавля́ть [-áвить] от (Р).

sparing [ˈspεəriŋ] □ умéренный; бережли́вый;ску́дный.

spark [spɑ:k] **1.** и́скра; щёголь *m*; **2.** [за]и́скриться; **~(ing)-plug** *mot.* запáльная свечá.

sparkle [ˈspɑ:kl] **1.** и́скра; сверкáние; **2.** [за]и́скриться, [за]сверкáть; sparkling wine шипу́чее винó.

sparrow [ˈspærou] воробéй.

sparse [spɑ:s] □ рéдкий; разбрóсанный.

spasm [spæzm] спáзма, су́дорога; **~odic(al** □) [spæzˈmɔdik, -dikəl] су́дорожный.

spat [spæt] **1.** гéтра; **2.** *pt.* и *p.pt.* от spit.

spatter [ˈspætə] бры́згать [-знуть]; расплёскивать [-плескáть].

spawn [spɔ:n] **1.** икрá; *fig. contp.* отрóдье; **2.** метáть икру́; *contp.* [рас]плоди́ться.

speak [spi:k] [*irr.*] *v/i.* говори́ть; [по]говори́ть (with, to с Т); разговáривать; ~ out, ~ up выскáзываться [вы́сказаться]; говори́ть грóмко; *v/t.* выскáзывать [вы́сказать]; говори́ть [сказáть] (прáвду и т. п.); **~er** [ˈspi:kə] орáтор; *parl.* спи́кер (председáтель палáты); **~ing-trumpet** ру́пор.

spear [spiə] **1.** копьё; дрóтик; острогá; **2.** пронзáть копьём; бить острогóй (ры́бу).

special [ˈspeʃəl] **1.** □ специáльный; осóбенный; осóбый; э́кстренный; **2.** специáльный корреспондéнт; э́кстренный пóезд; **~ist** [-ist] специали́ст; **~ity** [speʃiˈæliti] осóбенность *f*; специáльность *f*; **~ize** [ˈspeʃəlaiz] специализи́ровать(ся) (*im*)*pf.* (в П *or* по Д); **~ty**[ˈspeʃəlti] *s.* speciality.

specie [ˈspi:ʃi:] звóнкая монéта; **~s** [ˈspi:ʃi:z] вид; разнови́дность *f*.

speci|fic [spiˈsifik] (~ally) характéрный; осóбенный; определённый; **~fy** [-fai] специфици́ровать (*im*)*pf.*; тóчно определя́ть; **~men**

[-min] образе́ц; обра́зчик; экземпля́р.
specious [ˈspi:ʃəs] □ благови́дный; показно́й.
speck [spek] **1.** пя́тнышко; кра́пинка; **2.** [за]пятна́ть; **~le** [ˈspekl] **1.** пя́тнышко; **2.** испещря́ть [-ри́ть]; [за]пятна́ть.
spectacle [ˈspektəkl] зре́лище; ~s *pl.* очки́ *n/pl.*
spectacular [spekˈtækjulə] □ эффе́ктный, импоза́нтный.
spectator [spekˈteitə] зри́тель(ница *f*) *m.*
spect|er [ˈspektə] при́зрак; **~ral** [ˈspektrəl] □ при́зрачный; **~re** *s.* ~er.
speculat|e [ˈspekjuleit] размышля́ть [-ы́слить]; ✝ спекули́ровать (in T); **~ion** [spekjuˈleiʃən] размышле́ние; предположе́ние; ✝ спекуля́ция; **~ive** [ˈspekjulətiv] □ умозри́тельный; спекуляти́вный; **~or** [-leitə] ✝ спекуля́нт.
sped [sped] *pt.* и *p. pt.* от speed.
speech [spi:tʃ] речь *f*; го́вор; **~less** [ˈspi:tʃlis] □ безмо́лвный.
speed [spi:d] **1.** ско́рость *f*, быстрота́; *mot.* ход, ско́рость *f*; good ~! всего́ хоро́шего!; **2.** [*irr.*] *v/i.* [по]спеши́ть; идти́ поспе́шно; успева́ть (в заня́тиях); *v/t.* ~ up ускоря́ть [-о́рить]; **~-limit** допуска́емая ско́рость *f* (езды́); **~ometer** [spi:ˈdɔmitə] *mot.* спидо́метр; **~y** [ˈspi:di] □ бы́стрый.
spell [spel] **1.** (коро́ткий) пери́од; промежу́ток вре́мени; рабо́чее вре́мя *n*; ча́ры *f/pl.*; обая́ние; **2.** [*a. irr.*] писа́ть, чита́ть по бу́квам; писа́ть пра́вильно; означа́ть [означи́ть]; **~bound** *fig.* очаро́ванный; **~er** [ˈspelə] *part. Am.* буква́рь *m*; **~ing** [-iŋ] правописа́ние; **~ing-book** буква́рь *m.*
spelt [spelt] *pt.* и *p. pt.* от spell.
spend [spend] [*irr.*] [по]тра́тить, [из]расхо́довать (де́ньги); проводи́ть [-вести́] (вре́мя); истоща́ть [-щи́ть]; **~thrift** [ˈspendθrift] мот (-о́вка), расточи́тель(ница *f*) *m.*
spent [spent] **1.** *pt.* и *p. pt.* от spend. **2.** *adj.* истощённый.
sperm [spə:m] спе́рма; кашало́т.
spher|e [sfiə] шар; земно́й шар; небе́сная сфе́ра; гло́бус; *fig.* сфе́ра; круг, по́ле де́ятельности; среда́; **~ical** [ˈsferikəl] □ сфери́ческий.
spice [spais] **1.** спе́ция, пря́ность *f*; *fig.* соль *f*; при́вкус; **2.** приправля́ть [-а́вить].
spick and span [ˈspikənˈspæn] щегольско́й, с иго́лочки.
spicy [ˈspaisi] □ пря́ный; пика́нтный.
spider [ˈspaidə] *zo.* пау́к
spigot [ˈspigət] *Am.* кран (бо́чки).
spike [spaik] **1.** остриё; шип, гвоздь *m* (на подо́шве); ⚘ ко́лос; **2.** прибива́ть гвоздя́ми; снабжа́ть шипа́ми; пронза́ть [-зи́ть].
spill [spil] **1.** [*irr.*] *v/t.* проли́(ва́)ть; рассыпа́ть [-ы́пать]; F выва́ливать [вы́валить] (седока́); *v/i.* проли́(ва́)ться; **2.** F паде́ние.
spilt [spilt] *pt.* и *p. pt.* от spill.
spin [spin] **1.** [*irr*] [с]прясть; [с]сучи́ть (кана́т и т. п.); крути́ться; [за]кружи́ть(ся); ~ a yarn расска́зывать небыли́цы; ~ along ката́ться, [по]кати́ться; **2.** круже́ние; бы́страя езда́.
spinach [ˈspinidʒ] ⚘ шпина́т.
spinal [ˈspainl] спинно́й; ~ column спинно́й хребе́т; ~ cord, ~ marrow спинно́й мозг.
spindle [ˈspindl] веретено́.
spine [spain] *anat.* спинно́й хребе́т, позвоно́чный столб; колю́чка.
spinning|-mill пряди́льная фа́брика; **~-wheel** пря́лка.
spinster [ˈspinstə] ста́рая де́ва; ⚖ незаму́жняя (же́нщина).
spiny [ˈspaini] колю́чий.
spiral [ˈspaiərəl] **1.** □ спира́льный; ~ staircase винтова́я ле́стница; **2.** спира́ль *f.*
spire [ˈspaiə] шпиль *m*; шпиц; острокonéчная верши́на.
spirit [ˈspirit] **1.** *com.* дух; привиде́ние; смысл; воодушевле́ние; спирт; ~s *pl.* (high припо́днятое, low пода́вленное) настрое́ние; спиртны́е напи́тки *m/pl.*; **2.** ~ away, off таи́нственно похища́ть; **~ed** [-id] □ живо́й; сме́лый; энерги́чный; **~less** [-lis] □ вя́лый; ро́бкий; безжи́зненный.
spiritual [ˈspiritjuəl] □ духо́вный; одухотворённый; религио́зный; **~ism** [-izm] спири́т(уал)и́зм.
spirituous [ˈspiritjuəs] спиртно́й, алкого́льный.
spirt [spə:t] *s* spurt.
spit [spit] **1.** ве́ртел; слюна́; плево́к; *fig.* подо́бие; **2.** [*irr.*] плева́ть

[плю́нуть]; треща́ть (об огне́); шипе́ть (о ко́шке); мороси́ть.

spite [spait] **1.** зло́ба, злость *f*; in ~ of не смотря́ на (В); **2.** досажда́ть [досади́ть]; **~ful** ['spaitful] зло́бный.

spitfire ['spitfaiə] вспы́льчивый челове́к.

spittle ['spitl] слюна́; плево́к.

spittoon [spi'tu:n] плева́тельница.

splash [splæʃ] **1.** бры́зги *f/pl.* (*mst* ~es *pl.*); плеск; **2.** бры́згать [-знуть]; плеска́ть(ся) [-сну́ть].

splayfoot ['spleifut] косола́пый.

spleen [spli:n] *anat.* селезёнка; хандра́.

splend|id ['splendid] □ блестя́щий; великоле́пный, роско́шный; **~o(u)r** [-də] блеск; великоле́пие, ро́скошь *f*; пы́шность *f*.

splice [splais] ⚓ сплета́ть [-ести́] (кана́ты), сpléсни(ва)ть.

splint [splint] **1.** ⚕ лубо́к; **2.** накла́дывать лубо́к на (В); **~er** ['splintə] **1.** оско́лок; лучи́на; зано́за; **2.** расщепля́ть(ся) [-пи́ть(ся)].

split [split] **1.** тре́щина; щель *f*; *fig.* раско́л; **2.** расщеплённый; раско́лотый; **3.** [*irr.*] *v/t.* раска́лывать [-коло́ть]; расщепля́ть [-пи́ть]; ~ hairs вдава́ться в то́нкости; ~ one's sides with laughing надрыва́ться от сме́ха; *v/i.* раска́лываться [-коло́ться]; ло́паться [ло́пнуть]; **~ting** ['splitiŋ] ужа́сный (о головно́й бо́ли); оглуши́тельный.

splutter ['splʌtə] *s.* sputter.

spoil [spɔil] **1.** (*a.* ~s *pl.*) награ́бленное добро́, добы́ча; *pol. part. Am.* ~s system распределе́ние госуда́рственных должносте́й за услу́ги; **2.** [*irr.*] [ис]по́ртить; [по]губи́ть; [ис]по́ртиться (о пи́ще); [из]балова́ть (ребёнка).

spoke [spouk] **1.** *pt.* от speak; **2.** спи́ца (колеса́); ступе́нька, перекла́дина; **~n** ['spoukən] *p. pt.* от speak; **~sman** ['spouksmən] представи́тель *m*.

sponge [spʌndʒ] **1.** гу́бка; **2.** *v/t.* вытира́ть и́ли мыть гу́бкой; ~ up впи́тывать гу́бкой; *v/i.* жить на чужо́й счёт; **~-cake** бискви́т; **~r** ['spʌndʒə] прижива́льщик (-лка).

spongy ['spʌndʒi] гу́бчатый.

sponsor ['spɔnsə] **1.** покрови́тель (-ница *f*) *m*; поручи́тель(ница *f*) *m*; крёстный оте́ц, крёстная мать *f*; *Am.* абоне́нт радиорекла́мы; **2.** руча́ться [поручи́ться] за (В); быть крёстным отцо́м (крёстной ма́терью) у (Р).

spontane|ity [spɔntə'ni:iti] непосре́дственность *f*; самопроизво́льность *f*; **~ous** [spɔn'teinjəs] □ непосре́дственный; непринуждённый; самопроизво́льный.

spook [spu:k] привиде́ние.

spool [spu:l] **1.** шпу́лька; **2.** нама́тывать на шпу́льку.

spoon [spu:n] **1.** ло́жка; **2.** че́рпать ло́жкой; **~ful** ['spu:nful] ло́жка (ме́ра).

sport [spɔ:t] **1.** спорт; ~s *pl.* спорти́вные и́гры *f/pl.*; *attr.* спорти́вный; *fig.* игру́шка; развлече́ние, заба́ва; *sl.* молоде́ц; **2.** *v/i.* игра́ть, весели́ться, резви́ться; *v/t.* F щеголя́ть [-льну́ть] (Т); **~ive** ['spɔ:tiv] □ игри́вый; весёлый; **~sman** ['spɔ:tsmən] спортсме́н.

spot [spɔt] **1.** *com.* пятно́; кра́пинка; ме́сто; on the ~ на ме́сте; сра́зу, неме́дленно; **2.** нали́чный; подлежа́щий неме́дленной упла́те; **3.** [за]пятна́ть; ⚔ обнару́жи(ва)ть; F опозн(ав)а́ть; **~less** ['spɔtlis] □ безупре́чный; незапя́тнанный; **~light** проже́ктор; *fig.* центр внима́ния; **~ty** ['spɔti] пятни́стый; кра́пчатый; прыщева́тый.

spouse [spauz] супру́г(а).

spout [spaut] **1.** струя́; но́сик (ча́йника и т. п.); водосто́чная труба́; **2.** выпуска́ть струёй (В); би́ть струёй; F ора́торствовать.

sprain [sprein] **1.** растяже́ние (свя́зок); **2.** растя́гивать [-тяну́ть]; вы́вихнуть *pf*.

sprang [spræŋ] *pt.* от spring.

sprawl [sprɔ:l] растя́гивать(ся) [-яну́ть(ся)]; разва́ливаться [-ли́ться] (в кре́сле); ⚘ бу́йно разраста́ться.

spray [sprei] **1.** водяна́я пыль *f*; бры́зги *f/pl.*; пульвериза́тор, распыли́тель *m* (*a.* ~er); **2.** распыля́ть [-ли́ть]; обры́зг(ив)ать.

spread [spred] **1.** [*irr.*] *v/t.* (*a.* ~ out) расстила́ть [разостла́ть]; распространя́ть [-ни́ть]; нама́з(ыв)ать (Т); ~ the table накры́(ва́)ть на стол; *v/i.* простира́ться [простере́ться]; распространя́ться [-ни́ться]; **2.** *pt.* и *p pt.* от spread 1.; **3.**

распространéние; протяжéние.

spree [spri:] весéлье; шáлость *f*; кутёж.

sprig [sprig] вéточка, побéг; *fig.* óтпрыск; ⊕ штифтик; гвóздик.

sprightly ['spraitli] оживлённый, весёлый.

spring [spriŋ] **1.** прыжóк, скачóк; родни́к, ключ; (*a.* **~***time*) веснá; ⊕ пружи́на, рессóра; *fig.* моти́в; **2.** [*irr.*] *v/t.* взрывáть [взорвáть]; вспу́гивать [-гну́ть] (дичь); ~ a leak ⚓ давáть течь (о кораблé); ~ a th. (up)on a p. неожи́данно сообщи́ть (В/Д); *v/i.* пры́гать [-гнуть]; вскáкивать [вскочи́ть]; ⚘ появля́ться [-ви́ться] (о пóчках); ~ up возникáть [-и́кнуть]; **~-board** трампли́н; **~tide** веснá; ~ tide сизиги́йный прили́в; **~y** ['spriŋi] □ упру́гий.

sprinkl|e ['spriŋkl) бры́згать [-знуть]; [о]кропи́ть; **~ing** [-iŋ] лёгкий дождь *m*; a ~ немнóго.

sprint [sprint] *sport* **1.** спринт (бег на корóткую дистáнцию); **2.** бéгать на скóрость.

sprite [sprait] эльф.

sprout [spraut] **1.** пускáть ростки́; всходи́ть [взойти́] (о семенáх); отрáщивать [отрасти́ть]; **2.** ⚘ ростóк, побéг.

spruce[1] [spru:s] □ щеголевáтый; нарядный.

spruce[2] [~] ⚘ ель *f*.

sprung [sprʌŋ] *pt.* и *p. pt.* от spring.

spry [sprai] *part. Am.* живóй; сообрази́тельный; провóрный.

spun [spʌn] *pt.* и *p. pt.* от spin.

spur [spə:] **1.** шпóра; *fig.* побуждéние; act on the ~ of the moment дéйствовать под влия́нием минýты; **2.** пришпóри(ва)ть; побуждáть [-уди́ть].

spurious ['spuəriəs] □ поддéльный, подлóжный.

spurn [spə:n] отвергáть с презрéнием; оттáлкивать [оттолкну́ть] (ногóй).

spurt [spə:t] **1.** наддавáть хóду; бить струёй; выбрáсывать [вы́бросить] (плáмя); **2.** струя́; поры́в вéтра; рывóк; *sport* спурт.

sputter ['spʌtə] **1.** бры́зги *f/pl.*; шипéние; **2.** [за]шипéть (об огнé); бры́згать слюнóй; говори́ть бессвя́зно.

spy [spai] **1.** шпиóн(ка); тáйный агéнт; **2.** шпиóнить, следи́ть (on за Т); **~-glass** подзóрная трубá.

squabble ['skwɔbl] **1.** перебрáнка, ссóра; **2.** [по]вздóрить.

squad [skwɔd] бригáда; отря́д; ⚔ отделéние; грýппа, комáнда; **~ron** ['skwɔdrən] ⚔ эскадрóн; ✈ эскадри́лья; ⚓ эскáдра.

squalid ['skwɔlid] □ убóгий.

squall [skwɔ:l] **1.** шквал; вопль *m*; крик; **2.** [за]вопи́ть.

squander ['skwɔndə] промáтывать [-мотáть]; расточáть [-чи́ть].

square [skwɛə] **1.** □ квадрáтный; прямоугóльный; прáвильный; рóвный; тóчный; прямóй, чéстный; недвусмы́сленный; ~ measure квадрáтная мéра; 2 feet ~ 2 фýта в квадрáте; **2.** квадрáт; прямоугóльник; плóщадь *f*; **3.** *v/t.* дéлать прямоугóльным; оплáчивать [оплати́ть] (счёт); согласóвывать [-совáть]; *v/i.* согласóвываться [-совáться]; сходи́ться [сойти́сь]; **~-toes** F педáнт.

squash [skwɔʃ] **1.** фруктóвый напи́ток; раздáвленная мáсса; F толчея́; **2.** раздáвливать [-дави́ть].

squat [skwɔt] **1.** призéмистый; **2.** сидéть на кóрточках; **~ter** ['skwɔ:tə] *Am.* посели́вшийся самовóльно в незáнятом дóме, на незáнятой землé.

squawk [skwɔ:k] **1.** пронзи́тельный крик (пти́цы); **2.** пронзи́тельно кричáть.

squeak [skwi:k] [про]пищáть; *sl.* доноси́ть [донести́].

squeal [skwi:l] [за]визжáть; *s.* squeak.

squeamish ['skwi:miʃ] □ щепети́льный; оби́дчивый; привередли́вый; брезгли́вый.

squeeze [skwi:z] **1.** сж(им)áть; сти́скивать [-снуть]; выжимáть [вы́жать]; *fig.* вымогáть (from у Р); **2.** сжáтие; пожáтие; давлéние; дáвка; **~r** ['skwi:zə] выжимáлка.

squelch [skweltʃ] F хлю́пать; раздáвливать ногóй; *fig.* подавля́ть [-ви́ть].

squint [skwint] коси́ть (глазáми); [со]щу́риться.

squire ['skwaiə] **1.** сквайр (ти́тул); **2.** сопровождáть (дáму).

squirm [skwə:m] F изви́(вá)ться, [с]кóрчиться.

squirrel [skwirəl, *Am.* 'skwə:rəl] бéлка.

squirt [skwəːt] **1.** струя́; шприц; F вы́скочка *m/f*; **2.** пуска́ть струю́ (Р); бить струёй.

stab [stæb] **1.** уда́р (че́м-либо о́стрым); **2.** *v/t.* зака́лывать [заколо́ть]; *v/i.* наноси́ть уда́р (at Д).

stabili|ty [stəˈbiliti] усто́йчивость *f*; про́чность *f*; **~ze** [ˈstæbilaiz] стабилизи́ровать (*im*)*pf*.

stable[1] [ˈsteibl] □ сто́йкий; усто́йчивый.

stable[2] [~] **1.** коню́шня; хлев; **2.** ста́вить в коню́шню (или в хлев).

stack [stæk] **1.** стог (се́на и т. п.); шта́бель *m*; труба́ (парохо́да); ку́ча; **2.** скла́дывать в стог и т. д.; нагроможда́ть [-мозди́ть].

stadium [ˈsteidiəm] *sport* стадио́н; ⚕ ста́дия.

staff [stɑːf] **1.** по́сох; жезл; дре́вко; ⚔ штаб; *attr.* штабно́й; ♪ но́тная лине́йка; служе́бный персона́л; **2.** снабжа́ть персона́лом.

stag [stæg] *zo.* оле́нь-саме́ц.

stage [steidʒ] **1.** подмо́стки *m/pl.*; сце́на; эстра́да; ста́дия; перего́н; эта́п; **2.** [по]ста́вить (пье́су), инсцени́ровать (*im*)*pf.*; **~-coach** дилижа́нс; **~-manager** режиссёр.

stagger [ˈstægə] **1.** *v/i.* шата́ться [(по)шатну́ться]; *v/t.* потряса́ть [-ясти́]; поража́ть [порази́ть]; **2.** шата́ние.

stagna|nt [ˈstægnənt] □ стоя́чий (о воде́); *fig.* ко́сный; **~te** [-neit] заста́иваться [застоя́ться]; *fig.* [за-] косне́ть.

staid [steid] □ соли́дный, уравнове́шенный.

stain [stein] **1.** пятно́; ⊕ протра́ва; **2.** [за]па́чкать; [за]пятна́ть; ⊕ протра́вливать [-рави́ть] (де́рево); [по]кра́сить; **~ed glass** цветно́е стекло́; **~less** [ˈsteinlis] незапя́тнанный; нержаве́ющий (о ста́ли); *fig.* безупре́чный.

stair [stɛə] ступе́нька; **~s** *pl.* ле́стница; **~case,** *Am.* **~way** ле́стница; ле́стничная кле́тка.

stake [steik] **1.** кол; ста́вка, закла́д (в пари́); **~s** *pl.* приз; be at ~ быть поста́вленным на ка́рту (*a. fig.*); **2.** подпира́ть (или огора́живать) ко́льями; ста́вить на ка́рту; ~ out, off отмеча́ть ве́хами.

stale [steil] □ несве́жий; вы́дохшийся; спёртый (во́здух); изби́тый.

stalk [stɔːk] **1.** сте́бель *m*, черено́к; *hunt.* подкра́дывание; **2.** *v/i.* ва́жно ше́ствовать, го́рдо выступа́ть; *v/t.* подкра́дываться [-ра́сться] к (Д).

stall [stɔːl] **1.** сто́йло; прила́вок; кио́ск, ларёк; *thea.* ме́сто в парте́ре; **2.** ста́вить в сто́йло; застрева́ть [-ря́ть] (в снегу́ и т. п.); ✈ теря́ть ско́рость.

stallion [ˈstæljən] жеребе́ц.

stalwart [ˈstɔːlwət] ро́слый, дю́жий; сто́йкий.

stamina [ˈstæminə] выно́сливость *f*.

stammer [ˈstæmə] **1.** заика́ться [-кну́ться]; запина́ться [запну́ться]; **2.** заика́ние.

stamp [stæmp] **1.** штамп, ште́мпель *m*; печа́ть *f* (*a. fig.*); клеймо́; (почто́вая, ге́рбовая) ма́рка; то́панье; **2.** [от]штампова́ть; [за]штемпелева́ть; [за]клейми́ть; то́пать ного́й.

stampede [stæmˈpiːd] **1.** пани́ческое бе́гство; **2.** обраща́ть(ся) в пани́ческое бе́гство.

stanch [stɑːntʃ] **1.** остана́вливать кровотече́ние из (Р); **2.** ве́рный, лоя́льный.

stand [stænd] **1.** [*irr.*] *v/i. com.* стоя́ть; постоя́ть *pf.*; проста́ивать [-стоя́ть]; остана́вливаться [-нови́ться]; держа́ться; усто́ять *pf.*; ~ against [вос]проти́виться, сопротивля́ться (Д); ~ aside [по]сторони́ться; ~ back отступа́ть [-пи́ть]; ~ by прису́тствовать; *fig.* быть нагото́ве; подде́рживать [-жа́ть] (В); ~ for быть кандида́том (Р); стоя́ть за (В); зна́чить; ~ off отодвига́ться [-и́нуться] от (Р); ~ out выделя́ться [вы́делиться] (against на П); ~ over остава́ться нерешённым; ~ to держа́ться (Р); ~ up вст(ав)а́ть, поднима́ться [-ня́ться]; ~ up for защища́ть [-ити́ть]; **2.** *v/t.* [по]ста́вить; выде́рживать [вы́держать], выноси́ть [вы́нести]; F угоща́ть [угости́ть] (Т); **3.** остано́вка; сопротивле́ние; то́чка зре́ния; кио́ск; пози́ция; ме́сто; подста́вка; трибу́на; make a ~ against сопротивля́ться (Д).

standard [ˈstændəd] **1.** зна́мя *n*, флаг, штанда́рт; но́рма, станда́рт; образе́ц; у́ровень *m*; **2.** станда́ртный; образцо́вый; **~ize** [-aiz] нормирова́ть (*im*)*pf*.

stand-by ['stænd'bai] опóра.
standing ['stændiŋ] **1.** □ стоя́щий; стоя́чий; постоя́нный; ~ **orders** *pl.* уста́в; *parl.* пра́вила процеду́ры; **2.** стоя́ние; положе́ние; продолжи́тельность *f*; **~-room** ме́сто для стоя́щих (пассажи́ров, зри́телей).
stand|-offish сде́ржанный; **~point** то́чка зре́ния; **~still** безде́йствие; мёртвая то́чка; **~-up**: ~ collar стоя́чий воротничо́к.
stank [stæŋk] *pt.* от stink.
stanza ['stænzə] строфа́, станс.
staple ['steipl] **1.** гла́вный проду́кт; гла́вная те́ма; **2.** основно́й.
star [stɑ:] **1.** звезда́ (*a. fig.*); *fig.* судьба́; ~s and stripes *pl. Am.* национа́льный флаг США; **2.** украша́ть звёздами; игра́ть гла́вную роль; предоставля́ть гла́вную роль (Д).
starboard ['stɑ:bəd] ⚓ **1.** пра́вый борт; **2.** класть руль напра́во.
starch [stɑ:tʃ] **1.** крахма́л; *fig.* чо́порность *f*; **2.** [на]крахма́лить.
stare [stɛə] **1.** при́стальный взгляд; **2.** смотре́ть при́стально; тара́щить глаза́ (at на В).
stark [stɑ:k] окочене́лый; соверше́нный; *adv.* соверше́нно.
star|ry ['stɑ:ri] звёздный; как звёзды; **~-spangled** [-'spæŋgld] усе́янный звёздами; ~ banner *Am.* национа́льный флаг США.
start [stɑ:t] **1.** вздра́гивание; отправле́ние; ✈ взлёт; *sport* старт; нача́ло; *fig.* преиму́щество; get the ~ of a p. получи́ть преиму́щество пе́ред ке́м-либо; **2.** *v/i.* вздра́гивать [-ро́гнуть]; вска́кивать [вскочи́ть]; отправля́ться в путь; *sport* стартова́ть (*im*)*pf.*; нач(ин)а́ться; ✈ взлета́ть [-ете́ть]; *v/t.* пуска́ть [пусти́ть] (в ход); *sport* дава́ть старт (Д); *fig.* нач(ин)а́ть; учрежда́ть [-еди́ть]; вспу́гивать [-гну́ть]; побужда́ть [-уди́ть] (a p. doing кого́-либо де́лать); **~er** ['stɑ:tə] *mot.* ста́ртер; *sport* ста́ртер, F стартёр; *fig.* инициа́тор.
startl|e [stɑ:tl] поража́ть [порази́ть]; вздра́гивать [-ро́гнуть]; **~ing** ['stɑ:tliŋ] порази́тельный.
starv|ation [stɑ:'veiʃən] го́лод; голода́ние; **~e** [stɑ:v] голода́ть; умира́ть с го́лоду; мори́ть го́лодом; ~ for *fig.* жа́ждать (Р).
state [steit] **1.** состоя́ние; положе́ние; госуда́рство (*pol. a.* ♀); штат; *attr.* госуда́рственный; in ~ с по́мпой; **2.** заявля́ть [-ви́ть]; констати́ровать (*im*)*pf.*; [с]формули́ровать; излага́ть [изложи́ть]; **~ly** велича́вый, велича́ственный; **~ment** утвержде́ние; заявле́ние; официа́льный отчёт; ✝ ~ of account извлече́ние (и́ли вы́писка) из счёта; **~room** пара́дный зал; ⚓ отде́льная каю́та (на парохо́де); **~sman** ['steitsmən] госуда́рственный (*Am. a.* полити́ческий) де́ятель *m.*
static ['stætik] стати́ческий; стациона́рный.
station ['steiʃən] **1.** ме́сто, пост; ста́нция; вокза́л; остано́вка; ⚓ вое́нно-морска́я ба́за; **2.** [по]ста́вить, помеща́ть [-ести́ть]; ⚔ размеща́ть [-ести́ть]; **~ary** ['steiʃnəri] □ неподви́жный; стациона́рный; **~ery** [~] канцеля́рские принадле́жности *f/pl.*; **~-master** 🚂 нача́льник ста́нции.
statistics [stə'tistiks] стати́стика.
statu|ary ['stætjuəri] скульпту́рный; **~e** [-ju:] ста́туя, извая́ние.
stature ['stætʃə] рост, стан, фигу́ра.
status ['steitəs] положе́ние, состоя́ние; ста́тус.
statute ['stætju:t] стату́т; зако́н; законода́тельный акт; уста́в.
staunch [stɔ:ntʃ] *s.* stanch.
stave [steiv] **1.** клёпка (боча́рная); перекла́дина; строфа́; **2.** [*irr.*] (*mst* ~ in) прола́мывать [-ломи́ть], разби́(ва́)ть (бо́чку и т. п.); ~ off предотвраща́ть [-врати́ть].
stay [stei] **1.** ⚓ штаг; опо́ра, подде́ржка; остано́вка; пребыва́ние; ~s *pl.* корсе́т; **2.** *v/t.* подде́рживать [-жа́ть]; заде́рживать [-жа́ть]; *v/i.* ост(ав)а́ться; остана́вливаться [-нови́ться], жить (at в П); *sport* проявля́ть выно́сливость; **~er** ['steiə] выно́сливый челове́к; *sport* ста́йер; ~ race велосипе́дная го́нка за ли́дером.
stead [sted]: in ~ of вме́сто (Р); **~fast** ['stedfəst] сто́йкий, непоколеби́мый.
steady ['stedi] **1.** □ усто́йчивый; установи́вшийся; твёрдый; равноме́рный; степе́нный; **2.** де́лать (-ся) усто́йчивым; приходи́ть в равнове́сие.
steal [sti:l] [*irr.*] *v/t.* [у]ворова́ть,

[у]кра́сть; *v/i.* кра́сться, прокра́дываться [-ра́сться].
stealth [stelθ]: by ~ укра́дкой, тайко́м; **~y** ['stelθi] □ та́йный; бесшу́мный.
steam [sti:m] **1.** пар; испаре́ние; **2.** *attr.* парово́й; **3.** *v/i.* выпуска́ть пар; пла́вать [по]плы́ть, (о парохо́де); *v/t.* вари́ть на пару́; па́рить; выпа́ривать [вы́парить]; **~er** ['sti:mə] ⚓ парохо́д; **~y** ['sti:mi] □ парообра́зный; насы́щенный пара́ми.
steel [sti:l] **1.** сталь *f*; **2.** стально́й (*a.* ~y); *fig.* жесто́кий; **3.** покрыва́ть ста́лью, *fig.* закаля́ть [-ли́ть].
steep [sti:p] **1.** круто́й; F невероя́тный; **2.** погружа́ть [-узи́ть] (в жи́дкость); пропи́тывать [-ита́ть]; *fig.* погружа́ться [-узи́ться] (in в В).
steeple ['sti:pl] шпиль *m*; колоко́льня; **~-chase** ска́чки с препя́тствиями.
steer[1] [stiə] кастри́рованный бычо́к.
steer[2] [~] пра́вить рулём; управля́ть (Т); води́ть, [по]вести́ ((су́дно); **~age** ['stiəridʒ] ⚓ управле́ние рулём; сре́дняя па́луба; **~sman** ['stiəzmən] рулево́й.
stem [stem] **1.** ствол; сте́бель *m*; *gr.* осно́ва; ⚓ нос; **2.** заде́рживать [-жа́ть]; сопротивля́ться (Д).
stench [stentʃ] злово́ние.
stencil ['stensl] трафаре́т.
stenographer [ste'nɔgrəfə] стенографи́ст(ка).
step[1] [step] **1.** шаг; похо́дка; ступе́нька; подно́жка; *fig.* ме́ра; посту́пок; tread in the ~s of *fig.* идти́ по стопа́м (Р); ~s *pl.* стремя́нка; **2.** *v/i.* шага́ть [шагну́ть]; ступа́ть [-пну́ть]; ходи́ть, идти́ [пойти́]; ~ out бо́дро шага́ть; *v/t.* измеря́ть шага́ми (*a.* ~ out); ~ up продвига́ть [-и́нуть].
step[2] [~]: **~daughter** па́дчерица; **~-father** ['stepfɑ:ðə] о́тчим; **~-mother** ма́чеха; **~son** па́сынок.
steppe [step] степь *f*.
stepping-stone *fig.* трампли́н.
steril|e ['sterail] беспло́дный; стери́льный; **~ity** [ste'riliti] беспло́дие; стери́льность *f*; **~ize** ['sterilaiz] стерилизова́ть *(im)pf.*
sterling ['stə:liŋ] полнове́сный; полноце́нный; ✝ сте́рлинговый.
stern [stə:n] **1.** □ стро́гий, суро́вый; неумоли́мый; **2.** ⚓ корма́; **~ness** ['stə:nnis] стро́гость *f*, суро́вость *f*; **~-post** ⚓ ахтерште́вень *m*.
stevedore ['sti:vidɔ:] ⚓ гру́зчик.
stew [stju:] **1.** [с]туши́ть(ся); **2.** тушёное мя́со; F беспоко́йство.
steward [stjuəd] эконо́м; управля́ющий; ⚓, ✈ стю́ард, бортпроводни́к; распоряди́тель *m*; **~ess** ['stjuədis] ⚓, ✈ стюарде́сса, бортпроводни́ца.
stick [stik] **1.** па́лка; трость *f*; прут; по́сох; **2.** [*irr.*] *v/i.* прикле́и(ва)ться, прилипа́ть [-ли́пнуть]; застрева́ть [-ря́ть]; завяза́ть [-я́знуть]; торча́ть (до́ма и т. п.); ~ to приде́рживаться [-жа́ться] (Р); ~ at nothing не остана́вливаться ни пе́ред че́м; ~ out, ~ up торча́ть; стоя́ть торчко́м; *v/t.* вка́лывать [вколо́ть]; втыка́ть [воткну́ть]; прикле́и(ва)ть; раскле́и(ва)ть; F терпе́ть, вы́терпеть *pf.*
sticky ['stiki] □ ли́пкий, кле́йкий.
stiff [stif] □ жёсткий, неги́бкий; туго́й; тру́дный; окостене́лый; натя́нутый; **~en** ['stifn] де́лать (-ся) жёстким и т. д.; окостене́(ва́)ть; **~necked** ['stif'nekt] упря́мый.
stifle ['staifl] [за]души́ть; задыха́ться [задохну́ться].
stigma ['stigmə] *eccl.* стигма́т; *fig.* пятно́, клеймо́; **~tize** [-taiz] [за-] клейми́ть.
still [stil] **1.** *adj.* ти́хий; неподви́жный; **2.** *adv.* ещё, всё ещё; **3.** *cj.* всё же, одна́ко; **4.** успока́ивать [-ко́ить]; **5.** дистилля́тор; **~-born** мертворождённый; **~-life** натюрмо́рт; **~ness** ['stilnis] тишина́.
stilt [stilt] ходу́ля; **~ed** ['stiltid] ходу́льный, высокопа́рный.
stimul|ant ['stimjulənt] **1.** ⚕ возбужда́ющее сре́дство; **2.** ⚕ стимули́рующий, возбужда́ющий; **~ate** [-leit] возбужда́ть [-уди́ть]; поощря́ть [-ри́ть]; **~ation** [stimju'leiʃən] возбужде́ние; поощре́ние; **~us** ['stimjuləs] сти́мул.
sting [stiŋ] **1.** жа́ло; уку́с (насеко́мого); о́страя боль *f*; *fig.* ко́лкость *f*; **2.** [*irr.*] [у]жа́лить; жёчь (-ся) (о крапи́ве); уязвля́ть [-ви́ть]; **~iness** ['stindʒinis] ска́редность *f*; **~y** ['stindʒi] ска́редный, скупо́й.
stink [stiŋk] **1.** вонь *f*; **2.** [*irr.*] воня́ть.

stint [stint] **1.** ограниче́ние; преде́л; **2.** уре́з(ыв)ать; ограни́чи(ва)ть; [по]скупи́ться на (В).
stipend ['staipend] жа́лованье, окла́д (*mst* свяще́нника).
stipulat|e ['stipjuleit] ста́вить усло́вием; обусло́вливать [-вить]; **~ion** [stipju'leiʃən] усло́вие; кла́узула, огово́рка.
stir [stə:] **1.** шевеле́ние; суета́, сумато́ха; движе́ние; *fig.* оживле́ние; **2.** шевели́ть(ся) [-льну́ть (-ся)]; [по]меша́ть (чай и т. п.); [вз]волнова́ть; ~ up возбужда́ть [-уди́ть]; разме́шивать [-ша́ть].
stirrup ['stirəp] стре́мя *n* (*pl.*: стремена́).
stitch [stitʃ] **1.** стежо́к (о шитье́); пе́тля (о вяза́нии); ⚕ шов; **2.** [с]шить, проши́(ва́)ть.
stock [stɔk] **1.** ствол; опо́ра; ру́чка; ло́жа (винто́вки); инвента́рь *m*; запа́с; ☤ сырьё; live ~ живо́й инвента́рь *m*; скот; ☤ основно́й капита́л; фо́нды *m/pl.*; *Am.* а́кция, а́кции; **~s** *pl.* госуда́рственный долг; **~s** *pl.* ⚓ ста́пель *m*; ☤ take ~ of де́лать переучёт (Р); *fig.* крити́чески оце́нивать; **2.** име́ющийся в запа́се (или нагото́ве); изби́тый, шабло́нный; **3.** обору́довать (хозя́йство); снабжа́ть [-бди́ть]; ☤ име́ть на скла́де.
stockade [stɔ'keid] частоко́л.
stock|-breeder животново́д; **~-broker** биржево́й ма́клер; ~ exchange фо́ндовая би́ржа; **~holder** *Am.* акционе́р.
stockinet ['stɔkinet] трикота́ж.
stocking ['stɔkiŋ] чуло́к.
stock|-jobber биржево́й спекуля́нт, ма́клер; **~-taking** переучёт това́ра; прове́рка инвентаря́; *fig.* обзо́р результа́тов; **~y** ['stɔki] корена́стый.
stoic ['stouik] **1.** сто́ик; **2.** стои́ческий.
stoker ['stoukə] кочега́р; истопни́к.
stole [stoul] *pt.* от steal; **~n** ['stoulən] *p. pt.* от steal.
stolid ['stɔlid] □ флегмати́чный; бесстра́стный; тупо́й.
stomach ['stʌmək] **1.** желу́док; живо́т; *fig.* охо́та (for к Д); **2.** перева́ривать [-вари́ть] (*a. fig.*); *fig.* сноси́ть [снести́].
stone [stoun] **1.** ка́мень *m*; ко́сточка (плода́); **2.** ка́менный; **3.** облицо́вывать камня́ми; забра́сывать камня́ми; вынима́ть ко́сточки из (Р); **~-blind** совсе́м слепо́й; **~ware** гонча́рные изде́лия *n/pl.*
stony ['stouni] ка́менный; камени́стый; *fig.* ка́менный.
stood [stud] *pt.* и *p. pt.* от stand.
stool [stu:l] табуре́тка; ⚕ стул; **~-pigeon** *Am.* провока́тор.
stoop [stu:p] **1.** *v/i.* наклоня́ться [-ни́ться], нагиба́ться [нагну́ться]; [с]суту́литься; унижа́ться [уни́зиться] (to до Р); снисходи́ть [снизойти́]; *v/t.* [с]суту́лить; **2.** суту́лость *f*; *Am.* вера́нда.
stop [stɔp] **1.** *v/t.* затыка́ть [заткну́ть] (*a.* ~ up); заде́л(ыв)ать; [за]пломбирова́ть (зуб); прегражда́ть [-гради́ть]; уде́рживать [-жа́ть]; прекраща́ть [-крати́ть]; остана́вливать [-нови́ть]; ~ it! брось!; *v/i.* перест(ав)а́ть; остана́вливаться [-нови́ться]; прекраща́ться [-крати́ться]; конча́ться [ко́нчиться]; **2.** остано́вка; па́уза; заде́ржка; ⊕ сто́пор; упо́р; ♪ кла́пан; ♪ лад (стру́нного инструме́нта); ♪ педа́ль *f* (орга́на); *gr.* (*a.* full ~) то́чка; **~-gap** заты́чка; подру́чное сре́дство; **~page** ['stɔpidʒ] заде́ржка, остано́вка; прекраще́ние рабо́ты; ⊕ засоре́ние; **~per** ['stɔpə] про́бка; **~ping** ['stɔpiŋ] (зубна́я) пло́мба.
storage ['stɔ:ridʒ] хране́ние; склад.
store [stɔ:] **1.** запа́с; склад; амба́р; *fig.* изоби́лие; *Am.* ла́вка; **~s** *pl.* припа́сы *m/pl.*; универма́г; in ~ нагото́ве; про запа́с; **2.** снабжа́ть [снабди́ть]; запаса́ть [-сти́]; храни́ть на скла́де; **~house** склад; *fig.* сокро́вищница; **~-keeper** кладовщи́к; *Am.* ла́вочник.
stor(e)y ['stɔ:ri] эта́ж.
stork [stɔ:k] а́ист.
storm [stɔ:m] **1** бу́ря; ⚓ *a.* шторм; ⚔ штурм; **2.** бушева́ть, свире́пствовать (*a. fig.*); it **~s** бу́ря бушу́ет; ⚔ штурмова́ть; **~y** □ бу́рный; штормово́й; я́ростный.
story ['stɔ:ri] расска́з; по́весть *f*; *thea.* фа́була; F ложь *f*.
stout [staut] **1.** □ кре́пкий, про́чный, пло́тный; ту́чный; отва́жный; **2.** кре́пкое пи́во.
stove [stouv] печь *f*, пе́чка; (ку́хонная) плита́.
stow [stou] укла́дывать [уложи́ть]

(о грýзе и т. п.); **~away** ⚓ безбилéтный пассажи́р, «зáяц».

straddle ['strædl] расставля́ть [-áвить] (нóги); ходи́ть, расставля́я нóги; стоя́ть, расстáвив нóги; сидéть верхóм на (П).

straggl|e ['strægl] отст(ав)áть; идти́ вразбрóд; быть разбрóсанным; **~ing** [-iŋ] разбрóсанный (о домáх и т. п.); беспоря́дочный.

straight [streit] **1.** *adj.* прямóй; прáвильный; чéстный; *Am.* неразбáвленный; put ~ приводи́ть в поря́док; **2.** *adv.* пря́мо; срáзу; **~en** ['streitn] выпрямля́ть(ся) [вы́прямить(ся)]; ~ out приводи́ть в поря́док; **~forward** ['fɔ:wəd] □ чéстный, прямóй, откровéнный.

strain [strein] **1** порóда; плéмя *n*; ⊕ деформáция; напряжéние; растяжéние (*a.* ⚕); ♪ *mst* ~s *pl.* напéв, мелóдия; влечéние (of к Д); **2.** *v/t.* натя́гивать [натянýть]; (*a.* ⊕) напрягáть [-я́чь]; процéживать [-еди́ть]; переутомля́ть [-ми́ть]; ⊕ деформи́ровать (*im*)*pf.*, сгибáть [согнýть]; ⚕ растя́гивать [-янýть]; *v/i.* напрягáться [-я́чься]; тянýться (after за Т); тянýть изо всех сил (at В); [по]старáться; **~er** ['streinə] дуршлáг; си́то; фи́льтр.

strait [streit] проли́в; ~s *pl.* затрудни́тельное положéние; ~ waistcoat смири́тельная рубáшка; **~ened** ['streitnd] стеснённый.

strand [strænd] **1.** бéрег (морскóй); прядь *f*; **2.** сесть на мель; be ~ed *fig.* быть без средств.

strange [streindʒ] □ чужóй; чýждый; стрáнный; **~r** ['streindʒə] чужезéмец (-мка); чужóй (человéк); посторóнний (человéк).

strangle ['stræŋgl] [у]дави́ть.

strap [stræp] **1.** ремéнь *m*; ля́мка; штри́пка; ⊕ крепи́тельная плáнка; **2.** стя́гивать ремнём; порóть ремнём.

stratagem ['strætidʒəm] стратагéма, (воéнная) хи́трость *f*.

strateg|ic [strə'ti:dʒik] (~ally) стратеги́ческий; **~y** ['strætidʒi] стратéгия.

strat|um ['streitəm], *pl.* **~a** [-tə] *geol.* пласт; слой (óбщества).

straw [strɔ:] **1.** солóма; солóминка; **2.** солóменный; ~ vote *Am.* неофициáльное прóбное голосовáние; **~berry** клубни́ка; (*a.* wild ~) землянúка.

stray [strei] **1.** сбивáться с пути́; заблуди́ться *pf.*; отби́(вá)ться (from от Р); блуждáть; **2.** (*a.* ~ed) заблуди́вшийся; бездóмный; случáйный; **3.** отби́вшееся живóтное; беспризóрник (-ница)

streak [stri:k] **1.** прослóйка; полóска; *fig.* чертá; **2.** проводи́ть полóсы на (П).

stream [stri:m] **1.** потóк; ручéй; струя́; **2.** *v/i.* [по]тéчь; струи́ться; развевáться; **~er** ['stri:mə] вы́мпел; дли́нная лéнта; транспарáнт; столб (сéверного сия́ния); *typ.* крýпный газéтный заголóвок.

street [stri:t] ýлица; *attr.* ýличный; **~-car** *Am.* трамвáй.

strength [streŋθ] си́ла; крéпость *f* (материáла); on the ~ of в си́лу (Р); на основáнии (Р); **~en** ['streŋθən] *v/t.* уси́ли(ва)ть; укрепля́ть [-пи́ть]; *v/i.* уси́ли(ва)ться.

strenuous ['strenjuəs] □ си́льный; энерги́чный; напряжённый.

stress [stres] **1.** давлéние; напряжéние; ударéние; **2.** подчёркивать [-черкнýть]; стáвить ударéние на (П).

stretch [stretʃ] **1.** *v/t.* натя́гивать [-янýть]; растя́гивать [-янýть]; вытя́гивать [вы́тянуть]; раски́дывать [-ки́нуть]; протя́гивать [-янýть] (*mst* ~ out); *fig.* преувели́чи(ва)ть; *v/i.* тянýться; растя́гиваться [-янýться]; натя́гиваться [-янýться]; **2.** растя́гивание; напряжéние; протяжéние; натя́жка; преувеличéние; прострáнство; промежýток врéмени; **~er** ['stretʃə] носи́лки *f/pl.*

strew [stru:] [*irr.*] посыпáть [посы́пать]; разбрáсывать [-росáть].

stricken ['strikən] *p. pt.* от strike.

strict [strikt] тóчный; стрóгий; **~ness** ['striktnis] тóчность *f*; стрóгость *f*.

stridden ['stridn] *p. pt.* от stride.

stride [straid] **1.** [*irr.*] шагáть [шагнýть]; ~ over перешáгивать [-гнýть]; **2.** большóй шаг.

strident ['straidnt] □ скрипýчий.

strike [straik] **1.** стáчка; забастóвка; be on ~ бастовáть; **2.** [*irr.*] *v/t.* ударя́ть [удáрить]; высекáть [вы́сечь] (огóнь); [от]чекáнить; спускáть [-сти́ть] (флаг); поражáть [порази́ть]; находи́ть [найти́]; подводи́ть [-вести́] (бала́нс); заключа́ть [-чи́ть] (сде́лку); принима́ть -ня́ть] (по́зу); наноси́ть [нанести́] (уда́р); ~ up завя́зывать [-за́ть] (знако́мство); *v/i.* [про]би́ть (о часа́х); [за]бастова́ть; ⚓ сесть на мель; ~ home *fig.* попада́ть в са́мую то́чку; **~r** ['straikə] забасто́вщик (-ица).

striking ['straikiŋ] □ порази́тельный; замеча́тельный; уда́рный.

string [striŋ] **1.** верёвка; бечёвка; тетива́ (лу́ка); ♪ струна́; ни́тка (бус); ~s *pl.* ♪ стру́нные инструме́нты *m/pl.*; pull the ~s быть закули́сным руководи́телем; **2.** [*irr.*] натя́гивать стру́ны на (В); напряга́ть [-ря́чь]; *Am.* завя́зывать [завяза́ть]; нани́зывать [-за́ть]; *Am. sl.* води́ть за́ нос; **~-band** стру́нный орке́стр.

stringent ['strindʒənt] стро́гий; то́чный; обяза́тельный; стеснённый (в деньга́х).

strip [strip] **1.** сдира́ть [содра́ть] (*a.* ~ off); обдира́ть [ободра́ть]; разде́(ва́)ть(ся); *fig.* лиша́ть [-ши́ть] (of Р); [о]гра́бить; ⊕ разбира́ть [разобра́ть] (на ча́сти); ⚓ разоружа́ть [-жи́ть] (су́дно); **2.** полоса́; ле́нта.

stripe [straip] полоса́; ⚔ наши́вка.

strive [straiv] [*irr.*] [по]стара́ться; стреми́ться (for к Д); **~n** [-n] *p. pt.* от strive.

strode [stroud] *pt.* от stride.

stroke [strouk] **1.** уда́р (*a.* ⚕); взмах; штрих, черта́; ⊕ ход (по́ршня); ~ of luck уда́ча; **2.** [по]гла́дить; приласка́ть *pf.*

stroll [stroul] **1.** прогу́ливаться [-ля́ться]; **2.** прогу́лка.

strong [strɔŋ] □ *com.* си́льный; про́чный; кре́пкий; о́стрый; твёрдый; **~hold** кре́пость *f*; *fig.* опло́т; **~-willed** реши́тельный; упря́мый.

strop [strɔp] **1.** реме́нь для пра́вки бритв; **2.** пра́вить (бри́тву).

strove [strouv] *pt.* от strive.

struck [strʌk] *pt.* и *p. pt.* от strike.

structure ['strʌktʃə] структу́ра, строй; устро́йство; △ строе́ние, сооруже́ние.

struggle ['strʌgl] **1.** боро́ться; вся́чески стара́ться; би́ться (with над Т); ~ through с трудо́м пробива́ться; **2.** борьба́.

strung [strʌŋ] *pt.* и *p. pt.* от string.

strut [strʌt] **1.** *v/i.* ходи́ть го́голем; *v/t.* ⊕ подпира́ть [-пере́ть]; **2.** ва́жная похо́дка; ⊕ подпо́рка.

stub [stʌb] **1.** пень *m*; оку́рок; огры́зок; **2.** выкорчёвывать [вы́корчевать]; ударя́ться [уда́риться] (ного́й) (against о В).

stubble ['stʌbl] жнивьё.

stubborn ['stʌbən] □ упря́мый; неподатливый; упо́рный.

stuck [stʌk] *pt.* и *p. pt.* от stick; **~-up** F высокоме́рный.

stud [stʌd] **1.** гвоздь *m* (для украше́ния); за́понка; ко́нный заво́д; **2.** оби́(ва́)ть (гвоздя́ми); усе́ивать [усе́ять] (with Т); **~-horse** племенно́й жеребе́ц.

student ['stju:dənt] студе́нт(ка).

studied ['stʌdid] обду́манный; преднаме́ренный; изы́сканный; де́ланный.

studio ['stju:diou] сту́дия; ателье́ *n indecl.*; мастерска́я.

studious ['stju:djəs] □ приле́жный, стара́тельный, усе́рдный.

study ['stʌdi] **1.** изуче́ние; нау́чное заня́тие; нау́ка; заду́мчивость *f*; кабине́т; *paint.* этю́д, эски́з; **2.** учи́ться (Д); изуча́ть [-чи́ть]; иссле́довать (*im*)*pf.*

stuff [stʌf] **1.** материа́л; вещество́; мате́рия; F дрянь *f*; чепуха́; **2.** *v/t.* наби́(ва́)ть; заби́(ва́)ть; начиня́ть [-ни́ть]; засо́вывать [засу́нуть]; *v/i.* объеда́ться [объе́сться]; **~ing** ['stʌfiŋ] наби́вка (поду́шки и т. п.); начи́нка; **~y** ['stʌfi] □ спёртый, ду́шный.

stultify ['stʌltifai] выставля́ть в смешно́м ви́де; своди́ть на не́т.

stumble ['stʌmbl] **1.** спотыка́ние; запи́нка; **2.** спотыка́ться [-ткну́ться]; запина́ться [запну́ться]; ~ upon натыка́ться [наткну́ться] на (В).

stump [stʌmp] **1.** пень *m*; обру́бок; оку́рок; **2.** *v/t.* F ста́вить в тупи́к; ~ the country агити́ровать по стране́; *v/i.* тяжело́ ступа́ть; **~y** ['stʌmpi] □ призе́мистый.

stun [stʌn] оглуша́ть [-ши́ть] (*a. fig.*); *fig.* ошеломля́ть [-ми́ть].

stung [stʌŋ] *pt.* и *p. pt.* от sting.

stunk [stʌŋk] *pt.* и *p. pt.* от stink.

stunning ['stʌniŋ] F сногсшиба́тельный.

stunt[1] [stʌnt] *Am.* F трюк; ✈ фигу́ра вы́сшего пилота́жа.

stunt² [~] задéрживать рост (Р); **~ed** ['stʌntid] чáхлый.
stup|efy ['stju:pifai] изумлять [-мить]; поражáть [поразить]; **~endous** [stju:'pendəs] □ изумительный; **~id** ['stju:pid] □ глýпый, тупóй; **~idity** [stju'piditi] глýпость *f*; **~or** ['stju:pə] оцепенéние.
sturdy ['stə:di] сильный, крéпкий; здорóвый.
stutter ['stʌtə] заикáться [-кнýться]; запинáться [запнýться].
sty [stai] свинáрник; ячмéнь *m* (на глазý).
style [stail] **1.** стиль *m*; слог; мóда; фасóн; тíтул; **2.** титуловáть (*im*)*pf*.
stylish ['stailiʃ] □ мóдный; элегáнтный; **~ness** [-nis] элегáнтность *f*.
suave [sweiv] учтíвый; мягкий.
sub... [sʌb] *mst* под...; суб...
subdivision ['sʌbdi'viʒən] подразделéние.
subdue [səb'dju:] подчинять [-нить]; покорять [-рить]; подавлять [-вить].
subject ['sʌbdʒikt] **1.** подчинённый; подвлáстный; *fig.* ~ to подлежáщий (Д); **2.** *adv.* ~ to при услóвии (Р); **3.** пóдданный; предмéт; сюжéт; (*a.* ~ matter) тéма; **4.** [səb'dʒekt] подчинять [-нить]; *fig.* подвергáть [-éргнуть]; **~ion** [səb'dʒekʃən] покорéние; подчинéние.
subjugate ['sʌbdʒugeit] порабощáть [-ботить].
sublease ['sʌb'li:s], **sublet** ['sʌb'let] [*irr.* (let)] сдать на правáх субарéнды
sublime [[sə'blaim] □ возвышенный.
submachine ['sʌbmə'ʃi:n]: ~ gun автомáт.
submarine ['sʌbməri:n] **1.** подвóдный; **2.** ⚓ подвóдная лóдка.
submerge [sʌb'mə:dʒ] погружáть (-ся) [-узить(ся)]; затоплять [-пить].
submiss|ion [səb'miʃən] подчинéние; покóрность *f*; представлéние (докумéнта и т. п.); **~ive** [səb'misiv] □ покóрный.
submit [səb'mit] подчинять(ся) [-нить(ся)] (Д); представлять [-áвить] (на рассмотрéние).
subordinate **1.** [sə'bɔ:dnit] подчинённый; *gr.* придáточный; **2.** [~] подчинённый (-ённая); **3.** [sə'bɔ:dineit] подчинять [-нить].
suborn [sʌ'bɔ:n] подкупáть [-пить].
subscribe [səb'skraib] *v/t.* подписывать [-сáть]; [по]жéртвовать; *v/i.* присоединяться [-ниться] (to к Д); подписываться [-сáться] (to на В; ✝ for на В); абонировать-ся (to на В); **~r** [-ə] подписчик (-чица); абонéнт(ка).
subscription [səb'skripʃən] подпиcка (на журнáл или на заём); абонемéнт.
subsequent ['sʌbsikwənt] □ послéдующий; **~ly** впослéдствии.
subservient [səb'sə:vient] раболéпный; содéйствующий (to Д).
subsid|e [səb'said] спадáть [спáсть] (о температýре); убы(вá)ть (о водé); утихáть [утíхнуть], улéчься *pf.*; **~iary** [səb'sidjəri] **1.** □ вспомогáтельный; **2.** филиáл; **~ize** ['sʌbsidaiz] субсидировать (*im*)*pf.*; **~y** [-di] субсидия.
subsist [səb'sist] существовáть; жить (on, by Т); **~ence** [-əns] существовáние; срéдства к существовáнию.
substance ['sʌbstəns] сýщность *f*, суть *f*; содержáние; веществó; имýщество.
substantial [səb'stænʃəl] □ сущéственный, вáжный; прóчный; вещéственный; состоятельный; питáтельный.
substantiate [səb'stænʃieit] доказывать справедливость (Р); подтверждáть [-рдить].
substitut|e ['sʌbstitju:t] **1.** заменять [-нить]; замещáть [-естить] (for В); **2.** заместитель(ница *f*) *m*; замéна; суррогáт; **~ion** [sʌbsti'tju:ʃən] замéна; замещéние.
subterfuge ['sʌbtəfju:dʒ] увёртка, отговóрка.
subterranean [sʌbtə'reinjən] □ подзéмный.
subtle ['sʌtl] □ тóнкий; неуловимый; утончённый; **~ty** [-ti] тóнкость *f*; неуловимость *f*.
subtract [səb'trækt] 𝔄 вычитáть [вычесть].
suburb ['sʌbə:b] прíгород; предмéстье; **~an** [sə'bə:bən] прíгородный.
subver|sion [sʌb'və:ʃən] ниспровержéние; **~sive** [-siv] *fig.* под-

рывно́й; разруши́тельный; **~t** [sʌbˈvəːt] ниспроверга́ть [-е́ргнуть]; разруша́ть [-у́шить].

subway [ˈsʌbwei] тонне́ль *m* (*a.* тунне́ль); *Am.* метро́(полите́н) *n indecl.*

succeed [səkˈsiːd] [по]сле́довать за (Т); быть прее́мником (Р); достига́ть це́ли; преуспе́(ва́)ть.

success [səkˈses] успе́х; уда́ча; **~ful** [səkˈsesful] □ успе́шный; уда́чный; уда́чливый; **~ion** [-ˈseʃən] после́довательность *f*; непреры́вный ряд; прее́мственность *f*; in ~ оди́н за други́м; подря́д; **~ive** [-ˈsesiv] □ после́дующий; после́довательный; **~or** [-ˈsesə] прее́мник (-ица); насле́дник (-ица).

succo(u)r [ˈsʌkə] **1.** по́мощь *f*; **2.** приходи́ть на по́мощь (Д).

succulent [ˈsʌkjulənt] со́чный.

succumb [səˈkʌm] уступа́ть [-пи́ть] (to Д); не выде́рживать [вы́держать] (to Р); быть побеждённым.

such [sʌtʃ] тако́й; *pred.* тако́в, -а́ и т. д.; ~ a man тако́й челове́к; ~ as тако́й, как ...; как наприме́р.

suck [sʌk] **1.** соса́ть; выса́сывать [вы́сосать] (*a.* ~ out); вса́сывать [всоса́ть] (*a.* ~ in); **2.** coса́ние; **~er** [ˈsʌkə] сосуно́к; ✿, *zo.* присо́ска, присо́сок; *Am.* проста́к; **~le** [ˈsʌkl] корми́ть гру́дью; **~ling** [ˈsʌkliŋ] грудно́й ребёнок; сосу́н(о́к).

suction [ˈsʌkʃən] **1.** вса́сывание; **2.** *attr.* вса́сывающий.

sudden [ˈsʌdn] □ внеза́пный; all of a ~ внеза́пно, вдруг.

suds [sʌdz] *pl.* мы́льная вода́.

sue [sjuː] *v/t.* пресле́довать суде́бным поря́дком; ~ out выхлопа́тывать [вы́хлопотать]; *v/i.* возбужда́ть иск (for о П).

suéde [sweid] за́мша.

suet [sjuit] по́чечное са́ло.

suffer [ˈsʌfə] *v/i.* [по]страда́ть (from от Р *or* Т); *v/t.* [по]терпе́ть; сноси́ть [снести́]; **~ance** [-rəns] попусти́тельство; **~er** [-rə] страда́лец (-лица); **~ing** [-riŋ] страда́ние.

suffice [səˈfais] хвата́ть [-ти́ть], быть доста́точным.

sufficien|cy [səˈfiʃənsi] доста́точность *f*; доста́ток; **~t** [-ənt] □ доста́точный.

suffocate [ˈsʌfəkeit] души́ть, удуша́ть [-ши́ть]; задыха́ться [задохну́ться].

suffrage [ˈsʌfridʒ] избира́тельное право.

suffuse [səˈfjuːz] зали́(ва́)ть слеза́ми); покры́(ва́)ть (кра́ской).

sugar [ˈʃugə] **1.** са́хар; **2.** са́харный; **~y** [-ri] са́харный (*a. fig.*); *fig.* при́торный, слаща́вый.

suggest [səˈdʒest] внуша́ть [-ши́ть]; подска́зывать [-за́ть]; наводи́ть на мысль о (П); [по]сове́товать; предлага́ть [-ложи́ть]; **~ion** [-ʃən] внуше́ние; сове́т, предложе́ние; намёк; **~ive** [-iv] □ наводя́щий на размышле́ние; соблазни́тельный; двусмы́сленный.

suicide [ˈsjuisaid] самоуби́йца *m/f*; самоуби́йство.

suit [sjuːt] **1.** проше́ние; набо́р; (*a.* ~ of clothes) костю́м; (ка́рточная) масть *f*; ⚖ тя́жба; иск; **2.** *v/t.* приспоса́бливать [-осо́бить] (to, with к Д); соотве́тствовать (Д); удовлетворя́ть [-ри́ть]; быть (кому́-либо) к лицу́ (*a.* with a p.); устра́ивать [-ро́ить]; подходи́ть [подойти́] (Д); ~ed подходя́щий; *v/i.* годи́ться; **~able** [ˈsjuːtəbl] □ подходя́щий; соотве́тствующий; **~-case** чемода́н; **~e** [swiːt] сви́та; набо́р; ♪ сюи́та; (и́ли ~ of rooms) анфила́да ко́мнат; гарниту́р (ме́бели); **~or** [ˈsjuːtə] уха́живатель *m*; ⚖ исте́ц; проси́тель(ница *f*) *m*.

sulk [sʌlk] **1.** [на]ду́ться; быть не в ду́хе; **2.** ~s [-s] *pl.* плохо́е настрое́ние; **~y** [ˈsʌlki] □ наду́тый, угрю́мый.

sullen [ˈsʌlən] угрю́мый, мра́чный; серди́тый.

sully [ˈsʌli] *mst fig.* [за]пятна́ть.

sulphur [ˈsʌlfə] ⚗ се́ра; **~ic** [sʌlˈfjuərik] се́рный.

sultriness [ˈsʌltrinis] духота́, зной.

sultry [ˈsʌltri] □ ду́шный, зно́йный.

sum [sʌm] **1.** су́мма; ито́г; *fig.* содержа́ние; су́щность; ~s *pl.* арифме́тика; **2.** (*a.* ~ up) ⩘ скла́дывать [сложи́ть]; *fig.* подводи́ть ито́г.

summar|ize [ˈsʌməraiz] сумми́ровать (*im*)*pf.*; резюми́ровать (*im*)*pf.*; **~y** [-ri] **1.** □ кра́ткий; сокращённый; ⚖ дисциплина́рный; **2.** (кра́ткое) изложе́ние, резюме́ *n indecl.*

summer [ˈsʌmə] ле́то; **~(l)y** [-ri, -li] ле́тний.

summit ['sʌmit] верши́на (*a. fig.*); преде́л; верх.
summon ['sʌmən] соз(ы)ва́ть (собра́ние и т. п.); ⚖ вызыва́ть [вы́звать] (в суд); приз(ы)ва́ть; **~s** [-z] вы́зов (в суд); суде́бная пове́стка; ⚔ предложе́ние сда́ться.
sumptuous ['sʌmptjuəs] роско́шный; пы́шный.
sun [sʌn] **1.** со́лнце; **2.** со́лнечный; **3.** гре́ть(ся) на со́лнце; **~burn** ['sʌnbə:n] зага́р.
Sunday ['sʌndi] воскресе́нье.
sun|-dial со́лнечные часы́ *m/pl.*; **~-down** *Am.* зака́т, захо́д со́лнца.
sundries ['sʌndriz] *pl.* вся́кая вся́чина; ⚕ ра́зные расхо́ды *m/pl.*
sung [sʌŋ] *p. pt.* от sing.
sun-glasses *pl.* тёмные очки́ *n/pl.*
sunk [sʌŋk] *p. pt.* от sink.
sunken [sʌŋkən] *fig.* впа́лый.
sun|ny ['sʌni] □ со́лнечный; **~rise** восхо́д со́лнца; **~set** захо́д со́лнца, зака́т; **~shade** зо́нт(ик) от со́лнца; **~shine** со́лнечный свет; in the ~ на со́лнце; **~stroke** ⚕ со́лнечный уда́р; **~up** ['sʌnʌp] *Am.* восхо́д со́лнца.
sup [sʌp] [по]у́жинать.
super... ['sju:pə] *pref.*: пере..., пре...; сверх...; над...; супер...; **~abundant** [sju:pərə'bʌndənt] □ изоби́льный; **~annuate** [sju:pə'rænjueit] переводи́ть на пе́нсию; *fig.* сдава́ть в архи́в; **~d** престаре́лый; устаре́лый.
superb [sju'pə:b] роско́шный, прекра́сный.
super|charger ['sju:pətʃɑ:dʒə] ⊕ нагнета́тель *m*; **~cilious** [sju:pə'siliəs] □ высокоме́рный; **~ficial** [sju:pə'fiʃəl] □ пове́рхностный; **~fine** ['sju:pə'fain] чрезме́рно утончённый; вы́сшего со́рта; **~fluity** [sju:pə'fluiti] изоби́лие, изли́шек; изли́шество; **~fluous** [sju'pə:fluəs] □ изли́шний; **~heat** [sju:pə'hi:t] ⊕ перегре́(ва́)ть; **~intend** [sju:prin'tend] надзира́ть за (Т); заве́довать (Т); **~intendent** [-ənt] надзира́тель *m*; заве́дующий; управдо́м.
superior [sju'piəriə] **1.** □ вы́сший; ста́рший (по чи́ну); лу́чший; превосхо́дный; превосходя́щий (to В); **2.** ста́рший, нача́льник; *eccl.* настоя́тель *m*, (*mst* lady ~) настоя́тельница; **~ity** [sjupiəri'ɔriti] превосхо́дство.
super|lative [sju'pə:lətiv] **1.** □ высоча́йший; велича́йший; **2.** превосхо́дная сте́пень *f*; **~numerary** [sju:pə'nju:mərəri] **1.** сверхшта́тный; **2.** сверхшта́тный рабо́тник; *thea.* стати́ст; **~scription** [sju:pə'skripʃən] на́дпись *f*; **~sede** [-si:d] заменя́ть [-ни́ть]; вытесня́ть [вы́теснить]; *fig.* обгоня́ть [обогна́ть]; **~stition** [-'stiʃən] суеве́рие; **~stitious** [-'stiʃəs] суеве́рный; **~vene** [sju:pə'vi:n] добавля́ться [-а́виться]; неожи́данно возника́ть; **~vise** ['sju:pəvaiz] надзира́ть за (Т); **~vision** [sju:pə'viʒən] надзо́р; **~visor** ['sju:pəvaizə] надзира́тель *m*.
supper ['sʌpə] у́жин; the (Lord's) ♀ та́йная ве́черя.
supplant [sə'plɑ:nt] вытесня́ть [вы́теснить] (В).
supple ['sʌpl] ги́бкий; пода́тливый.
supplement **1.** ['sʌplimənt] добавле́ние, дополне́ние; приложе́ние; **2.** [-'ment] дополня́ть [допо́лнить]; **~al** [sʌpli'mentl] □, **~ary** [-təri] дополни́тельный, доба́вочный.
suppliant ['sʌpliənt] проси́тель (-ница *f*) *m*.
supplicat|e ['sʌplikeit] умоля́ть (for о П); **~ion** [sʌpli'keiʃən] мольба́; про́сьба.
supplier [sə'plaiə] поставщи́к (-и́ца).
supply [sə'plai] **1.** снабжа́ть [-бди́ть] (with Т); поставля́ть [-а́вить]; доставля́ть [-а́вить]; возмеща́ть [-ести́ть]; замеща́ть [-ести́ть]; **2.** снабже́ние; поста́вка; запа́с; вре́менный замести́тель *m*; *pl.* продово́льствие; припа́сы *m/pl.*; ⚕ предложе́ние; *mst pl. parl.* ассигнова́ния *n/pl.* (утверждённые парла́ментом).
support [sə'pɔ:t] **1.** подде́ржка; опо́ра; **2.** подпира́ть [-пере́ть]; подде́рживать [-жа́ть]; содержа́ть (семью́ и т. п.).
suppose [sə'pouz] предполага́ть [-ложи́ть]; полага́ть; F ~ we do so? а е́сли мы э́то сде́лаем?
supposed [sə'pouzd] □ предполага́емый; **~ly** [-zidli] предположи́тельно; я́кобы.
supposition [sʌpə'ziʃən] предположе́ние.
suppress [sə'pres] подавля́ть

[-ви́ть]; запреща́ть [-ети́ть] (газе́ту); сде́рживать [-жа́ть] (сме́х, гнев и т. п.); **~ion** [sə'preʃən] подавле́ние и т. д.

suppurate ['sʌpjuəreit] гнои́ться.

suprem|acy [sju'preməsi] превосхо́дство; верхо́вная вла́сть *f*; **~e** [sju'pri:m] □ верхо́вный; вы́сший; кра́йний.

surcharge [sə:'tʃɑ:dʒ] **1.** перегружа́ть [-узи́ть]; **2.** ['sə:tʃɑ:dʒ] перегру́зка; припла́та, допла́та (за письмо́ и т. п.); надпеча́тка.

sure [ʃuə] □ *com.* ве́рный; уве́ренный; безопа́сный; надёжный; to be ~! *Am.* ~! безусло́вно, коне́чно; **~ly** ['ʃuəli] несомне́нно; наве́рно; **~ty** [-ti] пору́ка; поручи́тель *m.*

surf [sə:f] прибо́й.

surface ['sə:fis] **1.** пове́рхность *f*; **2.** пове́рхностный.

surfeit ['sə:fit] **1.** изли́шество; пресыще́ние; **2.** пресыща́ть(ся) [-ы́тить(ся)] (on Т); перееда́ть [перее́сть] (on Р).

surge [sə:dʒ] **1.** волна́; **2.** вздыма́ться (о во́лна́х); *fig.* [вз]волнова́ться.

surg|eon ['sə:dʒen] хиру́рг; **~ery** ['sə:dʒəri] хирурги́я; хирурги́ческий кабине́т.

surgical ['sə:dʒikəl] □ хирурги́ческий.

surly [sə:li] □ угрю́мый; гру́бый.

surmise ['sə:maiz] **1.** предположе́ние, дога́дка; **2.** [sə:'maiz] предполага́ть [-ложи́ть].

surmount [sə:'maunt] преодоле́(ва́)ть, превозмога́ть [-мо́чь].

surname ['sə:neim] фами́лия; про́звище.

surpass [sə:'pɑ:s] перегоня́ть [-гна́ть]; превосходи́ть [-взойти́]; **~ing** [-iŋ] превосхо́дный.

surplus ['sə:pləs] **1.** изли́шек; оста́ток; **2.** изли́шний; доба́вочный, приба́вочный.

surprise [sə'praiz] **1.** удивле́ние; неожи́данность *f*, сюрпри́з; *attr.* неожи́данный; ⚔ внеза́пный; **2.** удивля́ть [-ви́ть]; застава́ть врасплóх.

surrender [sə'rendə] **1.** сда́ча; капитуля́ция; **2.** *v/t.* сда(ва́)ть; отка́зываться [-за́ться] от (Р); *v/i.* сд(ав)а́ться (*a.* ~ o. s.).

surround [sə'raund] окружа́ть [-жи́ть]; **~ing** [-iŋ] окружа́ющий; **~ings** [-iŋz] *pl.* окре́стности *f/pl.*

surtax ['sə:tæks] доба́вочный нало́г.

survey 1. [sə:'vei] обозре́(ва́)ть; осма́тривать [осмотре́ть]; *surv.* межева́ть; **2.** ['sə:vei] осмо́тр; обзо́р; *fig.* обсле́дование; *surv.* межева́ние; *attr.* обзо́рный; **~or** [sə:'veiə] землеме́р; *Am.* инспе́ктор.

surviv|al [sə'vaivəl] выжива́ние; пережи́ток; **~e** [sə'vaiv] *v/t.* пережи́(ва́)ть; выжива́ть по́сле (Р); *v/i.* остава́ться в живы́х, вы́жи(ва́)ть; **~or** [-ə] оста́вшийся в живы́х.

susceptible [sə'septəbl] □ восприи́мчивый (to к Д); оби́дчивый; be ~ of допуска́ть [-сти́ть] (В).

suspect [səs'pekt] **1.** подозрева́ть, заподо́зривать [-до́зрить] (of в П); сомнева́ться [усомни́ться] в (по́длинности и т. п.); полага́ть; **2.** подозри́тельный; подозрева́емый.

suspend [səs'pend] ве́шать [пове́сить]; приостана́вливать [-нови́ть]; откла́дывать [отложи́ть]; вре́менно прекраща́ть; **~ed** подвесно́й; **~ers** [-əz] *pl. Am.* подтя́жки *f/pl.*; подвя́зки *f/pl.*

suspens|e [səs'pens] напряжённое внима́ние; состоя́ние неизве́стности; be in ~ быть нерешённым; **~ion** [səs'penʃən] подве́шивание; прекраще́ние; вре́менная отста́вка; ~ bridge вися́чий мост.

suspici|on [səs'piʃən] подозре́ние; *fig.* чу́точка; **~ous** [-əs] □ подозри́тельный.

sustain [səs'tein] подпира́ть [-пере́ть]; подде́рживать [-жа́ть]; подтвержда́ть [-рди́ть]; выде́рживать [вы́держать]; выноси́ть [вы́нести], испы́тывать [испыта́ть].

sustenance ['sʌstinəns] пи́ща; сре́дства к существова́нию.

svelte [svelt] стро́йный.

swab [swɔb] **1.** шва́бра; ⚕ мазо́к; **2.** (*a.* ~ down) мыть шва́брой.

swaddle ['swɔdl] [с-, за]пелена́ть; swaddling clothes *pl.* пелёнки *f/pl.*

swagger ['swægə] ва́жничать; чва́ниться; [по]хва́стать (*a.* -ся).

swallow ['swɔlou] **1.** *zo.* ла́сточка; глото́к; **2.** глота́ть; прогла́тывать [-лоти́ть].

swam [swæm] *pt.* от swim.

swamp [swɔmp] **1.** боло́то, топь *f*; **2.** затопля́ть [-пи́ть], зали́(ва́)ть; **~y** ['swɔmpi] боло́тистый.

swan [swɔ́n] лéбедь *m.* (*poet. a. f.*).
swap [swɔp] F **1.** обмéнивать(ся) [-ня́ть(ся)]; [по]меня́ть; **2.** обмéн.
sward [swɔ:d] газóн; дёрн.
swarm [swɔ:m] **1.** рой (пчёл); стáя (птиц); толпá; **2.** рои́ться (о пчёлах); кишéть (with T).
swarthy ['swɔ:ði] смýглый.
swash [swɔʃ] плескáть [-сну́ть]; плескáться.
swath [swɔ:θ] ⸸ прокóс.
swathe [sweið] [за]бинтовáть; закýт(ыв)ать.
sway [swei] **1.** колебáние; качáние; влия́ние; **2.** качáть(ся) [качну́ть(-ся)]; [по]колебáться; имéть влия́ние на (В); влáствовать над (Т).
swear [swɛə] [*irr.*] [по]кля́сться (by T); заставля́ть покля́сться (to в П); *b. s.* [вы́]ругáться.
sweat [swet] **1.** пот; потéние; **2.** [*irr.*] *v/i.* [вс]потéть; исполня́ть тяжёлую рабóту; *v/t.* заставля́ть потéть; эксплуати́ровать; выделя́ть [вы́делить] (влáгу); **~y** ['sweti] пóтный.
Swede [swi:d] швéд(ка).
Swedish ['swi:diʃ] швéдский.
sweep [swi:p] **1.** [*irr.*] мести́, подметáть [-ести́]; [по]чи́стить; проноси́ться [-нести́сь] (*a.* ~ past, along); *fig.* увлекáть [-éчь] (*a.* ~ along); ⚔ обстрéливать [-ля́ть]; **2.** подметáние; размáх; взмах; трубочи́ст; make a clean ~ (of) отдéл(ыв)аться (от Р); **~er** ['swi:pə] метéльщик; **~ing** ['swi:piŋ] □ стреми́тельный; ширóкий, размáшистый; огу́льный; **~ings** [-z] *pl.* му́сор.
sweet [swi:t] **1.** □ слáдкий; свéжий; души́стый; ми́лый; have a ~ tooth быть сластёной; **2.** конфéта; ~s *pl.* слáдости *f/pl.*, слáсти *f/pl.*; **~en** ['swi:tn] подслáщивать [-ласти́ть]; **~heart** возлю́бленный (-енная); **~ish** ['swi:tiʃ] сладковáтый; **~meat** конфéта; **~ness** ['swi:tnis] слáдость *f*.
swell [swel] **1.** [*irr.*] *v/i.* [о]пу́хнуть; разду́(вá)ться; набухáть [-у́хнуть]; нарастáть [-сти́] (о звýке); *v/t.* разду́(вá)ть; увели́чи(ва)ть; **2.** F щегольскóй; шикáрный; великолéпный; **3.** вы́пуклость *f*; óпухоль *f*; ⚓ мёртвая зыбь *f*; F щёголь *m*; свéтский человéк; **~ing** ['sweliŋ] óпухоль *f*.
swelter ['sweltə] томи́ться от жары́.
swept [swept] *pt.* и *p. pt.* от sweep.
swerve [swə:v] **1.** отклоня́ться от прямóго пути́; (вдруг) сворáчивать в стóрону; **2.** отклонéние.
swift [swift] □ бы́стрый, скóрый; **~ness** ['swiftnis] быстротá.
swill [swil] **1.** помóи *m/pl.*; пóйло; **2.** [про]полоскáть; [вы́]лакáть.
swim [swim] **1.** [*irr.*] плáвать, [по-]плы́ть; переплы́(вá)ть; my head ~s у меня́ головá кру́жится; **2.** плáвание; be in the ~ быть в кýрсе дéла.
swindle ['swindl] **1.** обмáнывать [-ну́ть], наду́(вá)ть; **2.** обмáн, надувáтельство.
swine [swain] (*sg. mst fig.*) свинья́; сви́ньи *f/pl.*
swing [swiŋ] **1.** [*irr.*] качáть(ся) [качну́ть(ся)]; [по]колебáть(ся); размáхивать (рукáми); болтáть (ногáми); висéть; F быть повéшенным; **2.** качáние, колебáние; размáх; взмах; ритм; качéли *f/pl.*; in full ~ в пóлном разгáре; **~-door** дверь, открывáющаяся в любу́ю стóрону.
swinish ['swainiʃ] □ сви́нский.
swipe [swaip] **1.** ударя́ть сплечá; **2.** удáр сплечá.
swirl [swə:l] **1.** кружи́ть(ся) в водоворóте; клуби́ться; **2.** водоворóт; кружéние; ви́хрь *m*.
Swiss [swis] **1.** швейцáрский; **2.** швейцáрец (-рка); the ~ *pl.* швейцáрцы *m/pl.*
switch [switʃ] **1.** прут; 🚂 стрéлка; ⚡ выключáтель *m*; фальши́вая косá; **2.** хлестáть [-сну́ть]; 🚂 маневри́ровать; ⚡ переключáть [-чи́ть] (*often* ~ over) (*a. fig.*); *fig.* переменя́ть направлéние (Р); ~ on ⚡ включáть [-чи́ть]; ~ off выключáть [вы́ключить]; **~-board** ⚡ коммутáтор.
swollen ['swoulən] *p. pt.* от swell.
swoon [swu:n] **1.** óбморок; **2.** пáдать в óбморок.
swoop [swu:p] **1.** (*a.* ~ down), устремля́ться вниз (на добы́чу и т. п.); налетáть [-етéть] (on на В); **2.** налёт, внезáпное нападéние.
sword [sɔ:d] шпáга; меч.
swordsman ['sɔdzmən] фехтовáльщик.
swore [swɔ:] *pt.* от swear.
sworn [swɔ:n] *p. pt.* от swear.
swum [swʌm] *p. pt.* от swim.

swung [swʌŋ] *pt.* и *p. pt.* от swing.
sycophant [ˈsikofənt] льстец.
syllable [ˈsiləbl] слог.
symbol [ˈsimbəl] си́мвол, эмбле́ма; знак; **~ic(al** □) [simˈbɔlik, -əl] симво́лический; **~ism** [ˈsimbəlizm] символи́зм.
symmetr|ical [siˈmetrikəl] □ симметри́чный; **~y** [ˈsimitri] симметри́я.
sympath|etic [simpəˈθetik] (~ally) сочу́вственный; симпати́чный; ~ strike забасто́вка солида́рности; **~ize** [ˈsimpəθaiz] [по]сочу́вствовать (with Д); симпатизи́ровать (with Д); **~y** [-θi] сочу́вствие (with к Д); симпа́тия (for к Д).
symphony [ˈsimfəni] симфо́ния.
symptom [ˈsimptəm] симпто́м.
synchron|ize [ˈsiŋkrənaiz] *v/i.* совпада́ть по вре́мени; *v/t.* синхронизи́ровать (*im*)*pf.*; устана́вливать одновре́ме́нность (собы́тий); сверя́ть [све́рить] (часы́); **~ous** [-nəs] □ синхро́нный.
syndicate 1. [ˈsindikit] синдика́т; **2.** [-keit] синдици́ровать (*im*)*pf.*
synonym [ˈsinənim] сино́ним; **~ous** [siˈnɔniməs] синоними́ческий.
synopsis [siˈnɔpsis] конспе́кт; сино́псис.
synthe|sis [ˈsinθisis] си́нтез; **~tic(al** □) [sinˈθetik, -tikəl] синтети́ческий.
syringe [ˈsirindʒ] **1.** шприц; **2.** спринцева́ть.
syrup [ˈsirəp] сиро́п; па́тока.
system [ˈsistim] систе́ма; **~atic** [sistəˈmætik] (~ally) системати́ческий.

T

tab [tæb] ве́шалка; пе́телька; ⚔ петли́ца (на воротнике́).
table [ˈteibl] **1.** стол; о́бщество за столо́м; плита́; доще́чка; табли́ца; та́бель *m*; ~ of contents оглавле́ние; **2.** класть на стол; представля́ть [-а́вить] (предложе́ние и т. п.); **~-cloth** ска́терть *f*; **~-spoon** столо́вая ло́жка.
tablet [ˈtæblit] доще́чка; блокно́т; табле́тка; кусо́к (мы́ла и т. п.).
taboo [təˈbuː] **1.** табу́ *n indecl.*; запреще́ние, запре́т; **2.** подверга́ть табу́; запреща́ть [-ети́ть]; **3.** запрещённый.
tabulate [ˈtæbjuleit] располага́ть в ви́де табли́ц.
tacit [ˈtæsit] □ молчали́вый (о согла́сии и т. п.); подразумева́емый; **~urn** [ˈtæsitəːn] □ молчали́вый, неразгово́рчивый.
tack [tæk] **1.** гво́здик с широ́кой шля́пкой; кно́пка (канцеля́рская); стежо́к; ⚓ галс; *fig.* полити́ческая ли́ния; **2.** *v/t.* прикрепля́ть гво́здиками и́ли кно́пками; смётывать [смета́ть]; присоединя́ть [-ни́ть], добавля́ть [-а́вить] (to, on к Д); *v/i.* ⚓ повора́чивать на друго́й галс; *fig.* меня́ть полити́ческий курс.
tackle [ˈtækl] **1.** принадле́жности *f/pl.*; снасть *f*; ⊕, ⚓ та́ли *f/pl.*; **2.** энерги́чно бра́ться за (В); би́ться над (Т).
tact [tækt] такт, такти́чность *f*; **~ful** [ˈtæktful] □ такти́чный.
tactics [ˈtæktiks] та́ктика.
tactless [ˈtæktlis] □ беста́ктный.
taffeta [ˈtæfitə] тафта́.
tag [tæg] **1.** ярлычо́к, этике́тка; ушко́ (сапога́); *fig.* изби́тая фра́за; **2.** прикрепля́ть ярлы́к, ушко́ к (Д).
tail [teil] **1.** хвост; коса́ (воло́с); пола́, фа́лда; обра́тная сторона́ (моне́ты); **2.** *v/t.* снабжа́ть хвосто́м; отруба́ть хвост (щеня́т); высле́живать [вы́следить]; *v/i.* тяну́ться дли́нной верени́цей; ~ off отст(ав)а́ть; **~-coat** фрак; **~-light** *mot.*, 🚂 за́дний фона́рь *m*; ✈ хвостово́й ого́нь *m*.
tailor [ˈteilə] **1.** портно́й; **2.** портня́жничать; [с]шить; **~-made** сши́тый на зака́з.
taint [teint] **1.** поро́к; пятно́ позо́ра; зара́за; испо́рченность *f*; **2.**

[за]пятна́ть; [ис]по́ртить(ся); ⚕ заража́ть(ся) [зарази́ть(ся)].

take [teik] **1.** [*irr.*] *v/t.* брать [взять]; принима́ть [-ня́ть]; [съ]есть, [вы́-]пить; занима́ть [заня́ть] (ме́сто); *phot.* снима́ть [снять]; отнима́ть [-ня́ть] (вре́мя); I ~ it that я полага́ю, что ...; ~ the air выходи́ть на во́здух; ✈ отлета́ть [-ете́ть]; ~ fire загора́ться [-ре́ться]; ~ in hand бра́ться [взя́ться] за (В), предпринима́ть [-ня́ть]; ~ pity on сжа́литься *pf.* над (Т); ~ place случа́ться [-чи́ться], происходи́ть [произойти́]; ~ rest отдыха́ть [отдохну́ть]; ~ a seat сади́ться [сесть]; ~ a view выска́зывать свою́ то́чку зре́ния; ~ a walk [по]гуля́ть, прогу́ливаться [-ля́ться]; ~ down снима́ть [снять]; запи́сывать [-са́ть]; ~ for принима́ть [-ня́ть] за (В); ~ from брать [взять] у (Р); отнима́ть [отня́ть] у (Р) *or* от (Р); ~ in обма́нывать [-ну́ть]; принима́ть [-ня́ть] (го́стя); получа́ть (газе́ту и т. п.); ~ off снима́ть [снять] (оде́жду); ~ out вынима́ть [вы́нуть]; ~ to pieces разбира́ть [разобра́ть] (на ча́сти); ~ up бра́ться [взя́ться] за (В); занима́ть [заня́ть], отнима́ть [отня́ть] (ме́сто, вре́мя); **2.** *v/i.* [по]де́йствовать; име́ть успе́х; ~ after походи́ть на (В); ~ off уменьша́ться [уме́ньши́ться]; ✈ взлета́ть [-ете́ть]; оторва́ться от земли́; ~ over принима́ть до́лжность (from от Р); ~ to пристрасти́ться к (Д) *pf.*; привяза́ться к (Д) *pf.*; that won't ~ with me э́тим меня́ не возьмёшь; **3.** уло́в (ры́бы); (театра́льный) сбор; ~s *pl.* бары́ши́ *m/pl.*; **~n** ['teikən] *p. pt.* от take; be ~ ill заболе́(ва́)ть; **~-off** ['tei'kɔf] карикату́ра; подража́ние; ✈ взлёт.

taking ['teikiŋ] **1.** ☐ привлека́тельный; зара́зный; **2. ~s** [-z] *pl.* ✝ бары́ши́ *m/pl.*

tale [teil] расска́з, по́весть *f*; вы́думка; спле́тня.

talent ['tælənt] тала́нт; **~ed** [-id] тала́нтливый.

talk [tɔ:k] **1.** разгово́р; бесе́да; слух; **2.** [по]говори́ть; разгова́ривать; [по]бесе́довать; [на]спле́тничать; **~ative** ['tɔ:kətiv] болтли́вый; **~er** ['tɔ:kə] **1.** говору́н(ья), болту́н(ья); собесе́дник (-ница).

tall [tɔ:l] высо́кий; F невероя́тный; ~ order чрезме́рное тре́бование; ~ story *Am.* F неправдоподо́бный расска́з, небыли́ца.

tallow ['tælou] топлёное са́ло (для свече́й).

tally ['tæli] **1.** би́рка; ко́пия, дублика́т; опознава́тельный ярлы́к; **2.** отмеча́ть [-е́тить]; подсчи́тывать [-ита́ть]; соотве́тствовать (with Д).

tame [teim] **1.** ☐ ручно́й, приручённый; поко́рный; пасси́вный; ску́чный; **2.** прируча́ть [-чи́ть]; смиря́ть [-ри́ть].

tamper ['tæmpə]: ~ with вме́шиваться [-ша́ться] в (В); неуме́ло вози́ться с (Т); подде́л(ыв)ать (В); стара́ться подкупи́ть (В).

tan [tæn] **1.** зага́р; корьё, толчёная дубо́вая кора́; **2.** рыжева́то-кори́чневый; **3.** [вы́]дуби́ть (ко́жу); загора́ть.

tang [tæŋ] ре́зкий при́вкус; налёт.

tangent ['tændʒənt] A та́нгенс; go (*a.* fly) off at a ~ внеза́пно отклоня́ться (от те́мы и т. п.).

tangible ['tændʒəbl] ☐ осяза́емый, ощути́мый.

tangle ['tæŋgl] **1.** пу́таница, неразбери́ха; **2.** запу́т(ыв)ать(ся).

tank [tæŋk] **1.** цисте́рна; бак; ⚔ танк, *attr.* та́нковый; **2.** налива́ть в бак.

tankard ['tæŋkəd] высо́кая кру́жка.

tannery ['tænəri] коже́венный заво́д.

tantalize ['tæntəlaiz] [за-, из]му́чить.

tantrum ['tæntrəm] F вспы́шка гне́ва и́ли раздраже́ния.

tap[1] [tæp] **1.** вту́лка; кран; F сорт, ма́рка (напи́тка); **2.** вставля́ть кран в (бо́чку); де́лать проко́л (для выпуска́ния жи́дкости) у (больно́го); дела́ть надре́з на (де́реве для получе́ния со́ка); выпра́шивать де́ньги у (Р).

tap[2] [~] **1.** [по]стуча́ть; хло́пать [-пнуть]; **2.** лёгкий стук; шлепо́к; **~-dance** чечётка.

tape [teip] тесьма́; *sport* фи́нишная ле́нточка; телегра́фная ле́нта; red ~ бюрократи́зм, канцеля́рщина; **~-measure** ['teipmeʒə] руле́тка.

taper ['teipə] **1.** то́нкая восковая свеча́; **2.** *adi.* су́живающийся к концу́; кони́ческий; **3.** *v/i.* су́живаться к концу́; *v/t.* заостря́ть [-ри́ть].

tape-recorder магнитофóн.
tapestry ['tæpistri] гобелéн.
tape-worm ⚕ солитёр.
tap-room ['tæprum] пивнáя.
tar [tɑ:] **1.** дёготь *m*; смолá; **2.** обмáзывать дёгтем; [вы́]смоли́ть.
tardy ['tɑ:di] □ медли́тельный; запоздáлый, пóздний.
tare¹ [tɛə] тáра; ски́дка на тáру.
tare² [~] ♀ посевнáя ви́ка.
target ['tɑ:git] цель *f*; мишéнь (*a. fig.*); ~ practice стрельбá по мишéням.
tariff ['tærif] тари́ф.
tarnish ['tɑ:niʃ] **1.** *v/t.* лишáть блéска (метáлл); *fig.* [о]порóчить; *v/i.* [по]тускнéть (о метáлле); **2.** тýсклость *f*; *fig.* пятнó.
tarry¹ ['tæri] мéдлить, мéшкать; ~ for ждáть (В *or* Р), дожидáться (Р).
tarry² ['tɑ:ri] вы́мазанный дёгтем.
tart [tɑ:t] **1.** слáдкая ватрýшка; **2.** ки́слый, тéрпкий; éдкий; *fig.* кóлкий.
task [tɑ:sk] **1.** задáча; урóк; take to ~ призывáть к отвéту; отчи́тывать [-итáть]; **2.** давáть задáние (Д); обременя́ть [-ни́ть], перегружáть [-узи́ть].
tassel ['tæsl] ки́сточка (украшéние).
taste [teist] **1.** вкус; склóнность *f* (for к Д); прóба; **2.** [по]прóбовать (на вкус), отвéд(ыв)ать; *fig.* испы́тывать [-пытáть]; ~ sweet быть слáдким на вкус; **~ful** ['teistful] □ (сдéланный) со вкýсом; **~less** [-lis] □ безвкýсный.
tasty ['teisti] □ F вкýсный; прия́тный.
tatter ['tætə] **1.** изнáшивать(ся) в лохмóтья; рвáть(ся) в клóчья; **2.** ~s *pl.* лохмóтья *n/pl.*; клóчья *m/pl.* (*sg.* клок).
tattle ['tætl] **1.** болтовня́; **2.** [по-] болтáть; [по]судáчить.
tattoo [tə'tu:] **1.** ⚔ сигнáл вечéрней зари́; татуирóвка; **2.** татуи́ровать (*im*)*pf*.
taught [tɔ:t] *pt.* и *p. pt.* от teach.
taunt [tɔ:nt] **1.** насмéшка, «шпи́лька»; **2.** говори́ть кóлкости (Д); [съ]язви́ть.
taut [tɔ:t] ⚓ тýго натя́нутый; вполнé испрáвный (о кораблé).
tavern ['tævən] тавéрна.
tawdry ['tɔ:dri] □ мишýрный, безвкýсный.
tawny ['tɔ:ni] рыжевáто-кори́чневый.
tax [tæks] **1.** налóг (on на В); *fig.* напряжéние; брéмя *n*; испытáние; **2.** облагáть налóгом; ⚖ таксировать (*im*)*pf.*; определя́ть размéр (издéржек, штрáфа и т. п.); чрезмéрно напрягáть (си́лы); подвергáть испытáнию; ~ a p. with a th. обвиня́ть [-ни́ть] когó-либо в чём-либо; **~ation** [tæk'seiʃən] обложéние налóгом; взимáние налóга; ⚖ таксáция.
taxi ['tæksi] **1.** = **~-cab** такси́ *n indecl.*; **2.** éхать в такси́; ✈ рули́ть.
taxpayer ['tækspeiə] налогоплатéльщик.
tea [ti:] чай.
teach [ti:tʃ] [*irr.*] [на]учи́ть, обучáть [-чи́ть]; преподавáть; **~able** ['ti:tʃəbl] □ спосóбный к учéнию; подлежáщий обучéнию; **~er** ['ti:tʃə] учи́тель(ница *f*) *m*, преподавáтель (-ница *f*) *m*.
team [ti:m] упря́жка (лошадéй и т. п.); *sport* комáнда; бригáда, артéль *f* (рабóчих); **~ster** ['ti:mstə] вози́ца *m*; **~-work** совмéстная рабóта; согласóванная рабóта.
teapot ['ti:pɔt] чáйник (для завáрки).
tear¹ [tɛə] **1.** [*irr.*] дырá, прорéха; **2.** [по]рвáть(ся); разрывáть(ся) [разорвáть(ся)]; *fig.* раздирáть (-ся); [по]мчáться.
tear² [tiə] слезá (*pl.* слёзы).
tearful ['tiəful] □ слезли́вый; пóлный слёз (о глазáх).
tease [ti:z] **1.** зади́ра *m/f*; человéк, лю́бящий дразни́ть; **2.** F дразни́ть; задирáть (В); прист(ав)áть к (Д).
teat [ti:t] сосóк.
technic|al ['teknikəl] □ техни́ческий; **~ality** [tekni'kæliti] техни́ческая сторонá дéла; техни́ческая детáль *f*; **~ian** [tek'niʃən] тéхник.
technique [tek'ni:k] тéхника.
technology [tek'nɔlədʒi] технолóгия; техни́ческие наýки *f/pl.*
tedious ['ti:diəs] □ скýчный, утоми́тельный.
tedium ['ti:diəm] скýка.
tee [ti:] мишéнь *f* (в и́грах); мéтка для мячá (в гóльфе).
teem [ti:m] изоби́ловать, кишéть (with Т).
teens [ti:nz] *pl.* вóзраст от тринáдцати до девятнáдцати лет.
teeth [ti:θ] *pl.* от tooth; **~e** [ti:ð]: the child is teething у ребёнка прорезáются зýбы.

teetotal(l)er [tiːˈtoutlə] трéзвенник.
telegram [ˈteligræm] телегрáмма.
telegraph [ˈteligrɑːf] **1.** телегрáф; **2.** телеграфи́ровать (*im*)*pf*.; **3.** *attr.* телегрáфный; **~ic** [teliˈgræfik] (~ally) телегрáфный; **~y** [tiˈlegrəfi] телеграфи́я.
telephon|e [ˈtelifoun] **1.** телефóн; **2.** телефони́ровать (*im*)*pf*.; **~ic** [teliˈfɔnik] (~ally) телефóнный; **~y** [tiˈlefəni] телефони́я; телефони́рование.
telephoto [ˈteliˈfoutou] *phot.* телефотогрáфия.
telescope [ˈteliskoup] **1.** телескóп; **2.** склáдывать(ся) [сложи́ть(ся)] (подóбно телескóпу); врезáться друг в дрýга (о вагóнах при крушéнии).
televis|ion [ˈteliˈviʒən] телеви́дение; **~or** [-vaizə] телеви́зор.
tell [tel] [*irr.*] *v/t.* говори́ть [сказáть]; рассkáзывать [-зáть]; уверя́ть [увéрить]; отличáть [-чи́ть]; ~ a p. to do a th. велéть комý-либо чтó-либо дéлать; ~ off F [вы́]брани́ть, «отдéл(ыв)ать»; *v/i.* скáзываться [сказáться]; выделя́ться [вы́делиться]; рассkáзывать [-зáть] (about о П); **~er** [ˈtelə] расскáзчик; касси́р (в бáнке); **~ing** [ˈteliŋ] □ многоговоря́щий, многозначи́тельный; **~tale** [ˈtelteil] сплéтник (-ица); болтýн(ья); донóсчик (-ица); ⊕ предупреди́тельное сигнáльное приспособлéние.
temper [ˈtempə] **1.** умеря́ть [умéрить]; смягчáть [-чи́ть]; ⊕ отпускáть [-сти́ть]; закаля́ть [-ли́ть] (*a fig.*); **2.** харáктер; настроéние; раздражéние, гнев; ⊕ óтпуск (метáлла); **~ament** [-rəmənt] темперáмент; **~amental** [tempərəˈmentl] □ темперáментный; **~ance** [ˈtempərəns] умéренность *f*; **~ate** [-rit] □ умéренный, воздéржанный; **~ature** [ˈtempritʃə] температýра.
tempest [ˈtempist] бýря; **~uous** [temˈpestjuəs] □ бýрный, бýйный.
temple [ˈtempl] храм; *anat.* висóк.
tempor|al [ˈtempərəl] □ врéменный; мирскóй, свéтский; **~ary** [-rəri] □ врéменный; **~ize** [-raiz] старáться вы́играть врéмя; приспособля́ться к обстоя́тельствам.
tempt [tempt] искушáть [-уси́ть], соблазня́ть [-ни́ть]; привлекáть [-éчь]; **~ation** [tempˈteiʃən] искушéние, соблáзн; **~ing** [-tiŋ] □ замáнчивый, соблазни́тельный.
ten [ten] **1.** дéсять; **2.** деся́ток.
tenable [ˈtenəbl] прóчный; ⚔ обороноспосóбный.
tenaci|ous [tiˈneiʃəs] □ упóрный; цéпкий; вя́зкий; **~ty** [tiˈnæsiti] цéпкость *f*; стóйкость *f*, упóрство.
tenant [ˈtenənt] нанимáтель(ница *f*) *m*; арендáтор; жи́тель(ница *f*) *m*.
tend [tend] *v/i.* имéть склóнность (to к Д); клони́ться; направля́ться [-рáвиться]; *v/t.* [по]забóтиться о (П); ухáживать, [по]смотрéть за (Т); ⊕ обслýживать [-и́ть]; **~ance** [ˈtendəns] ухáживание (of за Т); присмóтр (of за Т); **~ency** [-si] тендéнция; наклóнность *f*.
tender [ˈtendə] **1.** □ *com.* нéжный; мя́гкий; слáбый (о здорóвье); чувстви́тельный; лáсковый; чýткий; **2.** (официáльное) предложéние; зая́вка (*part.* ⚒); 🚂 тéндер; ⚓ посы́льное сýдно; плавýчая бáза; legal ~ закóнное платёжное срéдство; **3.** предлагáть [-ложи́ть]; представля́ть [-áвить] (докумéнты); приноси́ть [-нести́] (извинéние, благодáрность); **~foot** F новичóк; **~ness** [-nis] нéжность *f*.
tendon [ˈtendən] *anat.* сухожи́лие.
tendril [ˈtendril] ⚘ ýсик.
tenement [ˈtenimənt] снимáемая кварти́ра; ~ house многокварти́рный дом.
tenor [ˈtenə] ♪ тéнор; течéние, направлéние; уклáд (жи́зни); óбщий смысл (рéчи и т. п.).
tens|e [tens] **1.** *gr.* врéмя *n*; **2.** □ натя́нутый; возбуждённый; напряжённый; **~ion** [ˈtenʃən] напряжéние (*a.* ⚡); натяжéние; *pol.* напряжённость *f*; натя́нутость *f*.
tent¹ [tent] **1.** палáтка, тент; **2.** размещáть в палáтках; жить в палáтках.
tent² [~] **1.** тампóн; **2.** вставля́ть тампóн в (В).
tentacle [ˈtentəkl] *zo.* щýпальце.
tentative [ˈtentətiv] □ прóбный; эксперимент́альный; ~ly в ви́де óпыта.
tenth [tenθ] **1.** деся́тый; **2.** деся́тая часть *f*.
tenure [ˈtenjuə] владéние; пребы-

ва́ние (в до́лжности); срок владе́ния.

tepid [ˈtepid] □ теплова́тый.

term [tə:m] **1.** преде́л; срок; семе́стр; те́рмин; 𝔄 член; ⚖ се́ссия; день упла́ты аре́нды и т. п.; ~s *pl.* усло́вия; be on good (bad) ~s быть в хоро́ших (плохи́х) отноше́ниях; come to ~s прийти́ к соглаше́нию; **2.** выража́ть [вы́разить]; наз(ы)ва́ть; [на]именова́ть.

termina|l [ˈtə:minl] **1.** □ заключи́тельный; коне́чный; семестро́вый; **2.** коне́чный пункт; коне́чный слог; экза́мен в конце́ семе́стра; ⚡ зажи́м; *Am.* 🚂 коне́чная ста́нция; **~te** [-neit] конча́ть(ся) [ко́нчить(ся)]; **~tion** [tə:miˈneiʃən] оконча́ние; коне́ц.

terminus [ˈtə:minəs] 🚂 коне́чная ста́нция.

terrace [ˈterəs] терра́са; на́сыпь *f*; ряд домо́в; **~d** [-t] располо́женный терра́сами.

terrestrial [tiˈrestriəl] □ земно́й; *zo.* сухопу́тный.

terrible [ˈterəbl] □ ужа́сный, стра́шный.

terri|fic [təˈrifik] (~ally) ужаса́ющий; F великоле́пный; **~fy** [ˈterifai] *v/t.* ужаса́ть [-сну́ть].

territor|ial [teriˈtɔ:riəl] **1.** □ территориа́льный; земе́льный; ♀ Army, Force территориа́льная а́рмия; **2.** ⚔ солда́т территориа́льной а́рмии; **~y** [ˈteritəri] террито́рия; о́бласть *f*; сфе́ра.

terror [ˈterə] у́жас; терро́р; **~ize** [-raiz] терроризова́ть (*im*)*pf.*

terse [tə:s] □ сжа́тый, вырази́тельный (стиль).

test [test] **1.** испыта́ние; крите́рий; про́ба; ана́лиз; ⚗ реакти́в; *attr.* испыта́тельный; про́бный; **2.** подверга́ть испыта́нию, прове́рке, (⚗) де́йствию реакти́ва.

testify [ˈtestifai] дава́ть показа́ние, свиде́тельствовать (to в по́льзу Р, against про́тив Р, on о П).

testimon|ial [testiˈmounjəl] аттеста́т; рекоменда́тельное письмо́; **~y** [ˈtestiməni] у́стное показа́ние; пи́сьменное свиде́тельство.

test-tube ⚗ проби́рка.

testy [ˈtesti] □ вспы́льчивый, раздражи́тельный.

tether [ˈteðə] **1.** при́вязь *f* (живо́тного); come to the end of one's ~ дойти́ до то́чки; **2.** привя́зывать [-за́ть] (живо́тное).

text [tekst] текст; те́ма (про́поведи); **~book** уче́бник, руково́дство.

textile [ˈtekstail] **1.** тексти́льный; **2.** ~s *pl.* тексти́льные изде́лия *n/pl.*; тка́ни *f/pl.*

texture [ˈtekstʃə] ткань *f*; ка́чество тка́ни; строе́ние, структу́ра (ко́жи и т. п.).

than [ðæn, ðən] чем, не́жели.

thank [θæŋk] **1.** [по]благодари́ть (В); ~ you благодарю́ вас; **2.** ~s *pl.* спаси́бо!; ~s to благодаря́ (Д); **~ful** [ˈθæŋkful] □ благода́рный; **~less** [-lis] □ неблагода́рный; **~sgiving** [θæŋksgiviŋ] благода́рственный моле́бен.

that [ðæt, ðət] **1.** *pron.* тот, та, то; те *pl.*; (*a.* э́тот и т. д.); кото́рый и т. д.; **2.** *cj.* что; что́бы.

thatch (θætʃ] **1.** соло́менная и́ли тростнико́вая кры́ша; **2.** крыть соло́мой и́ли тростнико́м.

thaw [θɔ:] **1.** о́ттепель *f*; та́яние; **2.** *v/i.* [рас]та́ять; отта́ивать [отта́ять]; *v/t.* раста́пливать [растопи́ть] (снег и т. п.).

the [ði:; пе́ред гла́сными ði; пе́ред согла́сными ðə] **1.** определённый член, арти́кль; **2.** *adv.* ~ ... ~ ... чем ..., тем ...

theatr|e [ˈθiətə] теа́тр; *fig.* аре́на; ~ of war теа́тр вое́нных де́йствий; **~ic(al** □) [θiˈætrik, -trikəl] театра́льный (*a. fig.*); сцени́ческий.

theft [θeft] воровство́, кра́жа.

their [ðɛə] *pron. poss.* (от **they**) их; свой, своя́, своё, свои́ *pl.*; **~s** [ðɛəz] *pron. poss. pred.* их, свой и т. д.

them [ðem, ðəm] *pron. pers.* (ко́свенный паде́ж от they) их, им.

theme [θi:m] те́ма, предме́т (разгово́ра и т. п.); шко́льное сочине́ние.

themselves [ðemˈselvz] *pron. refl.* себя́, -ся; *emphasis* са́ми.

then [ðen] **1.** *adv.* тогда́; пото́м, зате́м; **2.** *cj.* тогда́, в тако́м слу́чае; зна́чит; **3.** *adj.* тогда́шний.

thence *lit.* [ðens] отту́да; с того́ вре́мени; *fig.* отсю́да, из э́того.

theolog|ian [θiəˈloudʒiən] богосло́в; **~y** [θiˈɔlədʒi] богосло́вие.

theor|etic(al □) [θiəˈretik, -tikəl] теорети́ческий; **~ist** [ˈθiərist] теоре́тик; **~y** [ˈθiəri] тео́рия.

there [ðɛə] там, туда́; ~! вот!, ну!; ~ is, ~ are [ðə'riz, ðə'rɑ:] есть, име́ется, име́ются; **~about(s)** ['ðɛərəbaut(s)] побли́зости; о́коло э́того, приблизи́тельно; **~after** [ðɛər'ɑ:ftə] с э́того вре́мени; **~by** ['ðɛə'bai] посре́дством э́того; таки́м о́бразом; **~fore** ['ðɛəfɔ:] поэ́тому; сле́довательно; **~upon** ['ðɛərə'pɔn] по́сле того́, вслед за те́м; всле́дствие того́.

thermo|meter [θə'mɔmitə] термо́метр, гра́дусник; **~s** ['θə:mɔs] (*or* ~ flask, ~ bottle) те́рмос.

these [ði:z] *pl.* от this.

thes|is ['θi:sis], *pl.* **~es** [-si:z] те́зис; диссерта́ция.

they [ðei] *pron. pers.* они́.

thick [θik] **1.** □ *com.* то́лстый; густо́й; пло́тный; хри́плый (го́лос); F глу́пый; ~ with гу́сто покры́тый (T); **2.** ча́ща; *fig.* гу́ща; in the ~ of в са́мой гу́ще (P); в разга́ре (P); **~en** ['θikən] [по]толсте́ть; сгуща́ть(ся) [сгусти́ть(ся)]; учаща́ться [участи́ться]; **~et** ['θikit] ча́ща; за́росли *f/pl.*; **~-headed** тупоголо́вый, тупоу́мный; **~ness** ['θiknis] толщина́; пло́тность *f*; сгущённость *f*; **~-set** ['θik'set] гу́сто наса́женный; корена́стый; **~-skinned** (*a. fig.*) толстоко́жий.

thie|f [θi:f], *pl.* **~ves** [θi:vz] вор; **~ve** [θi:v] *v/t.* [у]кра́сть; *v/i.* ворова́ть.

thigh [θai] бедро́.

thimble ['θimbl] напёрсток.

thin [θin] **1.** □ *com.* то́нкий; худо́й, худоща́вый; ре́дкий; жи́дкий; in a ~ house в полупусто́м за́ле (теа́тра); **2.** де́лать(ся) то́нким, утонча́ть(ся) [-чи́ть(ся)]; [по]реде́ть; [по]худе́ть.

thing [θiŋ] вещь *f*; предме́т; де́ло; **~s** *pl.* ли́чные ве́щи *f/pl.*; бага́ж; оде́жда; принадле́жности *f/pl.*; the ~ (не́что) са́мое ва́жное, ну́жное; **~s are going better** положе́ние **улучша́ется.**

think [θiŋk] [*irr.*] *v/i.* [по]ду́мать (of, about о П); мы́слить; полага́ть; вспомина́ть [вспо́мнить] (of о П); намерева́ться (+ *inf.*); приду́м(ыв)ать (of B); *v/t.* счита́ть [счесть]; ~ much of быть высо́кого мне́ния о (П).

third [θə:d] **1.** тре́тий; **2.** треть *f.*

thirst [θə:st] **1.** жа́жда; **2.** жа́ждать (for, after P) (*part. fig.*); **~y** ['θəsti] □ томи́мый жа́ждой; I am ~ я хочу́ пить.

thirt|een ['θə:ti:n] трина́дцать; **~eenth** ['θə:'ti:nθ] трина́дцатый; **~ieth** ['θə:tiiθ] тридца́тый; **~y** ['θə:ti] три́дцать.

this [ðis] *pron. demonstr.* (*pl.* these) э́тот, э́та, э́то; э́ти *pl.*; ~ morning сего́дня у́тром.

thistle ['θisl] ♀ чертополо́х.

thong [θɔŋ] реме́нь *m*; плеть *f.*

thorn [θɔ:n] ♀ шип; колю́чка; *fig.* ~ s *pl.* те́рния *n/pl.*; **~y** ['θɔ:ni] колю́чий; *fig.* тяжёлый, терни́стый.

thorough ['θʌrə] □ основа́тельный; совершённый; **~ly** *adv.* основа́тельно, доскона́льно; совершённо; **~bred** **1.** чистокро́вный; **2.** чистокро́вное живо́тное; **~fare** прохо́д; прое́зд; гла́вная арте́рия (го́рода); **~going** радика́льный.

those [ðouz] *pl.* от that.

though [ðou] *conj.* хотя́; да́же е́сли бы, хотя́ бы; *adv.* тем не ме́нее; одна́ко; всё-таки; as ~ как бу́дто, сло́вно.

thought [θɔ:t] **1.** *pt.* и *p. pt.* от think; **2.** мысль *f*; мышле́ние; размышле́ние; забо́та; внима́тельность *f*; **~ful** ['θɔ:tful] □ заду́мчивый; глубокомы́сленный; забо́тливый; внима́тельный (of к Д); **~less** ['θɔ:tlis] □ беспе́чный; необду́манный; невнима́тельный (of к Д).

thousand ['θauzənd] ты́сяча; **~th** ['θauzən(t)θ] **1.** ты́сячный; **2.** ты́сячная часть *f.*

thrash [θræʃ] [с]молоти́ть; [по]би́ть; F побежда́ть [-еди́ть] (в состяза́нии); ~ out тща́тельно обсужда́ть (вопро́с и т. п.); *s.* thresh; **~ing** ['θræʃiŋ] молотьба́; побо́и *m/pl.*, F взбу́чка.

thread [θred] **1.** ни́тка, нить *f*; *fig.* нить *f*; ⊕ (винтова́я) резьба́, наре́зка; **2.** продева́ть ни́тку в (иго́лку); нани́зывать [-за́ть] (бу́сы); ⊕ нареза́ть [-е́зать]; **~bare** ['θredbɛə] потёртый, изно́шенный; *fig.* изби́тый.

threat [θret] угро́за; **~en** ['θretn] *v/t.* [при]грози́ть, угрожа́ть (Д with T); *v/i.* грози́ть.

three [θri:] **1.** три; **2.** тро́йка; **~fold** ['θri:fould] тройно́й; *adv.* втройне́;

~**pence** ['θrepəns] три пе́нса (моне́та); ~**-score** ['θri:'skɔ:] шестьдеся́т.
thresh [θreʃ] ⸗ [с]молоти́ть; *s.* thrash; ~ out *fig.* = thrash out.
threshold ['θreʃ(h)ould] поро́г.
threw [θru:] *pt.* от throw.
thrice [θrais] три́жды.
thrift [θrift] бережли́вость *f*, эконо́мность *f*; ~**less** ['θriftlis] □ расточи́тельный; ~**y** ['θrifti] □ эконо́мный, бережли́вый.
thrill [θril] **1.** *v/t.* [вз]волнова́ть; приводи́ть в тре́пет, [вз]будора́жить; *v/i.* [за]трепета́ть (with от P); [вз]волнова́ться; **2.** тре́пет; глубо́кое волне́ние; не́рвная дрожь *f*; ~**er** ['θrilə] сенсацио́нный рома́н (*mst* детекти́вный).
thrive [θraiv] [*irr.*] процвета́ть; преуспева́ть; разраста́ться; ~**n** ['θrivn] *p. pt.* от thrive.
throat [θrout] го́рло, гло́тка; clear one's ~ отка́шливаться [-ляться].
throb [θrɔb] **1.** пульси́ровать; си́льно би́ться; **2.** пульса́ция; бие́ние; *fig.* тре́пет.
throes [θrouz] *pl.* му́ки *f/pl.*; аго́ния; родовы́е му́ки *f/pl.*
throne [θroun] трон, престо́л.
throng [θrɔŋ] **1.** толпа́, толчея́; **2.** [с]толпи́ться; заполня́ть [-о́лнить] (о толпе́).
throttle ['θrɔtl] **1.** [за]души́ть (за го́рло); ⊕ дроссели́ровать; **2.** ⊕ дро́ссель *m.*
through [θru:] **1.** че́рез (В); сквозь (В); по (Д); *adv.* наскво́зь; от нача́ла до конца́; **2.** прямо́й, беспереса́дочный (по́езд и т. п.); сквозно́й (биле́т); ~**out** [θru:'aut] **1.** *prp.* че́рез (В); по всему́, всей ...; **2.** повсю́ду; во всех отноше́ниях.
throve [θrouv] *pt.* от thrive.
throw [θrou] **1.** [*irr.*] броса́ть [бро́сить], кида́ть [ки́нуть], мета́ть [метну́ть]; ~ over перебра́сывать [-бро́сить]; покида́ть [-и́нуть] (друзе́й); ~ up изверга́ть [-е́ргнуть]; вски́дывать [вски́нуть]; **2.** бросо́к; броса́ние; ~**n** [-n] *p. pt.* от throw.
thru *Am.* = through.
thrum [θrʌm] бренча́ть, тре́нькать.
thrush [θrʌʃ] дрозд.
thrust [θrʌst] **1.** толчо́к; уда́р; ⊕ распо́р; end ~ осево́е давле́ние; **2.** [*irr.*] толка́ть [-кну́ть]; ты́кать [ткнуть]; ~ o. s. into *fig.* втира́ться [втере́ться] в (В); ~ upon a p. навя́зывать [-за́ть] (Д).
thud [θʌd] **1.** глухо́й звук; **2.** па́дать с глухи́м зву́ком.
thug *Am.* [θʌg] уби́йца *m*, головоре́з.
thumb [θʌm] **1.** большо́й па́лец (руки́); **2.** захва́тывать [захвата́ть], загрязня́ть [-ни́ть] (па́льцами); ~**tack** *Am.* чертёжная кно́пка.
thump [θʌmp] **1.** глухо́й стук; тяжёлый уда́р; **2.** наноси́ть тяжёлый уда́р (Д).
thunder ['θʌndə] **1.** гром; **2.** [за-] греме́ть; it ~s гром греми́т; *fig.* мета́ть гро́мы и мо́лнии; ~**bolt** уда́р мо́лнии; ~**clap** уда́р гро́ма; ~**ous** ['θʌndərəs] □ грозово́й; громово́й, оглуша́ющий; ~**-storm** гроза́; ~**-struck** сражённый уда́ром мо́лнии; *fig.* как гро́мом поражённый.
Thursday ['θə:zdi] четве́рг.
thus [ðʌs] так, таки́м о́бразом.
thwart [θwɔ:t] **1.** ба́нка (скамья́ для гребца́); **2.** меша́ть исполне́нию (жела́ний и т. п.), расстра́ивать [-ро́ить].
tick [tik] **1.** *zo.* клещ; креди́т, счёт; ти́канье; тик (мате́рия); **2.** *v/i.* ти́кать; *v/t.* брать и́ли отпуска́ть в креди́т; ~ off отмеча́ть «пти́чкой»; F проб(и)ра́ть, отде́л(ыв)ать.
ticket ['tikit] **1.** биле́т; ярлы́к; удостовере́ние; квита́нция; *Am.* спи́сок кандида́тов па́ртии; **2.** прикрепля́ть ярлы́к к (Д); ~**office**, *Am.* ~**-window** биле́тная ка́сса.
tickl|e ['tikl] [по]щекота́ть; ~**ish** [-iʃ] □ щекотли́вый.
tidal ['taidl]: ~ wave прили́вная волна́.
tide [taid] **1.** low ~ отли́в; high ~ прили́в; *fig.* тече́ние; **2.** *fig.* ~ over преодоле́(ва́)ть.
tidings ['taidiŋz] *pl.* но́вости *f/pl.*, изве́стия *n/pl.*
tidy ['taidi] **1.** опря́тный, аккура́тный; значи́тельный; **2.** приб(и)ра́ть; приводи́ть в поря́док.
tie [tai] **1.** связь *f*; га́лстук; ра́вный счёт (голосо́в и́ли очко́в); ничья́; ⊕ скре́па; *pl.* у́зы *f/pl.*; **2.** *v/t.* завя́зывать [-за́ть]; свя́зывать

[-зáть]; *v/i.* игрáть вничью́; сравня́ть счёт.

tier [tiə] ряд; я́рус.

tie-up связь *f*; сою́з; *Am.* прекращéние рабóты и́ли ýличного движéния.

tiger ['taigə] тигр.

tight [tait] □ плóтный, компáктный; непроницáемый; тугóй; тýго натя́нутый; тéсный; F подвы́пивший; F ~ place *fig.* затрудни́тельное положéние; **~en** ['taitn] стя́гивать(ся) [стянýть(ся)] (*a.* ~ up); затя́гивать [-янýть]; подтя́гивать [-янýть]; **~-fisted** скупóй; **~ness** ['taitnis] плóтность *f* и т. д.; **~s** [taits] *pl.* трикó *n indecl.*

tigress ['taigris] тигри́ца.

tile [tail] **1.** черепи́ца; кáфель *m*, изразéц; **2.** кры́ть черепи́цей и т. д.

till [til] **1.** дéнежный я́щик, кáсса (в прилáвке); **2.** *prp.* до (Р); **3.** *cj.* покá; **4.** ⚒ воздéл(ыв)ать (В); [вс]пахáть; **~age** ['tilidʒ] пáшня; обрабóтка земли́.

tilt [tilt] **1.** наклóнное положéние, наклóн; удáр копьём; **2.** наклоня́ть(ся) [-ни́ть(ся)]; опроки́дывать(ся) [-и́нуть(ся)]; би́ться на кóпьях; ~ against борóться с (Т).

timber ['timbə] **1.** лесоматериáл, строевóй лес; бáлка; **2.** плóтничать; столя́рничать; стрóить из дéрева.

time [taim] **1.** врéмя *n*; перúод; порá; раз; такт; темп; at the same ~ в то же врéмя; for the ~ being покá, на врéмя; in (*or* on) ~ вóвремя; **2.** (удáчно) выбирáть врéмя для (Р); назначáть врéмя для (Р); хронометри́ровать (*im*)*pf.*; **~ly** ['taimli] своеврéменный; **~-piece** часы́ *m/pl.*; **~-table** 🚂 расписáние.

timid ['timid] □, **timorous** ['timərəs] □ рóбкий.

tin [tin] **1.** óлово; (*a.* ~-plate) жесть *f*; жестя́нка; **2.** [по]луди́ть; [за-] консерви́ровать (в жестя́нках).

tincture ['tiŋktʃə] **1.** ⚕ тинктýра; *fig.* оттéнок; **2.** окрáшивать [окрáсить].

tinfoil ['tin'fɔil] фóльга.

tinge [tindʒ] **1.** слегкá окрáшивать; *fig.* придавáть оттéнок (Д); **2.** лёгкая окрáска; *fig.* оттéнок.

tingle ['tiŋgl] испы́тывать и́ли вызывáть покáлывание (в онемéвших члéнах), пощи́пывание (на морóзе), зуд, звон в ушáх и т. п.

tinker ['tiŋkə] **1.** луди́льщик; **2.** неумéло чини́ть (at В); вози́ться (at с Т).

tinkle ['tiŋkl] звя́кать [-кнуть].

tin-plate ['tin'pleit] (бéлая) жесть *f*.

tinsel ['tinsəl] блёстки *f/pl.*; мишурá.

tinsmith ['tinsmiθ] жестя́н(щ)ик.

tint [tint] **1.** крáска; оттéнок, тон; **2.** слегкá окрáшивать.

tiny ['taini] □ óчень мáленький, крóшечный.

tip [tip] **1.** (тóнкий) конéц; наконéчник; кóнчик; чаевы́е *pl.*; чáстная информáция; намёк; лёгкий толчóк; **2.** снабжáть наконéчником; опроки́дывать [-и́нуть]; давáть на чáй (Д); давáть чáстную информáцию (Д).

tipple ['tipl] пья́нствовать; вы́пи(вá)ть, пить.

tipsy ['tipsi] подвы́пивший.

tiptoe ['tip(')tou]: on ~ на цы́почках.

tire [taiə] **1.** óбод колесá; *mot.* ши́на; **2.** утомля́ть [-ми́ть]; уст(ав)áть; **~d** [-d] устáлый; **~less** ['taiəlis] неутоми́мый; **~some** [-səm] утоми́тельный; надоéдливый; скýчный.

tiro ['taiərou] новичóк.

tissue ['tisju:] ткань *f* (*a. biol.*); *fig.* сплетéние (лжи и т. п.); **~-paper** [-'peipə] шёлковая бумáга; папирóсная бумáга.

titbit ['titbit] лáкомый кусóчек; *fig.* пикáнтная нóвость *f*.

titillate ['titileit] [по]щекотáть.

title ['taitl] заглáвие; ти́тул; звáние; ⚖ прáво сóбственности (to на В); ~d титулóванный.

titter ['titə] **1.** хихи́канье; **2.** хихи́кать [-кнуть].

tittle ['titl] малéйшая части́ца; to a ~ тю́телька в тю́тельку; **~-tattle** [-tætl] сплéтни *f/pl.*, болтовня́.

to [tu:, tu, tə] *prp.* (укáзывает на направлéние движéния, цель): к (Д); в (В); на (В); (укáзывает на лицó, по отношéнию к котóрому чтó-либо происхóдит, и соответствует рýсскому дáтельному падежý): ~ me *etc.* мне и т. д.; ~ and fro *adv.* взад и вперёд; (части́ца, слýжащая показáтелем инфинити́ва): ~ work рабóтать; I weep ~

think of it я плáчу, дýмая об э́том.
toad [toud] жáба; **~stool** погáнка (гриб); **~y** ['toudi] **1.** подхали́м; **2.** подхали́мничать пéред (T).
toast [toust] **1.** гренóк; тост; **2.** приготовля́ть гренки́; поджáри(ва)ть; *fig.* гре́ть(ся) (у огня́); пить за чьё-либо здорóвье, пить за (B).
tobacco [tə'bækou] табáк; **~nist** [tə'bækənist] торгóвец табáчными издéлиями.
toboggan [tə'bɔgən] **1.** салáзки *f/pl.*; **2.** катáться на салáзках (с горы́).
today [tə'dei] сегóдня; в нáше врéмя.
toe [tou] **1.** пáлец (на ногé); носóк (чулкá, башмакá); **2.** касáться носкóм (P).
together [tə'geðə] вмéсте; друг с дрýгом; подря́д, непреры́вно.
toil [tɔil] **1.** тяжёлый труд; **2.** уси́ленно труди́ться; идти́ с трудóм.
toilet ['tɔilit] туалéт (одевáние и костю́м); убóрная; **~-table** туалéтный стóлик.
toilsome ['tɔilsəm] □ трýдный, утоми́тельный.
token ['toukən] знак; примéта; подáрок на пáмять; ~ money билóнные дéньги *f/pl.*
told [tould] *pt.* и *p. pt.* от tell.
tolera|ble ['tɔlərəbl] □ терпи́мый; снóсный; **~nce** [-rəns] терпи́мость *f*; **~nt** [-rənt] □ терпи́мый; **~te** [-reit] [по]терпéть, допускáть [-сти́ть]; **~tion** [tɔlə'reiʃən] терпи́мость *f*; допущéние.
toll [toul] пóшлина; *fig.* дань *f*; **~-bar, ~-gate** застáва (где взимáется пóшлина).
tom [tɔm]: ~ cat кот.
tomato [tə'mɑːtou, *Am.* tə'meitou], *pl.* **~es** [-z] помидóр, томáт.
tomb [tuːm] моги́ла; надгрóбный пáмятник.
tomboy ['tɔmbɔi] сорванéц (о дéвочке).
tomfool ['tɔm'fuːl] шут; дурáк.
tomorrow [tə'mɔrou] зáвтра.
ton [tʌn] (metric) тóнна (= 1000 кг).
tone [toun] **1.** тон (♪, *paint.*, *fig.*); интонáция; **2.** придавáть желáтельный тон (звýку, крáске); настрáивать [-рóить] (инструмéнт).
tongs [tɔŋz] *pl.* щипцы́ *m/pl.*, клéщи́ *f/pl.*
tongue [tʌŋ] язы́к; hold one's ~ держáть язы́к за зубáми; **~-tied** ['tʌŋtaid] косноязы́чный; молчали́вый.
tonic ['tɔnik] **1.** (~ally) тони́ческий (*a.* ♪); укрепля́ющий; **2.** ♪ основнóй тон; ⚕ укрепля́ющее срéдство.
tonight [tə'nait] сегóдня вéчером.
tonnage ['tʌnidʒ] ⚓ тоннáж; грузоподъёмность *f*; грузовáя пóшлина.
tonsil ['tɔnsl] *anat.* глáнда, миндáлина.
too [tuː] тáкже, тóже; сли́шком; óчень.
took [tuk] *pt.* от take.
tool [tuːl] (рабóчий) инструмéнт; орýдие (*a. fig.*)
toot [tuːt] **1.** звук рожкá, гудóк; **2.** труби́ть в рожóк.
tooth [tuːθ] (*pl.* teeth) зуб; **~ache** зубнáя боль *f*; **~-brush** зубнáя щётка; **~less** ['tuːθlis] □ беззýбый; **~pick** зубочи́стка; **~some** ['tuːθsəm] вкýсный.
top [tɔp] **1.** вéрхняя часть *f*; верхýшка, верши́на (горы́); макýшка (головы́, дéрева); верх (автомоби́ля, лéстницы, страни́цы); волчóк; at the ~ of one's voice во весь гóлос; on ~ наверхý; **2.** вы́сший, пéрвый; максимáльный (о скóрости и т. п.); **3.** покры́(вá)ть (свéрху); *fig.* превышáть [-ы́сить]; быть во главé (P).
toper ['toupə] пья́ница *m/f.*
top-hat F цили́ндр (шля́па).
topic ['tɔpik] тéма, предмéт; **~al** ['tɔpikəl] мéстный; злободнéвный.
topmost ['tɔpmoust] сáмый вéрхний; сáмый вáжный.
topple ['tɔpl] опроки́дывать(ся) [-и́нуть(ся)] (*a.* ~ over).
topsyturvy ['tɔpsi'təːvi] □ вверх дном; ши́ворот-навы́ворот.
torch [tɔtʃ] фáкел; electric ~ кармáнный электри́ческий фонáрь *m*; **~-light** свет фáкела; ~ procession фáкельное шéствие.
tore [tɔː] *pt.* от tear.
torment **1.** ['tɔːment] мучéние, мýка; **2.** [tɔː'ment] [из-, за]мýчить; изводи́ть [извести́].
torn [tɔːn] *p. pt.* от tear.
tornado [tɔː'neidou] торнáдо *m indecl.*, смерч; урагáн *a. fig.*

torpedo [tɔːˈpiːdou] **1.** торпéда; **2.** торпеди́ровать *(im)pf.*; *fig.* взрывáть [взорвáть].

torpid [ˈtɔːpid] □ онемéлый, оцепенéлый; вя́лый, апати́чный; **~ity** [tɔːˈpiditi], **torpor** [ˈtɔːpə] оцепенéние; апáтия.

torrent [ˈtɔrənt] потóк (*a. fig.*).

torrid [ˈtɔrid] жáркий, знóйный.

tortoise [ˈtɔːtəs] *zo.* черепáха.

tortuous [ˈtɔːtjuəs] □ изви́листый; *fig.* уклóнчивый, нейскренний.

torture [ˈtɔːtʃə] **1.** пы́тка; **2.** пытáть, [из-, за]мýчить.

toss [tɔs] **1.** метáние, бросáние; толчóк, сотрясéние; (*a.* ~-up) бросáние монéты (в орля́нке); **2.** бросáть [брóсить]; беспокóйно метáться (о больнóм); вски́дывать [-и́нуть] (гóлову); подбрáсывать [-рóсить] (*mst* ~ up); ~ (up) игрáть в орля́нку; *sport* разы́грывать ворóта.

tot [tɔt] F мáленький ребёнок, малы́ш.

total [ˈtoutl] **1.** □ пóлный, абсолю́тный; тотáльный; óбщий; **2.** цéлое, сýмма; итóг; **3.** подводи́ть итóг, подсчи́тывать [-итáть]; составля́ть в итóге; равня́ться (Д); **~itarian** [toutæliˈtɛəriən] тоталитáрный; **~ity** [touˈtæliti] вся сýмма, всё коли́чество.

totter [ˈtɔtə] идти́ невéрной похóдкой; шатáться [(по)шатнýться].

touch [tʌtʃ] **1.** осязáние; прикосновéние; *fig.* соприкосновéние, общéние; чýточка; при́месь *f*; лёгкий при́ступ (болéзни); ♪ тушé *n indecl.*; штрих; **2.** трóгать [трóнуть] (В) (*a. fig.*); прикасáться [-коснýться], притрáгиваться [-трóнуться] к (Д); *fig.* касáться [коснýться] (Р), затрáгивать [-рóнуть] (В) (тéму и т. п.); be ~ed *fig.* быть трóнутым; быть слегкá помéшанным; ~ up отдéл(ыв)ать, поправля́ть [-áвить] (нéсколькими штрихáми); ~ at ⚓ заходи́ть [зайти́] в (порт); **~ing** [ˈtʌtʃiŋ] трóгательный; **~stone** проби́рный кáмень *m*, оселóк; *fig.* прóбный кáмень *m*; **~y** [ˈtʌtʃi] □ оби́дчивый; сли́шком чувстви́тельный.

tough [tʌf] **1.** жёсткий; вя́зкий; упрýгий; вынóсливый; трýдный; **2.** *Am.* хулигáн; **~en** [ˈtʌfn] дéлать(ся) жёстким, плóтным и т. д.; **~ness** [ˈtʌfnis] жёсткость *f* и т. д.

tour [tuə] **1.** кругово́е путешéствие; турнé *n indecl.*; тур, объéзд; **2.** совершáть путешéствие и́ли турнé по (Д); путешéствовать (through по Д); **~ist** [ˈtuərist] тури́ст(ка); ~ agency бюрó путешéствий.

tournament [-nəmənt] турни́р.

tousle [ˈtauzl] взъерóши(ва)ть, растрёпывать [-репáть].

tow [tou] ⚓ **1.** букси́рный канáт, трос; букси́ровка; take in ~ брать на букси́р; **2.** букси́ровать; тянýть (бáржу) на бечевé.

towards [təˈwɔːdz, tɔːdʒ] *prp.* (укáзывает на направлéние к предмéту, отношéние к чемý-либо) по направлéнию к (Д); к (Д), по отношéнию к (Д); для (Р).

towel [ˈtauəl] полотéнце.

tower [ˈtauə] **1.** бáшня; вы́шка; *fig.* опóра; **2.** возвышáться [-ы́ситься] (above, over над Т) (*a. fig.*).

town [taun] **1.** гóрод; **2.** *attr.* городскóй; ~ council городскóй совéт; ~ hall рáтуша; **~sfolk** [ˈtaunzfouk], **~speople** [-piːpl] горожáне *m/pl.*; **~sman** [ˈtaunzmən] горожáнин; согражданин.

toxi|c(al □) [ˈtɔksik, -sikəl] ядови́тый; **~n** [ˈtɔksin] токси́н.

toy [tɔi] **1.** игрýшка; забáва; безделýшка; **2.** *attr.* игрýшечный; **3.** игрáть; забавля́ться; флиртовáть; **~book** дéтская кни́га с карти́нками.

trace [treis] **1.** след; чертá; пострóмка; **2.** [на]черти́ть; выслéживать [вы́следить] (В); прослéживать [-еди́ть] (В); *a. fig.* [с]калькúровать.

tracing [treisiŋ] чертёж на кáльке.

track [træk] **1.** след; просёлочная дорóга; тропи́нка; беговáя дорóжка; 🚂 колея́, рéльсовый путь *m*; **2.** следи́ть за (Т); прослéживать [-еди́ть] (В); ~ down, ~ out выслéживать [вы́следить] (В).

tract [trækt] трактáт; брошю́ра; прострáнство, полосá (земли́, воды́).

tractable [ˈtræktəbl] сговóрчивый; поддаю́щийся обрабóтке.

tract|ion [ˈtrækʃən] тя́га; волочéние; ~ engine тягáч; **~or** [træˈktə] ⊕ трáктор.

trade [treid] **1.** профе́ссия; ремесло́; торго́вля; **2.** торгова́ть (in T; with с T); обме́нивать [-ня́ть] (for на B); ~ on испо́льзовать *(im)pf.*; **~-mark** фабри́чная ма́рка; **~-price** опто́вая цена́; **~r** ['treidə] торго́вец; торго́вое су́дно; **~sman** ['treidzmən] торго́вец, ла́вочник; реме́сленник; **~(s)-union** ['treid(z)'ju:njən] профсою́з; **~wind** ⚓ пасса́тный ве́тер.

tradition [trə'diʃən] тради́ция; преда́ние; ста́рый обы́чай; **~al** □ традицио́нный.

traffic [træfik] **1.** движе́ние (у́личное, железнодоро́жное и т. п.); торго́вля; ~ jam зато́р у́личного движе́ния; **2.** торгова́ть.

traged|ian (trə'dʒi:diən] а́втор траге́дии; тра́гик; **~y** ['trædʒidi] траге́дия.

tragic(**al** □) ['trædʒik, -dʒikəl] траги́ческий, траги́чный.

trail [treil] **1.** след; тропа́; **2.** *v/t.* таска́ть, [по]тащи́ть, [по]волочи́ть; идти́ по сле́ду (P); *v/i.* таска́ться, [по]тащи́ться; ⚘ свиса́ть [сви́снуть]; **~er** ['treilə] *mot.* прице́п.

train [trein] **1.** по́езд; шлейф (пла́тья); цепь *f*, верени́ца; хвост (коме́ты, павли́на); сви́та, толпа́ (покло́нников); by ~ по́ездом; **2.** воспи́тывать [-та́ть]; приуча́ть [-чи́ть]; [на]тренирова́ть(ся); ⚔ обуча́ть [-чи́ть]; [вы́]дрессирова́ть.

trait [treit] черта́ (лица́, хара́ктера).

traitor ['treitə] преда́тель *m*, изме́нник.

tram [træm] *s.* ~-car, ~way; **~-car** ['træmkɑ:] ваго́н трамва́я.

tramp [træmp] **1.** бродя́га *m*; (до́лгое) путеше́ствие пешко́м; звук тяжёлых шаго́в; **2.** тяжело́ ступа́ть; тащи́ться с трудо́м; F то́пать; бродя́жничать; **~le** ['træmpl] топта́ть; тяжело́ ступа́ть; поп(и)ра́ть (B); ~ down зата́птывать [-топта́ть].

tramway ['træmwei] трамва́й.

trance [trɑ:ns] ⚕ транс; экста́з.

tranquil ['træŋkwil] □ споко́йный; **~lity** [træŋ'kwiliti] споко́йствие; **~lize** ['træŋkwilaiz] успока́ивать (-ся) [-ко́ить(ся)].

transact [træn'zækt] проводи́ть [-вести́] (де́ло), соверша́ть [-ши́ть]; **~ion** [-'zækʃən] де́ло, сде́лка; веде́ние, отправле́ние (де́ла); **~s** *pl.* труды́ *m/pl.*, протоко́лы *m/pl.* (нау́чного о́бщества).

transatlantic ['trænzət'læntik] трансатланти́ческий.

transcend [træn'send] переступа́ть преде́лы (P); превосходи́ть [-взойти́], превыша́ть [-вы́сить].

transcribe [træns'kraib] перепи́сывать [-са́ть]; *gr.*, ♪ транскриби́ровать *(im)pf.*

transcript ['trænskript] ко́пия; **~ion** [træn'skripʃən] перепи́сывание; ко́пия; *gr.*, ♪ транскри́пция.

transfer 1. [træns'fə:] *v/t.* переноси́ть [-нести́], перемеща́ть [-мести́ть]; перед(ав)а́ть; переводи́ть [-вести́] (в друго́й го́род, на другу́ю рабо́ту); *v/i.* *Am.* переса́живаться [-се́сть]; **2.** ['trænsfə:] перено́с; переда́ча; трансфе́рт; перево́д; *Am.* переса́дка; **~able** [træns'fə:rəbl] предоста́вленный с пра́вом переда́чи; допуска́ющий переда́чу.

transfigure [træns'figə] видоизменя́ть [-ни́ть]; преобража́ть [-рази́ть].

transfix [-'fiks] пронза́ть [-зи́ть]; прока́лывать [-коло́ть]; **~ed** *fig.* прико́ванный к ме́сту (with от P).

transform (-'fɔ:m] превраща́ть [-врати́ть]; преобразо́вывать [-зова́ть]; **~ation** [-fə'meiʃən] преобразова́ние; превраще́ние; ⚡ трансформа́ция.

transfuse [-'fu:z] перели́(ва́)ть; ⚕ де́лать перелива́ние (кро́ви); *fig.* перед(ав)а́ть (свой энтузиа́зм и т. п.).

transgress (-'gres] *v/t.* преступа́ть [-пи́ть], наруша́ть [-у́шить] (зако́н и т. п.); *v/i.* [со]греши́ть; **~ion** [-'greʃən] просту́пок; наруше́ние (зако́на и т. п.); **~or** [-'gresə] (право)наруши́тель(ница *f*) *m*; гре́шник (-ица).

transient ['trænʃənt] **1.** *s.* transitory; **2.** *Am.* прое́зжий (-жая).

transition [træn'siʒən] перехо́д; перехо́дный пери́од.

transitory ['trænsitəri] □ мимолётный, скороте́чный, скоропреходя́щий.

translat|e [trɑ:ns'leit] переводи́ть [-вести́] (from с P, into на B);

fig. перемещáть [-местúть]; **~ion** [trɑ:ns'leiʃən] перевóд.

translucent [trænz'lu:snt] просвéчивающий; полупрозрáчный.

transmigration [trænzmai'greiʃən] переселéние.

transmission [trænz'miʃən] передáча (*a.* ⊕); пересы́лка; ⊕ трансмúссия; *radio* передáча; трансля́ция; *opt.* пропускáние.

transmit [trænz'mit] отправля́ть [-áвить]; пос(ы)лáть; перед(ав)áть (*a. radio*); *opt.* пропускáть [-стúть]; **~ter** [-ə] передáтчик (*a. radio*); *tel.* микрофóн.

transmute [trænz'mju:t] превра-[щáть [-ратúть].

transparent [træns'pɛərənt] □ прозрáчный.

transpire [-'paiə] испаря́ться [-рúться]; просáчиваться [-сочúться]; *fig.* обнарýжи(ва)ться.

transplant [-'plɑ:nt] пересáживать [-садúть]; *fig.* переселя́ть [-лúть].

transport 1. [træns'pɔ:t] перевозúть [-везтú]; перемещáть [-местúть]; *fig.* увлекáть [-éчь], восхищáть [-итúть]; **2.** ['trænspɔ:t] трáнспорт; перевóзка; трáнспортное (-ные) срéдство (-ства *n/pl.*); be in ~s быть вне себя́ (of от P); **~ation** [trænspɔ:'teiʃən] перевóзка.

transpose [træns'pouz] перемещáть [-местúть]; переставля́ть [-áвить] (словá и т. п.); ♪ транспонúровать (*im*)*pf.*

transverse ['trænzvə:s] □ поперéчный.

trap [træp] **1.** ловýшка, западня́; капкáн; **2.** расставля́ть ловýшки; ловúть в ловýшку; *fig.* заманúть в ловýшку; **~-door** ['træpdɔ:] люк; опускнáя дверь *f.*

trapeze [trə'pi:z] трапéция.

trapper ['træpə] охóтник, стáвящий капкáны.

trappings ['træpiŋz] *pl.* кóнская (парáдная) сбрýя; парáдный мундúр.

traps [træps] *pl.* F лúчные вéщи *f/pl.*; багáж.

trash [træʃ] хлам; отбрóсы *m/pl.*; *fig.* дрянь *f*; макулатýра (о кнúге); вздор, ерундá; **~y** ['træʃi] □ дряннóй.

travel ['trævl] **1.** *v/i.* путешéствовать; éздить, [по]éхать; передвигáться [-úнуться]; распространя́ться [-нúться] (о свéте, звýке); *v/t.* объезжáть [-éздить, -éхать]; проезжáть [-éхать] (... км в час и т. п.); **2.** путешéствие; ⊕ ход; (пере)движéние; **~(l)er** [-ə] путешéственник (-ица).

traverse ['trævə:s] **1.** пересекáть [-сéчь]; проходúть [пройтú] (В); **2.** поперéчина; ⚠, ⚔ трáверс.

travesty ['trævisti] **1.** парóдия; искажéние; **2.** пародúровать; искажáть [исказúть].

trawler ['trɔ:lə] трáльщик.

tray [trei] поднóс; лотóк.

treacher|ous ['tretʃərəs] □ предáтельский, верolóмный; ненадёжный; **~y** [-ri] предáтельство, верolóмство.

treacle ['tri:kl] пáтока.

tread [tred] **1.** [*irr.*] ступáть [-пúть]; ~ down затáптывать [затоптáть]; **2.** пóступь *f*, похóдка; ступéнька; *mot.* протéктор; **~le** ['tredl] педáль *f* (велосипéда); поднóжка (швéйной машúны).

treason ('tri:zn] измéна; **~able** [-əbl] □ измéннический.

treasure ['treʒə] **1.** сокрóвище; **2.** хранúть; высóкó ценúть; **~r** [-rə] казначéй.

treasury ['treʒəri] казначéйство; сокрóвищница.

treat [tri:t] **1.** *v/t.* обрабáтывать [-бóтать]; ⚕ лечúть; угощáть [угостúть] (to T); обращáться [обратúться] с (T), обходúться [обойтúсь] с (T); *v/i.* ~ of имéть предмéтом, обсуждáть [-удúть] (В); ~ with вестú переговóры с (T); **2.** удовóльствие, наслаждéние; угощéние; **~ise** ['tri:tiz] трактáт; **~-ment** ['tri:tmənt]; обрабóтка (T); лечéние; обращéние (of с T); **~y** ['tri:ti] договóр.

treble ['trebl] **1.** □ тройнóй, утрóенный; **2.** тройнóе количество; ♪ дúскант; **3.** утрáивать(ся) [утрóить(ся)].

tree [tri:] дéрево; родослóвное дéрево; (сапóжная) колóдка.

trefoil ['trefɔil] трилúстник.

trellis ['trelis] **1.** решётка; ✎ шпалéра; **2.** обносúть решёткой; сажáть (растéния) шпалéрой.

tremble ['trembl] [за]дрожáть, [за-] трястúсь (with от P).

tremendous [tri'mendəs] □ стрáшный, ужáсный; F громáдный.

tremor ['tremə] дрожáние.

tremulous ['tremjuləs] □ дрожа́щий; тре́петный, ро́бкий.

trench [trentʃ] **1.** кана́ва; ⚔ транше́я, око́п; **2.** рыть рвы, транше́и и т. п.; вска́пывать [вскопа́ть]; ~ (up)on посяга́ть [-гну́ть] на (В); **~ant** ['tren(t)ʃənt] □ ре́зкий, ко́лкий.

trend [trend] **1.** направле́ние (*a. fig.*); *fig.* тече́ние; напра́вленность *f*; **2.** отклоня́ться [-ни́ться] (to к Д) (о грани́це и т. п.); име́ть тенде́нцию (towards к Д).

trespass ['trespəs] **1.** наруша́ть грани́цы (on P); соверша́ть просту́пок; злоупотребля́ть [-би́ть] (on T); **2.** наруше́ние грани́ц; злоупотребле́ние ([up]on T); **~er** [-ə] наруши́тель грани́ц; правонаруши́тель *m*.

tress [tres] ло́кон; коса́.

trestle ['tresl] ко́злы *f/pl.*; подста́вка.

trial ['traiəl] испыта́ние; о́пыт, про́ба; ⚖ суде́бное разбира́тельство; суд; on ~ на испыта́нии, на испыта́ние; под судо́м; give *a. p.* a ~ нанима́ть кого́-либо на испыта́тельный срок; ~ ... *attr.* про́бный, испыта́тельный.

triang|le ['traiæŋgl] треуго́льник; **~ular** [trai'æŋgjulə] □ треуго́льный.

tribe [traib] пле́мя *n*; *contp.* компа́ния.

tribun|al [trai'bju:nl] суд; трибуна́л; **~e** ['tribju:n] трибу́на; трибу́н.

tribut|ary ['tribjutəri] **1.** □ платя́щий дань; *fig.* подчинённый; спосо́бствующий; **2.** да́нник (-ица); *geogr.* прито́к; **~e** ['tribju:t] дань *f*; подноше́ние.

trice [trais]: in a ~ мгнове́нно.

trick [trik] **1.** шту́ка, ша́лость *f*; фо́кус, трюк; уло́вка; сноро́вка; **2.** обма́нывать [-ну́ть]; наду́(ва́)ть; иску́сно украша́ть; **~ery** ['trikəri] надува́тельство; проде́лка.

trickle ['trikl] те́чь стру́йкой; сочи́ться.

trick|ster ['trikstə] обма́нщик; **~y** ['triki] □ хи́трый; мудрёный, сло́жный, тру́дный.

tricycle ['traisikl] трёхколёсный велосипе́д.

trifl|e ['traifl] **1.** пустя́к; ме́лочь *f*; a ~ *fig.* немно́жко; **2.** *v/i.* [по]шути́ть; занима́ться пустяка́ми; *v/t.* ~ away зря тра́тить; **~ing** ['traifliŋ] пустя́чный, пустяко́вый.

trig [trig] **1.** опря́тный; наря́дный; **2.** наряжа́ть [-яди́ть]; [за]тормози́ть.

trigger ['trigə] ⚔ спусково́й крючо́к; ⊕ соба́чка, защёлка.

trill [tril] **1.** трель *f*; **2.** выводи́ть трель.

trim [trim] **1.** □ наря́дный; приведённый в поря́док; **2.** наря́д; поря́док; состоя́ние гото́вности; ⚓ (пра́вильное) размеще́ние гру́за; **3.** приводи́ть в поря́док; (~ up) подреза́ть [-е́зать], подстрига́ть [-и́чь]; отде́л(ыв)ать (пла́тье); ⚓ уравнове́шивать [-е́сить] (су́дно); **~ming** ['trimiŋ] *mst* ~s *pl.* отде́лка (на пла́тье); припра́ва, гарни́р.

trinket ['triŋkit] безделу́шка; брело́к; ~s *pl. contp.* финтифлю́шки *f/pl.*

trip [trip] **1.** путеше́ствие; пое́здка; экску́рсия; спотыка́ние; *fig.* обмо́лвка, оши́бка; **2.** *v/i.* идти́ легко́ и бы́стро; спотыка́ться [споткну́ться]; обмо́лвиться *pf.*; *v/t.* подставля́ть но́жку (Д).

tripartite ['trai'pɑ:tait] тро́йственный; состоя́щий из трёх часте́й.

tripe [traip] *cook.* рубе́ц.

triple ['tripl] тройно́й; утро́енный; **~ts** ['triplits] *pl.* тро́йня *sg.*

tripper [tripə] F экскурса́нт(ка).

trite [trait] □ бана́льный, изби́тый.

triturate ['tritjəreit] растира́ть в порошо́к.

triumph ['traiəmf] **1.** триу́мф; торжество́; **2.** пра́здновать побе́ду, триу́мф; торжествова́ть, восторжествова́ть *pf.* (over над T); **~al** [trai'ʌmfəl] триумфа́льный; **~ant** [-fənt] □ победоно́сный; торжеству́ющий.

trivial ['triviəl] □ обы́денный; ме́лкий, пусто́й; тривиа́льный.

trod [trɔd] *pt.* от tread; **~den** ['trɔdn] *p. pt.* от tread.

troll [troul] напева́ть.

troll(e)y ['trɔli] вагоне́тка; 🚂 дрези́на; *Am.* трамва́й.

trollop ['trɔləp] *contp.* неря́ха *m/f*; проститу́тка.

trombone [trɔm'boun] ♪ тромбо́н.

troop [tru:p] **1.** толпа́; отря́д; ⚔ кавалери́йский и́ли та́нковый взвод; *Am.* эскадро́н; **2.** дви́гаться и́ли собира́ться толпо́й; ~ away, ~ off удаля́ться [-ли́ться]; **~er** ['tru:pə] (рядово́й) кавалери́ст;

рядовой-танкист; **~s** *pl.* войска́ *n/pl.*
trophy ['troufi] трофе́й, добы́ча.
tropic ['trɔpik] тро́пик; **~s** *pl.* тро́пики *m/pl.* (зо́на); **~(al** □) [~, -pikəl] тропи́ческий.
trot [trɔt] **1** рысь (ло́шади); бы́стрый ход (челове́ка); **2.** бе́гать ры́сью; пуска́ть ры́сью; [по]спеши́ть.
trouble ['trʌbl] **1.** беспоко́йство; волне́ние; забо́ты *f/pl.*, хло́поты *f/pl.*; затрудне́ния *n/pl.*; го́ре, беда́; take ~ утружда́ться; **2.** [по-] беспоко́ить(ся); [по]проси́ть; утружда́ть [-уди́ть]; don't ~! не труди́тесь!; **~some** [-səm] тру́дный; причиня́ющий беспоко́йство.
trough [trɔf] коры́то, корму́шка; квашня́; жёлоб.
trounce [trauns] F [по]би́ть, [вы́-] поро́ть.
troupe [tru:p] *thea.* тру́ппа.
trousers ['trauzəz] *pl.* брю́ки *f/pl.*
trout [traut] форе́ль *f.*
trowel ['trauəl] лопа́тка (штукату́ра).
truant ['tru:ənt] **1.** лентя́й; прогу́льщик; учени́к, прогуля́вший уро́ки; **2.** лени́вый; пра́здный.
truce [tru:s] переми́рие.
truck [trʌk] **1.** ваго́нетка; теле́жка; *Am.* грузови́к; 🚂 (откры́тая) това́рная платфо́рма; ме́на; товарообме́н; **2.** перевози́ть на грузовика́х; вести́ менову́ю торго́влю; обме́нивать [-ня́ть]; **~-farmer** *Am.* огоро́дник.
truckle ['trʌkl] раболе́пствовать.
truculent ['trʌkjulənt] свире́пый; гру́бый.
trudge [trʌdʒ] идти́ с трудо́м; таска́ться, [по]тащи́ться.
true [tru:] ве́рный; пра́вильный; настоя́щий; it is ~ пра́вда; come ~ сбы́(ва́)ться; ~ to nature то́чно тако́й, как в нату́ре.
truism ['tru:izm] трюи́зм.
truly ['tru:li] правди́во; лоя́льно; пои́стине; то́чно; yours ~ пре́данный (-ная) вам.
trump [trʌmp] **1.** ко́зырь *m*; **2.** козыря́ть [-рну́ть]; бить ко́зырем; ~ up выду́мывать [вы́думать]; **~ery** ['trʌmpəri] мишура́; дрянь *f.*
trumpet ['trʌmpit] **1.** труба́; **2.** [за-, про]труби́ть; *fig.* возвеща́ть [-ести́ть].
truncheon ['trʌntʃən] ⚒ (ма́ршальский) жезл; дуби́нка (полице́йского).
trundle ['trʌndl] ката́ть(ся), [по-] кати́ть(ся).
trunk [trʌŋk] ствол (де́рева); ту́ловище; хо́бот (слона́); доро́жный сунду́к; **~-call** *teleph.* вы́зов по междугоро́дному телефо́ну; **~-line** 🚂 магистра́ль *f*; *teleph.* междугоро́дная ли́ния.
truss [trʌs] **1.** свя́зка; большо́й пук; ⚕ банда́ж; ⚠ стропи́льная фе́рма; **2.** увя́зывать в пуки́; скру́чивать ру́ки (Д); ⚠ свя́зывать [-за́ть]; укрепля́ть [-пи́ть].
trust [trʌst] **1.** дове́рие; ве́ра; отве́тственное положе́ние; ✝ креди́т; трест; on ~ в креди́т; на ве́ру; **2.** *v/t.* доверя́ть, [по]ве́рить (Д); вверя́ть [вве́рить], доверя́ть [-е́рить] (Д with В); *v/i.* полага́ться [положи́ться] (in. to на В); наде́яться (in, to на В); **~ee** [trʌs'ti:] ⚖ опеку́н; попечи́тель *m*; **~ful** ['trʌstful] □, **~ing** ['trʌstiŋ] □ дове́рчивый; **~worthy** [-wə:ði] заслу́живающий дове́рия.
truth [tru:θ] пра́вда; и́стина; **~ful** ['tru:θful] □ правди́вый; ве́рный.
try [trai] **1.** испы́тывать [испыта́ть]; [по]про́бовать; [по]пыта́ться; [по]стара́ться; утомля́ть [-ми́ть]; ⚖ суди́ть; ~ on примеря́ть [-е́рить] (на себя́); **2.** попы́тка; **~ing** ['traiiŋ] □ тру́дный; тяжёлый; раздража́ющий.
tub [tʌb] ка́дка; лоха́нь *f*; бадья́; F ва́нна.
tube [tju:b] труба́, тру́бка; F метро́ *n indecl.* (в Ло́ндоне).
tuber ['tju:bə] ⚘ клу́бень *m*; **~culous** [tju:'bə:kjuləs] ⚕ туберкулёзный.
tubular ['tju:bjulə] □ тру́бчатый, цилиндри́ческий.
tuck [tʌk] **1.** скла́дка, сбо́рка (на пла́тье); **2.** де́лать скла́дки; подбира́ть под себя́; запря́т(ыв)ать; ~ up подвёртывать [-верну́ть] (подо́л); засу́чивать [-чи́ть] (рукава́).
Tuesday ['tju:zdi] вто́рник.
tuft [tʌft] пучо́к (травы́); хохоло́к; боро́дка кли́нышком.
tug [tʌg] **1.** рыво́к; гуж; ⚓ букси́р; **2.** тащи́ть с уси́лием; дёргать [дёрнуть] (изо всех сил); ⚓ букси́ровать.
tuition [tju'iʃən] обуче́ние.

tulip [ˈtju:lip] тюльпа́н.

tumble [ˈtʌmbl] **1.** *v/i.* па́дать [упа́сть] (споткну́вшись); кувырка́ться [-кну́ться]; опроки́дываться [-и́нуться]; мета́ться (в посте́ли); *v/t.* приводи́ть в беспоря́док, [по]мя́ть; **2.** паде́ние; беспоря́док; **~-down** [-daun] полуразру́шенный; **~r** [-ə] акроба́т; бока́л, (высо́кий) стака́н.

tumid [ˈtju:mid] □ распу́хший; *fig.* напы́щенный.

tumo(u)r [ˈtju:mə] о́пухоль *f.*

tumult [ˈtju:mʌlt] шум и кри́ки; бу́йство; душе́вное возбужде́ние; **~uous** [tjuˈmʌltjuəs] шу́мный, бу́йный; возбуждённый.

tun [tʌn] больша́я бо́чка.

tuna [ˈtju:nə] туне́ц.

tune [tju:n] **1.** мело́дия, моти́в; тон; строй; звук; in ~ настро́енный (роя́ль); в тон; out of ~ расстро́енный (роя́ль); не в тон; **2.** настра́ивать[-ро́ить](инструме́нт); ~ in *radio* настра́ивать приёмник (to на В); **~ful** [ˈtju:nful] □ мелоди́чный, гармони́чный; **~less** [ˈtju:nlis] □ немелоди́чный.

tunnel [ˈtʌnl] **1.** тунне́ль *m* (*a.* тонне́ль *m*); ⚒ што́льня; **2.** проводи́ть тунне́ль че́рез (В).

turbid [ˈtə:bid] му́тный; тума́нный.

turbulent [ˈtə:bjulənt] бу́рный; бу́йный, непоко́рный.

tureen [təˈri:n, tjuˈr-] супова́я ми́ска.

turf [tə:f] **1.** дёрн; торф; ко́нный спорт, ска́чки *f/pl.*; **2.** обдерня́ть [-ни́ть]; **~y** [ˈtə:fi] покры́тый дёрном, дерни́стый; торфяно́й.

turgid [ˈtə:dʒid] □ опу́хший; *fig.* напы́щенный.

Turk [tə:k] ту́рок, турча́нка.

turkey [ˈtə:ki] индю́к, инде́йка.

Turkish [ˈtə:kiʃ] **1.** туре́цкий; **2.** туре́цкий язы́к.

turmoil [ˈtə:mɔil] шум, сумато́ха; беспоря́док.

turn [tə:n] **1.** *v/t.* враща́ть, верте́ть; повора́чивать [поверну́ть]; обора́чивать [оберну́ть]; точи́ть (на тока́рном станке́); превраща́ть [-рати́ть]; направля́ть [-ра́вить]; ~ a corner заверну́ть за́ угол; ~ down отверга́ть [-е́ргнуть] (предложе́ние); загиба́ть [загну́ть]; ~ off закры́(ва́)ть (кран); выключа́ть [вы́ключить]; ~ on откры́(ва́)ть (кран); включа́ть [-чи́ть]; ~ out выгоня́ть [вы́гнать]; увольня́ть [уво́лить]; выпуска́ть [вы́пустить] (изде́лия); ~ over перевёртывать [-верну́ть]; *fig.* пере-д(ав)а́ть (дове́ренность и т. п.); ~ up поднима́ть вверх; **2.** *v/i.* враща́ться, верте́ться; повора́чиваться [поверну́ться]; [с]де́латься, станови́ться [стать]; превраща́ться [-врати́ться]; ~ about обёртываться [оберну́ться]; ⚔ повора́чиваться круго́м; ~ in заходи́ть мимохо́дом; F ложи́ться спать; ~ out ока́зываться [-за́ться]; ~ to принима́ться [-ня́ться] за (В); обраща́ться [обрати́ться] к (Д); ~ up появля́ться [-ви́ться]; случа́ться [-чи́ться]; ~ upon обраща́ться [обрати́ться] про́тив (Р); **3.** *su.* оборо́т; поворо́т; изги́б; переме́на; о́чередь *f*; услу́га; оборо́т (ре́чи); F испу́г; at every ~ на ка́ждом шагу́, постоя́нно; by или in ~s по о́череди; it is my ~ моя́ о́чередь *f*; take ~s де́лать поочерёдно; does it serve your ~? э́то вам подхо́дит?, э́то вам годи́тся?; **~coat** перебе́жчик, хамелео́н *fig.*; **~er** [ˈtə:nə] то́карь *m*; **~ery** [-ri] тока́рное ремесло́; тока́рные изде́лия *n/pl.*

turning [ˈtə:niŋ] поворо́т (у́лицы и т. п.); враще́ние; тока́рное ремесло́; **~-point** *fig.* поворо́тный пункт; перело́м.

turnip [ˈtə:nip] ♀ ре́па.

turn|key [ˈtə:nki:] тюре́мщик; **~-out** [ˈtə:nˈaut] ✝ вы́пуск проду́кции; **~over** [ˈtə:nouvə] ✝ оборо́т; **~pike** шлагба́ум; **~stile** турнике́т.

turpentine [ˈtə:pəntain] скипида́р.

turpitude [ˈtə:pitju:d] позо́р; ни́зость *f.*

turret [ˈtʌrit] ба́шенка; ✈ туре́ль *f*; ⚔, ⚓ оруди́йная ба́шня.

turtle [ˈtə:tl] *zo.* черепа́ха.

tusk [tʌsk] клык (слона́, моржа́).

tussle [ˈtʌsl] **1.** борьба́, дра́ка; **2.** (упо́рно) боро́ться, [по]дра́ться.

tussock [ˈtʌsək] ко́чка.

tutelage [ˈtju:tilidʒ] опеку́нство; опе́ка.

tutor [ˈtju:tə] **1.** дома́шний учи́тель *m*; репети́тор; ⚖ опеку́н; **2.** обуча́ть [-чи́ть]; наставля́ть [наста́вить].

tuxedo [tʌkˈsi:dou] *Am.* смо́кинг.

twaddle [ˈtwɔdl] **1.** пустáя болтовня́; **2.** пустослóвить.
twang [twæŋ] **1.** звук натя́нутой струны́; (*mst* nasal ~) гнусáвый вы́говор; **2.** звенéть (о струнé); гнусáвить.
tweak [twi:k] щипáть [щипну́ть].
tweezers [ˈtwi:zəz] *pl.* пинцéт.
twelfth [twelfθ] двенáдцатый.
twelve [twelv] двенáдцать.
twent|ieth [ˈtwentiiθ] двадцáтый; **~y** [ˈtwenti] двáдцать.
twice [twais] двáжды; вдвóе.
twiddle [ˈtwidl] вертéть (в рукáх); игрáть (T); *fig.* бездéльничать.
twig [twig] вéточка, прут.
twilight [ˈtwailait] су́мерки *f/pl.*
twin [twin] **1.** близнéц; двойни́к; пáрная вещь *f*; **2.** двойнóй; пáрный.
twine [twain] **1.** бечёвка, шпагáт, шнурóк; **2.** [с]вить; [с]плести́; обви́(вá)ть(ся).
twinge [twindʒ] при́ступ бóли.
twinkle [ˈtwiŋkl] **1.** мерцáние; мигáние; мелькáние; **2.** [за]мерцáть; [за]сверкáть; мигáть [мигну́ть].
twirl [twə:l] **1.** кручéние; вращéние; **2.** вертéть; закру́чивать [-ути́ть].
twist [twist] **1.** кручéние; скру́чивание; сучéние; изги́б; поворóт; вы́вих; **2.** [с]крути́ть; [с]сучи́ть; [с]ви́ть(ся); сплетáть(ся) [-ести́(сь)].
twit [twit]: ~ a p. with a th. попрекáть [-кну́ть] когó-либо (T).
twitch [twitʃ] **1.** подёргивание, су́дорога; **2.** дёргать(ся) [дёрнуть (-ся)].
twitter [ˈtwitə] **1.** щéбет; **2.** [за-]щебетáть; чири́кать [-кнуть]; be in a ~ дрожáть.
two [tu:] **1.** два, две; двóе; пáра; in ~ нáдвое, пополáм; **2.** двóйка; in ~s попáрно; **~fold** [ˈtu:fould] **1.** двойнóй; **2.** *adv.* вдвóе; **~pence** [ˈtʌpəns] два пéнса; **~-storey** двухэтáжный; **~-way** двусторóнний; ~ plug двойнóй штéпсель *m.*
tyke [taik] дворня́жка; шу́стрый ребёнок.
type [taip] тип; типи́чный представи́тель *m*; *typ.* ли́тера; шрифт; true to ~ типи́чный; set in ~ *typ.* наб(и)рáть; **~write** [*irr.* (write)] писáть на маши́нке; **~writer** пи́шущая маши́нка.
typhoid [ˈtaifɔid] ⚕ (*a.* ~ fever) брюшнóй тиф.
typhoon [taiˈfu:n] тайфу́н.
typhus [ˈtaifəs] ⚕ сыпнóй тиф.
typi|cal [ˈtipikəl] □ типи́чный; **~fy** [-fai] служи́ть типи́чным примéром для (P); **~st** [ˈtaipist] перепи́счик (-чица) (на маши́нке), маши́нистка; shorthand ~ стенографи́ст(ка).
tyrann|ic(al □) [tiˈrænik, -ikəl] тирани́ческий; **~ize** [ˈtirənaiz] тирáнить; **~y** [-ni] тирани́я, деспоти́зм.
tyrant [ˈtaiərənt] тирáн, дéспот.
tyre [ˈtaiə] ши́на (колесá).
tyro [ˈtaiərou] нови́чóк.

U

ubiquitous [ju:ˈbikwitəs] □ вездесу́щий.
udder [ˈʌdə] вы́мя *n.*
ugly [ˈʌgli] □ безобрáзный; дурнóй; проти́вный.
ulcer [ˈʌlsə] ⚕ я́зва; **~ate** [-reit] изъязвля́ть(ся) [-ви́ть(ся)]; **~ous** [-rəs] изъязвлённый; я́звенный.
ulterior [ʌlˈtiəriə] □ бóлее отдалённый; *fig.* дальнéйший; скры́тый (моти́в и т. п.).
ultimate [ˈʌltimit] □ послéдний; конéчный; максимáльный; **~ly** [-li] в концé концóв.
ultimo [ˈʌltimou] *adv.* истéкшего мéсяца
ultra[1] [ˈʌltrə] крáйний.
ultra[2]**...** [~...] *pref.* сверх..., ультра-...
umbel [ˈʌmbəl] ✿ зóнтик.
umbrage [ˈʌmbridʒ] оби́да; *poet.* тень *f*, сень *f.*
umbrella [ʌmˈbrelə] зóнтик.
umpire [ˈʌmpaiə] **1.** посрéдник; третéйский судья́ *m*; *sport* судья́ *m*; **2.** быть (третéйским) судьёй; быть посрéдником.

un... [ʌn...] *pref.* (придаёт отрица́тельное и́ли противополо́жное значе́ние) не..., без...
unable ['ʌn'eibl] неспосо́бный; be ~ не быть в состоя́нии, не [с]мочь.
unaccountable ['ʌnə'kauntəbl] □ необъясни́мый; безотве́тственный.
unaccustomed ['ʌnə'kʌstəmd] не привы́кший; непривы́чный.
unacquainted [-'kweintid]: ~ with незнако́мый с (Т); не зна́ющий (Р).
unadvised ['ʌnəd'vaizd] □ неблагоразу́мный; необду́манный.
unaffected ['ʌnə'fektid] □ непритво́рный, и́скренний; не(за)тро́нутый (by Т).
unaided ['ʌn'eidid] лишённый по́мощи; без посторо́нней по́мощи.
unalterable [ʌn'ɔ:ltərəbl] □ неизме́нный.
unanim|ity [ju:nə'nimiti] единоду́шие; **~ous** [ju:'næniməs] □ единоду́шный, единогла́сный.
unanswerable [ʌn'ɑ:nsərəbl] □ неопровержи́мый.
unapproachable [ʌnə'proutʃəbl] □ непристу́пный; недосту́пный.
unapt [ʌ'næpt] □ неподходя́щий; неспосо́бный, неуме́лый.
unasked ['ʌn'ɑ:skt] непро́шенный.
unassisted ['ʌnə'sistid] без по́мощи.
unassuming ['ʌnə'sju:miŋ] скро́мный, непритяза́тельный.
unattractive ['ʌnə'træktiv] □ непривлека́тельный.
unauthorized ['ʌn'ɔ:θəraizd] неразрешённый; неправомо́чный.
unavail|able ['ʌnə'veiləbl] не име́ющийся в распоряже́нии; **~ing** [-liŋ] бесполе́зный.
unavoidable [ʌnə'vɔidebl] □ неизбе́жный.
unaware ['ʌnə'wɛə] не зна́ющий, не подозрева́ющий (of Р); be ~ of ничего́ не знать о (П); не замеча́ть [-е́тить] (Р); **~s** [-z] неожи́данно, врасплóх; неча́янно.
unbacked [ʌn'bækt] *fig.* не име́ющий подде́ржки.
unbalanced ['ʌn'bælənst] неуравнове́шенный.
unbearable [ʌn'bɛərəbl] □ невыноси́мый.
unbecoming ['ʌnbi'kʌmiŋ] □ неподходя́щий; не иду́щий к лицу́; неприли́чный.
unbelie|f ['ʌnbi'li:f] неве́рие; **~vable** ['ʌnbi'li:vəbl] □ невероя́тный; **~ving** [-iŋ] □ неве́рующий.
unbend ['ʌn'bend] [*irr.* (bend)] выпрямля́ть(ся) [вы́прямить(ся)]; станови́ться непринуждённым; **~ing** [-iŋ] □ негну́щийся; *fig.* непрекло́нный.
unbias(s)ed ['ʌn'baiəst] □ беспристра́стный.
unbind ['ʌn'baind] [*irr.* (bind)] развя́зывать [-за́ть]; *fig.* освобожда́ть [-боди́ть].
unblushing [ʌn'blʌʃiŋ] бессты́дный.
unbosom [ʌn'buzəm] поверя́ть [-е́рить] (та́йну); ~ o. s. излива́ть ду́шу.
unbounded [ʌn'baundid] □ неограни́ченный; беспреде́льный.
unbroken ['ʌn'broukn] неразби́тый; не поби́тый (реко́рд); непреры́вный.
unbutton ['ʌn'bʌtn] расстёгивать [расстегну́ть].
uncalled [ʌn'kɔ:ld]: ~-for непро́шенный; неуме́стный.
uncanny [ʌn'kæni] □ жу́ткий, сверхъесте́ственный.
uncared ['ʌn'kɛəd]: ~-for забро́шенный.
unceasing [ʌn'si:siŋ] □ непрекраща́ющийся, безостано́вочный.
unceremonious ['ʌnseri'mounjəs] □ бесцеремо́нный.
uncertain [ʌn'sə:tn] □ неуве́ренный; неопределённый; неизве́стный; **~ty** [-ti] неуве́ренность *f*; неизве́стность *f*; неопределённость *f*.
unchang|eable [ʌn'tʃeindʒəbl] □, **~ing** [-iŋ] неизме́нный; неизменя́емый.
uncharitable [ʌn'tʃæritəbl] □ немилосе́рдный.
unchecked ['ʌn'tʃekt] беспрепя́тственный; непрове́ренный.
uncivil ['ʌn'sivl] □ неве́жливый; **~ized** ['ʌn'sivilaizd] нецивилизо́ванный.
uncle ['ʌŋkl] дя́дя *m.*
unclean ['ʌn'kli:n] □ нечи́стый.
unclose ['ʌn'klouz] откры́(ва́)ть (-ся).
uncomfortable [ʌn'kʌmfətəbl] □ неудо́бный; нело́вкий.
uncommon [ʌn'kɔmən] □ необыкнове́нный; замеча́тельный.
uncommunicative ['ʌnkə'mju:-

nikeitiv] необщи́тельный, неразгово́рчивый.
uncomplaining ['ʌnkəm'pleiniŋ] □ безро́потный.
uncompromising [ʌn'kɔmprəmaiziŋ] □ бескомпроми́ссный.
unconcern ['ʌnkən'sə:n] беззабо́тность *f*; беспе́чность *f*; **~ed** [-d] □ беззабо́тный; беспе́чный.
unconditional ['ʌnkən'diʃnl] □ безогово́рочный, безусло́вный.
unconquerable [ʌn'kɔŋkərəbl] □ непобеди́мый.
unconscionable [ʌn'kɔnʃnəbl] □ бессо́вестный.
unconscious [ʌn'kɔnʃəs] □ бессозна́тельный; потеря́вший созна́ние; be ~ of не созн(ав)а́ть (Р); **~ness** [-nis] бессозна́тельность *f*.
unconstitutional ['ʌnkɔnsti'tju:ʃnl] □ противоре́чащий конститу́ции.
uncontrollable [ʌnkən'trouləbl] □ неудержи́мый; не поддаю́щийся контро́лю.
unconventional ['ʌnkən'venʃənl] □ чу́ждый усло́вности; необы́чный; нешабло́нный.
uncork ['ʌn'kɔ:k] отку́пори(ва)ть.
uncount|able ['ʌn'kauntəbl] бесчи́сленный; **~ed** [-tid] несчётный.
uncouple ['ʌn'kʌpl] расцепля́ть [-пи́ть].
uncouth [ʌn'ku:θ] неуклю́жий.
uncover [ʌn'kʌvə] откры́(ва́)ть (лицо́ и т. п.); снима́ть кры́шку с (Р); обнажа́ть [-жи́ть] (го́лову).
unct|ion ['ʌŋkʃən] пома́зание; мазь *f*; **~uous** ['ʌŋktjuəs] □ масляни́стый; *fig.* еле́йный.
uncult|ivated ['ʌn'kʌltiveitid] невозде́ланный; некульту́рный.
undamaged ['ʌn'dæmidʒd] неповреждённый.
undaunted [ʌn'dɔ:ntid] □ неустраши́мый.
undeceive ['ʌndi'si:v] выводи́ть из заблужде́ния.
undecided ['ʌndi'saidid] □ нерешённый; нереши́тельный.
undefined ['ʌndi'faind] □ неопределённый.
undeniable [ʌndi'naiəbl] □ неоспори́мый; несомне́нный.
under ['ʌndə] **1.** *adv.* ни́же; внизу́, вниз; **2.** *prp.* под (В, Т); ни́же (Р); ме́ньше (Р); при (П); **3.** *pref.* ниже..., под..., недо...; **4.** ни́жний; ни́зший; **~bid** ['ʌndə'bid] [*irr.* (bid)] предлага́ть бо́лее ни́зкую це́ну чем (И); **~brush** [-brʌʃ] подле́сок; **~carriage** [-'kæridʒ] шасси́ *n indecl.*; **~clothing** [-klouðiŋ] ни́жнее бельё; **~cut** [-kʌt] сбива́ть це́ны; подреза́ть [-е́зать]; **~done** [-dʌn] недожа́ренный; **~estimate** [-r'estimeit] недооце́нивать [-и́ть]; **~fed** [-fed] истощённый от недоеда́ния; **~go** [-'gou] [*irr.* (go)] испы́тывать [испыта́ть]; подверга́ться [-е́ргнуться] (Д); **~graduate** [-'grædjuit] студе́нт(ка) после́днего ку́рса; **~ground** ['ʌndəgraund] **1.** подзе́мный; подпо́льный; **2.** метро́(полите́н) *n indecl.*; подпо́лье; **~hand** [-hænd] **1.** та́йный, закули́сный; **2.** *adv.* та́йно, «за спино́й»; **~lie** [ʌndə'lai] [*irr.* (lie)] лежа́ть в основа́нии (Р); **~line** [-'lain] подчёркивать [-черкну́ть]; **~ling** [-liŋ] подчинённый; **~mine** [ʌndə'main] [за]мини́ровать (*im*)*pf.*; подка́пывать [-копа́ть] (*a. fig.*); *fig.* подрыва́ть [подорва́ть]; **~most** ['ʌndəmoust] са́мый ни́жний; ни́зший; **~neath** [ʌndə'ni:θ] **1.** *prp.* под (Т/В); **2.** *adv.* вниз, внизу́; **~privileged** [-'privilidʒd] лишённый привиле́гий; **~rate** [ʌndə'reit] недооце́нивать [-и́ть]; **~-secretary** ['ʌndə'sekrətəri] замести́тель мини́стра (в Англии и США); **~sell** [-'sel] [*irr.* (sell)] ✝ продава́ть дешёвле други́х; **~signed** [-'saind] нижеподписа́вшийся; **~stand** [ʌndə'stænd] [*irr.* (stand)] *com.* понима́ть [поня́ть]; подразумева́ть (by под Т); make o. s. understood уме́ть объясни́ться; an understood thing решённое де́ло; **~standable** [-əbl] поня́тный; **~standing** [-iŋ] понима́ние; соглаше́ние; взаимопонима́ние; **~state** ['ʌndə'steit] преуменьша́ть [-ме́ньши́ть]; **~stood** [ʌndə'stud] *pt.* и *p. pt.* от understand; **~take** [ʌndə'teik] [*irr.* (take)] предпринима́ть [-ня́ть]; бра́ть на себя́; обя́зываться [-за́ться]; **~taker** **1.** [ʌndə'teikə] предпринима́тель *m*; **2.** ['ʌndəteikə] содержа́тель похоро́нного бюро́; **~taking** **1.** [ʌndə'teikiŋ] предприя́тие; обяза́тельство; **2.** ['ʌndəteikiŋ] похоро́нное бюро́; **~tone** [-toun]: in an ~ вполго́лоса; **~value** [-'væl-

ju:] недооце́нивать [-и́ть]; **~-wear** [-wɛə] ни́жнее бельё; **~wood** [-wud] подле́сок; **~write** [-rait] [*irr.* (write)] подпи́сывать поли́с морско́го страхова́ния; принима́ть в страхо́вку; **~writer** [-raitə] морско́й страхо́вщик.

undeserved ['ʌndi'zə:vd] □ незаслу́женный.

undesirable [-'zaiərəbl] □ нежела́тельный; неудо́бный, неподходя́щий.

undisciplined [ʌn'disiplind] недисциплини́рованный.

undisguised ['ʌndis'gaizd] □ незамаскиро́ванный; я́вный.

undo ['ʌn'du:, ʌn'du:] [*irr.* (do)] уничтожа́ть [-о́жить] (сде́ланное); развя́зывать [-за́ть]; расстёгивать [расстегну́ть]; расторга́ть [-о́ргнуть] (догово́р и т. п.); **~ing** [-iŋ] уничтоже́ние; ги́бель *f*; развя́зывание; расстёгивание и т. д.

undoubted [ʌn'dautid] □ несомне́нный, бесспо́рный.

undreamt [ʌn'dremt]: **~-of** невообрази́мый, неожи́данный.

undress ['ʌn'dres] **1.** дома́шний костю́м; **2.** разде́(ва́)ть(ся); **~ed** ['ʌn'drest] неоде́тый; невы́деланный (о ко́же).

undue ['ʌn'dju:] □ неподходя́щий; чрезме́рный; ненадлежа́щий; ещё не подлежа́щий опла́те.

undulat|e ['ʌndjuleit] быть волни́стым, волнообра́зным; **~ion** [ʌndju'leiʃən] волнообра́зное движе́ние; неро́вность пове́рхности.

unearth ['ʌn'ə:θ] вырыва́ть из земли́; *fig.* раска́пывать [-копа́ть]; **~ly** [ʌn'ə:θli] неземно́й; стра́нный, ди́кий.

uneas|iness [ʌn'i:zinis] беспоко́йство; трево́жность *f*; стесне́ние; **~y** [ʌn'i:zi] □ беспоко́йный, трево́жный; стеснённый (о движе́ниях и т. п.).

uneducated ['ʌn'edjukeitid] необразо́ванный; невоспи́танный.

unemotional ['ʌni'mouʃnl] □ пасси́вный; бесстра́стный; сухо́й *fig.*

unemploy|ed ['ʌnim'plɔid] безрабо́тный; неза́нятый; **~ment** [-'plɔimənt] безрабо́тица.

unending [ʌn'endiŋ] □ бесконча́емый, бесконе́чный.

unendurable ['ʌnin'djuərəbl] нестерпи́мый.

unengaged ['ʌnin'geidʒd] неза́нятый; свобо́дный.

unequal ['ʌn'i:kwəl] □ нера́вный; неро́вный; **~led** [-d] непревзойдённый.

unerring ['ʌn'ə:riŋ] □ непогреши́мый; безоши́бочный.

unessential ['ʌni'senʃəl] □ несуще́ственный (to для P).

uneven ['ʌn'i:vn] □ неро́вный; шерохова́тый (*a. fig.*).

uneventful ['ʌni'ventful] □ без осо́бых собы́тий.

unexampled [ʌnig'zɑ:mpld] бесприме́рный.

unexpected ['ʌniks'pektid] □ неожи́данный.

unfailing [ʌn'feiliŋ] □ неизме́нный; неисчерпа́емый.

unfair ['ʌn'fɛə] □ несправедли́вый; нече́стный (о спортсме́не, игре́ и т. п.).

unfaithful ['ʌn'feiθful] □ неве́рный, вероло́мный; нето́чный.

unfamiliar ['ʌnfə'miljə] незнако́мый; непривы́чный.

unfasten ['ʌn'fɑ:sn] открепля́ть [-пи́ть]; расстёгивать [расстегну́ть]; **~ed** [-d] расстёгнутый; неприкреплённый.

unfavo(u)rable ['ʌn'feivərəbl] □ неблагоприя́тный; невы́годный.

unfeeling [ʌn'fi:liŋ] □ бесчу́вственный.

unfinished ['ʌn'finiʃt] незако́нченный.

unfit 1. ['ʌn'fit] □ него́дный, неподходя́щий; **2.** [ʌn'fit] де́лать неприго́дным.

unfix ['ʌn'fiks] открепля́ть [-пи́ть]; де́лать неусто́йчивым.

unfledged ['ʌn'fledʒd] неопери́вшийся (*a. fig.*).

unflinching [ʌn'flintʃiŋ] □ неукло́нный.

unfold [ʌn'fould] развёртывать(ся) [-верну́ть(ся)]; откры́(ва́)ть (та́йну и т. п.).

unforced ['ʌn'fɔ:st] □ непринуждённый.

unforgettable ['ʌnfə'getəbl] □ незабве́нный.

unfortunate [ʌn'fɔ:tʃnit] **1.** несча́стный; неуда́чный; неуда́чливый; **2.** неуда́чник (-ица); **~ly** [-li] к несча́стью; к сожале́нию.

unfounded ['ʌn'faundid] □ необосно́ванный; неоснова́тельный.

unfriendly [ˈʌnˈfrendli] недружелюбный; неприве́тливый.
unfurl [ʌnˈfəːl] развёртывать [развернýть].
unfurnished [ˈʌnˈfəːniʃt] немеблиро́ванный.
ungainly [ʌnˈgeinli] нескла́дный.
ungenerous [ˈʌnˈdʒenərəs] □ не великоду́шный, не ще́дрый.
ungentle [ˈʌnˈdʒentl] □ неделика́тный, неучти́вый.
ungodly [ʌnˈgɔdli] □ безбо́жный.
ungovern|able [ʌnˈgʌvənəbl] □ неукроти́мый; распу́щенный.
ungraceful [ˈʌnˈgreisful] □ неизя́щный, неграцио́зный.
ungracious [ˈʌnˈgreiʃəs] □ неми́лостивый.
ungrateful [ʌnˈgreitful] □ неблагода́рный.
unguarded [ˈʌnˈgɑːdid] □ неохраня́емый; неосторо́жный; незащищённый.
unguent [ˈʌŋgwənt] мазь *f*.
unhampered [ˈʌnˈhæmpəd] беспрепя́тственный.
unhandsome [ʌnˈhænsəm] □ некраси́вый.
unhandy [ʌnˈhændi] □ неудо́бный; нело́вкий.
unhappy [ʌnˈhæpi] □ несча́стный.
unharmed [ˈʌnˈhɑːmd] благополу́чный; невреди́мый.
unhealthy [ʌnˈhelθi] □ нездоро́вый, боле́зненный; вре́дный.
unheard-of [ʌnˈhəːdɔv] неслы́ханный.
unhesitating [ʌnˈheziteitiŋ] □ неколе́блющийся, реши́тельный.
unholy [ʌnˈhouli] безбо́жный; дья́вольский.
unhonoured [ˈʌnˈɔnəd] не уважа́емый; неопла́ченный.
unhope|d-for [ʌnˈhouptˈfɔː] неожи́данный; **~ful** [-ful] не подаю́щий наде́жды, безнадёжный.
unhurt [ˈʌnˈhəːt] невреди́мый, це́лый.
uniform [ˈjuːnifɔːm] **1.** □ однообра́зный; одноро́дный; **2.** фо́рма, мунди́р; **3.** де́лать однообра́зным; обмундиро́вывать [-ова́ть]; **~ity** [juːniˈfɔːmiti] единообра́зие, однообра́зие.
unify [ˈjuːnifai] объединя́ть [-ни́ть]; унифици́ровать (*im*)*pf*.
unilateral [ˈjuːniˈlætərəl] односторо́нний.
unimaginable [ʌniˈmædʒinəbl] □ невообрази́мый.
unimportant [ˈʌnimˈpɔːtənt] □ нева́жный.
uninformed [ˈʌninˈfɔːmd] несве́дущий; неосведомлённый.
uninhabit|able [ˈʌninˈhæbitəbl] него́дный для жилья́; **~ed** [-tid] нежило́й; необита́емый.
uninjured [ˈʌnˈindʒəd] неповреждённый, невреди́мый.
unintelligible [ˈʌninˈtelidʒəbl] □ непоня́тный.
unintentional [ˈʌninˈtenʃnl] □ непреднаме́ренный, неумы́шленный.
uninteresting [ˈʌnˈintristiŋ] □ неинтере́сный, безынтере́сный.
uninterrupted [ˈʌnintəˈrʌptid] □ непреры́вный, беспреры́вный.
union [ˈjuːnjən] объедине́ние; соедине́ние (*a.* ⊕); сою́з, федера́ция; профсою́з; ♀ Jack брита́нский национа́льный флаг; **~ist** [-ist] член профсою́за.
unique [juːˈniːk] еди́нственный в своём ро́де; беспodо́бный.
unison [ˈjuːnizn] ♪ унисо́н; *fig*. согла́сие.
unit [ˈjuːnit] ⚔ часть *f*, подразделе́ние; Ѧ едини́ца; ⊕ агрега́т; **~e** [juːˈnait] соединя́ть(ся) [-ни́ть(-ся)]; объединя́ть(ся) [-ни́ть(ся)]; **~y** [ˈjuːniti] едине́ние; еди́нство.
univers|al [juniˈvəːsl] □ всео́бщий; всеми́рный; универса́льный; **~ality** [juːnivəːˈsæliti] универса́льность *f*; **~e** [ˈjuːnivəːs] мир, вселе́нная; **~ity** [juniˈvəːsiti] университе́т.
unjust [ˈʌnˈdʒʌst] □ несправедли́вый; **~ified** [ʌnˈdʒʌstifaid] неопра́вданный.
unkempt [ˈʌnˈkempt] нечёсаный; [неопря́тный.
unkind [ʌnˈkaind] □ недо́брый.
unknown [ˈʌnˈnoun] **1.** неизве́стный; ~ to me *adv*. та́йно от меня́; **2.** незнако́мец (-мка).
unlace [ˈʌnˈleis] расшнуро́вывать [-ова́ть].
unlawful [ˈʌnˈlɔːful] □ незако́нный.
unlearn [ˈʌnˈləːn] разу́чиваться [[-и́ться].
unless [ənˈles, ʌnˈles] *cj*. е́сли ... не.
unlike [ˈʌnˈlaik] **1.** непохо́жий на (В); **2.** *prp*. в отли́чие от (Р); **~ly** [ʌnˈlaikli] неправдопсдо́бный; невероя́тный.

unlimited [ʌn'limitid] безграни́чный, неограни́ченный.
unload ['ʌn'loud] выгружа́ть [вы́грузить], разгружа́ть [-узи́ть]; ⚔ разряжа́ть [-яди́ть].
unlock ['ʌn'lɔk] отпира́ть [отпере́ть]; **~ed** [-t] неза́пертый.
unlooked-for [ʌn'lukt'fɔ:] неожи́данный, непредви́денный.
unlovely ['ʌn'lʌvli] некраси́вый, непривлека́тельный.
unlucky [ʌn'lʌki] □ неуда́чный, несчастли́вый.
unman ['ʌn'mæn] лиша́ть му́жественности.
unmanageable [ʌn'mænidʒəbl] □ тру́дно поддаю́щийся контро́лю; непоко́рный.
unmarried ['ʌn'mærid] нежена́тый, холосто́й; незаму́жняя.
unmask ['ʌn'mɑ:sk] снима́ть ма́ску с (Р); *fig.* разоблача́ть [-чи́ть].
unmatched ['ʌn'mætʃt] бесподо́бный.
unmeaning [ʌn'mi:niŋ] □ бессмы́сленный.
unmeasured [ʌn'meʒəd] неизме́ренный; неизмери́мый.
unmeet ['ʌn'mi:t] неподходя́щий.
unmentionable [ʌn'menʃnəbl] невырази́мый; нецензу́рный.
unmerited ['ʌn'meritid] незаслу́женный.
unmindful [ʌn'maindful] □ забы́вчивый; невнима́тельный (of к Д).
unmistakable ['ʌnmis'teikəbl] □ несомне́нный; легко́ узнава́емый.
unmitigated [ʌn'mitigeitid] несмягчённый; *fig.* абсолю́тный.
unmounted ['ʌn'mauntid] пе́ший; неопра́вленный (драгоце́нный ка́мень); не смонти́рованный.
unmoved ['ʌn'mu:ved] нетро́нутый.
unnamed ['ʌn'neimd] безымя́нный; неупомя́нутый.
unnatural [ʌn'nætʃrəl] □ неесте́ственный; противоесте́ственный.
unnecessary [ʌn'nesisəri] □ нену́жный, изли́шний.
unnerve ['ʌn'nə:v] лиша́ть прису́тствия ду́ха.
unnoticed ['ʌn'noutist] незаме́ченный.
unobjectionable ['ʌnəb'dʒekʃnəbl] □ безукори́зненный.
unobserved ['ʌnəb'zə:vd] □ незаме́ченный.
unobtainable ['ʌnəb'teinəbl]: ~ thing вещь, кото́рой нельзя́ доста́ть и́ли получи́ть.
unoccupied ['ʌn'ɔkjupaid] неза́нятый.
unoffending ['ʌnə'fendiŋ] безоби́дный.
unofficial ['ʌnə'fiʃəl] □ неофициа́льный.
unopposed ['ʌnə'pouzd] не встреча́ющий сопротивле́ния.
unostentatious ['ʌnɔstən'teiʃəs] □ скро́мный; не показно́й.
unpack ['ʌn'pæk] распако́вывать [-ова́ть].
unpaid ['ʌn'peid] неупла́ченный, неопла́ченный.
unparalleled [ʌn'pærəleld] несравне́нный, бесприме́рный.
unpeople ['ʌn'pi:pl] обезлю́дить *pf.*
unpleasant [ʌn'pleznt] □ неприя́тный; **~ness** [-nis] неприя́тность *f.*
unpolished ['ʌn'pɔliʃt] неотполиро́ванный; *fig.* неотёсанный.
unpolluted ['ʌnpə'lu:tid] незапя́тнанный, непоро́чный.
unpopular ['ʌn'pɔpjulə] □ непопуля́рный, нелюби́мый.
unpracti|cal ['ʌn'præktikəl] □ непракти́чный; **~sed** [-tist] нео́пытный; неприменённый.
unprecedented [ʌn'presidəntid] □ беспрецеде́нтный; беспример́ный.
unprejudiced [ʌn'predʒudist] □ непредубеждённый, беспристра́стный.
unprepared ['ʌnpri'peəd] □ неподгото́вленный; без подгото́вки.
unpreten|ding ['ʌnpri'tendiŋ] □, **~tious** [-ʃəs] □ скро́мный, без претен́зий.
unprincipled ['ʌn'prinsəpld] беспринци́пный; безнра́вственный.
unprofitable [ʌn'prɔfitəbl] невы́годный; нерента́бельный.
unproved ['ʌn'pru:vd] недока́занный.
unprovided ['ʌnprə'vaidid] не обеспе́ченный, не снабжённый (with T); **~-for** непредви́денный.
unprovoked ['ʌnprə'voukt] □ ниче́м не вы́званный.
unqualified ['ʌn'kwɔlifaid] □ неквалифици́рованный; безогово́рочный.

unquestionable [ʌn'kwestʃənəbl] □ несомне́нный, неоспори́мый.
unravel [ʌn'rævəl] распу́т(ыв)ать; разга́дывать [-да́ть].
unready ['ʌn'redi] □ негото́вый.
unreal ['ʌn'riəl] □ ненастоя́щий; нереа́льный.
unreasonable [ʌn'ri:znəbl] □ не(благо)разу́мный; безрассу́дный; непоме́рный.
unrecognizable ['ʌn'rekəgnaizəbl] □ неузнава́емый.
unredeemed ['ʌnri'di:md] □ неиспо́лненный (об обеща́нии); невы́купленный (закла́д); неопла́ченный (долг).
unrefined ['ʌnri'faind] неочи́щенный.
unreflecting ['ʌnri'flektiŋ] □ легкомы́сленный, не размышля́ющий.
unregarded ['ʌnri'gɑ:did] не при́нятый в расчёт.
unrelenting [ʌnri'lentiŋ] □ безжа́лостный.
unreliable ['ʌnri'laiəbl] ненадёжный.
unrelieved ['ʌnri'li:vd] □ необлегчённый; не получа́ющий по́мощи.
unremitting [ʌnri'mitiŋ] □ беспреры́вный; неосла́бный.
unreserved ['ʌnri'zə:vd] □ открове́нный; невозде́ржанный; безогово́рочный.
unresisting ['ʌnri'zistiŋ] □ не сопротивля́ющийся.
unrest ['ʌn'rest] беспоко́йство, волне́ние.
unrestrained ['ʌnris'treind] □ несде́ржанный; необу́зданный.
unrestricted ['ʌnris'triktid] □ неограни́ченный.
unriddle [ʌn'ridl] разга́дывать [-да́ть].
unrighteous [ʌn'raitʃəs] □ непра́ведный; несправедли́вый.
unripe ['ʌn'raip] незре́лый, неспе́лый.
unrival(l)ed [ʌn'raivəld] непревзойдённый; без сопе́рника.
unroll ['ʌn'roul] развёртывать [-верну́ть].
unruffled ['ʌn'rʌfld] гла́дкий (о мо́ре и т. п.); невозмути́мый.
unruly [ʌn'ruli] непоко́рный.
unsafe ['ʌn'seif] □ ненадёжный, опа́сный.
unsal(e)able ['ʌn'seiləbl] неходово́й (това́р); непрода́жный.
unsanitary ['ʌn'sænitəri] негигиени́чный; антисанита́рный.
unsatisfactory ['ʌnsætis'fæktəri] □ неудовлетвори́тельный.
unsavo(u)ry ['ʌn'seivəri] □ невку́сный; непривлека́тельный.
unsay ['ʌn'sei] [*irr.* (say)] брать наза́д (ска́занное).
unscathed ['ʌn'skeiðd] невреди́мый.
unschooled ['ʌn'sku:ld] необу́ченный; недисциплини́рованный.
unscrew ['ʌn'skru:] отви́нчивать (-ся) [-нти́ть(ся)].
unscrupulous [ʌn'skru:pjuləs] □ беспринци́пный; бессо́вестный; неразбо́рчивый (в сре́дствах).
unsearchable [ʌn'sə:tʃəbl] □ непостижи́мый, необъясни́мый.
unseasonable [ʌn'si:znəbl] □ несвоевре́менный.
unseemly [ʌn'si:mli] неподоба́ющий; непристо́йный.
unseen ['ʌn'si:n] неви́димый; неви́данный.
unselfish ['ʌn'seilfiʃ] □ бескоры́стный.
unsettle ['ʌn'setl] приводи́ть в беспоря́док; расстра́ивать [-ро́ить]; **~d** [-d] неустро́енный; неустанови́вшийся; не решённый; неопла́ченный (счёт).
unshaken ['ʌn'ʃeikən] непоколе́бленный.
unshaven ['ʌn'ʃeivn] небри́тый.
unship ['ʌn'ʃip] сгружа́ть с корабля́.
unshrink|able ['ʌn'ʃriŋkəbl] не садя́щийся при сти́рке (о мате́рии); **~ing** [-iŋ] □ непоколеби́мый, бесстра́шный.
unsightly [ʌn'saitli] непригля́дный.
unskil|ful ['ʌn'skilful] □ неуме́лый, неиску́сный; **~led** ['ʌn'skild] неквалифици́рованный.
unsoci|able [ʌn'souʃəbl] необщи́тельный.
unsolder ['ʌn'sɔldə] распа́ивать [-пая́ть].
unsolicited ['ʌnsə'lisitid] непро́шенный, невостре́бованный.
unsophisticated ['ʌnsə'fistikeitid] безыску́ственный; бесхи́тростный.
unsound ['ʌn'saund] □ нездоро́вый; испо́рченный; необосно́ванный.

unsparing [ʌnˈspɛəriŋ] □ беспощáдный; щéдрый.
unspeakable [ʌnˈspi:kəbl] □ невыразúмый.
unspent [ˈʌnˈspent] неистрáченный; неутомлённый.
unstable [ˈʌnˈsteibl] □ нетвёрдый, неустóйчивый; *phys.*, ⚗ нестóйкий.
unsteady [ˈʌnˈstedi] □ *s.* unstable; шáткий; непостоя́нный.
unstring [ˈʌnˈstriŋ] [*irr.* (string)] снимáть стрýны с (Р); распускáть [-устúть] (бýсы и т. п.); расшáтывать [-шатáть] (нéрвы).
unstudied [ˈʌnˈstʌdid] естéственный непринуждённый.
unsubstantial [ˈʌnsəbˈstænʃəl] □ нереáльный; несущéственный.
unsuccessful [ˈʌnsəkˈsesful] □ неудáчный, безуспéшный; неудáчливый.
unsuitable [ˈʌnˈsju:təbl] □ неподходя́щий.
unsurpassable [ˈʌnsəˈpɑ:səbl] □ не могýщий быть превзойдённым.
unsuspect|ed [ˈʌnsəsˈpektid] неподозревáемый; неожúданный; **~ing** [-iŋ] неподозревáющий (of о П).
unsuspicious [ˈʌnsəsˈpiʃəs] □ неподозревáющий; не вызывáющий подозрéний.
unswerving [ʌnˈswə:viŋ] □ неуклóнный.
untangle [ˈʌnˈtæŋgl] распýт(ыв)ать.
untarnished [ˈʌnˈtɑ:niʃt] неопорóченный.
unthink|able [ˈʌnˈθiŋkəbl] невообразúмый, немы́слимый; **~ing** [-iŋ] □ опромéтчивый.
unthought [ˈʌnˈθɔ:t] (*или* ~-of) неожúданный.
untidy [ʌnˈtaidi] □ неопря́тный, неаккурáтный; неýбранный.
untie [ˈʌnˈtai] развя́зывать [-зáть]
until [ənˈtil, ʌnˈtil] **1.** *prp.* до (Р); **2.** *cj.* (до тех пор) покá … (не) …
untimely [ʌnˈtaimli] несвоеврéменный.
untiring [ʌnˈtaiəriŋ] □ неутомúмый.
untold [ˈʌnˈtould] нерасскáзанный; несчётный.
untouched [ˈʌnˈtʌtʃt] нетрóнутый (*a. fig.*); *phot.* неретушúрованный.
untried [ˈʌnˈtraid] неиспы́танный; ⚖ недопрóшенный.
untroubled [ˈʌnˈtrʌbld] беспрепя́тственный; ненарýшенный.
untrue [ˈʌnˈtru:] □ непрáвильный; невéрный.
untrustworthy [ˈʌnˈtrʌstwə:ði] □ не заслýживающий довéрия.
unus|ed 1. [ˈʌnˈju:zd] неупотребúтельный; не бы́вший в употреблéнии; неиспóльзованный; **2.** [ˈʌnˈju:st] непривы́кший (to к Д); **~ual** [ʌnˈju:ʒuəl] □ необыкновéнный, необы́чный.
unutterable [ʌnˈʌtərəbl] □ невыразúмый.
unvarnished [ˈʌnˈvɑ:niʃt] *fig.* неприкрáшенный.
unvarying [ʌnˈvɛəriiŋ] □ неизменя́ющийся, неизмéнный.
unveil [ʌnˈveil] снимáть покрывáло с (Р); откры́(вá)ть (памя́тник, тáйну).
unwanted [ˈʌnˈwɔntid] нежелáнный; ненýжный.
unwarrant|able [ʌnˈwɔrəntəbl] □ недопустúмый; **~ed** [-tid] ничéм не опрáвданный; негарантúрованный.
unwary [ʌnˈwɛəri] □ необдýманный, неосторóжный.
unwholesome [ˈʌnˈhoulsəm] нездорóвый, неблаготвóрный.
unwieldy [ʌnˈwi:ldi] □ неуклю́жий; громóздкий.
unwilling [ˈʌnˈwiliŋ] □ несклóнный, нерасполóженный.
unwise [ˈʌnˈwaiz] □ неразýмный.
unwitting [ʌnˈwitiŋ] □ невóльный, непреднамéренный.
unworkable [ʌnˈwə:kəbl] неприменúмый, негóдный для рабóты.
unworthy [ʌnˈwə:ði] □ недостóйный.
unwrap [ˈʌnˈræp] развёртывать (-ся) [-вернýть(ся)].
unyielding [ʌnˈji:ldiŋ] □ неподáтливый, неустýпчивый.
up [ʌp] **1.** *adv.* вверх, навéрх; вверхý, наверхý; вы́ше; *fig.* be ~ to the mark быть на дóлжной высотé (наýки и т. п.); be ~ against a task стоя́ть пéред задáчей; ~ to вплоть до (Р); it is ~ to me (to do) мне прихóдится (дéлать); what's ~? *sl.* что случúлось?, в чём дéло?; **2.** *prp.* вверх по (Д); по направлéнию к (Д); вдоль по (Д); ~ the river вверх по рекé; **3.** *adj.* ~ train пóезд, идý-

щий в го́род; **4.** *su.* the ~s and downs *fig.* превра́тности судьбы́; **5.** *vb.* F поднима́ть [-ня́ть]; повыша́ть [-ы́сить]; вст(ав)а́ть.

up|braid [ʌp'breid] [вы́]брани́ть; **~bringing** ['ʌpbriŋiŋ] воспита́ние; **~heaval** [ʌp'hi:vl] переворо́т; **~hill** ['ʌp'hil] (иду́щий) в го́ру; *fig.* тяжёлый; **~hold** [ʌp'hould] [*irr.* (hold)] подде́рживать [-жа́ть]; приде́рживаться (взгля́да) **~holster** [ʌp'houlstə] оби́(ва́)ть (ме́бель); [за]драпирова́ть (ко́мнату); **~holsterer** [-rə] обо́йщик; драпиро́вщик; **~holstery** [-ri] ремесло́ драпиро́вщика и́ли обо́йщика.

up|keep ['ʌpki:p] содержа́ние; сто́имость содержа́ния; **~land** ['ʌplənd] наго́рная страна́; **~lift** **1.** ['ʌplift] (духо́вный) подъём; **2.** [ʌp'lift] поднима́ть [-ня́ть]; возвыша́ть [-ы́сить].

upon [ə'pɔn] *s.* on.

upper ['ʌpə] ве́рхний; вы́сший; **~most** [-moust] са́мый ве́рхний; наивы́сший.

up|raise [ʌp'reiz] возвыша́ть [-ы́сить]; **~right** ['ʌp'rait] **1.** □ прямо́й, вертика́льный; *adv. a.* стоймя́; **2.** сто́йка; (*a.* ~ piano) пиани́но *n indecl.*; **~rising** [ʌp'raiziŋ] восста́ние.

uproar ['ʌprɔ:] шум, гам, волне́ние; **~ious** [ʌp'rɔ:riəs] □ шу́мный, бу́йный.

up|root [ʌp'ru:t] искореня́ть [-ни́ть]; вырыва́ть с ко́рнем; **~set** [ʌp'set] [*irr.* (set)] опроки́дывать(ся) [-и́нуть(ся)]; расстра́ивать [-ро́ить]; выводи́ть из (душе́вного) равнове́сия; **~shot** ['ʌpʃɔt] развя́зка; заключе́ние; **~side** ['ʌpsaid] *adv.*: ~ down вверх дном; **~stairs** ['ʌp'stɛəz] вверх (по ле́стнице), наве́рх(у́); **~start** ['ʌpstɑ:t] вы́скочка *m/f*; **~stream** ['ʌp'stri:m] вверх по тече́нию; **~turn** [ʌp'tə:n] перевёртывать [перевернуть]; **~ward**(s) ['ʌpwəd(z)] вверх, наве́рх.

urban ['ə:bən] городско́й; **~e** [ə:'bein] □ ве́жливый; изы́сканный.

urchin ['ə:tʃin] постре́л, мальчи́шка *m.*

urge [ə:dʒ] **1.** понужда́ть [-у́дить]; подгоня́ть [подогна́ть] (*often* ~ on); **2.** стремле́ние, толчо́к *fig.*; **~ncy** ['ə:dʒənsi] настоя́тельность *f*; сро́чность *f*; настойчивость *f*; **~nt** ['ə:dʒənt] □ сро́чный; настоя́тельный, насто́йчивый.

urin|al ['juərinl] писсуа́р; **~ate** [-rineit] [по]мочи́ться; **~e** [-rin] моча́.

urn [ə:n] у́рна.

us [ʌs; əs] *pron. pers.* (ко́свенный паде́ж от we) нас, нам, на́ми.

usage ['ju:zidʒ] употребле́ние; обы́чай.

usance ['ju:zəns] ☦: bill at ~ ве́ксель на срок, устано́вленный торго́вым обы́чаем.

use **1.** [ju:s] употребле́ние; примене́ние; по́льзование; по́льза; привы́чка; (of) no ~ бесполе́зный; **2.** [ju:z] употребля́ть [-би́ть]; по́льзоваться (T); воспо́льзоваться (T) *pf.*; испо́льзовать (*im*)*pf.*; обраща́ться [обрати́ться] с (T), обходи́ться [обойти́сь] с (T); I **~d** [ju:s(t)] to do я, быва́ло, ча́сто де́лал; **~d** [ju:st]: ~ to привы́кший к (Д); **~ful** ['ju:sful] □ поле́зный; приго́дный; **~less** ['ju:slis] □ бесполе́зный; неприго́дный, него́дный.

usher ['ʌʃə] **1.** капельди́нер; швейца́р; при́став (в суде́); **2.** проводи́ть [-вести́] (на ме́сто); вводи́ть [ввести́].

usual ['ju:ʒuəl] □ обыкнове́нный, обы́чный.

usurer ['ju:ʒərə] ростовщи́к.

usurp [ju:'zə:p] узурпи́ровать (*im*)*pf.*; **~er** [ju:'zə:pə] узурпа́тор.

usury ['ju:ʒuri] ростовщи́чество.

utensil [ju:'tensl] (*mst pl.* ~s) посу́да, у́тварь *f*; принадле́жность *f.*

utility [ju:'tiliti] поле́зность *f*; вы́годность *f*; public ~ коммуна́льное предприя́тие; *pl.* предприя́тия обще́ственного по́льзования; коммуна́льные услу́ги *f/pl.*

utiliz|ation [ju:tilai'zeiʃən] испо́льзование, утилиза́ция; **~e** ['ju:tilaiz] испо́льзовать (*im*)*pf.*, утилизи́ровать (*im*)*pf.*

utmost ['ʌtmoust] кра́йний, преде́льный.

utter ['ʌtə] **1.** □ *fig.* по́лный; кра́йний; абсолю́тный; **2.** изд(ав)а́ть (зву́ки); выража́ть слова́ми; **~ance** [-rəns] выраже́ние; произнесе́ние; выска́зывание; **~most** [-moust] кра́йний; преде́льный.

V

vacan|cy [ˈveikənsi] пустота́; вака́нсия, свобо́дное ме́сто; пробе́л; рассе́янность *f*; **~t** [ˈveikənt] □ неза́нятый, вака́нтный; пусто́й; рассе́янный (взгляд и т. п.).
vacat|e [vəˈkeit, *Am.* ˈveikeit] освобожда́ть [-боди́ть] (дом и т. п.); покида́ть [-и́нуть], оставля́ть [-а́вить] (до́лжность); упраздня́ть [-ни́ть]; **~ion** [vəˈkeiʃən, *Am.* veiˈkeiʃən] оставле́ние; кани́кулы *f/pl.*; о́тпуск.
vaccin|ate [ˈvæksineit] ⚕ приви́(ва́)ть; **~ation** [væksiˈneiʃən] ⚕ приви́вка; **~e** [ˈvæksi:n] ⚕ вакци́на.
vacillate [ˈvæsileit] колеба́ться.
vacuum [ˈvækjuəm] *phys.* ва́куум; пустота́; ~ cleaner пылесо́с; ~ flask, ~ bottle те́рмос.
vagabond [ˈvægəbənd] **1.** бродя́га *m*; **2.** бродя́жничать.
vagrant [ˈveigrənt] **1.** бродя́га *m*; праздношата́ющийся; **2.** стра́нствующий; бродя́чий.
vague [veig] неопределённый, нея́сный, сму́тный.
vain [vein] □ тще́тный, напра́сный; пусто́й, су́етный; тщесла́вный; in ~ напра́сно, тще́тно; **~glorious** [veinˈglɔ:riəs] тщесла́вный; хвастли́вый.
valediction [væliˈdikʃən] проща́ние; проща́льная речь *f*.
valet [ˈvælit] **1.** камерди́нер; **2.** служи́ть камерди́нером.
valiant [ˈvæljənt] □ *rhet.* хра́брый, до́блестный.
valid [ˈvælid] ⚖ действи́тельный, име́ющий си́лу; ве́ский, обосно́ванный; **~ity** [vəˈliditi] действи́тельность *f* и т. д.
valley [ˈvæli] доли́на.
valo(u)r [ˈvælə] *rhet.* до́блесть *f*.
valuable [ˈvæljuəbl] **1.** □ це́нный; **2.** ~s *pl.* це́нности *f/pl.*
valuation [væljuˈeiʃən] оце́нка (иму́щества).
value [ˈvælju:] **1.** це́нность *f*; цена́; ☤ сто́имость *f*; ☤ валю́та; значе́ние; **2.** оце́нивать [-и́ть] (В); [о-] цени́ть (В); дорожи́ть (Т); **~less** [ˈvælju:lis] ничего́ не сто́ящий.
valve [ˈvælv] ⊕ кла́пан, ве́нтиль *m*; *radio* электро́нная ла́мпа.
van [væn] фурго́н; 🚂 бага́жный или това́рный ваго́н; ⚔ аванга́рд.
vane [vein] флю́гер; крыло́ (ветряно́й ме́льницы); ло́пасть *f* (винта́); лопа́тка (турби́ны).
vanguard [ˈvængɑ:d] ⚔ аванга́рд.
vanish [ˈvæniʃ] исчеза́ть [-е́знуть].
vanity [ˈvæniti] су́етность *f*; тщесла́вие; ~ bag да́мская су́мочка.
vanquish [ˈvæŋkwiʃ] побежда́ть [-еди́ть].
vantage [ˈvɑ:ntidʒ] преиму́щество.
vapid [ˈvæpid] □ безвку́сный, пре́сный; *fig.* ску́чный.
vapor|ize [ˈveipəraiz] испаря́ть(ся) [-ри́ть(ся)]; **~ous** [-rəs] парообра́зный; (*mst fig.*) тума́нный.
vapo(u)r [ˈveipə] **1.** пар; пары́; тума́н; *fig.* химе́ра, фанта́зия; **2.** бахва́литься.
varia|ble [ˈvɛəriəbl] □ непостоя́нный, изме́нчивый; переме́нный; **~nce** [-riəns] разногла́сие; ссо́ра; be at ~ расходи́ться во мне́ниях; находи́ться в противоре́чии; **~nt** [-riənt] **1.** ино́й; разли́чный; **2.** вариа́нт; **~tion** [vɛəriˈeiʃən] измене́ние; отклоне́ние; ♪ вариа́ция.
varie|d [ˈvɛərid] □ *s.* various; **~gate** [ˈvɛərigeit] де́лать пёстрым; разнообра́зить; **~ty** [vəˈraiəti] разнообра́зие; многосторо́нность *f*; разнови́дность *f*; ряд, мно́жество; ~ show варьете́ *n indecl.*
various [ˈvɛəriəs] ра́зный; разли́чный; разнообра́зный.
varnish [ˈvɑ:niʃ] **1.** лак; оли́фа; лакиро́вка (*a. fig.*); *fig.* прикра́са; **2.** [от]лакирова́ть; придава́ть лоск (Д); *fig.* прикра́шивать [-ра́сить] (недоста́тки).
vary [ˈvɛəri] изменя́ть(ся) [-ни́ть (-ся)]; ра́зниться; расходи́ться [разойти́сь] (о мне́ниях); разнообра́зить.
vase [vɑ:z] ва́за.
vast [vɑ:st] □ обши́рный, грома́дный.
vat [væt] чан; бо́чка, ка́дка.
vault [vɔ:lt] **1.** свод; склеп; подва́л, по́греб; *sport* прыжо́к (с упо́ром); **2.** выводи́ть свод над (Т); перепры́гивать [-гнуть].

vaunt [vɔ:nt] [по]хва́статься (of T).
veal [vi:l] теля́тина; *attr.* теля́чий.
veer [viə] меня́ть направле́ние (о ве́тре); *fig.* изменя́ть взгля́ды и т. п.
vegeta|ble [ˈvedʒitəbl] **1.** о́вощ; ~s *pl.* зе́лень *f*, о́вощи *m/pl.*; **2.** расти́тельный; овощно́й; **~rian** [vedʒiˈtɛəriən] **1.** вегетариа́нец (-нка); **2.** вегетариа́нский; **~te** [ˈvedʒiteit] *fig.* прозяба́ть.
vehemen|ce [ˈvi:iməns] си́ла; стреми́тельность *f*; стра́стность *f*; **~t** [-t] стреми́тельный; стра́стный.
vehicle [ˈvi:ikl] экипа́ж, пово́зка (и любо́е друго́е сре́дство тра́нспорта и́ли передвиже́ния); *fig.* сре́дство выраже́ния (мы́слей); проводни́к (зара́зы и т. п.).
veil [veil] **1.** покрыва́ло; вуа́ль *f*; *fig.* заве́са; **2.** закрыва́ть покрыва́лом, вуа́лью; *fig.* [за]маскирова́ть.
vein [vein] ве́на; жи́ла (*a.* ⚒); *fig.* [жи́лка; настрое́ние.
velocity [viˈlɔsiti] ско́рость *f*.
velvet [ˈvelvit] ба́рхат; *attr.* ба́рхатный; **~y** [-i] ба́рхатный (*fig.*); барха́тистый.
venal [ˈvi:nl] прода́жный, подкупно́й (*a.* подку́пный).
vend [vend] прод(ав)а́ть; **~er, ~or** [ˈvendə] продаве́ц.
veneer [vəˈniə] **1.** фане́ра; **2.** обкле́ивать фане́рой; *fig.* придава́ть (Д) вне́шний лоск.
venera|ble [ˈvenərəbl] □ почте́нный; **~te** [-reit] благогове́ть пе́ред (T); **~tion** [venəˈreiʃən] благогове́ние, почита́ние.
venereal [viˈniəriəl] венери́ческий.
Venetian [viˈni:ʃən] венециа́нский; ~ blind жалюзи́ *n indecl.*
vengeance [ˈvendʒəns] месть *f*, мще́ние.
venison [ˈvenzn] оле́нина.
venom [ˈvenəm] (*part.* змеи́ный) яд (*a. fig.*); **~ous** [-əs] □ ядови́тый (*a. fig.*).
vent [vent] **1.** отве́рстие; отду́шина; give ~ to изли́(ва́)ть (B); **2.** *fig.* изли́(ва́)ть (B), дава́ть вы́ход (Д).
ventilat|e [ˈventileit] прове́три(ва)ть; [про]вентили́ровать; *fig.* обсужда́ть [-уди́ть], выясня́ть [вы́яснить] (вопро́с); **~ion** [ventiˈleiʃən] прове́тривание; вентиля́ция; *fig.* выясне́ние, обсужде́ние (вопро́са).
venture [ˈventʃə] **1.** риско́ванное предприя́тие; спекуля́ция; at a ~ науга́д, науда́чу; **2.** рискова́ть [-кну́ть] (T); отва́жи(ва)ться на (B) (*a.* ~ upon); **~some** [-səm] □, **venturous** [-rəs] □ сме́лый; риско́ванный.
veracious [vəˈreiʃəs] правди́вый.
verb|al [ˈvə:bəl] □ слове́сный; у́стный; *gr.* глаго́льный; **~iage** [ˈvə:biidʒ] многосло́вие; **~ose** [vəːˈbous] □ многосло́вный.
verdant [ˈvə:dənt] □ зелене́ющий, зелёный.
verdict [ˈvə:dikt] ⚖ верди́кт; пригово́р (прися́жных) (*a. fig.*).
verdigris [ˈvə:digris] ярь-медя́нка.
verdure [ˈvə:dʒə] зе́лень *f*.
verge [və:dʒ] **1.** край; кайма́ (вокру́г клу́мбы); *fig.* грань *f*; on the ~ of на гра́ни (P); **2.** клони́ться (to к Д); приближа́ться [-ли́зиться] (to к Д); ~ (up)on грани́чить с (T).
veri|fy [ˈverifai] проверя́ть [-е́рить]; подтвержда́ть [-рди́ть]; **~table** [ˈveritəbl] □ настоя́щий, и́стинный.
vermin [ˈvə:min] *coll.* вреди́тели *m/pl.*, парази́ты *m/pl.*; **~ous** [ˈvə:minəs] кища́щий парази́тами.
vernacular [vəˈnækjulə] **1.** □ наро́дный (о выраже́нии); родно́й (о языке́); ме́стный (о диале́кте); **2.** наро́дный язы́к; ме́стный диале́кт; жарго́н.
versatile [ˈvə:sətail] □ многосторо́нний; подвижно́й.
verse [və:s] стих; стихи́ *m/pl.*; поэ́зия; строфа́; **~d** [və:st] о́пытный, све́дущий.
versify [ˈvə:sifai] *v/t.* перелага́ть на стихи́; *v/i.* писа́ть стихи́.
version [ˈvə:ʃən] вариа́нт; ве́рсия; перево́д.
vertebral [ˈvə:tibrəl] позвоно́чный.
vertical [ˈvə:tikəl] □ вертика́льный; отве́сный.
vertig|inous [vəːˈtidʒinəs] □ головокружи́тельный.
verve [vɛəv] жи́вость *f* (изображе́ния); разма́х.
very [ˈveri] **1.** *adv.* о́чень; the ~ best са́мое лу́чшее; **2.** *adj.* настоя́щий, су́щий; са́мый (как усиле́ние); the ~ same тот са́мый; the ~ thing и́менно то, что ну́жно; the ~

thought уже́ одна́ мысль *f*, сама́ мысль *f*; the ~ stones да́же ка́мни *m/pl.*; the veriest rascal после́дний негодя́й.
vesicle [ˈvesikl] пузырёк.
vessel [ˈvesl] сосу́д; су́дно, кора́бль *m.*
vest [vest] **1.** жиле́т; нате́льная фуфа́йка; вста́вка (в пла́тье); **2.** *v/t.* облека́ть [-е́чь] (with T); *v/i.* переходи́ть во владе́ние (in P).
vestibule [ˈvestibju:l] вестибю́ль *m.*
vestige [ˈvestidʒ] след.
vestment [ˈvestment] одея́ние; *eccl.* облаче́ние, ри́за.
vestry [ˈvestri] *eccl.* ри́зница; **~man** [-mən] член прихо́дского управ-ле́ния.
veteran [ˈvetərən] **1.** ветера́н; бы-ва́лый солда́т; **2.** *attr.* ста́рый, о́пытный.
veterinary [ˈvetnri] **1.** ветерина́р (*mst* ~ surgeon); **2.** ветерина́рный.
veto [ˈvi:tou] **1.** ве́то *n indecl.*; **2.** налага́ть ве́то на (В).
vex [veks] досажда́ть [досади́ть], раздража́ть [-жи́ть]; **~ation** [vekˈseiʃən] доса́да, неприя́тность *f*; **~atious** [-ʃəs] доса́дный.
via [ˈvaiə] че́рез (В) (на пи́сьмах и т. п.).
vial [ˈvaiəl] пузырёк, буты́лочка.
viands [ˈvaiəndz] *pl.* я́ства *n/pl.*
vibrat|e [vaiˈbreit] [по]колеба́ться, вибри́ровать; **~ion** [-ʃən] вибра́ция.
vice [vais] **1.** поро́к; недоста́ток; ⊕ тиски́ *m/pl.*; **2.** *pref.* ви́це...; **~roy** [ˈvaisrɔi] ви́це-коро́ль *m.*
vice versa [ˈvaisiˈvə:sə] наоборо́т.
vicinity [viˈsiniti] окре́стность *f*; бли́зость *f.*
vicious [ˈviʃəs] □ поро́чный; зло́й.
vicissitude [viˈsisitju:d] : *mst* ~s *pl.* превра́тности *f/pl.*
victim [ˈviktim] же́ртва; **~ize** [-timaiz] де́лать свое́й же́ртвой; [за]му́чить.
victor [ˈviktə] победи́тель *m*; **~ious** [vikˈtɔ:riəs] □ победоно́сный; **~y** [ˈviktəri] побе́да.
victual [ˈvitl] **1.** *v/i.* запаса́ться прови́зией; *v/t.* снабжа́ть прови́зией; **2.** *mst* ~s *pl.* продово́льствие, прови́зия; **~ler** [ˈvitlə] поставщи́к продово́льствия.
video [ˈvidiou] *adj.* телевизио́нный.
vie [vai] сопе́рничать.
view [vju:] **1.** вид (of на В); по́ле зре́ния, кругозо́р; взгляд; наме́рение; осмо́тр; in ~ of ввиду́ (Р); on ~ (вы́ставленный) для обозре́ния; with a ~ to *or* of + *ger.* с наме́рением (+ *inf.*); have in ~ име́ть в виду́; **2.** осма́тривать [осмотре́ть]; рассма́тривать [-мотре́ть]; [по]смотре́ть на (В); **~point** то́чка зре́ния.
vigil|ance [ˈvidʒiləns] бди́тельность *f*; **~ant** [-lənt] □ бди́тельный.
vigo|rous [ˈvigərəs] □ си́льный, энерги́чный; **~(u)r** [ˈvigə] си́ла, эне́ргия.
vile [vail] □ ме́рзкий, ни́зкий.
vilify [ˈvilifai] поно́сить, [о]черни́ть.
village [ˈvilidʒ] село́, дере́вня; *attr.* се́льский, дереве́нский; **~r** [-ə] се́льский (-кая) жи́тель(ница *f*) *m.*
villain [ˈvilən] злоде́й, негодя́й; **~ous** [-əs] злоде́йский; по́длый; **~y** [-i] злоде́йство; по́длость *f.*
vim [vim] F эне́ргия, си́ла.
vindic|ate [ˈvindikeit] отста́ивать [отстоя́ть] (пра́во и т. п.); реабилити́ровать (*im*)*pf.*; опра́вдывать [-да́ть]; **~tive** [vinˈdiktiv] □ мсти́тельный.
vine [vain] виногра́дная лоза́; **~gar** [ˈvinigə] у́ксус; **~-growing** виногра́дарство; **~yard** [ˈvinjəd] виногра́дник.
vintage [ˈvintidʒ] сбор виногра́да; вино́ (из сбо́ра определённого го́да).
violat|e [ˈvaiəleit] наруша́ть [-у́шить], преступа́ть [-пи́ть] (кля́тву, зако́н и т. п.); [из]наси́ловать; **~ion** [vaiəˈleiʃən] наруше́ние; изнаси́лование.
violen|ce [ˈvaiələns] нейстовство; наси́лие; **~t** [-t] □ нейстовый; я́ростный; наси́льственный.
violet [ˈvaiəlit] фиа́лка; фиоле́товый цвет.
violin [vaiəˈlin] ♪ скри́пка.
viper [ˈvaipə] гадю́ка.
virago [viˈreigou] сварли́вая же́нщина.
virgin [ˈvə:dʒin] **1.** де́вственница; *poet. a. eccl.* де́ва; **2.** □ де́вственный (*a.* ~al); **~ity** [və:ˈdʒiniti] де́вственность *f.*
viril|e [ˈvirail] возмужа́лый; му-

жественный; **~ity** [viˈriliti] мужество; возмужáлость *f*.

virtu [ˈvəːtuː] понимáние тóнкостей искýсства; article of ~ худóжественная рéдкость *f*; **~al** [ˈvəːtjuəl] □ фактúческий; **~e** [ˈvəːtjuː] добродéтель *f*; достóинство; in ~ of посрéдством (Р); в сúлу (Р); **~ous** [ˈvəːtjuəs] □ добродéтельный; целомýдренный.

virulent [ˈvirulənt] вирулéнтный (яд); опáсный (о болéзни); *fig.* злóбный.

visa [ˈviːzə] *s.* visé.

viscount [ˈvaikaunt] викóнт.

viscous [ˈviskəs] □ вя́зкий; тягýчий (о жúдкости).

visé [ˈviːzei] **1.** вúза; **2.** визúровать (*im*)*pf.*, *pf. a.* [за-].

visible [ˈvizəbl] □ вúдимый; вúдный; *fig.* я́вный, очевúдный; *pred.* is he ~? принимáет ли он?

vision [ˈviʒən] зрéние; вид; видéние; *fig.* проницáтельность *f*; **~ary** [ˈviʒənəri] **1.** прúзрачный; фантастúческий; мечтáтельный; **2.** провúдец (-дица); мечтáтель(ница *f*) *m*.

visit [ˈvizit] **1.** *v/t.* навещáть [-естúть]; посещáть [-етúть]; осмáтривать [-мотрéть]; *fig.* постигáть [-úгнуть] *or* [-úчь]; *v/i.* дéлать визúты; гостúть; **2.** посещéние, визúт; **~ation** [viziˈteiʃən] официáльное посещéние; *fig.* испытáние, кáра; **~or** [ˈvizitə] посетúтель (-ница *f*) *m*, гóсть(я *f*) *m*; инспéктор.

vista [ˈvistə] перспектúва; вид.

visual [ˈvizjuəl] □ зрúтельный; нагля́дный; оптúческий; **~ize** [-aiz] нагля́дно представля́ть себé, мы́сленно вúдеть.

vital [ˈvaitl] □ жúзненный; насýщный, сущéственный; живóй (стиль); ~s, ~ parts *pl.* жúзненно вáжные óрганы *m/pl.*; **~ity** [vaiˈtæliti] жизнеспосóбность *f*, жúзненность *f*, живýчесть *f*; **~ize** [ˈvaitəlaiz] оживля́ть [-вúть].

vitamin(e) [ˈvaitəmin] витамúн.

vitiate [ˈviʃieit] [ис]пóртить; дéлать недействúтельным.

vivaci|ous [viˈveiʃəs] □ живóй, оживлённый; **~ty** [-ˈvæsiti] живость *f*, оживлённость *f*.

vivid [ˈvivid] □ *fig.* живóй, я́ркий.

vivify [ˈvivifai] оживля́ть [-вúть].

vixen [ˈviksn] лисúца-сáмка.

vocabulary [vəˈkæbjuləri] словáрь *m*, спúсок слов; запáс слов.

vocal [ˈvoukəl] □ голосовóй; звучáщий; ♪ вокáльный.

vocation [vouˈkeiʃən] призвáние; профéссия; **~al** [-l] □ профессионáльный.

vociferate [vouˈsifəreit] грóмко кричáть, горлáнить.

vogue [voug] мóда; популя́рность *f*.

voice [vɔis] **1.** гóлос; give ~ to выражáть [вы́разить] (В); **2.** выражáть [вы́разить] (словáми).

void [vɔid] **1.** пустóй; лишённый (of Р); недействúтельный; **2.** пустотá; вáкуум; **3.** ⚕ опорожня́ть [-рóжнить]; дéлать недействúтельным.

volatile [ˈvɔlətail] ⚗ летýчий (*a. fig.*); *fig.* измéнчивый.

volcano [vɔlˈkeinou] (*pl.*: volcanoes) вулкáн.

volition [vouˈliʃən] волевóй акт, хотéние; вóля.

volley [ˈvɔli] **1.** залп; *fig.* град (упрёков и т. п.); **2.** стреля́ть зáлпами; сы́паться грáдом; *fig.* испускáть [-устúть] (крúки, жáлобы).

voltage [ˈvoultidʒ] ⚡ напряжéние.

voluble [ˈvɔljubl] речúстый, многоречúвый.

volum|e [ˈvɔljum] том; объём; ёмкость *f*, вместúтельность *f*; *fig.* сúла, полнотá (звýка и т. п.); **~inous** [vəˈljuːminəs] □ объёмистый; многотóмный; общúрный.

volunt|ary [ˈvɔləntəri] □ добровóльный; добровóльческий; **~eer** [vɔlənˈtiə] **1.** добровóлец; **2.** *v/i.* вызывáться [вы́зваться] (for на В); идтú добровóльцем; *v/t.* предлагáть [-ложúть] (своЮ пóмощь и т. п.).

voluptu|ary [vəˈlʌptjuəri] сладострáстник, сластолю́бец; **~ous** [-s] сладострáстный; (*of people*) сластолюбúвый.

vomit [ˈvɔmit] **1.** рвóта; **2.** [вы́-] рвать: he ~s егó рвёт; *fig.* извергáть [-éргнуть].

voraci|ous [voˈreiʃəs] □ прожóрливый, жáдный; **~ty** [voˈræsiti] прожóрливость *f*.

vortex [ˈvɔːteks] *mst fig.* водоворóт; *mst fig.* вихрь

vote [vout] **1.** голосова́ние; баллотиро́вка; (избира́тельный) го́лос; пра́во го́лоса; во́тум; реше́ние; cast a ~ отдава́ть го́лос (for за В; against про́тив Р); **2.** *v/i.* голосова́ть *(im)pf., pf. a.* [про-] (for за В; against про́тив Р); *v/t.* голосова́ть *(im)pf., pf. a.* [про-]; **~r** ['voutə] избира́тель(ница *f*) *m.*
voting... ['voutiŋ] избира́тельный.
vouch [vautʃ]: ~ for руча́ться [поручи́ться] за (В); **~er** ['vautʃə] распи́ска; оправда́тельный докуме́нт; поручи́тель *m*; **~safe** [vautʃ'seif] удоста́ивать [-сто́ить] (В/Т).
vow [vau] **1.** обе́т, кля́тва; **2.** *v/t.* [по]кля́сться в (П).
vowel ['vauəl] гла́сный (звук).
voyage [vɔidʒ] **1.** путеше́ствие (мо́рем); **2.** путеше́ствовать (по́ морю).
vulgar ['vʌlgə] □ гру́бый, вульга́рный; по́шлый; широко́ распространённый; ~ tongue наро́дный язы́к; **~ize** [-raiz] опошля́ть [опо́шлить]; вульгаризи́ровать *(im)pf.*
vulnerable ['vʌlnərəbl] □ *fig.* уязви́мый.
vulture ['vʌltʃə] *zo.* стервя́тник; *fig.* хи́щник.

W

wad [wɔd] **1.** клочо́к ва́ты, ше́рсти и т. п.; пыж; **2.** набива́ть и́ли подбива́ть ва́той; забива́ть пыжо́м; **~ding** ['wɔdiŋ] наби́вка, подби́вка.
waddle ['wɔdl] ходи́ть вперева́лку.
wade [weid] *v/t.* переходи́ть вброд; *v/i.* проб(и)ра́ться (through по Д *or* че́рез В).
wafer ['weifə] обла́тка; ва́фля.
waffle ['wɔfl] *part. Am.* ва́фля.
waft [wɑːft] **1.** дунове́ние (ве́тра); струя́ (за́паха); **2.** носи́ть(ся), [по-] нести́(сь) (по во́здуху).
wag [wæg] **1.** шутни́к; **2.** маха́ть [махну́ть] (Т), виля́ть [вильну́ть] (Т); ~ one's finger грози́ть па́льцем.
wage [weidʒ] **1.** вести́ (войну́); **2.** *mst* **~s** ['weidʒiz] *pl.* за́работная пла́та.
waggish ['wægiʃ] □ шаловли́вый; заба́вный, коми́чный.
waggle ['wægl] F пома́хивать (Т); пока́чивать(ся).
wag(g)on ['wægən] пово́зка, теле́га; F де́тская коля́ска; 🚂 *Brit.* ваго́н-платфо́рма; **~er** [-ə] во́зчик.
waif [weif] беспризо́рник; бездо́мный челове́к; бро́шенная вещь *f.*
wail [weil] **1.** вопль *m*; вой (ве́тра); причита́ние; **2.** [за]вопи́ть; вы́ть, завы́(ва́)ть; причита́ть.
waist [weist] та́лия; ⚓ шкафу́т; **~coat** ['weiskout, 'weskət] жиле́т.
wait [weit] *v/i.* ждать (for В *or* Р), ожида́ть (for Р), подожда́ть *pf.* (for В *or* Р); (ча́сто: ~ at table) прислу́живать [-жи́ть] (за столо́м); ~ (up)on прислу́живать (Д); ~ and see занима́ть выжида́тельную пози́цию; *v/t.* выжида́ть [вы́ждать] (В); ~ dinner подожда́ть с обе́дом (for В); **~er** ['weitə] официа́нт.
waiting ['weitiŋ] ожида́ние; **~-room** приёмная; 🚂 зал ожида́ния.
waitress ['weitris] официа́нтка.
waive [weiv] отка́зываться [-за́ться] от (пра́ва и т. п.); **~r** ['weivə] ⚖ отка́з (от пра́ва, тре́бования).
wake [weik] **1.** ⚓ кильва́тер; **2.** [*irr.*] *v/i.* бо́дрствовать; (*mst* ~ up) просыпа́ться [просну́ться], пробужда́ться [-уди́ться]; *v/t.* [раз]буди́ть, пробужда́ть [-уди́ть]; возбужда́ть [-уди́ть] (жела́ния и т. п.); **~ful** ['weikful] □ бессо́нный; бди́тельный; **~n** ['weikən] *s.* wake 2.
wale [weil] полоса́, рубе́ц.
walk [wɔːk] **1.** *v/i.* ходи́ть, идти́ [пойти́] (пешко́м); [по]гуля́ть;

появля́ться [-ви́ться] (о привидении); *v/t.* прогу́ливать (ло́шадь и т. п.); обходи́ть [обойти́]; **2.** ходьба́; похо́дка; прогу́лка пешко́м; тропа́, алле́я; ~ of life общественное положе́ние; профе́ссия.
walking ['wɔ:kiŋ] **1.** ходьба́; **2.** гуля́ющий; ходя́чий; ~ tour экску́рсия пешко́м; **~-stick** трость *f.*
walk|-out ['wɔ:k'aut] *Am.* забасто́вка; **~-over** лёгкая побе́да.
wall [wɔ:l] **1.** стена́; сте́нка (сосу́да); **2.** обноси́ть стено́й; ~ up заде́л(ыв)ать (дверь и т. п.).
wallet ['wɔlit] бума́жник.
wallflower ⚘ желтофио́ль *f*; *fig.* де́вушка, оста́вшаяся без кавале́ра (на балу́).
wallop ['wɔləp] F [по]би́ть, [по-, от]колоти́ть.
wallow ['wɔlou] валя́ться, бара́хтаться.
wall|-paper ['wɔ:lpeipə] обо́и *m/pl.*; **~-socket** ⚡ штепсельная розе́тка.
walnut [-nət] ⚘ гре́цкий оре́х.
walrus ['wɔ:lrəs] *zo.* морж.
waltz [wɔ:ls] **1.** вальс; **2.** вальси́ровать.
wan [wɔn] □ бле́дный; изнурённый; ту́склый.
wand [wɔnd] (волше́бная) па́лочка.
wander ['wɔ:ndə] броди́ть; стра́нствовать; блужда́ть (та́кже о взгля́де, мы́слях и т. п.).
wane [wein] **1.** убыва́ние (луны́); **2.** уменьша́ться [уме́ньши́ться]; убы́(ва́)ть, быть на ущéрбе (о луне́); подходи́ть к концу́.
wangle ['wæŋgl] *sl.* ухитря́ться получи́ть.
want [wɔnt] **1.** недоста́ток (of P *or* в П); нужда́; потре́бность *f*; бе́дность *f*; **2.** *v/i.* be ~ing: he is ~ing in patience ему́ недостаёт терпе́ния; ~ for нужда́ться в (П); *v/t.* [за]хоте́ть (P *a.* B); [по]жела́ть (P *a.* B); нужда́ться в (Д); he ~s energy ему́ недостаёт эне́ргии; what do you ~? что вам ну́жно?; ~ed (в объявле́ниях) тре́буется, ⚖ разы́скивается.
wanton ['wɔntən] **1.** □ ре́звый; произво́льный; бу́йный (о ро́сте); похотли́вый; распу́тный; **2.** резви́тьоя.
war [wɔ:] **1.** война́; *fig.* борьба́; make ~ вести́ войну́ ([up]on с T); **2.** *attr.* вое́нный; **3.** воева́ть.
warble ['wɔ:bl] издава́ть тре́ли; [с]пе́ть (о пти́цах).
ward [wɔ:d] **1.** опека́емый; райо́н (го́рода); (больни́чная) пала́та; (тюре́мная) ка́мера; ~s *pl.* боро́дка (ключа́); **2.** ~ (off) отража́ть [отрази́ть], отвраща́ть [-рати́ть] (уда́р); **~er** ['wɔ:də] тюре́мщик; **~robe** ['wɔ:droub] гарде́роб; ~ trunk чемода́н-шка́ф.
ware [wɛə] (в сло́жный слова́х) посу́да; ~s *pl.* това́р(ы *pl.*).
warehouse 1. ['wɛəhaus] това́рный склад; пакга́уз; **2.** [-hauz] помеща́ть в склад; храни́ть на скла́де.
warfare ['wɔ:fɛə] война́, веде́ние войны́.
wariness ['wɛərinis] осторо́жность *f.*
warlike ['wɔ:laik] во́инственный.
warm [wɔ:m] **1.** □ тёплый (*a. fig.*); *fig.* горя́чий; **2.** согрева́ние; **3.** [на-, со]гре́ть, нагре́(ва́)ть(ся), согре́(ва́)ть(ся) (*a.* ~ up); **~th** [-θ] тепло́; теплота́ (*a. fig.*).
warn [wɔ:n] предупрежда́ть [-предить] (of, against о П); предостерега́ть [-стере́чь] (of, against от P); **~ing** ['wɔ:niŋ] предупрежде́ние; предостереже́ние.
warp [wɔ:p] [по]коро́бить(ся) (о де́реве); *fig.* извраща́ть [-рати́ть], искажа́ть [искази́ть] (взгля́ды и т. п.).
warrant ['wɔrənt] **1.** правомо́чие; руча́тельство; ⚖ дове́ренность *f*; ~ of arrest прика́з об аре́сте; **2.** опра́вдывать [-да́ть]; руча́ться [поручи́ться] за (B); † гаранти́ровать (*im*)*pf.*; **~y** [-i] гара́нтия; руча́тельство.
warrior ['wɔriə] *poet.* бое́ц, во́ин.
wart [wɔ:t] борода́вка; наро́ст (на стволе́ де́рева).
wary ['wɛəri] □ осторо́жный.
was [wɔz, wəz] *pt.* от be.
wash [wɔʃ] **1.** *v/t.* [вы́]мыть; обмы́(ва́)ть; промы́(ва́)ть; [вы́]стира́ть; *v/i.* [вы́]мы́ться; стира́ться (о мате́рии); плеска́ться; **2.** мытьё; сти́рка; бельё (для сти́рки); прибо́й; помо́и *m/pl.*; *pharm.* примо́чка; **~able** ['wɔʃəbl] (хорошо́) стира́ющийся; **~-basin** ['wɔʃbeisn] таз; умыва́льная ра́ковина; **~-cloth** тря́почка для мытья́; **~er** ['wɔʃə] мо́йщик (-ица); промыва́тель *m*; стира́льная маши́на; ⊕ ша́йба,

прокла́дка; **~(er)woman** пра́чка; **~ing** [ˈwɔʃiŋ] **1.** мытьё; сти́рка; бельё (для сти́рки); **2.** стира́льный; стира́ющийся; **~y** [ˈwɔʃi] жи́дкий, водяни́стый.
wasp [wɔsp] оса́.
wastage [ˈweistidʒ] изна́шивание; поте́ри уте́чкой, усу́шкой и т. п.
waste [weist] **1.** пусты́ня; поте́ря; изли́шняя тра́та; отбро́сы *m/pl.*; ⊕ отхо́ды *m/pl.*; уга́р; lay ~ опустоша́ть [-ши́ть]; **2.** пусты́нный; невозде́ланный; опустошённый; **3.** *v/t.* расточа́ть [-чи́ть] (де́ньги и т. п.); [по]теря́ть (вре́мя); опустоша́ть [-ши́ть]; изнуря́ть [-ри́ть] (органи́зм); *v/i.* истоща́ться [-щи́ться]; **~ful** [ˈweistful] □ расточи́тельный; **~-paper:** ~ basket корзи́на для бума́ги.
watch [wɔtʃ] **1.** стра́жа; сто́рож; ⚓ ва́хта; (карма́нные и́ли нару́чные) часы́ *m/pl.*; **2.** *v/i.* [по]карау́лить (over В); стоя́ть на стра́же; бо́дрствовать; ~ for выжида́ть [вы́ждать] (В); *v/t.* [по]сторожи́ть; наблюда́ть, следи́ть за (Т); выжида́ть [вы́ждать]; **~-dog** сторожево́й пёс; **~ful** [ˈwɔtʃful] □ бди́тельный; **~maker** часовщи́к; **~man** [-mən] (ночно́й) сто́рож; **~word** паро́ль *m*; ло́зунг.
water [ˈwɔːtə] **1.** вода́; ~s *pl.* во́ды *f/pl.*; drink the ~s пить целе́бные во́ды; *attr.* водяно́й; во́дный; водо…; **2.** *v/t.* ороша́ть [ороси́ть]; [на]пои́ть (живо́тных); поли́(ва́)ть; (*a.* ~ down) разбавля́ть водо́й; *fig.* чересчу́р смягча́ть; *v/i.* слези́ться; ходи́ть на водопо́й; набира́ть во́ду (о корабле́); **~fall** водопа́д; **~-gauge** водоме́р.
watering [ˈwɔːtəriŋ]: **~-can, ~-pot** ле́йка; **~-place** водопо́й; во́ды *f/pl.*, куро́рт с минира́льными во́дами; морско́й куро́рт.
water|-level у́ровень воды́; ⊕ ватерпа́с; **~man** [ˈwɔːtəmən] ло́дочник, перево́зчик; **~proof** **1.** непромока́емый; **2.** непромока́емый плащ *m*; **3.** придава́ть водонепроница́емость (Д); **~shed** водоразде́л; бассе́йн реки́; **~-side** бе́рег; *attr.* располо́женный на берегу́; **~tight** водонепроница́емый; *fig.* выде́рживающий кри́тику; **~-way** во́дный путь *m*; фарва́тер; **~works** *pl.*, *a. sg.* водопро́во́дная ста́нция; **~y** [ˈwɔːtəri] водяни́стый (*a. fig.*).
wattle [ˈwɔtl] **1.** плете́нь *m*; **2.** [с]плести́; стро́ить из плетня́.
wave (weiv) **1.** волна́; знак (руко́й); зави́вка (причёски); **2.** *v/t.* [по-]маха́ть, де́лать знак (Т); зави́(ва́)ть (во́лосы); ~ a p. away де́лать знак кому́-либо, что́бы он удали́лся; ~ aside *fig.* отма́хиваться [-хну́ться] от (Р); *v/i.* развева́ться (о знамёнах); волнова́ться (о ни́ве); кача́ться (о ве́тке); ви́ться (о волоса́х); **~-length** длина́ волны́.
waver [ˈweivə] [по]колеба́ться; колыха́ться [-хну́ться] (о пла́мени); дро́гнуть (о войска́х) *pf.*
wavy [ˈweivi] волни́стый.
wax[1] [wæks] **1.** воск; сургу́ч; ушна́я се́ра; *attr.* восково́й; **2.** [на-]вощи́ть.
wax[2] [~] [*irr.*] прибы́(ва́)ть (о луне́).
wax|en [ˈwæksən] (*mst fig.*) восково́й; *fig.* мя́гкий как воск; **~y** [ˈwæksi] □ восково́й; похо́жий на воск.
way [wei] *mst* доро́га, путь *m*; сторона́, направле́ние; ме́тод; сре́дство; обы́чай, привы́чка; о́бласть *f*, сфе́ра; состоя́ние; отноше́ние; (*a.* ~s *pl.*) о́браз (жи́зни, мы́слей); ~ in, out вход, вы́ход; this ~ сюда́; by the ~ кста́ти, ме́жду про́чим; по доро́ге; by ~ of ра́ди (Р); в ка́честве (Р); on the ~ в пути́; по доро́ге; out of the ~ находя́щийся в стороне́; необы́чный; необыкнове́нный; under ~ ⚓ на ходу́ (*a. fig.*); give ~ уступа́ть [-пи́ть] (Д); have one's ~ добива́ться своего́; наста́ивать на своём; lead the ~ идти́ во главе́; пока́зывать приме́р; **~-bill** накладна́я; спи́сок пассажи́ров; **~farer** пу́тник; **~lay** [weiˈlei] [*irr.* (lay)] подстерега́ть [-ре́чь]; **~side** **1.** обочи́на; **2.** придоро́жный; **~ward** [ˈweiwəd] □ своенра́вный; капри́зный.
we [wiː, wi] *pron. pers.* мы.
weak [wiːk] □ сла́бый; **~en** [ˈwiːkən] *v/t.* ослабля́ть [-а́бить]; *v/i.* [о]слабе́ть; **~ly** [-li] хи́лый; *adv.* сла́бо; **~-minded** [ˈwiːkˈmaindid] слабоу́мный; **~ness** [-nis] сла́бость *f.*
weal[1] [wiːl] бла́го.
weal[2] [~] *s.* wale.
wealth [welθ] бога́тство; изоби́лие; **~y** [ˈwelθi] □ бога́тый.

wean [wi:n] отнимáть от груди́; отучáть [-чи́ть] (from, of от P).
weapon ['wepən] ору́жие; *fig.* срéдство (самозащи́ты).
wear [wɛə] **1.** [*irr.*] *v/t.* носи́ть (одéжду); (*a.* ~ away, down, off) стирáть [стерéть], изнáшивать [износи́ть]; *fig.* изнуря́ть [-ри́ть], истощáть [-щи́ть] (*mst* ~ out); *v/i.* носи́ться (о плáтье); ~ on мéдленно тяну́ться (о врéмени); **2.** ношéние, нóска (одéжды); одéжда, плáтье; (*a.* ~ and tear, *part.* ⊕) изнóс, изнáшивание; be the ~ быть в мóде.
wear|iness ['wiərinis] устáлость *f*; утомлённость *f*; **~isome** [-səm] □ утоми́тельный; **~y** ['wiəri] **1.** □ утомлённый; утоми́тельный; **2.** утомля́ть(ся) [-ми́ть(ся)].
weasel ['wi:zl] *zo.* лáска.
weather ['weðə] **1.** погóда; **2.** *v/t.* вывéтривать [вы́ветрить]; вы- дéрживать [вы́держать] (бу́рю) (*a. fig.*); подвергáть атмосфéрному влия́нию; *v/i.* вывéтриваться [вы́ветриться]; подвергáться атмосфéрному влия́нию; **~-beaten, ~-worn** обвéтренный; закалённый (о человéке); повреждённый бу́рями.
weav|e [wi:v] [*irr.*] [со]ткáть; [с]плести́; *fig.* сочиня́ть [-ни́ть]; **~er** ['wi:və] ткач, ткачи́ха.
web [web] ткань *f*; паути́на; (плáвательная) перепóнка; **~bing** ['webiŋ] ткáная тесьмá.
wed [wed] выдавáть зáмуж; жени́ть (*im*)*pf.*; сочетáть брáком; **~ding** ['wediŋ] **1.** свáдьба; **2.** свáдебный.
wedge [wedʒ] **1.** клин; **2.** закрепля́ть клинóм; раскáлывать при пóмощи клина; (*a.* ~ in) вкли́нивать(ся) [-ни́ть(ся)]; ~ o. s. in вти́скиваться [вти́снуться].
wedlock ['wedlɔk] брак.
Wednesday ['wenzdi] средá (день).
wee [wi:] крóшечный, мáленький.
weed [wi:d] **1.** сóрная травá, сорня́к; **2.** [вы́]полóть; **~s** [-z] *pl.* вдóвий трáур; **~y** ['wi:di] зарóсший сóрной травóй; F *fig.* долговя́зый, тóщий.
week [wi:k] недéля; by the ~ понедéльно; this day ~ недéлю тому́ назáд; чéрез недéлю; **~-day** бу́дний день *m*; **~-end** нерабóчее врéмя от суббóты до понедéльника; **~ly** ['wi:kli] **1.** еженедéльный; недéльный; **2.** еженедéльник.
weep [wi:p] [*irr.*] [за]плáкать; покрывáться кáплями; **~ing** ['wi:piŋ] плаку́чий (об и́ве, берёзе).
weigh [wei] *v/t.* взвéшивать [-éсить] (*a. fig.*); ~ anchor поднимáть я́корь; **~ed** down отягощённый; *v/i.* вéсить; взвéшиваться [-éситься]; *fig.* имéть вес, значéние; ~ (up)on тяготéть над (T).
weight [weit] **1.** вес; тя́жесть *f*; ги́ря; *sport* штáнга; брéмя *n*; влия́ние; **2.** отягощáть [-готи́ть]; *fig.* обременя́ть [-ни́ть]; **~y** ['weiti] □ тяжёлый; *fig.* вáжный, вéский.
weird [wiəd] таи́нственный; рокoвóй; F стрáнный, непоня́тный.
welcome ['welkəm] **1.** привéтствие; you are ~ to *inf.* я охóтно позволя́ю вам (+ *inf.*); (you are) ~ нé за что!; ~! добрó пожáловать!; **2.** желáнный; прия́тный; **3.** привéтствовать (*a. fig.*); раду́шно принимáть.
weld [weld] ⊕ свáривать(ся) [-и́ть (-ся)].
welfare ['welfɛə] благосостоя́ние; ~ work рабóта по улучшéнию бытовы́х услóвий населéния.
well[1] [wel] **1.** кoлóдец; родни́к; *fig.* истóчник; пролёт (лéстницы); ⊕ буровáя сквáжина; **2.** хлы́нуть *pf.*; бить ключóм.
well[2] [~] **1.** хорошó; ~ off состоя́тельный; I am not ~ мне нездорóвится; **2.** *int.* ну! *or* ну, ...; **~-being** благополу́чие; **~-bred** благовоспи́танный; **~-favo(u)red** привлекáтельный; **~-mannered** с хорóшими манéрами; **~-timed** своеврéменный; **~-to-do** [-tə'du:] состоя́тельный, зажи́точный; **~-worn** поношенный; *fig.* изби́тый.
Welsh [welʃ] **1.** уэ́льский, валли́йский; **2.** валли́йский язы́к; the ~ валли́йцы *m/pl.*
welt [welt] рант (на óбуви); полосá (от удáра кнутóм и т. п.).
welter ['weltə] **1.** суматóха, сумбу́р; **2.** валя́ться, барáхтаться.
wench [wentʃ] дéвка, (крестья́нская) дéвушка.
went [went] *pt.* от go.
wept [wept] *pt.* и *p. pt.* от weap.
were [wə:, wə] *pt. pl.* от be.

west [west] **1.** за́пад; **2.** за́падный; **3.** *adv.* к за́паду, на за́пад; ~ of к за́паду от (P); **~erly** ['westəli], **~ern** ['westən] за́падный; **~ward**(s) ['westwəd(z)] на за́пад.

wet [wet] **1.** дождли́вая пого́да; мокрота́; **2.** мо́крый; вла́жный, сыро́й; дождли́вый; **3.** [*irr.*] [на-] мочи́ть, нама́чивать [-мочи́ть]; увлажня́ть [-ни́ть].

wether ['weðə] кастри́рованный бара́н.

wet-nurse ['wetnə:s] корми́лица.

whale [weil] кит; **~bone** ['weilboun] кито́вый ус; **~r** ['weilə] китобо́йное су́дно; китоло́в.

whaling ['weiliŋ] охо́та на кито́в.

wharf [wɔ:f] (това́рная) при́стань *f*; на́бережная.

what [wɔt] **1.** что?; ско́лько ...?; **2.** то, что; что; ~ about ...? что но́вого о ...?; ну, как ...?; ~ for? заче́м?; ~ a blessing! кака́я благода́ть!; **3.** ~ with ... ~ with отча́сти от (P) ... отча́сти от (P); **~(so)ever** [wɔt(sou)'evə] како́й бы ни; что бы ни; **there is no doubt whatever** нет никако́го сомне́ния.

wheat [wi:t] пшени́ца.

wheel [wi:l] **1.** колесо́; гонча́рный круг; *mot.* руль *m*; **2.** ката́ть, [по-] кати́ть (коля́ску и т. п.); е́хать на велосипе́де; опи́сывать круги́; повора́чивать(ся) [поверну́ть(ся)]; ⚔ заходи́ть фла́нгом; ⚔ right ~! ле́вое плечо́ вперёд — марш!; **~-barrow** та́чка; **~-chair** кре́сло на колёсах (для инвали́да); **~ed** [wi:ld] колёсный, на колёсах.

wheeze [wi:z] дыша́ть с при́свистом.

when [wen] **1.** когда́?; **2.** *conj.* когда́, в то вре́мя как, как то́лько; тогда́ как.

whence [wens] отку́да.

when(so)ever [wen(sou)'evə] вся́кий раз когда́; когда́ бы ни.

where [wɛə] где, куда́; from ~ отку́да; **~about**(s) **1.** ['wɛərə'baut(s)] где?, о́коло како́го ме́ста?; **2.** ['wɛərəbaut(s)] местонахожде́ние; **~as** [wɛər'æz] тогда́ как; поско́льку; **~by** [wɛə'bai] посре́дством чего́; **~fore** ['wɛəfɔ:] почему́?; **~in** [wɛər'in] в чём; **~of** [wɛər'ɔv] из кото́рого; о кото́ром; о чём; **~upon** [wɛərə'pɔn] по́сле чего́; **~ver** [wɛər'evə] где бы ни, куда́ бы ни; **~withal** [-wi'ðɔ:l] необходи́мые сре́дства *n/pl.*

whet [wet] [на]точи́ть (на оселке́).

whether ['weðə] ... ли; ~ **or no** так и́ли и́наче; во вся́ком слу́чае.

whetstone ['wetstoun]точи́льный ка́мень *m*.

whey [wei] сы́воротка.

which [witʃ] **1.** кото́рый?; како́й?; **2.** кото́рый; что; **~ever** [-'evə] како́й уго́дно, како́й бы ни ...

whiff [wif] **1.** дунове́ние, струя́ (во́здуха); дымо́к; затя́жка (при куре́нии); **2.** пуска́ть клубы́ (ды́ма); попы́хивать (T).

while [wail] **1.** вре́мя *n*, промежу́ток вре́мени; **for a** ~ на вре́мя; F **worth** ~ сто́ящий затра́ченного труда́; **2.** ~ **away** проводи́ть [-вести́] (вре́мя); **3.** (*a.* **whilst** [wailst]) пока́, в то вре́мя как; тогда́ как.

whim [wim] при́хоть *f*, капри́з.

whimper ['wimpə] [за]хны́кать.

whim|sical ['wimzikəl] □ прихотли́вый, причу́дливый; **~sy** ['wimzi] при́хоть *f*; причу́да.

whine [wain] [за]скули́ть; [за]хны́кать.

whip [wip] **1.** *v/t.* хлеста́ть [-стну́ть]; [вы́]сечь; сби(ва́)ть (сли́вки, я́йца и т. п.); *pol.* ~ in созы(ва́)ть]; ~ **up** расшеве́ливать [-ли́ть]; подстёгивать [-стегну́ть]; *v/i.* ю́ркать [юркну́ть]; трепа́ться (о па́русе); **2.** кнут (*a.* **riding-**~) хлыст; ку́чер; *parl.* организа́тор па́ртии.

whippet *zo.* ['wipit] го́нчая соба́ка.

whipping ['wipiŋ] подстёгивание (кнуто́м); взбу́чка; **~-top** волчо́к.

whirl [wə:l] **1.** вихрево́е движе́ние; вихрь *m*; круже́ние; **2.** кружи́ть(ся); **~-pool** водоворо́т; **~-wind** вихрь *m*.

whisk [wisk] **1.** ве́ничек, метёлочка; муто́вка; **2.** *v/t.* сби(ва́)ть (сли́вки и т. п.); сма́хивать [-хну́ть]; пома́хивать (хвосто́м); *v/i.* ю́ркать [юркну́ть]; **~ers** ['wiskəz] *pl. zo.* усы́ (ко́шки и т. п.) *m/pl.*; бакенба́рды *f/pl*.

whisper ['wispə] **1.** шёпот; **2.** шепта́ть [шепну́ть].

whistle ['wisl] **1.** свист; свисто́к; **2.** свиста́ть, свисте́ть [сви́стнуть].

white [wait] **1.** *com.* бе́лый; бле́дный; F че́стный; неви́нный, чи́стый: ~ **heat** бе́лое кале́ние; ~ **lie**

невинная (*or* святая) ложь *f*; **2.** белый цвет; белизна; белок (глаза, яйца); белила *n/pl.*; **~n** ['waitn] [по]белить; [по]белеть; **~ness** ['waitnis] белизна; **~wash 1.** побелка; **2.** [по]белить; *fig.* обелять [лить].
whither *lit.* ['wiðə] куда.
whitish ['waitiʃ] бел(ес)оватый.
Whitsun ['witsn] *eccl.* троица.
whittle ['witl] строгать или оттачивать ножом; *fig.* ~ away свести на нет.
whiz(z) [wiz] свистеть (о пулях и т. п.).
who [hu:] *pron.* **1.** кто?; **2.** который; кто; тот, кто ...; *pl.*: те, кто.
whoever [hu:'əvə] *pron.* кто бы ни ...; который бы ни ...
whole [houl] **1.** □ целый, весь; невредимый; ~ milk цельное молоко; **2.** целое; всё *n*; итог; (up)on the ~ в целом; в общем; **~-hearted** □ искренний, от всего сердца; **~sale 1.** (*mst* ~ trade) оптовая торговля; **2.** оптовый; *fig.* в больших размерах; ~ dealer оптовый торговец; **3.** оптом; **~some** [houlsəm'] □ полезный, здоровый.
wholly ['houli] *adv.* целиком, всецело.
whom [hu:m] *pron.* (винительный падеж от who) кого и т. д.; которого и т. д.
whoop [hu:p] **1.** гиканье; **2.** гикать [гикнуть]; **~ing-cough** ['hu:piŋkɔf] ⚕ коклюш.
whose [hu:z] (родительный падеж от who) чей *m*, чья *f*, чьё *n*, чьи *pl.*; *rel. pron. mst*: которого, которой: ~ father отец которого ...
why [wai] **1.** почему?, отчего?, зачем?; **2.** да ведь ...; что же...
wick [wik] фитиль *m*.
wicked ['wikid] □ злой, злобный; безнравственный; **~ness** [-nis] злобность *f*; безнравственность *f*.
wicker ['wikə] прутья для плетения; ~ basket плетёная корзинка; ~ chair плетёный стул.
wicket ['wikit] калитка; воротца *n/pl.* (в крикете).
wide [waid] *a.* □ *and adv.* широкий; просторный; далёкий; широко; далеко, далёко (of от P); ~ awake бдительный; осмотрительный; 3 feet ~ три фута в ширину, шириной в три фута; **~n** ['waidn] расширять(ся) [-ирить (-ся)] **~-spread** широко распространённый.
widow ['widou] вдова; *attr.* вдовий; **~er** [-ə] вдовец.
width [widθ] ширина; широта.
wield [wi:ld] *lit.* владеть (T); иметь в руках.
wife [waif] жена; **~ly** ['waifli] свойственный жене.
wig [wig] парик.
wild [waild] **1.** □ дикий; бурный; буйный; run ~ расти без присмотра; talk ~ говорить не думая; **2.** ~, ~s [-z] дикая местность *f*; дебри *f/pl.*; **~cat** *zo.* дикая кошка; *fig.* недобросовестное рискованное предприятие; *attr.* рискованный; нелегальный; **~erness** ['wildənis] пустыня, дикая местность *f*; **~-fire**: like ~ с быстротой молнии.
wile [wail] *mst* ~s *pl.* хитрость *f*; уловка.
wil(l)ful ['wilful] □ упрямый, своевольный; преднамеренный.
will [wil] **1.** воля; сила воли; желание; завещание; with a ~ энергично; **2.** [*irr.*] *v/aux.*: he ~ come он придёт; he ~ do it он это сделает; он хочет это сделать; он обычно это делает; **3.** завещать (*im*)*pf.*; [по]желать, [за]хотеть; ~ o. s. заставлять [-ставить] себя.
willing ['wiliŋ] □ охотно готовый (to на В *or* + *inf.*); **~ness** [nis] готовность *f*.
will-o-the-wisp ['wiləðəwisp] блуждающий огонёк.
willow ['wilou] ⚘ ива.
wily ['waili] □ хитрый, коварный.
win [win] [*irr.*] *v/t.* выигрывать [выиграть]; одерживать [-жать] (победу); получать [-чить]; снискать *pf.*; (to do) склонять [-нить] (сделать); ~ a p. over склонить кого-либо на свою сторону; *v/i.* выигрывать [выиграть]; одерживать победу.
wince [wins] вздрагивать [вздрогнуть].
winch [wintʃ] лебёдка; ворот.
wind¹ [wind, *poet.* waind] **1.** ветер; дыхание; ⚕ газы *m/pl.*; ♪ духовые инструменты *m/pl.*; **2.** заставлять запыхаться; давать перевести дух; [по]чуять.
wind² [waind] [*irr.*] *v/t.* наматы-

вать [намота́ть]; обма́тывать [обмота́ть]; обви́(ва́)ть; ~ up заводи́ть [завести́] (часы́); † ликвиди́ровать (im)pf.; зака́нчивать [зако́нчить] (де́ло, пре́ния и т. п.); v/i. нама́тываться [намота́ться]; обви́(ва́)ться.

wind|bag ['windbæg] *sl.* болту́н, пустозво́н; **~fall** па́данец; бурело́м; *fig.* неожи́данное сча́стье.

winding ['waindiŋ] **1.** изги́б, изви́лина; нама́тывание; ⚡ обмо́тка; **2.** изви́листый; спира́льный; ~ stairs *pl.* винтова́я ле́стница; **~-sheet** са́ван.

wind-instrument ['windinstrumənt] ♪ духово́й инструме́нт

windlass ['windləs] ⚓ бра́шпиль *m*; ⊕ во́рот.

windmill [-mil] ветряна́я ме́льница.

window ['windou] окно́; витри́на; **~-dressing** декори́рование витри́ны; *fig.* пока́з в лу́чшем ви́де.

wind|pipe ['windpaip] *anat.* трахе́я; **~-screen** *mot.* ветрово́е стекло́.

windy ['windi] □ ве́треный; *fig.* несерьёзный; многосло́вный.

wine [wain] вино́; **~press** виноде́льный пресс.

wing [wiŋ] **1.** крыло́; *co.* рука́; ✈, ⚔ авиапо́лк, *Am.* авиабрига́да; ⚔ фланг; ⚠ фли́гель *m*; *thea.* ~s *pl.* кули́сы *f/pl.*; take ~ полете́ть *pf.*; on the ~ на лету́; **2.** *fig.* окрыля́ть [-ли́ть]; ускоря́ть [-о́рить]; [по]лете́ть.

wink [wiŋk] **1.** морга́ние; миг; F not get a ~ of sleep не смыка́ть глаз; **2.** морга́ть [-гну́ть] мига́ть [мигну́ть]; ~ at подми́гивать [-гну́ть] (Д); смотре́ть сквозь па́льцы на (В).

win|ner ['winə] победи́тель(ница *f*) *m*; призёр; **~ning** ['winiŋ] **1.** выи́грывающий; побежда́ющий; *fig.* привлека́тельный (*a.* ~some [-səm]); **2.** ~s *pl.* вы́игрыш.

wint|er ['wintə] **1.** зима́; *attr.* зи́мний; **2.** проводи́ть зи́му, [пере-, про]зимова́ть; **~ry** ['wintri] зи́мний; холо́дный; *fig.* неприве́тливый.

wipe [waip] вытира́ть [вы́тереть]; утира́ть [утере́ть]; ~ out *fig.* смы(ва́)ть (позо́р); уничтожа́ть [-о́жить].

wire ['waiə] **1.** про́волока; про́вод; F телегра́мма; **2.** монти́ровать провода́ на (П); телеграфи́ровать (im)pf.; скрепля́ть или свя́зывать про́волокой; **~drawn** ['waiə'drɔːn] то́нкий, казуисти́ческий; **~less** ['waiəlis] **1.** □ беспро́волочный; *attr.* ра́дио...; **2.** ра́дио *n indecl.*; on the ~ по ра́дио; ~ (message) радиогра́мма; ~ (telegraphy) беспро́волочный телегра́ф, радиотелеграфи́я; ~ operator ради́ст; ~ pirate радиоза́яц; ~ (set) радиоприёмник; **2.** передава́ть по ра́дио; **~-netting** про́волочная се́тка.

wiry ['waiəri] про́волочный; *fig.* жи́листый; выно́сливый.

wisdom ['wizdəm] му́дрость *f*; ~ tooth зуб му́дрости.

wise [waiz] **1.** му́дрый; благоразу́мный; ~crack *Am.* уда́чное или саркасти́ческое замеча́ние; **2.** о́браз, спо́соб.

wish [wiʃ] **1.** жела́ние; пожела́ние; **2.** [по]жела́ть (Р) (*a.* ~ for); ~ well (ill) (не) благоволи́ть (к Д); **~ful** ['wiʃful] □ жела́ющий, жа́ждущий; тоскли́вый.

wisp [wisp] пучо́к (соло́мы, се́на и т. п.).

wistful ['wistful] □ заду́мчивый, тоскли́вый.

wit [wit] **1.** остроу́мие; ра́зум (*a.* ~s *pl.*); остря́к; be at one's ~'s end быть в тупике́; **2.** to ~ то́ есть, а и́менно.

witch [witʃ] колду́нья, ве́дьма; *fig.* чаровде́йка; **~craft** ['witʃkrɑːft] колдовство́.

with [wið] с (Т), со (Т); от (Р); у (Р); при (П); ~ a knife ножо́м, ~ a pen перо́м и т. д.

withdraw [wið'drɔː] [*irr.* (draw)] *v/t.* отдёргивать [-рнуть]; брать наза́д; изыма́ть [изъя́ть] (кни́гу из прода́жи, де́ньги из обраще́ния); *v/i.* удаля́ться [-ли́ться]; ретирова́ться (im)pf.; ⚔ отходи́ть [отойти́]; **~al** [-əl] отдёргивание; изъя́тие; удале́ние; ⚔ отхо́д.

wither ['wiðə] *v/i.* [за]вя́нуть; [по-]блёкнуть; *v/t.* иссуша́ть [-ши́ть].

with|hold [wið'hould] [*irr.* (hold)] уде́рживать(ся) [-жа́ть(ся)]; отка́зывать [-за́ть] в (П); скры(ва́)ть (from от Р); **~in** [-'in] **1.** *lit. adv.* внутри́; **2.** *prp.* в (П), в преде́лах (Р); внутри́ (Р); ~ doors в до́ме; ~ call в преде́лах слы́шимости; **~out**

[-'aut] **1.** *lit. adv.* вне, снару́жи; **2.** *prp.* без (Р); вне (Р); **~stand** [-'stænd] [*irr.* (stand)] противостоя́ть (Д).

witness ['witnis] **1.** свиде́тель(ница *f*) *m*; очеви́дец (-дица); bear ~ свиде́тельствовать (to, of о П); in ~ of в доказа́тельство (Р); **2.** свиде́тельствовать о (П); засвиде́тельствовать (В) *pf.*; быть свиде́телем (Р); заверя́ть [-е́рить] (по́дпись и т. п.).

wit|ticism ['witisizm] остро́та, шу́тка; **~ty** ['witi] □ остроу́мный.

wives [waivz] *pl.* от wife.

wizard ['wizəd] волше́бник, маг.

wizen(ed) ['wizn(d)] вы́сохший; смо́рщенный.

wobble ['wɔbl] кача́ться [качну́ться]; ковыля́ть [-льну́ть].

woe [wou] го́ре, скорбь *f*; ~ is me! го́ре мне!; **~begone** ['woubigɔn] удручённый го́рем; мра́чный; **~ful** ['wouful] □ ско́рбный, го́рестный; жа́лкий.

woke [wouk] *pt.* от wake; **~n** ['woukən] *p. pt.* от wake.

wolf [wulf] **1.** волк; **2.** пожира́ть с жа́дностью; **~ish** ['wulfiʃ] во́лчий; хи́щный.

wolves [wulvz] *pl.* от wolf 1.

woman ['wumən] **1.** же́нщина; **2.** же́нский; ~ doctor же́нщина-врач; ~ student студе́нтка; **~hood** [-hud] же́нский пол; же́нственность *f*; **~ish** [-iʃ] □ женоподо́бный, ба́бий; **~kind** [-'kaind] *coll.* же́нщины *f/pl.*; **~like** [-laik] женоподо́бный; **~ly** [-li] же́нственный.

womb [wu:m] *anat.* ма́тка; чре́во (ма́тери); *fig.* ло́но.

women ['wimin] *pl.* от woman; **~folk** [-fouk] же́нщины *f/pl.*

won [wʌn] *pt.* и *p. pt.* от win.

wonder ['wʌndə] **1.** удивле́ние, изумле́ние; чу́до; дико́вина; **2.** удивля́ться [-ви́ться] (at Д); I ~ (мне) интере́сно знать; **~ful** [-ful] □ удиви́тельный, замеча́тельный.

won't [wount] не бу́ду и т. д.; не хочу́ и т. д.

wont [~] **1.** be ~ име́ть обыкнове́ние; **2.** обыкнове́ние, привы́чка; **~ed** привы́чный.

woo [wu:] уха́живать за (Т); [по-] сва́таться за (В).

wood [wud] лес; де́рево, лесоматериа́л; дрова́ *n/pl.*; *attr.* лесно́й; деревя́нный; дровяно́й; ♪ деревя́нные духовы́е инструменты *m/pl.*; **~cut** гравю́ра на де́реве; **~-cutter** дровосе́к; гравёр по де́реву; **~ed** ['wudid] леси́стый; **~en** ['wudn] деревя́нный; *fig.* безжи́зненный; **~man** [-mən] лесни́к; лесору́б; **~pecker** ['pekə] дя́тел; **~-winds** [-windz] деревя́нные духовы́е инструме́нты *m/pl.*; **~work** деревя́нные изде́лия *n/pl.*; деревя́нные ча́сти *f/pl.* (строе́ния); **~y** ['wudi] леси́стый; *fig.* деревяни́стый.

wool [wul] шерсть *f*; *attr.* шерстяно́й; **~-gathering** ['wulgæðəriŋ] вита́ние в облака́х; **~(l)en** ['wulin] **1.** шерстяно́й; **2.** шерстяна́я мате́рия; **~ly** ['wuli] **1.** покры́тый ше́рстью; шерсти́стый; си́плый; **2.** wollies *pl.* шерстяны́е ве́щи *f/pl.*

word [wə:d] **1.** *mst* сло́во; разгово́р; ве́сть *f*; сообще́ние; ⚔ паро́ль *m*; ~s *pl.* ♪ слова́ (пе́сни) *n/pl.*; *fig.* кру́пный разгово́р; **2.** выража́ть слова́ми; формули́ровать (*im*)*pf.*, *pf. a.* [с-]; **~ing** ['wə:diŋ] формулиро́вка; **~-splitting** софи́стика; буквое́дство.

wordy ['wə:di] □ многосло́вный; слове́сный.

wore [wɔ:] *pt.* от wear 1.

work [wə:k] **1.** рабо́та; труд; де́ло; заня́тие; произведе́ние, сочине́ние; *attr.* рабо́то...; рабо́чий; ~s *pl.* механи́зм; строи́тельные рабо́ты *f/pl.*; заво́д; мастерски́е *f/pl.*; be in (out of) ~ име́ть рабо́ту (быть безрабо́тным); set to ~ бра́ться за рабо́ту; ~s council произво́дственный сове́т; **2.** *v/i.* рабо́тать; занима́ться [-ня́ться]; де́йствовать; *v/t.* [*irr.*] обраба́тывать [-бо́тать]; отде́л(ыв)ать; [*regular vb.*] разраба́тывать [-бо́тать] (рудни́к и т. п.); приводи́ть в де́йствие; ~ one's way проби́(ва́)ться; ~ off отраба́тывать [-бо́тать]; отде́л(ыв)аться от (Р); ✝ распрод(ав)а́ть; ~ out реша́ть [реши́ть] (зада́чу); разраба́тывать [-бо́тать] (план) [*a. irr.*]; ~ up отде́л(ыв)ать; взбудора́жи(ва)ть; подстрека́ть [-кну́ть] на (В).

work|able ['wə:kəbl] □ примени́мый; выполни́мый; приго́дный для рабо́ты; **~aday** ['wə:kədai] бу́дничный; **~day** бу́дний (*or* рабо́-

чий) день *m*; **~er** ['wə:kə] рабо́чий; рабо́тник (-ица); **~-house** рабо́тный дом; *Am.* исправи́тельный дом; **~ing** ['wə:kiŋ] **1.** рабо́та, де́йствие; разрабо́тка; обрабо́тка; **2.** рабо́тающий; рабо́чий; де́йствующий.

workman ['wə:kmən] рабо́чий; рабо́тник; **~like** [-laik] иску́сный; **~ship** мастерство́ (ремесле́нника); отде́лка (рабо́ты).

work|shop ['wə:kʃɔp] мастерска́я; цех; **~woman** рабо́тница.

world [wə:ld] *com.* мир, свет; *attr.* мирово́й; всеми́рный; *fig.* a ~ of мно́жество, ку́ча (P); bring (come) into the ~ рожда́ть [роди́ть] (рожда́ться [роди́ться]); champion of the ~ чемпио́н ми́ра.

wordly ['wə:ldli] мирско́й; све́тский; **~-wise** ['wə:ldli'waiz] о́пытный бывалый.

world-power мирова́я держа́ва.

worm [wə:m] **1.** червя́к, червь *m*; ⚕ глист; **2.** выве́дывать [вы́ведать], выпы́тывать [вы́пытать] (out of у P); ~ o. s. *fig.* вкра́дываться [вкра́сться] (into в B); **~eaten** исто́ченный червя́ми; *fig.* устаре́лый.

worn [wɔ:n] *p. pt.* от wear 1; **~-out** [wɔ:n'aut] изно́шенный; *fig.* измы́ченный.

worry ['wʌri] **1.** беспоко́йство; трево́га; забо́та; **2.** беспоко́ить(ся); надоеда́ть [-е́сть] (Д); прист(ав)а́ть к (Д); [за]му́чить

worse [wə:s] ху́дший; *adv.* ху́же; сильне́е; from bad to ~ всё ху́же и ху́же; **~n** ['wə:sn] ухудша́ть(ся) [уху́дшить(ся)].

worship ['wə:ʃip] **1.** культ; почита́ние; поклоне́ние; богослуже́ние; **2.** поклоня́ться (Д); почита́ть; обожа́ть; **~per** [-ə] покло́нник (-ица); почита́тель(ница *f*) *m*.

worst [wə:st] **1.** (са́мый) ху́дший, наиху́дший; *adv.* ху́же всего́; **2.** оде́рживать верх над (Т), побежда́ть [-еди́ть].

worsted ['wustid] **1.** *attr.* камво́льный; **2.** га́рус; камво́льная пря́жа.

worth [wə:θ] **1.** сто́ящий; заслу́живающий; be ~ заслу́живать, сто́ить; **2.** цена́, сто́имость *f*; це́нность *f*; досто́инство; **~less** ['wə:θlis] □ ничего́ не сто́ящий; **~-while** ['wə:θ'wail] F сто́ящий; be ~ име́ть смысл; be not ~ не сто́ить труда́; **~y** ['wɔ:ði] □ досто́йный (of P); заслу́живающий (of B).

would [wud] (*pt.* от will) *v/aux.*: he ~ do it он сде́лал бы э́то; он обы́чно э́то де́лал; **~-be** ['wudbi] мни́мый; так называ́емый; самозва́нный.

wound[1] [wu:nd] **1.** ра́на, ране́ние; **2.** ра́нить (*im*)*pf.*; *fig.* заде́(ва́)ть.

wound[2] [waund] *pt.* и *p. pt.* от wind.

wove ['wouv] *pt.* от weave; **~n** [['wouvn] *p. pt.* от weave.]

wrangle ['ræŋgl] **1.** пререка́ния *n/pl.*, **2.** пререка́ться.

wrap [ræp] **1.** *v/t.* (ча́сто ~ up) завёртывать [заверну́ть]; обёртывать [оберну́ть] (бума́гой); заку́т(ыв)ать; оку́т(ыв)ать (*a. fig.*); be ~ped up in быть погружённым в (B); *v/i.* ~ up заку́т(ыв)аться; **2.** обёртка; шаль *f*; плед; **~per** ['ræpə] обёртка; хала́т, капо́т; бандеро́ль *f*; суперобло́жка (кни́ги); **~ping** ['ræpiŋ] упако́вка; обёртка.

wrath [rɔ:θ] гнев.

wreath [ri:θ], *pl.* **~s** [ri:ðz] вено́к; гирля́нда; *fig.* кольцо́, коле́чко (ды́ма); **~e** [ri:ð] [*irr.*] *v/t.* сви(ва́)ть; сплета́ть [сплести́]; *v/i.* обви́(ва́)ться; клуби́ться.

wreck [rek] **1.** ⚓ обло́мки су́дна; круше́ние, ава́рия; разва́лина (о челове́ке); **2.** разруша́ть [-у́шить]; [по]топи́ть (су́дно); be ~ed потерпе́ть ава́рию, круше́ние; *fig.* разруша́ться [-у́шиться] (о пла́нах); **~age** ['rekidʒ] обло́мки (су́дна и т. п. по́сле круше́ния); круше́ние; крах; **~er** ['rekə] граби́тель разби́тых судо́в; рабо́чий авари́йной кома́нды и́ли ремо́нтной брига́ды.

wrench [rentʃ] **1.** дёрганье; скру́чивание; вы́вих; *fig.* тоска́, боль *f*; искаже́ние; ⊕ га́ечный ключ; **2.** вывёртывать [вы́вернуть]; выви́хивать [вы́вихнуть]; *fig.* искажа́ть [искази́ть] (факт, и́стину); ~ open взла́мывать [взлома́ть].

wrest [rest] вырыва́ть [вы́рвать] (from у P) (*a. fig.*); истолко́вывать в свою́ по́льзу; **~le** ['resl] *mst sport* боро́ться; **~ling** [-liŋ] борьба́.

wretch [retʃ] негодя́й; несча́стный.

wretched ['retʃid] □ несча́стный; [жа́лкий.]

wriggle ['rigl] изви́(ва́)ться (о червяке́ и т. п.); ~ out of уклоня́ться [-ни́ться] от (P).

wright [rait]: ship~ кораблестрои́тель *m*; cart~ каре́тник; play~ драмату́рг.
wring [riŋ] [*irr.*] скру́чивать [-у-ти́ть]; лома́ть (ру́ки); (*a.* ~ out) выжима́ть [вы́жать] (бельё и т. п.); вымога́ть (from у P).
wrinkle ['riŋkl] **1.** морщи́на; скла́дка; **2.** [с]мо́рщить(ся).
wrist [rist] запя́стье; ~ watch ручны́е (*or* нару́чные) часы́ *m/pl.*
writ [rit] ⚖ предписа́ние, пове́стка; Holy ♀ Свяще́нное писа́ние.
write [rait] [*irr.*] [на]писа́ть; ~ up подро́бно опи́сывать; допи́сывать [-са́ть]; восхваля́ть в печа́ти; **~r** ['raitə] писа́тель(ница *f*) *m*; письмоводи́тель *m*.
writhe [raið] [с]ко́рчиться (от бо́ли).
writing ['raitiŋ] **1.** писа́ние; (литерату́рное) произведе́ние, сочине́ние; (*a* hand~) по́черк; докуме́нт; in ~ пи́сьменно; **2.** пи́сьменный; пи́счий; **~-case** несессе́р для пи́сьменных принадле́жностей; **~-paper** почто́вая (*or* пи́счая) бума́га.
written ['ritn] **1.** *p. pt.* от write; **2.** пи́сьменный.
wrong [rɔŋ] **1.** □ непра́вильный, оши́бочный; не тот (,кото́рый ну́жен); be ~ быть непра́вым; go ~ уклоня́ться от пра́вильного пути́; не получа́ться [-чи́ться], срыва́ться [сорва́ться] (о де́ле); *adv.* непра́вильно, не так; **2.** неправота́; непра́вильность *f*; оби́да; несправедли́вость *f*; зло; **3.** поступа́ть несправедли́во с (Т); причиня́ть зло (Д); обижа́ть [оби́деть]; **~doer** злоде́й(ка); **~ful** ['rɔŋful] □ незако́нный (посту́пок); несправедли́вый.
wrote [rout] *pt.* от write.
wrought [rɔ:t] *pt.* и *p. pt.* от work 2 [irr.]: ~ goods гото́вые изде́лия *n/pl.*; ~ iron ⊕ сва́рочное желе́зо.
wrung [rʌŋ] *pt.* и *p. pt.* от wring.
wry [rai] □ криво́й, переко́шенный; искажённый.

X

X-ray ['eks'rei] **1.** ~s *pl.* рентге́новские лучи́ *m/pl.*; **2.** просве́чивать рентге́новскими луча́ми; **3.** рентге́новский.
xylophone ['zailəfoun] ♪ ксилофо́н.

Y

yacht [jɔt] ⚓ **1.** я́хта; **2.** плы́ть на я́хте; **~ing** ['jɔtiŋ] я́хтенный спорт.
yankee ['jæŋki] F америка́нец, я́нки *m indecl.*
yap [jæp] **1.** тя́вкать [-кнуть]; *Am. sl.* болта́ть.
yard [jɑ:d] ярд (о́коло 91 см); двор; лесно́й склад; **~stick** измери́тельная лине́йка длино́й в 1 ярд; *fig.* ме́рка, «арши́н».
yarn [jɑ:n] **1.** пря́жа; F *fig.* расска́з; (фантасти́ческая) исто́рия; **2.** F расска́зывать ска́зки, небыли́цы.
yawn [jɔ:n] **1.** зево́та; **2.** зева́ть [зевну́ть]; *fig.* зия́ть.
year [jə:, jiə] год (*pl.* года́, го́ды, лета́ *n/pl.*); **~ly** ежего́дный.
yearn [jə:n] томи́ться, тоскова́ть (for, after по Д).
yeast [ji:st] дро́жжи *f/pl.*

yell [jel] **1.** пронзи́тельный крик; **2.** пронзи́тельно крича́ть, [за]вопи́ть.
yellow ['jelou] **1.** жёлтый; F трусли́вый; ~ press жёлтая пре́сса, бульва́рная пре́сса; **2.** [по]желте́ть; [за]желти́ть; ~ed пожелте́вший; **~ish** ['jelouiʃ] желтова́тый.
yelp [jelp] **1.** лай, визг; **2.** [за]визжа́ть, [за]ла́ять.
yes [jes] **1.** да; **2.** согла́сие.
yesterday ['jestədi] вчера́.
yet [jet] **1.** *adv.* ещё, всё ещё; уже́; до сих пор; да́же; тем не ме́нее; as ~ пока́, до сих пор; not ~ ещё не(т); **2.** *cj.* одна́ко, всё же, несмотря́ на э́то.
yield [ji:ld] **1.** *v/t.* приноси́ть [-нести́] (плоды́, урожа́й, дохо́д и т. п.); сда(ва́)ть; *v/i.* уступа́ть [-пи́ть] (to Д); подд(ав)а́ться; сд(ав)а́ться; **2.** урожа́й, (урожа́йный) сбор; ✝ вы́ход; дохо́д; **~ing** ['ji:ldiŋ] □ *fig.* усту́пчивый.
yoke [jouk] **1.** ярмо́ (*a. fig.*); па́ра запряжённых воло́в; коромы́сло; *fig.* и́го; **2.** впряга́ть в ярмо́; *fig.* спа́ри(ва)ть; подходи́ть друг к дру́гу.
yolk [jouk] желто́к.
yonder ['jɔndə] *lit.* **1.** вон тот, вон та и т. д.; **2.** *adv.* вон там.
you [ju:, ju] *pron. pers.* ты, вы; тебя́, вас; тебе́, ва́м (ча́сто to ~) и т. д.
young [jʌŋ] **1.** □ молодо́й; ю́ный; **2.** the ~ молодёжь *f*; *zo.* детёныши *m/pl.*; with ~ супоро́с(н)ая, сте́льная и т. п.; **~ster** ['jʌŋstə] F подро́сток, ю́ноша *m*.
your [jɔ:, juə] *pron. poss.* твой *m*, твоя́ *f*, твоё *n*, твои́ *pl.*; ваш *m*, ва́ша *f*, ва́ше *n*, ва́ши *pl.*; **~s** [jɔ:z, juəz] *pron. poss. absolute form* твой *m*, твоя́ *f* и т. д.; **~self** [jɔ:'self], *pl.* **~selves** [-'selvz] сам *m*, сама́ *f*, само́ *n*, са́ми *pl.*; себя́, -ся.
youth [ju:θ] *coll.* молодёжь *f*; ю́ноша *m*; мо́лодость *f*; **~ful** ['ju:θful] □ ю́ношеский; моложа́вый.
yule [ju:l] *lit.* свя́тки *f/pl.*

Z

zeal [zi:l] рве́ние, усе́рдие; **~ot** ['zelət] ревни́тель *m*; **~ous** ['zeləs] □ рья́ный, усе́рдный, ре́вностный.
zenith ['zeniθ] зени́т (*a. fig.*).
zero ['ziərou] нуль *m* (*a.* ноль *m*); нулева́я то́чка.
zest [zest] **1.** пика́нтность *f*, «изю́минка»; F наслажде́ние, жар; **2.** придава́ть пика́нтность (Д), де́лать пика́нтным.
zigzag ['zigzæg] зигза́г.
zinc [ziŋk] **1.** цинк; **2.** оцинко́вывать [-ова́ть].
zip [zip] свист (пу́ли); F эне́ргия; ~ fastener = **~per** ['zipə] (застёжка-)мо́лния.
zone [zoun] зо́на (*a. pol.*); по́яс; райо́н.
zoolog|ical [zouə'lɔdʒikəl] □ зоологи́ческий; **~y** [zou'ɔlədʒi] зооло́гия.

APPENDIX

Grammatical Tables

Грамматические таблицы

Conjugation and Declension

The following two rules relative to the spelling of endings in Russian inflected words must be observed:

1. Stems terminating in г, к, х, ж, ш, ч, щ are never followed by ы, ю, я, but by **и, у, а.**
2. Stems terminating in ц are never followed by и, ю, я, but by **ы, у, а.**

Besides these, a third spelling rule, dependent on phonetic conditions, viz. position of stress, is likewise important:

3. Stems terminating in ж, ш, ч, щ, ц can be followed by an o in the ending only if the syllable in question bears the stress; otherwise, i. e. in unstressed position, **e** is used instead.

A. Conjugation

Prefixed forms of the perfective aspect are represented by adding the prefix in square brackets, e. g.: [про]чита́ть = чита́ть *impf.*, прочита́ть *pf.*

Personal endings of the present (and perfective future) tense:

1st conjugation:	-ю (-у)	-ешь	-ет	-ем	-ете	-ют (-ут)
(stressed)		(-ёшь)	(-ёт)	(-ём)	(-ёте)	
2nd conjugation:	-ю (-у)	-ишь	-ит	-им	-ите	-ят (-ат)

Reflexive:

1st conjugation:	-юсь (-усь)	-ешься	-ется	-емся	-етесь	-ются (-утся)
2nd conjugation:	-юсь (-усь)	-ишься	-ится	-имся	-итесь	-ятся (-атся)

Suffixes and endings of the other verbal forms:

imp.	-й(те)	-и(те)	-ь(те)	
reflexive	-йся (-йтесь)	-ись (-итесь)	-ься (-ьтесь)	
	m	*f*	*n*	*pl.*
p.pr.a.	-щий(ся)	-щая(ся)	-щее(ся)	-щие(ся)
p.pr.p.	-мый	-мая	-мое	-мые
short form	-м	-ма	-мо	-мы
g.pr.	-я(сь), after ж, ш, ч, щ: -а(сь)			
pt.	-л	-ла	-ло	-ли
refl.	-лся	-лась	-лось	-лись
p.pt.a.	-вший(ся)	-вшая(ся)	-вшее(ся)	-вшие(ся)
p.pt.p.	-нный -тый	-нная -тая	-нное -тое	-нные -тые
short form	-н -т	-на -та	-но -то	-ны -ты
g.pt.	-в, -вши(сь)			

Stress:

a) There is *no change of stress unless the final syllable of the infinitive is stressed*, i. e. in all forms of the respective verb stress remains invariably on the root syllable accentuated in the infinitive, e. g.: пла́кать. The forms of пла́кать correspond to paradigm [3], except for the stress, which is always on пла́-. The imperative of such verbs also differs from the paradigms concerned: it is in **-ь(те)** provided their stem ends in **one consonant** only, e. g.: пла́кать — пла́чь(те), ве́рить — ве́рь(те); and in **-и(те)** (unstressed!) in cases of **two and more consonants** preceding the imperative ending, e. g.: по́мнить — по́мни(те). Verbs with a vowel stem termination, however, generally form their imperative in **-й(те)**: успоко́ить — успоко́й(те).

b) The prefix вы- in perfective verbs always bears the stress: вы́полнить (but *impf.*: выполня́ть). Imperfective (iterative) verbs with the suffix -ыв-/-ив- are always stressed on the syllable preceding the suffix: пока́зывать (but *pf.* показа́ть), спра́шивать (but *pf.* спроси́ть).

c) In the past participle passive of verbs in **-а́ть (-я́ть)**, there is usually a shift of stress back onto the root syllable as compared with the infinitive (see paradigms [1]—[4], [6], [7], [28]). With verbs in **-е́ть** and **-и́ть** such a shift may occur as well, very often in agreement with a parallel accent shift in the 2nd p. sg. present tense, e. g.: [про]смотре́ть: [про]смотрю́, смо́тришь — просмо́тренный; see also paradigms [14] — [16] as against [13]: [по]мири́ть: [по]мирю́, -и́шь — помирённый. In this latter case the short forms of the participles are stressed on the last syllable throughout: -ённый: -ён, -ена́, -ено́, -ены́. In the former examples, however, stress remains on the same root syllable as in the long form: -ˈенный: -ˈен, -ˈена, -ˈено, -ˈены.

Any details differing from the following paradigms and not explained in the foregoing notes are either mentioned in special remarks attached to the individual paradigms or, if not, pointed out after the entry word itself.

Verbs in **-ать**

1 [про]**чита́ть**

pr. [*ft.*]	[про]чита́ю, -а́ешь, -а́ют
imp.	[про]чита́й(те)
p.pr.a.	чита́ющий
p.pr.p.	чита́емый
g.pr.	чита́я
pt.	[про]чита́л, -а, -о, -и
p.pt.a.	[про]чита́вший
p.pt.p.	прочи́танный
g.pt.	прочита́в(ши)

2 [по]**трепа́ть**
(with л after б, в, м, п, ф)

pr. [*ft.*]	[по]треплю́, -е́плешь, -е́плют
imp.	[по]трепли́(те)
p.pr.a.	тре́плющий
p.pr.p.	—
g.pr.	трепля́
pt.	[по]трепа́л, -а, -о, -и
p.pt.a.	[по]трепа́вший
p.pt.p.	потрёпанный
g.pt.	потрепа́в(ши)

3 [об]**глода́ть**
(with changing consonant:
г, д, з > ж
к, т > ч
х, с > ш
ск, ст > щ)

pr. [*ft.*]	[об]гложу́, -о́жешь, -о́жут
imp.	[об]гложи́(те)
p.pr.a.	гло́жущий
p.pr.p.	—
g.pr.	гложа́
pt.	[об]глода́л, -а, -о, -и
p.pt.a.	[об]глода́вший
p.pt.p.	обгло́данный
g.pt.	обглода́в(ши)

4 [по]**держа́ть**
(with preceding ж, ш, ч, щ)

pr. [*ft.*]	[по]держу́, -е́ржишь, -е́ржат
imp.	[по]держи́(те)
p.pr.a.	держа́щий
p.pr.p.	—
g.pr.	держа́
pt.	[по]держа́л, -а, -о, -и
p.pt.a.	[по]держа́вший
p.pt.p.	поде́ржанный
g.pt.	подержа́в(ши)

Verbs in **-авать**

5 **дава́ть**
(*st.* = -ешь, -ет, *etc.*)

pr. [*ft.*]	даю́, даёшь, даю́т
imp.	дава́й(те)
p.pr.a.	даю́щий
p.pr.p.	дава́емый
g.pr.	дава́я
pt.	дава́л, -а, -о, -и
p.pt.a.	дава́вший
p.pt.p.	—
g.pt.	—

Verbs in **-евать**

6 [на]**малева́ть**
(*e.* = -ю́, -ёшь, *etc.*)

pr. [*ft.*]	[на]малю́ю, -ю́ешь, -ю́ют
imp.	[на]малю́й(те)
p.pr.a.	малю́ющий
p.pr.p.	малю́емый
g.pr.	малю́я
pt.	[на]малева́л, -а, -о, -и
p.pt.a.	[на]малева́вший
p.pt.p.	намалёванный
g.pt.	намалева́в(ши)

Verbs in **-овать** (and in **-евать** with preceding ж, ш, ч, щ, ц)

7 [на]**рисова́ть**
(*e.* = -ю́, -ёшь, *etc.*)

pr. [*ft.*]	[на]рису́ю, -у́ешь, -у́ют
imp.	[на]рису́й(те)
p.pr.a.	рису́ющий
p.pr.p.	рису́емый
g.pr.	рису́я
pt.	[на]рисова́л, -а, -о, -и
p.pt.a.	[на]рисова́вший
p.pt.p.	нарисо́ванный
g.pt.	нарисова́в(ши)

Verbs in -еть

8 [по]**жале́ть**

pr. [*ft.*]	[по]жале́ю, -е́ешь, -е́ют
imp.	[по]жале́й(те)
p.pr.a.	жале́ющий
p.pr.p.	жале́емый
g.pr.	жале́я
pt.	[по]жале́л, -а, -о, -и
p.pt.a.	[по]жале́вший
p.pt.p.	...ённый (*e. g.* одолённый)
g.pt.	пожале́в(ши)

9 [с]**горе́ть**

pr. [*ft.*]	[с]горю́, -и́шь, -я́т
imp.	[с]гори́(те)
p.pr.a.	горя́щий
p.pr.p.	—
g.pr.	горя́
pt.	[с]горе́л, -а, -о, -и
p.pt.a.	[с]горе́вший
p.pt.p.	...е́нный (*e.g.* презре́нный)
g.pt.	сгоре́в(ши)

10 [по]**терпе́ть**

pr. [*ft.*]	[по]терплю́, -е́рпишь, -е́рпят
imp.	[по]терпи́(те)
p.pr.a.	терпя́щий
p.pr.p.	терпи́мый
g.pr.	терпя́
pt.	[по]терпе́л, -а, -о, -и
p.pt.a.	[по]терпе́вший
p.pt.a.	...енный (*e. g.* прете́рпенный)
g.pt.	потерпе́в(ши)

11 [по]**лете́ть**
(with changing consonant:
д, з > ж
к, т > ч
х, с > ш
ск, ст > щ)

pr. [*ft.*]	[по]лечу́, -ети́шь, -етя́т
imp.	[по]лети́(те)
p.pr.a.	летя́щий
p.pr.p.	—
g.pr.	летя́
pt.	[по]лете́л, -а, -о, -и
p.pt.a.	[по]лете́вший
p.pt.p.	...енный (*e. g.* ве́рченный)
g.pt.	полете́в(ши)

Verbs in -ере́ть

12 [по]**тере́ть**
(*st.* = -ешь, -ет, *etc.*)

pr. [*ft.*]	[по]тру́, -трёшь, -тру́т
imp.	[по]три́(те)
p.pr.a.	тру́щий
p.pr.p.	—
g.pr.	—
pt.	[по]тёр, -рла, -о, -и
p.pt.a.	[по]тёрший
p.pt.p.	[по]тёртый
g.pt.	потере́в *or* потёрши

Verbs in -ить

13 [по]**мири́ть**

pr. [*ft.*]	[по]мирю́, -ри́шь, -ря́т
imp.	[по]мири́(те)
p.pr.a.	миря́щий
p.pr.p.	мири́мый
g.pr.	миря́
pt.	[по]мири́л, -а, -о, -и
p.pt.a.	[по]мири́вший
p.pt.p.	помирённый
g.pt.	помири́в(ши)

14 [на]**корми́ть**
(with л after б, в, м, п, ф)

pr. [*ft.*]	[на]кормлю́, -о́рмишь, -о́рмят
imp.	[на]корми́(те)
p.pr.a.	ко́рмящий
p.pr.p.	корми́мый
g.pr.	кормя́
pt.	[на]корми́л, -а, -о, -и
p.pt.a.	[на]корми́вший
p.pt.p.	нако́рмленный
g.pt.	накорми́в(ши)

15 [по]**проси́ть**
(with changing consonant:
д, з > ж
к, т > ч
х, с > ш
ск, ст > щ)

pr. [*ft.*]	[по]прошу́, -о́сишь, -о́сят
imp.	[по]проси́(те)
p.pr.a.	прося́щий
p.pr.p.	проси́мый
g.pr.	прося́
pt.	[по]проси́л, -а, -о, -и
p.pt.a.	[по]проси́вший
p.pt.p.	попро́шенный
g.pt.	попроси́в(ши)

16 [на]**точи́ть**
(with preceding ж, ш, ч, щ)

pr. [*ft.*]	[на]точу́, -о́чишь, -о́чат
imp.	[на]точи́(те)
p.pr.a.	точа́щий
p.pr.p.	точи́мый
g.pr.	точа́
pt.	[на]точи́л, -а, -о, -и
p.pt.a.	[на]точи́вший
p.pt.p.	нато́ченный
g.pt.	наточи́в(ши)

Verbs in **-оть**

17 [рас]**коло́ть**

pr. [*ft.*]	[рас]колю́, -о́лешь, -о́лют
imp.	[рас]коли́(те)
p.pr.a.	ко́лющий
p.pr.p.	—
g.pr.	ко́ля
pt.	[рас]коло́л, -а, -о, -и
p.pt.a.	[рас]коло́вший
p.pt.p.	раско́лотый
g.pt.	расколо́в(ши)

Verbs in **-уть**

18 [по]**ду́ть**

pr. [*ft.*]	[по]ду́ю, -у́ешь, -у́ют
imp.	[по]ду́й(те)
p.pr.a.	ду́ющий
p.pr.p.	—
g.pr.	ду́я
pt.	[по]ду́л, -а, -о, -и
p.pt.a.	[по]ду́вший
p.pt.p.	ду́тый
g.pt.	поду́в(ши)

19 [по]**тяну́ть**

pr. [*ft.*]	[по]тяну́, -я́нешь, -я́нут
imp.	[по]тяни́(те)
p.pr.a.	тя́нущий
p.pr.p.	—
g.pr.	—
pt.	[по]тяну́л, -а, -о, -и
p.pt.a.	[по]тяну́вший
p.pt.p.	[по]тя́нутый
g.pt.	потяну́в(ши)

20 [со]**гну́ть**
(*st.* = -ешь, -ет, *etc.*)

pr. [*ft.*]	[со]гну́, -нёшь, -ну́т
imp.	[со]гни́(те)
p.pr.a.	гну́щий
p.pr.p.	—
g.pr.	—
pt.	[со]гну́л, -а, -о, -и
p.pt.a.	[со]гну́вший
p.pt.p.	[со́]гну́тый
g.pt.	согну́в(ши)

21 [по]**ту́хнуть**
(-г- = -г- instead of -х- throughout)

pr. [*ft.*]	[по]ту́хну, -нешь, -нут
imp.	[по]ту́хни(те)
p.pr.a.	ту́хнущий
p.pr.p.	—
g.pr.	—
pt.	[по]ту́х, -хла, -о, -и
p.pt.a.	[по]ту́хший
p.pt.p.	...нутый (*e. g.* дости́гнутый)
g.pt.	поту́хши

Verbs in **-ыть**

22 [по]**кры́ть**

pr. [*ft.*]	[по]кро́ю, -о́ешь, -о́ют
imp.	[по]кро́й(те)
p.pr.a.	кро́ющий
p.pr.p.	—
g.pr.	кро́я
pt.	[по]кры́л, -а, -о, -и
p.pt.a.	[по]кры́вший
p.pt.p.	[по]кры́тый
g.pt.	покры́в(ши)

23 [по]**плы́ть**
(*st.* = -ешь, -ет, *etc.*)

pr. [*ft.*]	[по]плыву́, -вёшь, -ву́т
imp.	[по]плыви́(те)
p.pr.a.	плыву́щий
p.pr.p.	—
g.pr.	плывя́
pt.	[по]плы́л, -а́, -о, -и
p.pt.a.	[по]плы́вший

p.pt.p.	...ы́тый (*e.g.* проплы́тый)
g.pt.	поплы́вши

Verbs in **-зти, -зть,** (**-сти**)

24 [по]**везти́**
(-с[т]- = -с[т]- instead of -з- throughout)
(*st.* = -ешь, -ет, *etc.*)

pr. [*ft.*]	[по]везу́, -зёшь, -зу́т
imp.	[по]вези́(те)
p.pr.a.	везу́щий
p.pr.p.	везо́мый
g.pr.	везя́
pt.	[по]вёз, -везла́, -о́, -и́
p.pt.a.	[по]вёзший
p.pt.p.	повезённый
g.pt.	повёзши

Verbs in **-сти, -сть**

25 [по]**вести́**
(-т- = -т- instead of -д- throughout)
(*st.* = -ешь, -ет, *etc.*)

pr. [*ft.*]	[по]веду́, -дёшь, -ду́т
imp.	[по]веди́(те)
p.pr.a.	веду́щий
p.pr.p.	ведо́мый
pt.	[по]вёл, -вела́, -о́, -и́
p.pt.a.	[по]ве́дший
p.pt.p.	поведённый
g.pt.	поведя́

Verbs in **-чь**

26 [по]**вле́чь**
(г/ж = г instead of к, and ж instead of ч) (-б- = -б- instead of к/ч)
(*st.* = -ешь, -ет, *etc.*)

pr. [*ft.*]	[по]влеку́, -ечёшь, -еку́т
imp.	[по]влеки́(те)
p.pr.a.	влеку́щий
p.pr.p.	влеко́мый
g.pr.	—
pt.	[по]влёк, -екла́, -о́, -и́
p.pt.a.	[по]влёкший
p.pt.p.	повлечённый
g.pt.	повлёкши

Verbs in **-ять**

27 [рас]**та́ять**
(*e.* = -ю́, -ёшь, -ёт, *etc.*)

pr. [*ft.*]	[рас]та́ю, -а́ешь, -а́ют
imp.	[рас]та́й(те)
p.pr.a.	та́ющий
p.pr.p.	—
g.pr.	та́я
pt.	[рас]та́ял, -а, -о, -и
p.pt.a.	[рас]та́явший
p.pt.p.	...янный (*e.g.* обла́янный)
g.pt.	раста́яв(ши)

28 [по]**теря́ть**

pr. [*ft.*]	[по]теря́ю, -я́ешь, -я́ют
imp.	[по]теря́й(те)
p.pr.a.	теря́ющий
p.pr.p.	теря́емый
g.pr.	теря́я
pt.	[по]теря́л, -а, -о, -и
p.pt.a.	[по]теря́вший
p.pt.p.	поте́рянный
g.pt.	потеря́в(ши)

B. Declension

Noun

a) Succession of the six cases (horizontally): nominative, genitive, dative, accusative, instrumental and prepositional in the singular and (thereunder) the plural. *With nouns denoting animate beings (persons and animals) there is a coincidence of endings in the accusative and genitive both singular and plural of the masculine, but only in the plural of the feminine and neuter genders.* This rule also applies, of course, to adjectives as well as various pronouns and numerals that must in syntactical connections agree with their respective nouns.

b) Variants of the following paradigms are pointed out in notes added to the individual declension types or, if not, mentioned after the entry word itself.

Masculine nouns:

1	ви́д	—	-а	-у	—	-ом	о -е
		-ы	-ов	-ам	-ы	-ами	о -ах

Note: Nouns in -ж, -ш, -ч, -щ have in the *g/pl.* the ending -ей.

2	реб	**-ёнок**	-ёнка	-ёнку	-ёнка	-ёнком	о -ёнке
		-я́та	-я́т	-я́там	-я́т	-я́тами	о -я́тах

3	слу́ча	**-й**	-я	-ю	-й	-ем	о -е
		-и	-ев	-ям	-и	-ями	о -ях

Notes: Nouns in -ий have in the *prpos/sg.* the ending -ии.
When *e.*, the ending of the *instr/sg.* is -ём, and of the *g/pl.* -ёв.

4	про́фил	**-ь**	-я	-ю	-ь	-ем	о -е
		-и	-ей	-ям	-и	-ями	о -ях

Note: When *e.*, the ending of the *instr/sg.* is -ём.

Feminine nouns:

5	рабо́т	**-а**	-ы	-е	-у	-ой (-ою)	о -е
		-ы	—	-ам	-ы	-ами	о -ах

Note: In the *g/pl.* with many nouns having two final stem consonants -o- or -e- is inserted between these (cf. p. 15 and entry words concerned).

6	неде́л	**-я**	-и	-е	-ю	-ей (-ею)	о -е
		-и	-ь	-ям	-и	-ями	о -ях

Notes: Nouns in -ья have in the *g/pl.* the ending -ий (unstressed) or -éй (stressed), the latter being also the termination of nouns in -éя. Nouns in -я with preceding vowel terminate in the *g/pl.* in -й (for -ий see also No. 7).
When *e.*, the ending of the *instr/sg.* is -ёй (-ёю).
For the insertion of -е-, -о- in the *g/pl.* cf. note with No. **5**.

7	áрм**и**	**-я**	-и	-и	-ю	-ей (-ею)	об -и
		-и	-й	-ям	-и	-ями	об -ях
8	тетрáд	**-ь**	-и	-и	-ь	-ью	о -и
		-и	-ей	-ям	-и	-ями	о -ях

Neuter nouns:

9	блю́д	**-о**	-а	-у	-о	-ом	о -е
		-а	—	-ам	-а	-ами	о -ах

Note: For the insertion of -о-, -е- in the *g/pl.* cf. note with No. **5**.

10	пóл	**-е**	-я	-ю	-е	-ем	о -е
		-я́	-éй	-я́м	-я́	-я́ми	о -я́х

Note: Nouns in -ье have in the *g/pl.* the ending -ий. Besides, they do not shift their stress.

11	жили́щ	**-е**	-а	-у	-е	-ем	о -е
		-а	—	-ам	-а	-ами	о -ах
12	желáн**и**	**-е**	-я	-ю	-е	-ем	о -и
		-я	-й	-ям	-я	-ями	о -ях
13	врéм	**-я**	-ени	-ени	-я	-енем	о -ени
		-енá	-ён	-енáм	-енá	-енáми	о -енáх

Adjective

(also ordinal-numbers, etc.)

Notes

a) Adjectives in **-ский** have no predicative (short) forms.

b) Variants of the following paradigms have been recorded with the individual entry words. See also p. 15.

		m	*f*	*n*	*pl.*	
14	бéл	**-ый (-óй)**	**-ая**	**-ое**	**-ые**	long form
		-ого	-ой	-ого	-ых	
		-ому	-ой	-ому	-ым	
		-ый (-ого)	-ую	-ое	-ые (-ых)	
		-ым	-ой (-ою)	-ым	-ыми	
		о -ом	о -ой	о -ом	о -ых	
		—*	-á	-о(*a.*: -ó)	-ы (*a.*: -ы́)	short form

15	си́н	**-ий**	**-яя**	**-ее**	**-ие**	long form
		-его	-ей	-его	-их	
		-ему	-ей	-ему	-им	
		-ий (-его)	-юю	-ее	-ие (-их)	
		-им	-ей (-ею)	-им	-ими	
		о -ем	о -ей	о -ем	о -их	
		-(ь)*	-я́	-е	-и	short form

16	стро́**г**	**-ий (-о́й)**	**-ая**	**-ое**	**-ие**	long form
		-ого	-ой	-ого	-их	
		-ому	-ой	-ому	-им	
		-ий (-ого)	-ую	-ое	-ие (-их)	
		-им	-ой (-ою)	-им	-ими	
		о -ом	о -ой	о -ом	о -их	
		—*	-а́	-о	-и	short form

17	то́**щ**	**-ий**	**-ая**	**-ее**	**-ие**	long form
		-его	-ей	-его	-их	
		-ему	-ей	-ему	-им	
		-ий (-его)	-ую	-ее	-ие (-их)	
		-им	-ей (-ею)	-им	-ими	
		о -ем	о -ей	о -ем	о -их	
		—	-а́	-е(о́)	-и	short form

18	оле́н	**-ий**	**-ья**	**-ье**	**-ьи**
		-ьего	-ьей	-ьего	-ьих
		-ьему	-ьей	-ьему	-ьим
		-ий(-ьего)	-ью	-ье	-ьи (-ьих)
		-ьим	-ьей (-ьею)	-ьим	-ьими
		об -ьем	об -ьей	об -ьем	об -ьих

19	дя́дин	**—**	**-а**	**-о**	**-ы**
		-а	-ой	-а	-ых
		-у	-ой	-у	-ым
		— (-а)	-у	-о	-ы (-ых)
		-ым	-ой (-ою)	-ым	-ыми
		о -ом**	о -ой	о -ом	о -ых

* In the masculine short form of many adjectives having two final stem consonants -о- or -е- is inserted between these (cf. p. 15 and entry words concerned).

** Masculine surnames in -ов, -ев, -ин, -ын have the ending -е.

Pronoun

20	**я**	меня́	мне	меня́	мной (мно́ю)	обо мне
	мы	нас	нам	нас	на́ми	о нас
21	**ты**	тебя́	тебе́	тебя́	тобо́й (тобо́ю)	о тебе́
	вы	вас	вам	вас	ва́ми	о вас

22	**он**	его́	ему́	его́	им	о нём
	она́	её	ей	её	е́ю (ей)	о ней
	оно́	его́	ему́	его́	им	о нём
	они́	их	им	их	и́ми	о них

Note: After prepositions the oblique forms receive an н-prothesis, e.g.: для него́, с не́ю (ней).

23	**кто**	кого́	кому́	кого́	кем	о ком
	что	чего́	чему́	что	чем	о чём

Note: In combinations with ни-, не- a preposition separates such compounds, e.g. ничто́: ни от чего́, ни к чему́.

24	**мой**	моего́	моему́	мой (моего́)	мои́м	о моём
	моя́	мое́й	мое́й	мою́	мое́й (мое́ю)	о мое́й
	моё	моего́	моему́	моё	мои́м	о моём
	мои́	мои́х	мои́м	мои́ (мои́х)	мои́ми	о мои́х
25	**наш**	на́шего	на́шему	наш (на́шего)	на́шим	о на́шем
	на́ша	на́шей	на́шей	на́шу	на́шей (на́шею)	о на́шей
	на́ше	на́шего	на́шему	на́ше	на́шим	о на́шем
	на́ши	на́ших	на́шим	на́ши (на́ших)	на́шими	о на́ших
26	**чей**	чьего́	чьему́	чей (чьего́)	чьим	о чьём
	чья	чьей	чьей	чью	чьей (чье́ю)	о чьей
	чьё	чьего́	чьему́	чьё	чьим	о чьём
	чьи	чьих	чьим	чьи (чьих)	чьи́ми	о чьих
27	**э́тот**	э́того	э́тому	э́тот (э́того)	э́тим	об э́том
	э́та	э́той	э́той	э́ту	э́той(э́тою)	об э́той
	э́то	э́того	э́тому	э́то	э́тим	об э́том
	э́ти	э́тих	э́тим	э́ти (э́тих)	э́тими	об э́тих
28	**тот**	того́	тому́	тот (того́)	тем	о том
	та	той	той	ту	той (то́ю)	о той
	то	того́	тому́	то	тем	о том
	те	тех	тем	те (тех)	те́ми	о тех
29	**сей**	сего́	сему́	сей (сего́)	сим	о сём
	сия́	сей	сей	сию́	сей (се́ю)	о сей
	сие́	сего́	сему́	сие́	сим	о сём
	сии́	сих	сим	сии́ (сих)	си́ми	о сих
30	**сам**	самого́	самому́	самого́	сами́м	о само́м
	сама́	само́й	само́й	самоё	само́й (само́ю)	о само́й
	само́	самого́	самому́	само́	сами́м	о само́м
	са́ми	сами́х	сами́м	сами́х	сами́ми	о сами́х
31	**весь**	всего́	всему́	весь (всего́)	всем	обо всём

	вся	всей	всей	всю	всей (все́ю)	обо всей
	всё	всего́	всему́	всё	всем	обо всём
	все	всех	всем	все (всех)	все́ми	обо всех
32	**не́сколько**	не́скольких	не́скольким	не́сколько (не́скольких)	не́сколькими	о не́скольких

Numeral

33	**оди́н**	одного́	одному́	оди́н (одного́)	одни́м	об одно́м
	одна́	одно́й	одно́й	одну́	одно́й (одно́ю)	об одно́й
	одно́	одного́	одному́	одно́	одни́м	об одно́м
	одни́	одни́х	одни́м	одни́ (одни́х)	одни́ми	об одни́х

34	**два**	**две**	**три**	**четы́ре**	
	двух	двух	трёх	четырёх	
	двум	двум	трём	четырём	
	два (двух)	две (двух)	три (трёх)	четы́ре (четырёх)	
	двумя́	двумя́	тремя́	четырьмя́	
	о двух	о двух	о трёх	о четырёх	
35	**пять**	**пятна́дцать**	**пятьдеся́т**	**сто**	**со́рок**
	пяти́	пятна́дцати	пяти́десяти	ста	сорока́
	пяти́	пятна́дцати	пяти́десяти	ста	сорока́
	пять	пятна́дцать	пятьдеся́т	сто	со́рок
	пятью́	пятна́дцатью	пятью́десятью	ста	сорока́
	о пяти́	о пятна́дцати	о пяти́десяти	о ста	о сорока́
36	**две́сти**	**три́ста**	**четы́реста**	**пятьсо́т**	
	двухсо́т	трёхсо́т	четырёхсо́т	пятисо́т	
	двумста́м	трёмста́м	четырёмста́м	пятиста́м	
	две́сти	три́ста	четы́реста	пятьсо́т	
	двумяста́ми	тремяста́ми	четырьмяста́ми	пятьюста́ми	
	о двухста́х	о трёхста́х	о четырёхста́х	о пятиста́х	
37	**о́ба**	**о́бе**	**дво́е**	**че́тверо**	
	обо́их	обе́их	двои́х	четверы́х	
	обо́им	обе́им	двои́м	четверы́м	
	о́ба (обо́их)	о́бе (обе́их)	дво́е (двои́х)	че́тверо (четверы́х)	
	обо́ими	обе́ими	двои́ми	четверы́ми	
	об обо́их	об обе́их	о двои́х	о четверы́х	

American and British Geographical Names

Американские и британские географические названия

A

Aberdeen (æbə'di:n) г. Абердин.
Adelaide ('ædəleid) г. Аделаида.
Aden ('eidn) г. 'Аден.
Africa ('æfrikə) 'Африка.
Alabama (ælə'bɑ:mə) Алаба́ма.
Alaska (ə'læskə) Аля́ска.
Albany ('ɔ:lbəni) 'Олбани.
Alleghany ('æligeini) **1.** Аллега́ны *pl.* (горы); **2.** Аллеге́йни (река).
America (ə'merikə) Аме́рика.
Antilles (æn'tili:z) Анти́льские острова́.
Antwerp ('æntwə:p) Антве́рпен.
Arabia (ə'reibjə) Ара́вия.
Argentina (ɑ:dʒən'ti:nə) Аргенти́на.
Arizona (æri'zounə) Аризо́на.
Arkansas ('ɑ:kənsɔ: штат в США, ɑ:'kænsəs река в США) Арканза́с.
Ascot ('æskət) г. 'Эскот.
Asia ('eiʃə) 'Азия; ~ *Minor* Ма́лая 'Азия.
Auckland ('ɔ:klənd) г. 'Окленд (порт в Новой Зеландии).
Australia (ɔ:s'treiljə) Австра́лия.
Austria ('ɔ:striə) 'Австрия.
Azores (ə'zɔ:z) Азо́рские острова́.

B

Bahamas (bə'hɑ:məz) Бага́мские острова́.
Balkans ('bɔ:lkənz): *the* ~ Балка́ны.
Baltic Sea ('bɔ:ltik'si:) Балти́йское мо́ре.
Baltimore ('bɔ:ltimɔ:) г. Ба́лтимор.
Barents Sea ('bɑ:rənts'si:) Ба́ренцово мо́ре.
Bavaria (bə'vɛəriə) Бава́рия.
Belfast ('belfɑ:st) г. Бе́лфаст (столица Северной Ирландии).
Belgium ('beldʒəm) Бе́льгия.
Bengal (beŋ'gɔ:l) Бенга́лия.
Berlin ('bə:'lin, bə:'lin) г. Берли́н.
Bermudas (bə[:]'mju:dəz) Берму́дские острова́.
Birmingham ('bə:miŋəm) г. Би́рмингем.
Biscay ('biskei): *Bay of* ~ Биска́йский зали́в.
Black Sea ('blæk'si:) Чёрное мо́ре.
Boston ('bɔstən) г. Бостóн.
Brazil (brə'zil) Брази́лия.
Brighton ('braitn) г. Бра́йтон.
Bristol ('bristl) г. Бри́сто́ль (порт и торговый город на юге Англии).
Britain ('britən) (*Great* Велико-) Брита́ния; *Greater* ~ Великобрита́ния с коло́ниями, Брита́нская импе́рия.
Brooklyn ('bruklin) Бру́клин.
Brussels ('brʌslz) г. Брюссе́ль.
Burma ('bə:mə) Би́рма.
Bulgaria (bʌl'gɛəriə) Болга́рия.
Byelorussia (bjelou'rʌʃə) Белору́ссия.

C

Calcutta (kæl'kʌtə) г. Кальку́тта.
California (kæli'fɔ:njə) Калифо́рния.
Cambridge ('keimbridʒ) г. Ке́мбридж.
Canada ('kænədə) Кана́да.
Canary (kə'nɛəri): ~ *Islands* Кана́рские острова́.
Canterbury ('kæntəbəri) г. Ке́нтербери.
Capetown ('keiptaun) г. Ке́йптаун.
Cardiff ('kɑ:dif) г. Ка́рдифф.
Caribbean Sea (kæ'ribi:ən'si:) Кари́бское мо́ре.
Carolina (kærə'lainə) Кароли́на (*North* Се́верная, *South* 'Южная).
Ceylon (si'lɔn) о-в Цейло́н.
Chesterfield ('tʃestəfi:ld) г. Че́стерфильд.
Cheviot ('tʃeviət): ~ *Hills* Чевио́тские го́ры.
Chicago (ʃi'kɑ:gou, *a.* ʃi'kɔ:gou) г. Чика́го.

Chile (ˈtʃili) Чи́ли.
China (ˈtʃainə) Кита́й.
Cincinnati (sinsiˈnæti) г. Цинцинна́ти.
Cleveland (ˈkli:vlənd) г. Кли́вленд.
Clyde (klaid) р. Кла́йд.
Colorado (kɔləˈrɑ:dou) Колора́до.
Columbia (kəˈlʌmbiə) Колу́мбия (река, город, адм. округ).
Connecticut (kəˈnektikət) Конне́ктикут (река и штат в США).
Cordilleras (kɔ:diˈljɛərəz) Кордилье́ры (горы).
Coventry (ˈkɔvəntri) г. Ко́вентри.
Cyprus (ˈsaiprəs) о-в Кипр.

D

Dakota (dəˈkoutə) Дако́та (*North* Се́верная, *South* ˈЮжная).
Denmark (ˈdenmɑ:rk) Да́ния.
Danube (ˈdænju:b) р. Дуна́й.
Delhi (ˈdeli) г. Де́ли.
Detroit (dəˈtrɔit) г. Детро́йт.
Dover (ˈdouvə) г. Дувр.
Dublin (ˈdʌblin) г. Ду́блин.
Dunkirk (dʌnˈkə:k) г. Дюнке́рк.

E

Edinburgh (ˈedinbərə) г. ˈЭдинбург.
Egypt (ˈi:dʒipt) Еги́пет.
Eire (ˈɛərə) ˈЭйре.
England (ˈiŋglənd) ˈАнглия.
Erie (ˈiəri): *Lake* ~ о́зеро ˈЭри.
Eton (ˈi:tn) г. ˈИтон.
Europe (ˈjuərəp) Евро́па.

F

Falkland (ˈfɔ:klənd): ~ *Islands* Фолкле́ндские острова́.
Florida (ˈflɔridə) Флори́да.
Folkestone (ˈfoukstən) г. Фо́лкстон.
France (frɑ:ns) Фра́нция.

G

Galveston(e) (ˈgælvistən) г. Га́лвестон.
Geneva (dʒiˈni:və) г. Жене́ва.
Georgia (ˈdʒɔ:dʒiə) Джо́рджия (штат в США).
Germany (ˈdʒə:məni) Герма́ния.
Gettysburg (ˈgetizbə:g) г. Ге́ттисберг.
Ghana (gɑ:nə) Га́на.
Glasgow (ˈglɑ:sgou) г. Гла́зго.
Gloucester (ˈglɔstə) г. Гло́стер.
Greenwich (ˈgrinidʒ) г. Гри́н(в)ич.
Guernsey (ˈgə:nzi) о-в Ге́рнси.
Guiana (giˈɑ:nə) Гвиа́на.
Guinea (ˈgini) Гвине́я.

H

Haiti (ˈhe:ti) Гаи́ти.
Halifax (ˈhælifæks) г. Га́лифакс.
Harwich (ˈhæridʒ) г. Ха́ридж.
Hawaii (hɑ:ˈwaii) о-в Гава́йи.
Hebrides (ˈhebridi:z) Гебри́дские острова́.
Heligoland (ˈheligoulænd) о-в Ге́льголанд.
Hindustan (hinduˈstæn, -ˈstɑ:n) Индоста́н.
Hollywood (ˈhɔliwud) г. Го́лливуд.
Hudson (ˈhʌdsn) р. Гу́дзо́н.
Hull (hʌl) г. Гулль.
Hungary (ˈhʌŋgəri) Ве́нгрия.
Huron (ˈhjuərən): *Lake* ~ о́зеро Гу́ро́н.

I

Iceland (ˈaislənd) Исла́ндия.
Idaho (ˈaidəhou) Айда́хо.
Illinois (iliˈnɔi) ˈИллино́йс.
India (ˈindjə) ˈИндия.
Indiana (indiˈænə) Индиа́на.
Iowa (ˈaiouə) ˈАйова.
Irak, Iraq (iˈrɑ:k) Ира́к.
Iran (iəˈrɑ:n) Ира́н.
Ireland (ˈaiələnd) Ирла́ндия.
Italy (ˈitəli) Ита́лия.

J

Jersey (ˈdʒə:zi) **1.** о-в Дже́рси; **2.** ~ *City* г. Дже́рси-Си́ти.

K

Kansas (ˈkænzəs) Ка́нза́с.
Karachi (kəˈrɑ:tʃi) г. Кара́чи.
Kashmir (kæʃˈmiə) Кашми́р.
Kentucky (kenˈtʌki) Кенту́кки.
Kenya (ˈki:njə, ˈkenjə) Ке́ния.
Klondike (ˈklɔndaik) Кло́ндайк.
Korea (koˈriə) Коре́я.

L

Labrador (ˈlæbrədɔ:) п-в Лабра-до́р.
Lancaster (ˈlæŋkəstə) г. Ла́нка́стер.
Leeds (li:dz) г. Лидс.
Leicester (ˈlestə) Ле́стер.
Lincoln (ˈliŋkən) г. Линкольн.
Liverpool (ˈlivəpu:l) г. Ли́верпу́л(ь).

London (ˈlʌndən) г. Ло́ндон.
Los Angeles (lɔsˈændʒili:z) г. Лос-ˈАнжелос.
Louisiana (lu[:]i:ziˈænə) Луизиа́на.

M

Mackenzie (məˈkenzi) р. Маке́нзи.
Madras (məˈdræs) г. Мадра́с.
Maine (mein) Мэн (штат в США).
Malta (ˈmɔ:ltə) о-в Ма́льта.
Manchester (ˈmæntʃistə) г. Ма́нчестер.
Manhattan (mænˈhætən) Манха́ттан.
Manitoba (mæniˈtoubə) Манито́ба.
Maryland (ˈmerilənd, *Brt.* mɛəri-) Мэ́риленд.
Massachusetts (mæsəˈtʃu:sets) Массачу́сетс.
Melbourne (ˈmelbən) г. Ме́льбурн.
Miami (maiˈæmi) г. Майа́ми.
Michigan (ˈmiʃigən) Ми́чиган (штат в США); *Lake* ~ о́зеро Ми́чиган.
Milwaukee (milˈwɔ:ki[:]) г. Милуо́ки.
Minneapolis (miniˈæpəlis) г. Миннеа́полис.
Minnesota (miniˈsoutə) Миннесо́та.
Mississippi (misiˈsipi) Миссиси́пи (река и штат).
Missouri (miˈzuəri, *Brt.* miˈsuəri) Миссу́ри (река и штат).
Montana (mɔnˈtɑ:nə) Монта́на (штат в США).
Montreal (mɔntriˈɔ:l) г. Монреа́ль.
Moscow (ˈmɔskou) г. Москва́.
Munich (ˈmju:nik) г. Мю́нхен.
Murray (ˈmʌri) р. Му́ррей (Ма́рри).

N

Natal (nəˈtæl) Ната́ль.
Nebraska (niˈbræskə) Небра́ска (штат в США).
Nevada (neˈvɑ:də) Нева́да (штат в США).
Newcastle (ˈnju:kɑ:sl) г. Ньюка́сл.
Newfoundland (nju:ˈfaundlənd, ⚓ nju:fəndˈlænd) о-в Ньюфаундле́нд.
New Hampshire (nju:ˈhæmpʃiə) Нью-Хэ́мпшир (штат в США).
New Jersey (nju:ˈdʒə:zi) Нью-Дже́рси (штат в США).
New Mexico (nju:ˈmeksikou) Нью-Ме́ксико (штат в США).
New Orleans (nju:ˈɔ:liənz) г. Но́вый Орлеа́н.
New York (ˈnju:ˈjɔ:k) Нью-Йо́рк (город и штат).
New Zealand (nju:ˈzi:lənd) Но́вая Зела́ндия.
Niagara (naiˈægərə) р. Ниага́ра, ~ *Falls* Ниага́рские водопа́ды.
Nigeria (naiˈdʒiəriə) Ниге́рия.
Northampton (nɔ:ˈθæmptən) Нортге́мптон.
Norway (ˈnɔ:wei) Норве́гия.
Nottingham (ˈnɔtiŋəm) Но́ттингем.

O

Oceania (ouʃiˈeiniə) Океа́ния.
Ohio (ouˈhaiou) Ога́йо (река и штат).
Oklahoma (ouklәˈhoumə) Оклахо́ма (штат в США).
Ontario (ɔnˈtɛəriou) Онта́рио; *Lake* ~ о́зеро Онта́рио.
Oregon (ˈɔrigən) Орего́н (штат в США).
Orkney (ˈɔ:kni): ~ *Islands* Оркне́йские острова́.
Ottawa (ˈɔtəwə) г. Отта́ва.
Oxford (ˈɔksfəd) г. ˈОксфорд.

P

Pakistan (ˈpɑ:kisˈtɑ:n) Пакиста́н.
Paris (ˈpæris) г. Пари́ж.
Pennsylvania (pensilˈveinjə) Пенсильва́ния (штат в США).
Philadelphia (filəˈdelfjə) г. Филаде́льфия.
Philippines (ˈfilipi:nz) Филиппи́ны.
Pittsburg(h) (ˈpitsbə:g) г. Пи́тсбург.
Plymouth (ˈplimәθ) г. Пли́мут.
Poland (ˈpoulənd) По́льша.
Portsmouth (ˈpɔ:tsmeθ) г. По́ртсмут.
Portugal (ˈpɔ:tjugəl) Португа́лия.
Punjab (pʌnˈdʒɑ:b) Пенджа́б.

Q

Quebec (kwiˈbek) Квебе́к.

R

Rhine (rain) р. Рейн.
Richmond (ˈritʃmənd) г. Ри́чмонд.
Rhode Island (roudˈailənd) Род-ˈАйленд (штат в США).
Rhodes (roudz) о-в Ро́дос.
Rhodesia (rouˈdi:ziə) Роде́зия.
Rome (roum) г. Рим.
Russia (ˈrʌʃə) Росси́я.

S

Scandinavia (skændiˈneivjə) Скандинáвия.
Scotland (ˈskɔtlənd) Шотлáндия.
Seattle (siˈætl) г. Сиэ́тл.
Seoul (soul) г. Сеýл.
Sheffield (ˈʃefi:ld) г. Шéффилд.
Shetland (ˈʃetlənd): *the ~ Islands* Шетлáндские островá.
Siberia (saiˈbiəriə) Сибúрь.
Singapore (siŋgəˈpɔ:) г. Сингапýр.
Soudan (su[:]ˈdæn) Судáн.
Southampton (sauθˈæmptən) г. Саутгéмптон.
Spain (spein) Испáния.
St. Louis (sntˈluis) г. Сент-Лýис.
Stratford (ˈstrætfəd): ~ on Avon г. Стрáтфорд-на-ˈЭйвоне.
Sweden (ˈswi:dn) Швéция.
Switzerland (ˈswitsələnd) Швейцáрия.
Sydney (ˈsidni) г. Сúдней.

T

Tennessee (teneˈsi:) Теннессú (река и штат в США).
Texas (ˈteksəs) Техáс (штат в США).
Thames (temz) р. Тéмза.
Toronto (təˈrɔntou) г. Торóнто.
Trafalgar (trəˈfælgə) Трафальгáр.
Transvaal (ˈtrænzvɑ:l) Трансваáль.
Turkey (ˈtə:ki) Тýрция.

U

Utah (ˈju:tɑ:) ˈЮта (штат в США).

V

Vancouver (vænˈku:və) г. Ванкýвер.
Vermont (və:ˈmɔnt) Вермóнт (штат в США).
Vienna (viˈenə) г. Вéна.
Virginia (vəˈdʒinjə) Виргúния (штат в США).

W

Wales (weilz) Уэ́льс.
Washington (ˈwɔʃiŋtən) Вáшингтóн (город и штат в США).
Wellington (ˈweliŋtən) г. Вéллингтон (столица Новой Зеландии).
West Virginia (ˈwestvəˈdʒinjə) Зáпадная Виргúния (штат в США).
Winnipeg (ˈwinipeg) Вúннипег (город и озеро в Канаде).
Wisconsin (wisˈkɔnsin) Вискóнсин (река и штат в США).
Worcester (ˈwustə) г. Вýстер.
Wyoming (waiˈoumiŋ) Вайóминг (штат в США).

Y

York (jɔ:k) Йорк.
Yugoslavia (ˈju:gouˈslɑ:viə) Югослáвия.

Наиболее употребительные сокращения, принятые в современном русском языке

Current Russian Abbreviations

авт. (авто́бус) (motor) bus
авто... in compounds 1. (автомоби́льный) motor-; 2. (автомати́ческий) auto-
акад. (акаде́мик) academician
АН (Акаде́мия нау́к) Academy of Sciences
АО 1. (акционе́рное о́бщество) joint-stock company; 2. (автоно́мная о́бласть) autonomous region
АТС (автомати́ческая телефо́нная ста́нция) telephon exchange
АЭС (а́томная электроста́нция) nuclear power station

Б. in proper names (Большо́й) Greater, Bolshoi
б-ка (библиоте́ка) library
БСЭ (Больша́я сове́тская энциклопе́дия) Big Soviet Encyclopaedia

В. 1. (восто́к) east; 2. in proper names (Ве́рхний) Upper, Verkhny
в. (век) century
вв. (века́) centuries
ВВС (Вое́нно-возду́шные си́лы) Air Forces
вкл. 1. (включа́я, включи́тельно) including, inclusive; 2. (включи́ть) switch on
ВМФ (Вое́нно-морско́й флот) Navy
вост. (восто́чный) eastern
ВС (Верхо́вный Сове́т) Supreme Soviet
в ср. (в сре́днем) average, mean
в т. ч. (в том числе́) including
ВЦ (вычисли́тельный центр) computer centre
ВЧ (высо́кая частота́) high frequency
выкл. (вы́ключить) switch off

г (грамм) gram(me)
г. 1. (господи́н) Mr; 2. (год) year; 3. (го́род) city, town; 4. (гора́) mountain
га (гекта́р) hectare
ГАИ (Госуда́рственная автомоби́льная инспе́кция) State traffic inspection
гг. 1. (господа́) Gentlemen; 2. (го́ды) years; 3. (города́) cities, towns
г-жа (госпожа́) Mrs
ГК (Гражда́нский ко́декс) civil code
гл. 1. (глава́) chapter; 2. (гла́вный) main
глав... in compounds (гла́вный)
г-н (господи́н) Mr
гр. (граждани́н) citizen
ГУМ (Госуда́рственный универса́льный магази́н) State department store

ДВ (дли́нные во́лны) long waves

деп. 1. (депута́т) deputy; 2. (департа́мент) department
дер. (дере́вня) village
дир. (дире́ктор) director
доц. (доце́нт) lecturer, instructor
д-р (до́ктор) doctor

ЕЭС (Европе́йское Экономи́ческое Соо́бщество) European Economic Community

ж. д. (желе́зная доро́га) railroad, railway
ж.-д. (железнодоро́жный) relating to railroads or railways

З. (за́пад) west
ЗАГС, загс (отде́л за́писей а́ктов гражда́нского состоя́ния) registrar's (registry) office
зап. (за́падный) western

и др. (и други́е) etc.
илл. (иллюстра́ция) illustration
им. (и́мени) called
ин-т (институ́т) institute
и пр., и проч. (и про́чее) etc.
и т. д. (и так да́лее) and so on
и т. п. (и тому́ подо́бное) etc.

к. (копе́йка) kopeck
кан. (кана́л) channel, canal
КБ 1. (комме́рческий банк) commercial bank; 2. (констру́кторское бюро) design office
КВ (коро́ткие во́лны, коротковолно́вый) short waves
кв. 1. (кварти́ра) apartment; 2. (квадра́тный) square
кг (килогра́мм) kg (kilogram[me])
км (киломе́тр) km. (kilometer)
км/ч, км/ч., км/час (киломе́тров в час) km/h (kilometers per hour)
кн. 1. (князь) prince; 2. (кни́га) book
КПД, кпд (коэффицие́нт поле́зного де́йствия) efficiency
куб. (куби́ческий) cubic

л. с. (лошади́ная си́ла) h. p. (horse power)

м (метр) m. (meter, *Brt.* metre)
М. in proper names (Ма́лый) Smaller, Maly
м. 1. (мину́та) minute; 2. (мо́ре) sea
МВФ (Междунаро́дный валю́тный фонд) International Monetary Fund
МГУ (Моско́вский госуда́рственный университе́т) Moscow State University
мес. (ме́сяц) month
МИД (Министе́рство иностра́нных дел) Ministry of Foreign Affairs
мин (мину́та) minute
мл. (мла́дший) junior
мм (миллиме́тр) mm (millimeter)
МО (Министе́рство оборо́ны) Ministry of Defense
МП (ма́лое предприя́тие) small business enterprise
МХАТ (Моско́вский худо́жественный академи́ческий теа́тр) Academic Artist's Theatre, Moscow

Н. in proper names 1. (Но́вый) New, Novy; 2. (Ни́жний) Lower, Nizhny
напр. (наприме́р) for instance

нач. (нача́льник) chief
НИИ (нау́чно-иссле́довательский институ́т) scientific research institute
н. ст. (но́вый стиль) new style *(Gregorian calendar)*
н. э. (на́шей эры) A. D.
НЧ (ни́зкая частота́, низкочасто́тный) low frequency
нэп (но́вая экономи́ческая поли́тика) New Economic Policy *(historical)*

о. (о́стров) island
обл. (о́бласть) region, province
о-ва (острова́) islands
оз. (о́зеро) lake
ООН (Организа́ция Объединённых На́ций) United Nations Organization
О.О.О. (о́бщество с ограни́ченной отве́тственностью) association ltd.
отд. (отде́л) section, (отделе́ние) department

п. 1. (пункт) point; 2. (пара́граф) paragraph
пер. (переу́лок) lane, side street
пл. (пло́щадь) square; area *(a. geom.); (living)* space
п-ов (полу́остров) peninsula
пос. (посёлок) settlement
пр. 1. (проспе́кт) avenue; 2. (прое́зд) passage
просп. (проспе́кт) avenue
проф. (профе́ссор) professor

р. 1. (река́) river; 2. (рубль) r(o)uble
РАН (Росси́йская Акаде́мия нау́к) Russian Academy of Sciences
РИА (Росси́йское информацио́нное аге́нтство) Russian Information Agency
рис. (рису́нок) figure, illustration
р-н (райо́н) district, region
рт. ст. (рту́тного столба́) mercury (column)
РФ (Росси́йская Федера́ция) Russian Federation
РПЦ (Ру́сская Правосла́вная Це́рковь) Russian Orthodox Church

С. 1. (се́вер) north; 2. in proper names (Ста́рый) Old, Stary
с. 1. (страни́ца), page; 2. (секу́нда) second; 3. (село́) village
СА (Сове́тская Армия) Soviet Army *(historical)*
сб. (сбо́рник) collection
СВ (сре́дние во́лны, средневолно́вый) middle waves
Св. (Свято́й) Saint
с.-в. (се́веро-восто́чный) north-eastern
СВЧ (сверхвысо́кие часто́ты, сверхвысокочасто́тный) super high frequency
с. г. (сего́ го́да) (of) this year
с.-д. (социа́л-демократи́ческий) social-democratic
сев. (се́верный) northern
сек. (секу́нда) second
с.-з. (се́веро-за́падный) north-western
СКВ (свобо́дно конверти́руемая валю́та) hard currency
след. (сле́дующий) following
СМ (Сове́т Мини́стров) Council of Ministers
см (сантиме́тр) cm. (centimeter)
см. (смотри́) see
СНГ (Содру́жество Незави́симых Госуда́рств) Commonwealth of Independent States
СП (совме́стное предприя́тие) joint-venture
ср. 1. (сре́дний) middle, average; 2. (сравни́) cf. (compare)
СССР (Сою́з Сове́тских Социалисти́ческих Респу́блик) U.S.S.R. (Union of Soviet Socialist Republics) *(historical)*

ст. 1. (статья́) article; 2. (ста́нция) station; 3. (стани́ца) stanitsa (Cossack village); 4. (ста́рший) senior
стр. (страни́ца) page
ст. ст. (ста́рого сти́ля) old style *(Julian calendar)*
США (Соединённые Шта́ты Аме́рики) U.S.A. (United States of America)

т (то́нна) t. (ton)
т. 1. (това́рищ) comrade; 2. (том) volume; 3. (ты́сяча) thousand
табл. (табли́ца) table
т-во (това́рищество) company, association
т. г. (теку́щего го́да) of the current year
т. е. (то есть) i. e. (that is)
тел. (телефо́н) telephone
т. н., т. наз. (так называ́емый) so-called
ТОО, Т.О.О. (това́рищество с ограни́ченной отве́тственностью) company ltd.
торгпре́дство (торго́вое представи́тельство) trade agency
тролл. (тролле́йбус) trolley bus
тт. 1. (това́рищи) comrades; 2. (тома́) volumes
туп. (тупи́к) blind alley
тыс. (ты́сяча) thousand
ТЭС (теплова́я электроста́нция) thermoelectric power station

УК (уголо́вный ко́декс) criminal code
УКВ (ультракоро́ткие во́лны, ультракоротковолно́вый) ultra-short waves
ул. (у́лица) street
ун-т (университе́т) university
УПК (уголо́вно-процессуа́льный ко́декс) criminal procedure code

ф-т (факульте́т) faculty

худ. (худо́жник, худо́жественный) artist, artistic

ЦБ (Центра́льный Банк) central bank
ЦК (Центра́льный Комите́т) Central Committee
ЦСКА (Центра́льный спорти́вный клуб а́рмии) Central Army Sport Club
ЦПКиО (Центра́льный парк культу́ры и о́тдыха) Central Park for Culture and Recreation
ЦУМ (Центра́льный универса́льный магази́н) Central department store

ч. 1. (челове́к) man, person; 2. (час) hour; 3. (часть) part
чел. (челове́к) man, person
черт. (чертёж) mechanical drawing
чл. (член) member
чл.-корр. (член-корреспонде́нт) Corresponding Member
ЧП (чрезвыча́йное происше́ствие) state of emergency

шир. (ширина́) width
шт. (шту́ка) piece

ЭВМ (электро́нная вычисли́тельная маши́на) computer
ЭКГ (электрокардиогра́мма) electrocardiogram

Ю. (юг) south
ю.-в. (юго-восто́чный) south-eastern
юж. (ю́жный) southern
ю.-з. (юго-за́падный) south-western

Current American and British Abbreviations

Наиболее употребительные сокращения, принятые в США и Великобритании

A

A.B.C. *American Broadcasting Company* Америка́нская радиовеща́тельная корпора́ция.

A-bomb *atomic bomb* а́томная бо́мба.

A.C. *alternating current* переме́нный ток.

A/C *account (current)* контокорре́нт, теку́щий счёт.

acc(t). *account* отчёт; счёт.

A.E.C. *Atomic Energy Commission* Коми́ссия по а́томной эне́ргии.

AFL-CIO *American Federation of Labor & Congress of Industrial Organizations* Америка́нская федера́ция труда́ и Конгре́сс произво́дственных профсою́зов, АФТ/КПП.

A.F.N. *American Forces Network* радиосе́ть америка́нских войск (в Евро́пе).

Ala. *Alabama* Алаба́ма (штат в США).

Alas. *Alaska* Аля́ска (террито́рия в США).

a.m. *ante meridiem* (лат. = *before noon*) до полу́дня.

A.P. *Associated Press* Ассо́шиэйтед пресс.

A.R.C. *American Red Cross* Америка́нский Кра́сный Крест.

Ariz. *Arizona* Аризо́на (штат в США).

Ark. *Arkansas* Арка́нза́с (штат в США).

A.R.P. *Air-Raid Precautions* гражда́нская ПВО (противовозду́шная оборо́на).

B

B.A. *Bachelor of Arts* бакала́вр филосо́фии.

B.B.C. *British Broadcasting Corporation* Брита́нская радиовеща́тельная корпора́ция.

B/E *Bill of Exchange* ве́ксель *m*, тра́тта.

B.E.A.C. *British European Airways Corporation* Брита́нская корпора́ция европе́йских возду́шных сообще́ний.

Benelux *Belgium, Netherlands, Luxemburg* экономи́ческий и тамо́женный сою́з, БЕНИЛЮКС.

B.F.B.S. *British Forces Broadcasting Service* радиовеща́тельная организа́ция брита́нских вооружённых сил.

B.L. *Bachelor of Law* бакала́вр пра́ва.

B/L *bill of lading* коносаме́нт; тра́нспортная накладна́я.

B.M. *Bachelor of Medicine* бакала́вр медици́ны.

B.O.A.C. *British Overseas Airways Corporation* Брита́нская корпора́ция трансокеа́нских возду́шных сообще́ний.

B.O.T. *Board of Trade* министе́рство торго́вли (в Англии).

B.R. *British Railways* Брита́нская желе́зная доро́га.

Br(it). *Britain* Великобрита́ния; *British* брита́нский, англи́йский.

Bros. *brothers* бра́тья *pl.* (в названиях фирм).

B.S.A. *British South Africa* Брита́нская 'Южная 'Африка.

B.T.U. *British Thermal Unit(s)* брита́нская теплова́я едини́ца.

B.U.P. *British United Press* информацио́нное аге́нтство „Бри́тиш Юна́йтед Пресс".

C

c. **1.** *cent(s)* цент (американская монета); **2.** *circa* приблизи́тельно, о́коло; **3.** *cubic* куби́ческий.

C/A *current account* теку́щий счёт.

Cal(if). *California* Калифо́рния (штат в США).

Can. *Canada* Кана́да; *Canadian* кана́дский.

C.C. *continuous current* постоя́нный ток.

C.I.C. *Counter Intelligence Corps* слу́жба контрразве́дки США.
C.I.D. *Criminal Investigation Division* кримина́льная поли́ция.
c.i.f. *cost, insurance, freight* цена́, включа́ющая сто́имость, расхо́ды по страхова́нию и фрахт.
c/o *care of* че́рез, по а́дресу (на-дпись на конвертах).
Co. 1. *company* о́бщество, компа́ния; **2.** (в США и Ирландии также) *County* о́круг.
C.O.D. *cash* (ам. *collect.*) *on delivery* нало́женный платёж, упла́та при доста́вке.
Col. *Colorado* Колора́до (штат в США).
Conn. *Connecticut* Конне́ктикут (штат в США).
c.w.o. *cash with order* нали́чный расчёт при вы́даче зака́за.
cwt. *hundredweight* це́нтнер.

D

d. *penny* (*pence pl.*) (условное обозначение английской монеты) пе́нни (пе́нс[ы] *pl.*).
D.C. 1. *direct current* постоя́нный ток; **2.** *District of Columbia* федера́льный о́круг Колу́мбия (с американской столицей).
Del. *Delaware* Де́лавэр (штат в США).
Dept. *Department* отде́л; управле́ние; министе́рство; ве́домство.
disc(t). *discount* ски́дка; диско́нт, учёт векселе́й.
div(d). *dividend* дивиде́нд.
dol. *dollar* до́ллар.
doz. *dozen* дю́жина.
D.P. *Displaced Person* перемещённое лицо́.
d/p *documents against payment* докуме́нты за нали́чный расчёт.
Dpt. *Department* отде́л; управле́ние; министе́рство; ве́домство.

E

E. 1. *East* восто́к; *Eastern* восто́чный; **2.** *English* англи́йский.
E. & O.E. *errors and omissions excepted* исключа́я оши́бки и про́пуски.
E.C.E. *Economic Commission for Europe* Экономи́ческая коми́ссия ООН для Евро́пы.
ECOSOC *Economic and Social Council* Экономи́ческий и социа́льный сове́т ООН.
EE., E./E. *errors excepted* исключа́я оши́бки.
e.g. *exempli gratia* (лат. = *for instance*) напр. (наприме́р).
Enc. *enclosure(s)* приложе́ние (-ния).
E.R.P. *European Recovery Program(me)* програ́мма „восстановле́ния Евро́пы", т. наз. „план Ма́ршалла".
Esq. *Esquire* эсква́йр (титул дворянина, должностного лица; обычно ставится в письме после фамилии).

F

f. 1. *farthing* (брит. монета) че́тверть пе́нса, фа́ртинг; **2.** *fathom* морска́я саже́нь f; **3.** *feminine* же́нский; *gram.* же́нский род; **4.** *foot* фут, *feet* фу́ты; **5.** *following* сле́дующий.
FBI *Federal Bureau of Investigation* федера́льное бюро́ рассле́дований (в США).
FIFA *Fédération Internationale de Football Association* Междунаро́дная федера́ция футбо́льных о́бществ, ФИФА.
Fla. *Florida* Флори́да (штат в США).
F.O. *Foreign Office* министе́рство иностра́нных дел.
fo(l). *folio* фо́лио *indecl. n* (формат в пол-листа); лист (бухгалтерской книги).
f.o.b. *free on board* фра́нко-борт, [ФОБ.
f.o.q. *free on quay* фра́нко-на́бережная.
f.o.r. *free on rail* фра́нко-ре́льсы, фра́нко желе́зная доро́га.
f.o.t. *free on truck* фра́нко ж.-д. платфо́рма; фра́нко-грузови́к.
f.o.w. *free on waggon* фра́нко-ваго́н.
fr. *franc(s)* фра́нк(и).
ft. *foot* фут, *feet* фу́ты.

G

g. 1. *gram(me)* грамм; **2.** *guinea* гине́я (денежная единица = 21 шиллингу).
Ga. *Georgia* Гео́ргия (штат в США).
G.A.T.T. *General Agreement on Tariffs and Trade* Общее соглаше́ние по тамо́женным тарифам и торго́вле.
G.I. *government issue* казённый; госуда́рственная со́бственность f; *fig.* америка́нский солда́т.

G.M.T. *Greenwich Mean Time* сре́днее вре́мя по гри́нвичскому меридиа́ну.
gns. *guineas* гине́и.
gr. *gross* бру́тто.
gr.wt. *gross weight* вес бру́тто.
Gt.Br. *Great Britain* Великобрита́ния.

H

h. *hour(s)* час(ы́).
H.B.M. *His (Her) Britannic Majesty* Его́ (Её) Брита́нское Вели́чество.
H-bomb *hydrogen bomb* водоро́дная бо́мба.
H.C. *House of Commons* пала́та о́бщин (в Англии).
hf. *half* полови́на.
H.L. *House of Lords* пала́та ло́рдов (в Англии).
H.M. *His (Her) Majesty* Его́ (Её) Вели́чество.
H.M.S. 1. *His (Her) Majesty's Service* на слу́жбе Его́ (Её) Вели́чества; ✉ служе́бное де́ло; **2.** *His (Her) Majesty's Ship* кора́бль англи́йского вое́нно-морско́го фло́та.
H.O. *Home Office* министе́рство вну́тренних дел (в Англии).
H.P., h.p. *horse-power* лошади́ная си́ла (единица мощности).
H.Q., Hq. *Headquarters* штаб.
H.R. *House of Representatives* пала́та представи́телей (в США).
H.R.H. *His (Her) Royal Highness* Его́ (Её) Короле́вское Высо́чество.
hrs. *hours* часы́.

I

Ia. *Iowa* 'Айова (штат в США).
Id. *Idaho* Айда́хо (штат в США).
I.D. *Intelligence Department* разве́дывательное управле́ние.
i.e. *id est* (лат. = *that is to say*) т. е. (то́ есть).
Ill. *Illinois* 'Иллино́йс (штат в США).
I.M.F. *International Monetary Fund* Междунаро́дный валю́тный фонд ООН.
in. *inch(es)* дю́йм(ы).
Inc. 1. *Incorporated* обьединённый; зарегистри́рованный как корпора́ция; **2.** *Including* включи́тельно; **3.** *Inclosure* приложе́ние.
Ind. *Indiana* Индиа́на (штат в США).
I.N.S. *International News Service* Междунаро́дное телегра́фное аге́нтство.
inst. (лат. = *instant*) с. м. (сего́ ме́сяца).
Ir. *Ireland* Ирла́ндия; *Irish* ирла́ндский.

J

J.P. *Justice of the Peace* мирово́й судья́ *m.*
Jr. *junior* мла́дший.

K

Kan(s). *Kansas* Ка́нза́с (штат в США).
k.o. *knock(ed) out* спорт.: нока́ут; *fig.* (окончательно) разде́латься с ке́м-либо.
Ky. *Kentucky* Кенту́кки (штат в США).

L

l. *litre* литр.
£ *pound sterling* фунт сте́рлингов.
La. *Louisiana* Луизиа́на (штат в США).
£A *Australian pound* австрали́йский фунт (денежная единица).
lb. *pound* фунт (мера веса).
L/C *letter of credit* аккредити́в.
£E *Egyptian pound* еги́петский фунт (денежная единица).
L.P. *Labour Party* лейбори́стская па́ртия.
LP *long-playing* долгоигра́ющий; ~ *record* долгоигра́ющая пласти́нка.
Ltd. *limited* с ограни́ченной отве́тственностью.

M

m. 1. *male* мужско́й; **2.** *metre* метр; **3.** *mile* ми́ля; **4.** *minute* мину́та.
M.A. *Master of Arts* маги́стр филосо́фии.
Man. *Manitoba* Манито́ба (провинция Канады).
Mass. *Massachusetts* Массачу́сетс (штат в США).
M.D. *medicinae doctor* (лат. = *Doctor of Medicine*) до́ктор медици́ны.
Md. *Maryland* Мэ́риленд (штат в США).
Me. *Maine* Мэн (штат в США).
mg. *milligramme* миллигра́мм.
Mich. *Michigan* Ми́чига́н (штат в США).
Minn. *Minnesota* Миннесо́та (штат в США).
Miss. *Mississippi* Миссиси́пи (штат в США).
mm. *millimetre* миллиме́тр.
Mo. *Missouri* Миссу́ри (штат в США).

M.O. *money order* де́нежный перево́д по по́чте.
Mont. *Montana* Монта́на (штат в США).
MP, M.P. 1. *Member of Parliament* член парла́мента; **2.** *Military Police* вое́нная поли́ция.
m.p.h. *miles per hour* (сто́лько-то) миль в час.
Mr. *Mister* ми́стер, господи́н.
Mrs. *Mistress* ми́ссис, госпожа́.
MS. *manuscript* ру́копись f.
M.S. *motorship* теплохо́д.

N

N. *North* се́вер; *Northern* се́верный.
N.A.A.F.I. *Navy, Army, and Air Force Institutes* вое́нно-торго́вая слу́жба ВМС (вое́нно-морски́х сил), ВВС (вое́нно-возду́шных сил) и сухопу́тных войск.
NATO *North Atlantic Treaty Organization* Североатланти́ческий сою́з, НАТО.
N.C. *North Carolina* Се́верная Кароли́на (штат в США).
N.Dak. *North Dakota* Се́верная Дако́та (штат в США).
N.E. *Northeast* се́веро-восто́к.
Neb. *Nebraska* Небра́ска (штат в США).
Nev. *Nevada* Нева́да (штат в США).
N.H. *New Hampshire* Нью-Хэ́мпшир (штат в США).
N.J. *New Jersey* Нью-Дже́рси (штат в США).
N.Mex. *New Mexico* Нью-Ме́ксико (штат в США).
nt.wt. *net weight* вес не́тто, чи́стый вес.
N.W. *Northwestern* се́веро-за́падный.
N.Y. *New York* Нью-Йо́рк (штат в США).
N.Y.C. *New York City* Нью-Йо́рк (го́род).

O

O. 1. *Ohio* Ога́йо (штат в США); **2.** *order* поруче́ние, зака́з.
o/a *on account of* за (чей-либо) счёт.
O.E.E.C. *Organization of European Economic Co-operation* Организа́ция европе́йского экономи́ческого сотру́дничества.
O.H.M.S. *On His (Her) Majesty's Service* состоя́щий на короле́вской (госуда́рственной или вое́нной) слу́жбе; ✉ служе́бное де́ло.
O.K. *all correct* всё в поря́дке, всё пра́вильно; утверждено́, согласо́вано.
Okla. *Oklahoma* Оклахо́ма (штат в США).
Ore(g). *Oregon* Орего́н (штат в США).

P

p.a. *per annum* (лат.) в год; ежего́дно.
Pa. *Pennsylvania* Пенсильва́ния (штат в США).
P. A. A. *Pan American Airways* Панамерика́нская авиакомпа́ния.
P.C. 1. *post-card* почто́вая ка́рточка, откры́тка; **2.** *police constable* полице́йский.
p.c. *per cent* проце́нт, проце́нты.
pd. *paid* упла́чено; опла́ченный.
Penn(a). *Pennsylvania* Пенсильва́ния (штат в США).
per pro(c). *per procurationem* (лат. = *by proxy*) по дове́ренности.
p.m. *post meridiem* (лат. = *after noon*) ... часо́в (часа́) дня.
P.O. 1. *Post Office* почто́вое отделе́ние; **2.** *postal order* де́нежный перево́д по по́чте.
P.O.B. *Post Office Box* почто́вый абонеме́нтный я́щик.
p.o.d. *pay on delivery* нало́женный платёж.
P.O.S.B. *Post Office Savings Bank* сберега́тельная ка́сса при почто́вом отделе́нии.
P.S. *Postscript* постскри́птум, припи́ска.
P.T.O., p.t.o. *please turn over* см. н/об. (смотри́ на оборо́те).
PX *Post Exchange* вое́нно-торго́вый магази́н.

Q

quot. *quotation* котиро́вка.

R

R.A.F. *Royal Air Force* вое́нно-возду́шные си́лы Великобрита́нии.
ref(c). *reference* ссы́лка, указа́ние.
regd. *registered* зарегистри́рованный; ✉ заказно́й.
reg. ton *register ton* реги́стровая то́нна.
ret. *retired* изъя́тый из обраще́ния; вы́купленный, опла́ченный.
Rev. *Reverend* преподо́бный.
R.I. *Rhode Island* Род-'Айленд (штат в США).
R.N. *Royal Navy* англи́йский вое́нно-морско́й флот Великобрита́нии.

R.P. *reply paid* отве́т опла́чен.
R.R. *Railroad Am.* желе́зная доро́га.

S

S. *South* юг; *Southern* ю́жный.
s. 1. *second* секу́нда; **2.** *shilling* ши́ллинг.
S.A. 1. *South Africa* 'Ю́жная 'Африка; **2.** *South America* 'Ю́жная Аме́рика; **3.** *Salvation Army* 'Армия спасе́ния.
S.C. 1. *South Carolina* 'Ю́жная Кароли́на (штат в США); **2.** *Security Council* Сове́т Безопа́сности ООН.
S.Dak. *South Dakota* 'Ю́жная Дако́та (штат в США).
S.E. 1. *Southeast* юго-восто́к; *Southeastern* юго-восто́чный; **2.** *Stock Exchange* фо́ндовая би́ржа (в Лондоне).
sh. *shilling* ши́ллинг.
Soc. *society* о́бщество.
sov. *sovereign* соверен (золотая монета в один фунт стерлингов).
Sq. *Square* пло́щадь f.
sq. *square...* квадра́тный.
S.S. *steamship* парохо́д.
St. *Station* ста́нция; вокза́л.
St. Ex. Stock Exchange фо́ндовая би́ржа.
stg. *sterling* фунт сте́рлингов.
suppl. *supplement* дополне́ние, приложе́ние.
S.W. *Southwest* юго-восто́к; *Southwestern* юго-восто́чный.

T

t. *ton* то́нна.
T.D. *Treasury Department* министе́рство фина́нсов (в США).
Tenn. *Tennessee* Теннесси́ (штат в США).
Tex. *Texas* Теха́с (штат в США).
T.M.O. *telegraphic money order* де́нежный перево́д по телегра́фу.
T.O. *Telegraph (Telephone) Office* телегра́фное (телефо́нное) отделе́ние.
T.U. *Trade Union* тред-юнио́н профессиона́льный сою́з.
T.U.C. *Trade Unions Congress* конгре́сс (брита́нских) тред-юнио́нов.

U

U.K. *United Kingdom* Соединённое Короле́вство (Англия, Шотландия, Уэльс и Северная Ирландия).
U.N. *United Nations* Объединённые На́ции.
UNESCO *United Nations Educational, Scientific, and Cultural Organization* Организа́ция Объединённых На́ций по вопро́сам просвеще́ния, нау́ки и культу́ры, ЮНЕСКО.
U.N.S.C. *United Nations Security Council* Сове́т Безопа́сности ООН.
U.P. *United Press* телегра́фное аге́нтство „Юна́йтед Пресс".
U.S.(A.) *United States (of America)* Соединённые Шта́ты (Аме́рики).
Ut. *Utah* 'Юта (штат в США).

V

Va. *Virginia* Вирги́ния (штат в США).
VE-day *Victory in Europe-day* День побе́ды в Евро́пе (над Германией в 1945).
viz. *videlicet* (лат.) а и́менно.
vol. *volume* том.
vols. *volumes* тома́ *pl.*
Vt. *Vermont* Вермо́нт (штат в США).

W

W. *West* за́пад; *Western* за́падный.
Wash. *Washington* Ва́шингто́н (штат в США).
W.D. *War Department* вое́нное министе́рство США.
W.F.T.U. *World Federation of Trade Unions* Всеми́рная федера́ция профессиона́льных сою́зов, ВФП.
W.H.O. *World Health Organization* Всеми́рная организа́ция здравоохране́ния, ВОЗ.
W.I. *West Indies* Вест-'Индия.
Wis. *Wisconsin* Виско́нсин (штат в США).
W.O. *War Office* (британское) вое́нное министе́рство.
wt. *weight* вес.
W.Va. *West Virginia* За́падная Вирги́ния (штат в США).
Wyo. *Wyoming* Вайо́минг (штат в США).

X

Xmas *Christmas* рождество́.

Y

yd(s). *yard(s)* я́рд(ы).
Y.M.C.A. *Young Men's Christian Association* Христиа́нская ассоциа́ция молоды́х люде́й.
Y.W.C.A. *Young Women's Christian Association* Христиа́нская ассоциа́ция (молоды́х) де́вушек.

Числительные — Numerals

Количественные

Cardinals

0 ноль & нуль *m* naught, zero, cipher
1 один *m*, одна́ *f*, одно́ *n* one
2 два *m*/*n*, две *f* two
3 три three
4 четы́ре four
5 пять five
6 шесть six
7 семь seven
8 во́семь eight
9 де́вять nine
10 де́сять ten
11 оди́ннадцать eleven
12 двена́дцать twelve
13 трина́дцать thirteen
14 четы́рнадцать fourteen
15 пятна́дцать fifteen
16 шестна́дцать sixteen
17 семна́дцать seventeen
18 восемна́дцать eighteen
19 девятна́дцать nineteen
20 два́дцать twenty
21 два́дцать оди́н *m* (одна́ *f*, одно́ *n*) twenty-one
22 два́дцать два *m*/*n* (две *f*) twenty-two
23 два́дцать три twenty-three
30 три́дцать thirty
40 со́рок forty
50 пятьдеся́т fifty
60 шестьдеся́т sixty
70 се́мьдесят seventy
80 во́семьдесят eighty
90 девяно́сто ninety
100 сто (a или one) hundred
200 две́сти two hundred
300 три́ста three hundred
400 четы́реста four hundred
500 пятьсо́т five hundred
600 шестьсо́т six hundred
700 семьсо́т seven hundred
800 восемьсо́т eight hundred
900 девятьсо́т nine hundred
1000 (одна́) ты́сяча *f* (a или one) thousand
60 140 шестьдеся́т ты́сяч сто со́рок sixty thousand one hundred and forty
1 000 000 (оди́н) миллио́н *m* (a или one) million
1 000 000 000 (оди́н) миллиа́рд *or* биллио́н *m* milliard, *Am.* billion

Порядковые

Ordinals

1st пе́рвый first
2nd второ́й second
3rd тре́тий third
4th четвёртый fourth
5th пя́тый fifth
6th шесто́й sixth
7th седьмо́й seventh
8th восьмо́й eighth
9th девя́тый ninth
10th деся́тый tenth
11th оди́ннадцатый eleventh
12th двена́дцатый twelfth
13th трина́дцатый thirteenth
14th четы́рнадцатый fourteenth
15th пятна́дцатый fifteenth
16th шестна́дцатый sixteenth
17th семна́дцатый seventeenth
18th восемна́дцатый eighteenth
19th девятна́дцатый nineteenth
20th двадца́тый twentieth
21st два́дцать пе́рвый twenty-first
22nd два́дцать второ́й twenty-second
23rd два́дцать тре́тий twenty-third
30th тридца́тый thirtieth
40th сороково́й fortieth
50th пятидеся́тый fiftieth
60th шестидеся́тый sixtieth
70th семидеся́тый seventieth
80th восьмидеся́тый eightieth
90th девяно́стый ninetieth
100th со́тый (one) hundredth
200th двухсо́тый two hundredth
300th трёхсо́тый three hundredth
400th четырёхсо́тый four hundredth
500th пятисо́тый five hundredth
600th шестисо́тый six hundredth
700th семисо́тый seven hundredth
800th восьмисо́тый eight hundredth
900th девятисо́тый nine hundredth
1000th ты́сячный (one) thousandth
60 140th шестьдеся́т ты́сяч сто сороково́й sixty thousand one hundred and fortieth
1 000 000th миллио́нный millionth

Русские меры длины и веса

Russian Measures and Weights

In the U.S.S.R. the metric system is in force since January 1st, 1927. Hence measures and weights are in accordance with the international metric system.

Moreover the following old Russian measures and weights are occasionally still used within the Soviet Union:

1. Ме́ры длины́. Long measures

1 верста́ (verst) = 500 саже́ням (саже́нь, fathom) = 1500 арши́нам (arshin) = 1066.78 m.

1 арши́н (arshin) = 2.333 фу́та (фут, foot) = 16 вершка́м (вершо́к, vershock) = 28 дюймам (дюйм, inch) = 0.71 m.

2. Квадра́тные ме́ры. Square measures

1 квадра́тная верста́ (square verst) = 104.167 десяти́ны (dessiatine) = 250 000 квадра́тным саже́ням (square sagene)

1 десяти́на (dessiatine) = 2400 кв. саже́ням (square sagene) = 109.254 acres

3. Ме́ры объёма. Cubic measures

куби́ческий фут (cubic foot); куби́ческая саже́нь (cubic sagene); куби́ческий арши́н (cubic arshin)

4. Хле́бные ме́ры. Dry measures

1 че́тверть (chetvert) = 2 осьми́нам (осьми́на, osmina, eighth) = 4 полуосьми́нам (poluosmina) = 8 четверика́м (четвери́к, chetverik) = 64 га́рнцам (га́рнец, garnetz) = 209.9 l.

5. Ме́ры жи́дкостей. Liquid measures

1 ведро́ (bucket) = 10 кру́жкам (кру́жка, mug) = 100 ча́ркам (ча́рка, cup, gin-glas) = 12.30 l.

6. Ме́ры ма́ссы (ве́са). Weights

1 пуд (pood) = 40 фу́нтам (фунт, pound) = 1280 ло́там (small weight) = 16.38 kg.

1 лот (small weight) = 3 золотника́м (золотни́к, zolotnick) = 288 до́лям (до́ля, dolya)

Валю́та. Currency

1 рубль (rouble) = 100 копе́йкам (копе́йка, copeck)

American and British Measures and Weights

Американские и британские меры длины и веса

1. Ме́ры длины́

1 **line (l.)** ли́ния = 2,12 мм
1 **inch (in.)** дюйм = 2,54 см
1 **foot (ft.)** фут = 30,48 см
1 **yard (yd.)** ярд = 91,44 см

2. Морски́е ме́ры

1 **fathom (f., fm.)** морска́я саже́нь = 1,83 м
1 **cable('s) length** ка́бельтов = 183 м, в США = 120 морски́м саже́ням = 219 м
1 **nautical mile (n. m.)** *or* **1 knot** морска́я ми́ля = 1852 м

3. Квадра́тные ме́ры

1 **square inch (sq. in.)** квадра́тный дюйм = 6,45 кв. см
1 **square foot (sq. ft.)** квадра́тный фут = 929,03 кв. см
1 **square yard (sq. yd.)** квадра́тный ярд = 8361,26 кв. см
1 **square rod (sq. rd.)** квадра́тный род = 25,29 кв. м
1 **rood (ro.)** руд = 0,25 а́кра
1 **acre (a.)** акр = 0,4 га
1 **square mile (sq. mi.)** квадра́тная ми́ля = 259 га

4. Ме́ры объёма

1 **cubic inch (cu. in.)** куби́ческий дюйм = 16,387 куб. см
1 **cubic foot (cu. ft.)** куби́ческий фут = 28316,75 куб. см
1 **cubic yard (cu. yd.)** куби́ческий ярд = 0,765 куб. м
1 **register ton (reg. ton)** реги́стровая то́нна = 2,832 куб. м

5. Ме́ры ёмкости

Ме́ры жи́дких и сыпу́чих тел

1 **British** *or* **Imperial gill (gl., gi.)** станда́ртный и́ли англи́йский джилл = 0,142 л
1 **British** *or* **Imperial pint (pt.)** станда́ртная и́ли англи́йская пи́нта = 0,568 л
1 **British** *or* **Imperial quart (qt.)** станда́ртная и́ли англи́йская ква́рта = 1,136 л
1 **British** *or* **Imp. gallon (Imp. gal.)** станда́ртный и́ли англи́йский галло́н = 4,546 л

6. Ме́ры сыпу́чих тел

1 **British** *or* **Imperial peck (pk.)** станда́ртный и́ли англи́йский пек = 9,086 л
1 **Brit.** *or* **Imp. bushel (bu., bus.)** станда́ртный и́ли англи́йский бу́шель = 36,35 л
1 **Brit.** *or* **Imperial quarter (qr.)** станда́ртная и́ли англи́йская че́тверть = 290,8 л

7. Ме́ры жи́дких тел

1 **Brit.** *or* **Imperial barrel (bbl., bl.)** станда́ртный и́ли англи́йский ба́ррель = 1,636 гл

Америка́нские ме́ры жи́дких и сыпу́чих тел

Ме́ры сыпу́чих тел

1 **U.S. dry pint** америка́нская суха́я пи́нта = 0,551 л
1 **U.S. dry quart** америка́нская суха́я ква́рта = 1,1 л
1 **U.S. dry gallon** америка́нский сухо́й галло́н = 4,4 л
1 **U.S. peck** америка́нский пек = 8,81 л
1 **U.S. bushel** америка́нский бу́шель = 35,24 л

Ме́ры жи́дких тел

1 U.S. liquid gill америка́нский джилл (жи́дкости) = 0,118 л
1 U.S. liquid pint америка́нская пи́нта (жи́дкости) = 0,473 л
1 U.S. liquid quart америка́нская ква́рта (жи́дкости) = 0,946 л
1 U.S. liquid gallon америка́нский галло́н (жи́дкости) = 3,785 л
1 U.S. barrel америка́нский ба́ррель = 119 л
1 U.S. barrel petroleum америка́нский ба́ррель не́фти = 158,97 л

8. Торго́вые ме́ры ве́са

1 grain (gr.) гран = 0,0648 г
1 dram (dr.) дра́хма = 1,77 г
1 ounce (oz.) у́нция = 28,35 г
1 pound (lb.) фунт = 453,59 г
1 quarter (qr.) че́тверть = 12,7 кг, в США = 11,34 кг

1 hundredweight (cwt.) це́нтнер = 50,8 кг, в США = 45,36 кг
1 stone (st.) стон = 6,35 кг

1 ton (tn., t.) = 1016 кг (тж **long ton: tn. l.**), в США = 907,18 кг (тж **short ton: tn. sh.**)